le Guide du **routard**

Directeur de collection et auteur
Philippe GLOAGUEN

Cofondateurs
Philippe GLOAGUEN et Michel DUVAL

Rédacteur en chef
Pierre JOSSE

Rédacteurs en chef adjoints
Amanda KERAVEL et Benoît LUCCHINI

Directrice de la coordination
Florence CHARMETANT

Directeur de routard.com
Yves COUPRIE

Rédaction
Olivier PAGE, Véronique de CHARDON,
Isabelle AL SUBAIHI, Anne-Caroline DUMAS,
Carole BORDES, Bénédicte BAZAILLE,
André PONCELET, Marie BURIN des ROZIERS,
Thierry BROUARD, Géraldine LEMAUF-BEAUVOIS,
Anne POINSOT, Mathilde de BOISGROLLIER,
Gavin's CLEMENTE-RUÏZ, Alain PALLIER
et Fiona DEBRABANDER

ATHÈNES
ET LES ÎLES GRECQUES

2005
2006

Hachette

Avis aux hôteliers et aux restaurateurs

Les enquêteurs du *Guide du routard* travaillent dans le plus strict anonymat, afin de préserver leur indépendance et l'objectivité des guides. Aucune réduction, aucun avantage quelconque, aucune rétribution ne sont jamais demandés en contrepartie. Face aux aigrefins, la loi autorise les hôteliers et restaurateurs à porter plainte.

Hors-d'œuvre

Le *GDR*, ce n'est pas comme le bon vin, il vieillit mal. On ne veut pas pousser à la consommation, mais évitez de partir avec une édition ancienne. D'une année sur l'autre, les modifications atteignent et dépassent souvent les 30 %.

Spécial copinage

Le Bistrot d'André : 232, rue Saint-Charles, 75015 Paris. ☎ 01-45-57-89-14. Ⓜ Balard. À l'angle de la rue Leblanc. Fermé le dimanche. Menu à 12,50 € servi le midi en semaine uniquement. Menu-enfants à 7 €. À la carte, compter autour de 22 €. L'un des seuls bistrots de l'époque Citroën encore debout, dans ce quartier en pleine évolution. Ici, les recettes d'autrefois sont remises à l'honneur. Une cuisine familiale, telle qu'on l'aime. Des prix d'avant-guerre pour un magret de canard poêlé sauce au miel, des rognons de veau aux champignons, un poisson du jour... Kir offert à tous les amis du *Guide du routard.*

ON EN EST FIERS : www.routard.com

Tout pour préparer votre voyage en ligne, de A comme argent à Z comme Zanzibar : des fiches pratiques sur 125 destinations (y compris les régions françaises), nos tuyaux perso pour voyager, des cartes et des photos sur chaque pays, des infos météo et santé, la possibilité de réserver en ligne son visa, son vol sec, son séjour, son hébergement ou sa voiture. En prime, *routard mag*, véritable magazine en ligne, propose interviews de voyageurs, reportages, carnets de route, événements culturels, dossiers pratiques, produits nomades, fêtes et infos du monde. Et bien sûr : des concours, des *chats,* des petites annonces, une boutique de produits de voyage...

Mille excuses, on ne peut plus répondre individuellement aux centaines de CV reçus chaque année.

TABLE DES MATIÈRES

Attention, la Crète fait l'objet d'un guide à part et les îles Ioniennes sont traitées dans le guide *Grèce continentale*

COMMENT Y ALLER ?

- LES LIGNES RÉGULIÈRES ... 13
- LES ORGANISMES DE VOYAGES 14
- EN TRAIN 30
- EN VOITURE 32
- EN BUS 32
- EN BATEAU 32

GÉNÉRALITÉS

- CARTE D'IDENTITÉ 36
- AVANT LE DÉPART 37
- ARGENT, BANQUES, CHANGE . 41
- ACHATS 42
- ARCHÉOLOGIE 42
- AVENTURE, SPORT, NATURE 43
- BOISSONS 44
- BUDGET 45
- CLIMAT 48
- CUISINE 49
- DANGERS ET ENQUIQUINE-MENTS 53
- DROITS DE L'HOMME 53
- ÉCONOMIE 54
- ENVIRONNEMENT 55
- FÊTES ET JOURS FÉRIÉS 57
- GÉOGRAPHIE 58
- HABITAT 58
- HÉBERGEMENT 59
- HISTOIRE 61
- HORAIRES 70
- INFOS EN FRANÇAIS SUR TV5 70
- UNE JOURNÉE À LA GRECQUE 71
- *KARAGHIOZIS* 71
- LANGUE 71
- LIVRES DE ROUTE 76
- MÉDIAS 79
- MUSÉES ET SITES ARCHÉO-LOGIQUES 79
- MUSIQUE, DANSE 80
- MYTHOLOGIE 82
- PERSONNAGES 84
- PHOTO 86
- PLAGES 88
- PLONGÉE SOUS-MARINE 88
- POLICE TOURISTIQUE 90
- POLITIQUE 90
- POPULATION 91
- POSTE 92
- RELATIONS GRÉCO-TURQUES 92
- RELIGIONS ET CROYANCES 93
- ROUTES 94
- SANTÉ 95
- SAVOIR-VIVRE ET COUTUMES 96
- SITES INTERNET 96
- TÉLÉPHONE-TÉLÉCOMMUNI-CATIONS 97
- TRANSPORTS INTÉRIEURS .. 97

ATHÈNES

- UN PEU D'HISTOIRE 102
- UNE VILLE TRANSFORMÉE
- POUR 2004 ....
- ARRIVÉE À L'AÉROPORT ....

- TRANSPORTS URBAINS À ATHÈNES ET EN ATTIQUE ... 105
- LES TAXIS : RUSES ET ARNAQUES 108
- ADRESSES UTILES 108
- OÙ DORMIR? 113
- OÙ CAMPER DANS LES ENVIRONS? 121
- OÙ DORMIR DANS LES ENVIRONS? 122
- OÙ MANGER? 122
- OÙ BOIRE UN VERRE? 129
- OÙ MANGER UNE BONNE PÂTISSERIE? OÙ DÉGUSTER UNE GLACE? 131

- LES SPECTACLES 132
- OÙ SORTIR? 133
- ACHATS 134
- À VOIR 135
  - Les sites archéologiques • Les quartiers • Les musées
- DANS LES ENVIRONS D'ATHÈNES 149
  - Les monastères • Les musées • Les sites archéologiques • Les plages
- QUITTER ATHÈNES 153
- RAFINA 154
- LE PIRÉE (PIREAS) 155

LES ÎLES GRECQUES

- DES ÎLES ET DES CHIFFRES 159
- QUELLES ÎLES CHOISIR? 160
- COMMENT Y ALLER?........ 161

- OÙ DORMIR? 164
- LOCATION DE SCOOTERS ... 164

LES ÎLES SPORADES

- COMMENT Y ALLER?........ 164
- SKIATHOS 166
  - Skiathos (la capitale) • L'ouest de l'île : la plage de Banana, Koukounariès, Agia Éléni, les plages de Mandraki et Gournès, le monastère de la Panagia Kounistra, la plage d'Assélinos, la plage d'Alligariès • L'est de l'île : le monastère d'Évangélistria, Kastro, Lalaria
- SKOPÉLOS 172
  - Skopélos (Chora) • La plage de Glistéri, Staphylos, Agnondas, Limnonari, Panormos, Linarakia, Milia, Klima, Agios Ioannis,

Glossa, les monastères
- ALONISSOS 179
  - Patitiri (la capitale) • Vers le nord-est : Roussoum et Votsi, Milia Yalos, Chryssi Milia, Kokkinokastro, Leftos Gialos, Sténi Vala, Kalamakia, Agios Dimitrios • Vers le sud : Mégalos Mourtias, Mikros Mourtias • Vers l'ouest : Mégali Ammos • Le Parc national marin
- SKYROS 187
  - Linaria • Ahérounès • Pefko • Agios Fokas • Atsitsa • Magazia et Molos • Skyros (Chora ; la capitale) • Kalamitsa

LES ÎLES SARONIQUES

- COMMENT Y ALLER?........ 195
- ÉGINE 195

  - Le port d'Égine • Souvala • Perdika • L'île d'Angistri

- **POROS** 202
  - Poros-ville • Le monastère de Zoodochou Pigis • Le temple de Poséidon • Néorio
- **HYDRA** 206
- Hydra-ville
- **SPETSÈS** 212
  - Spetsès-ville • Agia Marina • Zogéria • Agii Anarghiri

LES CYCLADES

- **PRÉSENTATION ET CARTE D'IDENTITÉ** 218
- **COMMENT CHOISIR SON ITINÉRAIRE?** 220
- **MEILLEURES PÉRIODES POUR VISITER LES CYCLADES** 220
- **HÉBERGEMENT** 221
- **LES BATEAUX** 221

Les Cyclades de l'Ouest

- **KYTHNOS** 222
  - Mérichas • Kythnos (Chora) • Driopida • Loutra • Kanala
- **SIFNOS** 228
  - Kamarès • Apollonia • Artémonas • Kastro • Les plages de Sifnos : Platis Gialos, Faros, Vathy, Chéronissos
- **SÉRIFOS** 239
  - Livadi • Chora • La région de Koutalas : Mégalo Livadi, Koutalas
- **MILOS** 245
  - Adamas (Adamantas) • Le nord de l'île : Klima, Plaka, Sarakiniko, Pollonia (Apollonia) • Le sud de l'île : Paliochori, Agia Kyriaki, Tsigrado, Firiplaka, Provatas, Achivadolimni • Le sud-ouest de l'île : Halakas, le monastère Agios Ioannis Sithérianos et les plages de Fatourénas, Rivari, Emborios

Les Cyclades centrales

- **SYROS** 255
  - Ermoupolis • Au nord d'Ermoupolis : Ano Méria, Chalandriani, la colline de Kastri et les plages Varvaroussa, Marmari, Gram-

mata • Au sud et à l'ouest d'Ermoupolis : Possidonia, Finikas, Mégas Gialos • Kini • Galissas
- **PAROS** 262
  - Parikia • Le cap Agios Phokas • Le monastère Christos tou Dassous • La vallée des Papillons • Le monastère de Longovarda • Marathi • Naoussa • Santa Maria-Filitzi-Ambélas • Kostos • Lefkès • Pisso Livadi et Logaras • Pounda • Messada • Marpissa • Marmara • Prodromos • Golden Beach • Drios • Alyki
- **ANTIPAROS** 283
  - La grotte • Agios Giorgios
- **NAXOS** 285
  - Chora • Le monastère d'Agios Ioannis tou Chryssostomou • La tour de Bellonia • Mélanès • Flério • Les plages : Agios Prokopios, Agia Anna, Plaka, Mikri Vigla, Kastraki, Alykos et Pyrgaki • L'arrière-pays et les villages : Sangri, Halki, Filoti, Apirathos, Moutsouna, Koronos, Apollonas • Randonnées pédestres

Les Cyclades du Nord et du Nord-Est

- **ANDROS** 304
  - Gavrio • La tour d'Agios Pétros • Les plages : Kato Fellos, Agios Pétros, Golden Beach, Vitali • Batsi • Le monastère Zoodochou Pigis • Katakilos et Arnas • La plage d'Ateni • Paléopolis • Chora • Apikia • Le monastère Agios Nikolaos • Sténiès • La tour Bisti-Mouvéla

- Strapouriès et Ipsilou • Ménitès
- Le monastère de Panachrandou
- Sinéti • Ormos Korthiou • La plage de Pidima tis Grias • Le village d'Aïdonia
- **TINOS** 313
  - Tinos-ville • Au nord de Tinos-ville : Berdémiados, Triandaros, la colline de l'Exobourgo, le monastère de Kechrovounio, Arnados, Kéchros, Falatados, Volax, Komi, Kalloni, la plage de Kolymbithra
  - Au nord-ouest de Tinos-ville : Ktikados, Xynara, Loutra, la vallée de Tarabados, Kardiani, Isternia, Pyrgos, Panormos
- **MYKONOS** 327
  - Mykonos-ville • Tourlos • Agios Stéfanos (Stéfanos Beach) • Panormos et Agios Sostis • Ano Méra • Les plages au sud : Kalafati Beach, Kalo Livadi (Livadi Beach), Élia Beach, Paradise Beach, Super Paradise, Paraga Beach, Platis Gialos Beach, Psa-

rou Beach, Ornos Beach, Agios Ioannis Beach
- **DÉLOS** 345

Les Cyclades du Sud et du Sud-Est

- **SANTORIN** 348
  - Théra (Fira) • Kartérados • Pyrgos • Akrotiri • Messaria • Périssa • Perivolos • Kamari • L'ancienne Théra • Finikia • Oia
- **AMORGOS** 378
  - Katapola • Chora • Aigiali • Arkessini et Kolofana
- **ANAFI** 390
  - Agios Nikolaos • Chora
- **FOLÉGANDROS** 393
  - Karavostassi • Chora • Ano Méria
- **IOS** 399
  - Yalos (Ormos) • Chora • Mylopotas
- **LES PETITES CYCLADES** 408
  - Iraklia • Schinoussa • Koufonissia • Donoussa

LES ÎLES DU DODÉCANÈSE

- **KASSOS** 416
  - Fry
- **KARPATHOS** 419
  - Pigadhia • Ammoopi • Arkassa • Lefkos • Achata, Kato Lako, Kyra Panagia, Apella et Agios Nikolaos • Diafani • Olymbos
- **KASTELORIZO** 431
- **RHODES** 434
  - Rhodes (la capitale) • La côte est : Les thermes de Kallithéa, Afandou, Archangélos, Haraki, Lindos • Le sud-est : Gennadi, Lahania, Plimiri, Katavia • Le nord : le mont Philérimos, la vallée des Papillons (Pétaloudès) • La côte nord-ouest : Kalavarda, Kala Kamirou, Embonas, Mono-

lithos • Plus au sud : Messanagros, le monastère de Skiadi
- **HALKI** 462
- **SYMI** 463
  - Symi-ville • Le monastère de Panormitis
- **TILOS** 472
  - Livadia • Mégalo Horio • Agios Antonios • Éristos
- **NISSYROS** 477
  - Mandraki • Le volcan To Ifaistio • Le monastère de Panagia Thermiani à Pali • Les ruines de Paléokastro • Nikia • Emborio • Le hameau abandonné d'Avlaki • Les monastères • Les plages • L'îlot d'Yali
- **ASTYPALÉA** 482

- Chora et Livadia • Maltézana
- Vathy • Le monastère de Fléva-
riotissa
- **KOS** 485
  - Kos-ville • Platani • L'Asklépion
  - La montagne : Zia, Paléo Pili
  - Les plages : Tigaki, Mastihari,
  Paradise Beach, Agios Stéfanos,
  Limnionas, Kamari
- **KALYMNOS** 496
  - Pothia • Kandouni et Linaria
  - Massouri-Myrtiès • Télendos
  - Emborios • Vathy
- **LÉROS** 505

- Agia Marina, Platanos, Pandéli,
Vromolithos • Alinda • Drymonas
  - Lakki • Xirokambos
- **LIPSI** 513
  - Au nord : l'îlot de Marathi et l'île
  d'Arki
- **PATMOS** 516
  - Skala • Les plages au nord de
  Skala : Agriolivadi, Kambos, Li-
  vadi et Geranou Bay, Lambi
  - Chora • Les plages au sud de
  Chora : Grikos, Plaki, Petra Bay,
  Psili Ammos

LES ÎLES DE L'EST ET DU NORD DE LA MER ÉGÉE

- **SAMOS** 525
  - Samos-ville (Vathy) • Kokkari
  - Vourliotès • Karlovassi • Ormos
  Marathokambos • Pythagorio
- **ICARIA** 541
  - La côte nord : Evdilos et Armen-
  istis • La côte sud : Agios Kyri-
  kos et Therma
- **CHIOS** 544
  - Chios • À l'ouest et au nord de
  l'île : le monastère d'Agios Mar-
  kos, le monastère de Néa Moni,
  le village médiéval d'Avgonyma,

le village médiéval d'Anavatos,
Volissos, Agio Gala, Vrondados
  - Au sud de l'île : Karfas, Lithi,
  Agia Irini, les villages du Mastic
  (Mastichochoria) : Pyrghi, Mesta,
  Olymbi • L'île de Psara
- **LESBOS** 558
  - Mytilène • Le nord de l'île :
  Mandamados • Molyvos (Mi-
  thymna) • Pétra • L'ouest de l'île :
  Sigri • Skala Éressos • Kalloni
  - Le sud de l'île : Plomari, Vatéra

- **INDEX GÉNÉRAL** 592
- **OÙ TROUVER LES CARTES ET LES PLANS ?** 599

Recommandations à nos lecteurs qui souhaitent profiter des réductions et avantages proposés dans le *GDR* par les hôteliers et les restaurateurs : à l'hôtel, prenez
la précaution de les réclamer **à l'arrivée** et au restaurant, **au moment** de la
commande (pour les apéritifs) et surtout **avant** l'établissement de l'addition. Poser
votre *GDR* sur la table ne suffit pas : le personnel de salle n'est pas toujours au
courant et une fois le ticket de caisse imprimé, il est difficile pour votre hôte d'en
modifier le contenu. En cas de doute, montrez la notice relative à l'établissement
dans le *GDR* et ne manquez pas de nous faire part de toute difficulté rencontrée.

NOS NOUVEAUTÉS

AFRIQUE DU SUD (paru)

Qui aurait dit que ce pays, longtemps mis à l'index des nations civilisées, parviendrait à chasser ses vieux démons et retrouverait les voies de la paix civile et de la respectabilité ? Le régime de ségrégation raciale (l'apartheid), en vigueur depuis 1948, a été aboli le 30 juin 1991. En 1994 – c'était il y a 10 ans – les Sud-Africains participaient aux premières élections démocratiques et multiraciales jamais organisées dans leur pays. Après 26 années de détention, le prisonnier politique le plus célèbre du monde, Nelson Mandela, devenait le chef d'État le plus admiré de la planète. La mythique « Nation Arc-en-Ciel » connaissait un véritable état de grâce. Pendant un temps, le destin de l'Afrique du Sud fut entre les mains de trois Prix Nobel. Le pays se rangea dans la voie de la réconciliation. Même si ce processus va encore demander du temps, une décennie après, l'Afrique du Sud, devenue une société multiraciale, continue d'étonner le monde.

L'Afrique du Sud n'a jamais été aussi captivante. Voilà un pays exceptionnel baigné par deux océans (Atlantique et Indien), avec d'époustouflants paysages africains.

Des quartiers branchés de Cape Town aux immenses avenues de Johannesburg, des musées de Pretoria à la route des Jardins, du macadam urbain à la brousse tropicale, ce voyage est un périple aventureux où tout est variété, vitalité, énergie ; où rien ne laisse indifférent. Des huttes du Zoulouland aux *lodges* des grands parcs, que de contrastes ! N'oubliez pas les bons vins de ce pays gourmand qui aime aussi la cuisine élaborée. Les plus aventureux exploreront la Namibie, plus vraie que nature, où un incroyable désert de sable se termine dans l'océan. Et ne négligez pas les petits royaumes hors du temps : le Swaziland et le Lesotho.

ISLANDE (mars 2005)

Terre des extrêmes et des contrastes, à la limite du cercle polaire, l'Islande est avant tout l'illustration d'une fabuleuse leçon de géologie. Volcans, glaciers, champs de lave, geysers composent des paysages sauvages qui, selon le temps et l'éclairage, évoquent le début ou la fin du monde. À l'image de son relief et de ses couleurs tranchées et crues, l'Islande ne peut inspirer que des sentiments entiers. Près de 300 000 habitants y vivent, dans de paisibles villages côtiers, fiers d'être ancrés à une île dont la découverte ne peut laisser indifférent. Fiers de descendre des Vikings, en ligne directe. Une destination unique donc (et on pèse nos mots) pour le routard amoureux de nature et de solitude, dans des paysages grandioses dont la mémoire conservera longtemps la trace après le retour.

LES GUIDES DU ROUTARD
2005-2006

(dates de parution sur **www.routard.com**)

France

- Alpes
- Alsace, Vosges
- Aquitaine
- Ardèche, Drôme
- Auvergne, Limousin
- **Bordeaux (mars 2005)**
- Bourgogne
- Bretagne Nord
- Bretagne Sud
- Chambres d'hôtes en France
- Châteaux de la Loire
- Corse
- Côte d'Azur
- **Fermes-auberges en France (nouveauté)**
- Franche-Comté
- Hôtels et restos en France
- Île-de-France
- Junior à Paris et ses environs
- Languedoc-Roussillon
- **Lille (mai 2005)**
- **Lot, Aveyron, Tarn (mars 2005)**
- Lyon
- Marseille
- Montpellier
- Nice
- Nord-Pas-de-Calais
- Normandie
- Paris
- Paris balades
- Paris exotique
- Paris la nuit
- Paris sportif
- Paris à vélo
- Pays basque (France, Espagne)
- Pays de la Loire
- Petits restos des grands chefs
- Poitou-Charentes
- Provence
- **Pyrénées, Gascogne et Pays toulousain (nouveauté)**
- Restos et bistrots de Paris
- Le Routard des amoureux à Paris
- Toulouse
- Week-ends autour de Paris

Amériques

- Argentine
- Brésil
- Californie
- Canada Ouest et Ontario
- Chili et île de Pâques
- Cuba
- Équateur
- États-Unis, côte Est
- Floride, Louisiane
- Guadeloupe, Saint-Martin, Saint-Barth
- Martinique, Dominique, Sainte-Lucie
- Mexique, Belize, Guatemala
- New York
- Parcs nationaux de l'Ouest américain et Las Vegas
- Pérou, Bolivie
- Québec et Provinces maritimes
- Rép. dominicaine (Saint-Domingue)

Asie

- Birmanie
- Cambodge, Laos
- Chine (Sud, Pékin, Yunnan)
- Inde du Nord
- Inde du Sud
- Indonésie
- Israël
- Istanbul
- Jordanie, Syrie
- Malaisie, Singapour
- Népal, Tibet
- Sri Lanka (Ceylan)
- Thaïlande
- Turquie
- Vietnam

Europe

- Allemagne
- Amsterdam
- Andalousie
- Andorre, Catalogne
- Angleterre, pays de Galles
- Athènes et les îles grecques
- Autriche
- Baléares
- Barcelone
- Belgique
- Crète
- Croatie
- Écosse
- Espagne du Centre (Madrid)
- Espagne du Nord-Ouest (Galice, Asturies, Cantabrie)
- **Finlande (avril 2005)**
- **Florence (mars 2005)**
- Grèce continentale
- **Hongrie, République tchèque, Slovaquie (avril 2005)**
- Irlande
- **Islande (mars 2005)**
- Italie du Nord
- Italie du Sud
- Londres
- Malte
- Moscou, Saint-Pétersbourg
- Norvège, Suède, Danemark
- Piémont
- **Pologne et capitales baltes (avril 2005)**
- Portugal
- Prague
- Rome
- **Roumanie, Bulgarie (mars 2005)**
- Sicile
- Suisse
- Toscane, Ombrie
- Venise

Afrique

- Afrique noire
- **Afrique du Sud (nouveauté)**
- Égypte
- Île Maurice, Rodrigues
- Kenya, Tanzanie et Zanzibar
- Madagascar
- Maroc
- Marrakech et ses environs
- Réunion
- Sénégal, Gambie
- Tunisie

et bien sûr...

- Le Guide de l'expatrié
- Humanitaire

NOS NOUVEAUTÉS

BORDEAUX (mars 2005)

Ouf ! ça y est... Bordeaux a son tramway. Grande nouvelle pour les voyageurs qui retrouvent la ville débarrassée d'un chantier qui la défigurait, et aussi pour les Bordelais qui peuvent enfin profiter d'un superbe centre piéton. Car Bordeaux est une aristocrate du XVIIIᵉ siècle que la voiture dérangeait. Elle offre au piéton des ruelles que parcourait déjà Montaigne, quand il en était le maire.

Passé la surprise des superbes façades des Chartrons, des allées de Tourny et du Grand Théâtre, vous irez à la recherche du Bordeaux populaire et mélangé. Vous irez faire la fête dans les zones industrielles portuaires réhabilitées, vous irez parler rugby place de la Victoire avec des étudiants à l'accent rugueux qui font de Bordeaux la vraie capitale du Sud-Ouest (pardon, d'Aquitaine).

Bordeaux est une aristocrate qui aime aussi s'encanailler. Elle aime ses aises, sa liberté, et ne cesse de regretter la victoire des Jacobins sur les Girondins.

Et le vin ? Il est partout et pas seulement le bordeaux, car ces gens sont chauvins, certes, mais aussi curieux, et puis ils considèrent, à juste titre, que tout vin du monde est fils de Bordeaux.

POLOGNE ET CAPITALES BALTES (avril 2005)

Depuis leur entrée au sein de la grande famille européenne, les anciens pays de l'Est suscitent beaucoup de curiosité. On connaissait déjà ce grand pays qu'est la Pologne, avec Cracovie, une vraie perle de culture ; Varsovie ; le massif des Tatras ; les rivages de la Baltique où s'échoue l'ambre fossilisé ; et les plaines encore sauvages de Mazurie où broutent les derniers bisons d'Europe. Mais que dire alors des pays que l'on nomme baltes ? Lituanie, Estonie, Lettonie... On les mélange encore un peu mais, très vite, on distingue leurs différences : Vilnius, la baroque au milieu de collines boisées, Tallinn et son lacis de rues dominées par les flèches des églises, Riga, sa forteresse face à la mer et ses édifices Art nouveau. Malgré les 50 ans de présence soviétique, vous serez surpris par la modernité de ces villes et par le dynamisme qui anime leurs habitants.

Nous tenons à remercier tout particulièrement Loup-Maëlle Besançon, Thierry Bessou, Gérard Bouchu, François Chauvin, Grégory Dalex, Cédric Fischer, Carole Fouque, Michelle Georget, David Giason, Jean-Sébastien Petitdemange, Laurence Pinsard et Thomas Rivallain pour leur collaboration régulière.

Et pour cette chouette collection, plein d'amis nous ont aidés :

David Alon
Didier Angelo
Cédric Bodet
Philippe Bourget
Nathalie Boyer
Ellenore Bush
Florence Cavé
Raymond Chabaud
Alain Chaplais
Bénédicte Charmetant
Geneviève Clastres
Nathalie Coppis
Sandrine Couprie
Agnès Debiage
Célia Descarpentrie
Tovi et Ahmet Diler
Claire Diot
Émilie Droit
Sophie Duval
Pierre Fahys
Alain Fisch
Cécile Gauneau
Stéphanie Genin
Adrien Gloaguen
Clément Gloaguen
Angela Gosmann
Stéphane Gourmelen
Isabelle Grégoire
Claudine de Gubernatis
Xavier Haudiquet
Lionel Husson
Catherine Jarrige
Lucien Jedwab
François et Sylvie Jouffa
Emmanuel Juste
Olga Krokhina
Florent Lamontagne

Vincent Launstorfer
Francis Lecompte
Benoît Legault
Jacques Lemoine
Jean-Claude et Florence Lemoine
Valérie Loth
Dorica Lucaci
Stéphanie Lucas
Philippe Melul
Kristell Menez
Xavier de Moulins
Jacques Muller
Alain Nierga et Cécile Fischer
Patrick de Panthou
Martine Partrat
Jean-Valéry Patin
Odile Paugam et Didier Jehanno
Xavier Ramon
Patrick Rémy
Céline Reuilly
Dominique Roland
Déborah Rudetzki et Philippe Martineau
Corinne Russo
Caroline Sabljak
Jean-Luc et Antigone Schilling
Brindha Seethanen
Abel Ségretin
Alexandra Sémon
Guillaume Soubrié
Régis Tettamanzi
Claudio Tombari
Christophe Trognon
Julien Vitry
Solange Vivier
Iris Yessad-Piorski

Direction : Cécile Boyer-Runge
Contrôle de gestion : Joséphine Veyres et Céline Déléris
Responsable de collection : Catherine Julhe
Édition : Matthieu Devaux, Stéphane Renard, Magali Vidal, Marine Barbier-Blin, Dorica Lucaci, Sophie de Maillard, Laure Méry et Amélie Renaut
Secrétariat : Catherine Maîtrepierre
Préparation-lecture : Véronique Rauzy
Cartographie : Cyrille Suss et Aurélie Huot
Fabrication : Nathalie Lautout et Audrey Detournay
Couverture : conçue et réalisée par Thibault Reumaux
Direction marketing : Dominique Nouvel, Lydie Firmin et Juliette Caillaud
Direction partenariats : Jérôme Denoix et Dana Lichiardopol
Informatique éditoriale : Lionel Barth
Relations presse : Danielle Magne, Martine Levens et Maureen Browne
Régie publicitaire : Florence Brunel

LES QUESTIONS QU'ON SE POSE LE PLUS SOUVENT

➤ *Quel est le décalage horaire ?*

Une heure de plus toute l'année.

➤ *Quelle est la meilleure période pour voyager en Grèce ?*

Incontestablement, les mois de mai et juin : il fait bon, mais la chaleur n'est pas écrasante, les paysages sont encore verts. Inconvénient : début mai, tout n'est pas encore ouvert. Septembre est une bonne période également.

➤ *Si l'on ne peut éviter les mois d'été pour partir, lequel choisir ?*

Le mois de juillet sans nul doute : les Grecs partent massivement dans les îles fin juillet-début août, et les prix des hôtels et des chambres augmentent très fortement après le 15 juillet.

➤ *Doit-on redouter les fortes chaleurs ?*

Si vous aimez la fraîcheur, l'Irlande vous tend les bras ! En Grèce, dès le printemps, l'été s'installe brutalement, plus ou moins vite selon les régions. À noter qu'il fait moins chaud dans les îles, plus ventées en été (les Cyclades, notamment, balayées en août par le *meltémi*).

➤ *Quel est le meilleur moyen pour aller en Grèce ?*

Tout dépend si vous voulez disposer de votre véhicule ou non. Les ferries au départ de l'Italie sont nombreux et proposent des tarifs compétitifs. Sinon, l'avion, mais les liaisons, à moins de partir en charter, restent relativement chères.

➤ *La Grèce est-elle un pays cher ?*

Petit à petit, et notamment pour les tarifs hôteliers, la Grèce a fini par se rapprocher des autres pays européens. Mais les variations de prix sont très importantes d'une île à une autre : Mykonos, Santorin sont très chères, Astypaléa ou Icaria sont bon marché.

➤ *Comment dormir pour pas (trop) cher en Grèce ?*

Les chambres et appartements chez l'habitant, très nombreux, restent la solution la plus économique et sont parfois à peine plus chers que les campings, de toute façon assez peu nombreux.

➤ *Peut-on facilement se déplacer d'île en île ?*

Oui, sans grand problème, car les bateaux sont nombreux. Longtemps très bon marché, mais les tarifs ont pas mal augmenté ces dernières années. Certaines îles restent mal desservies ; en contrepartie, elles sont plus tranquilles.

➤ *Peut-on aisément voyager dans les îles avec des enfants ?*

Oui, les bateaux sont de plus en plus confortables et de plus en plus rapides. Et c'est le plus souvent un plaisir pour eux d'être sur la Grande Bleue.

➤ *Dans quelle langue communique-t-on avec les Grecs ?*

Le plus souvent en anglais, bien que pas mal de Grecs travaillant dans le tourisme se débrouillent en français. Mais rien que pour se repérer en ville ou sur les routes, savoir déchiffrer le grec est vraiment très utile.

COMMENT Y ALLER?

LES LIGNES RÉGULIÈRES

DE FRANCE

▲ AIR FRANCE

Renseignements et réservations au ☎ 0820-820-820 (de 6 h 30 à 22 h),
● www.airfrance.fr ●, dans les agences Air France et dans toutes les
agences de voyages.
– *Athènes :* 18, léoforos Vouliagménis, 166 75 Glyfada. ☎ 21-09-60-11-00.
Fax : 21-09-60-14-57.
Air France dessert l'aéroport international d'Athènes (Spata) avec 4 vols
quotidiens au départ de Roissy-Charles-de-Gaulle, aérogare 2, hall D.
Air France propose une gamme de tarifs attractifs accessibles à tous :
– « Évasion » : en France et vers l'Europe, Air France propose des réductions selon la formule « plus vous achetez tôt, moins c'est cher ».
– « Semaine » : pour un voyage aller-retour pendant la semaine.
– « Évasion week-end » : pour des voyages autour du week-end avec des
réservations jusqu'à la veille du départ.
Air France propose également, sur la France, des réductions jeunes,
seniors, couples ou famille. Pour les moins de 25 ans, Air France propose
une carte de fidélité gratuite et nominative, « Fréquence Jeune », qui permet
de cumuler des *miles* sur Air France ou sur les compagnies membres de
Skyteam et de bénéficier de billets gratuits et d'avantages chez de nombreux
partenaires.
Tous les mercredis dès 0 h, sur ● www.airfrance.fr ●, Air France propose les
tarifs « Coup de cœur », une sélection de destinations en France pour des
départs de dernière minute.
Sur Internet, possibilité de consulter les meilleurs tarifs du moment, rubrique
« offres spéciales », « promotions ».

▲ OLYMPIC AIRLINES

– *Paris :* 3, rue Auber, 75009. ☎ 01-44-94-58-58. Fax : 01-44-94-58-69.
● www.olympicairlines.com ● Ⓜ Opéra et RER A : Auber. Ouvert du lundi au
vendredi de 9 h 30 à 17 h 30.
Dessert Athènes 2 fois par jour au départ de Roissy-Charles-de-Gaulle. Correspondances à Athènes (même aéroport) pour les villes intérieures et certaines îles grecques : Crète (La Canée), Santorin, Corfou, Rhodes et plein
d'autres... Bagages autorisés : maxi 23 kg.

▲ HELLAS JET

– *Paris :* 37, rue Jean-Giraudoux, 75116. ☎ 01-45-00-76-60. Fax : 01-45-
01-24-20. ● www.hellas-jet.com ● Ⓜ Kléber.
Filiale de Cyprus Airways, Hellas Jet propose 1 à 2 départs quotidiens pour
Athènes depuis Paris, par Roissy-Charles-de-Gaulle 1.

DE BELGIQUE

▲ SN BRUSSELS AIRLINES

Pour tous renseignements : ☎ 0826-10-18-18 depuis la France, et ☎ 070-
35-11-11 en Belgique. ● www.flysn.com ● Propose 1 à 2 vols quotidier
Bruxelles-Athènes.

▲ OLYMPIC AIRLINES
– *Bruxelles :* av. Louise, 138, 1050. ☎ (02) 649-8158. Fax : (02) 640-0106. Assure 2 vols quotidiens sauf le samedi (1 seul).

▲ HELLAS JET
– *Bruxelles* : *Kales Airlines Services,* av. des Arts, 27, 1040. ☎ (02) 280-0003. Fax : (02) 231-0356. *Kales Airlines Services* est l'agent d'Hellas Jet pour la Belgique et le Luxembourg. Un à 2 vols quotidiens.

DE SUISSE

▲ SWISS
Pour tous renseignements : ☎ 0820-040-506 depuis la France, et ☎ 0848-852-000 en Suisse. • www.swiss.com • Propose 1 vol quotidien Genève-Athènes et 2 à 3 vols quotidiens Zurich-Athènes.

▲ OLYMPIC AIRLINES
– *Genève :* 4, tour de l'Île, 1204. ☎ (022) 311-9624. Propose 4 à 5 vols hebdomadaires Genève-Athènes.

LES ORGANISMES DE VOYAGES

– Ne pas croire que les vols à tarif réduit sont tous au même prix pour une même destination à une même époque : loin de là. On a déjà vu, dans un même avion partagé par deux organismes, des passagers qui avaient payé 40 % plus cher que les autres... Authentique ! De plus, une agence bon marché ne l'est pas forcément toute l'année (elle peut n'être compétitive qu'à certaines dates bien précises). Donc, contactez tous les organismes et jugez vous-même.
– Les organismes cités sont classés par ordre alphabétique, pour éviter les jalousies et les grincements de dents.

EN FRANCE

▲ AIR SUD DÉCOUVERTES
– *Paris :* 25, bd de Sébastopol, 75001. ☎ 01-40-41-66-66. Fax : 01-40-26-68-44. • www.airsud.com • airsud@airsud.com • Ⓜ Châtelet-Les Halles.
Agence de voyages spécialisée avant tout sur la Grèce (charters et tarifs réduits). D'ailleurs Nicolas, son patron, est d'origine grecque. Air Sud organise des séjours spéciaux avec hébergement dans les îles, de la petite pension à l'hôtel de catégorie luxe ; des habitations troglodytiques à Santorin avec terrasse privée face à la mer ; une pension-taverne à Amorgos, l'île du *Grand Bleu,* dans un village à l'écart des touristes. Air Sud propose des locations de maisons et d'appartements dans toute la Grèce, et organise votre voyage sur mesure dans plus d'une trentaine d'îles. Nouveauté, Chypre est au catalogue d'Air Sud avec de nombreuses formules de voyages, dont l'écotourisme.
Par ailleurs, Air Sud organise des voyages pour célibataires accessibles sur Internet : • www.partirseul.com •
Les tarifs réduits sur vols réguliers peuvent être consultés sur Internet ainsi que sur leur brochure.

▲ ANYWAY.COM
Renseignements : ☎ 0892-892-612 (0,34 €/mn). Fax : 01-53-19-67-10. • www.anyway.com • Du lundi au vendredi de 8 h à 20 h et le samedi de 9 h à 19 h.
Depuis 15 ans, Anyway.com se spécialise dans le vol sec et s'adresse à us les routards en négociant des tarifs auprès de 500 compagnies

Envolez-vous vers la destination de vos rêves.
www.airfrance.fr

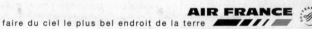

faire du ciel le plus bel endroit de la terre **AIR FRANCE**

aériennes et l'ensemble des vols charters pour garantir des prix toujours plus compétitifs.

Anyway.com, c'est aussi la possibilité de comparer les prix de quatre grands loueurs de voitures. On accède également à plus de 12 000 hôtels du 2 au 5 étoiles, à des tarifs négociés pour toutes les destinations dans le monde. Ceux qui préfèrent repos et farniente retrouveront plus de 500 séjours et de week-ends tout inclus à des tarifs très compétitifs.

▲ CLUB MED DÉCOUVERTE

Pour se renseigner, recevoir la brochure et réserver, n° Azur : ☎ 0810-802-810 (prix d'un appel local en France). ● ● www.clubmed-decouverte.com ● Et dans les agences Club Med Voyages, Thomas Cook et agences agréées.

Département des circuits et escapades organisés par le Club Méditerranée. Présence dans le monde entier dont la Grèce. Le savoir-faire du Club en Grèce, c'est :

– un rythme équilibré entre découverte, culture et détente ;

– des départs garantis sur de nombreux circuits, sauf pour certaines destinations qui requièrent un minimum de participants ;

– une hôtellerie de qualité et les plaisirs d'une table variée entre spécialités locales et cuisine internationale ;

– un guide accompagnateur choisi pour sa connaissance du pays.

▲ DÉTOURS VOYAGES

– *Paris :* 13, rue de l'Échelle, 75001. ☎ 01-44-55-01-01. Fax : 01-44-55-01-10. ● www.detours-voyages.com ● Ⓜ Pyramides. Ouvert du lundi au vendredi de 10 h à 18 h 30 et le samedi de 10 h à 17 h.

Agence spécialisée sur la Grèce. Depuis plus de 15 ans, les responsables de l'agence visitent les différentes régions de la Grèce afin de proposer un grand choix de prestations. L'agence propose des vols charters pour les principales destinations en Grèce (Athènes, Héraklion, Mykonos, Santorin, etc.), des vols réguliers sur les principales compagnies aériennes, un choix important d'hôtels, des locations de studios et d'appartements, des locations de voitures, des croisières.

Détours voyages est également spécialisé dans l'organisation de voyages « à la carte », sur la Grèce continentale et sur les îles grâce à un réseau de représentants sur la majorité des îles grecques.

▲ DIRECTOURS

– *Paris :* 90, av. des Champs-Élysées, 75008. ☎ 01-45-62-62-62. Fax : 01-40-74-07-01.

– *Lyon :* ☎ 04-72-40-90-40.

– *Pour le reste de la France :* ☎ 0801-637-543 (n° Azur). ● www.directours.com ●

Spécialiste du voyage individuel à la carte, Directours présente la particularité de s'adresser directement au public, en vendant ses voyages exclusivement par téléphone, sans passer par les agences et autres intermédiaires. La démarche est simple : soit on appelle pour demander l'envoi d'une brochure, soit on consulte le site Web. On téléphone ensuite au spécialiste de Directours pour avoir des conseils et des détails.

Directours propose une grande variété de destinations dont la Grèce et ses îles. Directours vend ses vols secs et ses locations de voitures sur Internet.

▲ ÉTAPES NOUVELLES

– *Paris :* 81, rue Saint-Lazare, 75009. ☎ 01-44-63-64-00. Fax : 01-40-23-01-43. ● www.marmara.com ● info@marmara.com ● Minitel : 36-15, code ÉTAPES NOUVELLES (0,34 €/mn). Ⓜ Trinité ou Saint-Lazare.

– *Lyon :* 1, pl. Meissonnier, 69001. ☎ 04-72-10-63-90. Fax : 04-72-00--63.

– *Marseille* : 45, rue Montgrand, BP 216, 13178 Cedex 20. ☎ 04-91-55-09-26. Fax : 04-91-54-91-97.
– *Nantes* : 2, pl. Félix-Fournier, 44000. ☎ 02-40-89-15-15. Fax : 02-40-89-19-90.
– *Toulouse* : 44, rue Bayard, 31000. ☎ 05-61-63-03-38. Fax : 05-61-99-08-30.
– *Strasbourg* : 104, route de Bischwiller, 67800 Bischheim. ☎ 03-88-33-20-30. Fax : 03-88-33-24-27.
Étapes Nouvelles propose tout au long de l'année des séjours et des circuits à des prix serrés, avec des départs de Paris et des grandes villes de province, en Tunisie, au Maroc, en Égypte, en Grèce et en Crète.

▲ **EXPEDIA.FR**
Expedia.fr lance le voyage à votre image. Choix important et grande souplesse pour composer son voyage selon ses envies. Sur ● www.expedia.fr ●, on peut créer son voyage sur mesure en choisissant ses billets d'avion, hôtels et location de voitures à des prix très intéressants. Également la possibilité de réserver à l'avance et en même temps que son voyage des billets pour des spectacles ou musées aux dates souhaitées.

▲ **FRAM**
– *Paris* : 4, rue Perrault, 75001. ☎ 01-42-86-55-55. Fax : 01-42-86-56-88. Ⓜ Châtelet ou Louvre-Rivoli.
– *Toulouse* : 1, rue Lapeyrouse, 31008. ☎ 05-62-15-18-00. Fax : 05-62-15-17-17.
● www.fram.fr ● Minitel : 36-16, code FRAM.
L'un des tout premiers tour-opérateurs français pour le voyage organisé, FRAM programme plusieurs formules de voyages. Ce sont :
– les *autotours* (en Andalousie, au Maroc, en Tunisie, en Sicile, à Malte, à Chypre, en Grèce, en Crète, en Sardaigne, en Guadeloupe, à la Réunion) ;
– les *voyages à la carte* en Amérique du Nord (Canada, États-Unis), en Asie (Thaïlande, Sri Lanka, Inde...) et dans tout le Bassin méditerranéen ;
– les *Framissima* : c'est la formule de « Clubs Ouverts ». Agadir, Marrakech, Fès, Andalousie, Djerba, Monastir, Tozeur, Majorque, Sicile, Crète, Égypte, Grèce, Kenya, Turquie, Sénégal, Canaries, Guadeloupe, Martinique, Sardaigne... Des sports nautiques au tennis, en passant par le golf, la plongée et la remise en forme, des jeux, des soirées qu'on choisit librement et tout compris, ainsi que des programmes d'excursions.

▲ **HÉLIADES**
Renseignements et réservations : ☎ 0825-803-113 (0,15 €/mn). ● www.heliades.fr ● Ou dans les agences de voyages.
En spécialiste de la Grèce, Héliades décline toutes les formules, convie à toutes les découvertes, invite enfin à un périple riche en émotions culturelles et humaines. Héliades dispose d'un réseau conséquent de correspondants en Grèce continentale et insulaire, ainsi qu'à Chypre. Ce spécialiste peut ainsi offrir à ses clients des formules de voyages diverses avec l'assurance d'un accueil attentif.

▲ **ÎLES DU MONDE**
– *Paris* : 7, rue Cochin, 75005. ☎ 01-43-26-68-68. Fax : 01-43-29-10-00.
● www.ilesdumonde.com ● info@ilesdumonde.com ●
Îles du Monde est un voyagiste spécialisé exclusivement dans l'organisation de voyages dans les îles, chaudes ou froides, de brume ou de lumière ; proches comme la Grèce, îles du bout du monde comme les Marquises, les Fidji ou les Galápagos. Célèbres comme l'île Maurice ou inconnues comme les Mergui, elles font ou feront partie de leur programmation. Du ~~voyage~~ organisé au voyage sur mesure, tout est possible dès lors qu'il s'agit ~~une~~ île.

▶ JET TOURS

Les voyages à la carte de Jet tours s'adressent à tous ceux qui ont envie de se concocter un voyage personnalisé, en couple, entre amis, ou en famille, mais surtout pas en groupe. Tout est proposé à la carte : il suffit de choisir sa destination et d'ajouter aux vols internationaux les prestations de son choix, autotours, itinéraires à imaginer soi-même, randonnée, hôtels de différentes catégories (de 2 à 5 étoiles), adresses de charme, maisons d'hôtes, appartements..., location de voitures, escapades, sorties en ville. Nature, découverte et dépaysement sont au rendez-vous.

Avec les autotours et les voyages à la carte Jet Tours, vous pourrez découvrir de nombreuses destinations comme Chypre (nouveauté), l'Andalousie, Madère, le Portugal (en été), l'Italie, la Sicile (en été), la Grèce, la Crète (en été), le Maroc, Cuba, l'île Maurice, la Réunion, la Thaïlande, l'Inde, le Canada, les États-Unis.

La brochure « autotours et voyages à la carte » est disponible dans toutes les agences de voyages. Vous pouvez aussi joindre Jet Tours sur Internet ● www.jettours.com ●

▲ LASTMINUTE.COM

Pour satisfaire une envie soudaine d'évasion, le groupe Lastminute.com propose des mois à l'avance ou au dernier moment des offres de séjours, des hôtels, des restaurants, des spectacles... dans le monde entier. L'ensemble de ces services est aussi bien accessible sur Internet (● www.lastminute. com ● www.degriftour.com ● www.travelprice.com ●) que par Minitel (36-15, code DT) et téléphone ☎ 0892-705-000 (0,34 €/mn).

▲ LOOK VOYAGES

Les brochures sont disponibles dans toutes les agences de voyages. Informations et réservations ● www.look-voyages.fr ●

Ce tour-opérateur généraliste propose une grande variété de produits et de destinations pour tous les budgets : des séjours en club *Lookéa*, des séjours classiques en hôtels, des escapades, des safaris, des circuits « découverte », des croisières et des vols secs vers le monde entier.

▲ NOUVELLES FRONTIÈRES

– *Paris* : 87, bd de Grenelle, 75015. Ⓜ La Motte-Picquet-Grenelle.
Renseignements et réservations dans toute la France : ☎ 0825-000-825 (0,15 €/mn). ● www.nouvelles-frontieres.fr ●

Plus de 30 ans d'existence, 1 800 000 clients par an, 250 destinations, une chaîne d'hôtels-clubs et de résidences *Paladien* et une compagnie aérienne, *Corsair*. Pas étonnant que Nouvelles Frontières soit devenu une référence incontournable, notamment en matière de tarifs. Le fait de réduire au maximum les intermédiaires permet d'offrir des prix « super-serrés ». Un choix illimité de formules vous est proposé : des vols sur la compagnie aérienne de Nouvelles Frontières au départ de Paris et des villes de province, en classe Horizon ou Grand Large, et sur toutes les compagnies aériennes régulières, avec une gamme de tarifs selon confort et budget. Sont également proposés toutes sortes de circuits, aventure ou organisés ; des séjours en hôtels, en hôtels-clubs et en résidences, notamment dans les *Paladien,* les hôtels de Nouvelles Frontières avec « vue sur le monde » ; des week-ends, des formules à la carte (vol, nuits d'hôtel, excursions, location de voitures...), des séjours neige.

Avant le départ, des réunions d'information sont organisées. Les 12 brochures Nouvelles Frontières sont disponibles gratuitement dans les ⸏00 agences du réseau, par téléphone et sur Internet. Intéressant : des brochures thématiques (plongée, rando, trek, thalasso).

▲ OTU VOYAGES
Informations : ☎ 0820-817-817 (0,12 €/mn). ● infovente@otu.fr ● N'hésitez pas à consulter leur site ● www.otu.fr ● pour obtenir adresse, plan d'accès, téléphone et e-mail de l'agence la plus proche de chez vous (26 agences OTU Voyages en France).
OTU Voyages propose tous les voyages jeunes et étudiants à des tarifs spéciaux particulièrement adaptés aux besoins et au budget de chacun. Les bons plans, services et réductions partout dans le monde avec la carte d'étudiant internationale ISIC (12 €). Les billets d'avion (Student Air, Air France...), train, bateau, bus, la location de voitures à des tarifs avantageux et souvent exclusifs, pour plus de liberté ! Des hôtels, des *city trips* pour découvrir le monde, des séjours ski et surf. Des séjours linguistiques, stages et jobs à l'étranger pour des vacances studieuses, ainsi que des assurances voyage.

▲ PLEIN VENT VOYAGES
Réservations et brochures dans les agences du Sud-Est de la France.
Premier tour-opérateur du Sud-Est, Plein Vent assure toutes ses prestations au départ de Lyon, Marseille et Nice. Parmi ses destinations phares, la Grèce. Plein Vent garantit ses départs et propose un système de « garantie annulation » performant.

▲ TERRES DE CHARME
– *Paris :* 19, av. Franklin-D.-Roosevelt, 75008. ☎ 01-55-42-74-10. Fax : 01-56-24-49-77. ● ⓜ Franklin-D.-Roosevelt.
Ouvert du lundi au vendredi de 10 h à 19 h et le samedi de 13 h à 19 h.
Terres de Charme a la particularité d'organiser des voyages haut de gamme pour ceux qui souhaitent voyager à deux, en famille ou entre amis. Des séjours et des circuits rares et insolites regroupés selon 5 thèmes : « charme de la mer », « l'Afrique à la manière des pionniers », « charme et aventure », « sur les chemins de la sagesse », « week-ends et escapades », avec un hébergement allant de douillet à luxueux.

▲ VOYAGES WASTEELS (JEUNES SANS FRONTIÈRE)
Présents avec 63 agences en France, 140 en Europe. Pour obtenir l'adresse et le numéro de téléphone de l'agence la plus proche de chez vous, rendez-vous sur ● www.wasteels.fr ●
Centre d'appels Infos et ventes par téléphone : ☎ 0825-88-70-70 (0,15 €/mn).
Voyages Wasteels propose pour tous des séjours, des vacances à la carte, des croisières, des voyages en avion ou train et de la location de voitures, au plus juste prix, parmi des milliers de destinations en France, en Europe et dans le monde. Voyages Wasteels, c'est aussi tous les voyages jeunes et étudiants avec des tarifs réduits particulièrement adaptés aux besoins et au budget de chacun. Bons plans, services, réductions et nombreux avantages en France et dans le monde avec la carte d'étudiant internationale ISIC (12 €). Séjours sportifs, ski et surf, séjours linguistiques.

▲ VOYAGEURS EN GRÈCE
Spécialiste du voyage en individuel sur mesure. ● www.vdm.com ●
Nouveau Voyageurs du Monde Express : des séjours « prêts à partir » sur des destinations mythiques. ☎ 0892-688-363 (0,34 €/mn).
– *Voyageurs en Grèce* (Athènes, Crète, Îles grecques, Péloponnèse) : ☎ 0892-23-61-61 (0,34 €/mn). Fax : 01-42-86-16-28.
– *Paris :* La Cité des Voyageurs, 55, rue Sainte-Anne, 75002. ☎ 0892-23-56-56 (0,34 €/mn). Fax : 01-42-86-17-88. ⓜ Opéra ou Pyramides. Bureaux ouverts du lundi au samedi de 9 h 30 à 19 h.
– *Lyon :* 5, quai Jules-Courmont, 69002. ☎ 0892-231-261 (0,34 €/mn). Fax : 1-72-56-94-55.

La Grèce
avec FRAM
moi j' ♥

Athènes, la capitale grecque offre la splendeur de son histoire antique et les grands travaux réalisés pour les Jeux Olympiques l'ont transformée en une ville très agréable à vivre.

Hôtel Titania cat.A**** : à deux pas de la place Omonia, le coeur battant de la capitale avec ses commerces et ses nombreux restaurants et tavernes.

Les Cyclades

Au coeur de la Mer Egée, de nombreux hôtels vous accueillent dans les 3 îles enchanteresses que sont Mykonos, Paros et Santorin. Sur ces îles vous attendent les célèbres maisons blanches aux volets bleus regroupées en petits villages aux ruelles étroites. Selon vos envies vous pourrez vous installer le temps de votre séjour sur une seule île ou bien profiter de nos séjours combinés inter-îles.

Toutes les vacances que j'_aime_

FRAM
www.fram

Licence 031950013 - Assurance responsabilité civile : GAN Eurocourtage, 44 Av. d'Alsace 92003 La Défense Cedex. Garantie financière : APS 15 av Carnot : 75017 Paris - RCS Toulouse. SIRET : 353 310 642 00015 - Code NAF : 633Z. Photo : Photothèque fram

– *Marseille* : 25, rue Fort-Notre-Dame (angle cours d'Estienne-d'Orves), 13001. ☎ 0892-233-633 (0,34 €/mn). Fax : 04-96-17-89-18.
– *Nice* : 4, rue du Maréchal-Joffre (angle rue de Longchamp), 06000. ☎ 0892-232-732 (0,34 €/mn). Fax : 04-97-03-64-60.
– *Rennes* : 2, rue Jules-Simon, BP 10206, 35102. ☎ 0892-230-530 (0,34 €/mn). Fax : 02-99-79-10-00.
– *Toulouse* : 26, rue des Marchands, 31000. ☎ 0892-232-632 (0,34 €/mn). Fax : 05-34-31-72-73. Ⓜ Esquirol.
En 2005, ouverture à :
– *Lille* : ☎ 0892-234-634 (0,34 €/mn).
– *Grenoble* : ☎ 0892-233-533 (0,34 €/mn).
– *Bordeaux* : ☎ 0892-234-834 (0,34 €/mn).
Sur les conseils d'un spécialiste de chaque pays, chacun peut construire un voyage à sa mesure...
Pour partir à la découverte de plus de 120 pays, 92 conseillers-voyageurs, de près de 30 nationalités et grands spécialistes des destinations, donnent des conseils, étape par étape et à travers une collection de 25 brochures, pour élaborer son propre voyage en individuel. Des suggestions originales et adaptables, des prestations de qualité et des hébergements exclusifs.
Voyageurs du Monde propose également une large gamme de circuits accompagnés (Famille, Aventure, Routard...).
À la fois tour-opérateur et agence de voyages, Voyageurs du Monde a développé une politique de « vente directe » à ses clients, sans intermédiaire.
Dans chacune des *Cités des Voyageurs* tout rappelle le voyage : librairies spécialisées, boutiques d'accessoires de voyages, restaurant des cuisines du monde, lounge-bar, expositions-ventes d'artisanat ou encore dîners et cocktails-conférences. Toute l'actualité de VDM à consulter sur leur site Internet.

EN BELGIQUE

▲ CONNECTIONS

Renseignements et réservations au ☎ 07-023-33-13. ● www.connections.be ● Ouvert du lundi au vendredi de 9 h à 21 h et le samedi de 10 h à 17 h.
Spécialiste du voyage pour les étudiants, les jeunes et les *Independent travellers*. Le voyageur peut y trouver informations et conseils, aide et assistance (revalidation, routing...) dans 21 points de vente en Belgique et auprès de bon nombre de correspondants répartis dans le monde entier.
Connections propose une gamme complète de produits : des tarifs aériens spécialement négociés pour sa clientèle (licence IATA) et, en exclusivité pour le marché belge, les très avantageux billets « Campus » réservés aux jeunes et étudiants ; le bus avec plus de 300 destinations en Europe (un tarif exclusif pour les étudiants) ; toutes les possibilités d'arrangement terrestre (hébergement, locations de voitures, *self-drive tours,* vacances sportives, expéditions) ; de nombreux services aux voyageurs comme l'assurance voyage « Protections » ou les cartes internationales de réductions (la carte internationale d'étudiant ISIC).

▲ JOKER

– *Bruxelles* : quai du Commerce, 27, 1000. ☎ 02-502-19-37. Fax : 02-502-29-23. ● brussel@joker.be ●
– *Bruxelles* : av. Verdi, 23, 1083. ☎ 02-426-00-03. Fax : 02-426-03-60. ● ganshoren@joker.be ●
– Adresses également à *Anvers, Bruges, Courtrai/Harelbeke, Gand, Hasselt, Louvain, Malines, Schoten* et *Wilrijk.*
● www.joker.be ●
Joker est spécialiste des voyages d'aventure et des billets d'avion à des prix très concurrentiels. Vols aller-retour au départ de Bruxelles, Paris, Francfort et Amsterdam. Voyages en petits groupes avec accompagnateur compétent. Circuits souples à la recherche de contacts humains authentiques, utilisant l'infrastructure locale et explorant le vrai pays.

▲ NOUVELLES FRONTIÈRES

– *Bruxelles* (siège) *:* bd Lemonnier, 2, 1000. ☎ 02-547-44-22. Fax : 02-547-44-99. ● www.nouvelles-frontieres.be ● mailbe@nouvelles-frontieres.be ●

– Également d'autres agences à *Bruxelles, Charleroi, Liège, Mons, Namur, Waterloo, Wavre* et au *Luxembourg.*

Plus de 30 ans d'existence, 250 destinations, une chaîne d'hôtels-clubs et de résidences *Paladien* : pas étonnant que Nouvelles Frontières soit devenu une référence incontournable, notamment en matière de tarifs. Le fait de réduire au maximum les intermédiaires permet d'offrir des prix « super-serrés ».

▲ SERVICES VOYAGES ULB

– *Bruxelles :* campus ULB, av. Paul-Héger, 22, CP 166, 1000. ☎ 02-648-96-58.

– *Bruxelles :* rue Abbé-de-l'Épée, 1, Woluwe, 1200. ☎ 02-742-28-80.

– *Bruxelles :* hôpital universitaire Érasme, route de Lennik, 808, 1070. ☎ 02-555-38-49.

– *Bruxelles :* chaussée d'Alsemberg, 815, 1180. ☎ 02-332-29-60.

– *Ciney :* rue du Centre, 46, 5590. ☎ 08-321-67-11.

– *Marche :* av. de la Toison-d'Or, 4, 6900. ☎ 08-431-40-33.

– *Wepion :* chaussée de Dinant, 1137, 5100. ☎ 08-146-14-37.

Ouvert du lundi au vendredi de 9 h à 17 h.

Services Voyages ULB, c'est le voyage à l'université. L'accueil est donc très sympa. Billets d'avion sur vols charters et sur compagnies régulières à des prix hyper-compétitifs.

▲ TERRES D'AVENTURE

– *Bruxelles :* Vitamin Travel, rue Van-Artevelde, 48, 1000. ☎ 02-512-74-64. Fax : 02-512-69-60. ● info@vitamintravel.be ●

(Voir texte dans la partie « En France ».)

EN SUISSE

▲ CLUB AVENTURE

– *Genève :* 51, rue Prévost-Martin, 1205. ☎ 022-320-50-80. Fax : 022-320-59-10.

▲ NOUVELLES FRONTIÈRES

– *Genève :* 10, rue Chantepoulet, 1201. ☎ 022-906-80-80. Fax : 022-906-80-90.

– *Lausanne :* 19, bd de Grancy, 1006. ☎ 021-616-88-91. Fax : 021-616-88-01.

(Voir texte dans la partie « En France ».)

▲ STA TRAVEL

– *Bienne :* General Dufour-Strasse 4, 2502. ☎ 032-328-11-11. Fax : 032-328-11-10.

– *Fribourg :* 24, rue de Lausanne, 1701. ☎ 026-322-06-55. Fax : 026-322-06-61.

– *Genève :* 3, rue Vignier, 1205. ☎ 022-329-97-34. Fax : 022-329-50-62.

– *Lausanne :* 20, bd de Grancy, 1006. ☎ 021-617-56-27. Fax : 021-616-50-77.

– *Lausanne :* à l'université, bâtiment BFSH2, 1015. ☎ 021-691-60-53. Fax : 021-691-60-59.

– *Montreux :* 25, av. des Alpes, 1820. ☎ 021-965-10-15. Fax : 021-965-...-19.

SORTEZ DE CHEZ VOUS

Comment aller à Athènes et dans les îles pas cher ?

Paris/Athènes : vol Corsair le samedi à partir de 200 €HT* A/R. Taxes aériennes à partir de 47 €.
Au départ de province, nous consulter.
Paris/Héraklion ou Rhodes/Santorin/Mykonos/Corfou : vol charter à partir de 260 €HT* A/R.
Taxes aériennes à partir de 47 €.

Adresse utile à connaître :

Représentant Nouvelles Frontières :
TUI HELLAS à Athènes - Thiseos 330
17675 Kallithea - Tél. : 00 302 010 949 5000

Comment se déplacer ?

Location de voitures Pop's car : catégorie A à partir de 135 € par semaine au départ d'Athènes.
Liaisons maritimes régulières inter-îles.

Où dormir tranquille ?

Hôtel Club Malaconda à Eretria (île d'Eubée) à partir de 499 €HT en demi pension, prix par personne,
7 nuits sur la base d'une chambre double,
vols et transferts A/R. Taxes aériennes : 46 €.

A Voir / A faire :

Visite d'Athènes : 55 € - Dephes : 61 €
Argolide : 68 € - Mini-croisière dans le golfe de Saronique : 80 € - Météores : 63 €
(prix indicatifs au départ de l'Hôtel Club Malaconda).

*Prix HT par personne, à certaines dates, sous réserve de disponibilités.

NOUVELLES FRONTIERES

200 AGENCES EN FRANCE - 0825 000 825, nouvelles-frontieres.fr
(0,15 € la minute)

– *Neuchâtel* : 2, Grand-Rue, 2000. ☎ 032-724-64-08. Fax : 032-721-28-25.
– *Nyon* : 17, rue de la Gare, 1260. ☎ 022-990-92-00. Fax : 022-361-68-27.
Agences spécialisées dans les voyages pour jeunes et étudiants. Gros avantage en cas de problème : 150 bureaux STA et plus de 700 agents du même groupe répartis dans le monde entier sont là pour donner un coup de main *(Travel Help).*
STA propose des voyages très avantageux : vols secs *(Skybreaker),* billets Euro Train, hôtels, écoles de langues, voitures de location, etc. Délivre la carte internationale d'étudiant et la carte Jeunes Go 25.
STA est membre du fonds de garantie de la branche suisse du voyage ; les montants versés par les clients pour les voyages forfaitaires sont assurés.

▲ TERRES D'AVENTURE

– *Genève :* Néos Voyages, 50, rue des Bains, 1205. ☎ 022-320-66-35. Fax : 022-320-66-36. • geneve@neos.ch •
– *Lausanne :* Néos Voyages, 11, rue Simplon, 1006. ☎ 021-612-66-00. Fax : 021-612-66-01. • lausanne@neos.ch •
(Voir texte dans la partie « En France ».)

▲ VOYAGES APN

– *Carouge* : 3, rue Saint-Victor, 1227. ☎ 022-301-01-50. Fax : 022-301-01-10. • apn@bluewin.ch •
Voyages APN propose des destinations hors des sentiers battus, particulièrement en Europe (Grèce, Italie et pays du Nord), avec un contact direct avec les prestataires. Certains programmes sont particulièrement adaptés aux familles.

AU QUÉBEC

▲ EXOTIK TOURS

La Méditerranée, l'Europe, l'Asie et les « Grands voyages » : Exotik Tours offre une importante programmation en été comme en hiver. Ses circuits estivaux se partagent notamment entre la France, l'Autriche, la Grèce, la Turquie, l'Italie, la Croatie, le Maroc, la Tunisie, la République tchèque, la Russie, la Thaïlande, le Vietnam, la Chine... L'hiver, des séjours sont proposés dans le Bassin méditerranéen et en Asie (Thaïlande et Bali). Durant cette saison, on peut également opter pour des combinés plage + circuit. Le voyageur a par ailleurs créé une nouvelle division : Carte Postale Tours (circuits en autocar au Canada et aux États-Unis). Exotik Tours est membre du groupe *Intair* comme Intair Vacances (voir plus loin).

▲ NOLITOUR VACANCES

Membre du groupe Transat A.T. Inc., Nolitour est un spécialiste des forfaits vacances vers le sud. Destinations proposées : Floride, Mexique, Cuba, République dominicaine, île de San Andrés en Colombie, Panamá et Venezuela. Durant la saison estivale, le voyagiste publie une brochure Grèce avec de nombreux circuits, croisières dans les îles grecques et en Turquie, hôtels à la carte, traversiers, etc. Sous la marque Auratours Vacances, une brochure Italie est aussi proposée, incluant circuits guidés, hôtels à la carte, villas, location de voitures... Des vols sur Haïti sont aussi proposés.

▲ RÊVATOURS

Ce voyagiste, membre du groupe Transat A.T. Inc., propose quelque 25 destinations à la carte ou en circuits organisés. De l'Inde à la Thaïlande en passant par le Vietnam, la Chine, l'Europe centrale, la Russie, la Grèce, la Turquie, le Maroc, la Tunisie ou l'Égypte, le client peut soumettre son itinéraire à Rêvatours qui se charge de lui concocter son voyage. Parmi ses points forts : la Grèce avec un bon choix d'hôtels, de croisières et d'excursions, la Tunisie et l'Asie. Nouveau : des croisières sur les plus beaux fleuves d'Europe et un ʿrcuit en Dalmatie.

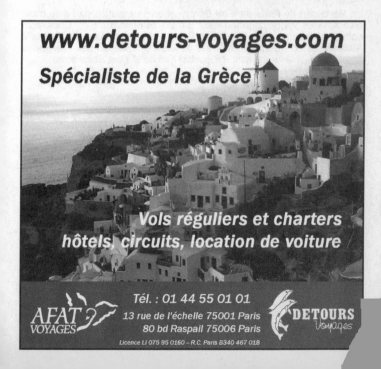

▲ TOURS CHANTECLERC

Tours Chanteclerc publie différents catalogues de voyages : Europe, Amérique, Asie + Pacifique Sud et Soleils de Méditerranée. Il se présente comme l'une des « références sur l'Europe » avec deux brochures : groupes (circuits guidés en français) et individuels. « Mosaïques Europe » s'adresse aux voyageurs indépendants (vacanciers ou gens d'affaires), qui réservent un billet d'avion, un hébergement (dans toute l'Europe), des excursions, une location de voiture. Spécialiste de Paris, le grossiste offre une vaste sélection d'hôtels et d'appartements dans la Ville lumière.

▲ VOYAGES CAMPUS - TRAVEL CUTS

Campus-Travel Cuts est un réseau national d'agences de voyages qui s'adresse tout particulièrement aux étudiants et négocie de bons tarifs auprès des transporteurs aériens comme des opérateurs de circuits terrestres, et diffuse la carte d'étudiant internationale (ISIC), la carte de jeune de moins de 26 ans (IYTC) et la carte d'enseignant ou professeur à plein temps (ITIC). Voyages Campus publie deux fois par an le magazine *L'Étudiant voyageur*, qui présente ses différents produits et notamment ses séjours linguistiques (Canada anglophone, Amérique du Sud, États-Unis), de même que son Programme Vacances Travail (PVT) disponible dans dix pays (États-Unis, France, Nouvelle-Zélande, Japon, Afrique du Sud...). Le réseau compte quelque 70 agences au Canada, dont 9 au Québec (5 à Montréal, 1 à Québec, 1 à Trois-Rivières et 2 à Sherbrooke), le plus souvent installées près ou sur les campus universitaires ou collégiaux, sans oublier six bureaux aux États-Unis. ● www.voyagescampus.com ●

EN TRAIN

➤ Au départ de *Paris-gare de Bercy,* un train de nuit (départ à 19 h 09) relie Athènes via Bologne (arrivée : 6 h 20) et Brindisi (16 h). Correspondance en bateau entre Brindisi et Patras, puis train direct de Patras à Athènes. Les compagnies maritimes assurant le transport des *Inter railers* entre l'Italie et la Grèce sont : *Superfast Ferries* et *Blue Star Ferries.*

Renseignements SNCF

– *Ligne directe :* information et vente Grandes Lignes par téléphone au ☎ 36-35 (0,34 €/mn).
– *Internet :* ● www.voyages-sncf.com ● (informations, horaires, réservation et tarifs).
– *Minitel :* 36-15 ou 36-16, code SNCF (0,21 €/mn).
– Dans les gares, boutiques SNCF et agences de voyages agréées.
Commandez votre billet sur Internet, par téléphone ou par Minitel, la SNCF vous l'envoie gratuitement à domicile. Vous réglez par carte de paiement (pour un montant minimum de 1 € – sous réserve de modifications ultérieures) au moins 4 jours avant le départ (7 jours si vous résidez à l'étranger).

Les réductions SNCF

La carte Inter-Rail

Avec la carte Inter-Rail, quel que soit votre âge, vous pouvez circuler librement en 2e classe dans 29 pays d'Europe et d'Afrique du Nord. Ces pays sont regroupés en 8 zones dont une (la zone G) englobe l'Italie, la Slovénie, ~s bateaux entre Brindisi (Italie) et Patras (Grèce), la Grèce et la Turquie.

NOUVEAUTÉ

LILLE (mai 2005)

Lille, ville triste, grise, laminée par la crise ? Que de poncifs, que de lieux communs ! Peu de villes ont autant changé en une vingtaine d'années. De son centre médiéval à ses banlieues de brique, Lille a vécu (et vit toujours) une métamorphose formidable, dépoussiérant les façades flamandes de la Grand-Place et du vieux Lille, dressant d'aventureux immeubles au cœur du futuriste quartier d'Euralille. Lille est une ville où l'art est partout, jusque dans les stations de son métro ! Rubens, Dirk Bouts et Goya voisinent au musée des Beaux-Arts, l'opéra donne à nouveau de la voix, les musiques d'aujourd'hui se jouent sur une multitude de scènes, les anciennes courées accueillent de jeunes plasticiens. À Lille, toutes les expressions culturelles sont vécues au quotidien. Et aux comptoirs de bars en quantité – du plus popu au plus branché – comme au marché du quartier multiethnique de Wazemmes, on constate que convivialité n'est pas ici un mot vide de sens.

Vous avez la possibilité de choisir parmi plusieurs formules (*pass* 1 zone pour 16 jours de libre circulation, *pass* 2 zones pour 22 jours de libre circulation et *pass* Global pour 1 mois). Pour en savoir plus, notamment sur les conditions d'accès aux ferries, consulter ● www.interrailnet.com ●

Eurodomino

La formule *Eurodomino* vous permet, quel que soit votre âge (tarifs préférentiels pour les moins de 26 ans), de circuler librement dans un pays d'Europe pour une durée de 3 à 8 jours, consécutifs ou non, et cela dans une période de validité d'un mois. Le *pass* pour la Grèce, en 2e classe pour les plus de 26 ans (tarif maximum), coûte 60 € pour 3 jours, 84 € pour 5 jours et 120 € pour 8 jours.

EN VOITURE

➤ *Paris-Rome-Brindisi-Igouménitsa ou Patras :* route intéressante mais longue. Total : 2 096 km (jusqu'à Brindisi). Variante possible par Milan, Bologne puis la côte Adriatique (1 805 km seulement). Partir de *Bari* ne fait gagner que 115 km par rapport au trajet Paris-Brindisi. On peut aussi prendre le ferry à *Ancône* (Paris-Ancône : 1 215 km), ce qui économise beaucoup de kilomètres et beaucoup de fatigue. Et, si vraiment vous n'aimez que modérément la voiture, pourquoi ne pas gagner *Venise* ?

EN BUS

Qu'à cela ne tienne, il n'y a pas que l'avion pour voyager. Il est évident que les trajets sont longs (48 h pour Athènes...). Un seul départ par semaine (le vendredi) pour Athènes, via l'Italie : départs de Paris, Montargis et Lyon.

▲ EUROLINES

☎ 0836-69-52-52 (0,34 €/mn). ● www.eurolines.fr ● Vous trouverez également les services d'Eurolines sur ● www.routard.com ● Présent à Paris, Versailles, Avignon, Bordeaux, Calais, Dijon, Lille, Lyon, Marseille, Metz, Montpellier, Nantes, Nîmes, Perpignan, Rennes, Strasbourg, Toulouse et Tours. Leader européen des voyages en lignes régulières internationales par autocar, Eurolines vous permet de voyager vers plus de 1 500 destinations en Europe à travers 34 pays et à partir de 80 points d'embarquement en France.
– *Eurolines Travel (spécialiste du séjour) :* 55, rue Saint-Jacques, 75005 Paris. ☎ 01-43-54-11-99. Ⓜ Maubert-Mutualité. En complément de votre transport, un véritable tour-opérateur intégré qui propose des formules transport + hébergement sur les principales capitales européennes.
– *Pass Eurolines :* pour un prix fixe valable 15, 30 ou 60 jours, vous voyagez autant que vous le désirez sur le réseau entre 35 villes européennes. Le *Pass Eurolines* est fait sur mesure pour les personnes autonomes qui veulent profiter d'un prix très attractif et désireuses de découvrir l'Europe sous toutes les coutures.
– *Mini pass :* ce billet, valable 6 mois, permet de visiter deux métropoles européennes en toute liberté. Le voyage peut s'effectuer dans un sens comme dans un autre.

EN BATEAU

Remarque : si vous partez en voiture, n'oubliez pas de réserver, si possible, 2 mois à l'avance.

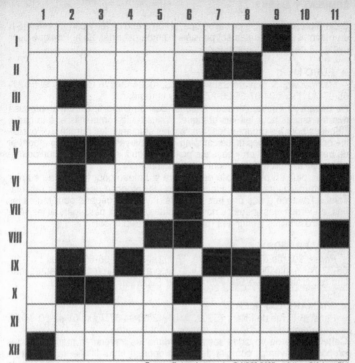

HORIZONTALEMENT

I. Préliminaire d'ados. Très Bien. **II.** Âpres. Jour ibère. **III.** Direction Générale de la Santé. Mayonnaise à l'ail. **IV.** Provoquent souvent des effets indésirables. **V.** Les notres **VI.** Infection Sexuellement Transmissible. "Assez" en texto. **VII.** Dans le noyau. Se porte rouge contre le sida. **VIII.** Élément de bord de mer. Fin de phrase télégraphique. **IX.** Que l'on sait. Positif ou négatif. **X.** Participe passé de rire. Avant. La tienne. **XI.** Entraides. **XII.** Patrie du Ché. Un des virus de l'hépatite.

VERTICALEMENT

1. À Protéger. **2.** Avant certains verbes. Note. Langue du sud. **3.** Castor et Pollux sont ses fils. La vache y est sacrée. Déchiffré. **4.** Parties de débauche.Pour prélèvement. **5.** Dépistage. Toi. Les séropositifs en souffrent. **6.** Excelle. Dans. **7.** Avec ou sans lendemains. Antirétroviraux. **8.** Fin de maladies. Do courant. Responsable du sida. **9.** De soi ou d'argent. Aboiement. Symbole du technétium. **10.** On comprend quand on le fait. Anglaise en France. **11.** Affluent de la Garonne. En mauvais état.

Enfin, il n'est pas inutile de savoir que, si l'on prend un ferry partant vers 4-5 h du matin, il est généralement possible d'embarquer dès 23 h. Pratique pour éviter de payer une chambre.

▲ EURO-MER

– *Montpellier* : 5, quai de Sauvages, CS 10024, 34078 Cedex 3. ☎ 04-67-65-67-30. Fax : 04-67-65-20-27. ● www.euromer.net ●

Au départ de Trieste, Venise, Ancône, Bari ou Brindisi, Euro-Mer propose des traversées pour les îles grecques à des tarifs compétitifs et à la carte. Remises pour les groupes, les familles, les étudiants, les retraités... Possibilité pour les caravanes et les camping-cars de voyager en camping à bord et de bénéficier du tarif en « passage pont ». Jusqu'à 30 % de réduction pour le retour si l'aller et le retour sont achetés ensemble.

Il est de plus en plus difficile de prendre le bateau pour les îles au dernier moment (plusieurs jours d'attente). Euro-Mer propose de faire vos réservations à l'avance à des prix très attractifs. Il y a des départs pour toutes les îles, en ferries classiques ou navires rapides, pour les passagers et les véhicules. Possibilités d'inter-îles (plusieurs départs par jour).

▲ NAVIFRANCE

– *Paris* : 20, rue de la Michodière, 75002. ☎ 01-42-66-65-40. Fax : 01-42-66-52-74. ● info@navifrance.net ● Ⓜ Opéra ou 4-Septembre. Représentation générale de *Blue Star Ferries* et de *Superfast Ferries*.

▲ VIAMARE CAP MER

– *Paris* : 6-8, rue de Milan, 75009. ☎ 01-42-80-94-87. Fax : 01-42-80-94-99. ● viamare@wanadoo.fr ● Ⓜ Liège ou Saint-Lazare.

Cette agence de voyages spécialisée dans les traversées maritimes vous propose un éventail complet de ferries opérant entre l'Italie, la Tunisie, la Sicile, la Grèce, la Turquie, Chypre et Israël. Représentation générale de *Superfast Ferries* et de *Blue Star Ferries*.

Au départ d'Ancône

▲ ANEK LINES

Représenté en France par *Euro-Mer* (voir coordonnées plus haut). Propose des départs de Trieste ou Ancône vers Igouménitsa, Corfou ou Patras (ces 3 ports d'arrivée sont aux mêmes tarifs). Correspondances en autocar de Patras à Athènes. Nombreuses réductions proposées. Leur flotte très importante met à votre disposition des navires alliant qualité, confort, rapidité et sécurité à des prix très intéressants.

▲ BLUE STAR FERRIES

Représenté par *Viamare Cap Mer* et *Navifrance* (voir coordonnées plus haut). Ancône-Igouménitsa-Patras 6 fois par semaine (durée : 21 h) sur 2 nouveaux bateaux. Camping à bord.

▲ MINOAN LINES

Représenté par *Navifrance* (voir coordonnées plus haut). Ancône-Patras, 6 départs par semaine en ligne super-express (durée : 21 h). Camping à bord.

▲ SUPERFAST FERRIES

Représenté par *Viamare Cap Mer* et *Navifrance* (voir coordonnées plus haut). Assure quotidiennement la liaison la plus rapide entre Ancône et Patras : 19 h de trajet. Camping à bord.

Au départ de Bari

▲ MARLINES
Représenté en France par *Euro-Mer* (voir coordonn[...]
liaisons par semaine pour Igouménitsa.

▲ SUPERFAST FERRIES
Représenté par *Viamare Cap Mer* et *Navifrance* (voir coo[...]
haut). Bari-Igouménitsa-Patras tous les jours (durée : 15 h 30)[...]
bord.

▲ VENTOURIS FERRIES
Représenté par *Navifrance* (voir coordonnées plus haut). Nombreuses[...]
sons Bari-Corfou-Igouménitsa et Bari-Patras.

Au départ de Brindisi

▲ AGOUDIMOS FERRIES
Représenté en France par *Euro-Mer* (voir coordonnées plus haut). Traversées quotidiennes Brindisi-Corfou-Igouménitsa sur le *F/B Pénélope*. Camping à bord.

▲ BLUE STAR FERRIES
Représenté par *Viamare Cap Mer* et *Navifrance* (voir coordonnées plus haut). Liaison quotidienne Brindisi-Corfou-Igouménitsa.

▲ EURO-MER
Euro-Mer (voir coordonnées plus haut) propose des départs quotidiens au départ de Brindisi vers Corfou, Igouménitsa ou Patras. Traversées à la carte, à des tarifs compétitifs. Remises aux groupes, familles, jeunes... Possibilité de camping à bord pour caravanes et camping-cars. *Euro-Mer* vous facilite l'embarquement en l'effectuant directement sur le port au lieu de se perdre sur le corso Garibaldi.

▲ FRAGLINES
Représenté en France par *Euro-Mer* (voir coordonnées plus haut). Liaison Brindisi-Corfou-Igouménitsa, traversées quotidiennes de jour ou de nuit.

▲ MED LINK LINES
Représenté en France par *Euro-Mer* et *Navifrance* (voir coordonnées plus haut). Départs quotidiens vers Patras et Igouménitsa du printemps à l'automne. Arrêt possible à Céphalonie. Camping à bord. Remises pour les étudiants.

Conseil

En fait, à Brindisi, pour prendre le bateau pour Igouménitsa-Patras, il est préférable d'aller uniquement à la capitainerie du port, au sud-est de la ville.

Au départ de Venise

▲ BLUE STAR FERRIES
Représenté par *Viamare Cap Mer* et *Navifrance* (voir coordonnées plus haut). Liaison Venise-Corfou-Igouménitsa-Patras 4 fois par semaine en été et 2 fois par semaine hors saison, sur 2 bateaux dont 1 *High Speed ferry*. Camping à bord.

▲ MINOAN LINES
Représenté par *Navifrance* (voir coordonnées plus haut). Environ 6 fois par semaine en haute saison, liaison Venise-Igouménitsa-Corfou-Patras.

« Assurément, un dieu se trouve là. »

Homère, *L'Odyssée*.

...ues et de la démocratie, ont deux
...adorent en parler. Avec force et
...ourire. Ils ont été servis en 2004,
...puis un miracle au championnat
...grecque, outsider absolu, a rem-

...servatoire de ruines antiques, aussi belles
... se résume pas à son passé prestigieux. Elle a beaucoup
...tres richesses à proposer à qui sait sortir des sentiers battus. Le dépaysement se trouve en fait là où il n'y a rien à voir. C'est dans les endroits perdus,
ceux dont ne parlent pas trop les guides touristiques, même celui que vous
tenez entre vos mains, que l'on a encore la chance d'être accueilli dans le respect de la tradition grecque, celle de la *philoxénia*, l'hospitalité, qui a malheureusement tendance à disparaître dans les endroits surpeuplés. Alors,
laissez-vous conduire au hasard des chemins, et fiez-vous à votre flair.
La Grèce des monuments et des îles (enfin de certaines îles) est donc la
Grèce la plus touristique, aussi fréquentée que la Côte d'Azur. Chaque
année, le pays reçoit la visite de plus de 10 millions de visiteurs, et, même si
l'année olympique 2004 n'a pas fait le plein en termes de fréquentation touristique, ce qui a confirmé une tendance observée depuis 2 ans, il est quand
même devenu difficile de trouver des coins absolument tranquilles aux
abords des sites archéologiques et des stations balnéaires. Pendant longtemps, les Grecs ne voyageaient pas dans leur propre pays : aujourd'hui, ils
se rattrapent et partent goulûment profiter de leur pays, avec un regard sans
doute différent de celui des visiteurs étrangers, mais avec un même désir du
soleil et de la mer, incontournables éléments du paysage grec.

CARTE D'IDENTITÉ

- *Superficie :* 131 944 km² (et 14 854 km de côtes).
- *Population :* 10 939 771 habitants (2001).
- *Capitale :* Athènes.
- *Langue officielle :* le grec moderne.
- *Monnaie :* l'euro (prononcé en grec *evro*) qui a suc-
  cédé à la drachme millénaire.
- *Régime politique :* république unitaire.
- *Chef de l'État :* Kostis Stéphanopoulos, qui a suc-
  cédé à Konstantin Karamanlís le 8 mars 1995.
- *Chef du gouvernement :* Kostas Karamanlis, qui a
  succédé en mars 2004 à Kostas Simitis.
- *Religion :* orthodoxe à 98 %.
- *Sites classés au Patrimoine mondial de l'huma-
  nité :* Acropole d'Athènes, ville médiévale de
  Rhodes, Délos, Pythagorio et Héraion à Samos,
  centre historique de Chora (monastère de Saint-
  Jean et grotte de l'Apocalypse) à Patmos.

AVANT LE DÉPART

Adresses utiles

En France

ⓘ *Office du tourisme :* 3, av. de l'Opéra, 75001 Paris. ☎ 01-42-60-65-75. Fax : 01-42-60-10-28. • eot@club-internet.fr • Minitel : 36-15, code GRECE. **Ⓜ** Palais-Royal-Musée-du-Louvre. En été, ouvert du lundi au jeudi de 9 h à 17 h 30 et le vendredi jusqu'à 16 h 30 ; fermé les samedi et dimanche. En hiver, ouvert du lundi au jeudi de 9 h à 17 h et le vendredi jusqu'à 16 h ; fermé les samedi et dimanche.

■ *Ambassade de Grèce :* 17, rue Auguste-Vacquerie, 75016 Paris. ☎ 01-47-23-72-28. Fax : 01-47-23-73-85.

■ *Consulat général de Grèce :* 23, rue Galilée, 75116 Paris. ☎ 01-47-23-72-23. Fax : 01-47-20-70-28. **Ⓜ** Boissière. Ouvert de 9 h 30 à 13 h. Ainsi qu'à Marseille : 38, rue Grignan. ☎ 04-91-33-08-69. Fax : 04-91-54-08-31. Ouvert de 9 h à 13 h. *Consulats honoraires* à Ajaccio, Bordeaux, Cherbourg, Dunkerque, Grenoble, Le Havre, Lille, Lyon, Nantes, Nice, Reims, Rennes, La Rochelle, Rouen, Saint-Étienne, Strasbourg et Monte-Carlo.

■ *Institut d'études néo-helléniques :* 19 bis, rue Fontaine, 75009 Paris. ☎ 01-48-74-09-56. Fax : 01-42-80-45-79. • www.ienh.org • **Ⓜ** Pigalle. Propose, entre autres, des cours d'initiation au grec moderne.

■ *Librairie hellénique Desmos :* 14, rue Vandamme, 75014 Paris. ☎ 01-43-20-84-04. • www.desmos-grece.com • **Ⓜ** Gaîté ou Edgar-Quinet. Ouvert du lundi au samedi de 11 h 30 à 19 h 30. Toute la littérature grecque, antique et moderne, à votre portée. Des cours de grec moderne sont également proposés.

En Belgique

ⓘ *Office du tourisme hellénique :* av. Louise-Louizalaan, 172, Bruxelles 1050. ☎ 02-647-57-70. Fax : 02-647-51-42. • gnto@skynet.be • Ouvert du lundi au vendredi de 9 h à 17 h (16 h 30 les mercredi et vendredi).

■ *Ambassade de Grèce :* rue des Petits-Carmes, 10, Bruxelles 1000. ☎ 02-545-55-00. Fax : 02-545-55-85.

■ *Consulat de Grèce :* av. Louise, 43, Bruxelles 1000. ☎ 02-545-55-10. Fax : 02-545-55-28.

En Suisse

ⓘ *Office national hellénique du tourisme :* 25, Löewenstrasse, CH 8001 Zurich. ☎ 01-221-01-05. Fax : 01-212-05-16. • eot@bluewin.ch • Ouvert du lundi au vendredi de 9 h à 17 h.

■ *Ambassade de Grèce :* 18, Laubegstrasse, 3006 Bern. ☎ 031-356-14-14. Fax : 031-368-12-72.

■ *Consulat général de Grèce :* 1, rue Pedro-Meylan, 1208 Genève. ☎ 022-735-37-47. Fax : 786-98-44.

Au Canada

ⓘ *Office du tourisme de Grèce :* 91 Scollard Street, 2nd Floor, Toronto, Ontario M5R-1G4. ☎ (416) 968-22-20. Fax : (416) 968-65-33. • grnto.tor@on.aibn.com •

■ *Consulat de Grèce :* 1170 pl. du Frère-André, suite 300, Montréal, H3B-3C6. ☎ (514) 875-21-19. Fax : (514) 875-87-81. • www.grconsula temtl.net • Ouvert du lundi au vendredi de 9 h à 13 h (et le mardi de 17 h à 19 h). Également deux autres consulats à Toronto et Vancouver. Bureau d'information de l'office du tourisme hellénique à la même adresse, ☎ (514) 871-15-35. Fax : (514) 871-14-98.

Papiers nécessaires

– *Passeport* (en cours de validité) ou *carte nationale d'identité.*
– *Carte d'étudiant :* pour les ressortissants de l'Union européenne, elle donne droit à la gratuité dans de nombreux sites et musées.
– *Permis de conduire, carte verte* (vérifiez que votre assurance englobe la Grèce).
– *Chasse sous-marine :* les adeptes de ce sport doivent présenter un permis délivré par la police maritime locale.

Vaccinations, santé

– Aucun vaccin n'est obligatoire.
– La Carte européenne d'assurance-maladie *:* pour bénéficier sur place de la gratuité des soins. À retirer dans votre centre de Sécurité sociale quelques semaines avant le départ.
En cas de pépin, se rendre dans les centres médicaux prévus à cet effet, où les premiers soins vous seront dispensés gratuitement. Votre hôtel vous indiquera l'adresse de celui dont il dépend (eh oui, ça marche par quartier, et il y a 500 centres à Athènes). Cela dit, vous devez supporter une certaine participation pour les médicaments, les prothèses et les traitements supplémentaires. De plus, sur certaines îles, il n'y a pas de centre IKA (équivalent de notre Sécurité sociale). En cas de problèmes graves, il est souhaitable de ne pas se faire soigner dans les îles (du moins les petites, dépourvues de moyens) et de rentrer *illico presto* à Athènes. Dans ce cas, il est souvent préférable de se rendre dans les hôpitaux privés (où le matériel est plus performant et l'hygiène mieux surveillée), voire se faire rapatrier.

Carte internationale d'étudiant (carte ISIC)

Elle atteste du statut d'étudiant dans le monde entier et permet de bénéficier de tous les avantages, services, réductions étudiants du monde, soit plus de 30 000 avantages, dont 7 000 en France, concernant les transports, les hébergements, la culture, les loisirs... C'est la clé de la mobilité étudiante ! La carte ISIC donne aussi accès à des offres exclusives sur le voyage (billets d'avion spéciaux, assurances de voyage, carte de téléphone internationale, location de voitures, navette aéroport...).
Pour plus d'informations sur la carte ISIC : ● www.isic.fr ● ou ☎ 01-49-96-96-49.

Pour l'obtenir en France

Se présenter dans l'une des agences des organismes mentionnés ci-dessous avec :
– une preuve du statut d'étudiant (carte d'étudiant, certificat de scolarité...) ;
– une photo d'identité ;
– 12 € ; ou 13 € par correspondance, incluant les frais d'envoi des documents d'information sur la carte.
Émission immédiate.

■ *OTU Voyages :* ☎ 0820-817-817. ● www.otu.fr ● pour connaître l'agence la plus proche de chez vous.

■ *Voyages Wasteels :* ☎ 0825-88-70-70 (0,15 €/mn) pour être mis en relation avec l'agence la plus proche de chez vous ● www.wasteels.fr ●

En Belgique

La carte coûte 9 € et s'obtient sur présentation de la carte d'identité, de la carte d'étudiant et d'une photo auprès de :

■ *Connections :* renseignements au ☎ 02-550-01-00.

En Suisse

La carte s'obtient dans toutes les agences *STA Travel,* sur présentation de la carte d'étudiant, d'une photo et de 15 Fs.

■ *STA Travel :* 3, rue Vignier, 1205 Genève. ☎ 022-329-97-34.

■ *STA Travel :* 20, bd de Grancy, 1006 Lausanne. ☎ 021-617-56-27.

Il est également possible de la commander en ligne sur le site ● www.isic.fr ●

Carte internationale des auberges de jeunesse

Cette carte, valable dans 62 pays, permet de bénéficier des 6 000 auberges du réseau *Hostelling International* réparties dans le monde entier. Les périodes d'ouverture varient selon les pays et les AJ. À noter que la carte des AJ est surtout intéressante en Europe, aux États-Unis, au Canada, au Moyen-Orient et en Extrême-Orient (Japon...).

Pour l'obtenir en France et s'inscrire

Sur place

■ *La Fédération Unie des Auberges de Jeunesse (FUAJ) :* 27, rue Pajol, 75018 Paris. ☎ 01-44-89-87-27. Fax : 01-44-89-87-49. ● www.fuaj.org ● Ⓜ Marx-Dornoy ou Porte-de-La-Chapelle. Ouvert du lundi au vendredi de 9 h 30 à 18 h et le samedi de 10 h à 17 h. Montant de l'adhésion : 10,70 € pour la carte moins de 26 ans et 15,25 € pour les plus de 26 ans (tarif 2005). Munissez-vous de votre pièce d'identité lors de l'inscription. Une autorisation des parents est nécessaire pour les moins de 18 ans (une photocopie de la carte d'identité du parent qui autorise le mineur est obligatoire). Inscriptions possibles également dans toutes les auberges de jeunesse, points d'information et de réservation FUAJ en France.

Par correspondance

Envoyer une photocopie recto verso d'une pièce d'identité et un chèque correspondant au montant de l'adhésion (ajouter 1,20 € pour les frais d'envoi de la FUAJ). Vous recevrez votre carte sous une quinzaine de jours.
– On conseille de l'acheter en France car elle est moins chère qu'à l'étranger.
– La FUAJ propose aussi une *carte d'adhésion « Famille »,* valable pour les familles de 2 adultes ayant un ou plusieurs enfants âgés de moins de 14 ans. Tarif : 22,90 €. Fournir une fiche familiale d'état civil ou une copie du livret de famille.

– La carte donne également droit à des réductions sur les transports, les musées et les attractions touristiques de plus de 60 pays ; ces avantages varient d'un pays à l'autre, ce qui n'empêche pas de la présenter à chaque occasion, ça peut toujours marcher.

En Belgique

Le prix de la carte varie selon l'âge : entre 3 et 15 ans, 3,50 € ; entre 16 et 25 ans, 9 € ; après 25 ans, 13 €.

Renseignements et inscriptions

■ *LAJ :* rue de la Sablonnière, 28, Bruxelles 1000. ☎ 02-219-56-76. Fax : 02-219-14-51. • www.laj.be • info@laj.be •

■ *Vlaamse Jeugdherbergcentrale (VJH) :* Van Stralenstraat, 40, Antwerpen B 2060. ☎ 03-232-72-18. Fax : 03-231-81-26. • www.vjh.be • info@vjh.be •

– Les résidents flamands qui achètent la carte en Flandre obtiennent 7,50 € de réduction dans les auberges flamandes et 3,70 € en Wallonie. Le même principe existe pour les habitants wallons.

En Suisse

Le prix de la carte dépend de l'âge : 22 Fs pour les moins de 18 ans ; 33 Fs pour les adultes et 44 Fs pour une famille avec des enfants de moins de 18 ans.

Renseignements et inscriptions

■ *Schweizer Jugendherbergen (SH ; service des membres des auberges de jeunesse suisses) :* 14, Schafhauserstr., Postfach 161, 8042

Zurich. ☎ 01-360-14-14. Fax : 01-360-14-60. • www.youthhostel.ch • bookingoffice@youthhostel.ch •

Au Canada

La carte coûte 35 $Ca pour un an (tarif 2004) et 175 $Ca à vie. Gratuit pour les enfants de moins de 18 ans qui accompagnent leurs parents. Pour les mineurs voyageant seuls, compter 12 $Ca. Ajouter systématiquement les taxes.

Renseignements et inscriptions

■ *Tourisme Jeunesse :* 4008 Saint-Denis, Montréal CP 1000, H2W-2M2. ☎ (514) 844-02-87. Fax : (514) 844-52-46.
■ *Canadian Hostelling Association :*

205 Catherine Street, bureau 400, Ottawa, Ontario, Canada K2P-1C3. ☎ (613) 237-78-84. Fax : (613) 237-78-68. • www.hihostels.ca • info@hihostels.ca •

– Il n'y a pas de limite d'âge pour séjourner en AJ sauf en Bavière (27 ans). Il faut simplement être adhérent.
– La FUAJ propose trois guides répertoriant les adresses des AJ : France, Europe et le reste du monde, payants pour les deux derniers. En Grèce, une seule AJ est affiliée à la Fédération Internationale. Possibilité de réserver par le système IBN. Consulter • www.hihostels.com •

ARGENT, BANQUES, CHANGE

Monnaie

L'euro (prononcer *evro*), depuis janvier 2002.

Banques

Pour les ressortissants hors zone euro, les commissions pratiquées pour les chèques de voyage sont très variables.

ATTENTION, dans toute la Grèce, les banques ne sont généralement ouvertes que de 8 h-8 h 30 à 13 h 30-14 h (à l'exception de la *Banque nationale de Grèce*, à Athènes, sur la place Syndagma, ouverte toute la journée). Elles sont fermées (presque partout) les samedi, dimanche et jours fériés.

Change

Pour nos lecteurs hors zone euro, ne jamais changer d'argent dans les *tourist offices*. Ils prennent une commission très élevée.

Nombreux bureaux de change dans les villes, ouverts pour la plupart tous les jours et assez tard le soir. Taux équivalent à celui des banques, mais commission plus élevée.

Cartes de paiement

– **Carte MasterCard :** assistance médicale incluse ; numéro d'urgence : ☎ (00-33) 1-45-16-65-65. En cas de perte ou de vol, composer le ☎ (00-33) 1-45-67-84-84 en France (24 h/24 ; PCV accepté) pour faire opposition ; numéro également valable pour les cartes *Visa* émises par le Crédit Agricole et le Crédit Mutuel. ● www.mastercardfrance.com ●

– **Carte Visa :** assistance médicale incluse ; numéro d'urgence : ☎ (00-33) 1-42-99-08-08. Pour faire opposition, contactez le numéro communiqué par votre banque.

– Pour la carte **American Express,** téléphoner en cas de pépin au ☎ (00-33) 1-47-77-72-00. Numéro accessible 24 h/24, PCV accepté en cas de perte ou de vol.

– Pour toutes les cartes émises par **La Poste,** composer le ☎ 0825-809-803 (pour les DOM : ☎ 05-55-42-51-97).

– Également un numéro d'appel valable quelle que soit votre carte de paiement : ☎ 0892-705-705 (serveur vocal à 0,34 €/mn).

En Grèce, encore trop peu d'hôtels et de restaurants acceptent les cartes *Visa* et *MasterCard,* surtout dans les villages. Et trop d'établissements annoncent qu'ils les acceptent pour prévenir au dernier moment que la machine est en panne. Alors, prévoyez d'avoir toujours sur vous de l'argent liquide et des chèques de voyage : c'est plus pratique et plus sûr. De plus, les commerçants ne vous accorderont aucune ristourne si vous payez avec la carte et bien souvent, les banques grecques prélevant 3 à 4 % de commission sur les transactions, cette commission vous est facturée.

Dépannage

■ **Western Union Money Transfer :** en cas de besoin urgent d'argent li- | quide (perte ou vol de billets, chèques de voyage, carte de paiement), vous pouvez être dépanné en quelques minutes grâce au système *Western Union*. En cas de nécessité sur place, appelez le ☎ 21-09-27-10-10 (du lundi au vendredi de 8 h à 21 h et le samedi de 9 h à 21 h ; les opérateurs parlent le grec et l'anglais) ; ou à *La Poste,* ☎ 0825-00-98-98 (du lundi au vendredi de 8 h à 19 h 30 et le samedi de 8 h à 13 h).

ACHATS

En règle générale, les souvenirs sont relativement chers car ils sont fabriqués principalement pour les touristes. Il faut faire attention aux prix des articles dans certains magasins. Même quand ils sont affichés, ils changent parfois... à la caisse.

– *Objets d'artisanat :* tapis, sacs tissés à la main, poteries et céramiques, étoffes.

– *Les komboloï :* peut-être le plus vieux gadget au monde. Sorte de chapelet que l'on égrène pour occuper ses doigts. On peut l'acheter dans certains kiosques à journaux et de nombreux magasins pour touristes.

– *Bijoux en argent :* spécialité de Ioannina.

– *Huile d'olive :* en bidon de 1 l, 2 l ou 4 l. Il y aurait 140 millions d'oliviers en Grèce... Chaque coin de Grèce se dispute l'honneur d'avoir la meilleure huile.

– *Miel de thym :* excellent et moins cher qu'en France.

– *Spécialités locales :* un peu partout, on trouve à acheter des « douceurs », des petits fruits dans une sorte de sirop (en grec *glyka koutaliou*) que les Grecs servent avec le café. Se vendent en petits pots comme de la confiture. Parmi les musts : *vyssino* (griotte), *nérantzi* (orange amère), *kydoni* (coing) et *milo* (pomme, souvent parfumée d'un clou de girofle).

– Et, bien entendu, l'*ouzo.*

ARCHÉOLOGIE

Même si vous n'allez en Grèce que pour la mer, le soleil et ce qui va avec, on peut penser que vous vous laisserez bien tenter par quelques vieilles pierres puisqu'il y a pratiquement toujours un site archéologique dans les environs. Les Grecs de l'Antiquité seraient sans doute bien surpris de voir les touristes d'aujourd'hui se presser aux grilles d'entrée des sites pour venir admirer des blocs de marbre blanchis sous le soleil... En fait, nous vivons toujours avec en tête cette fascination pour les ruines née à l'époque du romantisme et véhiculée, par exemple, par un Chateaubriand exalté visitant Athènes. Si nous avions sous les yeux les temples tels qu'ils étaient à l'époque, nous serions peut-être déçus en raison de leurs couleurs « flashy » (rouge, jaune, bleu...).

Quand la Grèce est devenue indépendante à la fin des années 1820, la France a été le premier pays à envoyer sur place une mission dite « scientifique », chargée de parcourir la Morée (c'était alors le nom donné au Péloponnèse) à la recherche des sites antiques qui étaient le plus souvent dans un triste état, les habitants du coin ayant pris l'habitude de venir se servir en matériaux de construction et finissant ainsi de dévaliser les sites qui avaient déjà été copieusement pillés dès la fin de l'Antiquité. Certains étaient même oubliés et recouverts par la végétation. Les Français sont ainsi arrivés à Olympie ou à Épidaure, mais ils n'ont pu, en 3 ans, mener à bien un grand programme de fouilles. Pendant une quarantaine d'années, ils vont néanmoins garder le monopole de la recherche archéologique en Grèce, avec l'École française d'Athènes, créée en 1846, jusqu'à ce que les

Allemands jettent à leur tour leur dévolu sur ce pays. On est au début des années 1870, la guerre franco-prussienne est tout juste achevée et les Allemands créent l'Institut allemand d'Athènes pour s'implanter durablement.

On va donc se partager les sites : le gouvernement grec octroie des permis de fouiller et la France aura ainsi, parmi les principaux sites, Délos (Cyclades) et Delphes, puis Argos mais abandonnera Olympie aux Allemands. Mycènes revient aussi d'une certaine manière à l'Allemagne avec le génial découvreur Heinrich Schliemann, même si celui-ci, marié à une Grecque, était devenu citoyen américain et jouait perso. Knossos revient à l'Angleterre (Arthur Evans) de même que Sparte, et les Américains, pour ne pas être en reste, reçoivent Corinthe et l'Agora d'Athènes. Les Grecs, d'une certaine manière, n'auront au début que les miettes du partage mais ils collaboreront avec de nombreuses équipes étrangères et se rattraperont au XXᵉ siècle (fouilles de Santorin, de Vergina en Macédoine...). Au total, une quinzaine de pays ont aujourd'hui une ou plusieurs équipes travaillant en Grèce. Ces fouilles n'ont d'ailleurs pas toujours été une partie de plaisir : pour pouvoir travailler, les Français vont ainsi demander à ce que le village construit sur le site même de Delphes soit déplacé – il faudra que le gouvernement français finance lui-même cette reconstruction – mais les habitants, mécontents d'avoir été délogés, accueillirent les archéologues avec des jets de pierre lorsque ceux-ci commencèrent leurs fouilles en 1892. Plus de 100 ans après, leurs descendants se frottent les mains : l'archéologie, du moins son versant commercial, est une bonne affaire pour les locaux !

Aujourd'hui les moyens mis en œuvre ne sont évidemment plus les mêmes : l'archéologie scientifique règne et les laboratoires de recherche que sont devenues les missions archéologiques se sont dotés de moyens à la hauteur (l'École française d'Athènes a ainsi mis en place une bibliothèque numérique de premier plan, ouvrant au public, sur Internet, 150 ans de publications, consultables sur le site ● http://cefael.efa.gr ●).

Les grands travaux menés en vue des J.O. de 2004 ont également été l'occasion de faire de nouvelles découvertes. Ce sont plus de 10 000 antiquités qui ont ainsi été exhumées à cette occasion (un nouveau musée de la ville d'Athènes, pour accueillir ces trouvailles, devrait d'ailleurs être construit sur le site de l'Académie de Platon, mais en attendant on peut voir certaines de ces découvertes exposées à la station de métro Syndagma ou même à l'aéroport d'Athènes).

AVENTURE, SPORT, NATURE

La Grèce ne se résume pas au tourisme de la sacro-sainte trinité *Sea/Sand/Sun*, ni aux vieilles pierres. La nature a pourvu le territoire des dieux de richesses naturelles à explorer hors des sentiers battus. Et si vous aimez les activités de plein air et la nature, vous aurez tout loisir de laisser libre cours à votre esprit d'aventure et de découverte dans un pays à 70 % montagneux. Trekking, randonnées, initiation à l'escalade, rappel, canyoning, rafting, VTT, sont autant de nombreuses activités praticables tout au long de l'année en Grèce.

L'agence **Trekking Hellas,** spécialiste des activités de plein air-découverte et des circuits randonnées ou multi-activités, peut vous proposer des programmes variés s'adaptant facilement à votre séjour en Grèce, quel que soit votre lieu de prédilection et en toute saison. Si vous avez l'occasion de passer en Grèce en hiver, pourquoi ne pas vous offrir une descente en rafting sur des rivières complètement préservées des assauts de la civilisation ?

■ **Trekking Hellas :** 7, odos Filellinon, à deux pas de la place Syndagma, 105 57 Athènes. ☎ 21-03-31-03-23. Fax : 21-03-23-45-48. ● www.trekking.gr ●
■ **Fédération des clubs alpins :** 5, odos Milioni, 106 73 Athènes. ☎ 21-03-64-59-04. Fax : 21-03-64-46-87. Elle peut aussi fournir des renseignements, comme la liste des refuges de montagne ainsi que des cartes de randonnée.

BOISSONS

Même si les Français – tous fins palais, c'est bien connu – font souvent les dégoûtés à leur première gorgée de résiné *(retsina)*, n'oubliez pas que c'est le *vin* de table le plus typiquement grec et le meilleur marché. Dans l'Antiquité, on enduisait de résine de pin les amphores afin d'en améliorer l'étanchéité. Le vin en prenait le goût, et aujourd'hui on a gardé l'habitude, en ajoutant au moût des morceaux de résine de pin d'Alep.

Pour les réfractaires, pas mal de vins non résinés et on aurait tort de mépriser ces vins : la Grèce est un « jeune » pays en matière viticole, mais des progrès constants ont été accomplis ces vingt dernières années, qui ont permis d'obtenir des vins de qualité (vins du Péloponnèse, comme les vins du domaine *Paraskévopoulos* dans le coin de Némée en Argolide, ceux du domaine *Mercouri* en Élide, les vins macédoniens de Naoussa des producteurs *Boutaris* et *Tsantalis*). On trouve aussi des vins cuits très renommés comme le *samos* (meilleur sur place que celui qu'on trouve en France, souvent coupé d'eau) ou le *mavrodaphni*. Selon les régions, enfin, des vins locaux typiques : le *robola* à Céphalonie, des vins secs et doux à Santorin, produits sur des terres volcaniques, un très bon vin de Lesbos, *Méthymnéos*, également produit sur des terres volcaniques, le *zitsa*, blanc sec et pétillant d'Épire. ATTENTION, le vin (même le blanc) est souvent servi à température ambiante !

Et l'*ouzo,* là-dedans ? C'est le pastis local, pour aller vite. On l'obtient à partir du marc, aromatisé à l'anis et distillé ensuite. Il est servi au verre ou en petite bouteille *(karafaki),* accompagné de *mezze*. Ne pas confondre avec le *tsipouro*, qui s'apparente au *raki* crétois, c'est-à-dire une eau-de-vie non anisée. Le meilleur ouzo viendrait de Plomari à Lesbos. Ce nom d'ouzo quant à lui vient des caisses que l'on expédiait à l'étranger avec l'inscription italienne *uso* (à l'usage de...), suivie du nom du destinataire. Le mot avait fini par désigner les produits de grande qualité, principalement la soie qu'on exportait de Tyrnavos en Thessalie, où le premier ouzo fut « confectionné » à la fin du XIXe siècle.

À Corfou, vous goûterez au *koum-kouat,* liqueur de petites oranges amères. On produit aussi en Grèce un cognac local *(métaxa)*.

Remarques en vrac

– *Café* = café turc (avec le marc). Attention, si vous désirez du café bien de chez nous, le mot utilisé là-bas est *nescafé*. Mais ça ne vaudra jamais un café turc. Évitez surtout de dire café « turc », vous risqueriez d'être mal vu. Demandez plutôt un café « grec » *(éna helliniko, parakalo !)* ; ou si vous préférez un café-filtre, demandez *éna kafé filtrou* ou *éna kafé galiko*. Ça passe beaucoup mieux. Goûtez aussi au café glacé, bien rafraîchissant, que l'on appelle *nescafé frappé*. C'est excellent : comme le café grec, on le commande très sucré *(glyko)*, moyennement sucré *(métrio)*, sec *(skéto)* ou avec du lait *(mé gala)*. Le café devrait toujours être servi avec un verre d'eau (pratique qui disparaît malheureusement dans certains endroits). Le café instantané est plutôt cher, se rabattre sur les paquets de cacao grec. Pas vraiment fameux, mais à défaut de Banania...

– ATTENTION, lorsque vous commandez un jus d'orange, précisez un *chimo portokali* (oranges pressées) ; sinon, on vous apportera une boisson gazeuse à l'orange *(portokalada)*. Si vous avez des doutes, précisez encore que vous le voulez *fresko*. On peut juste regretter que ce soit devenu une boisson très chère dans un pays qui produit autant d'oranges !
– Dans les cafés, on peut rester autant de temps qu'on le désire après avoir pris une consommation.

BUDGET

La Grèce peut coûter cher... ou s'avérer bon marché. Tout dépend comment vous la prenez ou de la période à laquelle vous vous y rendez. Sac au dos, en bus et en stop, en dormant sur les plages (attention, le camping sauvage est interdit), en se lavant dans les toilettes des tavernes, et en se contentant de *souvlaki* et de *gyros*, le voyage ne reviendra pas trop cher ! Vous pouvez aussi mixer votre mode de voyage : alterner les dodos sur les galets avec le confort des pensions, le stop (ou le bus pour les longs trajets) avec la location d'une mob pour découvrir l'intérieur du pays. Cette solution d'alternance, entre le voyage routard pur et dur et un petit confort, nous semble être un bon compromis. En effet, dans certains coins, il est inutile de perdre 4 h à attendre un bus pour aller voir un monastère ou une plage éloignés de 20 km ! La location d'un scooter ou d'une voiture pour 4 personnes pour une journée n'est pas si élevée. À vos calculettes !
Quoi qu'il en soit, on ne peut pas cacher que les prix en Grèce, Europe oblige, tendent petit à petit à rejoindre ceux pratiqués dans le reste de l'Europe. Officiellement le coût de la vie en Grèce atteint 90 % de la moyenne européenne. C'est le cas dans l'hôtellerie (seules les chambres chez l'habitant demeurent encore relativement bon marché). Pour l'alimentation, les prix au détail sont très variables ; les restos populaires restent encore très abordables. Heureusement, l'essence est moins taxée qu'en France et les transports en commun (bus, train, bateau) ne sont pas encore trop chers.

Hébergement

Les hôtels

Souvent décevants, par manque d'entretien. L'explication est que bon nombre de ces hôtels datent de l'époque où le tourisme en Grèce a subitement décollé, au début des années 1970, sous les colonels. Depuis, ils ont vieilli et leur classement dans les catégories supérieures n'a pas été révisé. Toutefois, il ne faut pas faire de généralités, et vous trouverez aussi des hôtels très sympathiques. De plus, dans le cadre de la préparation des Jeux olympiques, pas mal d'hôtels d'Athènes ou situés dans un rayon de 100 km autour de la capitale ont eu droit à une rénovation en bonne et due forme.
Les prix ne sont pas, comme en France, indiqués à l'extérieur de l'hôtel ; en revanche on peut en principe les lire à la réception (parfois, il faut de bons yeux). Dans chaque chambre, il doit y avoir une pancarte indiquant le prix maximum que l'on peut vous faire payer pour une nuit passée dans l'établissement. Il est conseillé de négocier, car les hôteliers ont coutume de faire fluctuer les prix selon la saison et le degré de fréquentation de leur établissement. On peut donc même vous octroyer une remise sans que vous la demandiez, mais il est toutefois plus prudent d'être quémandeur. On peut aussi vous imposer une surtaxe de 10 % parce que vous ne passez qu'une seule nuit dans l'établissement !

ATTENTION ! Les mois de juillet et août sont les plus fréquentés, et donc les plus chers (de même que la semaine de Pâques). Dans certaines îles, c'est même devenu de la folie puisqu'il arrive que les prix doublent ou triplent en vertu de la sacro-sainte loi de l'offre et de la demande, et l'on voit ainsi des chambres bon marché (ce qui devient rare) à 18 ou 20 € hors saison atteindre les 50-60 € au mois d'août ! À Athènes, la haute saison commence en général dès le 1er avril et s'achève le 31 octobre et certains hôteliers ne s'embarrassent pas avec les saisons, pratiquant les mêmes tarifs toute l'année. Faut-il le rappeler, Athènes est une ville très chère par rapport au reste du pays.

Nos indications tarifaires sont sur la base d'une chambre double, sans le petit dej' (sauf cas contraire spécifié). Attention, il faut les considérer avec souplesse et les apprécier en fonction du contexte. Une chambre dans un village de campagne d'une zone peu touristique et la même chambre dans une île hyper fréquentée auront un prix très différent, à qualité égale. De plus, nous vous indiquons ce qu'on appelle en Grèce le « prix de la porte », fixé par les autorités, mais les hôteliers ou propriétaires, pour peu que la saison soit mauvaise, proposeront souvent un prix plus attractif. Ce qui explique que vous puissiez avoir l'impression que les prix sont à la tête du client... Les tarifs sont également réduits, bien souvent, si vous restez plusieurs nuits.

ATTENTION, cette échelle indicative de prix ne vaut pas pour Athènes, ni pour certaines îles (comme Hydra ou Santorin).

– *Bon marché :* catégorie qui correspond généralement à une chambre spartiate sans salle de bains privée (mais parfois avec) chez des particuliers ou dans une « pension » (en Grèce, on utilise facilement le terme de pension dans un sens différent de celui qu'il a en français). De 15 à 35 € la chambre double.

– *Prix moyens :* catégorie qui correspond à une chambre avec douche, quelquefois très simple mais parfois confortable. De 35 à 60 € la chambre double.

– *Plus chic :* dans cette catégorie, on dispose de davantage de confort, souvent dans un joli décor (salle de bains, TV et AC), pour une somme entre 60 et 90 € la chambre double.

– *Bien plus chic :* au-delà de 90 € la chambre double. Ce sont des hôtels (en principe) tout confort.

Ces dernières années se sont multipliés dans certaines régions (pas les plus touristiques) les hôtels traditionnels (*xénonès,* pluriel de *xénonas,* ce qui les différencie en principe des simples hôtels, appelés en grec *xénodochia*), correspondant à nos hôtels de charme : vieilles demeures rénovées, avec un ameublement traditionnel. On les trouve principalement dans les régions qui ont un riche passé comme l'Épire, le Pélion et le Magne. Malheureusement, les prix sont assez souvent élevés dans les endroits les plus touristiques.

Le logement chez l'habitant

C'est un hébergement meilleur marché. Toutes les chambres doivent être déclarées à l'EOT (office du tourisme hellénique) et les prix doivent être affichés comme dans les hôtels. Trois catégories : A, B et C. En principe, une chambre chez l'habitant de catégorie A ne devrait pas coûter beaucoup plus cher qu'une chambre d'hôtel de catégorie C. Mais, là encore, les prix sont très variables, et il n'y a pas grand-chose de commun entre la petite chambre que la vieille grand-mère vous loue dans sa maison et l'immeuble flambant neuf loué en appartements. Autour de 15-20 €, hors saison, on doit pouvoir commencer à trouver une chambre correcte pour deux, à condition de se trouver dans un endroit pas ou peu touristique, sinon les prix s'envolent. La formule devient souvent plus intéressante avec les petits appartements pour 4 ou 5 personnes, moins chers que 2 chambres d'hôtel (compter autour de 50 €). L'intérêt est aussi de bénéficier d'une cuisine où l'on peut se faire à manger.

Le camping

Le moins cher évidemment, c'est le camping sauvage, premier mode d'hébergement pour les routards de tous les pays (même s'il est officiellement interdit). Mais pour ceux qui le pratiqueront malgré tout, on vous en supplie : ne laissez rien derrière vous !

Les campings organisés sont devenus assez chers (et les tarifs sont rarement affichés à l'extérieur, il faut les demander à la réception). En 10 ans, le prix par personne a plus que triplé ! On paie en moyenne par personne entre 3,50 et 5 €, voire davantage ; on paie ensuite l'emplacement de la tente, entre 2,50 et 4 € ; puis, si vous en avez une, celui de la voiture, entre 2 et 4 €. Résultat, une nuit dans un camping peut coûter entre 12 et 20 € pour 2 adultes avec une voiture et une tente, la moyenne s'établissant à 15-17 €. On est donc près des premiers prix des chambres chez l'habitant... Ne pas hésiter à faire jouer les réductions que proposent les principales chaînes de camping *Sunshine* et *Harmonie,* sur présentation du dépliant de la chaîne. Leur programme de « fidélisation » inclut aussi des réductions sur certaines lignes de ferries entre l'Italie et la Grèce. Les campings sont généralement ouverts d'avril ou mai à octobre, à l'exception de quelques-uns ouverts toute l'année.

Nourriture

Là encore, votre budget ne sera pas le même si vous dégustez du poisson grillé tous les soirs sur le port ou si vous recherchez les tavernes populaires où l'on mange les plats « à la casserole ». Mais de manière générale, si l'on s'en tient aux établissements du genre de ceux que nous sélectionnons, le restaurant reste vraiment abordable aujourd'hui encore.

– Attention, le poisson est vendu au kilo et il est cher. Compter entre 25 et 45 € le kilo pour le poisson à griller. Celui qui sert à la friture est moins cher : environ 15 € le kilo. En général, on va en cuisine choisir son poisson et le faire peser. Ainsi, pas de surprise. À noter qu'en Grèce, on compose son repas à la carte le plus souvent, mais quelques menus bon marché (et peu copieux) sont proposés dans les villes et autour des sites les plus touristiques.

– Compter 5 € pour un plat préparé typique et populaire (genre moussaka) dans un resto, et autour de 5 à 8 € pour une grillade (grand *souvlaki*, par exemple).

– Compter entre 12 et 15 € pour un repas complet « touristique » genre salade grecque, grillade et yaourt au miel, sur le port, alors qu'un repas avec entrée et un plat préparé de viande doit tourner autour de 8 à 12 € par personne. La plupart des restos ne proposant pas de dessert (ou alors seulement du melon, ou encore de la pastèque), c'est sur cette base que nous indiquons les prix pratiqués dans les établissements sélectionnés. Là encore, grosses variations selon les endroits.

– Les restaurateurs facturent les couverts et le pain. Comptez un petit supplément de 0,50 à 1 € par personne.

– À Athènes, il faut compter à partir de 35 € pour un resto de catégorie « Plus chic » ; entre 35 et 50 € pour un « Encore plus chic », et au-delà de 50 € pour un resto vraiment « Très très chic ».

– Le service est compris, mais il est de coutume de laisser un petit quelque chose si vous êtes satisfait (du simple arrondi à 5 ou 10 %).

Le juste prix

En dehors des villes, il existe assez peu de supermarchés à l'occidentale. Dans les endroits touristiques, on trouve surtout des mini-markets qui n'écrasent pas particulièrement les prix. Voici quelques exemples de prix moyens de produits courants, relevés en 2004 (bien qu'il y ait parfois des dérapages, l'inflation est à peu près maîtrisée en Grèce – 3,5 à 4 % par an ; néanmoins les prix peuvent fortement varier d'une région non touristique à une région touristique) :

– un *koulouri* (sorte de couronne au sésame) : 0,40 à 0,50 € ;
– une *tyropita* (chausson à la féta) : 1,10 à 1,50 € ;
– un petit *souvlaki* (à manger à la main) : 1,20 € ;
– un *gyros* avec *pita* : 1,50 à 2 €.
– un Coca-Cola dans une boutique : 0,80 à 1 € ;
– un Coca-Cola dans un café : environ 2 € ;
– une bière Amstel (50 cl) dans un café standard : 2 à 3 € ;
– un café frappé dans un café standard en province : en moyenne 1,50 à 2 € ; il peut monter facilement jusqu'à 3,50 €, voire plus ;
– une grande bouteille (1,5 l) d'eau minérale : 0,50 à 1 € selon l'endroit où vous l'achetez ;
– un litre de lait : à partir de 1,20 € ;
– un yaourt (200 g) vendu à l'unité : 1 € ; comme tous les laitages en Grèce, c'est très cher ;
– un litre de super sans plomb : 0,80 à 0,95 € ;
– un litre de gazole : 0,70 à 0,85 € ;
– 100 km en bus KTEL (liaisons continentales) : 6 € environ.
– une heure de trajet en ferry (classe pont) : 4 € ; compter le double en *Flying Dolphin* ou en *Catamaran*.

CLIMAT

Climat méditerranéen, rafraîchi par le vent sur les côtes et quelquefois très chaud vers l'intérieur et à Athènes. L'été arrive brusquement et brûle tout ; pendant les mois torrides (juillet et août), certaines régions de la Grèce ont à supporter des températures de 36, 38, 40, voire 45 °C. Fréquemment, en juillet et août, il ne tombe pas une goutte de pluie. Sur la terre surchauffée, l'air saupoudre les arbres de poussière, et le pâle feuillage de l'olivier se fait plus terne. En été, le vent des îles, le *meltémi*, peut souffler très fort et rendre la mer dangereuse ou, sur les îles, donner une impression de fraîcheur, notamment en soirée. Ces vents de nord-est ou nord-nord-est, appelés autrefois vents étésiens, sont à prendre en compte sérieusement. Ils soufflent en deux temps. D'abord sur une courte période fin mai-début juin, puis de fin juillet à début octobre, avec un pic en août. Ils concernent surtout la mer Égée, donc les Cyclades, et ça décoiffe (jusqu'à 8-9 Beaufort) ; en revanche les îles Ioniennes sont épargnées.
Pour les amoureux de la Grèce antique, mieux vaut voyager en mai ou en septembre-octobre. Vous éviterez ainsi que la montée vers l'Acropole ne se transforme en véritable Golgotha. Les précipitations maximales se situent en décembre, janvier et février : il pleut beaucoup plus sur le versant ouest du pays, ce qui explique que les îles Ioniennes restent plus verdoyantes en été. En hiver, on peut pratiquer le ski de piste et de randonnée dans la région du mont Olympe, point culminant de la Grèce (2 900 m).

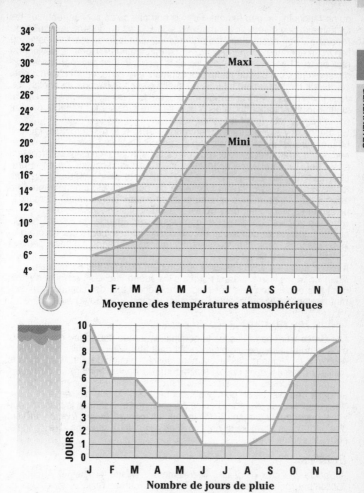

Moyenne des températures atmosphériques

Nombre de jours de pluie

GRÈCE (Athènes)

CUISINE

Les restaurants

Les Grecs, dans leur majorité, ne vont pas au restaurant dans un but gastronomique mais pour s'y sentir bien et passer un bon moment en compagnie.
Le standing est donc une notion qui ne s'applique pas vraiment aux restos
grecs : nappes en papier la plupart du temps et aucun souci de service ou de
présentation... Pis, on facture même le pain et les couverts ! Et bien souvent
on vous apporte les plats tous en même temps ou dans un ordre qui semble
défier toute logique... Mais ce qui compte, c'est qu'on mange bien, bon marché et plutôt copieusement dans la plupart des tavernes les plus simples

qu'on rencontre un peu partout. Fuir les endroits où se concentrent tous les touristes et rien qu'eux ; c'est mauvais signe. C'est en général le résultat du racolage... Fuir aussi, dans les endroits les plus touristiques, les restos où l'on vous annonce un menu complet, ce qui, malheureusement, devient de plus en plus fréquent (et bonjour les plats réchauffés au micro-ondes !). Normalement, il n'y a pas de menu tout fait mais une carte et, s'il n'y en a pas, ce qui est théoriquement interdit, ou si elle n'est pas traduite en anglais, on vous invite à aller dans la cuisine montrer du doigt les plats désirés. C'est ça, la simplicité ! Attention toutefois à bien se faire préciser les prix s'ils ne sont pas affichés, pour éviter les arnaques.

En théorie, il y a une différence entre la taverne et le restaurant *(estiatorio)*. La première est plus conviviale que le second. Dans la pratique, l'appellation restaurant « fait mieux » aux yeux de certains, mais ce n'est pas forcément aussi net. Une troisième appellation vient parfois recouvrir les deux précédentes : *psistaria* (= grill), à ne pas confondre avec *pitsaria,* la pizzeria locale. Enfin, la *psarotaverna* (taverne de poisson) est théoriquement un endroit où l'on ne mange que du poisson : mais bien souvent, comme le poisson est plutôt cher, on y trouve aussi des plats de viande.

Enfin, on voit les Grecs manger dans les *ouzeria* (pluriel de *ouzeri*), parfois appelés aussi *mezédopolia* ou encore *ouzadika.* Les *mezze* (ou encore *pikiliès,* lorsqu'ils sont plus consistants) qui accompagnent l'*ouzo* peuvent constituer un vrai petit repas.

Il existe aussi les *zakharoplastia* où l'on peut manger des pâtisseries.

Attention, dans les restaurants et dans les supermarchés, la chaîne du froid n'est pas encore toujours très respectée. Sans parler des coupures de courant intempestives qui peuvent aggraver le problème. Soyez vigilant !

Quelques plats grecs

Les Grecs n'ont pas été sous la domination turque pour rien : c'est dans la cuisine que l'influence orientale se fait peut-être le plus sentir : que d'huile ! À noter que la plupart des tavernes ne servent pas de dessert, sauf, dans le meilleur des cas, du *karpouzi* (pastèque), du *peponi* (melon) ou du *yaourti mé méli* (yaourt au miel). Dans les endroits touristiques, comme on se plie au désir des clients, on peut avoir son petit fruit ou une pâtisserie.

Voici deux termes importants en ce qui concerne la viande et le poisson, que vous rencontrerez entre parenthèses sur les menus : ντοπιο *(dopio),* qui veut dire « de pays » ; et κατεψυγμενο *(katépsigméno),* qui veut dire congelé, souvent abrégé « κατ ».

Entrées

– *Salade grecque* (*khoriatiki,* littéralement : salade paysanne) *:* tomates, concombre, poivron vert, olives et féta, sans oublier l'oignon, avec plus ou moins d'huile d'olive. L'entrée presque incontournable qui reste bon marché et dans laquelle on pioche à plusieurs (inutile d'en commander une par personne).
– *Mélitzanosalata :* salade d'aubergines (un léger goût de brûlé indique qu'elle n'est pas industrielle).
– *Tzatziki :* yaourt, concombre et ail pilé avec de l'huile d'olive et de la menthe.
– *Féta :* le célèbre fromage grec (le mot signifie : tranche), qu'on fabrique un peu partout en Europe. Si vous en trouvez en barrique de bois, elle sera d'origine grecque. Sinon... La féta ne se mange pas qu'en salade mais peut aussi se déguster frite *(feta saganaki).* Il existe d'autres fromages, comme la *mizithra.*
– *Poulpe* (*khtapodhi* en grec, *octopus* en anglais) *:* se mange sous diverses formes, par exemple en amuse-gueule *(mezze)* au début du repas comme les moules *(mydhia).* Dans les ports, on voit souvent les poulpes en train de sécher au soleil. Le poulpe est un délice dans l'assiette, soit froid et vinaigré *(xydato),* soit chaud, cuit sur le gril *(psito).* On trouve, mais assez rarement, des boulettes où le poulpe remplace la viande *(khtapodokeftèdès).*

– *Calamars (kalamaria)* : ne constituent pas non plus un plat de résistance à part entière, mais les portions sont généralement plus copieuses que celles du poulpe et moins chères. Contrairement au poulpe, ils sont désormais le plus souvent congelés.

Plats cuisinés

– La célèbre *moussaka* : viande hachée disposée en couches avec des aubergines, le tout recouvert d'une béchamel ! Les pommes de terre ne sont pas nécessaires. Parfois, la *moussaka* est servie dans une terrine et c'est plutôt bon signe.
– *Pastitsio* : on remplace les aubergines par des macaronis, et le tour est joué. Assez bourratif quand même.
– *Mélitzanès papoutsakia* : aubergines farcies à la viande et gratinées.
– *Kolokithia tiganita* : courgettes coupées en petites tranches et frites.
– *Domatés ou pipériés (yémista)* : tomates et/ou poivrons farcis au riz. Le plus souvent, on sert un poivron et une tomate.
– *Dolmadès* (feuilles de vigne farcies) : on en trouve facilement en conserve, c'est alors une entrée froide. Beaucoup plus rarement, on tombe sur des feuilles de vigne plus grosses, chaudes, farcies à la viande hachée et recouvertes d'une sauce citronnée aux œufs *(avgholémono)*.
– *Rhorta* : herbes cuites de la montagne. Parfois proposées sous le nom de *vlita*. C'est un légume qui s'apparente à nos cardes.

Viande

Il peut être utile de savoir quels sont les termes indiquant comment la viande est préparée : *vrasto* (bouilli), *psito* (rôti), *sti skara* (sur le gril), *sti souvla* (à la broche), *sta karvouna* (barbecue au charbon de bois), *tiganito* (frit). Voici les principales viandes qui vous seront proposées :
– Le *souvlaki*, dont la réputation n'est plus à faire : le plus souvent sous la forme d'une grande brochette de porc ou de bœuf (on trouve également parfois de petits *souvlakia*). Pas très cher.
– *Brizola* : côtelette de porc ou de bœuf.
– *Païdakia* : côtelettes d'agneau.
– *Bifteki* (faux ami) : c'est bien de la viande, mais pas du bifteck, sauf que ça ressemble au hamburger, en meilleur car souvent parfumé avec des herbes.
– *Keftédès* : parfumées à la menthe et à l'origan, elles sont aussi à base de viande hachée mais sous forme de boulettes. Le mode de cuisson est différent : les *keftédès* cuisent au four ou dans une casserole, le *bifteki* est un plat *tis oras* (à la minute) qui est préparé sur le gril.
– *Kokoretsi* : du foie et parfois des abats cuits à la broche, spécialité de la Grèce continentale. Mmm !
– *Spetsofaï* : saucisses de pays (donc épicées...) en morceaux et aux poivrons. Plat régional, spécialité du Pélion.
– *Stifado* : émincé de viande (lapin ou bœuf) aux oignons.
– *Sofrito* : viande de bœuf ou de veau préparée dans une sauce à l'ail. Plat régional, spécialité de Corfou.
– *Bekri mezze* : littéralement, « le *mezze* du buveur » ! De la viande de porc cuite dans une sauce au vin. Généralement bon marché.

Poisson

Le poisson, à l'exception du *gavros*, des *gopès*, variante des sardines, ou encore du *kolios* (maquereau), n'est pas du tout bon marché, contrairement à ce que l'on pourrait croire. Ou alors, il faut l'acheter sur le port au petit matin et le cuisiner soi-même.
Voici quelques poissons avec leur nom en anglais, qui figure souvent sur la carte.

– *Glossa* : sole.
– *Barbounia (red mullets)* : rougets ou mulet barbu.
– *Tsipourès (mullet/giltheads)* : sorte de daurades.
– *Xifias (sword fish)* : espadon, excellent en steak ou en brochette.
– *Lavraki (bass)* : bar.
– *Garidès (shrimp)* : crevettes.
– *Kolios* : maquereau.
– *Lithrinia (mullet)* : mulet.

Malheureusement le « vrai » poisson se fait rare : des poissons d'élevage, notamment les daurades grises *(tsipourès)* risquent de vous être proposés – et ce n'est qu'au goût que vous vous en rendrez compte ! Quant aux crevettes, calamars et poulpes, plus vous serez près d'un lieu touristique, moins vous aurez de chance qu'ils soient frais. Il doit d'ailleurs être spécifié sur le menu s'ils sont surgelés ou non.

Plats végétariens

– *Briam* : sorte de ratatouille (pommes de terre, courgettes, poivrons et tomates).
– *Imam baïldi* : un plat d'origine turque, comme tant d'autres (aubergine farcie d'oignons, de tomates et d'herbes).
– *Yémista (orphana)* : lorsque la tomate et le poivron sont farcis mais sans viande, on les appelle avec humour *orphana* (les orphelins).

Pâtisseries

Les pâtisseries qu'on appelle « orientales » en France sont présentes en Grèce, héritage turc oblige. Le *baklava* et le *kadaïfi* sont les mêmes que ceux de la rue de la Huchette à Paris, mais en moins cher ! Goûter aussi au *rizogalo* (riz au lait saupoudré de cannelle) et au *galaktobouréko*, un feuilleté fourré d'une sorte de crème anglaise en plus compact ou encore le *revani* (ou *ravanì*), un gâteau de semoule bien spongieux. Pas mauvais non plus, l'*amigdaloto* (pâte d'amandes et de sucre).

On mange sur le pouce pour pas cher

On trouve partout le (petit) *souvlaki* que l'on mange avec un morceau de pain, ou, plus nourrissant, le *yiros (gyros) me pita* (viande de porc, parfois de poulet, cuit à la broche et découpé, avec de l'oignon et d'autres choses, dans une sorte de galette). Tout cela est bien meilleur que les hamburgers ou autres pizzas industriels. Le *kébab* se trouve également de plus en plus. Félicitations si vous réussissez à manger de la *patsas*, une sorte de ragoût de tripes, spécialité des gargotes du marché d'Athènes (où l'on peut en manger toute la nuit dans des restos ouverts 24 h/24).
N'oubliez pas non plus la *tiropita*, feuilleté au fromage, ou encore la *spanakopita*, où des épinards remplacent la féta. On en trouve dans les boulangeries ou pâtisseries.
Pour le reste, on trouve de plus en plus de produits européens dans les magasins, et particulièrement dans les AB et bien évidemment dans les *Carrefour* (il y en a un à Athènes, près de l'avenue Vassilissis Sofias et de la rue Kifissias, sur le chemin de l'aéroport et, aussi près de ce dernier, vers Pallini). Les laitages (yaourts, flans...) restent chers. Certains yaourts, notamment le *Total* de la marque *Fagé*, tiennent bien au ventre. On trouve évidemment tous les fruits méditerranéens. Pas de figues pour les pauvres juillettistes... Enfin, le fruit du pauvre, qu'on vend par camions entiers dans les villes, le *karpouzi* (pastèque), pas toujours facile à trimbaler dans le sac à dos. Le *péponi*, le melon grec à l'intérieur vert, est déjà beaucoup plus facile à caser.

Une coutume sympa en Grèce : au resto, si vous sentez que le courant passe avec les gens d'une autre table, appelez le patron et faites-leur servir une bouteille. Rapprochement garanti, et vous perdrez un peu l'étiquette de touriste.

DANGERS ET ENQUIQUINEMENTS

– *Location de scooters :* les accidents sont fréquents sur les îles, et les loueurs pas toujours honnêtes, si bien que parfois les paragraphes du formulaire d'assurance stipulant qu'en dehors des dommages occasionnés avec un tiers tous les autres frais de réparation seront à votre charge sont écrits uniquement en grec !
– *Taxis :* tous les chauffeurs de taxis à Athènes ne sont pas forcément honnêtes. Voir « Les taxis : ruses et arnaques » dans le chapitre consacré à Athènes. Et en dehors d'Athènes, ce n'est pas forcément mieux. Bien faire mettre le compteur à zéro.
– *Dragueurs :* ça s'appelle le *kamaki* et ça consiste à draguer les touristes occidentales seules. Les Grecs peuvent se révéler assez collants, le cas échéant.
– *Plaisanciers :* gare à la complicité des policiers et du pompiste ; ce dernier laisse parfois échapper quelques litres dans la marina, ce qui peut vous occasionner une amende pour pollution !
– *Escroquerie :* depuis plusieurs années, Jean-Paul Lurier, un Français qui se fait passer pour un journaliste de *Libération,* réussit à extorquer à ses compatriotes des sommes d'argent plus ou moins importantes selon la générosité de ceux à qui il s'adresse. Le plus souvent, il opère à Athènes, à Plaka et près de l'Acropole.

DROITS DE L'HOMME

Les Jeux olympiques terminés, restent les quelques dizaines de travailleurs migrants, accueillis pour beaucoup en hâte pour pouvoir terminer les travaux dans les temps, aujourd'hui confrontés à une épreuve de tout autre nature. Les postes disponibles se raréfient et leur seul espoir de rester dans le pays réside désormais dans une hypothétique vague de régularisation. En attendant, c'est le chômage, ou l'exploitation par des patrons peu scrupuleux, et, en tout cas, la vie au quotidien dans un pays qui ne fait pas beaucoup d'efforts pour les intégrer.
Si le mot « xénophobie » a une racine grecque, ce n'est en effet sûrement pas un hasard. Le sentiment de rejet des immigrés, mais aussi des minorités nationales (Albanais, Roms, Macédoniens...), sexuelles (homosexuels) et religieuses (communautés juive et musulmane), est particulièrement visible en Grèce. Ce racisme est même d'une certaine manière institutionnalisé, et selon Elena Karanatesi, journaliste à *Kathimérini,* « les médias grecs font continuellement la différence entre les populations qui cohabitent en Grèce (...) par ailleurs, la presse se focalise sur les actes criminels commis par des immigrés et conforte ainsi les préjugés xénophobes de la population ». Selon le bureau européen pour les langues moins répandues, la seule langue minoritaire reconnue étant le turc, les autres minorités linguistiques « n'ont aucun droit, aucun enseignement dans leur langue, pas d'écoles, pas de médias, ni le droit d'utiliser leur langue dans les rapports avec l'administration ».
Les forces de l'ordre se rendent également coupables de mauvais traitements à l'encontre des membres de ces communautés, et plus particulièrement à l'égard des Roms. Ces violations des droits humains ne font généralement pas l'objet d'enquête, et l'impunité demeure la règle. En outre, selon Amnesty « les immigrés en situation irrégulière étaient retenus dans des conditions déplorables (rapport annuel 2004) ». Sur l'échiquier politique, l'extrême droite progresse, et ses discours sont d'autant plus « efficaces » qu'ils sont proches de ceux tenus par la toute-puissante Église orthodoxe

grecque. Xénophobe, nationaliste et réactionnaire, celle-ci propage une idéologie qui n'est pas sans rappeler la devise des « Colonels » : « La Grèce aux Grecs chrétiens ». Dernier exemple en date : la polémique qui a opposé le leader orthodoxe Mgr Christodoulos et le gouvernement grec, au sujet de la construction d'une mosquée à Athènes. Finalement, le projet a été accepté le 21 juillet 2004, et, s'il aboutit, il s'agira de la première mosquée construite dans le pays depuis son indépendance... en 1830. Néanmoins, l'orthodoxie a cédé du terrain et, sous la pression européenne, la mention de la religion a par exemple été supprimée des cartes d'identité grecques.

Enfin, le groupe terroriste nationaliste d'extrême gauche *17 Novembre,* qui s'était rendu responsable de nombreux attentats, a finalement été démantelé après 27 ans d'activité. Quinze membres du mouvement ont été reconnus coupables et condamnés à des peines allant de huit ans d'emprisonnement à 21 fois la réclusion à perpétuité.

Pour en savoir plus, n'hésitez pas à contacter :

■ **Fédération internationale des Droits de l'homme (FIDH) :** 17, passage de la Main-d'Or, 75011 Paris. ☎ 01-43-55-25-18. Fax : 01-43-55-18-80. ● www.fidh.org ● fidh@fidh.org ● Ⓜ Ledru-Rollin.

■ **Amnesty International** (section française) : 76, bd de la Villette, 75940 Paris Cedex 19. ☎ 01-53-38-65-65. Fax : 01-53-38-55-00. ● www.amnesty.asso.fr ● info@amnesty.asso.fr ● Ⓜ Belleville ou Colonel-Fabien.

N'oublions pas qu'en France aussi les organisations de défense des Droits de l'homme continuent de se battre contre les discriminations, le racisme et en faveur de l'intégration des plus démunis.

ÉCONOMIE

L'économie grecque reste une sorte de mystère. Officiellement, elle a réussi, sous la houlette de Kostas Simitis, Premier ministre de 1996 à 2004, à se transformer pour satisfaire au carcan des fameux critères de convergence du traité de Maastricht, avec comme résultat l'admission, *in extremis,* au club, ce qui s'est concrétisé par l'adoption de l'euro depuis début 2002. L'inflation reste assez raisonnable, les dépenses publiques semblent à peu près maîtrisées, de nombreuses privatisations ont été engagées. Et pourtant ce pays, malgré tout pauvre par rapport aux autres pays de l'Union européenne, s'est permis d'annoncer, en juillet 2000, un programme, étalé sur 10 ans, de dépenses militaires exorbitantes, le plaçant dans ce domaine devant tous les autres pays de l'UE et au 2e rang des pays membres de l'OTAN (derrière devinez qui ? La Turquie !). Raison invoquée : « les menaces extérieures potentielles », cette phraséologie étant d'autant plus curieuse que le rapprochement avec la Turquie est sensible depuis 1999, à la suite de la coopération entre les deux pays intervenue après le séisme d'Izmit. Mais quelques mois après ce coup de menton militaire, le gouvernement a fait un pas en arrière, repoussant à plus tard (après les J.O. de 2004) ces dépenses, ce qui n'empêche pas le pays de consacrer annuellement 4,2 % de son PIB à la défense.

La réponse à tous ces sujets d'étonnement est peut-être arrivée en septembre 2004 : les analystes d'*Eurostat* ont ainsi révélé qu'en réalité la Grèce transgressait les règles du pacte de stabilité depuis 2000. Les vrais chiffres de l'économie grecque n'auraient pas été communiqués à Bruxelles. Ainsi, pour 2004, le déficit public aurait dépassé les 5 % contre... 1,2 % annoncés. Et ces mêmes experts ont aussi insinué que la dette publique devait être largement revue à la hausse... Elle atteindrait 110 % du PIB (alors que, dans la zone euro, le plafond est fixé à 60 %). Bon ! Signalons aussi que cet audit avait été demandé par le nouveau gouvernement (de droite) pour « démolir » la gestion du gouvernement précédent.

La Grèce est le pays des paradoxes : dernière de la classe européenne pour le PIB (elle est derrière le Portugal avec 12 540 $ par habitant, ce qui correspond officiellement à 70 % du niveau de vie moyen européen), elle est la première, devant l'Italie, pour la part qu'occupe l'économie souterraine (un rapport du Fonds monétaire international a estimé, fin 2001, à 28,7 % le pourcentage de l'économie « parallèle »). Cela explique sans doute pourquoi, avec un taux de chômage assez élevé (11,2 % fin 2004, taux revu à la hausse suite à un changement dans les méthodes de calcul), les Grecs ne semblent pas vivre si mal après tout... On les voit toujours aller manger au resto (où ils dépensent davantage que les touristes !), le parc automobile se modernise à vue d'œil, plus de deux Grecs sur trois ont leur téléphone portable, et on pourrait citer d'autres indices ou signes qui montrent que tout ne va pas si mal malgré l'austérité prônée par le gouvernement. Il faut aussi ajouter que la Grèce se place, avec l'Irlande, parmi les tout premiers pays qui bénéficient des subsides de Bruxelles (45 milliards d'euros accordés pour la période 2000-2006). Ces fonds constituent 3,5 % du produit national brut (l'Irlande est loin derrière avec seulement 1,5 %). Cela dit, des statistiques récentes font apparaître que 20 % de la population grecque vivent à la limite du seuil de pauvreté.

Les revenus générés par le tourisme pèsent lourd aussi dans la balance : avec autant de visiteurs étrangers que d'habitants, l'argent rentre à flots... Le tourisme occupe près de 18 % de la population. Certains vivent bien, toute l'année ou presque, de ce que leur rapporte l'invasion touristique des trois mois d'été que dure la haute saison. D'ailleurs, les chiffres du chômage par région montrent une grande disparité entre le Sud et le Nord : la Crète (6 % de chômeurs) et le Péloponnèse sont, avec les îles Ioniennes, les régions les plus prospères, alors qu'en Macédoine, en Épire et en Grèce centrale on dépasse les 12 % de demandeurs d'emploi.

L'impact économique des J.O. n'est pas à négliger non plus : ils ont rapporté 0,5 point de croissance supplémentaire en 2003 et 1 point en 2004. Et ce dans un pays où la croissance était déjà supérieure à 3 %... Plus d'une économie européenne rêverait de tels chiffres. Évidemment, depuis septembre 2004, le soufflé est retombé. L'enthousiasme général aussi et la facture est là... Le budget général des Jeux était estimé à 4,6 milliards d'euros et, dès l'été 2004, on annonçait qu'il dépasserait finalement les 6 milliards pour finir, en novembre 2004, par le chiffrer à... 8,5 milliards d'euros ! De quoi plomber l'économie grecque pour quelques années.

La Grèce a aussi ses célèbres armateurs qui sont parmi les grosses fortunes de la planète : dans le passé, les riches Grecs qui avaient fait fortune à l'étranger revenaient au pays jouer le rôle d'*évergète* (bienfaiteur) ; aujourd'hui, les armateurs placent plutôt leur argent à l'étranger, jugé plus sûr. Il n'empêche que la Grèce, avec la première flotte du monde (devant le Japon et la Norvège), même si les 2/3 sont immatriculés sous pavillon de complaisance, a également là une source de richesse importante. La marine marchande compte en effet pour 11 % des recettes de la balance des paiements courants, juste derrière le tourisme (18 %). Et, pour en finir avec les chiffres, sachez que la flotte grecque constitue 17 % de la flotte mondiale (et l'on ne parle pas des pavillons de complaisance...).

ENVIRONNEMENT

Les écolos, en Grèce, n'ont jamais vraiment décollé aux élections. Dommage, car s'ils représentaient une véritable force politique, ce serait le signe d'une prise de conscience de la population vis-à-vis des problèmes d'environnement.

La Grèce compterait 1 400 décharges sauvages à la sortie des villages ou sur les bords des pistes ou des sentiers qui fleuraient bon. La ministre de l'Environnement a déclaré en juillet 2003 : « L'horreur des décharges publiques qui porte atteinte à l'environnement et à la santé publique ne peut plus continuer. » En juillet 2000, la Grèce a d'ailleurs été condamnée par l'Union européenne à payer une lourde amende pour manquement « à l'obligation d'éliminer les déchets sans mettre en danger la santé de l'homme »... Il s'agissait, en l'occurrence, d'une décharge à ciel ouvert à Kouroupitos, du côté de La Canée (Hania) en Crète. Tout le monde a promis de remédier au problème le plus vite possible, mais pour une décharge fermée, combien d'autres défigurent encore de magnifiques paysages?

La politique grecque vis-à-vis des espèces animales protégées est également souvent montrée du doigt : les tortues *caretta-caretta* font les frais de cette situation. Elles sont censées être protégées depuis la création d'un parc national marin à Zante, mais elles ont la mauvaise idée de fréquenter les plages recouvertes, comme par hasard, de transats et de parasols... Et les autorités ne font pas ce qu'il faudrait, c'est-à-dire libérer les plages en question de la pression touristique... Pourtant, elles s'y sont engagées... et ont été condamnées en 2002 par la Cour européenne de Justice pour non-respect des conventions pour la protection des tortues. La situation s'est encore aggravée en 2004 : une grande part de l'argent public allant en direction du financement des Jeux olympiques, les employés du parc se sont mis en grève en mai. Ils n'étaient plus payés depuis 8 mois! De toute façon, il n'y avait pas grand monde pour respecter les missions du parc : toujours en 2004, un énorme complexe hôtelier était en train d'être construit, en partie à l'intérieur du parc national... Nul doute que de nouvelles procédures vont être engagées à l'encontre de la Grèce. Mais dans de telles conditions, on ne s'étonnera pas que les associations grecques qui luttent pour la défense de l'environnement ne se sentent pas vraiment soutenues dans leur propre pays...

Dans le domaine de l'écologie, de nombreuses associations œuvrent pour défendre les richesses naturelles et les animaux. Il y en a pour tous les goûts :

■ *Hellenic Society for the Protection of Nature :* 20, odos Nkis, 10557 Athènes. ● www.eepf.gr ●
■ *WWF Hellas :* 26, odos Filellinon, 10558 Athènes. ☎ 21-03-31-48-93. Fax : 21-03-24-75-78. ● www.wwf.gr ● en grec seulement.
■ *Elliniki Ornithologiki Etairia* (l'équivalence de notre *Ligue pour la Protection des oiseaux*) *:* 24, odos Vas. Irakliou, 10682 Athènes. ☎ et fax : 21-08-22-79-37. Et, pour la Grèce du Nord, 8, odos Kastritsiou, 54623 Thessalonique. ☎ 23-10-24-42-45. ● www.ornithologiki.gr ●
■ *Delphis :* 75-79, odos Pylis, 18533 Le Pirée. ☎ 21-04-22-33-05 et 06. Fax : 21-04-22-33-05. Delphis est l'association grecque qui s'occupe des dauphins (et plus généralement des cétacés) en Grèce.
■ *Archelon :* 57, odos Solomou, 10432 Athènes. ☎ et fax : 21-05-23-13-42. ● www.archelon.gr ● Se consacre à la protection des tortues marines.
■ *MOm (société pour l'étude et la protection du phoque méditerranéen) :* 18, odos Solomou, 10682 Athènes. ☎ 21-05-22-28-88. Fax : 21-05-22-24-50. ● www.mom.gr ● La Grèce est le pays qui compte la plus grande colonie de phoques *monachus-monachus* mais cette espèce est en danger, vu le petit nombre d'individus (dans les 200 et encore, on n'en est pas totalement sûr, le phoque étant par nature très secret). L'activité du MOm est essentiellement centrée sur le parc national marin des Sporades du Nord basé à Alonissos, mais il intervient aussi sur d'autres îles où ont été recensés des phoques (Kimolos, Fourni, Karpathos, ainsi que dans les îles Ioniennes).
Enfin, pour s'informer sur les questions d'environnement en Grèce, consulter ● www.greece.gr/ENVIRONMENT/index.htm ●

FÊTES ET JOURS FÉRIÉS

Fêtes nationales

Les Grecs ont eu l'excellente idée de se programmer 2 fêtes nationales :
– *le 25 mars :* en commémoration de la révolution de 1821, qui libéra la Grèce de l'occupant turc (en réalité, le début du soulèvement eut lieu un peu avant) ;
– *le 28 octobre :* pour célébrer le refus de l'ultimatum italien en 1940. Défilés religieux et militaires à peu près partout.
À retenir également : le *1er mai,* fête du Travail.

Fêtes religieuses

– Première au hit-parade, la *Semaine sainte,* traditionnellement plus importante que Noël en Grèce.
– *La Pâque grecque* (to Paskha) : en 2005, la Pâque orthodoxe tombe le 1er mai. Se renseigner si l'on veut visiter des musées ou autres sites touristiques, car soit ils sont fermés, soit ils fonctionnent au ralenti du jeudi de la Semaine sainte au lundi de Pâques inclus. Savoir aussi que les hôtels sont alors pris d'assaut et pratiquent souvent des tarifs dignes du plein été, voire pire. Les grands moments religieux de cette semaine sont, le vendredi soir, la procession de l'*épitafios* (symbolisant le linceul du Christ), la messe du samedi soir qui se termine aux cris de *Christos Anesti* (Christ est ressuscité) et qui est suivie d'un repas commençant par la *mayiritsa,* une soupe d'abats d'agneau et d'œufs battus, et enfin le repas dominical (agneau à la broche pour tout le monde).
– *Le lundi de Pentecôte orthodoxe* (50 jours après Pâques, donc mi-juin en 2005). Attention encore, ce jour-là, tout est fermé. Le *jeudi de l'Ascension* est aussi l'occasion d'un pont.
– *Le 15 août* constitue l'autre grande célébration religieuse. En grec, on parle de la *Dormition (Kimissis)* de la Vierge et non de l'Assomption.
– Certaines fêtes religieuses sont célébrées avec plus d'insistance dans divers endroits : la *Saint-Spyridon* en août à Corfou, le *carnaval de Patras* entre le 17 janvier et le Carême, le *15 août* à Tinos, la *Saint-Dimitri* (26 octobre) à Thessalonique...

Fêtes locales

En se baladant de village en village, l'été, on est à peu près sûr de tomber un soir ou l'autre sur un *panighyri* (fête locale au singulier ; *panighyria* au pluriel), donné à date fixe en l'honneur du saint patron du patelin. Ceux qui sont friands de ces festivités, en général pas frelatées, peuvent s'amuser à repérer les noms des saints des églises et à chercher quand tombe la fête. On commence bien sagement par une cérémonie religieuse et l'on finit en général au petit matin de manière beaucoup moins pieuse. Quelques exemples (liste non exhaustive, loin de là) :
– *le 24 juin :* Agios Ioannis (la Saint-Jean) ;
– *le 1er juillet :* Agii Anarghyrii (les saints Indigents, littéralement les « sans-le-sou ») ;
– *le 7 juillet :* Agia Kyriaki (sainte Dominique) ;
– *le 17 juillet :* Agia Marina ;
– *le 20 juillet :* Profitis Ilias (le prophète Élie) ;
– *le 26 juillet :* Agia Paraskevi ;
– *le 27 juillet :* Agios Pandéléimon ;
– *le 2 août :* Agios Stéfanos ;

– *le 12 août* : *Agios Matthéos* (saint Matthieu) ;
– *le 2 septembre* : *Agios Mamas* ;
– *le 15 septembre* : *Agios Nikitas*.

L'étranger est toujours bien accueilli en pareille occasion. Couche-tôt, s'abstenir (car ils ne pourraient apprécier l'extraordinaire endurance des Grecs) ! Les dates peuvent éventuellement être décalées d'un jour, pour profiter d'un week-end.

GÉOGRAPHIE

Le territoire grec est avant tout marqué par la montagne : elle occupe près de 70 % du pays (les savants géographes font ensuite la distinction entre reliefs montagneux – 45 % – et semi-montagneux – 23 %). Les massifs montagneux grecs appartiennent aux Alpes dinariques qui commercent en Slovénie et parcourent toute l'ex-Yougoslavie et l'Albanie, dans un axe nord-ouest sud-est pour s'achever en Crète, dans un axe ouest-est, via l'Épire et le Péloponnèse. L'autre chaîne, subdivision orientale de la précédente, couvre la Macédoine et s'incline vers le sud (massifs de l'Olympe et du Pélion). Pas de sommet dépassant les 3 000 m (l'Olympe ne fait « que » 2 917 m), mais 120 sommets dépassent tout de même les 2 000 m.

Tout cela ne laisse pas beaucoup de place aux plaines : environ 30 % du territoire national, le plus souvent à l'intérieur du pays (Thessalie, Macédoine centrale, Messara en Crète), les plaines littorales étant plus rares (l'Achaïe et l'Élide dans le Péloponnèse). Mais la mer n'est jamais très loin : aucun point du pays n'est à plus de 100 km à vol d'oiseau des côtes de la mer Égée ou de celles de l'Adriatique.

Quiconque a voyagé en Grèce en été a remarqué à quoi étaient réduits les fleuves et rivières près de leur embouchure, au mieux un mince filet d'eau : pourtant, les ressources hydrographiques sont globalement suffisantes en Grèce, grâce aux nombreuses montagnes. Le problème est simplement celui de la répartition de ces ressources. Athènes, mégalopole concentrant avec sa banlieue dans les 35 % de la population grecque, souffre particulièrement, de même que de nombreuses îles qui manquent dramatiquement de ressources en eau.

HABITAT

Partout en Grèce, les constructions poussent comme des champignons et restent en chantier, parce que, après avoir construit le rez-de-chaussée, on attend d'avoir un peu d'argent pour construire l'étage... Toutes ces maisons inachevées avec des fers à béton sur le toit défigurent l'environnement. À quand un changement ?

Le type de l'habitat rural est le bourg perché. Cet habitat groupé sur les hauteurs dans un site défensif se réfère sans doute aux longues périodes d'insécurité, mais il répond aussi à l'adaptation pour l'exploitation étagée des versants. Ces bourgs dressent leurs hautes maisons, tantôt de forme cubique avec terrasse, tantôt coiffées d'un toit aux tuiles rouges. La vie se concentre sur la place, près de l'église, à l'ombre des platanes ; de là grimpent les ruelles empierrées, étroites, assombries par les balcons et les auvents.

Dans les îles, l'habitat est souvent plus ramassé, enchevêtrement de formes blanches groupées autour du port, comme prises entre mer et ciel.

L'architecture néoclassique

À la suite de l'indépendance, la Grèce voulut effacer le témoignage de quatre siècles de domination ottomane. Dès son intronisation, Othon Iᵉʳ entreprit de grands travaux de reconstruction. On détruisit alors les rues tortueuses, centrées sur la mosquée, le bazar et le hammam, pour adopter un urbanisme plus rigoureux (plan en damier), que l'on voulait rattacher à une tradition antique, celle d'Hippodamos de Milet. Ce qui est à la fois paradoxal et surprenant, c'est que ce style néoclassique a été importé en Grèce par des architectes étrangers. Il est vrai que depuis un demi-siècle, les Européens cultivaient le goût de l'Antique, entre autres au travers des découvertes archéologiques grecques mises au jour en Italie du Sud. Plusieurs spécialistes, dont les Allemands Schaubert et von Klenze, le Danois Hansen, le Français Boulanger et les Grecs Kléanthis et Kaftanzoglou, furent chargés d'élever les édifices de prestige qui devaient représenter le nouvel État. Les éléments architecturaux caractéristiques de ce nouveau style se composaient de colonnes ou de pilastres surmontés du classique fronton triangulaire, coiffé d'acrotères, que l'on remarque encore sur le Parthénon. La nouvelle esthétique fut vite adoptée par les bâtiments privés de la capitale et de la province, et même à Thessalonique qui ne devint pourtant officiellement grecque qu'au début du XXe siècle !

Malheureusement, lors des spéculations immobilières des années 1960, cette belle harmonie architecturale fut détruite. À Athènes, seuls aujourd'hui le quartier de Plaka, le Palais royal sur Syndagma, l'université rue Panépistimiou, le Musée byzantin et quelques rares autres demeures témoignent encore de cette nouvelle mode. Toutefois, les autorités ont pris conscience de la nécessité de sauvegarder les derniers bâtiments, et leur réhabilitation a fait partie des projets d'aménagement urbain d'Athènes pour 2004. Des milliers d'immeubles ont ainsi été ravalés pour les J.O. En dehors d'Athènes, il ne subsiste guère, dans ce style, que le charmant village de Galaxidi, près de Delphes, et celui d'Ermoupolis, chef-lieu de Syros (Cyclades).

HÉBERGEMENT

Les auberges de jeunesse

La situation n'est pas aussi claire que dans d'autres pays d'Europe. On s'y retrouve néanmoins.

La Grèce ne compte qu'une seule (!) auberge affiliée à l'Organisation internationale des auberges de jeunesse. Son adresse : 16, odos Victoros Hugo, 104 38 Athènes. ☎ 21-05-23-41-70. Fax : 21-05-23-40-15. Il existe en outre quelques auberges de jeunesse non affiliées à l'Organisation internationale, mais qui sont regroupées dans la Fédération nationale grecque d'auberges de jeunesse *(Greek Youth Hostel Organization)*. Enfin, d'autres auberges officieuses se présentent comme des *youth hostels*.

La Fédération nationale grecque d'auberges de jeunesse

Il existe une fédération nationale grecque d'auberges de jeunesse *(Greek Youth Hostel Organization)*, non affiliée à la fédération internationale. Elle regroupe 10 auberges, dont 4 en Grèce continentale.

– *Athènes* : 75, odos Damaréos (quartier de Pangrati), 116 33. ☎ 21-07-51-95-30. Fax : 21-07-51-06-16. ● skokin@hol.gr ● y-hostels@ote net.gr ●

– *Santorin :* à Théra (Fira), ☎ 22-86-02-23-87 ou 22-86-02-38-64. À Périssa : *Youth Hostel Anna,* ☎ 22-86-08-21-82. À Oia (Ia) : ☎ et fax : 22-86-07-14-65.

Les hôtels bon marché

Vous pouvez essayer de marchander, surtout si vous restez plusieurs jours. On trouve plus facilement une chambre pour trois personnes que pour une seule. Se munir d'une pièce d'identité qui vous sera restituée lors du départ. Attention, en hiver, peu d'hôtels sont ouverts, hormis à Athènes, et le chauffage est pratiquement inexistant. Se méfier aussi à Athènes : un certain nombre d'hôtels bon marché accueillent d'autres populations que les touristes de passage, et la sécurité n'y est pas garantie.

Logement chez l'habitant

Souvent bon marché et assez souvent intéressant pour les contacts humains. Cependant, il faut avoir l'œil : dans certains coins, les *rooms to rent* sont devenues une véritable industrie (on se fait construire le « palace » de 4 étages et l'on rentabilise de manière forcenée pendant la saison). Préférez donc les maisons à l'allure plus modeste, au moins pour l'accueil. Les prix sont loin d'être toujours affichés dans les chambres, comme ce devrait être le cas. N'hésitez pas à marchander ou à faire jouer la concurrence. Attention, on vous fera parfois la tête si vous annoncez que vous passez une seule nuit. Il faut donc ruser...

Hébergements de charme

Une initiative intéressante a vu le jour en 2003 : le premier réseau d'hébergements de charme en Grèce, en milieu rural. Créé par une petite équipe franco-grecque, *Guest Inn* a pour but de faire connaître la Grèce profonde (les destinations considérées comme moins « touristiques » ont été privilégiées), avec un choix d'hébergements de petite capacité, sélectionnés pour leur caractère et la qualité de l'accueil. Fin 2004, le réseau était riche d'une soixantaine d'adresses. *Guest Inn* propose les services d'un central de réservation, servant alors d'intermédiaire avec les propriétaires qui ne parlent souvent que le grec. La plupart de ces hébergements se trouvent en Grèce continentale mais quelques-uns sont situés dans les îles.

■ **Guest Inn :** 34, odos Kefallinias, 16561 Glyfada (banlieue sud d'Athènes). ☎ 21-09-60-71-00. Fax : 21-09-60-77-12. ● www.guestinn. com ● Site de grande qualité, également une bonne source d'informations générales.

Le camping

La Grèce compte 350 terrains de camping, en général bien aménagés. Il y en a malheureusement assez peu dans les îles. Un petit nombre d'entre eux disposent d'une piscine (ceux situés à proximité des grands sites). Les campings grecs acceptent les gens sans tente, ce qui n'est pas le cas en France. Certains louent sacs de couchage et tentes. Sinon, prévoir des piquets de tente solides : le sol grec est dur ! Les routards en sac à dos peuvent peut-être ainsi éviter d'emporter leur tente, surtout en juillet et août : c'est lourd, et ce n'est utile que pour se protéger des moustiques (et là, on se dit qu'après tout, il n'était peut-être pas si superflu que ça de se charger de quelques kilos de plus. À vous de voir). Mais attention, le sac de couchage est nécessaire dans les îles, car les nuits y sont fraîches.

Deux chaînes se livrent une rude concurrence : *Sunshine* propose 10 % de réduction en juillet et août et 20 % hors saison ainsi que 15 % sur la compagnie *Minoan Lines* (liaison Italie-Grèce). Une quarantaine de campings grecs sont membres de cette chaîne. De son côté, *Harmonie* propose des réductions similaires et des réductions sur la ligne Patras-Ancône (compagnie *Superfast Ferries*). Pour en savoir plus, consulter les sites ● www.sunshine-campings.gr ● et ● www.campingclub.gr ● Depuis peu, une troisième chaîne s'est installée sur le marché (voir le site ● www.camping.gr ●). Prévoir d'emporter deux pièces d'identité, car les campings en gardent généralement une jusqu'à votre départ. Attention, toutes les îles ne sont pas équipées de camping, donc bien vous renseigner avant le départ (en lisant attentivement les chapitres consacrés aux îles dans votre *Guide du routard* par exemple !) de façon à ne pas vous retrouver avec une tente qui ne vous servirait à rien. Il existe également des campings qui ne sont pas officiellement répertoriés sur la base de données de l'office du tourisme (• www.gnto.gr •) : non reconnus par ce dernier, ils sont juste tolérés localement. Ils sont en général sommairement équipés, et finalement assez chers pour ce qu'ils proposent.

– Le *camping sauvage* est officiellement interdit. ATTENTION, la police ne rigole pas !

– Pour les réservations de chambres d'hôtels, de bungalows ou de résidences hôtelières, on peut demander des renseignements par écrit, longtemps à l'avance, à :

■ *Hellenic Chamber of Hotels :* 24, odos Stadiou, 10564 Athens. ☎ 21-03-31-00-22 à 26. Fax : 21-03- 22-54-49 ou 21-03-23-69-62. • grho tels@otenet.gr •

Voir également la rubrique « Budget ».

HISTOIRE

Une vocation universelle

Si nous avons tous rêvé d'avoir un « oncle d'Amérique », nous avons tous un ancêtre grec ! L'homme moderne occidental, quelles que soient ses origines, peut saluer la Grèce antique comme le berceau du progrès dont il jouit. De la machine à calculer à son bulletin de vote, des Jeux olympiques au vocabulaire de son analyste, la Grèce antique est partout présente dans son quotidien.

Pour mieux cerner l'histoire de l'Antiquité grecque, du moins jusqu'au règne de Philippe II de Macédoine, père d'Alexandre, il faut savoir avant tout que les Grecs ne furent jamais unis politiquement ou territorialement. Si « Hellas » désigne aujourd'hui un pays, les anciens Hellènes ne partageaient guère que le sentiment d'appartenir à une même communauté ethnique, linguistique et religieuse, distincte des « barbares » (tous ceux qui ne parlaient pas le grec...). Bien plus tard, ce sont les Romains qui nommèrent les Hellènes « Grecs » *(Graeci),* du nom d'une obscure tribu.

Les âges reculés

Les premières traces de présence humaine sur le sol grec remontent à 40000 ans. Le néolithique (6000-3000 av. J.-C.) voit se développer les premiers villages agricoles, à l'origine des premiers foyers de civilisation, sous l'influence d'Indo-Européens venus d'Asie Mineure. Dès le début de l'âge du bronze (3000-1200 av. J.-C.) brille dans les îles une civilisation dite « cycladique » tandis qu'en Crète une civilisation encore plus brillante se développe. Vers 2000 av. J.-C. arrivent des « barbares » venus du Nord qu'on appellera les *Achéens.* Les nouveaux venus s'installent dans toute la péninsule et s'assimilent.

La civilisation mycénienne

La mayonnaise prend tellement bien que la civilisation dite mycénienne (1700-1100 av. J.-C.) s'impose, atteignant son apogée entre les XIVe et XIIIe siècles av. J.-C., à la suite de l'effondrement de l'empire crétois. L'influence de la culture crétoise est d'ailleurs certaine : l'écriture syllabique dite « linéaire B » qui succède à une écriture hiéroglyphique, le « linéaire A », non déchiffrée à ce jour, vient de Crète et se répand en Grèce continentale. Mais l'Empire crétois s'effondre et les cités comme Mycènes, Tirynthe et Pylos deviennent autant de puissances régionales qui se distinguent par leur richesse : dès le début, quelques tombes royales apparaissent puis on y construit des palais somptueux. La guerre de Troie, en partie légendaire, montre en action les chefs de guerre qui sont à la tête de ces cités. Les Mycéniens ne font pas que se battre, ils nouent des rapports avec l'Orient, diffusent leur culture, poussant l'exploration jusqu'aux limites du monde connu.

L'*Iliade* et l'*Odyssée*

De ces voyages naquirent les récits entre l'imaginaire et le réel qui firent le bonheur de toute une génération de films « péplum » dans les années 1950 comme *Jason et les Argonautes*, pour n'en citer qu'un, et le récent *Troie* (2004). Les Grecs, à quelques exceptions près, considèrent l'*Iliade* et l'*Odyssée* comme l'œuvre d'un seul poète, Homère. La première œuvre raconte le déroulement de la guerre de Troie et la seconde le difficile retour d'Ulysse après la victoire des Grecs sur les Troyens. Nul ne sait à coup sûr où et quand Homère vécut. Il est généralement admis qu'Homère vécut vers 750 av. J.-C. La « biographie » établie par Hérodote fut écrite 300 ans après la mort d'Homère, tout comme l'œuvre de ce dernier fut composée un demi-millénaire après les événements qu'elle raconte. Les savants modernes sont divisés sur le problème de déterminer si ces deux poèmes furent composés par le même auteur, ainsi que sur leur ancienneté. Mais derrière les poèmes homériques s'étendent des siècles de traditions orales transmises par des bardes professionnels, les aèdes. Dans les deux œuvres, la population, hormis les héros nobles, est une masse vague dont le statut exact est tout à fait obscur. Les poèmes homériques restent le seul regard « vivant » que nous ayons sur le somptueux âge du bronze mycénien qui s'écroula tout au long du XIIe siècle av. J.-C.

Les âges sombres qui suivirent sont des siècles de pauvreté et de désordre. C'est durant cette période que *Zeus* s'imposa davantage encore comme le dieu de la Souveraineté, conséquence bien naturelle dans un monde où le pouvoir est vacillant et contesté ! De nouvelles divinités originaires d'Asie s'introduisent dans le panthéon : *Aphrodite* – une Sémite que les Grecs ont empruntée à Chypre – ainsi qu'*Apollon*. Mais peu à peu, vers l'an 800 av. J.-C., se reconstituent des collectivités organisées, et le monde hellénique connaît alors un second apogée... qui commence avec la période dite archaïque.

Cette époque s'achève par un progrès déterminant : l'écriture syllabique est remplacée par un véritable alphabet, emprunté aux Phéniciens. Cette nouvelle langue écrite est accessible à tous et non plus réservée aux scribes. Elle favorise le développement des cités-États, dont Athènes et Sparte qui évoluent dans deux directions différentes. Sparte se caractérise par son organisation militaire alors qu'Athènes, après une période marquée par la tyrannie, se dirige vers un type d'organisation qu'il fallait inventer, la démocratie.

L'expansionnisme grec

Entre 775 et 550 av. J.-C., des colons quittent la Grèce continentale pour s'installer sur tout le pourtour méditerranéen, de l'Espagne à l'Asie Mineure et à la mer Noire, avec une forte concentration en Sicile et en Italie du Sud, qu'on va appeler Grande-Grèce. Il s'agit en fait d'émigrants pauvres que les cités ne pouvaient plus nourrir : ils vont faire rayonner l'hellénisme bien au-delà de la péninsule grecque. Ainsi Thalès, originaire d'Asie Mineure, une sorte d'ingénieur et de marchand bourlingueur (Afrique, Arabie, Babylone : pas mal pour l'époque) fit progresser les connaissances en astronomie et en géométrie. Il savait calculer la hauteur d'une pyramide d'après la longueur de son ombre : la science était en marche. Dans la foulée, Pythagore (569-506 av. J.-C.), originaire de Samos et émigré en Grande-Grèce, nous légua son fameux théorème : « Dans un triangle rectangle, le carré de l'hypoténuse est égal à la somme des carrés des deux autres côtés. » Interro écrite demain !

La démocratie athénienne

En Attique, la région d'Athènes, les pauvres, les opprimés étaient, plus qu'ailleurs sans doute, intelligents et courageux. Ils comprirent vite qu'ils devaient se grouper, surtout dans les villes et leurs faubourgs, et, après maints échecs, ils parvinrent à tenir tête aux nobles et aux puissants. Athènes, après avoir connu l'oligarchie et la tyrannie, devint au Ve siècle av. J.-C. une communauté *(synoikismos),* une démocratie directe, non parlementaire, au fonctionnement complexe. Au départ, cette démocratie était de fait dirigée par des citoyens-guerriers capables d'assumer des charges militaires mais son fonctionnement, très complexe, donnait la parole à chaque homme libre de la cité. Lorsque Athènes est devenue un empire maritime, demandant une flotte nombreuse en hommes, l'assise de la démocratie s'est élargie. L'assemblée du peuple *(ecclesia),* où tous les citoyens du *dimos* pouvaient siéger, discutait des projets qui lui étaient soumis par une autre assemblée *(la Boulè)* de 500 citoyens, tirés au sort, âgés de 30 ans au moins, et avait de larges pouvoirs législatifs, exécutifs et judiciaires. La magistrature la plus haute, la stratégie, était élective (on votait à main levée) : chaque année, dix stratèges étaient ainsi désignés (Périclès le fut 15 fois) pour diriger la démocratie. À la fin de leur charge, les élus devaient rendre des comptes. Mais cette démocratie directe avait ses limites : ni les femmes, ni les métèques (autrement dit tous les étrangers à la cité, même grecs, comme Aristote, né en Macédoine, qui était un métèque à Athènes !), ni les esclaves n'étaient des citoyens et ne pouvaient prendre part aux décisions. Il fallait même être de père et de mère athéniens pour être considéré comme citoyen : on estime qu'ils n'étaient, à l'époque classique, guère que 40 000 à posséder la citoyenneté, sans que les exclus du système politique se sentent pour autant rejetés de la vie athénienne (les esclaves par exemple n'étaient pas « esclaves » au sens que le mot a pris). Athènes n'était qu'une cité parmi 700 autres, sans aucun doute la plus brillante en raison de l'importance qu'y a pris la culture (qu'on songe seulement que le théâtre ne s'est guère développé qu'en Attique) et la démocratie n'a concerné que quelques-unes de ces cités, les autres connaissant souvent la tyrannie. Et n'oublions pas non plus que la démocratie athénienne a été combattue par ses adversaires partisans de l'oligarchie (littéralement : le commandement de quelques-uns). Pour Aristote, la démocratie n'était pas respectueuse de la liberté de chacun ! C'était une sorte de dictature exercée par la masse.

Les citoyens athéniens se réunissaient sur la colline de la Pnyx pour voter. Mais les abstentions devinrent de plus en plus nombreuses. Vint un temps où l'on dut user d'un procédé qui s'apparente à la rafle pour réunir 5 000 assistants, quorum légal pour certaines séances. C'est ainsi que les citoyens étaient littéralement poussés par les archers qui tendaient, en travers de l'agora et des rues voisines, des cordeaux teints en rouge ; ceux qui s'étaient laissé marquer de rouge ne touchaient pas l'indemnité accordée aux participants à l'assemblée.

Les Athéniens inventèrent aussi l'ostracisme, gardien de la démocratie. Pénalité unique en son genre, l'ostracisme était un véritable rempart contre la tyrannie. Un citoyen menaçant le pouvoir du peuple par ses ambitions et ses actes était banni pour 10 ans par l'assemblée, à condition tout de même que 6 000 votants se prononcent contre lui. Cette mesure ne punissait pas obligatoirement un acte commis, mais visait à prévenir toute ambition dictatoriale. L'ostracisé n'était alors pas dépossédé de ses biens et avait 10 jours pour préparer son départ...

Le classicisme (Vᵉ-IVᵉ siècles av. J.-C.)

À cette époque, la Grèce connaît donc une première forme de démocratie. Mais cet élan progressiste va se heurter à une redoutable épreuve extérieure : les attaques des grands rois de Perse, facilitées par la rivalité chronique entre les cités grecques. Les Perses sont repoussés après les batailles de Marathon en 490 av. J.-C. et de Salamine dix ans plus tard, et l'éclat de ces victoires a assuré un prestige retentissant à Athènes, première des cités grecques, tandis que le monde hellénique va s'épanouir encore plus. Le siècle de Périclès (Vᵉ siècle av. J.-C.), véritable apogée de la civilisation grecque, se termine pourtant mal. Athènes, accusée d'être devenue hégémonique, indispose jusqu'à ses alliés. La guerre du Péloponnèse (431-404 av. J.-C.), opposant les camps de Sparte et d'Athènes, affaiblit les cités qui passeront sous domination macédonienne au siècle suivant.

Le théâtre grec

Si l'on a un peu trop tendance à dire qu'on n'a rien inventé depuis les Grecs, c'est en tout cas certainement vrai pour le théâtre. Les tragédies reprenaient les récits de la mythologie. On les jouait dans d'immenses théâtres en plein air, capables d'accueillir jusqu'à 14 000 spectateurs. Parmi les grands auteurs, le premier, fondateur de la tragédie, est Eschyle, dont il ne reste que 7 pièces. Ses héros se débattent dans un monde violent, aux prises avec la justice divine, implacable. Sophocle, qui écrit quand Athènes est à son apogée, replace l'homme au centre et montre des personnages en lutte avec leur destin, ainsi que les conséquences de leurs choix. Ici la grandeur tragique trouve toute son expression. Euripide, dont 18 tragédies sont conservées, renouvela le genre et s'attacha à l'analyse psychologique des personnages, au rajeunissement des mythes grecs et à la contestation de la tradition, allant même jusqu'à l'irrespect envers les dieux !

Côté comédie, le grand Aristophane, inventeur de l'esprit gaulois avant la lettre, n'a pas vieilli non plus : dans sa comédie *Lysistrata,* les femmes votent une grève du sexe pour forcer les Athéniens à conclure la paix avec Sparte. Audacieux, non ?

Les philosophes

– *Socrate* (469-399 av. J.-C.) *:* un sacré numéro. Fils de sage-femme, il inventa la maïeutique, l'art d'accoucher les esprits en pratiquant un questionnement serré de son interlocuteur, ainsi que la dialectique. Il s'attaquait aux préjugés, sapait les certitudes toutes faites, du moins c'est ce qui lui a été reproché. Pas étonnant que, dans une Athènes en crise, on l'ait accusé d'être impie et de corrompre la jeunesse. Il fut condamné à mort et dut boire la ciguë.

– *Platon* (429-347 av. J.-C.) *:* élève de Socrate, il consacra une partie de son œuvre à transcrire pour la postérité ses conversations avec son maître qui, lui, ne laissa rien (peut-être qu'il n'avait pas trouvé d'éditeur !). Obnubilé par la perfection que seule l'intelligence, selon lui, peut faire entrevoir, Platon décrivit sa conception de l'État idéal dans le plus connu de ses écrits : *La République.*

– *Aristote* (384-322 av. J.-C.) *:* disciple de Platon (mais pas le moins du monde idéaliste) et maître d'Alexandre le Grand, il est considéré comme le père de la logique. C'est l'encyclopédiste de l'Antiquité, avec à son actif la bagatelle de 400 ouvrages couvrant tous les domaines des connaissances de son époque. Il fonda à Athènes une école appelée... *Lycée !*

– *Épicure* (341-270 av. J.-C.) : il enseignait que chaque homme avait droit au bonheur ; mais associer la pensée d'Épicure à la satisfaction effrénée des plaisirs serait une erreur. Pour lui, le bonheur réside dans la maîtrise des désirs qui culmine dans l'absence de trouble et de passion. Jefferson a eu l'idée de citer ce grand homme dans la Déclaration d'indépendance des États-Unis.

L'amour à la grecque

Pour mieux comprendre la société des Grecs, il faut se pencher un peu sur leurs mœurs. Malgré l'influence de Sapho et de son œuvre, les femmes, sauf à Sparte où elles étaient particulièrement libres et où une sorte d'adultère légal était toléré, restaient à l'écart de la vie publique masculine. En résumé, la femme était là pour la reproduction et les garçons pour le plaisir. L'homosexualité occupait une grande place dans la vie privée et sociale. L'amour entre un adulte *(éraste)* et un jeune garçon de 12 à 18 ans *(éromène)* était loin d'être anormal, et une telle relation était socialement reconnue et même valorisée, comme il y avait des lois qui protégeaient les jeunes gens de tout abus ou de viol.

L'*éraste* devait donner l'exemple moral, transmettre les valeurs humaines à l'*éromène*, et la forme la plus élevée de cet amour restait chaste (ou platonique : Platon, dans *Le Banquet*, fait longuement discourir Socrate, entre autres, à ce sujet et l'on voit que Socrate entretenait de telles relations avec ses disciples). Les liens amoureux entre soldats étaient considérés comme une garantie de bravoure au combat. Éros patronnait plus particulièrement les relations entre un homme et un garçon, Aphrodite se réservant les relations hétérosexuelles. L'« amour-passion » était considéré comme une maladie, une chose terrible qu'on ne souhaiterait pas à son pire ennemi. Si l'on y regarde de plus près, ça mérite réflexion.

Alexandre le Grand

Avec lui, non seulement la réunification des cités-États va se concrétiser, mais le monde hellénique va connaître une expansion sans précédent à la surface du globe. Fils de Philippe II de Macédoine et d'Olympias – une princesse d'Épire –, Alexandre naquit à Pella en 356 av. J.-C. Son père était déjà préoccupé par l'idée de dominer toute la Grèce, et il y réussit en donnant à la Macédoine le rôle moteur qu'avaient eu avant Sparte et Athènes. Le petit Alexandre grandit entre une mère étrange, terrifiante même, aux pouvoirs visionnaires, et les idées de gloire qui animaient la cour, avec Aristote pour précepteur, s'il vous plaît ! C'était un personnage haut en couleur, qui eut une destinée exceptionnelle : il bouleversa le monde connu d'alors, poussant ses conquêtes des bords du Danube à l'Inde en passant par l'Égypte.

Beau, exceptionnellement courageux, puissant, avec une personnalité envoûtante, il donna au monde occidental une image idéale du monarque qui fascina toutes les cours royales et impériales à travers les siècles. Mais il fut aussi le premier des conquérants possédés par la folie des grandeurs. Sa volonté de faire la synthèse de la civilisation hellénique et des cultures de l'Orient en a fasciné plus d'un, mais n'oublions pas qu'avec son comportement de despote, il a aussi enterré la démocratie !

Sous l'Empire romain

À la mort prématurée d'Alexandre, ses successeurs avaient de belles parts de gâteau à se partager. Mais un tel Empire, même morcelé, était difficile à maintenir, d'autant que les Romains commencèrent à s'intéresser à la Grèce. Et 150 ans après sa mort, la Grèce tomba définitivement entre les mains des Romains. Les anciens « colonisés » de la fin de l'époque archaïque devinrent ainsi colonisateurs de leurs propres colonisateurs tout en se refaisant coloniser, du moins culturellement parlant. État de fait qui n'aurait certainement pas déplu à Socrate ! En effet, l'Empire romain fut partiellement bâti sur les acquis du monde hellénique... De plus, les Romains diffusèrent cette culture à travers leurs propres conquêtes.

Mais l'incendie de la bibliothèque d'Alexandrie, en 48 av. J.-C., allait entraver la grande marche de l'humanité, modifier son évolution, et rejeter l'Europe dans le gouffre de l'ignorance.

Byzance

Quand les difficultés se font de plus en plus pressantes autour des empereurs romains, on décide de déplacer le centre de gravité de l'Empire vers l'est : au IVe siècle de notre ère, le pouvoir s'installe à Byzance, où l'empereur Constantin crée une nouvelle Rome : Constantinople. Revanche de l'Orient sur l'Occident. Le nouvel Empire est fortement hellénisé, mais cet hellénisme est lui aussi fortement orientalisé. À la mort de Théodose (395), l'Empire est officiellement partagé en deux États distincts. Bonne pioche pour qui reçoit celui d'Orient, car celui d'Occident ne résiste pas longtemps sous les coups de boutoir des Barbares (Vandales et Ostrogoths). Et pendant plus de 1 000 ans va se maintenir un État immense, qui connaîtra des hauts et des bas. Des hauts quand Justinien (527-565) réussit à reconquérir une partie de l'Occident, des bas quand l'Empire se réduit en raison de l'expansion arabe, perdant ses possessions africaines et proche-orientales. Mais, plus concentré territorialement, l'Empire peut alors se concentrer sur lui-même, développer les arts (l'art religieux en particulier). On date le début de son déclin au milieu du XIe siècle : Byzance perd l'Italie du Sud, qui passe aux mains des Normands et la menace ottomane, remplaçant celle des Arabes, devient préoccupante, les Turcs lançant leurs cavaliers à l'assaut des frontières orientales de l'Empire.

Il y a aussi la crise religieuse avec l'Occident qui se déclare de manière aiguë avec le schisme de 1054, séparant définitivement les Églises chrétiennes d'Orient et d'Occident (qui ne sont toujours pas vraiment raccommodées aujourd'hui). Un premier coup très dur est porté en 1204 avec la prise (et le pillage) de Constantinople par les croisés : partis libérer les Territoires saints, les Occidentaux s'égarent, oublient leur objectif initial et commettent des actes barbares inexcusables. Cet épisode est vécu par les Byzantins comme une véritable trahison (et est toujours, 800 ans plus tard, considéré comme un souvenir douloureux chez les Grecs). La conséquence en est le démembrement de l'Empire : pour ne parler que de la Grèce, elle est découpée en petits morceaux (le royaume de Thessalonique, le duché d'Athènes, le despotat de Morée, c'est-à-dire le Péloponnèse, qui passent aux Francs, les îles qui reviennent aux Italiens, Vénitiens ou Génois...). Il ne reste aux Byzantins que le despotat d'Épire et, plus à l'est, les Empires byzantins de Trébizonde et de Nicée. Il y a bien un empereur valeureux, Michel VIII Paléologue, qui entreprend la reconquête sur les Francs et qui parvient à reprendre Constantinople (1261), mais la désagrégation interne de l'Empire se poursuit. Bientôt l'Empire byzantin se réduit à sa capitale, assiégée par les Ottomans. L'Occident tergiverse : certes, le conflit religieux semble pratiquement aplani, depuis le concile de Florence (1438-1439), mais les Byzantins sont rancuniers, et d'ailleurs, peut-on faire confiance à ces catholiques ? Parmi les Byzantins, un fort courant estimait qu'il était préférable de voir régner le turban turc plutôt que la tiare latine et ce sont d'ailleurs des Génois venus au secours de Constantinople assiégée qui trahiront et hâteront la prise de la ville en 1453. Les Occidentaux, eux, répandront la légende que les Byzantins discutaient du sexe des anges plutôt que de mener la lutte contre les Turcs... Malentendu historique que regrettèrent ensuite les Occidentaux, eux-mêmes menacés à leur tour par la poussée ottomane.

Quoi qu'il en soit, la Grèce entre alors dans ce qu'on appelle la « Turcocratie », qui va durer près de quatre siècles. Le principe musulman qui faisait coïncider religion et nation va alors s'appliquer et le patriarche de Constantinople reste à son poste, devenant ainsi chef religieux et chef national.

Pendant cette « Turcocratie », le destin des Grecs a été contrasté : les classes dominantes se sont plutôt bien accommodées de la domination turque puisque le clergé a gardé ses privilèges, que de gros propriétaires ont prospéré et qu'une petite aristocratie grecque, à Constantinople, a pu accéder à de hauts postes de l'Empire ottoman. En revanche, le petit peuple, plutôt épargné au début par les taxes et impôts, a vu sa situation se détériorer au cours des ans, jusqu'à faire naître l'exaspération contre les Turcs.

Plusieurs facteurs expliquent le soulèvement de 1821 qui conduisit à l'indépendance nationale : l'essor commercial dû à la diaspora grecque établie en Europe, l'intérêt naissant (et pas désintéressé) des puissances européennes pour la Grèce et une renaissance de la conscience nationale ou hellénisme, sentiment qui est resté chevillé au corps des Grecs.

La Grèce, de l'indépendance à la Communauté européenne

Après le soulèvement contre les Turcs de 1821, la Grèce a peiné pour devenir un véritable État. Premier problème : c'est grâce au bon vouloir des grandes puissances européennes qu'elle s'est débarrassée des Turcs, sur une petite partie de son territoire seulement : il fallut donc trouver un terrain d'entente pour installer un nouveau pouvoir. C'est d'abord Capodistria, l'homme des Russes, qui est désigné gouverneur de 1827 à 1831, année de son assassinat ; puis, en 1833, un roi lui succède, une sorte de fantoche, Othon Ier de Bavière, qui ne comprend rien à ce pays où on l'a parachuté. Lui et sa cour (tous des Bavarois) se mettent vite à dos les anciens combattants de la révolution de 1821. Au bout de 11 ans, on lui impose une constitution (syndagma) qui ne suffit pas à donner l'impression que le pays est véritablement indépendant. Alors on le renvoie en 1862 pour confier le sort du pays à un nouveau roi qui arrive tout droit du Danemark et qui est le candidat des Anglais : ce sera Georges Ier. Petit à petit, le pays se dote, sous la conduite de Premiers ministres énergiques, Trikoupis puis Vénizélos, des outils nécessaires pour devenir un État moderne. Ce dernier grossit, le pays s'agrandit, plusieurs provinces étant restituées à l'État hellénique : une nouvelle constitution est promulguée en 1911. Mais le spectre de la guerre se profile à l'horizon. Guerres balkaniques (déjà !) de 1912-1913, Première Guerre mondiale avec un roi, Constantin Ier, germanophile et un Premier ministre, Vénizélos, favorable à l'Entente : le premier abdique en 1917 et la Grèce entre finalement en guerre du côté des futurs vainqueurs, ce qui lui permet de prétendre à une extension territoriale vers l'est.

Ensuite la situation se gâte : des politiciens aux courtes vues croient réalisable « la Grande Idée » qui consiste à réunir les Grecs dans un seul et même État, même ceux (et ils sont nombreux) qui vivent en Asie Mineure. L'expédition militaire de 1921-1922 tourne à la catastrophe : l'armée grecque est mise en déroute par celle de Kémal Ataturk, 1 500 000 Grecs d'Asie Mineure sont brutalement chassés de ce qu'ils considéraient comme leur pays et 2 500 ans de présence hellénique de l'autre côté de la mer Égée sont annulés. Après un tel traumatisme, rien d'étonnant à ce que la situation politique, devenue instable, le reste jusqu'à la Seconde Guerre mondiale. Métaxas, un dictateur inspiré par Mussolini, finit par prendre le pouvoir en 1936 mais il sauve l'honneur en refusant en 1940 le diktat de l'Italie fasciste. Voilà la Grèce dans la tourmente : les Italiens, vite chassés, sont remplacés par les Allemands qui opèrent comme dans le reste de l'Europe jusqu'en octobre 1944. À l'heure de la libération, pourtant, tout recommence : une guerre civile particulièrement cruelle va opposer, jusqu'en 1949, résistants communistes et forces gouvernementales royalistes. Les communistes sont finalement défaits.

On ne sort pas de près de 10 ans de conflits sans conséquences : la Grèce est redevenue une sorte de protectorat (les États-Unis sont cette fois le grand frère qui fait la pluie et le beau temps), et quand un gouvernement de centre-gauche réussit à s'imposer aux élections, il est vite condamné : Georges Papandréou, le père d'Andréas, doit démissionner en 1965. La dictature n'est jamais loin et les sinistres colonels, anticommunistes fanatiques et bornés, prennent le pouvoir en 1967 pour 7 longues années où la torture, la déportation et les procès politiques sont chose courante. Et c'est un nouveau drame pour l'hellénisme qui cause leur chute : l'armée turque s'empare du nord de Chypre en 1974, et les colonels cèdent la place à la démocratie, incarnée par le conservateur Constantin Caramanlis, par ailleurs plusieurs fois Premier ministre dans les années 1950. Le processus d'intégration de la Grèce dans la Communauté européenne commence alors (c'est Valéry Giscard d'Estaing qui force la main à ses partenaires européens pour ancrer définitivement la Grèce au navire européen). Une nouvelle page s'ouvre en 1981 avec l'arrivée au pouvoir d'Andréas Papandréou, figure charismatique de la gauche, fortement anti-américain, populiste : le PASOK (parti socialiste grec) va régner sans partage avant que l'alternance ne ramène, pour de courtes périodes, la droite au pouvoir. Les élections de 2004 semblent avoir marqué un net recul pour le PASOK, usé par des années de pouvoir, mais sociologiquement parlant, la Grèce reste pourtant un pays qui a le cœur à gauche.

Principales dates historiques

Avant Jésus-Christ

– *2200-1450* : civilisation minoenne (Crète).
– *1700-1100* : période mycénienne.
– *Début XIe siècle* : arrivée des Doriens.
– *XIe-VIIIe siècle* : colonisation des Cyclades et de l'Asie Mineure. Développement des cités-États (Athènes, Sparte, Corinthe...).
– *VIIIe-VIe siècle* : colonisation du pourtour de la Méditerranée et de la mer Noire. En 776, les Jeux olympiques sont institués.
– *490-479* : les guerres médiques. Les Perses envahissent la Grèce mais sont vaincus à Marathon (490), Salamine (480) et Platées (479).
– *495-429* : « siècle de Périclès ». C'est l'époque de Phidias (l'Acropole), d'Hérodote et Sophocle. Apogée économique d'Athènes.
– *431-404* : guerre du Péloponnèse (victoire de Sparte sur Athènes).
– *338* : Philippe II de Macédoine bat, à Chéronée, Athéniens et Thébains. La Grèce passe sous domination macédonienne.
– *336-323* : Alexandre le Grand conquiert l'Orient. Il meurt à 33 ans.
– *IIIe-Ier siècle* : conquête romaine (annexion de la Macédoine et de la Grèce continentale en 146, prise et sac d'Athènes en 86).

Après Jésus-Christ

– *395* : la Grèce est rattachée à l'Empire byzantin ; elle subira de nombreuses agressions : Huns, Slaves, Bulgares, Normands et croisés.
– *1204* : prise de Constantinople par les croisés. Les Francs se partagent la Grèce.
– *1453* : Constantinople tombe aux mains des Turcs qui vont déferler sur la Grèce. Vénitiens et Génois résistent et défendent leurs possessions dans le Péloponnèse et dans les îles.
– *XVe-XVIIIe siècle* : la Grèce passe sous domination turque.
– *XVIIIe-début XIXe siècle* : renaissance de la conscience nationale, lorsque les Turcs achèvent la conquête de la Grèce, avec la prise du Péloponnèse (1715).

– *25 mars 1821 :* début de la « révolution ». Soulèvement contre les Turcs.
– *1821-1830 :* lutte pour l'indépendance. Fort sentiment philhellène en Europe.
– *1830 :* la Grèce (c'est-à-dire le Péloponnèse, l'Attique, la Béotie et c'est tout!) est indépendante. Elle devient une monarchie avec pour roi Othon de Bavière (1833).
– *1862 :* révoltes contre Othon. Monarchie démocratique. Le prince Georges de Danemark devient roi de Grèce sous le nom de Georges Ier (encore un parachuté!). Rattachement des îles Ioniennes.
– *1881 :* la Thessalie et une petite partie de l'Épire rejoignent l'État grec.
– *1912-1913 :* guerres balkaniques. Les Turcs sont délestés de la Macédoine et du reste de l'Épire. La Crète, autonome depuis 1898, est rattachée à la Grèce.
– *1922 :* guerre gréco-turque. C'est la « catastrophe de l'Asie Mineure ». La Grèce perd Smyrne et la Thrace orientale. 1 500 000 Grecs de Turquie émigrent.
– *1924 :* la république est proclamée. En fait, ce sera une succession de coups d'État militaires (à l'exception du gouvernement Vénizélos : 1928-1932).
– *1936 :* coup d'État de Metaxas, qui instaure une dictature.
– *28 octobre 1940 :* agression italienne. Les Italiens sont assez vite renvoyés d'où ils viennent (guerre d'Albanie, motif de fierté nationale : l'armée grecque, très inférieure en nombre, prit le dessus sur les soldats de Mussolini), mais l'offensive allemande qui suit contraint les Grecs à capituler (avril 1941). De nombreux juifs, notamment ceux de Thessalonique, sont déportés dans les camps d'extermination en 1943. Occupation du pays jusqu'en octobre 1944.
– *1946-1949 :* guerre civile entre les forces de gauche (issues de la résistance communiste) et les forces gouvernementales soutenues par les Britanniques (à Yalta, la Grèce a été « donnée » à Churchill). Les « rebelles » sont écrasés et les survivants doivent s'enfuir dans les pays de l'Est.
– *1955-1963 :* gouvernements Karamanlís (droite).
– *1963-1965 :* victoire électorale de l'Union du centre. Gouvernement Papandréou (Georges, le père d'Andréas). Pendant la campagne électorale, en mai 1963, mort de Grigorios Lambrakis à la fin d'un meeting (événement qui est à la base du film *Z*, de Costa-Gavras).
– *21 avril 1967 :* coup d'État militaire et dictature sous l'autorité de Papadopoulos (puis de Pattakos). C'est le gouvernement dit « des colonels », soutenu par la CIA, reconnu par la plupart des États, avec pratique constante de la torture, déportations, etc.
– *1969 :* le Conseil de l'Europe condamne le régime.
– *1972-1973 :* nombreuses manifestations durement réprimées, dont, en novembre 1973, l'occupation de l'École polytechnique par les étudiants.
– *1974 :* chute des colonels, à la suite de la crise de Chypre. Karamanlís est rappelé d'exil. La république sera restaurée.
– *1981 :* admission dans la Communauté économique européenne (CEE), victoire du parti socialiste et de son leader, Andréas Papandréou.
– *1985 :* succès électoral du Mouvement panhellénique socialiste (PASOK) du Premier ministre Andréas Papandréou sur la droite (Nouvelle Démocratie) aux élections législatives anticipées de juin.
– *1986 :* aux élections municipales, le PASOK perd les trois plus grandes villes du pays : Athènes, Thessalonique et Le Pirée, sans doute en raison de la politique d'austérité instaurée par le gouvernement.
– *1987 :* l'inflation est de 16,5 %.
– *1988 :* le plan d'austérité mis en place par le gouvernement Papandréou, dont l'objectif est de ramener, avant la fin 1988, l'inflation à moins de 10 %, provoque une vague de grèves dans tous les secteurs de l'économie. Visite historique du Premier ministre turc à Athènes.

– **1989 et 1990 :** élections ; la droite, menée par Constantinos Mitsotakis, l'emporte chaque fois, mais toujours sans la majorité absolue. La gauche est empêtrée dans un scandale politico-financier (affaire Koskotas).

– **1993 :** le 10 octobre, après les élections législatives et la victoire du PASOK, la gauche revient au pouvoir. Andréas Papandréou est de nouveau Premier ministre.

– **1995 :** élection de Kostis Stéphanopoulos à la présidence de la République.

– **1996 :** fin janvier, démission d'Andréas Papandréou. Le nouveau Premier ministre, également issu du PASOK mais d'un courant opposé tant sur le fond que sur la forme à Papandréou, est Kostas Simitis. Il conduit une politique résolument pro-européenne afin de rattraper le retard économique du pays.

– **Juin 1996 :** mort à 77 ans d'Andréas Papandréou, leader charismatique du socialisme grec.

– **Septembre 1996 :** victoire du PASOK aux législatives anticipées.

– **Août-septembre 1999 :** réchauffement des relations gréco-turques à la suite de l'aide apportée par la Grèce après le tremblement de terre à Izmit.

– **Décembre 1999 :** au sommet d'Helsinski, feu vert donné à la candidature de la Turquie à l'entrée dans l'Union européenne, suite à la levée du veto par les Grecs.

– **Avril 2000 :** courte victoire du PASOK aux élections législatives anticipées.

– **Mai 2001 :** visite du pape en Grèce.

– **Juillet-août 2002 :** démantèlement du groupe terroriste *17 Novembre*, actif depuis 1975.

– **Octobre 2002 :** net recul du PASOK aux élections municipales.

– **Janvier 2003 :** la Grèce à la tête de la présidence tournante de l'Union européenne, jusqu'à fin juin.

– **Printemps 2004 :** élections législatives, victoire de la Nouvelle Démocratie, Kostas Karamanlis devient Premier ministre.

– **Août 2004 :** Jeux olympiques d'Athènes.

HORAIRES

Il y a une heure de décalage horaire entre la France et la Grèce ; quand il est midi à Paris, il est 13 h à Athènes.

– **Les horaires des magasins** ne sont pas toujours faciles à suivre. Dans les îles, et les lieux fortement touristiques en général, on ferme peu, car il y a toujours de l'affluence. En ville, les commerces suivent une savante alternance : en gros, les lundi, mercredi et samedi de 8 h-9 h à 14 h 30-15 h et les mardi, jeudi et vendredi, le matin jusqu'à 13 h ou 14 h, puis de 17 h à 20 h ou 21 h pour certains commerces.

– **Les horaires des administrations ou des banques :** la Grèce est depuis longtemps passée à la journée continue qui s'achève en fait en début d'après-midi. Passé 14 h, les guichets sont hermétiquement fermés, sauf à de rares exceptions (notamment les postes, dans les grandes villes, ouvertes jusqu'à 19 h ou 20 h). Sous la pression européenne, on parle, depuis plusieurs années, d'ouvrir les services publics en soirée en commençant par Athènes et Thessalonique. Affaire à suivre...

INFOS EN FRANÇAIS SUR TV5

La chaîne TV5 est reçue dans la plupart des hôtels du pays. Pour ceux qui souhaitent s'y installer plus longtemps ou qui voyagent avec leur antenne parabolique, TV5 est reçue par satellite en réception directe via Eutelsat II F6, 13° Est (Hotbird I) en analogique et en numérique sur Hotbird 6 et sur le bouquet numérique NOVA.

Les principaux rendez-vous Infos sont toujours à heures rondes où que vous soyez dans le monde, mais vous pouvez surfer sur leur site • www.tv5.org • pour les programmes détaillés ou l'actualité en direct, des rubriques voyages, découvertes...

UNE JOURNÉE À LA GRECQUE

Le rythme de la journée d'un Grec n'est pas vraiment le même que celui d'un Européen non méridional. Ça commence très tôt, à la fraîche, avec une longue matinée qui se termine par le *messiméri* (midi), notion assez vague (13 h-15 h) qui sert à prendre un repas assez léger ; puis c'est la sieste (facilement jusqu'à 17 h-17 h 30, silence dans les rangs !) qui précède l'après-midi *(apoghevma),* période où l'activité reprend (en gros jusqu'à 20 h). Le « petit soir » *(vradaki)* est consacré à la *volta,* la promenade sur le port ou sur la place ; c'est l'heure des civilités et surtout pas l'heure de manger. Ensuite la soirée peut commencer, le repas ne débutant pas avant 22 h le plus souvent. C'est pratique, car, dans les lieux touristiques, c'est souvent à cette heure que les vacanciers non grecs quittent les restaurants...

KARAGHIOZIS

Si vous tombez, par chance, sur un spectacle de théâtre d'ombres, appelé **Karaghiozis** *(Yeux noirs)* du nom de son (anti-)héros, ne rebroussez pas chemin, même si vous ne comprenez pas deux mots de grec. Ce spectacle populaire est né en Chine, dit-on, et a traversé toute l'Asie jusqu'en Turquie, où les Grecs se le sont approprié (la première mention de ce spectacle remonte à 1841, à Nauplie). Les figurines articulées (en peau de veau transparent) sont animées par un « montreur d'ombres » qui les fait bouger devant un écran blanc éclairé (les spectacles sont le plus souvent nocturnes). Karaghiozis est un Grec toujours affamé, vivant misérablement dans sa cahute, avec une ribambelle de gamins turbulents, alors que le pacha (turc évidemment) a un sérail luxueux. Heureusement, il est ingénieux et a un grand bras (chez les Turcs, c'était un phallus démesuré...) qui lui permet de se défendre. D'autres personnages gravitent autour de Karaghiozis : *Barba Yorghos,* un solide montagnard, *Nionios,* un lettré caricaturé pour sa préciosité, *Morfionos* le bellâtre et même *Alexandre le Grand...* Un univers bien masculin. À classer dans les chefs-d'œuvre en péril, malheureusement. Même si ce spectacle fait profondément partie de la culture grecque et réjouit les adultes tout autant que les enfants, les autorités culturelles n'ont rien fait pour le sauver. Peu de jeunes sont formés, les anciens disparaissent. Un beau film, *Le Montreur d'ombres,* de Xanthopoulos (1996) a d'ailleurs raconté la lutte, forcément inégale, entre un *karaghiozopaikhtis* (joueur de Karaghiozis) et le cinéma qui l'a définitivement supplanté dans les années 1960-1970. Il existe encore quelques professionnels ambulants ainsi que quelques lieux athéniens où s'exerce cet art (comme dans Plaka, odos Tripodon), sans parler du musée qui lui est consacré à Maroussi (voir « Dans les environs d'Athènes, les musées »).

LANGUE

En arrivant en Grèce, vous aurez certainement le sentiment d'être doublement à l'étranger, tellement la langue est éloignée de la nôtre. Tout d'abord, il est difficile d'y reconnaître grand-chose à l'oreille (dans *L'Été grec,* Jacques Lacarrière, nourri de grec ancien, dit combien il s'est senti perdu, à l'écoute des premiers mots de grec moderne), mais en plus, vous avez sous les yeux un alphabet retors, si différent de notre alphabet latin ! Inutile de râler, cette langue, vieille de 3000 ans et même un peu plus, est plus ancienne que la nôtre et les Grecs, qui en sont fiers, ne sont pas près d'en changer. Leur langue a franchi tous les obstacles, en particulier les dominations étrangères, des Romains aux Turcs, sans en souffrir apparemment.

Bien entendu, cette langue a évolué au cours des siècles. C'est ce que n'ont pas voulu comprendre les puristes qui ont entravé cette évolution, en imposant comme langue officielle, au moment de l'indépendance en 1830, la *katharévoussa* (du grec *katharos* = pur), autrement dit une langue « purifiée », en partie calquée sur le grec ancien et bien différente de la langue parlée par la population. Ce n'était sans doute pas sans arrière-pensées : les détenteurs du pouvoir économique et politique avaient tout intérêt à ce que cette langue de lettrés soit en vigueur, puisqu'elle excluait de la vie politique ceux qui ne la maîtrisaient pas, autrement dit le peuple.

Le mouvement en faveur de la langue démotique (du grec *dimotiki* = populaire), à la grammaire beaucoup plus facile, s'est développé tout au long du XIXe siècle. En 1903 et 1911, on s'est même battu entre partisans des deux langues et la langue démotique a eu ses martyrs. Le débat s'est vite déplacé autour d'une ligne de partage gauche/droite, les partisans de la *dimotiki* étant évidemment tous des communistes... Il a fallu attendre la chute de la dictature des colonels pour que la *katharévoussa* soit rangée au magasin des antiquités (quoique... les textes officiels, une certaine presse et de manière générale l'écrit peuvent encore plus ou moins l'employer) et que soit enfin reconnue une évidence : les langues, même vieilles de plus de 3000 ans, évoluent.

Un exemple pour illustrer cette opposition *katharévoussa/dimotiki* : lorsque vous commandez du vin blanc en grec, vous demandez, en langue démotique, de l'*aspro krasi* (*aspros* = blanc), mais la bouteille portera la mention, en katharévoussa : *oinos leukos* (prononcer *inos lefkos*; *oinos* a donné l'élément qui entre dans le mot œnologie et *leukos,* blanc, se reconnaît dans leucémie).

Vocabulaire

Les Grecs, méditerranéens par excellence, peuvent se contenter de gestes pour dire « oui » et « non ». Dans le premier cas, ils inclinent légèrement la tête sur le côté ; dans le second, ils lèvent la tête en arrière en faisant une sorte de moue. Ce que nous indiquons ci-dessous n'est que le minimum vital et nous vous invitons à aller plus loin.

Mots et phrases de base

oui	*né*
non	*ochi*
moi, je	*ego*
je suis	*imé*
tu, toi	*essi*
tu es	*issé*
vous êtes	*isté*
parlez-vous français ?	*milátè ghaliká ?*
je ne comprends pas le grec	*then katalavénota hellinika*
je suis français/française	*imé ghalos/ghalida*

Politesse

bonjour	*kalimèra*
bonsoir	*kalispèra*
bonne nuit	*kalinikhta*
salut	*yássou, yássas* (si on s'adresse à plusieurs interlocuteurs)
au revoir	*athîo*
s'il vous plaît	*parakalo*

| merci | èfkaristo |
| pardon | signomi |

Le temps

maintenant	tora
aujourd'hui	siméra
ce soir	apopsé
demain	avrio
hier	rhtès
le jour	i méra
le week-end	to savatokyriako
la semaine	i vdomadha
le mois	o minas
lundi	theftèra
mardi	triti
mercredi	tètarti
jeudi	pempti
vendredi	paraskévi
samedi	sávato
dimanche	kiriaki
quelle heure est-il ?	ti ora inè ?

L'espace

entrée	issodos
sortie	exodos
gauche	aristèra
droite	théksia
devant	brosta
derrière	pisso
au-dessus	ano
au-dessous	kato

Questions de base

où ?	pou ?
pourquoi ?	yiati ?
comment allez-vous ?	ti kanété ?
comment vas-tu ?	ti kanis ?
avez-vous... ?	échété... ?
combien ?	pósso ?
combien ça coûte ?	posso kani ?
où se trouve... ?	pou ínè... ?
où se trouve la police touristique ?	pou inè i touristiki astinomia ?

En ville

centre	kendro
hôtel	hotel ou ksènothokio
chambre	dhomatio
rez-de-chaussée	isoïo
sous-sol	ipoïo
rue	odos
avenue	léoforos
aéroport	aérothromio
gare	stathmos
train	trèno
bus	léoforío
bateau	karavi, vapori, plio

port	*limani*
plage	*paralía, amoudia* ou même *plaz*
poste	*tachidromio*
boulangerie	*fournos* ou *artopíio*
pâtisserie	*zakaroplastío*

À table

manger	*troo*
boire	*pino*
eau	*néro*
bouteille	*boukali*
carafe	*kanata*
vin	*krassi*
café	*café*
lait	*ghála*
pain	*psomi*
dessert ou gâteau	*gliko*
bière	*bira*
poisson	*psari*
viande	*kreas*
œuf	*avghó*
fromage	*tyri*

Au restaurant

prix	*i timi*
service compris	*mazi mè tin ipirèssia*
l'addition	*to logariasmo*
c'est cher	*akrivó iné*
je veux manger	*thélo na fáo*
je veux boire	*thélo na pio*
glacé	*paghoméno*
chaud	*zèsto*

Adjectifs utiles (et quelques adverbes)

Les adjectifs se déclinent, nous les indiquons ici au neutre. Pour dire
« C'est... », ajouter devant l'adjectif : « Iné... ».

bon	*kalo*
bien	*kala*
mauvais	*kako*
grand	*méghalo*
petit	*micro*
plus	*pío*
beaucoup/très	*poli*

Compter

Attention, certains nombres se déclinent.

1	*éna*	20	*ikosi*
2	*thio*	30	*trianda*
3	*tria*	40	*saranda*
4	*téssèra*	50	*pèninda*
5	*pendè*	60	*èksinda*
6	*èksi*	70	*èvthominda*
7	*èfta*	80	*oghthonda*
8	*okhto*	90	*ènèninda*
9	*ènia*	100	*èkato*
10	*thèka*	1 000	*chilia*

Quelques phrases utiles

Est-ce la route de Sparte ?	*Inè aftos o dhromos ya (ti) Sparti ?*
Quelle est la meilleure route pour... ?	*Pios inè o kalitéros dhromos ya... ?*
Où est la gare des bus interurbains ?	*Pou inè o stathmos ton iperastikon léoforion ?*
Quand part le bus pour Athènes ?	*Poté fevghi to léoforio ya tin Athina ?*
Je cherche un médecin.	*Psachno éna yiatro.*
J'ai mal à la tête (à l'estomac...).	*Me ponaï to kéfali (to stomachi...).*
J'ai (il/elle a) de la fièvre.	*Echo (échi) piréto.*
Avez-vous une chambre libre ?	*Mipos échété éna dhomatio éleftéro ?*
Nous avons réservé (nous voulons réserver) une chambre.	*Echoume klissi (théloume na klissoume) ena dhomatio.*
Défense de fumer.	*Apaghorévété to kapnisma.*

L'alphabet grec

Le grec actuel a conservé l'alphabet ancien, dont certains signes ou groupes de signes ont pris au cours des siècles des valeurs différentes.

Majuscules	Minuscules	Prononciation
A	α	*a* (ouvert)
B	β (initial)	*v*
Γ	γ	*g* aspiré devant les sons *a, o, u* et les consonnes (voir allemand *g*, ou arabe *gh*), *y* devant les sons *i, e*
Δ	δ	*th* anglais doux *(they)*
E	ε	*è* (ouvert)
Z	ζ	*z*
H	η	*i*
Θ	θ	*th* anglais dur *(think)*
I	ι	*i*
K	κ	*k*
Λ	λ	*l*
M	μ	*m*
N	ν	*n*
Ξ	ξ	*ks* (*gz* après *n*)
O	ο	*o* (ouvert)
Π	π	*p*
P	ρ	*r* (roulé)
Σ	σ (ς)	*s* (*z* devant consonnes sonores)
T	τ	*t*
Y	υ	*i*
Φ	φ	*f*
X	χ	*ch* allemand dur devant les consonnes et les sons *a, o, u*, *ch* allemand doux devant les sons *i, e*
Ψ	ψ	*ps* (*bz* après *n* et *m*)
Ω	ω	*o* (fermé)

De même que le Français a bien du mal à prononcer certains sons grecs (le *gamma*, γ, et le *ch*, en particulier), le Grec n'a pas la partie facile avec le son *j*, inexistant dans sa langue. Amusez-vous un jour à faire dire à un Grec le prénom Georges : ça donnera « Zorz ».

Le *d* dur n'ayant pas de lettre correspondante, on a recours au groupement de deux lettres : T (ντ), exemple : *NTONALNT* (Donald en majuscules). Même procédé pour le *b*, rendu par Π, exemple : Π (bar en majuscules). Γ correspond enfin au son *g* dur. Enfin, il y a pas mal d'autres subtilités de prononciation ou de transcription qui demanderaient de longues explications.

C'est bien plus simple pour les voyelles : trois d'entre elles (ι, η et υ) se prononcent i, de même que les groupes de voyelles ει et οι. Pas de son u.

Petite complication supplémentaire, le grec est une langue à déclinaisons. Tous les noms (y compris les noms propres) et adjectifs se déclinent. Ne vous étonnez donc pas si vous constatez ce qui apparaît comme un certain « flottement » au niveau des terminaisons des mots. Ainsi, on dira :

I Delfi inè makria ? (Delphes est loin ?)
Pame stous Delfous. (Nous allons à Delphes.)
To Moussio ton Delfon inè klisto. (Le musée de Delphes est fermé.)

La langue grecque dispose de 4 « cas » correspondant à différentes fonctions dans la phrase (cas nominatif, accusatif, génitif et, plus rare, le vocatif pour interpeller).

Tous les noms, même les noms propres, sont précédés d'un déterminant (article) : *O Nikolaos* (Nicolas), *I Katerina* (Catherine).

Enfin, même la ponctuation est en partie différente de la nôtre : le point d'interrogation se note par un « ; ».

Malgré ces petites difficultés qui font du grec moderne une langue pas très facile, on recommande plus que vivement au touriste intelligent (ça va, vous vous reconnaissez ?) d'essayer de retenir un maximum du minimum de vocabulaire grec vital. Primo, parce que les Grecs sont toujours heureux de se trouver face à quelqu'un qui baragouine leur langue ne serait-ce que quelques mots ; secundo, parce que c'est aussi une marque de respect pour une langue millénaire à laquelle on doit beaucoup. Et qu'est-ce que c'est, quelques minutes, voire quelques (petites) heures, à lire et relire le lexique ci-dessus, à côté de quelques millénaires ? Si vous n'êtes pas encore convaincu, un dernier argument : la double signalisation des panneaux routiers (caractères grecs et latins) n'est pas effective partout et plus d'une fois, en pleine cambrousse ou au beau milieu d'une ville, il peut être utile de savoir déchiffrer une indication et ainsi éviter de se perdre.

LIVRES DE ROUTE

Littérature grecque

– *L'Odyssée,* d'Homère, LGF, coll. « Le Livre de Poche » n° 602, VIIIe siècle av. J.-C. Ce texte, fondateur d'un imaginaire grec qui a survécu jusqu'à nous, dessine un espace maritime profondément méditerranéen. À ce titre, il accompagne merveilleusement toute croisière dans les îles grecques.

– *Le Banquet,* de Platon (Garnier-Flammarion, n° 987, 2001). Tout ce que vous voulez peut-être savoir sur l'amour grec antique. Discours entre hommes uniquement sur l'amour entre hommes uniquement, considéré par ces messieurs comme supérieur à celui entre homme et femme. Certains ont changé d'avis depuis lors. Chacun appréciera selon ses goûts.

– *Lettre au Gréco,* de Nikos Kazantzakis (Presses-Pocket n° 2141, 1961). Autobiographie et testament spirituel du grand écrivain grec. L'âme grecque dans toutes ses profondeurs, ses passions et son rayonnement. Cela touche et réchauffe. Spiritualité dense et lumineuse. Tremplin vers l'universel. On en émerge avec un « supplément d'âme ». Splendide.

– *Z,* de Vassilis Vassilikos (Gallimard, 1967, coll. « Folio » n° 111). *Z* (pour *Zei,* « il vit ») est un roman-documentaire qui raconte l'assassinat, en mai 1963, de Grigorios Lambrakis, député de la gauche démocratique et le travail obstiné d'un petit juge cherchant à trouver les commanditaires de

l'assassinat. Le film de Costa-Gavras, avec Yves Montand, a fait de l'ombre au livre. Du même auteur, *K* (Le Seuil, 1994) qui plonge le lecteur dans le monde trouble de la finance et de la politique des années 1980 en Grèce, autour de la figure de K (comprendre Georges Koskotas, un escroc bien réel), employé de banque et devenu patron de celle-ci avant de connaître la chute.
– *Récit des temps perdus,* d'Aris Fakinos (Le Seuil, coll. « Points-Seuil » n° 214, 1982). La vie extraordinaire d'un couple improbable, formé de Van-guélis, petit paysan, et de Sophia, fille de propriétaire terrien en Attique, de la fin du XIXe siècle jusqu'aux années 1960. Du même auteur, *L'Aïeul* (Le Seuil, coll. « Points-Seuil » n° 496, 1985), « suite » du précédent, remontant dans le temps jusqu'au milieu du XIXe siècle.
– *La Langue maternelle,* de Vassilis Alexakis (Livre de Poche n° 14038, prix Médicis 1995). Un dessinateur humoristique grec vivant à Paris depuis plusieurs années revient à Athènes après la mort de sa mère. Il redécouvre la vie quotidienne et les Grecs actuels en même temps qu'il se réapproprie son passé, son héritage culturel, sa langue. Un roman subtil, largement autobiographique. Du même auteur, *Le Cœur de Marguerite* (Stock, coll. « Livre de Poche » n° 15322, 1999), non moins subtil.

Romans sur l'Antiquité écrits par des auteurs contemporains

– *L'Œil de Cybèle,* de Daniel Chavarria (Rivages/Noir, n° 378, 2001, édition originale 1993). Uruguayen installé à Cuba, Daniel Chavarria a imaginé, à partir d'une note trouvée dans un livre sur l'Antiquité, une intrigue se dérou-lant à Athènes, en plein siècle de Périclès. Parmi les personnages, Périclès, Alcibiade et Socrate, rien que ça ! Également Lysis, la courtisane callipyge (« aux belles fesses ») et tout cela autour d'une histoire d'améthyste volée sur une statue de déesse. Pas toujours facile à suivre, le récit a le mérite de vous plonger dans la vie quotidienne à Athènes il y a quelque 25 siècles.
– *Aristote détective,* de Margaret Doody (1978 ; coll. « 10-18 », n° 2695, 1996, réédition 2003). À la suite de l'assassinat d'un notable athénien, le jeune Stéphanos se retrouve avec la lourde tâche de devoir défendre son cousin Phi-lémon, accusé du meurtre. On est en 322 av. J.-C. Heureusement Aristote est là pour lui donner un coup de main dans sa contre-enquête. Pas transcendant, mais une façon originale de plonger dans l'ambiance de l'Athènes hellénis-tique. Du même auteur : *Aristote à Delphes* (coll. « 10-18 »).
– *La Caverne des idées,* de José Carlos Somoza (2000 ; Actes Sud, coll. « Babel », 2003). Des meurtres mystérieux se produisent à Athènes, impli-quant élèves et professeurs de l'école platonicienne de l'Académie. C'est encore un philosophe, Héraclius Pontor, fictif celui-là, qui se coltine la quête de la vérité. À cette trame policière vient s'ajouter un autre mystère, celui qu'entretient le traducteur du manuscrit grec.

Également

– *Le Plongeon,* d'Olivier Delorme (éd. H & O, 2002). Sur l'île de K. (on reconnaît aisément à la lecture l'île de Nissyros, dans le Dodécanèse), l'his-toire amoureuse de trois protagonistes gays et l'histoire contemporaine grecque se rencontrent et se mélangent. Un roman solidement ancré dans la réalité grecque, qui se révèle être également une apologie de l'art de vivre insulaire. Par un jeune auteur français, bon connaisseur de la Grèce.

Récits, essais, commentaires

– *L'Été grec,* de Jacques Lacarrière (Plon, coll. « Terre Humaine », 1975 ; l'édition Presses-Pocket n° 3018, 1984, inclut une postface : *Retours en Grèce,* 1976-1982). Du mont Athos à la Crète en passant par les îles les plus reculées des Cyclades, c'est en vrai routard que Jacques Lacarrière a arpenté la Grèce de 1947 à 1966. Nourri de culture classique, il est aussi un incomparable connaisseur de la Grèce contemporaine et de ses habitants. Une lecture indispensable.

– *Dictionnaire amoureux de la Grèce,* de Jacques Lacarrière (Plon, 2001). Qui connaît mieux la Grèce que Jacques Lacarrière, qui la fréquente depuis plus de 50 ans ? Les 500 pages de ce dictionnaire à la fois subjectif (c'est le regard d'un « amoureux » comme l'indique le titre) et quasi encyclopédique, englobant les principaux aspects de la Grèce, de l'Antiquité à la période contemporaine, sont un indépassable passeport pour partir à la connaissance du pays.

– *Les Îles grecques,* de Lawrence Durrell (Albin Michel, 1re édition 1978, réédité en 2000). Lawrence Durrell (1912-1990), qui a pas mal bourlingué à la surface du globe et en particulier en Grèce, a tiré de son expérience insulaire un livre riche, agrémenté d'anecdotes vécues. Son regard sur ces îles, lieux de passage ou lieux de séjour, est toujours vif et le récit, parfois érudit, jamais ennuyeux.

– *Le Colosse de Maroussi,* d'Henry Miller (LGF, coll. « Biblio-poche » n° 3029, 1941). Invité par le romancier Lawrence Durrell, Henry Miller débarque en Grèce en 1939 : c'est aussitôt le coup de foudre et quelques mois de bonheur au contact de la Grèce millénaire en compagnie d'un formidable conteur, Katsimbalis, alias le « colosse de Maroussi ».

– *Pages grecques,* de Michel Déon (Gallimard, coll. « Folio » n° 3080, 1993). Sous ce titre sont réunis *Le Balcon de Spétsai* (1960) et *Le Rendez-vous de Patmos* (1965). Séduit par l'île de Spétsai, Michel Déon y a jeté l'ancre à la fin des années 1950. *Le Balcon* est la chronique de ses années heureuses passées au contact de la population de l'île, alors que *Le Rendez-vous* emmène le lecteur à travers la mer Égée, dans les îles, ces perles de lumière que sont Corfou, Rhodes, Lesbos, les Cyclades, à la rencontre de personnages hauts en couleur, riches d'histoires du passé et du présent.

– *La Bouboulina,* de Michel de Grèce (Presses-Pocket n° 4187, 1993). Héroïne de la libération des Grecs contre l'oppresseur turc (fin XVIIIe-début XIXe siècle), la Bouboulina fut une aventurière, amoureuse de la mer, voyageuse (un peu routarde ? à vous de juger), et aussi redoutable femme d'affaires collectionnant navires et amants. Et des armes, du sang et des larmes.

– *Onassis et la Callas,* de Nicholas Gage (éditions Robert Laffont, 2000, coll. « J'ai Lu »). Une radiographie très fouillée et très éclairante d'une des grandes histoires d'amour du XXe siècle, réunissant deux monstres sacrés, dans tous les sens du terme...

– *Géopolitique de la Grèce,* de Georges Prévélakis (éd. Complexe, 1997). Un tour d'horizon complet, intelligent, pédagogique, peut-être un peu ardu mais pas indigeste, de la géopolitique du pays au fil des temps, qui débouche sur une analyse fine de la situation actuelle.

Histoire, mythologie, art grec

– *La Grèce au siècle de Périclès,* de Robert Flacelière (Hachette littérature, coll. « La Vie Quotidienne », 1959, réédition 1996). Le siècle de Périclès, c'est celui de l'Acropole, de Sophocle ou de Socrate, celui du plus grand rayonnement grec, lorsque les cités-États, jusqu'alors indépendantes, s'unirent à l'instigation d'Athènes pour repousser victorieusement l'envahisseur perse.

– *L'Homme grec,* sous la direction de Jean-Pierre Vernant (Le Seuil, 1994, coll. « Points-histoire », n° 267). Un recueil de courts articles ou essais, écrits par divers spécialistes européens qui donnent une vision assez complète de ce qu'a pu être, dans l'Antiquité, « l'homme grec » (au sens le plus large). Et l'homme grec justement, paraît-il, était multiple et ne se réduisait pas à une simple étiquette...

– ***L'Art grec,*** de Jean-Jacques Maffre (PUF, coll. « Que sais-je ? », n° 2278, 1986). Un petit bouquin rapide sur l'évolution de l'art grec. Les grandes étapes sont précisément définies, et l'évolution d'ensemble bien analysée (de 3000 à 30 av. J.-C.). Quelques schémas et reproductions (trop peu, hélas !) illustrent utilement le tout.

– ***Pourquoi la Grèce ?*** de Jacqueline de Romilly (Livre de Poche n° 13549, 1992). Cette grande helléniste de l'Académie française parle de notre héritage grec à partir de la mythologie, du théâtre, de la poésie, de l'histoire (...) de la Grèce antique. Fouillé. Destiné de préférence à ceux qui sont déjà familiarisés à la littérature grecque de l'Antiquité. Du même auteur, ***Alcibiade*** (éd. De Fallois, 1995), une passionnante biographie très accessible du filleul de Périclès, prototype de l'homme politique dévoré par l'ambition.

– ***La Couronne et la Lyre,*** de Marguerite Yourcenar (Gallimard, coll. « Poésie », n° 189, 1979). Adaptés plus que traduits par Marguerite Yourcenar, ces poèmes grecs anciens, de 110 auteurs différents, couvrant toute l'Antiquité sur onze siècles, ont un parfum authentique, universel et donc actuel. Chaque auteur est présenté par une introduction intéressante.

MÉDIAS

– ***Le paysage audiovisuel*** grec n'a pas grand-chose d'original : depuis novembre 1989, les chaînes privées ont le droit d'émettre et ce n'est pas une grande surprise si ces chaînes sont celles qui font le plus d'audience, les 4 principales étant *Méga, Antenna, Star* et *Alpha*. En quelques années, les trois chaînes publiques, *ET 1, ET 3* et *NET*, ont perdu beaucoup de parts de marché. Beaucoup de séries grecques ou étrangères (qui livrent une rude concurrence aux séries grecques) et des films le plus souvent sous-titrés (une chance si vous allumez la TV et qu'on y diffuse un film français, car c'est beaucoup plus rare qu'en anglais). Quant aux chaînes privées régionales ou thématiques, elles sont nombreuses puisqu'il en existe près de 150. Si vous voulez vous informer sur ce qui se passe dans le pays et ailleurs, sachez que les informations du soir sont diffusées assez tôt pour la Grèce du moins (20 h) et durent longtemps (1 h), bien souvent pour pas grand-chose. En effet, on délaie beaucoup...

– ***La presse écrite*** grecque se fait facilement remarquer : les kiosquiers ont l'habitude de suspendre les journaux à un fil à linge et chacun peut venir lire les gros titres de la une. Les quotidiens nationaux sont beaucoup plus nombreux qu'en France, ce qui ne signifie pas qu'ils soient forcément beaucoup lus. Ils couvrent tout l'échiquier politique. *Ethnos, Eleftherotypia* sont des quotidiens de gauche alors que *Kathimérini* (qui contient un supplément en anglais) représente les positions conservatrices. *To Vima* essaie de tenir la place du *Monde* en France. La plupart des journaux grecs accordent l'essentiel de leur attention à la politique intérieure, affichant le plus souvent des opinions très partisanes, qui s'expriment par des titres incendiaires. L'actualité internationale n'y occupe qu'une très petite place. Les quotidiens paraissent même le dimanche, avec un numéro spécial particulièrement épais.

On peut s'informer sur l'actualité locale en lisant *Athens News,* hebdo qui sort en kiosque le vendredi et couvre l'actualité du pays tout entier ainsi que l'actualité internationale, sports inclus.

MUSÉES ET SITES ARCHÉOLOGIQUES

– La plupart des sites et musées sont gratuits pour les étudiants de l'Union européenne, sur présentation de la carte d'étudiant internationale, pour les jeunes de moins de 18 ans et pour les professeurs d'études classiques, d'archéologie et d'histoire de l'Union européenne, également sur justification de leur profession. En principe, avec une carte d'étudiant nationale, ça marche, en tout cas pour les Français. Attention, les fonctionnaires du ministère de la Culture qui vendent les billets ne sont pas toujours d'excellente composition et ne sont pas forcément bien disposés à vous accorder les réductions auxquelles vous avez en principe droit, surtout si la file d'attente aux guichets est impressionnante. Il semblerait aussi que tous les sites n'appliquent pas de manière uniforme ces réductions. Insistez pour faire valoir vos droits, d'autant que, côté augmentations, le ministère de la Culture grec n'y est pas allé avec le dos de la cuillère... Selon l'importance du site, le billet (tarif plein) coûte de 2 à 12 €.

– Hors saison, on peut parfois bénéficier de la gratuité pour tous les musées et sites :

- les dimanches entre le 1er novembre et le 31 mars, ainsi que le premier dimanche des mois de mai, juin et octobre ;
- les 25 mars et 28 octobre (Fêtes nationales) ;
- le 6 mars (en mémoire de Mélina Mercouri) ;
- le 18 avril (journée nationale des monuments) ;
- le 18 mai (journée internationale des musées) ;
- le 5 juin (journée de l'environnement) ;
- le dernier week-end de septembre (Journées du patrimoine).

– Les horaires sont susceptibles de varier assez souvent et parfois sans raison. Tout dépend des crédits que le ministère de la Culture affecte à la direction des musées. En 2004, beaucoup de grands sites ont ouvert jusqu'à 20 h en raison des Jeux olympiques, mais rien n'indique que ces horaires étendus seront maintenus. 8 h-15 h les jours est l'horaire harmonisé valable hors saison (donc d'octobre à fin mars) partout ou à peu près. Quelques grands sites et musées sont ouverts jusqu'à 19 h en été, les autres ferment à 15 h toute l'année.

– Si vous voulez filmer, renseignez-vous pour savoir si c'est autorisé.

– Les lève-tôt seront récompensés : l'Acropole à 8 h, c'est super, Olympie aussi. Dès 10 h, c'est l'enfer. Vous avez deviné pourquoi ?

– Méfiez-vous de la Pâque orthodoxe (en 2005, Pâques tombe le 1er mai) : le dimanche, tous les sites sont fermés. Autres jours de fermeture : le 1er janvier, le 25 mars, le 1er mai (à la fois dimanche de Pâques en 2005), les 25 et 26 décembre. Le vendredi de Pâques, les sites ne sont généralement ouverts que l'après-midi. Le 6 janvier, le jour des Cendres, les samedi et lundi de Pâques, le lundi de Pentecôte, le 15 août et le 28 octobre, sites et musées devraient en principe être ouverts mais moins longtemps qu'un jour ouvrable normal ; le 2 janvier, le dernier samedi de Carnaval, le jeudi de Pâques, les veilles de Noël et du 1er janvier, sites et musées ne sont ouverts que le matin. Le plus prudent est de vérifier sur place, le ministère pouvant accorder à la dernière minute des journées ou des demi-journées de congé supplémentaires.

MUSIQUE, DANSE

En raison peut-être de leur expérience touristique, les principales villes grecques, et tout particulièrement Athènes, disposent d'une infrastructure importante et très complète pour ce qui est de la vie nocturne.

– Les *discothèques* connaissent les ambiances les plus cool qui soient. Les orchestres de danses traditionnelles font vivre intensément les tavernes jusqu'à l'aube, et les fêtes et festivals en tout genre prolifèrent.

Dans les discothèques, les consommations sont servies à des tarifs un rien moins élevés que chez nous. Ne vous étonnez pas que, parfois, on interdise l'entrée des boîtes de nuit aux garçons « non accompagnés » : c'est la règle. Elle a été instaurée afin d'éviter un déséquilibre trop flagrant entre le nombre de filles et de garçons, à la suite de l'intérêt un peu trop vif montré par les *teenagers* grecs envers les midinettes suédoises ou françaises en goguette.

– Les *tavernes* sont des lieux où l'on danse, chante, boit, et casse des assiettes (coutume grecque qui, malheureusement, coûte de plus en plus cher ; ah ! tout fout l'camp...) Mais dites-vous bien que la plupart n'ont plus grand-chose d'authentique. Souvent on vous imposera de commander une assiette de fruits (trois quartiers d'orange et une demi-banane) pour avoir droit à quelques gouttes d'ouzo dans un dé à coudre.
L'idéal est, bien sûr, de vous faire accompagner par un ami grec qui vous mènera dans les vieilles tavernes fréquentées par les Grecs.
Quant à la musique enregistrée, elle ne se limite pas aux CD ou cassettes que l'on voit dans Plaka et dont la pochette est en anglais (« Greece is... » : à fuir !). Entrez plutôt chez un vrai disquaire à la recherche de disques de musique populaire.
– Le *rébétiko* est le blues grec. Ces chansons de mauvais garçons des faubourgs, à la voix rauque, sont devenues à la mode dans les années 1950-1960. Théodorakis et Hadjidakis sont devenus des classiques populaires. Pour le premier, préférez les disques de sa grande période militante, années 1960-1970, chantés par Pétros Pandis et Maria Farandouri, ou l'oratorio *Axion Ésti* sur des poèmes d'Odysséas Elytis.
La plus belle voix masculine aujourd'hui est sans aucun doute celle de Yorghos Dalaras dont le répertoire va de la chanson sucrée (à la Iglésias) à la chanson d'auteur. Chez les chanteuses, Haris Alexiou, Elefteria Arvanitaki (une des rares à s'exporter en France), Rita Sakellariou, Glykéria, sans oublier « notre » Angélique Ionatos, originaire de Lesbos et installée en France.
Quelques autres noms chez les hommes : Dionyssos Savvopoulos, chanteur satirique ; Vassilis Papakonstantinou, rockeur grec toujours vert, et, dans un autre genre, les nouvelles coqueluches Notis Sfakianakis et Sakis Rouvas (*Ola kala*, ça vous dit peut-être quelque chose ?).

Le rébétiko

L'historique

Le rébétiko est né en Asie Mineure et il est arrivé en Grèce avec les réfugiés de Smyrne. D'origine très populaire, il a d'abord été chanté clandestinement. Dans sa forme la plus pure, c'est typiquement une musique pour raconter de courtes histoires et exprimer des sentiments. Les premières chansons étaient souvent une manière satirique de relater les histoires tirées de la vie des chanteurs exprimant leur détresse. De nombreuses chansons font référence à la drogue.
Le rébétiko populaire est assez différent de celui issu de Smyrne qui prévalait au début des années 1900. Il introduit l'instrument et le chanteur solo, alors que celui de Smyrne était plus un travail de groupe. Les principaux instruments sont le *bouzouki*, le *baghlamas*, rejoints plus tard par la guitare.
Le chanteur est un homme à la voix rude, jamais douce ni lascive. Le classique commence par un *taximi* (improvisation) joué par le *bouzouki* en guise de prélude.
Les années héroïques du rébétiko sont la période 1920-1940. Après-guerre, Vassilis Tsitsanis et Markos Vamvarakis réussissent à sortir le rébétiko de ses stigmates sociaux et de son association avec la prison et la drogue, le popularisant et créant un genre musical grec authentique et moderne.
Son déclin commença dans les années 1960, quand il est devenu à la mode dans les milieux bourgeois et quand a émergé une nouvelle musique grecque, créée par des compositeurs tels que Manos Hadjidakis, Mikis Theodorakis et Stavros Xarhakos. Pourtant tous ont incorporé le rébétiko dans leurs œuvres et, de ce fait, ont contribué à le faire connaître plus largement.

Les instruments

Le *bouzouki* appartient à la famille des luths. Il a souvent 8 cordes métalliques montées par paire. Des instruments de forme similaire se retrouvent dans les civilisations préhellénique, égyptienne, assyrienne, chinoise et indienne.

Le *baghlamas* est un petit *bouzouki,* pas plus grand que 40 ou 60 cm. Il était l'instrument préféré des prisonniers qui pouvaient le cacher. Dans le rébétiko originel, on remarque d'autres instruments, tels que le violon, le luth, l'*outi* (luth à manche court), le *sandouri* (instrument à cordes en forme de trapèze isocèle, instrument fétiche de Zorba le Grec !) et le *toumbeliki* (tambour).

Les danses

Elles sont principalement au nombre de 3. Le *zeibékiko,* considéré comme LA danse du rébétiko. Il est dansé par un homme seul, qui exécute des figures acrobatiques circulaires qui se compliquent au fur et à mesure.

Le *hassapikos,* dont le nom d'origine turque signifie « boucher ». Les bouchers de Constantinople étaient souvent grecs et exécutaient cette danse lors des festivités de leur corporation. Il est habituellement dansé par trois hommes, qui se tiennent par l'épaule.

Le *tsiftétéli* : dansé par une femme, il ressemble à ce qu'on appelle plus communément la danse du ventre.

MYTHOLOGIE

La mythologie expliquée aux routards

La mythologie n'était pas pour les Grecs quelque chose de figé : elle expliquait le monde, à la fois ses origines (la *cosmogonie*) et son déroulement quotidien, les dieux intervenant quasi constamment dans la vie des humains, selon les Grecs. La place des dieux a pu aussi évoluer selon l'importance du culte qu'on leur vouait, certains d'entre eux ne prenant leur essor qu'assez tardivement, d'autres étant de moins en moins célèbres.

Au commencement était *Chaos,* une sorte de vide, opaque, inorganisé, suivi de près par son contraire *Gaïa,* la Terre (et mère) universelle. Gaïa, toute seule comme une grande, donna naissance au flot marin, *Pontos* et à *Ouranos,* le ciel. Mais ce dernier, fils ingrat, n'arrêtait pas d'embêter sa mère : d'abord, il vivait vautré sur elle (et, étant de même dimension, ça ne laissait aucun espace de liberté pour Gaïa), ensuite, il la couvrait dans le second sens du terme, son unique activité étant le coït... Petit problème : les enfants qu'il n'arrêtait pas de lui faire n'avaient pas la place de voir le jour ! Gaïa inspira donc à son petit dernier, *Cronos,* une idée décisive, et incisive : avec une serpe fabriquée par maman, il tranche les parties génitales de papa. Sous le coup de la douleur, Ouranos décolle un grand coup et va se fixer tout là-haut, en lançant des imprécations sur sa descendance. Le membre tranché, lui, va finir sa course dans la mer où il donnera naissance à *Aphrodite.* Ce coup de force donne un coup d'accélérateur au Temps, jusqu'alors bloqué par Cronos, est en marche et l'histoire peut commencer.

Mais Cronos n'est pas des plus sympathique. Il a mis au pas ses frères et sœurs, Titans et Titanes, et s'il s'accouple avec Rhéa (sa sœur, au passage), ce n'est pas pour le plaisir de fonder une famille : il dévore en effet chacun de leurs enfants par peur d'être détrôné un jour... Rhéa parvient à en sauver un en mettant une pierre dans les langes de l'enfant, que Cronos avale consciencieusement. Quand il se rend compte de la supercherie, le petit *Zeus* est bien à l'abri, en Crète.

Va alors commencer la lutte, forcément titanesque, entre Zeus et Cronos. D'un côté les Olympiens, de l'autre les Titans. Grâce à des ralliements (dont

Prométhée, fils de Titan, et les Cyclopes), le camp emmené par Zeus s'imposera au terme d'une longue lutte. Les forces du passé sont réduites à l'immobilité, renvoyées au fond du Tartare. Avec le règne de Zeus et de sa petite famille, un nouveau monde, pacifié au moins pour un temps, voit le jour. Aux commandes, la première génération des Olympiens. Zeus et ses frères et sœurs : **Poséidon,** maître des mers, **Hadès** qui, depuis les Enfers, règne sur les morts ; **Héra,** sœur et épouse de Zeus, la jalousie incarnée (et elle en avait des raisons d'être jalouse !), **Hestia,** déesse (mineure) du Foyer et **Déméter,** déesse de la Fertilité, dont **Perséphone,** la fille qu'elle avait eu de Zeus, son frère, a été enlevée par... tonton Hadès qui en a fait sa femme ! Vous suivez toujours ?

Pour compléter la tribu, d'autres dieux, nés d'unions illégitimes de Zeus, grand cavaleur devant l'éternel ! **Apollon,** fils de Zeus et de Léto, qui naquit, selon la tradition, à Délos. Il tua le serpent Python et s'appropria l'oracle de Delphes. Bourreau des cœurs, mais aussi amateur de sang, il présidait à la fondation des villes. On cherchait à s'attirer ses bonnes grâces, sachant que ses flèches empoisonnées pouvaient aussi semer la désolation.

Artémis, sa sœur jumelle, elle aussi habile du carquois, était surtout vénérée comme déesse de la Chasse (mais pas de la Pêche ni des Traditions). Prompte à la colère, c'est elle qui demanda le sacrifice d'Iphigénie, la fille d'Agamemnon, afin d'obtenir des vents favorables pour la flotte grecque en partance vers Troie. **Athéna,** fille de Zeus et de Métis (la ruse), naquit tout armée de la tête de son père. Elle était vénérée comme la déesse de la Pensée, des Arts et de l'Industrie. Son portefeuille contenait aussi la Guerre (pour la ruse) et la Sagesse, comme quoi...

Chez les garçons, **Dionysos,** fils de Zeus et de Sémélé, mais carrément né de la cuisse de Zeus, lui ! Dieu du Vin et de l'Ivresse... Figure d'abord secondaire, il devint l'un des dieux les plus populaires. On lui rendait un culte volontiers orgiaque, les Bacchanales, qui étaient à l'origine une occasion de célébrer la nature au printemps. **Hermès,** fils de Zeus et de Maïa, possédait des attributions très diverses et était notamment le dieu du Commerce et des Voleurs (aucun rapport bien entendu), de l'Éloquence, le messager des dieux, le protecteur des voyageurs, donc des routards, etc. Un vrai représentant multicartes.

Ajoutons quelques autres figures, comme **Arès,** dieu de la Guerre, fils légitime, et **Héphaïstos,** le dieu boiteux, maître du feu, marié à Aphrodite qui le trompa avec Arès, justement !

Leur interaction avec les humains a donné naissance à de grands cycles, dont celui d'**Héraklès,** celui de la guerre de Troie et celui d'**Œdipe,** pour ne citer que les plus connus. Les récits mythologiques, au-delà de leur apparent simplisme, sont d'une grande complexité et une source inépuisable de réflexion. Pour en savoir plus, on ne peut que conseiller de lire le livre de Jean-Pierre Vernant, **L'Univers, les dieux, les hommes** (Le Seuil, coll. « Points », 1999), qui décrypte les significations cachées des mythes des origines ou encore celui de Jacques Lacarrière, **Au cœur des mythologies, en suivant les dieux** (Gallimard, coll. « Folio », 2002).

Pourquoi la mythologie grecque a-t-elle fait un tel tabac ?

Des mots issus des grands mythes grecs (labyrinthe, cyclope, titan, méduse, aphrodisiaque, herculéen) sont passés dans notre vocabulaire courant, de même que des expressions comme « le fil d'Ariane » ou « la cuisse de Jupiter » et jusqu'à des marques commerciales comme Ajax... La mythologie grecque est connue du monde entier.

A priori, rien d'étonnant, vu l'importance de la colonisation grecque. Les Grecs sont allés partout (jusqu'en Inde grâce à Alexandre le Grand), imposant à la fois leur puissance et... leurs dieux. Mais pourquoi des empires aussi puissants que ceux des Égyptiens ou des Perses n'ont-ils pas réussi à promouvoir aussi bien leurs divinités ?

Il faut d'abord souligner le caractère merveilleux des dieux grecs... Ce sont des héros doués de pouvoirs extraordinaires. Ils font rêver. Hermès est capable de voler grâce à ses sandales ailées. Aphrodite avec son superbe corps n'a rien à envier aux divas d'Hollywood. Zeus commande au tonnerre. La mer obéit à Poséidon.

Et pourtant, tous ces dieux sont particulièrement humains. Comme nous, ils sont capables de mensonges, de cruauté ou de tromperie. Ils s'affrontent puis se réconcilient. Tout ce beau monde est, comme celui d'ici-bas, agité par la passion et les intérêts. Leurs faiblesses et leurs défauts les rendent attachants et proches des hommes. Le peuple grec pouvait s'y reconnaître. À y regarder de près, ces dieux avaient un côté libertaire, donc subversif. Comme des midinettes, ils ne pensaient qu'aux choses de l'amour. Bref, ils ne connaissaient pas la morale, au sens judéo-chrétien (normal, elle n'avait pas encore été inventée !). Ils étaient complexes, multiples, paradoxaux.

Pendant quelques siècles, ces cultes païens rendus aux dieux grecs ont tant bien que mal cohabité avec la religion chrétienne. Mais la concurrence était trop dure pour « la » religion. Les dieux étaient trop proches des hommes. Pour avoir une bonne récolte, du soleil ou de la pluie, il suffisait de le demander au dieu concerné. Pour cela, on donnait au dieu ce dont il avait envie : un animal en sacrifice. Il fallait donc interdire tous ces dieux pour le Dieu unique. C'est ce que fit un édit de l'empereur Justinien Ier, au VIe siècle. L'Empire était devenu chrétien. Lorsque quelqu'un est entre la vie et la mort, les Grecs disent toujours couramment : *charopalévi* (littéralement, il lutte contre Charon, le passeur qui faisait traverser aux esprits le fleuve des morts). Une eau minérale se nomme Ivi, transcription moderne d'Hébé, déesse de la Jeunesse. Et l'on pourrait multiplier les exemples...

PERSONNAGES

– *Théo Angelopoulos* (1936) : le plus représentatif des réalisateurs du nouveau cinéma grec. Il cherche dans la mémoire collective de son peuple un message politique et social. On lui doit, entre autres, *Paysage dans le brouillard* (1988), l'admirable voyage initiatique et poétique de deux enfants, et plus récemment *Le Pas suspendu de la cigogne* (1991), avec Jeanne Moreau et Marcello Mastroianni. *Le Regard d'Ulysse* (1995) retrace le voyage d'Harvey Keitel jusqu'à Sarajevo, à la recherche d'un film mythique du début du XXe siècle. La Palme d'Or du Festival de Cannes lui a été décernée en mai 1998 pour *L'Éternité et un jour*.

– *Michael Cacoyannis* (1922) : le cinéaste de la Grèce par excellence. Il permit à Mélina Mercouri de faire ses débuts à l'écran dans un rôle de femme libre avec *Stella* (1955). Mais on se souvient surtout d'Antony Quinn, Irène Papas et Alan Bates dans *Zorba le Grec* (1964), transportés par la musique de Théodorakis.

– *Maria Callas* (1923-1977) : « Elle est comme l'Acropole, encore plus belle depuis qu'elle est en ruine. » En effet, grâce à une voix incomparable (et un régime qui aurait fait rougir de jalousie son compatriote Demis Roussos), le vilain petit canard qui pesait 110 kilos à 25 ans s'est un jour métamorphosé en une exceptionnelle diva. Généreuse et enflammée, Maria Callas a immortalisé les rôles de *Norma* et de *Tosca* et révolutionné l'art lyrique. Sa vie même eut un parfum de scandale quand elle quitta son pygmalion et mari Carlo Meneghini pour le ténébreux (et sulfureux) Onassis. Évincée par la belle Jackie, la voix prématurément brisée, elle mourut à Paris en véritable héroïne tragique et devint un réel mythe. « Like a candle in the wind... »

– *Costa-Gavras* (1933) : cinéaste d'origine grecque, naturalisé français. Assistant de René Clair et de Jacques Demy, il connaît un véritable triomphe avec *Z* (1969), qui dénonce la dictature militaire au pouvoir à l'époque. Un cinéma engagé également à l'image de son acteur, Yves Montand, qu'il dirigea aussi dans *L'Aveu* (1970), pour dénoncer les purges du régime communiste en Tchécoslovaquie. Avec *Missing* (1982), violente critique de la politique américaine en Amérique latine, il remporte la Palme d'Or et fait scandale outre-Atlantique. Présente sur tous les fronts, son œuvre est le fidèle reflet de son combat politique, excepté quelques films isolés, comme *Conseil de famille* (1986) ou *Music Box* (1990).

– **Odysséas Elytis** (1911-1996) *:* Prix Nobel de littérature 1979. Né en Crète dans une famille originaire de Mytilène (Lesbos), il a introduit le surréalisme dans la littérature grecque. Ami d'Eluard, de Picasso, très influencé par la France où il a séjourné de 1948 à 1951 et de 1969 à 1971. Son œuvre majeure est *To Axion Esti* (1959), un recueil de poèmes conçu comme un tout, nourri de son expérience personnelle et de la culture hellénique millénaire et popularisé par Théodorakis qui l'a mis en musique. Il en existe une traduction en français parue chez Gallimard.

– **Nikos Kazantzakis** (1885-1957) *:* celui qui se disait « d'abord Crétois et ensuite Grec » est né dans une Crète qui faisait encore partie de l'Empire ottoman et a connu, tout enfant, les insurrections crétoises (infructueuses) de 1889 et 1897-1899. Après avoir commencé ses études à Naxos, dans un établissement religieux tenu par des pères français, il fait son droit à Athènes et part ensuite à l'étranger, en Allemagne et à Paris. Cet intellectuel de grande envergure a connu, pendant toute son existence, un déchirement entre le corps et l'esprit (chez les Grecs, on parle de dualité entre l'esprit dionysiaque et l'esprit apollinien, bien sûr). Il a cru dans l'action, en s'enthousiasmant pour la révolution russe (il visitera d'ailleurs l'URSS avec son copain roumain, Panaït Istrati, grand routard devant l'Éternel, et en reviendra déçu), en se laissant également tenter par une éphémère carrière politique après la Seconde Guerre mondiale, et ce n'est qu'une fois revenu de pas mal d'illusions, installé à Antibes, qu'il se lancera dans l'écriture romanesque, à 70 ans passé. Une demi-douzaine de romans vont le rendre célèbre (*Alexis Zorba*, bien entendu, *Les Frères ennemis*, *Le Christ recrucifié*, *La Liberté ou la Mort* mais aussi *La Dernière Tentation* que Scorsese adaptera bien plus tard). Sa dernière œuvre sera une sorte d'autobiographie spirituelle, *La Lettre au Gréco*, qui constitue un beau témoignage sur la vie intellectuelle d'un des grands esprits du siècle.

– **Mélina Mercouri** (1920-1994) *:* une des figures majeures de la culture et de la démocratie grecque contemporaine. Issue d'une famille de politiciens, elle poursuit d'abord des études d'art dramatique et devient une actrice reconnue. Dirigée par son mari, Jules Dassin, elle réussit brillamment son passage au grand écran en recevant le prix d'interprétation à Cannes pour son rôle dans *Jamais le dimanche* (1960). Parallèlement à sa carrière artistique, elle milite activement au sein de la gauche et subit de nombreuses pressions en s'opposant à la dictature qui s'installe en 1967. Elle raconte sa carrière artistique et son combat politique dans un livre à recommander : *Je suis née grecque* (malheureusement épuisé). En 1979, elle reçoit la médaille de la Paix aux côtés de Papandréou et devient ministre de la Culture après la victoire électorale du PASOK. Elle le restera jusqu'à sa mort, créant le titre de capitale culturelle de l'Europe (Athènes sera la pionnière en 1985) et ravivant la campagne pour le retour des Marbres du Parthénon, exposés actuellement au British Museum à Londres. À Athènes, allez voir le *Café Mélina*, un lieu surprenant, entièrement dédié à sa mémoire (voir « Où boire un verre ? Où manger une glace ? »).

– **Nana Mouskouri** (1936) *:* plus facile de se remémorer ses lunettes carrées et ses robes noires à paillettes que l'air de ses vieux tubes. Pourtant, avec son look d'intello pas très glamour, Nana est l'une des rares chanteuses grecques à connaître une carrière internationale... et à oser chanter en japonais. À son palmarès, un mandat de député européen et la reprise du combat de Mélina Mercouri pour la restitution des marbres du Parthénon.

– *Aristotelis Onassis* (1906-1975) : le chouchou de la presse *people* des années 1960 et 1970. Cet armateur milliardaire, originaire de Smyrne (Izmir en Turquie), a fondé la compagnie aérienne *Olympic Airways* (nationalisée par la suite), mais a connu la notoriété par ses conquêtes féminines. Marié une première fois à Athina Stavrou Livanou, il connaît une liaison tumultueuse avec Maria Callas, qu'il abandonne pour épouser la jeune et jolie veuve de J.F.K. Son yacht était aussi célèbre que *La Lauradá*, et sa résidence d'été, l'île de Skorpios, a aussi fait couler beaucoup d'encre.

– *Andréas G. Papandréou* (1919-1996) : Premier ministre de 1981 à 1989 et de 1993 à 1996, élu vice-président de l'Internationale socialiste en 1992. Il a connu un parcours politique original : citoyen américain (il a enseigné l'économie dans une université américaine), il entre en politique quand son père devient... Premier ministre au milieu des années 1960. Exilé aux États-Unis dès le coup d'État des colonels en 1967, il lutte activement pour la restauration de la démocratie en Grèce. Après la chute de la dictature, il crée le PASOK (mouvement panhellénique socialiste), qui s'affirme comme l'un des principaux partis d'opposition. Il devient Premier ministre en 1981, après un confortable succès électoral. Fervent défenseur d'une politique tiers-mondiste, il donne à la Grèce une place singulière dans la Communauté européenne. Militant du désarmement nucléaire, il a œuvré pour la paix et la coopération internationale. Populiste et nationaliste, et à ce titre héraut de l'hellénisme moderne, il a vu sa position s'affaiblir à la suite de scandales politico-financiers (affaire Koskotas qui l'a mené devant une cour spéciale qui n'a rien pu prouver contre lui mais la suspicion s'est installée). Il a aussi défrayé la chronique en raison d'une vie sentimentale agitée (remariage, à 70 ans, avec une jeune ex-hôtesse de l'air dont la presse montrait régulièrement des photos dénudées).

– *Georges Séféris* (1900-1971) : Prix Nobel de littérature 1963. Diplomate de carrière, né à Smyrne (Izmir en Turquie) et resté attaché à son Asie Mineure, « perdue » après 1922. Ses poèmes, d'une grande richesse, mêlent l'héritage culturel de la Grèce et les préoccupations contemporaines, liées à l'évolution de son pays dont il était un acteur en tant que consul puis ambassadeur. Ses obsèques ont été l'occasion de défiler silencieusement contre la junte des colonels. Une grande partie de son œuvre a été traduite par Jacques Lacarrière.

– *Mikis Théodorakis* (1925) : un autre grand artiste engagé. Né à Chios (comme Andréas Papandréou), il est entré dans la Résistance pendant la Seconde Guerre mondiale, à 17 ans ; il est plus tard poursuivi pour son engagement à gauche (il sera déporté sur l'île de Makronissos). Il s'installe ensuite à Paris et s'inscrit au conservatoire, où il acquiert rapidement une réputation mondiale. À nouveau arrêté et déporté après le coup d'État des colonels, il est libéré en avril 1970 et devient le symbole vivant de la résistance à la dictature. Mais son retour triomphal en Grèce en 1974 sera de courte durée, puisqu'il s'oppose cette fois-ci à la gauche en prônant un retour en douceur à la démocratie. Élu au Parlement grec, il va s'éloigner progressivement du parti communiste et de la gauche pour finir par siéger sur les bancs de la droite, au sein de la Nouvelle Démocratie ! Il abandonne alors son mandat pour se consacrer à la musique. Parallèlement à ses œuvres classiques, il écrit pour le cinéma, notamment pour *Zorba le Grec* (1964) et *Z* (1969), et contribue au renouveau de la musique grecque populaire.

PHOTO

Pellicules en général moins chères qu'en France, surtout chez les photographes (évitez les magasins à touristes où vous paierez le prix fort). Vérifiez les dates. De plus, le tirage est bon marché (mais attention à la qualité). Si vos pellicules demandent un soin plus particulier, le plus sage est d'attendre votre retour en France.

On peut avoir l'âme d'un aventurier
sans vouloir tenter l'aventure
pour ses tirages photo.

PHOTO SERVICE VOUS ACCOMPAGNE TOUT AU LONG DE VOS VOYAGES.

Avant votre départ

Sur simple présentation de ce guide dans l'un de nos 280 magasins,
Photo Service vous offre une réduction de 12% sur toutes vos pellicules
ou sur l'achat de tout type de carte mémoire.

À votre retour

Pour tout développement et tirage photo, nous vous offrons la Carte Photo
Service, qui vous donne droit *pendant 1 an* à :

- 12% de réduction sur tous vos tirages et travaux photo
- pour les adeptes du numérique : la sauvegarde de vos photos numériques
sur CD-Rom
- pour les fidèles de l'argentique : le film négatif de votre choix pour
chaque développement et tirage d'une pellicule

offre valable jusqu'au 31/12/2005

3 734560 054773

PHOTO SERVICE

PLAGES

À moins d'être un archéomaniaque qui dédaigne l'élément marin, on peut supposer que vous mettrez les pieds plus d'une fois sur les plages grecques. Normal, il n'y a pas si longtemps le slogan de l'office national du tourisme était : « La mer a un pays, la Grèce. » Difficile d'émettre un jugement général sur les plages tellement il en existe de genres différents, de la plage de sable noir (volcanique) à la plage de sable fin en passant par les galets. Question propreté, il y a des progrès mais à côté des plages équipées en poubelles, combien en manquent encore cruellement ? Il n'est parfois pas inutile, sur des criques peu fréquentées, d'arriver avec son sac-poubelle et de faire le ménage...

Officiellement, en 2004, 97,5 % des eaux de baignade étaient propres. Et 378 plages grecques se sont ainsi vu décerner le fameux pavillon bleu (*galazio siméo* en grec), ce qui constitue presque un cinquième de l'ensemble des plages d'Europe récompensées, de la Finlande à la Turquie ! Étonnant, non ? Ces plages se répartissent de manière très inégale (il y en a assez peu dans les Cyclades par exemple) et il semble que dans certains coins, on ne fasse pas les démarches (ou les efforts) nécessaires pour l'obtention de ce pavillon. Sur le site Internet • www.thalassa.gr • on donne les résultats d'une enquête effectuée auprès de milliers de touristes de toutes nationalités, à qui on a demandé d'indiquer quelles étaient pour eux les plus belles plages du pays (et les plus propres). En 2003, est arrivée en tête *Myrtos* (Céphalonie), devant *Porto Katsiki* (Leucade) et *Kathisma* (Leucade). Venaient ensuite *Kaiafas* (Péloponnèse), *Elias* (Mykonos), *Agios Prokopios* (Naxos), *Kamari* (Santorin), *Koukounariès* (Skiathos) *Falassarna* (Crète), *Sarti* (Chalcidique) et *Kalogria* (Péloponnèse). Chaque année, le classement change mais ce sont toujours plus ou moins les mêmes plages que l'on retrouve dans le « top ten ».

PLONGÉE SOUS-MARINE

Jetez-vous à l'eau...

Pourquoi ne pas profiter de ces régions où la mer est souvent calme, chaude, accueillante, et les fonds riches, pour vous initier à la plongée sous-marine ? Faites le saut, plongez ! La plongée est enfin considérée comme un loisir grand public, bien plus qu'un sport, et c'est une activité fantastique. Entrez dans un autre élément où vous pouvez voler au-dessus d'un nid de poissons-clowns, dialoguer longuement avec des mérous curieux et attentifs, jouer sur un nuage inquiet d'anthias vaporisés sur une « patate » de corail, planer et rêver sur une épave, vous balancer avec les gorgones en éventail, découvrir un poisson picasso... Les poissons sont les animaux les plus chatoyants de notre planète ! Certes, un type de corail brûle, très peu de poissons piquent, on parle (trop) des requins... Mais la crainte des non-plongeurs est disproportionnée par rapport aux dangers de ce milieu. Des règles de sécurité, que l'on vous expliquera au fur et à mesure, sont bien sûr à respecter, comme pour tout sport ou loisir.

Si, c'est facile !

Pour réussir vos premières bulles, pas besoin d'être sportif, ni bon nageur. Il suffit d'avoir plus de 6 ans et d'être en bonne santé. Sauf pour un baptême, un certificat médical vous sera demandé, et c'est dans votre intérêt. Les enfants peuvent être initiés à tout âge à condition d'avoir un encadrement qualifié dans un environnement adapté (eau chaude, sans courant, matériel adapté). Non, la plongée ne fait pas mal aux oreilles, il suffit de souffler en se bouchant le nez. Non, il ne faut pas forcer pour inspirer dans cet étrange

« détendeur » qu'on met dans la bouche, au contraire. Et le fait d'avoir une expiration active est décontractant puisque c'est la base de toute relaxation. Être dans l'eau modifie l'état de conscience car les paramètres du temps et de l'espace sont changés, on se sent (à juste titre) « ailleurs ». En vacances, c'est le moment ou jamais de vous jeter à l'eau.

Les centres de plongée

Tous les clubs sont affiliés selon leur zone d'influence à un organisme international, dont voici les trois plus importants : la CMAS, Confédération mondiale des activités subaquatiques (d'origine française), et/ou PADI, Professional Association Diver (d'origine américaine), et/ou NAUI, National Association Underwater Instructors (américaine). Chacun délivre ses formations et ses diplômes, valables dans le monde entier, mais n'accepte pas forcément des équivalences avec les autres organismes. Dans les régions influencées, des clubs plongent à l'américaine ; la durée et la profondeur des plongées sont alors très calibrées. La progression du plongeur amateur se fait en quatre échelons. Si le club ne reconnaît pas votre brevet, il vous demandera une « plongée-test » pour vérifier votre niveau. En cas de demande d'un certificat médical, le club pourra vous conseiller un médecin. Tous les clubs délivrent un « carnet de plongée » qui, d'une part, retracera votre expérience et, d'autre part, réveillera vos bons souvenirs. Gardez-le et pensez toujours à emporter ce « passeport » en voyage.
Un bon centre de plongée respecte toutes les règles de sécurité, sans négliger le plaisir. Méfiez-vous d'un club qui vous embarque sans aucune question préalable sur votre niveau ; il n'est pas « sympa », mais dangereux. Regardez si le centre est apparemment bien entretenu (rouille, propreté, etc.), si le matériel de sécurité (oxygène, trousse de secours, radio, etc.) est à bord, si le bateau est équipé d'une protection contre le soleil, si vous n'avez pas trop à transporter l'équipement, s'il n'y a pas trop de plongeurs par palanquée (6 maximum, est-ce un rêve ?)... N'hésitez pas à vous renseigner car vous payez pour plonger, en échange, vous devez obtenir les meilleures prestations. Enfin, à vous de voir si vous préférez un club genre « usine bien huilée » ou une petite structure souple. Attention, pensez à respecter un intervalle de 12 à 24 h avant de prendre l'avion ou d'aller en altitude, afin de ne pas modifier le déroulement de la désaturation.

C'est la première fois ?

Alors l'histoire commence par un baptême (une petite demi-heure généralement). Le moniteur devrait être pour vous tout seul. Il s'occupe de tout, vous tient par la main. Laissez-vous aller au plaisir. Cela peut se faire même tranquillement en piscine. Même si vous vous sentez harnaché comme un sapin de Noël déraciné hors saison, tout cet équipement s'oublie complètement une fois dans l'eau. Vous ne devriez pas descendre au-delà de 5 m. Pour votre confort, sachez que la combinaison doit être le plus ajustée possible afin d'éviter les poches d'eau qui vous refroidissent. Puis l'expérience commence par un apprentissage progressif (de 3 à 5 jours) jusqu'au premier niveau qui permet de descendre à 20 m. Cela peut finir par un ravissement ! Seriez-vous plutôt faune ou flore ? À chacun sa mer et c'est à vous d'aller voir. Éblouissez-vous, plongez !

Plonger en Grèce

Jusqu'à il y a peu de temps, la plongée avec bouteilles était officiellement interdite en Grèce, du moins pour ceux qui auraient voulu se passer de l'encadrement d'un club de plongée. On craignait que des plongeurs ne découvrent des trésors archéologiques sous-marins qui seraient passés sous le nez des autorités grecques. Une liste de sites autorisés, assez importante, a néanmoins été publiée par le ministère de la... Culture (eh oui, ce ministère gère tout ce qui est du domaine des antiquités !). Il est de toute façon conseillé de passer par un club, qui vous donnera les renseignements les plus précis sur la zone où vous vous trouvez. Sur Internet, consulter : ● www.chez.com/fani ● ou ● www.idsc.gr ● On peut contacter l'Association des clubs de plongée en Grèce au ☎ 21-09-21-31-20 ou la Fédération hellénique pour les activités sous-marines (HFUA) au ☎ 21-09-81-99-61. Fax : 21-09-81-75-58.

POLICE TOURISTIQUE

Une autre invention grecque : la police touristique. Grâce à ses agents qui parlent en principe une langue étrangère (l'anglais pour la plupart), vous résoudrez plus facilement vos problèmes de séjour en Grèce, surtout ceux de l'hébergement. En arrivant à l'endroit de vos rêves, s'il n'y a pas d'office du tourisme municipal, adressez-vous tout de suite à la police touristique locale : c'est la meilleure solution pour ne pas vous embêter en cherchant une chambre vous-même, et surtout pour éviter les mauvaises surprises qu'on rencontre quelquefois chez les particuliers dans les lieux très touristiques.

La police touristique siège souvent dans les bureaux de la police, tout simplement. Qualité de l'accueil très variable... Un numéro utile : ☎ 171. Depuis l'été 2002, ce numéro fonctionne 24 h/24 sur l'ensemble du pays, pendant la saison touristique, et donne des infos, en 5 langues dont le français, sur les transports en Grèce. Il est également possible de déposer des plaintes concernant hôtels, restos, taxis, etc.

POLITIQUE

C'est entendu, les Grecs sont des bêtes politiques : normal pour les inventeurs de la démocratie. Des artistes comme Mélina Mercouri et Mikis Théodorakis ont plongé avec délices dans l'arène politique et, à entendre la façon dont on commente les affaires de l'État aux terrasses des cafés, on imagine que chaque Grec est un chef de gouvernement en puissance... Pourtant la politique ne leur a pas fait que du bien : la guerre civile de 1944-1949, opposant les combattants communistes, issus de la résistance au nazisme et soutenus par la Yougoslavie et l'URSS, aux forces royalistes soutenues par les Britanniques, a créé d'importants traumatismes dans la société grecque. Un million de personnes ont été « déplacées » dans le nord du pays, 46 000 morts ont été dénombrés dans les 2 camps. Pendant des années, la gauche a été plus ou moins bannie de la vie politique, et il a fallu attendre son arrivée au pouvoir en 1981 avec Andréas Papandréou pour que soient autorisés à rentrer en Grèce ceux qui avaient combattu du « mauvais côté », celui des perdants, c'est-à-dire les communistes (ils étaient dans les 80 000 à s'être réfugiés dans les pays de l'Est). La sombre période des colonels, de 1967 à 1974, a été aussi officiellement justifiée par une « menace communiste » pesant sur le pays. On sait aujourd'hui que les Américains n'étaient pas étrangers au coup d'État qui a plongé la Grèce sous la chape de plomb de la dictature, ce qui explique sans doute la vague nationaliste et foncièrement anti-américaine qu'a connue la Grèce dans les années Papandréou, à partir de 1981.

Aujourd'hui, la vie politique s'est plutôt pacifiée : les deux grands partis, le parti socialiste *PASOK*, au pouvoir, et la *Nouvelle Démocratie*, sont d'accord sur l'engagement européen de la Grèce. Tous deux ont mis le cap sur l'euro. Il y a de cela quelques années, le PASOK, très nationaliste et pas vraiment pro-européen, a mis de l'eau dans son vin. L'ancien Premier ministre, Kostas

Simitis, a su s'éloigner du style populiste de son prédécesseur pour adopter un profil gestionnaire. Cela était nouveau dans un pays où l'État, traditionnellement, n'a guère de force pour imposer sa présence, ne serait-ce que dans le domaine fiscal, par exemple. De son côté, la Nouvelle Démocratie, souffrant depuis longtemps d'une image trop conservatrice, s'est choisi un jeune dirigeant, Kostas Caramanlis, neveu du chef d'État Constantin Caramanlis qui avait restauré la démocratie en 1974.

C'est la Nouvelle Démocratie qui a remporté les législatives de mars 2004, devançant assez nettement le PASOK, emmené par Georges Papandréou, fils d'Andréas, et ministre des Affaires étrangères dans le gouvernement Simitis. La scène politique grecque reste essentiellement bipolarisée puisque les deux partis dominants ont réuni 86 % des suffrages exprimés (45,36 et 40,55 % respectivement pour la Nouvelle Démocratie et le PASOK). Les élections européennes de juin 2004 ont confirmé la tendance, l'écart entre les deux partis s'élargissant (43 % contre 34 %, le Parti communiste récupérant toutefois des forces pour se refaire une petite santé avec 9,5 % des voix).

Si l'homme grec est un animal politique, il faut souligner que, petit à petit, les femmes prennent place à l'Assemblée : avec 39 élues en 2004, (13 % des députés), ce qui peut sembler modeste, les femmes ont tout de même doublé le nombre de leurs représentantes par rapport à la législature précédente. Certes, on est encore loin de la parité, mais certaines femmes occupent des postes importants, comme Dora Bakoyanni (maire d'Athènes) et Gianna Angélopoulos-Daskalaki, présidente du comité d'organisation des Jeux, dont on dit qu'elle pourrait briguer ensuite de très hautes responsabilités.

POPULATION

Les Grecs sont très fiers de descendre en droite ligne des Grecs de l'Antiquité. En fait, « en droite ligne » est quelque peu exagéré. La Grèce a vu se succéder au cours des siècles une foule d'envahisseurs mais aussi de nombreux groupes d'immigrants, eux pacifiques, qui se sont presque tous fondus dans le creuset grec. L'*hellénisme* reste la valeur sûre d'un pays qui ne doute guère dans ce domaine. Les Grecs sont attachés à l'orthodoxie, qui leur sert de rempart contre les influences extérieures : le catholicisme à l'Ouest, incarné par le pape et perçu comme un ennemi ; l'islam à l'Est, avec le puissant voisin turc qui cherche, pensent les Grecs, à les contourner par le flanc nord-ouest, c'est-à-dire par l'Albanie majoritairement musulmane. Viscéralement attachés à leur langue vieille de 4 000 ans, les Grecs se sentent un peu à part dans l'Union européenne. Avec 10 939 771 habitants au recensement de 2001, il est difficile de peser lourd dans la communauté internationale, et ce n'est pas avec un indicateur de fécondité aussi faible (1,31 enfant par femme) que la Grèce pèsera plus lourd dans les prochaines années. À ce rythme, en 2050, 41 % des Grecs auront plus de 60 ans ! Certes, ils peuvent toujours compter comme Grecs les 5 ou 6 millions des leurs qui vivent à l'étranger (dont 3,4 millions aux États-Unis, au Canada et en Amérique du Sud, 700 000 en Australie et 140 000 en Afrique), mais cela ne changera rien. Pourtant, ils sont très fiers des réussites des Grecs de l'étranger (on peut citer, entre autres, les tennismen Sampras et Philippoussis, respectivement américain et australien, J. Aniston, actrice et nouvelle madame Brad Pitt...).

La Grèce est officiellement un pays quasi homogène : le pays est *orthodoxe* à 98 %. Les 50 000 *catholiques* sont disséminés dans les Cyclades, principalement à Tinos et Syros ainsi que dans les îles Ioniennes, et sont bien souvent des descendants d'Italiens (Venise a eu pendant longtemps la mainmise sur de nombreuses îles). Les *protestants* sont encore moins nombreux (20 000). Quant aux 100 000 à 150 000 *musulmans* habitant dans le nord du pays, en

Thrace, ils ont l'impression d'être considérés comme des citoyens de seconde zone, eux aussi en butte à l'hostilité de l'administration et de l'église orthodoxe. Ce sont des Turcs qui n'ont pas participé aux échanges de population dans le premier quart du XXᵉ siècle et qui sont aujourd'hui citoyens grecs (jusqu'en 1991, l'égalité à part entière avec le reste des Grecs n'était pas reconnue). On dénombre aussi 35 000 *Pomaks,* des Slaves islamisés, qui vivent à la frontière avec la Bulgarie. Une autre particularité de la Grèce est d'avoir accueilli, depuis la dislocation de l'ancien empire soviétique, des milliers de *Pontiques,* Grecs installés depuis des générations au bord de la mer Noire et revenus au bercail. Les autorités les ont incités à s'installer en Thrace, pour faire diminuer le poids des Musulmans dans la région.

La *communauté juive* a joué aussi un rôle très important pendant des siècles. À la fin du XIXᵉ siècle, la ville de Thessalonique était majoritairement peuplée de juifs séfarades, installés là depuis le milieu du XVIᵉ siècle, à la suite de l'expulsion de la communauté juive d'Espagne en 1492. Les juifs de Thessalonique parlaient le *djidio,* ou judéo-espagnol. D'autres îles comptaient également une communauté juive, comme Corfou où naquit le grand écrivain de langue française Albert Cohen. Aujourd'hui, cette communauté ne dépasse pas les 6 000 membres. À la veille de la Seconde Guerre mondiale, elle en comptait environ 80 000...

À présent, la Grèce doit faire face à une situation difficile car relativement nouvelle pour elle. Pays d'émigration, elle se retrouve, sans y être préparée, pays d'immigration. On estime à 800 000, les immigrés venus chercher du travail, venant soit d'Asie (Philippines, Sri Lanka...) car la Grèce est la porte d'entrée en Europe, soit d'Europe de l'Est (beaucoup de Polonais en particulier) et bien entendu d'Albanie, à la suite de l'effondrement économique de ce pays. Début 1998, un plan de légalisation des clandestins a été mis en place mais il n'a pas permis à la moitié des immigrants de se faire enregistrer. Les formalités pour obtenir la Carte verte sont particulièrement décourageantes. De plus, le gouvernement a décidé, à la mi-1999, de durcir la législation pour lutter plus énergiquement contre l'immigration clandestine, accusée de nourrir la criminalité. Traditionnellement hospitaliers, les Grecs se découvrent de plus en plus xénophobes, sauf bien entendu les gros exploitants agricoles qui voient d'un très bon œil cette main-d'œuvre non qualifiée qu'on peut payer à bas prix et exploiter. Et quand on sait que les prévisionnistes de l'ONU annoncent, pour 2015, 3,5 millions d'immigrés en Grèce (pour une estimation de 14,2 millions d'habitants)...

POSTE

La plupart des bureaux de poste ont un horaire facile à retenir, de 7 h 30 à 14 h du lundi au vendredi. Il n'y a que dans les grandes villes qu'on peut espérer trouver des guichets ouverts après 14 h (jusqu'à 19 h 30 ou 20 h en principe). Mêmes horaires pour les banques, sauf que le vendredi à 13 h 30 tout est dit. Le gouvernement grec voudrait bien que les horaires des services publics se rapprochent de ceux qu'on trouve en Europe, mais les syndicats ne l'entendent pas de cette oreille. Affaire à suivre... Quand les postes sont fermées, on peut facilement acheter les timbres en kiosque ou en boutique.

RELATIONS GRÉCO-TURQUES

Ce n'est une découverte pour personne, Grecs et Turcs ne sont pas les meilleurs amis du monde. Un lourd contentieux historique existe entre les deux pays depuis la fin de l'Empire byzantin (1453) avec la prise de Constantinople, un souvenir douloureux comme si c'était hier – vous n'entendrez jamais un Grec parler d'Istanbul, c'est encore et toujours pour lui Konstantinoupolis ! Plus près de nous, la malheureuse « catastrophe d'Asie Mineure » en 1922 (voir plus haut la rubrique « Histoire »), qui voit des siècles de présence grecque en Asie Mineure balayés en quelques semaines. Et encore plus près, Chypre, en partie envahie en 1974 par les Turcs sans qu'aucune solution diplomatique n'ait été trouvée jusqu'à aujourd'hui.

Pendant longtemps a prévalu une situation de guerre froide. La Grèce et la Turquie étant tous les deux membres de l'OTAN, les relations très tendues entre les deux pays avaient quelque chose d'encore plus curieux... Les États-Unis avaient besoin de la Turquie, frontalière de l'URSS ainsi que de la Grèce, frontalière d'autres pays du bloc communiste. Mais rien à faire pour réussir à les faire s'entendre : Clinton dut, en 1996, décrocher son téléphone, pour ramener les esprits au calme quand Grecs et Turcs étaient prêts à en découdre pour le contrôle d'un îlot désertique en mer Égée... Petit à petit, les choses ont évolué, certains intellectuels accomplissant au cours des années 1980 des gestes symboliques (Théodorakis est ainsi allé chanter en Turquie) et précédant la diplomatie. En 1999, un double événement imprévu a permis de briser la glace : peu après le terrible tremblement de terre qui a ravagé l'ouest de la Turquie, la Grèce a proposé son aide et, quelques semaines plus tard, quand un séisme, moins meurtrier, a frappé Athènes et sa région, la Turquie a réagi de même. Dans la foulée, la diplomatie des deux pays a fait des efforts pour trouver des terrains d'entente. On a alors parlé de dégel des relations.

Aujourd'hui, le rapprochement semble avoir montré ses limites. Certes, des associations gréco-turques se sont créées (on a même réalisé des jumelages pionniers entre villages grecs et villages turcs, sous la bénédiction conjointe de popes et d'imams, ce qui aurait été impensable il y a quelques années), certes le tourisme entre les deux pays se développe, certes le Premier ministre turc invite, comme témoin au mariage de l'un de ses enfants, son homologue grec, mais à part ces réalisations citoyennes ou ces symboles, le blocage persiste sur les sujets importants. Pourtant, la résolution de la question chypriote a fait de grands progrès début 2003 avant de marquer un nouveau temps d'arrêt. Mais il reste donc beaucoup à faire...

Une anecdote pour clore ce chapitre : en 1998, Hollywood a eu le projet de réaliser une biographie filmée de Kemal Atatürk, le fondateur de la Turquie moderne. Le lobby gréco-américain a fait pression sur Antonio Banderas, pressenti pour le rôle-titre, afin qu'il renonce à tourner ce film. Pensez donc, un film sur un « génocidaire »... À cette date, le projet n'a pas vu le jour...

RELIGIONS ET CROYANCES

Il est facile de s'en rendre compte, dès que l'on a mis le pied en Grèce : la religion orthodoxe est partout. Vous croisez un pope *(pappas)* en train de faire ses courses ou attablé à la terrasse d'un café, vous tombez, dans un petit village, sur une église flambant neuve (alors qu'à quelques mètres les locaux de l'école publique font pitié...), vous voyez les passagers d'un car se signer au franchissement d'un virage. Autant de signes de l'omniprésence de l'Église, dans les faits comme dans les mentalités.

L'idée d'une séparation de l'Église et de l'État est proprement impensable en Grèce : la constitution de 1975, révisée en 1986, a réaffirmé avec force la place de l'Église au sein de l'État. Les popes sont donc fonctionnaires de l'État, le mariage civil, tout de même institué par le PASOK en 1983, n'a pas grand succès et quand le gouvernement, au printemps 2000, a enfin décidé, sous la pression de l'Union européenne, de supprimer la mention de la religion sur les cartes d'identité, la levée de boucliers a été immédiate. Le clergé a mobilisé ses troupes (manifestations, pétitions) mais le gouvernement a tenu bon.

Le sentiment d'appartenance à une communauté orthodoxe qui dépasse les frontières a évidemment joué un rôle particulièrement fort dans la prise de position de la Grèce et dans la réaction collective des Grecs face à la crise yougoslave. On a été ouvertement pro-serbe en Grèce, au nom d'une solidarité orthodoxe et d'un fort sentiment anti-musulman (Bosniaques et musulmans étant rapidement assimilés aux Turcs qui tenteraient ainsi une manœuvre d'encerclement de la Grèce par l'ouest).

L'orthodoxie est parfois très agressive car, comme ailleurs, elle nourrit des extrémistes. Les minorités religieuses – catholiques, protestants et musulmans – souffrent de cette agressivité. En tant que touriste, même si vous venez d'un pays catholique, vous ne vous attirerez tout de même pas de remarque à ce sujet. Mais au cas où le sujet viendrait dans une discussion, savez-vous seulement pourquoi, depuis 1054, l'église d'Occident (catholique) et l'église d'Orient (orthodoxe) sont en bisbille (ce qui s'appelle officiellement un schisme) ? Il y a bien entendu le rôle du pape (sa primauté et son infaillibilité ne sont pas reconnues par les orthodoxes), la notion de purgatoire (les orthodoxes n'en veulent pas) et la très épineuse question du *filioque*. Pour faire simple et sans parler latin, les catholiques ont besoin de la médiation du Fils de Dieu pour accéder à l'Esprit Divin, pas les orthodoxes, compris ? Les orthodoxes considèrent, évidemment, que ce sont les catholiques qui se sont écartés du dogme. Mais, outre les questions de dogme, il existe aussi une kyrielle de sujets de discorde qui ont été exposés très solennellement à Jean-Paul II quand celui-ci a accompli un voyage pastoral très contesté en mai 2001. Le pillage de Constantinople (souvenez-vous, c'était en 1204...), l'insensibilité de Rome face aux tragédies grecques (1453, prise de Constantinople par les Ottomans ; 1974, agression turque contre Chypre) et bien d'autres faits encore ont été reprochés au pape, qui a demandé solennellement pardon pour les torts du catholicisme romain.

Cela dit, si vous avez l'occasion d'aller visiter La Mecque des orthodoxes, autrement dit le mont Athos, véritable musée vivant de l'orthodoxie, ne manquez pas l'occasion. C'est un véritable régal pour les yeux, que vous soyez croyant ou non. Mais c'est réservé aux seuls hommes.

ROUTES

Les cartes grecques sont en général assez peu fiables. Pour faire mentir cette réputation, un éditeur *(Road Editions)* a décidé de publier de bonnes cartes, établies avec le concours de l'armée grecque. L'ensemble du territoire grec est couvert en 6 cartes au 1/250 000 (Thrace, Macédoine, Thessalie/Épire, Grèce centrale, Péloponnèse et Crète). Les îles n'ont pas été oubliées puisqu'une trentaine de cartes sont d'ores et déjà publiées (toutes les Ioniennes, les principales des Cyclades ainsi que les Sporades/Rhodes) sans oublier, pour les randonneurs, les massifs montagneux au 1/50 000 (le Pélion, le Parnasse, l'Olympe et le Taygète). On trouve ces cartes dans de nombreux points de vente en Grèce et bien entendu à la librairie de *Road Editions*, à Athènes (39, odos Ippokratous). ☎ 21-03-61-32-42. ● www.road. gr ● Une autre série de cartes *(Anavassi)* couvre plus particulièrement les montagnes ainsi qu'une douzaine d'îles (voir le catalogue sur ● www.moun tains.gr ●) et sont indispensables pour les randonneurs. La carte offerte par l'office du tourisme grec est beaucoup moins précise, mais donne tout de même plus de noms de localités que la carte Michelin. La carte IGN au 1/750 000 (collection Marco Polo) n'est pas mal non plus, mais la transcription des noms grecs a de quoi surprendre (elle est faite pour des utilisateurs allemands).

La question de la sécurité

Inutile de cacher la triste vérité : la Grèce est un pays caractérisé par l'insécurité routière. Les statistiques de l'OCDE concernant la mortalité routière, publiées courant 1999 et basées sur les chiffres de 1997, révèlent que la Grèce se classe en... 27e position (sur 29 pays membres de l'OCDE), n'étant dépassée que par la Corée du Sud et le Portugal. Avec 23 morts sur les routes pour 100 000 habitants (la moyenne européenne est de 12 morts pour

100 000 habitants) et 35 000 accidents graves par an, on comprend le souci des autorités grecques de mettre en place un nouveau code de (bonne) conduite, basé sur une répression accrue : ce qui fut fait le 24 mai 1999. Enfin, ce qui devait être fait... car après une première journée record (1 200 PV rien qu'en Attique), le gouvernement a fait marche arrière, demandant de fermer les yeux sur les infractions de second ordre, face à l'incompréhension et au mécontentement de la population. On prévoyait en effet une lourde amende pour défaut de port de ceinture ou de casque, mais ni l'un ni l'autre n'étant la préoccupation majeure des conducteurs grecs, il y aurait eu trop de monde à verbaliser (et surtout, à 10 jours des élections européennes, beaucoup d'électeurs perdus)... Un peu de pédagogie avant la répression ne fera sans doute pas de mal, mais il faudra du temps. Les chiffres récents montrent une évolution dans le bon sens, mais il reste du chemin à parcourir... Le nombre de conducteurs de 2-roues portant un casque reste encore plutôt faible. Vous remarquerez aussi sur le bord des routes de très nombreuses chapelles miniatures ou petits oratoires avec la bougie allumée en mémoire des victimes des accidents. Les Grecs (enfin, surtout les Grecques) se signent en passant devant. Rassurez-vous, tous ces ex-voto n'ont pas forcément été construits à la suite d'un accident mortel : on peut même en faire édifier un pour remercier Dieu ou un saint d'avoir évité le pire.

État des routes

La qualité du réseau routier s'est améliorée ces dernières années, surtout sur le réseau secondaire souvent bien asphalté désormais. Dans les îles, les routes restent encore fréquemment étroites et mal signalisées. Les panneaux sont en caractères grecs et latins, sur les grands axes du moins. Il est plus difficile de s'y retrouver au fin fond de la campagne : raison de plus pour apprendre l'alphabet grec ! Pas mal de pistes encore, surtout pour atteindre certaines plages moins fréquentées ou certains villages en bout de route. Attention à la conduite de nuit, en particulier.

En cas d'accident

Attention, le constat à l'amiable n'existe que depuis peu de temps et un pourcentage important de véhicules n'étant pas assuré, nous vous conseillons de vous renseigner auprès de votre assurance. Théoriquement, il n'est pas nécessaire d'appeler la police (☎ 100) lorsqu'il n'y a pas de dommages corporels, mais c'est indispensable si votre adversaire n'est pas assuré ! Sachez qu'il leur faudra bien 30 mn pour arriver et qu'ils ne sont pas là pour décider de la responsabilité de chacun. Dans tous les cas, prenez le numéro d'immatriculation, le nom de l'assurance et le numéro de contrat (en haut du pare-brise avant), et les coordonnées de l'automobiliste. En règle générale, en cas de litige, les témoins sont très coopératifs et offrent spontanément leurs coordonnées.
Pour les mobs (sachez d'ailleurs que le permis de conduire est nécessaire pour louer scooters et mobylettes), en cas d'accident sans tiers (on se prend un arbre, on se retrouve dans le fossé), le pilote paie la casse au loueur (conservez la facture des réparations pour vous faire rembourser en France).

SANTÉ

Le système de santé publique grec pourrait être de meilleure qualité. On a déjà annoncé sa refonte radicale, mais le temps que ça se mette en place... On conseille assez généralement de consulter à Athènes si possible. En cas de problème sérieux, se diriger ou se faire conduire vers l'hôpital le plus proche. En dehors des villes, il existe dans les chefs-lieux de canton des centres de santé (Kendro Hyghias / Health Center) qui sont des petits dispensaires. Dans les gros villages, vous trouverez un Agrotiko Iatrio, c'est-à-dire un cabinet médical de campagne.

Numéros de téléphones utiles

■ *SOS-Médecins :* ☎ 1016.
■ *Médecins de garde* (à Athènes et au Pirée) *:* ☎ 1434.
■ *Secours d'urgence* (ambulances) *:* ☎ 166 (numéro valable sur tout le territoire – informe aussi sur les pharmacies ouvertes la nuit). Le ☎ 106 permet d'entrer en communication avec les hôpitaux.

SAVOIR-VIVRE ET COUTUMES

Les codes culturels en Grèce, ceux du moins auxquels vous aurez à faire en tant que touriste, ne sont pas très nombreux. Pour toute visite de lieux religieux (monastères, églises), il est évidemment recommandé de se vêtir décemment. Cela semble aller de soi... mais combien de monastères sont situés à proximité de la plage ? Tentant d'y aller en petite tenue ! Eh bien non, un peu de respect, que diable ! Rassurez-vous tout de même, à l'entrée de la plupart des monastères se trouvent à disposition des vêtements permettant de couvrir les parties de votre corps dont l'exposition pourrait déplaire. Par ailleurs, on a vu déjà des touristes se faire chapitrer parce qu'ils étaient torses nus dans un bus. Ce n'est pas systématique, mais ça doit déranger la petite médaille du saint qui veille sur le bus et son chauffeur, accrochée quelque part vers le pare-brise.
Si l'on tend vers vous la paume de la main, agressivement, les cinq doigts écartés, c'est que vous avez commis quelque chose de suffisamment grave pour être maudit jusqu'à la cinquième génération. Pas de panique, ce geste est le fruit de l'énervement...
Enfin, n'oubliez pas que, dans le sud de l'Europe, pour dire non de la tête, on lève légèrement celle-ci en faisant une sorte de moue alors que pour signifier oui, on l'incline tout aussi légèrement sur le côté.

SITES INTERNET

Voici quelques sites Internet pour préparer votre voyage :
● *www.routard.com* ● Tout pour préparer votre périple, des fiches pratiques, des cartes, des infos météo et santé, la possibilité de réserver vos prestations en ligne. Sans oublier *routard mag,* véritable magazine avec, entre autres, ses carnets de route et ses infos du monde pour mieux vous informer avant votre départ.
● *www.gnto.gr* ● Le site international (en anglais) de l'office national du tourisme hellénique. Également ● *www.grece.infotourisme.com* ● (en français, mais bien limité).
● *www.greece.gr* ● Site officiel (du ministère des Affaires étrangères) qui offre pas mal d'infos générales sur la Grèce. En anglais.
● *www.info-grece.com* ● En français. En plus des classiques infos et articles qui permettent de se tenir au courant de l'actu grecque, ce site propose une rubrique assez riche de petites annonces.
● *http://dir.forthnet.gr* ● Puissante base de données sur la Grèce dans tous les domaines. Dans le même genre : ● *www.phantis.gr* ●
● *www.gogreece.com* ● En anglais. Une vraie mine d'informations sur la Grèce. À noter, une petite revue de presse quotidienne pour se tenir au courant de l'actu et des liens avec plusieurs quotidiens grecs.
● *www.travelling.gr* ● Pour avoir les adresses des hôtels, des agences de voyages, des compagnies aériennes, etc.
● *www.philoxenia.com* ● Site essentiellement centré sur les hôtels.

● *www.seedde.gr* ● Le site national des loueurs d'appartements et de villas.

● *www.xo.gr/en/index.jsp* ● Le site de l'OTE qui donne accès au *chryssos odiyos*, l'équivalent de nos pages jaunes (en anglais).

● *www.culture.gr* ● Site du ministère de la Culture. Présentation très complète de chaque site et musée (en anglais).

● *www.oreivatein.com* ● Informations sur les montagnes grecques et toutes les activités qui y sont liées (alpinisme, escalade, randonnées...). En grec, en allemand et en anglais.

● *www.gtp.gr* ● Le site de Greek Travel Pages, utile pour toute personne qui voyage en Grèce. Donne toutes les liaisons maritimes intérieures. On peut aussi consulter ● *www.ferries.gr* ●

● *http://hellada.free.fr* ● Vous n'avez plus qu'un lointain souvenir des cours d'histoire de 6e sur la Grèce antique ? Ce site est là pour vous rafraîchir la mémoire. Autre site traitant du même thème : ● *www.chez.com/peripatoi/* ●

● *http://hellas.it.st* ● Un site plutôt sympa, créé par un jeune, passionné par la Grèce antique et moderne.

TÉLÉPHONE-TÉLÉCOMMUNICATIONS

Toutes les cabines téléphoniques fonctionnent avec des télécartes que l'on peut acheter indifféremment dans les bureaux de l'OTE, à la poste et dans les kiosques ou les mini-markets. Compter dans les 3 € la carte de 1 000 unités qui permet de téléphoner 7 mn en France.

– Il est possible de téléphoner des nombreux kiosques à journaux à Athènes et dans tout le pays, ainsi que de nombreuses boutiques qui ont des téléphones à compteur *(tiléfono me métriti)*.

– Chaque camping met un téléphone à compteur à votre disposition.

– Téléphoner des hôtels revient beaucoup plus cher.

– Les téléphones portables : très bon réseau *(Telestet, Panafon, Cosmote...)* et avec l'abonnement Europe, les portables français fonctionnent très bien, même dans les toutes petites îles. Trois Grecs sur quatre ont leur portable.

– *Grèce → France :* 00 + 33 + numéro du correspondant sans le 0 initial.

– *France → Grèce* (environ 0,22 €/mn, tarif plein et 0,12 €/mn, en heures creuses) : 00 + 30 + numéro du correspondant, avec le 2 initial. On compose donc 14 chiffres au total.

– *Autres indicatifs :* 32 (Belgique), 352 (Luxembourg), 41 (Suisse), 1 (Canada).

Cybercafés

On en trouve un peu partout dans les villes et les villages touristiques.

TRANSPORTS INTÉRIEURS

> **Pour la carte des liaisons routières et maritimes, et celle des réseaux aérien et ferroviaire, se reporter au cahier couleur.**

Le stop

La difficulté varie selon les endroits. Dans les îles, ça peut marcher.

La gourde est indispensable. Sur les sacs à dos, montrez la nationalité française, super cote d'amour en Grèce. Il n'est pas impossible que le signe international pour stopper (pouce levé) ait une signification péjorative dans certains coins. Aussi, si ça fait trois jours que vous êtes au même endroit la main levée, faites un léger signe en direction de l'automobiliste. Les auto-stoppeurs grecs font souvent comme ça. Mais surtout pas avec la main tendue et les doigts écartés, injure suprême qui ne peut vous attirer que des ennuis.

L'autocar

Le moyen de transport en commun le plus utilisé par les Grecs. Les compagnies d'autocars interurbains *KTEL,* gérées au niveau départemental, couvrent l'ensemble du territoire (la plupart des îles ont leur *KTEL* également). Ce sont les bus verts, dont l'état se dégrade à mesure qu'on s'enfonce au fin fond des provinces, mais sur différence tend à s'effacer, de nombreux bus flambant neufs ayant été mis en service en 2004. En fait, un des meilleurs moyens pour établir le contact avec la Grèce profonde : on n'est jamais seul (les bus sont même souvent bondés). La fréquence des liaisons n'est pas liée à la fréquentation touristique. Les autocars sont généralement ponctuels et partent même parfois en avance.

Les tarifs ne sont pas très élevés, mais dans les îles où les trajets sont courts, le rapport prix/kilomètre est plus élevé que sur de plus longues distances. Attention : les fréquences et horaires que nous signalons en début ou en fin des chapitres consacrés aux villes sont donnés à titre indicatif, sur la base de ce que nous avons relevé en 2004.

Location de voitures

Assez cher, en particulier dans les îles (certaines compagnies affichent clairement deux grilles de tarif, l'un pour le continent, l'autre pour les îles). On peut louer depuis la France, c'est meilleur marché. Dans tous les cas, bien se faire expliquer les différents tarifs avec ou sans assurance tous risques. On vous proposera le rachat de franchise en cas de collision (un supplément journalier appelé CDW) qu'il peut s'avérer utile d'avoir pris en cas de problème. À la journée, la fourchette de prix pour les plus petits modèles va de 30 à 50 € selon les loueurs, la période ou les endroits. Limite d'âge : 21 ans (parfois même 23). Le loueur doit avoir son permis depuis 1 an minimum. Carte de paiement demandée.

■ *Auto Escape :* cette agence réserve auprès des loueurs de gros volumes de location, ce qui garantit des tarifs très compétitifs. N° gratuit : ☎ 0800-920-940. ☎ 04-90-09-28-28. Fax : 04-90-09-51-87. ● www.autoescape.com ● info@autoescape.com ● Réduction supplémentaire de 5 % aux lecteurs du *Guide du routard* sur l'ensemble des destinations. Vous trouverez également les services d'Auto Escape sur ● www.routard.com ●

■ *Hertz :* central de réservation au ☎ 0801-11-100-100 (numéro depuis la Grèce) ou 21-06-26-40-00. ● www.hertz.gr ● Une centaine d'agences dans tout le pays.

■ *Avis :* central de réservation au ☎ 21-03-22-49-51 à 58. ● www.avis.gr ●

■ *Budget :* central de réservation au ☎ 21-03-49-88-00. ● www.budget.gr ● Voir également les loueurs proposés dans les « Adresses utiles » à Athènes.

Location de motos et de scooters

Idéal dans les îles, le scooter est lui aussi interdit aux moins de 21 ans, mais ça, c'est la théorie... Quoique certains lecteurs nous signalent, assez régulièrement, avoir essuyé un refus en raison de leur âge. Attention, toutefois, si vous avez moins de 21 ans, vous n'êtes pas assuré. Pensez à emporter votre permis de conduire, il vous sera demandé pour louer la moindre pétrolette ! Évitez les petites motos japonaises qui risquent de vous faire faux bond dans les montées, surtout si vous êtes deux dessus. Avant de partir, vérifier l'état des pneus (crever à 60 km/h sans casque risque de laisser des séquelles) et la jauge à essence : on vous loue souvent le véhicule avec un réservoir vide, juste de quoi rouler jusqu'à la prochaine station, à vous de le rendre dans le même état. Pour les scooters, le port du casque est obligatoire même si les Grecs respectent peu la loi (ils ne sont pas des modèles à suivre).

L'avion

Les liaisons aériennes à l'intérieur de la Grèce sont effectuées principalement par *Olympic Airlines*. Elles sont relativement abordables. Comptez que l'avion revient à environ 2,5 ou 3 fois le prix du ferry (c'est à peu près le prix du train 2e classe en France !). En été, le mieux est de réserver à Paris : *Olympic Airlines*, 3, rue Auber, 75009. ☎ 01-42-94-58-50. Fax : 01-44-94-58-79. Ⓜ Opéra et RER A : Auber. En Grèce, réservations au ☎ 801-11-44-444.

D'autres compagnies privées ont vu le jour, comme *Aegean Airlines* (qui dessert Thessalonique, Kavala, Santorin, Corfou, Ioannina, Mykonos, Lesbos, Rhodes et la Crète) : 572, léoforos Vouliagménos, 16451 Argyroupolis, Athènes. ☎ 21-09-98-83-50. ● www.aegeanair.com ●

Le bateau

Nombreuses liaisons en ferries entre les îles. Pas très cher en ferry pour les passagers sur le pont. Ça monte dès qu'on fait passer un véhicule. Il existe un petit livret intitulé *Greek Travel Routes (Domestic Sea Schedules)* remis à jour chaque année et disponible en principe dans les offices du tourisme de l'OTE. Pas très facile de s'y retrouver, mais avec un peu de patience, ça se déchiffre. Il est aussi possible de s'informer en consultant ● www.gtp.gr ● Ce site vous renseigne sur toutes les liaisons possibles, ainsi que sur les horaires. Indispensable si l'on veut planifier son périple à l'avance. Malheureusement, on ne peut s'y fier aveuglément quand on prépare son voyage et, chaque année, les horaires d'été ne sont disponibles en ligne qu'assez tardivement. Un autre site est également à consulter : ● www.ferries.gr ● Il est devenu plus fiable que le précédent. Pour les coordonnées des compagnies voir l'introduction au chapitre « Les îles grecques ».

Les *Fly Cats* et autres *High Speed* (catamarans récents et confortables), ainsi que les *Flying Dolphins* (hydroptères qui datent un peu et donc moins confortables) sont en gros deux fois plus rapides que les ferries classiques, et deux fois plus chers également (de fortes augmentations des tarifs ont été enregistrées ces dernières années). Ils ne proposent pas non plus toutes les destinations mais grignotent petit à petit le marché des ferries. Attention, sur les *Fly Cats*, plusieurs catégories de billets sont vendues, pensez bien à demander l'« economy class », sinon c'est encore plus cher. Préférez les gros bateaux réguliers qui, eux, peuvent prendre la mer même avec un vent de force 7. Les horaires varient selon les saisons. S'adresser aux commissariats maritimes des ports pour obtenir les infos. Vérifiez toujours votre horaire de retour. Les changements et les pannes sont malheureusement toujours possibles.

De même, beaucoup de changements interviennent d'une année à l'autre (des compagnies qui disparaissent ou qui sont rachetées, des lignes ouvertes ou supprimées).

Pas toujours facile donc de préparer son itinéraire. En général, les horaires d'été sont annoncés tardivement, une fois que les guides sont publiés ! Et même sur Internet, l'info n'est pas toujours au rendez-vous quand on en a besoin. Bon à savoir : les horaires et fréquences de haute saison s'appliquent du 15 juin (la date peut varier de quelques jours d'une année sur l'autre ou selon les compagnies) au 10 septembre (même chose). En dehors de cette période, il y a moins de bateaux, sauf à Pâques, la grande fête orthodoxe qui voit de nombreux Grecs retourner dans leur île d'origine (mais là encore attention : beaucoup de bateaux sont mobilisés pour acheminer et ramener les voyageurs ; par contre, au moment des célébrations religieuses proprement dites, les bateaux peuvent se faire rares. Bien se renseigner. En 2005, la Pâque orthodoxe tombe le 1er mai).

Voici enfin quelques exemples de prix de billets : il s'agit des prix (2004) en classe économique (pont) pour les ferries et les billets les moins chers en bateau rapide. Attention, en catamaran, les tarifs en 1re classe sont sensiblement identiques à ceux de l'avion ! Une nouvelle augmentation est prévue en mai 2005.

En ferry

> - Le Pirée-Milos : 17,50 €.
> - Le Pirée-Mykonos : 18,50 €.
> - Le Pirée-Ios : 19 €.
> - Le Pirée-Paros : 18 €.
> - Le Pirée-Astypaléa : 23 €.
> - Le Pirée-Patmos : 23 €.
> - Le Pirée-Kos : 28 €.
> - Le Pirée-Rhodes : 33 €.
> - Le Pirée-Samos : 24,70 €.
> - Le Pirée-Chios : 21 €.
> - Le Pirée-Lesbos : 26 €.
> - Rafina-Andros : 9 €.
> - Rafina-Tinos : 13,50 €.
> - Rafina-Mykonos : 15,50 €.
> - Volos-Skiathos : 12,20 €.
> - Volos-Skopélos : 15,70 €.
> - Volos-Alonissos : 16,60 €.
> - Patras-Céphalonie (Sami) : 12,50 €.
> - Patras-Ithaque : 12,50 €.
> - Héraklion-Santorin : 14,50 €.
> - Héraklion-Syros : 20 €.

En bateau rapide

Compter le double des prix demandés en ferry. Ça tombe bien, car les trajets se font en deux fois moins de temps.

ATTENTION : les prix peuvent varier d'une compagnie à l'autre, ainsi les ferries *Blue Star Ferries,* récents, sont plus chers que ceux d'*Hellas Ferries*. Le Pirée-Santorin est par exemple à 21 € chez ces derniers et à 25 € chez les premiers. De même un trajet Le Pirée-Rhodes est à 39 € chez *Blue Star Ferries,* soit 6 € de plus que sur un « vieux » ferry.

De manière générale, plus le trajet est court, plus il revient cher, du moins si l'on rapporte le prix payé au nombre de milles parcourus. Y penser si l'on fait de nombreux sauts de puce d'île en île. Un exemple : les trajets Le Pirée-Chios et Le Pirée-Lesbos coûtent respectivement 21 et 26 € environ ; Chios-Lesbos coûte 13 € !

Enfin, il n'est pas inutile de savoir que si l'on prend un ferry partant vers 4-5 h du matin, il est généralement possible d'y monter à partir de 23 h. Pratique pour éviter de payer une chambre.

Bien préciser la classe souhaitée, lors de la réservation, vous risquez sinon par défaut de payer une 1re classe !

ATTENTION : les fréquences et horaires que nous signalons en début ou en fin des chapitres consacrés aux îles sont donnés à titre indicatif, sur la base de ce que nous avons relevé en 2004. Et chaque année, quand les nouveaux horaires sortent, il y a des surprises... Les prix peuvent également avoir évolué (fin 2004, il était question d'une augmentation de 3,5 % en 2005).

Le taxi

Presque un sport national! On en dénombrerait rien que 14 000 à Athènes. Ils restent assez bon marché (en ville, 0,26 € du kilomètre). Il arrive qu'on le pratique collectivement (le chauffeur peut prendre un passager s'il reste de la place), c'est tout bénéf' pour le chauffeur. Le problème, c'est de réussir à ne pas se faire arnaquer... Des taxis de couleur grise, nommés *agoréon,* permettent d'accomplir des trajets de ville à ville ou de village à village, et l'on en voit pas mal dans les campagnes.

Numéro de téléphone utile

Le ☎ 1440 permet d'avoir accès à un répondeur donnant les horaires des bateaux, des avions, des trains et des liaisons inter-villes en bus.

ATHÈNES (AΘHNA)

Pour les plans d'Athènes et de ses environs, se reporter au cahier couleur.

Malgré les célèbres monuments et les vieilles pierres qui s'y trouvent, Athènes est tout sauf une ville morte. C'est, bien au contraire, une capitale fort vivante, grouillante même... sauf à l'heure de la sieste, et encore... Mais la chaleur étouffante en été et ses immeubles tristounets peuvent décevoir le voyageur qui ne prend pas toujours le temps d'y rester. Vous nous avez compris, Athènes est une grosse ville qui n'a rien de dépaysant, mais qui ne ressemble en rien au reste de la Grèce.

UN PEU D'HISTOIRE

Athènes est bien évidemment une ville d'histoire faite de gloire et de ruine. En fait, une grosse cinquantaine d'années particulièrement glorieuses lui auront suffi pour s'assurer une renommée éternelle. À l'origine, Athènes n'était qu'une cité comme les autres, ou presque, puisqu'elle bénéficiait tout de même de la protection d'Athéna, fille de Zeus. La mythologie raconte même qu'Athéna et Poséidon s'étaient disputé la ville, la déesse l'emportant après avoir fait jaillir sur l'Acropole un olivier, resté sacré. Pendant la période mycénienne, (1500-1200 av. J.-C.), on se souvient surtout du héros légendaire Thésée, célébrissime pour avoir vaincu le Minotaure et parricide involontaire à son retour de Crète (il avait, le malheureux, oublié de hisser la voile blanche qui devait signifier son succès, et son paternel, le père Égée, croyant son fils mort, se jeta dans le vide). C'est lui, Thésée, qui passait pour être le fondateur du *synoikismos,* la communauté d'une vingtaine de villages attiques, d'Eleusis à l'ouest à Marathon à l'est. Athènes constituait le centre économique et administratif de cette grande cité (« mégalopolis » en grec). Comme dans la plupart des villes grecques, le régime évolua graduellement vers un pouvoir aristocratique avant que le peuple puisse faire entendre sa voix. Des réformes, instituées par Dracon (pas un marrant, celui-là, l'adjectif *draconien* vient directement de lui) puis par Solon, un sage, et enfin par Clisthène, préparèrent en un siècle et demi (environ 650-500 av. J.-C.) l'avènement de la démocratie athénienne. Là, des facteurs extérieurs sont venus donner un coup de pouce. Les victoires sur les Perses, repoussés en 490 à Marathon puis battus à Salamine en 480 à l'occasion d'une bataille navale mémorable, vont auréoler Athènes d'un prestige considérable, l'exploitation de nouvelles mines d'argent au Laurion (aujourd'hui Lavrio, au sud-est de l'Attique) fournissant quant à elle le nerf de la guerre.

Débarrassés de toute menace extérieure, les Athéniens vont alors pouvoir se consacrer pleinement au rayonnement culturel de leur cité, sous la houlette de Périclès. C'est l'époque glorieuse que l'on connaît sous le nom de « siècle de Périclès », symbolisé par le Parthénon. Mais ce siècle ne dure en fait qu'une cinquantaine d'années, de 480 à 430 environ. Les Athéniens pèchent par orgueil : organisateurs d'une confédération basée à Délos (Cyclades), ils sont accusés de s'accaparer le trésor de guerre constitué pour financer les expéditions militaires, et les autres cités grincent des dents devant cet « impérialisme », même si des historiens contemporains relativisent cette notion, parlant plutôt, comme Hélène Ahrweiler, d'« alliance défensive ». Mais l'orgueil est bel et bien le talon d'Achille des Athéniens qui se considèrent comme les meilleurs parmi les meilleurs dans le monde grec. Sparte déclenche les hostilités en 431 et la guerre civile va enflammer le Péloponnèse et l'Attique pendant près de 30 ans, jusqu'à la reddition d'Athènes en 404, après des épreuves terribles (peste qui tue un tiers de la population, famine...). Jamais Athènes ne retrouvera son importance politique. Mais elle restera, en revanche, notamment sous l'Empire romain, une capitale culturelle. Les empereurs Hadrien et Marc-Aurèle feront beaucoup pour redonner à Athènes un peu de sa splendeur passée.

Après la mémorable période antique, on s'est acharné sur Athènes. Les Francs s'en emparent après 1204 puis c'est au tour des Catalans et des Florentins de se la disputer ensuite avant que les Ottomans, en 1456, trois ans après la prise de Constantinople, n'en prennent le contrôle. Transformé en temple de la Vierge à l'époque byzantine, le Parthénon devient une mosquée. Les Vénitiens assiègent Athènes à la fin du XVIIᵉ siècle et donnent le coup de grâce : la ville, ou plutôt ce qu'il en reste, ressemble à un champ de ruines. Dans les années 1820-1830, le jeune État grec acquiert son indépendance sur une toute petite part du territoire national, mais c'est Nauplie dans le Péloponnèse qui est tout d'abord choisie comme capitale, et non Athènes trop délabrée. Celle-ci n'est alors peuplée que de 4 000 à 5 000 habitants... Pour accueillir Othon Iᵉʳ, le nouveau roi arrivé de Bavière, il faut construire une nouvelle Athènes. Des architectes européens débarquent, souvent allemands. Ils modèlent un centre néo-classique presque géométrique (Acropole-Syndagma-Omonia). À partir de ce moment, la ville a progressivement pris de l'embonpoint jusqu'à envahir presque toute la région environnante : l'Attique. Le développement a été anarchique, subissant les afflux de population, notamment après 1922 quand les réfugiés d'Asie Mineure sont arrivés en masse : la ville, qui comptait 450 000 habitants, en reçoit tout d'un coup 150 000 supplémentaires. Athènes est définitivement redevenue une *mégalopole.*

UNE VILLE TRANSFORMÉE POUR 2004

Cette mégalopole tentaculaire, les Athéniens l'appellent *tsimendoupoli* (la ville de ciment) et dès qu'ils le peuvent, ils la fuient, créant un véritable exode notamment fin juillet-début août !

Près d'un tiers des Grecs vivent à Athènes et en Attique (alors que la moyenne des capitales européennes est de 11 % de la population du pays) ! Le dernier recensement (2001) indique que 3 500 000 Grecs vivent en Attique (et seulement 760 000 dans les limites de la municipalité d'Athènes). La moitié de l'industrie grecque étant concentrée au Pirée et dans la région d'Éleusis, il s'ensuit une forte pollution. Athènes est en effet une cuvette, d'où une situation privilégiée (microclimat) à l'origine. Aujourd'hui, c'est une catastrophe : le *néfos,* nuage de pollution qui vient du Pirée, s'abat sur Athènes... et il y reste. Selon un rapport officiel datant de 2002, Athènes, pour l'environnement, se classerait à la 196ᵉ place sur 215 villes étudiées...

Il n'empêche que c'est bien cette ville qui a été désignée pour accueillir les Jeux olympiques de 2004 ! De 1999 à 2004, Athènes s'est transformée en un vaste chantier et le résultat a stupéfié jusqu'aux plus sceptiques des Grecs. Construction de nouvelles lignes de métro et de tramway pour réduire la circulation automobile, création d'un vaste plateau piéton permettant d'aller d'un site archéologique à un autre et d'un nouvel aéroport en Attique, à Spata, avec un vrai périphérique pour contourner Athènes et accéder plus rapidement à l'aéroport : c'est fou tout ce qui a changé à Athènes en 5 ans ! Même si ces grands travaux ont causé bien des désagréments, les Athéniens et les visiteurs de passage apprécient que la vie quotidienne soit aujourd'hui facilitée par le nouveau réseau de transports en commun performants.

Arrivée à l'aéroport

✈ **L'aéroport Elefthérios Vénizélos** (hommage au grand homme politique grec de la première moitié du XXe siècle), situé à **Spata,** à une vingtaine de kilomètres du centre d'Athènes (est de l'Attique), est en service depuis 2001. Ultramoderne, il a enfin donné à Athènes une porte d'entrée internationale conforme à un grand pays touristique. Vols intérieurs et vols internationaux arrivent et partent d'un seul et unique aéroport.

Comme on n'arrête pas le progrès, les chariots à bagages sont désormais payants (1 €), et les cartes de paiement sont acceptées !

■ **Service information :** ☎ 21-03-53-00-00.

🛈 **Greek National Tourist Organisation (EOT) :** situé vers le centre du hall des arrivées. ☎ 21-03-53-04-45 ou 21-03-54-51-01. Ouvert tous les jours de 8 h à 22 h. Infos quotidiennes sur les départs des ferries (entre autres).

✉ **Bureau de poste :** dans le hall des arrivées. ☎ 21-03-53-05-62 ou 05-63. Ouvert tous les jours de 7 h à 21 h.

■ **Consigne à bagages** (Pacific Storage) **:** dans le hall des arrivées, tout au fond (côté aile H). ☎ 21-03-53-01-60. Ouvert 24 h/24. Compter, selon la taille du bagage, de 3 à 6 € environ pour 6 h, et 1 € de plus pour 12 h. Cartes de paiement acceptées.

■ **Guichets de change :** Eurochange et American Express (2 guichets) dans le hall des arrivées.

■ **Banques :** dans les halls des arrivées et des départs. Ouvert de 8 h à 20 h. Distributeurs automatiques de billets.

■ **Location de voitures :** Budget, ☎ 21-03-53-01-68. Avis, ☎ 21-03-53-05-78 ou 79. Hertz, ☎ 21-03-53-49-00. Et quelques autres : National, Europcar et Sixt.

Compagnies aériennes

■ **Air France :** ☎ 21-03-53-03-80 (vente des billets) et ☎ 21-03-53-11-47 (information sur les vols).

■ **Swiss :** ☎ 21-03-53-74-00.

■ **Aegean Airlines :** ☎ 21-03-53-01-01.

■ **Olympic Airlines :** ☎ 21-09-66-66-66.

■ **Hellas Jet :** ☎ 21-03-53-08-19.

■ **Alitalia :** ☎ 21-03-53-42-84.

Pour rejoindre le centre-ville

➤ Le **bus E95** conduit de l'aéroport (sortie 5) à la place Syndagma, tout près de la station de métro du même nom. Il fonctionne 24 h/24, avec un départ toutes les 30 mn de 1 h du matin à 19 h, toutes les 10 mn le reste de la journée. Compter 50 mn de trajet sans embouteillage, donc beaucoup plus d'une heure en journée, parfois même deux (c'est une ligne « express » mais avec quelques d'arrêts !). Le prix du billet est de 2,90 € (tarif 2004), mais il est valable pendant 24 h à partir de l'heure à laquelle il a été émis et est utilisable dans tous les transports publics sur Athènes (bus, trolleys et métro). Très pratique. Attention toutefois : ces billets (dits journaliers) ne sont valables, pendant les 24 h, QU'UNE SEULE FOIS sur le trajet Athènes (ville)-Aéroport ou l'inverse. Concrètement, si, à la fin de votre séjour, vous achetez votre billet 24 h avant de faire le trajet vers l'aéroport, vous devez, bien entendu, composter votre billet à la première utilisation, mais aussi une seconde fois quand vous prendrez le bus pour l'aéroport. Dans l'autre sens, ce n'est pas nécessaire, la validation initiale suffit.

➤ On peut aussi prendre le bus express E94 (sortie 5, même tarif) qui vous emmène au terminus de la ligne 3, la station de métro Ethniki Amyna (plan couleur d'ensemble). De là, prendre la ligne 3 de métro. L'avantage, outre que les rotations sont plus fréquentes, est d'arriver plus vite au centre-ville par le métro si le centre-ville est encombré, ce qui est souvent le cas.

➤ Le nouveau *train urbain (suburban railway)* relie l'aéroport à la gare de Larissa, à proximité du centre d'Athènes *(plan couleur d'ensemble)* en passant au début du parcours au milieu des voies de l'autoroute *Attiki Odos*. Compter dans les 45 mn. De la gare de Larissa, possibilité de gagner le centre-ville en métro ou en trolley. Le billet coûte 6 € (tarif 2004). Il est possible de faire des économies en prenant un billet pour 2 ou 3 personnes. Réduction également sur les billets aller-retour.

➤ Le *métro* : compter 8 €. C'est la ligne 3, elle arrive directement place Syndagma. Compter 25 à 35 mn de trajet pour le centre-ville (station Syndagma).

➤ Le *taxi* pour le centre-ville coûte de 15 à 20 € selon la densité de circulation (tarif de jour). Attention aux arnaques ! On en connaît qui ont payé 30 €... Un Grec paiera plus facilement 15 € qu'un touriste... (Voir plus loin « Les taxis : ruses et arnaques ».)

Pour rejoindre les gares routières

➤ Le *bus E93* : départ entre les sorties 5 et 6. Ce bus va à la gare routière, 100, odos Kifissou, via la seconde gare routière (odos Liossion) et évite de passer par le centre d'Athènes. Intéressant si vous avez prévu de ne pas séjourner dans la capitale. Pour les destinations desservies, voir plus loin la rubrique « Quitter Athènes ». Compter un départ toutes les 40 mn entre 6 h et 1 h du matin, un toutes les heures après 1 h. Mêmes tarifs et conditions d'utilisation que pour les lignes nos 94 et 95.

Pour rejoindre Le Pirée

➤ Le *bus E96* (ligne Spata-Koropi-Vari-Voula-Glyfada-Le Pirée) fonctionne 24 h/24, avec un départ (de la sortie 4) toutes les 20 mn de 7 h à 21 h et toutes les 30-40 mn environ de 21 h à 7 h. Compter dans les 40 mn minimum, plus souvent entre 1 h et 1 h 30. Mêmes tarifs et conditions d'utilisation que les précédents.

Pour rejoindre Rafina

Une ligne express *KTEL* (autobus orange) a été mise en service pour le port de Rafina, via Loutsa. Environ 3 €. Départs de 6 h 20 à 21 h 10, au niveau de la porte 5 des arrivées.

Transports urbains à Athènes et en Attique

Les lignes de bus et de métro figurent sur le plan d'Athènes, très bien fait (index en 3 langues, dont le français) distribué à l'office du tourisme. Il existe une carte mensuelle, vendue (tarifs 2004) au prix de 38 € (19 € en tarif réduit), valable sur tous les transports en commun à Athènes sauf sur les lignes de bus express pour (ou de) l'aéroport. Intéressant pour un long séjour. Pour un séjour plus court, une carte hebdomadaire à 10 € est proposée. On peut aussi acheter un billet à la journée à 2,90 € utilisable dans tous les transports en commun (valable 24 h à partir du moment où il est émis). C'est le même que celui vendu pour quitter l'aéroport en bus. Un billet à 1 € a été créé fin 2004, permettant d'emprunter le métro, le bus, le tramway et le trolley (limite de validité : 90 mn). Impossible avec ce billet d'aller à l'aéroport. Un billet à 0,70 € permet, lui, toujours dans un laps de temps de 90 mn, d'emprunter le bus, le trolley et le tramway.

ATHÈNES

Métro *(ilektrikos)*

Depuis des décennies, le métro athénien, géré par l'*ISAP,* n'avait qu'une seule ligne, longue de 25 km entre Le Pirée et Kifissia, une banlieue résidentielle du nord-est : il était impossible de s'y perdre. Mais après des années de travaux, commencés en 1992 (et qui ont par ailleurs permis d'incroyables découvertes archéologiques), 2 nouvelles lignes ont ouvert fin 1999. Ces lignes ont changé la vie des Athéniens qui ont découvert un moyen de transport rapide et d'une grande sécurité. Très pratique, en particulier quand on va, depuis le centre d'Athènes, prendre un ferry pour les îles (malheureusement, sur la ligne 1 qui va au Pirée, on emprunte encore l'ancienne ligne qui n'a rien à voir avec les nouvelles, même si certaines rames climatisées ont été mises en service en 2003). Acheter son ticket, à l'unité ou par dix, au guichet ou au distributeur. Les tarifs (fin 2004) : 0,60 € l'unité pour 1 ou 2 zones de la ligne 1, par exemple pour aller du centre-ville au Pirée. Sur les nouvelles lignes (2 et 3), le prix du billet (fin 2004) est fixé à 0,70 € et ce billet permet de voyager aussi sur la ligne 1. Attention : si l'on voyage sur la ligne 1 puis, en prenant une correspondance, sur la ligne 2 ou la ligne 3, bien penser à se munir d'un ticket à 0,70 €. Sinon, gare à l'amende, plutôt salée. Les enfants de moins de 6 ans ne paient pas. Les tickets sont valables 90 mn. La ligne 1 est ouverte de 5 h à 1 h (1 h 30 la nuit du samedi au dimanche), les lignes 2 et 3 de 5 h 30 à minuit. ☎ 185 (service d'information de l'OASA, l'Agence des transports publics à Athènes). ● www.ametro.gr ●
Le métro relie les points les plus importants pour les voyageurs :

Ligne 1 *(Le Pirée-Kifissia)*

– station *Piréus* : Le Pirée, à 200 m des bateaux qui desservent les îles ;
– station *Thission* : à 10 mn de marche de l'Acropole, près de l'ancienne agora ;
– station *Monastiraki* : à 10 mn de marche de l'Acropole ; marché aux puces et Plaka ; désormais reliée à Syndagma, directement par la ligne 3 dont Monastiraki est pour l'instant le terminus ;
– station *Omonia* : pl. Omonia, l'une des plus animées du centre ; la ligne 2 passe également par Omonia ;
– station *Victoria* : à 5 mn des deux gares ferroviaires ;
– station *Kato Patissia* : à 10-15 mn de marche du terminal de bus B (liaisons interurbaines).

Ligne 2 *(Agios-Dafni-Agios Dimitrios)*

– station *Syndagma* : la plus centrale qui soit ; la station en elle-même est une réussite, avec ses vitrines permettant de voir quelques-unes des trouvailles faites pendant les travaux ;
– station de *Métaxourgio* : proche de la gare du Péloponnèse ;
– station de *Larissa* (en grec, *Stathmos Larissis*) : dessert la gare de Larissa ;
– station d'*Attiki* : correspondance avec la ligne 1 (pratique si l'on a oublié de changer à Omonia ou si l'on veut éviter de le faire à cette station) ;
– station *Agios Dimitrios*.

Ligne 3 *(Monastiraki-Ethniki Amyna-Doukissis Plakentias-Aéroport)*

– stations *Evanghélismos* et *Ambélokipi* : desservent les principaux hôpitaux d'Athènes ;
– station *Ethniki Amyna* (terminus ligne 3, du moins tant que la ligne n'est pas prolongée, voir ci-dessous) : départ du bus express *E94* pour l'aéroport ;
– station *Doukissis Plakentias* (à Stavros) : station mise en service en 2004. Le train urbain arrivant de la gare de Larissa y passe également.

AVERTISSEMENT : attention aux bandes organisées de pickpockets qui sévissent dans le métro, en particulier à Omonia et Monastiraki. Ne pas tenter le diable en exposant sacs ou bananes à portée de main.

Bus et trolleys

La plupart des bus urbains gérés par l'*ETHEL* fonctionnent de 5 h à 23 h 30. On les appelle les bus bleus (même si les bus les plus récents sont davantage blancs et ne comportent que quelques bandes en bleu). Acheter les tickets dans les cabines jaunes, bleues ou blanches. Coût d'un ticket (en 2004) : 0,45 €. Attention, les contrôles sont très fréquents ! Bon à savoir : le même ticket n'est pas valable si l'on change de bus, il faut en acheter un autre. Il existe aussi une vingtaine de lignes de trolleybus, gérées par l'*ILPAP,* fonctionnant aux mêmes heures (même prix). Les vieux trolleys soviétiques ont tous été remplacés par des véhicules beaucoup plus modernes.

Tramway

Un nouveau tramway a été mis en service en juillet 2004. Il est composé de deux lignes, l'une reliant le centre d'Athènes (départ léoforos Amalias, au sud du jardin national) et Glyfada (sur la côte au sud du Pirée) ou Néo Faliro (quartier sud du Pirée), l'autre partant de Néo Faliro et longeant la côte pour rejoindre Glyfada. Ce nouveau moyen de transport aura connu bien des vicissitudes, les plus spectaculaires étant les manifestations organisées par certains maires contre le tracé retenu, ce qui n'a pas facilité les choses... Prix du billet : 0,60 €. Billet réduit à 0,40 € pour les passagers en correspondance après un trajet en bus, en trolley ou en métro. Il fonctionne de 5 h à 1 h du matin du dimanche au jeudi et 24 h/24 les vendredi et samedi. Compter dans les 40 mn pour Néo Faliro au départ de la place Syndagma, environ 50 mn de Syndagma à Glyfada et autour de 30 mn entre Néo Faliro et Glyfada. Intéressant, si l'on séjourne quelques jours à Athènes, pour sortir de la fournaise athénienne et aller prendre l'air de la mer sans être bloqué dans les embouteillages.

Voiture

Circuler dans Athènes n'est pas chose facile. La plupart des rues sont à sens unique et, en dehors des grands axes qui traversent la ville en passant par la place Syndagma, ces rues sont plutôt étroites : il ne faut pas trop espérer pouvoir s'arrêter pour consulter son plan si l'on est égaré en pleine journée... Autrement dit, on n'arrive pas forcément où l'on veut une fois que l'on est embarqué dans le mouvement perpétuel de la circulation athénienne.

Pour le stationnement, c'est le système D. Nombreux parkings, même dans d'étroites rues de Plaka (où l'on doit parfois laisser ses clés car les véhicules étant serrés le plus possible, il faut pouvoir dégager l'accès à la sortie d'une voiture garée au fond...) dans des cours où l'on entasse les véhicules (forfait à la demi-journée, tarifs de 5 à 9 € selon le « standing » du parking, voire davantage) ou dans les parkings souterrains (forfait de 2 h généralement). Il en existe un, par exemple, place Klafthmonos *(plan couleur II, B2-3)*. Cher. Attention au stationnement illégal, les contractuels sont nombreux ! Les plaques étrangères sont d'ailleurs enlevées pour être certain que les amendes (plus de 60 €) soient bien payées. Récupération au commissariat... le lendemain. Avoir par précaution une photocopie de la carte grise. Si le stationnement est particulièrement gênant (angle d'une rue), la fourrière intervient très rapidement ! À bon entendeur, salut !

Ne rien laisser d'apparent dans la voiture quand vous la quittez.

ATHÈNES

Les taxis : ruses et arnaques

On a rencontré des taxis honnêtes, même à Athènes. Cela dit, voici quelques tuyaux bien utiles à connaître. Tout d'abord, la règle du jeu : doivent être affichés sur le tableau de bord les tarifs, en grec et en anglais. Ces tarifs sont également consultables à l'aéroport. Ils indiquent, dans l'ordre (tarifs en 2004) : le coût de la prise en charge (0,75 €), celui du kilomètre (0,26 €, le double hors des limites de la cité), les surtaxes (départs de l'aéroport – 2 € – ou d'une gare routière ou portuaire – 0,70 €), le tarif de nuit (double du tarif diurne, mais normalement de minuit à 5 h du matin seulement) et ce qui est exigible pour les bagages (normalement ceux dépassant les 10 kg, mais on n'a évidemment pas de balance à disposition...). Le minimum pour une course est 1,50 €. Malgré tout, le taxi reste beaucoup moins cher qu'en France.

À l'aéroport

Si le chauffeur vous demande si c'est votre premier séjour en Grèce, cela signifie qu'il va faire un léger détour, afin de vous montrer l'Acropole, et qu'à chaque fois qu'il vous dira « regardez », il appuiera sur un bouton secret qui fera grimper le compteur de plusieurs euros.
S'il vous dit que l'hôtel où vous descendez n'est pas terrible, n'est pas bien situé, est complet, ou bien même qu'il a brûlé il y a une heure (!), c'est qu'il veut vous conduire dans un hôtel de son choix où il touchera alors une commission.

Au port

S'il vous indique que le métro démarre à 9 h, s'arrête à 22 h ou est en grève, c'est faux ! En fait, le métro est très pratique et très efficace : il fonctionne de 5 h à minuit et dessert toute la ville. De plus, il existe un réseau de bus opérant toute la nuit entre Le Pirée, la place Omonia et la place Syndagma.

Autres conseils

Le chauffeur a le droit de prendre d'autres passagers allant dans la même direction. Cela ne signifie pas que le prix de la course va être divisé par le nombre de passagers : le chauffeur, lui, encaisse simplement davantage.
Si le compteur n'est pas branché, demandez au chauffeur de le mettre en route *(Put the meter, please)*.
Réglez votre course avant de sortir du taxi et vérifiez toujours votre monnaie avant de descendre. Faites bien attention si vous demandez au chauffeur de vous emmener au bord de la mer pour déguster des fruits de mer frais : il voudra sans doute vous conduire à Mikrolimano, où certains restaurateurs lui verseront une commission. Sans que, pour autant, le poisson soit frais...

Adresses utiles

Informations touristiques

▪ *Office du tourisme* (siège ; hors plan couleur I par C3) : 7, odos Tsokha. ☎ 21-08-70-70-00. ● www. gnto.gr ● Ⓜ Ambélokipi (ligne 3). Ouvert, en principe, du lundi au vendredi de 9 h à 16 h 30. Peu pratique depuis son déménagement hors du centre-ville. Profitez de celui de l'aéroport si vous arrivez en avion ou de l'antenne ouverte début 2004 en centre-ville (voir ci-dessous).
▪ *Office du tourisme* (bureau d'in-

formation : *plan couleur II, B3) :* 26, léoforos Amalias. ☎ 21-03-31-03-92. Ouvert, en principe, du lundi au vendredi de 9 h à 19 h et le week-end

de 10 h à 15 h ; horaires restreints hors saison (en principe toujours, 9 h-16 h du lundi au vendredi).

Agences de voyages et compagnies aériennes ou maritimes

■ *Robissa Travel Bureau (plan couleur II, B3, 10) :* 43, odos Voulis. ☎ 21-03-21-11-88. Fax : 21-03-21-11-94. Agence de voyages officielle pour les étudiants (STA Travel).

■ *Profil Voyages (plan couleur II, B3, 23) :* 36, odos Mitropoléos, 105 63. ☎ 21-03-23-94-82. Fax : 21-03-23-85-61. ● www.profilvoyages.com ● Agence de voyages dirigée par une Française installée depuis pas mal de temps en Grèce, qui en connaît tous les recoins et peut confectionner des voyages sur mesure.

■ *Olympic Airlines (plan couleur I, A4, 1) :* agence principale au 96, odos Singrou. ☎ 21-09-26-91-11 ou 21-09-26-72-51 à 54. ● www.olympic airlines.gr ● Ouvert du lundi au samedi de 9 h 15 à 16 h 30. Autres agences plus centrales : près de Syndagma, 15, odos Filellinon, ☎ 21-09-26-76-63 ou 64 ; près d'Omonia, 3, odos Kotopouli, ☎ 21-05-23-72-18 ou 19. Pour toute information : ☎ 801-11-444-44 (en Grèce seulement, prix d'un appel local).

■ *Aegean Airlines (hors plan couleur d'ensemble) :* ☎ 21-09-98-83-50 (siège). ● www.aeganair.com ● Agence en centre-ville : 10, odos Othonos *(plan couleur II, B3, 11).* ☎ 21-03-31-55-02 à 04. Pour les ré-

servations : ☎ 801-11-200-00 (en Grèce seulement, prix d'un appel local).

■ *Air France :* 18, léoforos Vouliagmenis, 166 75 Glyfada. ☎ 21-09-60-11-00. Ouvert de 9 h à 17 h.

■ *Héliades (siège) :* 24, léoforos Vouliagmenis, 166 75 Glyfada. ☎ 21-09-60-27-80. Fax : 21-09-60-27-86. Bureau dans Athènes : 23, odos Thémistokléous (près d'Omonia ; *plan couleur II, B2).* ☎ 21-03-84-83-98 et 21-03-84-80-38. Fax : 21-03-81-42-64. ● vacath@heliades.gr ●

■ *Superfast et Blue Star Ferries (plan couleur II, B3) :* 30, léoforos Amalias. ☎ 21-08-91-91-30. ● athens @superfast.com ●

■ *Anek Lines (plan couleur II, B4) :* 54, léoforos Amalias. ☎ 21-03-23-34-81. ● pr-ath@anek.gr ● Ouvert de 8 h 30 à 18 h 30 du lundi au vendredi et de 9 h 30 à 13 h 30 les week-ends et jours fériés.

■ *Minoan Lines (plan couleur I, B4) :* 98-100, léoforos Syngrou. ☎ 21-09-20-00-20. ● minoan.athens@minoan. gr ● En semaine, ouvert de 8 h 30 à 20 h et le samedi de 8 h 30 à 16 h 30.

■ *Hellas Flying Dolphins (plan couleur I, B4) :* 98-100, léoforos Syngrou. ☎ 21-04-19-90-00. ● www.dol phins.gr ●

Poste et télécommunications

✉ *Bureaux de poste :* en grec, la poste se prononce *takhidhromio.* On y fait souvent la queue, les bureaux n'étant jamais bien grands. Heureusement, les bureaux dans le centre d'Athènes sont relativement nombreux.

– Place Syndagma (et odos Mitropoléos ; *plan couleur II, B3).* Ouvert du lundi au vendredi de 7 h 30 à 20 h, le samedi de 7 h 30 à 14 h et le dimanche de 9 h à 13 h. On peut s'y faire adresser du courrier en poste restante : 10300 Syndagma, Athens, Greece.
– 100, odos Eolou *(plan couleur II, B2),* près de la place Omonia. C'est

le bureau principal d'Athènes. Ouvert du lundi au vendredi de 7 h 30 à 20 h et le samedi de 7 h 30 à 14 h. On est prié d'attendre en file, avec son numéro ! Salle climatisée.
Les autres postes ouvrent du lundi au vendredi de 7 h 30 à 14 h.
– 33, odos Nikis, à l'angle de odos Lamakou, assez près de Syndagma *(plan couleur II, B3).*

ATHÈNES

– 7, odos Dionissiou Aréopagitou *(plan couleur II, B4)*.
– 84, odos 28-Octovriou-Patission *(plan couleur I, B1)*, pas loin de la place Victoria.
– 60, odos Mitropoléos *(plan couleur II, B3)*.
– Place Ethnikis Andistasséos, près de la mairie *(plan couleur I, B2)*, à l'angle des rues Efpolidos et Apellou.
– 36, odos Zaïmi, à l'angle de la rue Deligianni, quartier du Musée archéologique *(plan couleur I, B1)*.
– Également, en face du guichet de vente des billets pour l'Acropole, un petit bureau de la poste ouvert en principe de 8 h à 14 h.

Pour téléphoner à l'étranger, on peut aller dans un *OTE,* organisme du téléphone grec différent de la poste. Pratique quand on n'a pas de carte puisqu'on appelle depuis des téléphones à compteur (en grec, *tiléfono me métriti*), mais soyez vigilant lorsqu'on vous rend la monnaie. Possibilité d'envoyer des fax. On peut aussi avoir l'étranger depuis les cabines à cartes (on achète celles-ci dans les kiosques), dans la rue. Évitez à tout prix d'appeler l'étranger de votre hôtel : la note serait douloureuse.

■ *OTE :* 85, odos 28-Octovriou-Patission *(plan couleur I, B1, 2)*. Ouvert 24 h/24. Prendre l'entrée qui se trouve à gauche du bâtiment, sinon c'est l'agence commerciale.

■ *Renseignements :* ☎ 131. Renseignements internationaux (en anglais, en allemand et en français) : ☎ 169. Renseignements météo (en grec) : ☎ 1448.

Représentations diplomatiques

■ *Ambassade de France (plan couleur II, C3, 12) :* 7, odos Vassilissis Sofias. ☎ 21-03-39-10-00. Fax : 21-03-39-10-09. ● www.ambafrance-gr.org ●
■ *Section consulaire (plan couleur II, C4, 13) :* 5-7, léoforos Vassiléos Konstandinou (en face du stade). ☎ 21-07-29-77-00. Fax : 21-07-22-52-45. ● www.ambafrance-gr.org ● Ouvert du lundi au vendredi de 8 h à 14 h. Permanence de 15 h à 18 h et le samedi de 9 h à 13 h pour les urgences (appeler le ☎ 693-240-13-43 en dehors des heures d'ouverture ou de permanence, jusqu'à 22 h). Si vous avez perdu vos papiers, munissez-vous d'une déclaration de perte ou de vol, établie dans le bureau de police le plus proche du lieu où les faits se sont produits, et de 2 photos. Vous aurez un laissez-passer (en cas d'absence totale de papier d'identité), après vérification en France, qui vous permettra de quitter le territoire grec. Ces démarches ne sont possibles qu'entre 8 h et 13 h. Prévoir 23 €.
■ *Consulat de Belgique (plan couleur II, C3) :* 3, odos Sekeri. ☎ 21-03-61-78-87. Fax : 21-03-60-42-89. Ouvert du lundi au vendredi de 9 h à 14 h.
■ *Consulat de Suisse (plan couleur I, C3) :* 2, odos Iassiou. ☎ 21-07-23-03-64. Fax : 21-07-24-92-09. À côté de l'hôpital Evangelismos. Ouvert du lundi au vendredi de 10 h à 12 h.
■ *Ambassade et consulat du Canada (plan couleur I, C3) :* 4, odos Ioanou Gennadiou. ☎ 21-07-27-34-00. Fax : 21-07-27-34-68. À côté de l'hôpital Evangelismos. Ouvert du lundi au vendredi de 8 h 30 à 12 h 30.

Urgences

■ *Secours d'urgence (EKAV) :* ☎ 166.
■ *Police :* ☎ 100.
■ *Pompiers :* ☎ 199.
■ *Police touristique :* ☎ 171.

■ *Assistance routière :* ELPA, ☎ 10400 et 21-06-06-88-00. *Express Service,* ☎ 1154 et 21-09-52-49-50. *Hellas Service,* ☎ 1057 et 21-02-53-26-16.

■ *Pharmacies ouvertes 24 h/24 :* ☎ 107 (Athènes) et ☎ 102 (banlieue d'Athènes).

■ *Médecins de garde :* ☎ 1434.

■ *SOS Médecins :* ☎ 1016.

■ *Centre anti-poisons :* ☎ 21-07-79-37-77.

■ *Soins médicaux :* pour consulter un médecin français ou francophone, s'adresser au consulat.

■ En cas d'urgence, pour avoir un **hôpital,** appeler le ☎ 106.

– *Hôpital public Evangelismos (plan couleur I, C3, 3) :* 45-47, odos Ipsilantou. ☎ 21-07-20-10-00. À Kolonaki.

– *Hôpital public Ippocration (hors plan couleur II par C3) :* 114, léoforos Vassilissis Sofias. ☎ 21-07-48-37-70. Dans le quartier d'Ambélokipi, où sont regroupés de nombreux hôpitaux ou cliniques.

– *Croix-Rouge (Erythros Stavros) :* 1, odos Erythrou Stavrou et 1, odos Athanassaki (quartier d'Ambelokipi). ☎ 21-06-98-13-00.

– *Centre IKA :* 64, odos Piréos ou Panagi Tsaldari *(plan couleur II, A2).* Ouvert le matin seulement. Venir avec la Carte européenne d'assurance-maladie pour ne pas payer les soins.

– *Hôpital privé Iatrico Kentro Athinon :* 5, odos Distomou, à Maroussi. ☎ 21-06-89-81-00/14.

Culture

■ *Institut français d'Athènes (plan couleur II, C2, 14) :* 31, odos Sina, 106 80. ☎ 21-03-62-43-01 à 05. Fax : 21-03-39-88-73. ● www.ifa.gr ● L'institut a récemment réorganisé ses activités, abandonnant la plus grande partie de sa mission d'enseignement, pour se recentrer sur son rôle de vitrine culturelle de la France. Programmation intéressante de spectacles et de conférences (sauf juillet-août). Riche médiathèque, ouverte du mardi au vendredi de 10 h à 19 h et le lundi de 14 h à 19 h. Caféteria.

■ *Librairie française Kaufman (plan couleur II, B3, 15) :* 28, odos Stadiou (près de la place Klafthmonos). ☎ 21-03-22-21-60. Ouvert de 9 h à 20 h, jusqu'à 17 h les lundi et mercredi, et 15 h le samedi. Vend aussi des journaux. Excellente librairie avec parfois des bouquins introuvables en France ! 30 % plus cher qu'en France.

■ *Autre librairie française :* 60, odos Sina, en face de l'Institut français. ☎ 21-03-63-36-26. Littérature, art, B.D., etc. On y trouve aussi des périodiques français.

– *Presse internationale :* dans tous les kiosques situés dans les quartiers touristiques.

– *Journaux grecs en anglais :* l'hebdo *Athens News,* le plus complet sur l'actualité en Grèce, paraît le vendredi. ● www.athensnews.gr ● et le quotidien grec *Kathimerini* qui contient un supplément de 8 pages traduit en anglais.

Divers

■ *Consignes à bagages (plan couleur II, B3, 22) : Pacific Ltd,* 26, odos Nikis. ☎ 21-03-24-10-07. Fax : 21-03-23-36-85. ● pacific@hol.gr ● Dans le centre, à proximité de la place Syndagma, dans une agence de voyages. Ouvert de 8 h à 20 h ; le dimanche, les jours fériés et hors saison, de 9 h à 14 h. Utile pour ceux qui veulent passer quelques jours dans les îles sans être trop chargés. 2 € la journée et par bagage, et tarif dégressif pour la semaine, voire plus. Également présent à l'aéroport.

La plupart des (petits) hôtels font aussi *left luggage.*

■ *Laveries Laundromat :* odos Angelou Géronda (dans Plaka ; *plan couleur II, B3).* Ouvert du lundi au samedi de 8 h à 16 h et le dimanche de 9 h à 14 h. Cher : dans les 8 € la machine de 6 kg. Autre *laundry* au 9, odos Psarron *(plan couleur I, B1),* tout près de la place Karaïskaki. Pas idéalement placé. Ouvert de 8 h à 21 h en semaine, de 8 h à 17 h le samedi et de 8 h à 14 h le dimanche. On trouve également un pressing au

46, odos Didotou (plan couleur II, B2), près de la place Exarchia. Ouvert du lundi au samedi de 8 h à 21 h. Beaucoup plus cher (dans les 12 €).

■ *Radio-Taxis* : Athina I, ☎ 21-09-

21-28-00. *Enotita*, ☎ 21-09-32-44-51. *Dimitra*, ☎ 21-05-54-69-93. *Ermis* (Le Pirée), ☎ 21-04-11-52-00. *Express*, ☎ 21-09-93-48-12.

Location autos-motos

L'avenue Syngrou (plan couleur I, B4) regorge d'agences de location de voitures : au moins une trentaine. Comme celles-ci sont proches les unes des autres, il est facile d'en faire plusieurs pour comparer les tarifs proposés.

■ *Capital Rent a Car* (plan couleur I, B4) : 14, av. Syngrou. ☎ 21-09-21-88-30. Fax : 21-09-24-63-45. ● natrent@hol.gr ● Ouvert tous les jours de 8 h à 21 h. Mise à disposition de la voiture à l'aéroport d'Athènes (avec un supplément), au port du Pirée, en ville à l'hôtel, à Thessalonique et en Crète. Cartes routières gratuites. Réduction de 5 % (10 % hors saison) sur présentation du *GDR*, au début de la location. Excellent accueil (en français) de Vassilis Vrochidis et de son équipe. Tarifs intéressants et grande qualité des services.

■ *Avanti Rent a Car* (plan couleur I, B4) : 50, av. Syngrou. ☎ 21-09-23-39-19 et 21-09-24-70-06. Portable : ☎ 69-32-67-44-76. Fax : 21-09-22-

79-22. ● www.avanti.com.gr ● Tout près de Syndagma. Ouvert du lundi au samedi de 9 h à 18 h, et le dimanche de 9 h à 14 h. Location de voitures. Réduction de 20 % pour nos lecteurs. Possibilité de laisser le véhicule dans une autre ville en s'acquittant d'une charge supplémentaire. Toutes cartes de paiement acceptées.

■ *Motorent* (plan couleur I, B4) : 1, odos Robertou Galli. ☎ 21-09-23-49-39 et 21-09-23-48-85. Fax : 21-09-23-48-85. ● www.motorent.gr ● À 200 m au sud de l'Acropole. Compagnie de location de scooters, de motos et éventuellement de voitures. 10 % de réduction pour nos lecteurs.

Banques

Attention, les banques n'ouvrent que de 8 h à 14 h (13 h 30 le vendredi) et sont fermées le week-end, sauf la **National Bank of Greece** (plan couleur II, B3, **16**) de la place Syndagma, ouverte du lundi au jeudi de 15 h 30 à 18 h 30, le vendredi de 15 h à 18 h 30, le samedi de 9 h à 15 h et le dimanche de 9 h à 13 h (pour tous ces horaires, change uniquement). ☎ 21-03-21-04-11. Les bureaux de change indépendants, pour nos lecteurs hors zone Euro, sont très nombreux ; on en trouve un peu partout, autour des places Syndagma et Omonia ou même dans Plaka, comme *Change Star* ouvert de 9 h à 21 h 30. À noter, sur la place Syndagma et dans tous les endroits où passent les touristes, un nombre incalculable de *distributeurs.*

■ *American Express* (plan couleur II, B3, **17**) : 7, odos Ermou. ●www.americanexpress.com/greece● Ouvert du lundi au vendredi de 8 h 30 à 16 h 30.

■ *Eurochange* (plan couleur II, B3, **18**) : 4, Karageorgi Servias. Ouvert en été du lundi au vendredi de 8 h à 20 h et les samedi et dimanche de 9 h à 20 h. Change et chèques de voyage.

Commerces

Deux chaînes de petits supermarchés se partagent le... marché ! Pratique pour l'alimentaire ou pour acheter les petites choses oubliées au pays et qui manquent parfois cruellement. Ces supérettes sont ouvertes du lundi au vendredi de 8 h à 21 h (20 h en hiver) et le samedi de 8 h à 18 h. Pour trouver des hypermarchés, il faut sortir du centre (on trouve un *Carrefour* sur la route de l'aéroport, par exemple).

⊛ **Marinopoulos-Champion :** au début d'odos Athinas (*plan couleur II, B2*; presque sur la place Omonia); odos Kanari (*plan couleur II, B3*, pas loin de la place Syndagma) et odos Tritis Septemvriou (*plan couleur I, B1*; quartier Victoria).
⊛ **Véropoulos-Spar :** odos Irakli-

don (*plan couleur I, A3*; quartier Thissio); odos Falirou et odos Parthénonos (*plan couleur I, B4*; quartier Makriyanni); odos Psaron et Paléologou (*plan couleur I, A1-2*; quartier des gares ferroviaires) et odos Averoff (*plan couleur I, B1*; entre odos Acharnon et Aristotélous).

Internet

◙ **Cafe4U** (*plan couleur II, B2, 19*) : 44, odos Ippokratous. ☎ 21-03-61-19-81. Ouvert 24 h/24, tous les jours. La connexion tourne autour de 3,50 € l'heure (réductions après minuit). Cybercafé très moderne, avec écran TV et musique. Fait également snack. Très bonne ambiance. Autre café Internet, sous la même enseigne, au 24, Tritis Septemvriou (*plan couleur I, B2, 6*), dans la galerie. Tarifs similaires. Il faut aimer surfer dans le bruit...
◙ **Museum Internet Café** (*plan couleur I, B1, 4*) : 46, odos Patission, entrée odos Vassiléos Irakliou. ☎ 21-08-83-34-18. Ouvert de 9 h à 3 h du matin. À deux pas du Musée archéologique. Un café aux tarifs corrects (bon *frappé*), et, bien en rang, une trentaine d'ordinateurs. Prix minimum pour 20 mn d'utilisation : 1,50 €; pour une heure, 4,50 €.
◙ **Mocafe** (*plan couleur I, A2, 5*) : 49, odos Marni et Veranzerou. ☎ 21-05-22-77-17. Ouvert tous les jours

de 9 h (10 h le dimanche) à minuit. Il vous en coûtera dans les 3-4 € l'heure de connexion. Proche de l'AJ. Local très design, un vrai café.
◙ **Internet Café** (*plan couleur I, B2, 7*) : 4, odos Gladstonos. ☎ 21-03-80-37-71. À proximité d'Omonia, tout près de l'hôtel *Théoxenia*. Ouvert de 9 h à l'aube. Pas cher du tout (dans les 3 € de l'heure).
◙ **Arcade Internet Café** (*plan couleur II, B3, 20*) : 5, odos Stadiou. ☎ et fax : 21-03-21-07-01. À proximité de Syndagma. Ouvert du lundi au samedi de 9 h à 22 h et le dimanche de 12 h à 20 h. 20 PC à disposition, fax, et même les informations boursières en temps réel. Une douzaine de PC. Connexion à 1,50 € les 20 mn et à 3,50 € l'heure.
◙ **Skynet Center** (*plan couleur II, B3, 21*) : 10, odos Apollonos et 30, odos Voulis. ☎ 21-03-22-75-51. Ouvert du lundi au vendredi de 9 h à 20 h 30 et le samedi de 9 h à 15 h. Pas plus sympa que ça (quelques ordinateurs et c'est tout) mais calme.

Où dormir?

À l'intérieur de la *National Bank of Greece*, au 2, odos Karageorgi Servias (*plan couleur II, B3*), se trouve l'**Hellenic Chamber of Hotels**. ☎ 21-03-23-71-93. Ouvert en principe du lundi au jeudi de 8 h 30 à 14 h, le vendredi de 8 h 30 à 13 h 30 et, de mai à novembre, le samedi de 9 h à 12 h 30. Possibilité de réservations d'hôtels des catégories A, B et C.
Les hôtels pour routards, ancien style, sont de moins en moins nombreux à Athènes. On les trouve principalement dans le quartier de la gare, autour de la place Omonia (mais on ne peut pas les conseiller, la plupart, dans ce quartier « chaud », servant à autre chose qu'à dormir ou bien abritant principalement les très nombreux immigrés qui ont choisi Athènes comme porte

d'entrée en Europe) et à Plaka (quartier plus agréable mais bruyant jusqu'à une heure avancée de la nuit). Certains sont souvent bondés en été, voilà pourquoi nous les avons regroupés par quartiers, afin de vous éviter de trop marcher quand un hôtel est complet.

À noter que, selon vos talents, vous pouvez essayer de négocier les prix de votre chambre : hors saison ou même en saison si le touriste se fait rare, vous avez vos chances, du moins dans les hôtels pratiquant les prix moyens.

La situation hôtelière à Athènes n'est pas très réjouissante : ces trois dernières années, les tarifs ont énormément augmenté même si la qualité des prestations proposées a, elle aussi, progressé, En attendant, les prix s'alignent petit à petit sur ceux pratiqués dans les autres capitales européennes. D'autant plus que la haute saison dure en général de début avril à fin octobre... Il ne faut pas rêver : dormir pour pas (trop) cher à Athènes signifie dormir dans des conditions qui sont loin du luxe. Il n'y a guère, à Athènes, que deux AJ pratiquant des prix d'AJ à des conditions correctes ; les autres hôtels proposant la nuit à 10 € environ par personne, dont certains que nous recommandions encore récemment, sont devenus bien peu fréquentables. Les autres *youth hostels* (qui ne méritent plus vraiment ce terme) ont fait le choix d'élever leur standing (de moins en moins de places en dortoir sont proposées) – et leurs tarifs, bien entendu, sans que la qualité soit forcément très élevée ! Bien évidemment, tous les guides les recommandent et il faut se battre pour trouver de la place.

Vigilance enfin si vous avez réservé (et c'est plus que conseillé) : des lecteurs se plaignent chaque année d'avoir été « sacrifiés » parce que, entre le moment où ils avaient réservé et le jour où ils se sont présentés à l'hôtel, un groupe a effectué une réservation. Il manquait une chambre pour caser tout le monde ? Ce sont les touristes « individuels » qui trinquent... Téléphonez la veille ou le matin même de votre arrivée pour vous assurer que votre réservation tient toujours. Ça ne vous coûtera pas grand-chose et vous économisera peut-être pas mal de soucis... Et faites-vous envoyer un fax de confirmation de réservation avant votre départ, si vous avez réservé de France en versant des arrhes. Ça peut toujours être utile en cas de litige.

Nous vous rappelons que les prix indiqués s'entendent pour une chambre double, tarif haute saison. Autre rappel : les prix, dans un certain nombre de cas, sont à géométrie variable... Il arrive qu'ils varient selon la personne interrogée, dans une même journée. Un couple de lecteurs a même fait un test amusant : quand c'était la femme qui appelait pour avoir un prix, celui-ci était moins élevé que quand c'était l'homme ! Prix officiels, prix réellement pratiqués, remises spontanées selon l'inspiration du moment (et le taux de remplissage de l'établissement), tout n'est pas d'une transparence absolue. Raison de plus pour essayer de négocier, habilement bien sûr.

Entre Omonia et les gares

C'est le quartier où l'on trouve les hôtels les moins chers d'Athènes. Certains sont très rudimentaires et mal entretenus. Une règle : toujours demander à voir les chambres pour éviter les mauvaises surprises. Voici quelques adresses fréquentables.

Bon marché

🛏 *Youth Hostel Victor Hugo* (plan couleur I, A2, **30**) : 16, odos Victoros Ougo. ☎ et fax : 21-05-23-25-40. ● aiyh@otenet.gr ● Entre les stations de métro Omonia et Métaxourgio, un tout petit peu plus proche de cette dernière (ligne 2). Le meilleur rapport qualité-prix de la ville : dans les 10 € la nuit par personne, petit déjeuner compris. Auberge de jeunesse récente (ouverte en avril 1994), la seule à être affiliée à la Fédération internationale des auberges de jeunesse. Carte des AJ nécessaire ; achat sur place possible : pour 1 nuit ou pour 1 an. Dispose de 138 lits en chambres de 2 (une dizaine seulement) ou 4 personnes, plutôt calmes (double vitrage), avec salle de bains privée. Pas le grand luxe, mais à ce prix... Les draps et les serviettes sont fournis. Armoires cadenassées et coffre gratuit à l'accueil. Consigne gratuite. Accueil sympathique. Le directeur pourra vous indiquer des adresses d'hôtels décents et pas chers dans certaines villes de province qui ne disposent pas d'AJ. On y parle le français. N'accepte pas les cartes de paiement.

🛏 *Hostel Aphrodite (plan couleur I, A1, 31) :* 12, odos Einardou. ☎ 21-08-81-05-89 et 21-08-83-92-49. Fax : 21-08-81-65-74. • www.hostelaphrodite. com • Ⓜ Victoria. Dans une rue plutôt calme, entre la gare de Larissa et la place Victoria. En dortoir de 8 et 4 lits, respectivement 17 et 20 € par personne (ce qui commence à faire vraiment chérot, sûr que le confort est vraiment minimal), dans les 50 € pour une chambre double (riquiqui), avec AC en plus. Petit dej' non compris. Petits balcons. Service de blanchisserie. Consigne gratuite. Connexion à Internet payante. Bar en sous-sol climatisé. Cartes de paiement non acceptées. Offre spéciale pour les groupes.

Prix moyens

🛏 *Hôtel Delta (plan couleur I, A2, 32) :* 27, odos Kerameon (rue parallèle à la rue Diligiani). ☎ 21-05-22-47-06 et 21-05-22-44-62. Fax : 21-05-22-40-26. Ⓜ Métaxourgio. À 100 m à droite de la gare du Péloponnèse.

Chambres doubles à environ 40 € avec AC. Une trentaine de chambres tristes, bien que rajeunies avec douche et w.-c. Salle de bains juste correcte. Consigne gratuite. N'accepte pas les cartes de paiement.

Plus chic

🛏 *King Jason (plan couleur II, A2, 71) :* 26, odos Kolonou (à l'angle d'odos Kéramikou). ☎ 21-05-23-47-21. Fax : 21-05-23-47-86. • www.douros-hotels.com • Compter dans les 85 € pour une chambre double. Hôtel fonctionnel, aux chambres rénovées

en 2001, sans originalité particulière. Pour un standing un peu plus élevé, le même propriétaire propose le *Jason Inn* (quartier Thission) et le *Jason Hotel* (Omonia). Voilà ce qui s'appelle avoir de la suite dans les idées...

Dans le quartier de Victoria

De prix moyens à plus chic

🛏 *Hôtel Filo-Xénia (plan couleur I, B1, 36) :* 50, odos Aharnon. ☎ 21-08-82-86-11/2. Fax : 21-08-82-86-13. Ⓜ Victoria. Près des gares ferroviaires. Compter environ 50 € pour une chambre double, petit dej' compris. Assez bon rapport qualité-prix. Cham-

bres avec AC et certaines avec balcon. Mobilier en bois correct et salles de bains anciennes mais propres. Choisir une chambre sur cour. *Roof garden.* Accueil sympa. Hôtel pour groupes, vendu par plusieurs tour-opérateurs.

Plus chic

🛏 *Hôtel City Plaza (plan couleur I, B1, 37) :* 78, odos Acharnon. ☎ 21-08-22-51-11. Fax : 21-08-22-51-16. • www.plaza-athens.com • Ⓜ Victoria.

À l'angle d'odos Katrivanou. Compter de 80 à 90 € pour une chambre double. Ce tarif inclut le petit dej', une remise de 20 % sur présentation du

ATHÈNES

GDR. Chambres propres avec AC, TV et petit balcon. Grande salle de restaurant. On y parle le français. Direction sympathique.

Dans le quartier d'Omonia

Bon marché

≜ *Hôtel Appia* (plan couleur I, A2, 38) : 21, odos Menandrou. ☎ 21-05-24-51-55. Fax : 21-05-24-35-52. • appia@otenet.gr • Ⓜ Omonia. Compter de 26 à 29 € pour une chambre double avec salle de bains partagée et de 37 à 40 € avec salle de bains, réduction accordée sur pré-sentation du *GDR* incluse. Ventilo et téléphone. AC en option dans 10 des 44 chambres. TV dans quelques chambres. Juste propre. Déco mini-male, mais très correcte pour le prix et la situation (à 5 mn de la place Omonia). Accueil charmant. Cartes de paiement acceptées.

Prix moyens

≜ *Hôtel Odéon* (plan couleur I, A2, 39) : 42, odos Piréos (aussi appelée Panagi Tsaldari). ☎ 21-05-23-92-00. Fax : 21-05-23-39-53. • www.hotel odeon.gr • Ⓜ Omonia. Pour une chambre double avec bains, compter environ 70 €, petit dej' compris. Moins cher en réservant par Internet. Les chambres ont été repeintes et le mobilier est neuf. TV et AC avec sup-plément. Les sanitaires sont un peu vétustes, mais l'ensemble reste cor-rect. Choisir les chambres donnant sur l'arrière. Consigne uniquement pour la journée.

≜ *Hôtel Theoxenia* (plan couleur I, B2, 40) : 6, odos Gladstonos. ☎ 21-03-80-02-50. Fax : 21-03-81-78-95. Ⓜ Omonia. Bien situé, près d'Omo-nia, dans une rue piétonne. Compter environ 55 € pour une chambre double avec TV et AC. Petit déjeuner vraiment pas extraordinaire. Char-mant hôtel, soigné. Réception tout au fond d'une entrée habillée avec des vitrines pleines de livres sur la reli-gion. Les chambres, insonorisées, (dont quelques triples) sont correctes et propres. Bonne petite adresse dans le quartier. Cartes de paiement refusées.

Plus chic

≜ *Hôtel Ilion* (plan couleur I, B2, 41) : 7, Agiou Konstandinou (et Sokratous). ☎ 21-05-23-74-11. Fax : 21-05-23-74-15. • www.greekhotel. com/athens/ilion.gr • Ⓜ Omonia. À deux pas d'Omonia, hôtel moderne d'une centaine de chambres. Cham-bres doubles de 70 à 85 € avec petit déjeuner et réduction pour nos lec-teurs inclus (prix garantis jusqu'au 15 juillet). Triples et également des « appartements » (2 chambres com-municantes avec une salle de bains) pour 4 personnes de 115 à 148 € avec petit dej'. Les chambres ont quasiment toutes été rénovées. AC et TV. Cartes de paiement accep-tées.

Dans le quartier d'Exarchia

De prix moyens à plus chic

≜ *Hôtels Orion et Dryadès* (plan couleur I, C2, 43) : 105, odos Emma-nuel Benaki (et 4, odos Dryadon). ☎ 21-03-82-01-91 et 21-03-82-73-62. Fax : 21-03-80-51-93. • orion dryades@lycosmail.com • Juste au niveau du parc de Stréfi, dans le quartier étudiant : ne pas y aller à pied avec ses bagages, ça grimpe sec. Deux hôtels très proches. Compter de 55 à 70 € la double à l'hôtel *Dryadès* selon la saison et 20 € de moins à l'*Orion*. La clientèle y est plutôt lookée, l'hôtel étant réputé pour recevoir des mannequins venant des quatre coins du monde. Ambiance jeune et agréable. L'autre intérêt essentiel réside dans la vue exceptionnelle sur l'Acropole. Beau roof garden où est installée la cuisine collective. Chambres de qualité supérieure dans l'hôtel *Dryadès* avec TV et AC, boiseries au plafond et belle salle de bains. Carrelage neuf. Prendre de préférence une chambre au 1er étage avec balcon et vue sur l'Acropole. À l'*Orion,* ventilateur dans les chambres. Accès Internet possible. Cartes de paiement acceptées.

Chic

🛏 ***Best Western Museum Hotel*** (*plan couleur I, B1, 45*) **:** 16, odos Bouboulinas. ☎ 21-03-80-56-11 à 13. Fax : 21-03-80-05-07. ● www.best western.com/gr/museumhotel ● Ouvert toute l'année. Compter jusqu'à 130 € environ pour une double. Une soixantaine de chambres confortables (AC et TV) dans un immeuble récemment remis à neuf. Bien placé (proximité d'Omonia et du métro sans en avoir les inconvénients), Exarchia est à deux pas.

Dans le quartier du Thissio

De prix moyens à plus chic

🛏 ***Hôtel Erechtéion*** (*plan couleur I, A3, 46*) **:** 8, odos Flammarion (1re rue presque parallèle à Apostolou Pavlou). ☎ 21-03-45-96-06. Fax : 21-03-46-27-56. Ⓜ Thissio. La chambre double grimpe à 55 € environ en haute saison. Petit déjeuner à prix raisonnable. Tout près d'un quartier branché, un hôtel familial : on a l'impression de séjourner dans la salle à manger d'une famille grecque ! L'aspect extérieur ne plaide pas en sa faveur, mais la plupart des 22 chambres donnent sur l'Acropole et particulièrement sur l'Érechtéion, comme son nom l'indique. Déco vieillotte mais salles de bains tout à fait correctes. AC et TV. Propreté acceptable. Toutefois un peu bruyant (à cause de l'avenue en contrebas). Cartes de paiement refusées.

🛏 ***Hôtel Thissio*** (*plan couleur I, A3, 52*) **:** 25, odos Apostolou Pavlou et 2, odos Agias Marinas. ☎ 21-03-46-76-34. Fax : 21-03-46-27-56. Compter dans les 70 €. Hôtel qui n'est pas de toute première jeunesse et qui, avec ses briques rouges, ne fait pas très athénien. Mais depuis que l'odos Apostolou Pavlou a été rendue aux piétons, le quartier est devenu très sympa. Tenu par un vieux couple. Les chambres, avec AC, sont quelconques mais très correctes. Les triples et quadruples offrent un bon rapport qualite-prix. *Roof garden.*

Dans le quartier de Monastiraki

De bon marché à prix moyens

🛏 ***Hôtel Pella Inn*** (*plan couleur II, A3, 60*) **:** 104, odos Ermou. ☎ et fax : 21-03-25-05-98 et 21-03-21-22-29. ● www.pella-inn.gr ● Près de la station de métro Monastiraki. Compter de 45 à 60 € pour une chambre double, avec ou sans salle de bains et toilettes ; moins cher en chambre pour 4. Certaines chambres ont une belle vue sur le Parthénon. L'hôtel a été repeint récemment, mais reste un peu décati. Vue superbe du *roof* *garden* et bar-salle à manger plaisant. Petit déjeuner pas bien cher. Beaucoup de routards du monde entier. Malheureusement, pas tou-jours propre, et bruyant. Accepte les cartes de paiement (moyennant une commission).

De prix moyens à plus chic

📧 *Hôtel Tempi (plan couleur II, B3, 67) :* 29, odos Eolou. ☎ 21-03-21-31-75. Fax : 21-03-25-41-79. ● tempihotel@travelling.gr ● Ⓜ Monastiraki. Situé dans une rue piétonne, un hôtel à l'atmosphère chaleureuse. Compter environ 58 € pour une chambre double avec bains et 50 € sans bains. En hiver, 30 % moins cher. Chambres simples mais propres, avec ventilateur. Certaines disposent d'un balcon. Une petite cuisine a été aménagée au 1er étage pour la préparation du petit déjeuner ou d'un repas. Consigne gratuite pour les clients. Apparemment le confort, encore modeste, ne cesse de s'améliorer.

📧 *Hôtel Fivos (plan couleur II, A-B3, 61) :* 23, odos Athinas. ☎ 21-03-22-66-57. Fax : 21-03-21-99-91. ● www.hotelfivos.gr ● Tout près de la nouvelle station de métro de Monastiraki. Ouvert toute l'année. En dortoir, 18 € par personne. Pour une double, compter de 50 à 60 € la nuit, petit déjeuner compris. Hôtel tout en escaliers, récemment rénové. Chambres simples, avec de jolis parquets. Celles donnant sur la rue ne sont pas les plus reposantes, à moins que des doubles vitrages

n'aient été posés. *Roof garden* avec vue sur l'Acropole. Bon accueil.

📧 *Hôtel Carolina (plan couleur II, B3, 62) :* 55, odos Kolokotroni. ☎ 21-03-24-35-51 et 52. Fax : 21-03-24-35-50. ● www.hotelcarolina.gr ● À proximité de Monastiraki. En haute saison, chambres doubles à 90 €, petit dej' compris. Hôtel complètement rénové en 2001, chambres très agréables, arrangées avec goût et bien équipées : AC, TV, frigo et double vitrage... Dans un vieil immeuble classique, où l'on a gardé un vieil ascenseur assez folklorique. Rue commerçante très active le jour mais calme la nuit. Bonne ambiance, patron sympathique et jovial.

📧 *Hôtel Evripidès (plan couleur II, A2, 63) :* 79, odos Evripidou. ☎ 21-03-21-23-01. Fax : 21-03-21-23-03. De la place Monastiraki, suivre l'odos Miaouli, puis l'odos Aristophanous. Chambres doubles dans les 70 € sur présentation du *GDR*. Moderne, sans charme particulier, mais assez bien tenu. Une soixantaine de chambres agréables, qui auraient cependant besoin d'un petit rafraîchissement. La patronne parle le français. Petit déjeuner servi sur la terrasse panoramique.

Plus chic

📧 *Attalos Hotel (plan couleur II, B3, 64) :* 29, odos Athinas. ☎ 21-03-21-28-01 à 03. Fax : 21-03-24-31-24. ● www.attalos.gr ● Tout près de la place Monastiraki. Chambres doubles à 96 € en haute saison, petit dej' compris. 78 chambres (dont des triples et quadruples à prix intéressant), toutes rénovées récemment, propres avec salle de bains, AC et TV. L'intérêt de l'établissement réside surtout dans son *roof garden* plutôt confortable, qui offre une vue panoramique sur Athènes. Certaines chambres sur rue (double vitrage) donnent sur l'Acropole. Ac-

cueil sympathique. Un des réceptionnistes parle le français. Cartes de paiement acceptées. Et, ce qui n'est pas désagréable, 10 % de réduction pour les lecteurs du *GDR* !

📧 *Cecil Hotel (plan couleur II, B3, 65) :* 39, odos Athinas. ☎ et fax : 21-03-21-70-79 et 21-03-21-80-05. ● www.cecil.gr ● Ⓜ Monastiraki. Pour une chambre double en haute saison, compter 95 €, petit déjeuner compris. Dans un bâtiment néo-classique (classé), une quarantaine de chambres spacieuses et confortables, hautes de plafond et claires. Salle de bains, AC et TV. Quelques très grandes chambres pour 3 personnes. Carrelage vieillot. Quartier très animé en journée, essayez d'avoir une chambre qui donne sur l'arrière. Cartes de paiement acceptées. Remise de 10 % accordée à nos lecteurs à partir de 3 nuits.

Dans le quartier de Plaka et Syndagma

De bon marché à prix moyens

🛏 **The Student's and Traveller's Inn** (plan couleur II, B3, 66) : 16, odos Kidathineon. ☎ 21-03-24-48-08 et 21-03-24-88-02. Fax : 21-03-21-00-65. ● students-inn@ath.forthnet.gr ● Ⓜ Akropolis. Ouvert 24 h/24. Dans une vieille demeure, en plein cœur de Plaka, ce qui se paie. Même proprio qu'à l'*Hostel Aphrodite*. Compter 24 € pour une nuit en chambre de 4 (sanitaires communs) et 27 € pour des sanitaires privés ; la chambre double climatisée sans salle de bains est à 55 € et à 65 € avec. Propose également des chambres triples. Endroit connu, donc assez bondé et pas toujours impeccable. Pièces très petites. Douches chaudes toute la journée. Lavabo dans quelques chambres. Certaines possèdent un grand balcon agréable. Cuisine et salle de petit déjeuner toutes neuves. Accès Internet. Bruyant (on est en plein Plaka). Cartes de paiement refusées.

🛏 **Hôtel Dioskouros** (plan couleur II, B4, 69) : 6, odos Pittakou. ☎ 21-03-24-81-65. Fax : 21-03-21-09-07. ● www.consolas.gr ● Ⓜ Akropolis. Ouvert 24 h/24. En dortoir, de 15 à 20 € par personne. Compter de 45 à 54 € pour une chambre double, sans petit dej'. Dans une ruelle tranquille de Plaka, hôtel de 35 lits. Chambres très claires, repeintes en blanc et bleu, de 1 à 5 lits, avec téléphone. La n° 23, une double, est dotée d'un joli balcon. Sanitaires extérieurs et assez vétustes. Pas d'AC mais des ventilateurs. Frigos dans les chambres. Jardin intérieur très agréable où l'on peut prendre le petit déjeuner. *Roof garden.* Consigne payante à partir du 2e jour. Cartes de paiement acceptées.

Plus chic

🛏 **Hôtel Adonis** (plan couleur II, B3, 70) : 3, odos Kodrou. ☎ 21-03-24-97-37. Fax : 21-03-23-16-02. Très bien situé, dans une rue calme et piétonne de Plaka. Ouvert toute l'année. Chambres doubles de 50 à 80 €. Chambres avec douche, balcon ou terrasse et téléphone. Peinture récente et mobilier très correct, mais salle de bains ancienne. Petit déjeuner compris, servi dans une salle à moitié en terrasse avec vue superbe sur l'Acropole et le Lycabette. Prix dégressif à partir du 3e jour. N'accepte pas les cartes de paiement.

Encore plus chic

🛏 **Hôtel Plaka** (plan couleur II, B3, 72) : 7, odos Kapnikaréas et Mitropoléos. ☎ 21-03-22-20-96. Fax : 21-03-22-24-12. ● www.plakahotel.gr ● Ⓜ Monastiraki. En haute saison, dans les 145 € la chambre double, petit déjeuner compris. Prix intéressant du 1er novembre au 18 mars. Bien situé et moderne. Dispose de 67 chambres agréables avec salle de bains, AC, téléphone, TV, réfrigérateur et sèche-cheveux. Uniquement 8 chambres avec vue. Très propre. *Roof garden* avec superbe panorama sur Plaka et l'Acropole. Salle du petit déjeuner très sympathique. Accepte les cartes de paiement. Même direction à l'*hôtel Achilleas*, 21, odos Lekka (plan couleur II, B2). ☎ 21-03-23-31-97. Mêmes tarifs et 10 % de réduction sur présentation du *GDR*. Enfin, l'*hôtel Arion* (18, odos Agiou Dimitriou, dans Psiri ; plan couleur II, B2) est également géré par les mêmes proprios. ☎ 21-03-23-31-97. Fraîchement remis à neuf. Tarifs similaires.

Au sud de l'Acropole (quartier de Koukaki)

Prix moyens

🛏 **Marble-House Pension** *(plan couleur I, A4, 47)* **:** à la hauteur du 35, odos Zinni. ☎ 21-09-23-40-58 et 21-09-22-82-94. Fax : 21-09-22-64-61. • ● www.marblehouse.gr • Ⓜ Akropolis. Au fond d'une impasse bordée de clémentiniers. Chambres doubles à 42 € sans salle de bains et à 48 € avec (ces prix incluant la remise faite sur présentation du *Guide du routard*). L'hiver, on peut louer au mois, tarifs à négocier. Dans une maison particulière, qui a gardé un joli cachet, 16 chambres confortables, régulièrement entretenues, à prix très raisonnables. Quartier calme, à 10-15 mn seulement de l'Acropole. Hôtel rénové il y a cinq ans offrant un rapport qualité-prix correct. Beau carrelage type marbre. AC sur demande (supplément) dans 12 des 16 chambres et ventilateur à pales dans les autres. Chambres triples ou quadruples à prix intéressant. Bon accueil de Nancy et Thanos ou de leur fils Christos. Petit déjeuner non obligatoire.

🛏 **Tony's Hostel** *(plan couleur I, A4, 48)* **:** 26, odos Zacharitsa. ☎ et fax : 21-09-23-63-70 et ☎ 21-09-23-05-61. • ● www.hoteltony.gr • Ⓜ Akropolis. À 10 mn de l'Acropole, entre le site et l'avenue Syngrou. De 55 à 65 € pour une chambre double. Dans Koukaki, quartier agréable et où l'on peut se garer facilement. La pension propose de belles chambres, parfois avec balcon. Un peu bruyant. Ne sert pas de petit déjeuner. Consigne gratuite. *Roof garden* avec vue sur le Parthénon. Prix dégressifs si l'on reste plusieurs jours. On peut aussi y louer petits appartements et studios avec cuisine, tout neufs et de bon rapport qualité-prix. N'accepte pas les cartes de paiement.

Plus chic

🛏 **Art Gallery Hotel** *(plan couleur I, A4, 49)* **:** 5, odos Erechthiou. ☎ 21-09-23-83-76. Fax : 21-09-23-30-25. • ● ecotec@otenet.gr • Ⓜ Akropolis. De 60 à 105 € pour une double, petit déjeuner inclus. Si l'on se contente d'une salle de bains à l'extérieur, c'est 15 € de moins. Dans une maison de famille bourgeoise (la propriétaire y est née), décorée de nombreux tableaux, ce petit hôtel d'une vingtaine de chambres possède une touche artistique indéniable. Chambres plutôt spacieuses, avec AC et TV, certaines avec vue sur l'Acropole. Petit déjeuner servi au 4e étage dans la « gallery », ancien atelier où travaillait la tante de la proprio, peintre de son état. Cartes de paiement refusées.

Encore plus chic

🛏 **Hôtel Philippos** *(plan couleur I, B4, 50)* **:** 3, odos Mitseon. ☎ 21-09-22-36-11/3. Fax : 21-09-22-36-15. • ● www.philipposhotel.gr • Ⓜ Akropolis. Compter de 148 à 197 € pour une chambre double. Dans un quartier plutôt agréable. Bel hôtel récent, de 50 chambres, à la décoration raffinée. Mobilier en bois de qualité. AC, TV, réfrigérateur et sèche-cheveux. Très propre. Certaines chambres ont vue sur l'Acropole. Petit patio où sont disposées quelques tables. Cartes de paiement acceptées. Réduction de 10 % sur présentation du *GDR*. Ceux qui trouveraient que l'hôtel n'est pas assez luxueux pourront aller à l'hôtel *Hérodion*, 4, odos R. Galli (en remontant la rue Mitséon). Même gestion, mais prestations et tarification supérieures.

Dans le quartier de Pangrati

Bon marché

▲ *Youth Hostel Pangrati* (plan couleur I, C4, 51) : 75, odos Damareos (entre Pyrrou et Frinis), parallèle à l'avenue Imittou. ☎ 21-07-51-95-30. Fax : 21-07-51-06-16. • sko kin@hol.gr • Au sud-est du stade olympique ; à 1,6 km de Syndagma (bus nᵒˢ 209 et 210, arrêt « Filolaou »). Entrée indiquée par un discret autocollant de la *Greek Youth Hostel Organization,* non affiliée à la Fédération internationale. Ouvert toute l'année. Compter 12 € par personne. Apportez éventuellement vos draps et vos serviettes, sinon vous aurez un supplément à payer. Accueil très sympa de Yannis Triandafillidou, qui parle 6 langues (dont le français). Capacité de 80 personnes environ. Dortoirs de 6 lits maximum. Plutôt *clean* bien que spartiate. Murs aux couleurs agréables, repeints récemment. Sanitaires et douches refaits en 2000. Salle de TV. Pas de petit déjeuner mais cuisine mise à disposition. Machine à laver.

Où camper dans les environs ?

Pas de camping central à Athènes. En plus des 3 indiqués ci-dessous, il en existe quelques autres en Attique, plus éloignés (à Rafina, voir le chapitre « Rafina » ; vers Marathon – *Ramnous Camping* – et vers le cap Sounion, le camping *Bacchus* – voir « Dans les environs d'Athènes »).

▲ *Athens Camping :* 198-200, léoforos Athinon, 12136 Peristeri ; à 7 km du centre d'Athènes, sur la route de Corinthe, côté droit. ☎ 21-05-81-41-14 (l'hiver, ☎ 21-05-81-41-01). Fax : 21-05-82-03-53. D'Athènes, bus nᵒˢ A15 ou B15 de la rue Deligeorgi, vers la place Karaiskaki (dernier bus à 23 h) pas très loin de la place Omonia. Du Pirée, bus nᵒˢ 802 ou 845. Ouvert toute l'année. Compter environ 20 € pour 2 personnes, une tente et une voiture. Évitez de vous installer près de la nationale, très bruyante, très poussiéreuse... On y parle le français. En été, c'est l'entassement et l'accueil laisse à désirer. Sanitaires impeccables mais parfois insuffisants en fin de journée. Épicerie. Tavernebar. Cher et peu copieux. Vente de tickets de bus.

▲ *Camping Néa Kifissia :* 60, odos Aigiou Potamou et Dimitsanis, à Adamès, quartier de Néa Kifissia. ☎ 21-08-07-55-79 et 21-06-20-56-46. Fax : 21-08-07-55-79. Accès depuis le métro (ligne 1, terminus nord) ; ensuite, de la station, traversez la rue puis le parc, prenez le bus nᵒ 522 (ou 523) et demandez au chauffeur de vous y arrêter. En voiture, c'est à 16 km du centre d'Athènes, accès depuis la route nationale pour Lamia-Thessalonique (c'est un peu à l'ouest de la nationale, à 700 m, après être passé sous un pont ; c'est assez mal indiqué). Ouvert toute l'année. Environ 18 € pour 2 personnes, avec une tente et une voiture. Camping agréable, bien équipé, avec piscine (on n'est pas loin de Kifissia, le quartier résidentiel d'Athènes). Sans doute le meilleur des campings dans les environs d'Athènes. Seul inconvénient : il est pas mal fréquenté par des groupes (pas spécialement calmes quand il s'agit, par exemple, de jeunes dont c'est le dernier soir en Grèce) et loin d'être paisible dans ces cas-là.

▲ *Camping Varkiza Beach :* à la sortie de Vouliagmeni, en direction de Sounion, en contrebas de la route, juste après le panneau indiquant la fin du village. ☎ 21-08-97-36-14. Fax : 21-08-97-00-12. À une trentaine de kilomètres d'Athènes. Bus direct E20 (l'été seulement) ou

A2, ou B3 depuis Akadimia. Correspondance à Glyfada avec les n°s 115 ou 116 jusqu'à l'arrêt « Camping ». Ouvert de fin mai à septembre. Compter 22 € pour 2 personnes, avec une tente et une voiture. Cher et pas renversant. Une centaine d'emplacements. Mini-market, bar, restaurant et discothèque (très réputés, donc très fréquentés les week-ends et tout l'été)...

Où dormir dans les environs ?

Si l'on veut éviter le centre d'Athènes, il existe un certain nombre de possibilités dans un rayon de 20-30 km autour de la capitale. Avec les nouveaux transports en commun, certaines de ces adresses deviennent beaucoup plus proches qu'auparavant. Voir aussi les chapitres consacrés à Rafina et au Pirée.

🛏 **Hôtel Park :** 9, odos Evkalipton, 153 42 Agia Paraskevi. ☎ 21-06-00-71-15. Fax : 21-06-00-29-16. ● www.theparkhotel.gr ● Sur la grande voie (Messogion) qui relie Athènes à l'aéroport de Spata. L'hôtel est annoncé au niveau des n°s 502-504 (côté gauche de la route quand on vient de Spata) et se trouve un peu plus haut. Ouvert toute l'année. Compter dans le 80 € pour une chambre double. Une quarantaine de chambres très correctes, avec AC. Parking privé.

🛏 **Hôtel Panthéon :** à 13 km de Spata, au 31e km de la route Athènes-Lavrio. Bien indiqué aux environs de Kératéa. ☎ et fax : 22-99-04-06-64. ● www.hotelpantheon.gr ● Compter 84 € pour une double avec petit dej'. Récent et propre. Chambres insonorisées au rez-de-chaussée. Tenu par un couple sympathique. 10 à 20 % de réduction pour nos lecteurs sur présentation du GDR (séjours de plus d'une nuit).

🛏 **Hôtel Prima :** à Néo Faliro, 7, odos D. Faliréos. ☎ 21-04-81-25-01. Fax : 21-04-81-33-59. Ⓜ Néo-Faliro (ligne 1). Dans le quartier des sites olympiques de Faliro (le Phalère de l'antiquité). Compter environ 65 € la chambre double. Chambres sans cachet particulier mais offrant un confort correct (AC, TV). L'intérêt réside dans le quartier, sympathique, avec tavernes et petits commerces.

🛏 **Hôtel Sea View :** 4, odos Xanthou et Lazaraki, 166 74 Glyfada. ● www.seaview.gr ● À 200 m de la mer (tourner à la station BP pour prendre odos Xanthou). Du Pirée, bus A1, A2 ou E96 (qui continue vers l'aéroport) ; ou par le tramway qui part de la place Syndagma et va jusqu'à glyfada. Compter environ 100 € la chambre double. Hôtel agréable, assez proche des plages les plus fréquentées de l'Attique.

Où manger ?

Athènes offre un grand choix d'établissements où vous restaurer : le choix est tel qu'il est même difficile de s'y retrouver. On vous propose ici une sélection de tavernès, psistariès (restaurants spécialisés dans les grillades) ou mézédopolia (spécialisés, eux, dans les mezze dont on peut faire un repas complet) qui ont comme point commun d'offrir de la nourriture grecque. Il est évidemment possible de manger sur le pouce un gyros ou un kébab, vous en trouverez dans de nombreux endroits (par exemple autour de la place Exarchia). Si vous préférez acheter de quoi vous préparer un repas, il existe plusieurs supermarchés (voir les adresses utiles), pas dans l'hyper-centre touristique mais à proximité. Quelques commerces de détails dans Plaka, mais plus chers. Les bonnes boulangeries existent aussi, par exemple au pied de l'Acropole, à l'angle des rues Zitrou et Missaraliotou *(plan couleur I, B4)*, **O Takis.** Grand choix, le matin, de gâteaux (goûtez le cake cappuccino), de *pittès*, etc.

Attention, cartes de paiement le plus souvent refusées.

Dans Plaka

Espérer trouver une taverne typiquement grecque à Plaka, c'est comme chercher un strip-tease typique à Pigalle. Elles sont toutes plus ou moins touristiques. Ça va de l'usine à touristes, capable d'enfourner 5 groupes d'Américains ou de Français, jusqu'à la petite gargote, servant le populaire *souvlaki*. Entre les deux, tout établissement distillant du *bouzouki*, avec danseurs une table entre les dents, peut être considéré comme aussi typique que les restos de la place du Tertre à Montmartre. Votre choix s'effectuera donc selon vos propres critères et selon votre seuil d'irritation au racolage et à l'obséquiosité de l'accueil, selon, aussi, le juste équilibre entre touristes et Grecs, et surtout votre flair pour humer l'arnaque possible. Il reste cependant quelques tavernes qui conservent quelque chose de naturel, de sympa, et qui ne font pas systématiquement la guerre aux voisins pour se voler les clients. Comme on peut s'en douter, elles ne sont pas situées dans les rues les plus passantes ; elles auraient même tendance à chercher les coins à l'écart. Attention, certains de restos sont fermés en août. Pour manger sur le pouce, un ami plakiote (né dans le quartier) nous a assuré que les meilleurs *souvlakia* classiques (sur une petite broche) étaient ceux chez **Apostolis** *(plan couleur II, B3)*, 118, odos Adrianou.

De bon marché à prix moyens

|●| **Taverne O Platanos** *(plan couleur II, B3, 110)* : 4, odos Diogenous. ☎ 21-03-22-06-66. Situé sur une place bien sympathique. Ouvert midi et soir. Fermé le dimanche soir. Repas complet pour 12 à 15 €. Nourriture classique correcte. – encore que la qualité soit inégale de l'avis de nombreux lecteurs – et surtout le meilleur vin résiné d'Athènes. Les clients peuvent d'ailleurs y acheter du vin à un prix très intéressant (apportez vos bouteilles vides).

|●| **Scholarchio Yérani** *(ex-Ouzeri Kouklis ; plan couleur II, B3, 111)* : 14, odos Tripodon. ☎ 21-03-24-76-05. Compter dans les 10 € par personne. On vous apporte un grand plateau avec une dizaine de plats (entrées et plats de résistance) et vous composez vous-même votre repas. Adresse très touristique, mais pas désagréable. Beaucoup d'animation, les plateaux passent et repassent...

Prix moyens

|●| **Restaurant végétarien Eden** *(plan couleur II, B3, 113)* : 12, odos Lissiou et Mnissikléous. ☎ 21-03-24-88-58. Ouvert tous les jours sauf le mardi, de midi à minuit. Compter dans les 15-20 € pour un repas complet et copieux. Propose aussi un menu moins cher. Belle salle climatisée. Très populaire et très apprécié des Anglo-Saxons (faut dire qu'il n'y a pas d'adresse équivalente à Athènes et dans les environs). Goûter à la *moussaka* au soja, au *hortokéftedakia* ou aux lasagnes végétarien-nes. Dispose d'une salle non-fumeurs.

|●| **Palia Taverna tou Psara** *(plan couleur II, B3, 114)* : 16, odos Eréchtheos et Erotokritou. ☎ 21-03-21-87-33. Ouvert tous les jours de l'année de 12 h à 1 h du matin. Compter au moins 15 € pour un repas. Taverne fondée en 1898, une des plus anciennes de Plaka. Très belle terrasse sur l'avant et sur l'arrière du restaurant, juste au pied de l'Acropole. Cuisine traditionnelle et grillades. Le vin est servi au tonneau. Service efficace. Musique le soir.

ATHÈNES

Très chic

|●| **Restaurant Daphné's** (plan couleur II, B4, **116**) : 4, odos Lissikratous. ☎ 21-03-22-79-71 et 21-03-22-16-24. En face de l'église Agia Katerini. Ouvert de 19 h 30 à minuit. Les vendredi et samedi, des musiciens viennent agrémenter le repas. Compter dans les 45 € pour un repas complet, boisson non comprise. En exhibant à l'entrée les signatures d'Hillary Clinton et de Madeleine Albright (mais aussi de Lionel Jospin ! sic tran- sit gloria mundi...), ce restaurant ne fait pas preuve d'un grand sens de la modestie... Le cadre à lui seul vaut le coup d'œil : murs intérieurs recouverts de fresques à la manière de Pompéi, qui ont demandé à leur auteur deux années de travail. Très agréable cour intérieure. La nourriture n'est ni typique ni originale, mais c'est bon et copieux. Personnel attentionné.

À Monastiraki et Psiri

Entre la place Monastiraki et la rue Mitropoléos (plan couleur II, B3), c'est le coin des souvlakia et des kébabs. Chez Thanassis (« Mac Thanassis » pour les Athéniens), contentez-vous d'un sis kébab. En fait, Monastiraki étant hyper touristique, difficile d'espérer y trouver une cantine agréable. En revanche Psiri, un quartier d'artisans à 5 mn de Monastiraki, est devenu en quelques années un des endroits les plus fréquentés d'Athènes pour ses restos, presque tous des mezzedopolia. On en compte désormais des dizaines. Mode oblige, ces restos sont plus chers que dans Plaka, mais ils offrent parfois des plats plus originaux.

Prix moyens

|●| **Taverne de Psiri** (plan couleur II, A3, **117**) : 12, odos Eschylou. ☎ 21-03-21-49-23. Ouvert toute l'année midi et soir. Compter dans les 12-15 € pour un repas. Bonne adresse de quartier. Jolie salle ventilée aux murs tapissés de petits cadres, de vieilles photos. Service rapide, tout le monde va choisir son plat qui mijote. Le bifteki parfumé aux herbes est réputé. Bon vin maison, qui accompagnera merveilleusement spanakopitès, moussakas et autres aubergines farcies.
|●| **Mezedopolio Naxos** (plan couleur II, A3, **118**) : platia Christokopidou. ☎ 21-03-21-82-22. Ouvert midi et soir. Compter entre 12 et 15 € par personne, voire un peu plus si vous optez pour les produits de la mer, spécialité de la maison. Dans Psiri, mais un peu à l'écart du Psiri mondain. Agréable le soir : pas trop de passage. On mange en terrasse, en face de l'église ou dans un nouvel espace aménagé. Petit brasero où l'on prépare le poulpe (khtapodi sta karvouna). Bons calamars (soupiès façon supion ou thrapsalo) et mezze (pikilia) qui se laissent déguster.

Plus chic

|●| **Inéas** (plan couleur II, A3, **119**) : 9, odos Esopou. ☎ 21-03-21-56-14. Ouvert toute l'année. À partir de 18 h du lundi au jeudi et dès midi les vendredi, samedi et dimanche. Compter de 18 à 20 € par personne. On mange en terrasse (rue piétonne) ou en salle (climatisée). La décoration de la salle mérite la visite (pubs des années 1950 qui donnent un cachet rétro et un tantinet kitsch) jusqu'aux toilettes qui ne déparent pas avec leurs pubs L'Oréal. Côté assiette, des plats qui changent un peu de

l'ordinaire des tavernes : les salades sont bonnes et très copieuses comme la salade *Mégalonissou*. Les autres plats manifestent tous une certaine originalité par rapport à la norme et c'est bon, ce qui justifie le prix plus élevé que la moyenne. On vous recommande la tarte au fromage de chèvre et tomates confites.

Dans le quartier de Thissio

|●| *To Stéki tou Ilia (plan couleur I, A3, 91)* : 5, odos Eptahalkou. ☎ 21-03-45-80-52. Pas vraiment d'enseigne mais c'est le seul resto de cette rue très tranquille qui surplombe la ligne de métro près de la station Thissio. Fermé le dimanche. Ouvert le soir seulement. Compter entre 12 et 15 € par personne. On mange sur les deux côtés du trottoir, face à l'église. Clientèle de fidèles qui viennent les yeux fermés – pas de carte en évidence ! C'est la taverne-*psistaria* spécialisée dans les grillades *(brizolès)* au kilo. C'est d'ailleurs pour cela qu'on y va : excellentes côtelettes d'agneau *(païdakia)*. Les gigantesques tonneaux en salle valent aussi le coup d'œil. Si c'est fermé, continuez la rue sur 400 m jusqu'à ce qu'elle devienne odos Thessalonikis, et au n° 7, vous tomberez sur l'établissement jumeau, portant le même nom (☎ 21-03-42-24-07). Fermé le lundi.

|●| *Philistron (plan couleur I, A3, 92)* : 23, odos Apostolou Pavlou et odos Pnikos. ☎ 21-03-42-28-97. Ouvert tous les jours et toute l'année, à partir de 18 h. Compter en moyenne dans les 15 € par personne. L'endroit pourrait sembler un peu chic (le mobilier récent a besoin de vieillir un peu !), mais les prix demeurent raisonnables. Belle terrasse bien fleurie à l'étage *(roof garden),* avec vue sur l'Acropole. Cuisine de qualité (de nombreux *mezze).* Très bon service. Cartes de paiement acceptées.

Dans le quartier de Gazi

Gazi est devenu en quelques années le deuxième quartier de la branchitude, faisant une concurrence effrénée à Psiri. Actuellement, l'accès, pour les touristes, n'est pas des plus facile (à moins d'y descendre à pied, il n'y a que le bus au départ d'Omonia : n°s 811, 838, 914 et G18), mais dès que la station de métro sera terminée, le quartier deviendra très proche du centre. Bars et boîtes pullulent. Beaucoup d'ambiance le soir (le midi, c'est plutôt désert).

|●| *Kallihoron (hors plan couleur I par A3, 93)* : 31, odos Perséphonis. ☎ 21-03-47-87-59. Ouvert midi et soir. En face de l'ancienne usine à gaz rebaptisée *Technopolis.* Pour un repas complet, compter 20 €. Salle assez chicos (parquet, tables et chaises en bois lourd qui donnent un air ancien à cette adresse récente, une des premières tout de même dans le quartier). Également une terrasse à l'étage. Plus cher que la moyenne (mais c'est le quartier très tendance qui veut cela) mais parts très copieuses : les assiettes-salades servies contentent aisément 2 personnes à l'appétit moyen. Cartes de paiement refusées.

Autour des Halles

Les Halles d'Athènes vivent comme au temps de celles de Paris avant qu'elles n'émigrent à Rungis. Toute une population, un peu coupée du reste de la ville, y demeure. Leurs habitants mangent dans des restaurants vraiment populaires, où les seuls étrangers qui s'y aventurent sont ceux qui ont les mêmes mauvaises lectures que vous.

ATHÈNES

|●| I Ipiros (plan couleur II, B2, 121) : 4, odos Filopiménos, dans les Halles mêmes. ☎ 21-03-24-07-73. Voici la meilleure façon de s'y rendre : juste après l'odos Evripidou, remonter un peu l'odos Eolou, puis entrer à gauche sous les Halles à hauteur du n° 81. Ouvert en semaine 24 h/24. Le dimanche, fermé de 6 h à 18 h et de juillet à octobre fermé de 20 h à 10 h du matin. Cœurs sensibles, s'abstenir, car l'odeur de la viande y est assez forte. Derrière les étals de nourriture, vous découvrirez ce restaurant en angle. Impossible de vous tromper, c'est bourré de commerçants du quartier (et autant de gens ne peuvent avoir tort !). Carte affichée au mur, mais le plus simple est de montrer ce que l'on veut manger. Quelques plats vraiment goûteux, entre autres l'arni (agneau) en fricassée et évidemment, la spécialité des Halles, la patsas (soupe aux morceaux de viande).

|●| Resto sans nom (plan couleur II, A2, 122) : à l'angle d'odos Sokratous et d'odos Theatrou. ☎ 21-03-21-14-63. Le restaurant, sans enseigne, est en sous-sol, sous un magasin d'olives (apparemment fermé en 2004). Ouvert seulement le midi. Compter de 7 à 10 € pour un repas. Ce resto s'appelle en fait Diporto, mais il ne porte aucune pancarte et l'entrée (marron) est à peine visible. Petite salle enfumée avec les traditionnelles barriques de retsina au mur. Plus populaire, tu meurs. Clientèle de commerçants des marchés voisins. Peu de choix, il faut se décider parmi les plats du jour qui mijotent, de la viande principalement. Vaut vraiment le coup d'œil.

|●| I Stoa (Chez Vangélis ; plan couleur II, A2, 123) : odos Evripidou. Ouvert jusqu'à 20 h tous les jours. Compter dans les 12 €. Une adresse à l'image de la rue Evripidou : populaire, fait de bric et de broc. On mange dans une sorte de passage fermé, sous une verrière en triste état. Petites tables, chaises dépareillées, déco kitschissime. Les plats vous attendent, service rapide. Une survivance du vieil Athènes qui disparaîtra sans doute avec son proprio.

Plus chic

|●| En Athinaïs (plan couleur II, B2, 133) : 1, odos Iktinou et Klisthénous. ☎ 21-05-22-10-44. Derrière la mairie. Ouvert jusqu'à 16 h. Compter dans les 15 € pour une entrée et un plat. Ce restaurant en sous-sol, très discret, est une des cantines des employés de la mairie voisine, qui n'y arrivent pas avant 14 h 30. Petite carte qui propose de bonnes salades, rompant avec la traditonnelle choriatiki, et quelques plats de viande. Sympathique patron.

Quartier de Victoria

Bon marché

|●| Dafni (plan couleur I, B1, 94) : 65, odos Ioulianou. ☎ 21-08-21-39-14. Ⓜ Victoria. Ouvert tous les jours, de midi à 1 h du matin. On y mange bien pour 9 à 13 €. Le restaurant grec qu'on se le représente : on mange dehors, sous des treilles. Au fond, les tonneaux de retsina si vous avez très soif. Bonne cuisine très variée, avec des plats différents chaque jour. Là, les influences de la nourriture américaine ou européenne ne sont pas encore arrivées. Profitez-en ! On va soi-même choisir son plat en cuisine. Goûtez absolument à la moussaka et au poulpe. Plats à emporter.

Entre Syndagma et Omonia

Prix moyens

|●| Athinaïkon (plan couleur II, B2, 124) : 2, odos Thémistokléous (et Panepistimiou). ☎ 21-03-83-84-85. Service assuré de 11 h 30 à minuit. Fermé le dimanche et en août. Repas pour 15 à 18 €. Ancienne taverne populaire, qui n'a pas changé de cadre depuis 1932, sauf l'AC bien entendu qui n'est pas d'origine. Salle avec mezzanine. Excellente atmosphère. Réputé pour ses *mezze*, brochettes d'agneau, foie de veau, *souvlaki* d'espadon, calamars, etc. N'accepte pas les cartes de paiement.

|●| Kentrikon (plan couleur II, B3, 125) : 3, odos Kolokotroni ; s'engager sous l'arcade, dans l'impasse qui prend en face de la place. ☎ 21-03-23-24-82. Ouvert le midi seulement jusqu'à 18 h. Fermé le dimanche. Repas complet entre 15 et 20 €. Une grande salle, plutôt quelconque, avec une clientèle d'avocats, de journalistes... de gens bien installés dans la vie. Décor de grandes gravures.

L'été, on mange en terrasse. Bonne cuisine grecque classique : agneau aux aubergines, poisson à l'athénienne, brochette de veau ou de porc *krassati*, etc.

|●| Pétrino (plan couleur II, B2, 126) : 32, odos Thémistokléous (à l'angle d'Akadimias). ☎ 21-03-80-41-00. Pas loin d'Omonia. Ouvert midi et soir, jusqu'à 1 h. En été, fermé le samedi soir et le dimanche. De 15 à 18 € pour un repas complet. Cadre assez sophistiqué, un peu clinquant diraient certains : décor brique, pierre et plantes vertes. Clientèle chic. L'endroit jouit d'une très bonne réputation. Quelques spécialités : *fish kébab* d'espadon, brochette de moules et bacon, poulpe sauce au vin, *spetsofai*, etc. La carte, en grec, bien mise en évidence sur le trottoir, est impressionnante de variété. Également présent, sous la même enseigne, au Pirée (Passa Limani) et à Glyfada.

Autour d'Exarchia

De bon marché à prix moyens

|●| Lefka (plan couleur I, C2, 95) : 121, odos Mavromichali. ☎ 21-03-61-40-38. Tout en haut du quartier d'Exarchia. Ouvert de 20 h 30 à 2 h du matin. Fermé le dimanche. Compter entre 10 et 15 €. Grande terrasse dans une cour intérieure, bordée d'un côté par d'imposants tonneaux. Chaises en bois à l'ancienne. Dans l'assiette, plats classiques comme l'agneau à l'origan. Beaucoup d'habitués.

|●| Ama Lachi (plan couleur I, B2, 96) : 66, odos Methonis ou 69, odos Kallidromiou (deux rues parallèles : on entre soit par le bas soit par le haut du restaurant). ☎ 21-03-84-59-78. Ouvert tous les jours, uniquement le soir, sauf en saison où c'est ouvert du vendredi au dimanche. Fermé en août. Compter autour de 15 € par personne. Situé dans une

rue piétonne, sur les hauteurs du quartier branché d'Exarchia (ça grimpe). Cadre original dans une ancienne école communale. Vous entrerez soit par les salles de classe, où sont installées plusieurs tables, soit par la cour de l'établissement, où vous pourrez vous restaurer à l'ombre des treilles. Cuisine traditionnelle.

|●| Psistaria Vergina (plan couleur I, B2, 97) : 62, odos Valtetsiou. ☎ 21-03-60-79-92. Compter autour de 10 € par personne. Ouvert tous les jours de midi à 2 h du matin. Une des rares adresses traditionnelles du quartier, submergé de bars tous plus branchés les uns que les autres. Terrasse sympa dans la rue piétonne. Cuisine de taverne égale à elle-même. Très fréquenté le soir. Plats à emporter, *gyros*. Une clientèle principalement grecque.

ATHÈNES

|●| **Taverna Rozalia** (plan couleur I, B2, **97**) : 58, odos Valtetsiou. ☎ 21-03-30-29-33. Ouvert tous les jours, midi et soir. Compter entre 12 et 15 € pour un repas. Dans une rue piétonne, grande terrasse ombragée. Un grand choix d'entrées. Les plats sont copieux et le service efficace. On vous conseille les boulettes de viande et les viandes grillées. Un endroit très agréable. Une bonne adresse et un honnête rapport qualité-prix.

|●| **Ta Grévéna** (plan couleur II, C2, **127**) : 78, odos Ippokratous, à l'angle de l'odos Méthonis. ☎ 21-03-64-25-92. Ouvert en semaine de 11 h 30 à minuit et le week-end de 7 h à minuit et plus. Repas entre 9 et 12 €. Une *psistaria* où il est possible de venir manger sur le pouce un *gyros* ou un *souvlaki* mais où l'on peut également s'installer (salle intérieure) pour un repas complet. Tout est cuisiné sur le gril : poulet à la broche, *brizolès* (grillades), *bifteki*... Quelques vieilles photos sur les murs pour la déco, et un bon accueil du patron qui fait de gros efforts pour vous comprendre (il parle un peu l'allemand). Parfois, si la soirée s'y prête, musique et danses traditionnelles. Bonne ambiance. Pas de prétention gastronomique, mais on y mange très correctement.

De prix moyens à plus chic

|●| **Yiantès** (plan couleur I, B2, **98**) : 44, odos Valtetsiou. ☎ 21-03-30-13-69. Ouvert tous les soirs jusqu'à 1 h du mat'. Compter autour de 18 € pour un repas. Ce restaurant propose une cuisine un peu plus élaborée que la moyenne des autres adresses du quartier, qui fait appel à d'intéressants mélanges de saveurs. Choix appréciable de légumes (poêlés) et de salades. Cadre agréable (cour arborée accueillant une trentaine de tables, chaises en moleskine). Ambiance musicale genre Buena Vista Social Club. Accueil cordial, et en français.

|●| **To Stéki tis Xanthis** (plan couleur I, C1, **99**) : 8, odos Poulchérias, derrière la colline de Stréphi. ☎ 21-08-82-07-80. Ouvert le soir. Fermé le dimanche. De 12 à 18 € pour un repas. Un restaurant discret, dans une maison particulière. Grande terrasse avec vue sur les collines d'Athènes. Très fréquenté à partir de 22 h, heure à laquelle se produisent parfois des musiciens. Excellente cuisine typique de la gastronomie grecque. Essayez, notamment, le coq au vin spécial *(kokkoras krassatos)*.

Plus chic

|●| **Kallisti** (plan couleur I, C2, **100**) : 137, odos Asklipiou ; vers l'avenue Alexandras. ☎ 21-06-45-31-79. Ouvert uniquement d'octobre à mai, de 20 h 30 à 1 h. Fermé le dimanche. Compter entre 24 et 30 € par personne. Pour ceux qui ont la chance de séjourner hors saison, voici une adresse hors pair. Dans un hôtel néoclassique, *Kallisti* propose une cuisine traditionnelle, renouvelée et plus élaborée, en s'inspirant des différents types de cuisine des Grecs vivant à l'étranger et dans les îles. Pour vous donner une idée : champignons farcis aux crevettes (un délice !), poulet à la purée de noisettes et de céleris, et pour finir glace vanille et mandarine avec poudre d'amandes (profitez-en, car les desserts sophistiqués sont plutôt rares). Produits biologiques. Vins de toute la Grèce, et en particulier ceux des petits producteurs. Piano certains soirs. Préférer la salle du 1er étage. Accueil sympathique. Vraiment une très bonne adresse !

Dans Kolonaki

Kolonaki, quartier très résidentiel, au pied du Lycabette, est l'endroit branché d'Athènes, où le comble du snobisme pour un Athénien est de lire, sur la terrasse d'un café, *Libération*. Beaucoup de galeries style art brut ou *happening video*, et de boutiques aux noms français.

Chic

ATHÈNES

|●| *Rodia (plan couleur II, C2, 129) :* 44, odos Aristippou. ☎ 21-07-22-98-83. Dans la rue qui mène au funiculaire pour le mont Lycabette, 300 m plus bas. Ouvert le soir à partir de 18 h jusqu'à 1 h du matin. Fermé le dimanche. On y mange pour environ 20 €. Entrée très discrète, parmi des immeubles résidentiels. Restaurant familial, le choix est assez limité : 3 ou 4 entrées et plats, et de même pour les desserts. Parmi les plats, on vous propose par exemple du veau au citron, du coq au vin. Atmosphère chaleureuse, dans une courette intérieure. À conseiller pour un repas intime. Si vous êtes nombreux, il est prudent de réserver.

|●| *To Kafénio (plan couleur II, C3, 130) :* 26, odos Loukianou. ☎ 21-07-22-90-56. Dans le quartier chic de Kolonaki. Ouvert de 12 h à minuit. Fermé le dimanche et au mois d'août. Compter entre 18 et 22 € par personne pour un repas avec dessert. Excellente cuisine de taverne dans un décor style brasserie (le « bistrot parisien » pour les Athéniens), avec de bons desserts. Quelques tables également sur le trottoir. Le gérant, très sympathique, parle le français. N'accepte pas les cartes de paiement.

Dans les quartiers sud

L'occasion de sortir des sentiers battus sans effort. Notamment, le quartier de Pangrati, au sud-est, fort peu foulé par les touristes, offre de nombreuses authentiques alternatives culinaires.

De bon marché à prix moyens

|●| *Karavitis (plan couleur II, C3-4, 132) :* 4, odos Pafsaniou (et Arktinou). ☎ 21-07-21-51-55. Pas loin du stade, dans le quartier de Pangrati. Ouvert tous les jours à partir de 20 h. Fermé une quinzaine de jours au mois d'août. Compter de 12 à 15 € par personne. Une des plus anciennes tavernes d'Athènes, très prisée des Athéniens. Elle a dé- ménagé et traversé la rue. Au fond, quelques tonneaux de *retsina*. Ne manquez pas d'aller jeter un coup d'œil à ceux, bien plus nombreux, qui se trouvent à l'intérieur, de l'autre côté de la rue. Goûter au *stamnaki* (veau à la tomate cuit en pot de terre) ou au *bekri-mezze* (ragoût de viande au vin et à la cannelle).

Où boire un verre?

🍸 *Place Victoria (plan couleur I, B1) :* Ⓜ Victoria. Cinq cafés autour de la bouche de métro. Notre préférence irait plutôt, on ne sait vraiment pas pourquoi, à celui appelé *La Crêperie*. Ambiance assez chouette le soir.

🍸♪ *Place Exarchia (plan couleur I, B2) :* une place en triangle, derrière l'École polytechnique. C'est le Quartier latin d'Athènes, du moins lorsqu'il était fréquenté par des étudiants. Nombreux bars et tavernes qui laissent juste un peu de place pour quelques bancs. Rendez-vous aussi des marginaux de tout poil. Le quartier est, dit-on, un bastion anar. Il doit détenir le record des murs graffités ! On y remarque aussi que l'étudiant grec a le cheveu particulièrement long. Attention, certains soirs sont très électriques. On y trouve aussi les meilleurs lieux musicaux, notamment des *rébétika*.

Dans le quartier du Thissio *(plan couleur I, A3)*

Un des quartiers branchés de la ville. Succession de bars au décor recherché, clientèle jeune, exclusivement grecque, qui joue au *tavli* (sorte de backgammon) en terrasse : une concentration incroyable de cafés et bars entre les rues Amphiktyonos, Niléos et Iraklidon. Ambiance assurée en soirée : on est sûr de se tenir chaud ! On vous indique un café, mais en fonction de vos goûts, on compte sur vous pour faire votre choix !

♪ **Stavlos** *(plan couleur I, A3, 150)* : 10, odos Iraklidon. ☎ 21-03-45-25-02. Ouvert toute l'année. Superbe café avec une vaste cour intérieure. Belle déco rustique et raffinée des

salles. Restauration. Également galerie d'art certaines semaines. Bonne musique. Seul problème : il faut réussir à trouver une place en soirée.

À Monastiraki et Plaka

Ⴒ **Café Aiolis** *(plan couleur II, B3, 160)* : 23, odos Éolou. ☎ 21-03-31-28-39. Ouvert de 9 h à 2 h du matin. Bar branché, donc un peu cher. Grande salle climatisée au décor sophistiqué. *Mezze* raffinés et bons plats italiens (servis à partir de 14 h) mais plutôt coûteux. Petite terrasse sur la rue Éolou, piétonne à cet endroit, qui accueille quelques tables.

Ⴒ **Kafenéion I Oraia Ellas** *(plan couleur II, B3, 161)* : 59, odos Mitropoléos ou 36, odos Pandrossou. ☎ 21-03-21-28-42. En plein cœur de Monastiraki, au 1er étage d'un centre d'artisanat traditionnel *(centre de tradition hellénique)* avec expo-vente. Ferme tôt le soir. Déco de vieilles cartes postales d'Athènes et d'affiches plus ou moins récentes. Pas trop touristique, étonnant vu le quartier.

Ⴒ **Café Mélina** *(plan couleur II, B3, 162)* : 22, odos Lissiou. ☎ 21-03-24-65-01. Ouvert tous les jours de 10 h à 2 h. Cadre original, à la déco plutôt baroque, et omniprésence de Mélina Mercouri (nombreuses photos sur les murs). Très cosy. Un peu cher mais souvent plein. Plats d'*ouzeri*, yaourts, pâtisseries. Petite terrasse en pente.

Ⴒ **Klepsydra** *(plan couleur II, B3, 163)* : 9-11, odos Thrassyvoulou. Petite terrasse riquiqui dans une rue relativement peu fréquentée de Plaka, à deux pas de tout ce qui compte dans le coin. Bon *frappé*.

Ⴒ **Diogénis** *(plan couleur II, B4, 164)* : pl. Lyssikratous. ☎ 21-03-22-48-45. Tout près de l'église Sainte-Catherine, au cœur de Plaka. Sur cette place fleurie et ombragée, où se dresse le monument de Lysicrate, *Diogénis* offre une terrasse idéale pour boire un verre en fin d'après-midi. Très fréquenté par les Grecs hors saison, mais beaucoup de touristes en été. Excellents *cappuccini* et cafés frappés. Restauration également, plus cher que la moyenne.

Ⴒ **O Glykys** *(plan couleur II, B3, 171)* : 2, odos A. Géronda. ☎ 21-03-23-39-25. Un café très fréquenté par les Grecs dans une rue pas trop passante. Grand choix de *mezze* également (possibilité de manger à toute heure, prix moyens). Clientèle 25-30 ans avec pas mal d'étudiants.

Ⴒ **Avyssinia** *(plan couleur II, A3, 165)* : 7, odos Kynetou. ☎ 21-03-21-70-47. Au cœur du marché aux puces de Monastiraki (entrée de la place d'Avyssinia sur Ermou). Ouvert de 11 h à 2 h du matin en semaine et de 11 h à 20 h le week-end. Fermé le lundi et 15 jours au mois d'août. Tout petit, tout étroit. Quelques tables et chaises pour déguster un excellent *espresso*. Parfois de l'accordéon. Pour manger, c'est assez cher (20 €) mais c'est une adresse réputée avec des plats qui apportent un peu de variété par rapport à l'ordinaire. Sinon, rien de particulier. Pour l'atmosphère des puces !

Vers l'Acropole

Ⴒ **I Dioskouri** *(plan couleur II, A3, 166)* : dans les escaliers de l'odos Dioskouron, en bordure de l'Agora, au pied de l'Acropole. Belle situation. Se-

lon les heures de la journée, le café est davantage fréquenté par les Grecs ou par les touristes. Bon *frappé*.

Entre Syndagma et Omonia

🍴 ♪ *Café Nikis* (plan couleur II, B3, *167*) : 3, odos Nikis. ☎ 21-03-23-49-71. Ouvert tous les jours (sauf le dimanche matin), toute la journée et jusque tard dans la nuit. Petit café avec une petite terrasse. Bonne musique assurée, c'est le patron qui est à la sono. Il a toutes les compilations des endroits branchés parisiens (bonne musique « ambiante »). Agréable à toutes les heures de la journée, bon café frappé et également quelques snacks.

Dans le Jardin national

🍷 *Kafénio O Kipos* (plan couleur II, C3, *168*) : tout près de l'entrée sur odos Irodou Attikou. Ouvert aux heures d'ouverture du parc. Un peu cher, mais pas de concurrence dans les proches environs, sauf le café du *Zappio*, au sud du Jardin.

À Kolonaki (plan couleur II, C3)

Nos lecteurs les plus snobs apprécieront les grandes terrasses de la **place Filikis Etérias**. C'est le point d'arrimage de toute la jeunesse dorée de Kolonaki. Pour voir et être vu. Festival de looks branchés et fringues mode. Le problème, c'est de réussir à trouver une place à « l'heure de pointe » : quasiment impossible et, à se retrouver à touche-touche comme des sardines, tout le plaisir est gâché. Au milieu, petit jardin agréable, où les lycéens se bécotent et où les mamies donnent à manger aux pigeons... Dans un autre genre, bien plus calme et plus simple : la *place Déxaméni*, quelques mètres plus haut. Cette place tire son nom de la citerne qui était, au siècle dernier, le réservoir d'eau de la ville d'Athènes (on distribuait l'eau en voitures-citernes stationnées odos Dinokratous, près de la place Déxaméni).

Au sud de l'Acropole

Pour nos lecteurs homos, il existe quelques bars-clubs gays à Athènes (ouverts uniquement le soir) :

🍷 *Alexander's* (plan couleur II, C2, *169*) : 44, odos Anagnostopoulou. ☎ 21-09-22-17-42. Dans le quartier de Kolonaki, au pied du Lycabette.
🍷 *Granazi* (plan couleur I, B4, *152*) : 20, odos Lebessi. ☎ 21-09-24-41-85). Et *E... Kai* (Et... Après ; plan couleur I, B4, *153*) : 12, odos Iossif ton Rogon. ☎ 21-09-22-17-42. Tous deux sont situés à proximité l'un de l'autre, dans le quartier Makrigianni, au sud de Plaka. Proposent parfois des spectacles (se renseigner).

Où manger une bonne pâtisserie ? Où déguster une glace ?

🍽 ♈ *Dodoni* (plan couleur I, A-B4, *151*) : 44-46, odos Dimitrakopoulou 76. Au sud de l'Acropole, dans le quartier de Koukaki. Ouvert de 10 h à 2 h 30. Sur une rue piétonne, dans un quartier très animé. Les glaces sont bonnes, à un prix raisonnable ; également choix de gâteaux et de gaufres, le tout à prix raisonnable. *Galaktozaharoplastion Ilari* (plan couleur II, B3, *190*) : 112, odos Adrianou. ☎ 21-03-23-64-87. En plein Plaka. Ouvert de 9 h à 0 h 30. Salle climatisée agréable (vieilles gravures sur les murs). Pas mal de bonnes pâtisseries orientales : *baklavas, kadaïfi, galaktobouréko*. À consommer sur place (il y a bien d'autres douceurs en vente) ou à emporter.

|●| *Krinos (plan couleur II, B3, 191) :* 87, odos Eolou. À deux pas du marché. Ouvert de 8 h à 16 h les lundi, mercredi et samedi, de 8 h à 21 h les mardi, jeudi et vendredi. On peut s'asseoir. Belles *bougatsès* (chausson fourré à la crème pâtissière et saupoudré de cannelle) à prix très

raisonnables.

|●| *Stani (plan couleur I, B2, 180) :* 10, odos Kotopouli. ☎ 21-05-23-36-37. À deux pas d'Omonia. Ouvert de 5 h 30 à 23 h tous les jours. Fermeture de 14 h à 17 h le dimanche en été. Une pâtisserie-crémerie connue, entre autres, pour son excellent yaourt au miel. Pas donné mais copieux et excellent, comme les crèmes à la cannelle. Bon, le quartier n'est pas terrible, c'est vrai...

Les spectacles

∞| *Danses traditionnelles au théâtre Dora Stratou (plan couleur I, A4) :* sur la colline de Philopappou. ☎ 21-03-24-43-95 (bureaux : 8, odos Scholiou, Plaka, de 9 h à 16 h) ou ☎ 21-09-21-46-50 (au théâtre à partir de 19 h 30). ⓜ Acropolis. Prendre le chemin du petit bois à l'angle de Dionissiou Aréopagitou et d'Apostolou Pavlou, puis tourner à gauche après l'église Agios Démétrios. De fin mai à fin septembre, tous les jours sauf le lundi, spectacle à 21 h 30. Le dimanche, spectacle à 20 h 15. Billet : 15 €. Tarif réduit pour les groupes : 10 €. Enfants et étudiants : 5 €. C'est un spectacle de qualité, où les danses grecques sont fidèlement exécutées par une troupe de 75 artistes. Il faut dire que cette association, qui a pour but depuis 1953 de préserver le patrimoine chorégraphique de la Grèce, a patiemment reconstitué les costumes que revêtent les 75 danseurs et musiciens, costumes que portaient il y a encore une cinquantaine d'années les insulaires, lors des cérémonies de mariage ou de fêtes. Les parures avaient alors une signification à la fois sociale et culturelle. En effet, chaque détail d'une broderie ou d'un corsage pouvait indiquer le lieu d'origine de la jeune femme, si elle était mariée, quel était le métier du mari, si elle avait des enfants... La compagnie possède ainsi 2 500 costumes et parures (visite guidée et gratuite du vestiaire le matin). C'est cet héritage du patrimoine culturel grec que met en scène le théâtre Dora Stratou. Une institution unique en Europe qui propose également des cours et ateliers de danse.

∞| *Festival d'Athènes au théâtre Hérode Atticus (plan couleur II, A4, 213) :* au pied de l'Acropole, entrée sur Dionissiou Aréopagitou, à droite du chemin qui mène à l'Acropole. ☎ 21-09-28-29-00. ● www.hellenicfestival.gr De juin à septembre. Tragédies grecques, concerts classiques, jazz, ballets, opéras, avec des artistes internationaux. Programme à l'office du tourisme. Vente sur place le jour même, de 9 h à 14 h et de 18 h à 21 h. Ou à la billetterie centrale de l'*Athens Festival :* 39, odos Panepistimiou (☎ 21-03-22-14-59), de 8 h 30 à 16 h du lundi au vendredi, et de 9 h à 14 h 30 le samedi, fermé le dimanche. Achat possible à l'avance par carte de paiement. Billets à tarifs variables selon le spectacle : compter de 22 à 70 €.

∞| *Théâtre du Lycabette (plan couleur I, C2) :* grimpez sur la colline du même nom, c'est fléché. ☎ 21-07-22-72-09. Concerts de jazz, pop et de musique traditionnelle, programme très éclectique. En juin et juillet. Tickets auprès de la billetterie de l'*Athens Festival :* 39, odos Panepistimiou. ☎ 21-03-22-14-59. Le théâtre du Lycabette accueille également un festival de Jazz, en principe début juillet. ● www.athensjazzfestival.com ●

∞| *Festival de Vyronas :* au théâtre Vrahon, Vyronas (quartier d'Athènes proche de Pangrati). ☎ 21-07-62-57-00. En juillet. Concerts (jazz, musique latino-américaine...). Billets en vente au kiosque du festival, place Syndagma, ou dans les magasins *Metropolis*.

Où sortir ?

Pour connaître les programmes et les horaires, lire les journaux en vente dans les kiosques (voir plus haut la rubrique « Adresses utiles »).

Cinémas

■ **Cinémas en plein air :** *Cine Paris Village Cool*, 22, Kydathinaion, à Plaka *(plan couleur II, B3)*. ☎ 21-03-22-20-71. *Thission*, 7, Apostolou Pavlou *(plan couleur I, A3)*, sur la promenade piétonne face à l'Acropole. ☎ 21-03-47-09-80. *Aigli*, à côté du Zappion (Jardin national). ☎ 21-03-36-93-69. Les films sont toujours en v.o. La place se vend autour de 7 €. Athènes et sa banlieue comptent au total une vingtaine de cinémas en plein air fonctionnant l'été (de manière plus générale, Athènes est la quatrième ville européenne pour le nombre de sièges de cinéma par habitant).

Discothèques

En été, la plupart des boîtes athéniennes se déplacent en bord de mer, vers Glyfada, entre Alimos et Voula ou carrément dans les îles comme Mykonos. Tout en sachant que les modes changent rapidement, vous pouvez vous risquer aux adresses qui suivent. Le week-end, compter environ 15 € l'entrée (donnant droit à une boisson). Moins cher en semaine, plus cher quand les *guest* DJs qui officient sont de grosses pointures. À noter que la plupart des discos font aussi restaurant.

Sur la côte au sud du Pirée

♪ **Privilège :** au niveau de la plage d'Agios Kosmas. ☎ 21-09-85-29-96. Avec piscine ! *Mainstream, house.*
♪ **Destijl** *(ex-Bo Club) :* 14, K. Karamanli, Voula. Le long de la mer. ☎ 21-08-95-96-45. *Mainstream.* Chaque mercredi, soirée « pays du monde ». Entrée : 15 €.
♪ **Plus 22 :** plage de Glyfada. ☎ 21-09-24-98-14. Dernier nouveau-né de l'union de *Plus Soda* et de *Free 2 Go Club 22.*

Où écouter du *rébétiko* ?

Voir la rubrique « Musique, danse » dans les « Généralités ».

♪ **Stoa Athanaton** *(plan couleur II, B2) :* 19, odos Sofokléous ; dans les Halles. ☎ 21-03-21-43-62. Fermé le dimanche. Réservation obligatoire. Un des lieux les plus célèbres du rébétiko. Spectacle à 23 h avec consommation ou dîner. Très authentique. Clientèle grecque.
♪ **Astrofengia** *(hors plan couleur I par B1) :* 294, odos Patission (et Kontou), Agios Loukas, quartier de Patissia (au nord du parc Aréos). ☎ 21-02-01-01-60. Ouvert du jeudi au samedi. On y mange aussi.
♪ **Kavouras** *(plan couleur I, B2) :* 64, odos Themistokleous. ☎ 21-03-81-02-02. Tout près de la place d'Exarchia. Fermé le dimanche.
♪ **Rébétiki Istoria :** 181, odos Ippokratous, quartier d'Exarchia. ☎ 21-06-42-49-37. Fermé le lundi.

Où écouter du *bouzouki* actuel ?

Spectacle en plusieurs parties autour d'un chanteur-vedette. De manière générale, il débute par des chansons populaires à la mode et connues de tous, interprétées par les choristes de la vedette et entonnées par toute la salle. Puis, en seconde partie, apparaît la vedette, qui propose un type de chansons situées entre la pop et la musique orientale, entre les effets spéciaux et les instruments anciens comme le *bouzouki*. C'est le moment pour les jeunes filles de monter se trémousser sur les tables en exécutant de savantes danses du ventre. Ensuite, la star s'éclipse, abandonnant la scène à ses choristes et au public. Ambiance assurée ! Le spectacle commence à 23 h, avec différents prix d'entrée, selon que l'on dîne, que l'on consomme assis boissons, fruits et cacahuètes, ou que l'on reste debout !

Les boîtes sont généralement fermées en juillet et août, ou bien émigrent sur la côte, au sud du Pirée. Sinon, renseignez-vous dans les journaux ou en traînant vos guêtres derrière le cimetière du Céramique *(plan couleur I, A3, 201)*, à l'angle de Iera Odos et de l'avenue Piréos où se trouvent deux des établissements les plus branchés.

Achats

Nombreux marchands d'antiquités plus ou moins récentes et de souvenirs divers dans Plaka. Même si vous possédez quelques rudiments d'anglais, parlez en français aux commerçants. On pourrait vous prendre pour un Américain... Et une telle confusion se révélerait très néfaste pour votre portefeuille. Surtout, n'hésitez pas à marchander.

◈ **Stavros Melissinos** *(plan couleur II, A3)* : 2, odos Agias Théklas (près de la station de métro Monastiraki, côté Psiri). Stavros est un monument presque national dans sa minuscule échoppe, et il écrit aussi des poèmes... Il a confectionné des sandales pour la veuve d'Onassis, G. Bush (père) et les Beatles ! Pour vous dire que son attaché de relations publiques est assez efficace. Mais ses sandales sont plus chères qu'ailleurs et pas forcément très solides.

◈ **Remember** : 79, odos Adrianou, dans Plaka. Ouvert de 9 h à 21 h 30 ; le dimanche, de 10 h à 13 h 30. Tous ceux dont la période punk, chébran, new wave, etc. n'est pas passée y trouveront leur bonheur ; choix dingue de vêtements déments et de disques très branchés. Tout ça sur 3 étages. Adresse assez allumée (apparemment le patron a reçu la visite de Raël...).

◈ **Musique** : les passionnés d'instruments iront traîner par *chez Samouélian*, 36, odos Ifestou, en plein Monastiraki *(plan couleur II, A3)*. ☎ 22-03-21-24-33. Pas mal de disquaires du côté d'odos Astingos et d'odos Léokariou, son prolongement de l'autre côté d'Ermou.

◈ **Komboloïs** : boutique sans enseigne au 12, odos Leokariou *(plan couleur II, A3)*, à côté d'un café ; également un *komboladikoi* (magasin de komboloïs) dans un style très différent, quartier Kolonaki, 6, odos Koumbari (en face du musée Bénaki *plan couleur II, C3)*. Pour fans uniquement.

◈ **Bijoux :** pour celles qui rêvent de porter les bijoux d'Antigone et de la Belle Hélène ! Les bijoutiers grecs se sont en effet spécialisés dans la reproduction de bijoux antiques ou byzantins, en or (14 et 18 carats) ou en argent, mais avec une facture plus moderne. Voici quelques bonnes adresses. *Leondarakis*, 6, odos Skoufou, près de Syndagma ; *Fanourakis*, 23, odos Patriarchou Ioakim, à Kolonaki ; *Zolotas*, 10, odos Panepistemiou, près de Syndagma. Très cher. Il a le privilège d'être habilité à copier les bijoux du Musée archéologique national ; *Lalaounis*, 6, odos Panepistemiou, près de Syndagma. Très cher. Voir dans la partie « Les musées » de la rubrique « À voir ». On nous a aussi recommandé *Ruby's*, 105, odos Adrianou. ☎ 21-03-22-33-12. L'atelier est au sous-sol et se visite.

◈ **Gourmandises :** *Cava Matsouka* *(plan couleur II, B3)*, 3, odos Karageorgi Servias, à deux pas de Syndagma. Ouvert de 8 h à 20 h. Toutes les friandises bien sucrées (*pastelli*, *glyka* de Chios) mais aussi fruits secs et *halvas*. Nombreuses autres boutiques dans le même genre du côté du marché.

À voir

Pour s'assurer sur place des *heures d'ouverture des sites et musées,* s'adresser à l'office du tourisme (qui publie une liste à peu près exacte des sites à Athènes et en Attique) ou acheter les journaux cités dans le paragraphe « Culture » des « Adresses utiles ». Le problème est que les horaires ne sont pas toujours reconduits tels quels d'une année à l'autre : les plaques qui indiquent normalement ces horaires à l'extérieur des sites et des musées ne sont pas forcément à jour et peuvent donc vous piéger. En 2004, la norme (nationale) était 8 h 30-15 h et, pour certains grands sites et musées, ouverture jusqu'à 19 h (dernière admission à 18 h 30) voire 20 h en raison des Jeux olympiques. De plus, ces plaques ne mentionnent pas forcément que l'entrée est normalement gratuite pour les étudiants de l'Union européenne (mais nos amis suisses paieront demi-tarif), ni que les enfants de moins de 18 ans ne paient pas. Quant à la gratuité des sites et musées le dimanche, elle n'est effective que de novembre à mars (encore que la mesure ait été étendue au 1er dimanche des mois de printemps). On peut se renseigner auprès du ministère de la Culture : ☎ 21-08-20-11-00 ou, mieux, consulter le site ● www.culture.gr ●

Attention toutefois, le site du ministère n'est pas forcément mis à jour. Pour les jours de fermeture, reportez-vous à la rubrique « Musées et sites archéologiques » des « Généralités ».

– Athènes a son *petit train* blanc et bleu qui propose le tour de Plaka ! Circuit prévu : Monastiraki – Thissio – Ancien théâtre d'Hérode Atticus – Stade olympique (1896) – Plaka. Départ à l'angle des odos Eolou et Adrianou, chaque heure. Durée : 40 mn. Tarif : 5 € (2004). On peut, bien entendu, s'arrêter en cours de route et reprendre le train suivant. Fonctionne tous les jours d'avril à mi-octobre. Pour les routards très fatigués ou accompagnés d'enfants !

Les sites archéologiques

L'unification des sites archéologiques d'Athènes permet de relier à pied les plus importants sites athéniens par une large voie pédestre partant du cimetière du Céramique, odos Ermou *(plan couleur I, A3, 201)* jusqu'à l'Olympieion *(plan couleur II, B4, 218),* par les rues Apostolou Pavlou et Dionysiou Aréopagitou. Les 4 sites concernés au premier plan sont le Céramique, l'Agora, l'Acropole et l'Olympieion. En plus de cette réalisation, les principales places d'Athènes ont été réhabilitées ainsi que de nombreux bâtiments néo-classiques sur les rues Athinas, Ermou, Eolou et Mitropoléos (entre autres).

🎎🎎🎎 *L'Acropole (plan couleur II, A-B3-4) :* ☎ 21-03-21-02-19. Le plus simple, si vous logez loin du centre, est de prendre le métro (ligne 1) et de descendre à la station Thissio, un peu plus bas que le site ; on y accède alors par un chemin dallé, à la rencontre des avenues Dionissiou Aréopagitou et Apostolou Pavlou *(plan couleur II, A4).* Autre possibilité : la ligne 2, descendre alors à la station Akropolis (quelle surprise !). De là, remonter Dionissiou Aréopagitou ou, pour les plus courageux, grimper l'odos Thrassilou et traverser le joli quartier d'Anafiotika en haut de Plaka.

Pour ceux qui viennent de Plaka, le plus court pour se rendre à l'Acropole est l'accès nord par les petites ruelles (Dioskouron ou Mnissikléous, par exemple) et les escaliers de pierre du vieux Plaka.

Si possible, allez-y à l'ouverture pour ne pas trop vous dessécher au soleil et éviter de vous payer 100 m de queue pour avoir le billet. En effet, après une certaine heure, tous les cars débarquent.

ATHÈNES

Horaires et tarifs

En haute saison, ouvert tous les jours de 8 h à 19 h 30 ; le reste de l'année (octobre-avril), ouvert de 8 h 30 à 15 h. Gratuité pour tous le dimanche de novembre à mars. ☎ 21-03-21-02-19 ou 21-03-23-66-65 (musée). Plus calme si l'on y va de bonne heure ou très tard.

Pour les tarifs, il y a de quoi pousser un bon coup de gueule. Du jour au lendemain, en mars 2002, le tarif a doublé, passant de 6 à 12 €. Bon, d'accord, ce billet donne aussi accès au musée de l'Acropole, à l'ancienne Agora, à l'Agora romaine, au cimetière du Céramique et à l'Olympieion ainsi qu'au théâtre de Dionysos, mais qu'est-ce qui a été prévu pour le visiteur de passage pour une courte durée qui n'a le temps (ou l'envie) de visiter que l'Acropole ? Rien ! Demi-tarif pour les étudiants hors Union européenne et pour les plus de 65 ans ; en principe, gratuit pour les étudiants de l'Union européenne.

Un peu d'histoire

Initialement, l'Acropole (ville haute) n'était que la forteresse d'un seigneur local. Ce site imprenable lui permit d'étendre son pouvoir sur toute la région. Plus tard, le roi d'Athènes fut à la fois chef politique et religieux. Il décida de consacrer l'Acropole à la célèbre déesse Athéna. Puis le pouvoir passa entre les mains de propriétaires terriens appelés *aristoi* (les meilleurs). Ce sera la naissance de l'aristocratie.

Ensuite la démocratie athénienne prit la relève. La ville sera dévastée par les Perses en 480 après la bataille (perdue) des Thermopyles et avant celle (victorieuse) de Salamine. Ils détruiront tous les temples de l'Acropole. Les statues et ex-voto restants seront cachés par les Grecs dans des cavités du rocher. Une chance pour les archéologues qui les ont découverts au siècle dernier. Ces pièces sont actuellement au musée de l'Acropole, dans les premières salles.

Contre les Perses, les cités grecques s'unirent dans « l'Alliance ». Gardienne du trésor de guerre de cette Alliance, Athènes connut alors une puissance et un rayonnement sans précédent. Périclès profita de cette abondance financière pour reconstruire totalement les temples de l'Acropole. Le chantier dura plus de quarante ans (de 447 à 406 av. J.-C.). Les travaux furent supervisés par Phidias, le plus grand sculpteur de l'Antiquité. Ce sont les vestiges de son architecture que l'on admire aujourd'hui. Ils ne donnent pas forcément une bonne idée de ce qu'était le site à l'époque de son édification : si l'on avait sous les yeux cet ensemble de temples, polychrome (eh oui, les Grecs connaissaient la couleur), plus d'un ferait la grimace tellement nous sommes habitués à ces ruines nues. On trouverait cela surchargé, clinquant parce que l'image que nous avons du site, depuis la classe de 6e, nous a habitués à une certaine idée de dépouillement.

En 86 av. J.-C., Rome envahit la Grèce, pillant et dévastant les villes. En revanche, on ne touchera pas à l'Acropole. Au Ve siècle, les chrétiens de Byzance emporteront la célèbre statue chryséléphantine (en or et en ivoire) d'Athéna, qui, de ses 10 m de haut (12 m en comptant la base), siégeait au Parthénon. Elle disparaîtra à jamais, sans que l'on sache ce qu'elle est devenue. Il en reste juste une réplique de 95 cm au Musée national. Le temple fut transformé en église, orthodoxe tout d'abord puis catholique !

Puis, en 1456, les Turcs transformèrent le sanctuaire en place forte. Ils y installèrent une mosquée, un entrepôt de poudre et une résidence pour le gardien du harem. Pour les chasser, un général vénitien, Morosini, n'hésita pas à bombarder l'Acropole et fit sauter le Parthénon. Un dépôt de poudre était à proximité... Tout cela pour rien puisque les Turcs gardèrent la ville et que Morosini rentra chez lui !

Dernier préjudice subi, le pillage organisé à partir de 1801 par un Anglais, Lord Elgin, ambassadeur de Grande-Bretagne à Constantinople, qui déposa, avec l'accord écrit du sultan, les plus belles pièces du Parthénon au British Museum. Les Anglais ne veulent pas les rendre à la Grèce, malgré les appels répétés de Mélina Mercouri depuis 1983 : « Rendez-nous les marbres ! » Sachez par exemple que 60 % des blocs de la frise du Parthénon sont au British Museum. De toute façon, les Français sont mal placés pour critiquer, avec tout ce que Napoléon a rapporté d'Égypte et remis au Louvre ! Les Grecs continuent à mettre la pression sur le gouvernement britannique et espèrent que tout sera réglé pour l'ouverture du nouveau musée de l'Acropole qui se situera dans le quartier de Makryianni, au sud du site. Rien de moins sûr...

Monuments les plus importants du site

– **La porte Beulé :** l'entrée du site porte le nom de l'archéologue français qui la restaura après l'avoir découverte sous des fortifications turques. Construite après la période romaine, elle est flanquée de deux tours.
– **Les Propylées :** ensemble de colonnes (c'est du moins ce qui en reste), combinant les ordres dorique et ionien qui donnaient accès au sanctuaire véritable ; cette entrée monumentale comportait plusieurs portes et impressionnait vivement les visiteurs. On y arrivait en empruntant la Voie Sacrée (*Iéra Odos*) qui commençait au Céramique. Comme les autres monuments du site, ils sont en marbre du mont Pentélique.
– **Le temple d'Athéna Nikê :** gracieux petit temple d'ordre ionique, sur la droite au-dessus d'une muraille. Démonté en 2003 (pour être restauré). En 2004, les 300 blocs gisaient toujours à même le sol, du retard ayant été pris vu l'ampleur de la tâche... C'est de cet endroit, avant que le temple soit construit, que le vieux père Égée se précipita dans le vide quand il crut que son fils Thésée était mort en Crète, victime du Minotaure, donnant par là même son nom à la mer Égée. On peut voir de jolis reliefs provenant de ce temple au musée de l'Acropole (notamment *Nikê dénouant sa sandale*).
– **Le Parthénon** *(plan couleur II, B4, 210)* **:** la première, chronologiquement, des constructions lancées par Périclès datant de 447 à 432 av. J.-C. sur la partie la plus élevée du rocher. Il est bâti sur un soubassement qui est plus grand que la longueur du temple. En effet, c'est le soubassement du temple précédent qui fut détruit par les Perses.
Que n'a-t-on pas écrit sur cette merveille des merveilles ! Il a fallu une dizaine d'années pour le construire. Il est l'œuvre des architectes Ictinos et Callicratès, sous la « surveillance » de Phidias.
À remarquer que l'assise du Parthénon n'est pas horizontale mais légèrement bombée afin de rendre plus élancé l'ensemble des colonnades. En effet, les axes verticaux des colonnes ont été inclinés vers l'intérieur pour donner plus de robustesse à l'édifice, certes, mais aussi pour éviter que ces colonnes ne donnent l'illusion de « pousser au vide ». Apprenez encore qu'elles sont galbées afin de ne pas paraître étranglées en leur milieu et que les colonnes d'angle qui, autrement, sembleraient plus menues que les autres, en raison de leur isolement, ont un diamètre légèrement renforcé.
La renommée du Parthénon vient aussi de la grande richesse sculpturale du monument, et pourtant, on n'a conservé qu'une petite partie des frises du temple (et, on le sait, il faut aller au British Museum de Londres pour voir la plus grande partie de ce qui a été conservé).
Là aussi, on se livre actuellement à de grands travaux pour tenter de redonner au temple l'allure qu'il avait avant l'explosion de 1687.
– **L'Érechthéion** *(plan couleur II, A3, 211)* **:** temple sur la gauche en se dirigeant vers le Parthénon. On aperçoit tout d'abord un petit sanctuaire avec les célèbres caryatides (colonnes en forme de femmes). À cause de la pollution, elles ont été remplacées en 1979 par des moulages. Les originales sont sous vitre au musée de l'Acropole (en fait, il n'en reste plus que cinq, puis-

que la 6e a été emportée par Lord Elgin). L'Érechthéion était, pour les Grecs, l'endroit le plus sacré de l'Acropole (car selon la tradition, c'est là que Poséidon avait planté son trident lors de sa dispute avec Athéna) et il avait à leurs yeux beaucoup plus d'importance que le Parthénon, qui, pour les Grecs de l'époque classique, était une réalisation beaucoup trop récente. Il était destiné à Athéna Polias, la protectrice d'Athènes, et à Poséidon, le dieu de la Mer, auquel on avait fini par identifier Érechthée, un héros mythique de la ville d'Athènes. Leur cohabitation était difficile et les disputes fréquentes.

On peut compléter la visite en allant jusqu'à l'extrémité du site, là où flotte le drapeau grec. En 1941, deux jeunes résistants grecs, Glézos et Sandas, enlevèrent le drapeau nazi que l'occupant avait installé.

Sous l'Acropole, versant sud, on peut voir le *théâtre de Dionysos* (plan couleur II, B4, 212), le plus ancien des théâtres connus (Ve siècle av. J.-C.) où l'on donna les chefs-d'œuvre d'Eschyle, Sophocle, Euripide et Aristophane. Il pouvait accueillir environ 1 700 spectateurs. Il est malheureusement très mal conservé. Le billet à 12 € permet de le visiter. Un peu plus à l'ouest, l'*Odéon d'Hérode Atticus* (Irodion, en grec ; plan couleur II, A4, 213), d'époque romaine, est en revanche toujours utilisé pour les spectacles du Festival d'Athènes.

– *Le musée de l'Acropole* (plan couleur II, B4, 214) : ouvert le lundi de 11 h à 18 h 30, du mardi au dimanche 8 h à 18 h 30 (haute saison). Le ticket d'entrée au site donne droit à l'entrée au musée. Situé derrière le Parthénon, en attendant l'ouverture d'un nouveau musée, sans cesse retardée à cause de querelles homériques, dans le quartier de Makriyianni, au sud de l'Acropole. Bien qu'annoncé pour 2004, le nouveau musée ne verra sans doute pas le jour avant 2006. Dessiné par l'architecte français Bernard Tschumi, ce sera un trapèze de verre de 21 000 m². Les Grecs espèrent toujours y accueillir les fameuses frises du Parthénon, malgré les arguments des Britanniques pour ne pas les restituer étant que la Grèce ne disposait pas d'un lieu convenable pour les exposer... Le musée actuel propose quand même de remarquables sculptures, en particulier :

Salle II : le *Moschophore* (570 av. J.-C.). Statue d'un jeune paysan livrant un veau porté sur ses épaules. Le visage est empreint d'une très grande douceur (ce sourire... !).

Salle IV : la première partie de la salle contient plusieurs cavaliers de la période archaïque, dont celui dit de « Rampin » dont la tête est au Louvre... Dans la seconde partie, des *korès* dont la *Péplophore,* au visage rayonnant et au modelé d'une rare finesse. Beaucoup de ces statues de femmes au sourire énigmatique conservent des traces de la peinture initiale.

Salle VI : le célèbre relief d'*Athéna pensive* (voire mélancolique), la tête posée sur sa lance.

Salle VII : où l'on retrouve de nombreuses sculptures du Parthénon, notamment le groupe plein de tendresse de Cécrops et de sa fille (fronton ouest), le centaure d'une métope tentant d'enlever une femme lapithe, celui d'Iris, etc. Il est probable que Phidias n'exécuta pas toutes ces œuvres et que beaucoup sont le fruit du travail de ses élèves. Elles portent cependant toutes la marque de son génie.

Salle VIII : on admirera les plus beaux fragments des frises du Parthénon. On reste fasciné devant la vie, le rythme des scènes, la précision du détail... En particulier, les jeunes gens menant les bœufs au sacrifice, les porteurs d'amphores (frise nord), les cavaliers, les dieux (Poséidon, Apollon, Artémis sur la frise est), etc.

On retrouve aussi les frises de l'Érechthéion, œuvres peut-être plus mineures (mouvements et vêtements plus lourds).

Pour finir, avant de quitter la salle, attardez-vous sur les sculptures que nous préférons, celles du temple d'Athéna Nikê et notamment Nikê dénouant sa sandale (en grec : Nikê Sandalizoussa) : son vêtement (peut-être mouillé) lui colle au corps, dévoilant chaque détail de sa beauté (le concours du T-shirt mouillé de l'époque ?).

Salle IX : là sont exposées les *caryatides de l'Érechthéion,* gravement endommagées par la pollution. Noter les différences entre chacune d'elles. L'une, la pauvre, porte sur la cuisse gauche, le nom d'un certain Renoux. Quel indélicat !

🎭🎭 *L'Agora (plan couleur II, A3, 215) :* entrée principale, 24, odos Adrianou. ☎ 21-03-21-01-85. Ouvert du lundi au dimanche de 8 h à 19 h. Entrée : 4 € ; réductions. Fait partie du billet groupé à 12 € (voir plus haut le texte sur l'Acropole). Situé au pied de l'Acropole, le centre de la vie publique de la cité antique intéressera surtout les amateurs de vieilles pierres. On venait à l'Agora pour faire des affaires commerciales mais aussi pour échanger les nouvelles, commenter l'actualité politique. On trouvait tout sur l'Agora : services publics, sièges de l'administration de la cité antique, sanctuaires publics. Il est difficile d'imaginer aujourd'hui quelle activité s'y concentrait. Ne pas manquer le *portique des Géants* ainsi que le *temple d'Héphaistos* (bien conservé et caisson visible), appelé aussi *Théséion* en raison des frises (métopes nord et sud) représentant les exploits de Thésée alors que d'autres (façade) illustrent les combats d'Héraklès (Hercule). Du temple, jolie vue sur le reste du site. Sur le chemin menant à ce temple, voir les bases des colossales statues du porche de l'Odéon d'Agrippa. Le grand bâtiment, tout neuf ou presque, est la reconstitution du portique d'Attale qui abrite un important musée (ouvert aux mêmes heures que l'Agora, sauf le lundi où il n'ouvre qu'à 11 h). On peut notamment y voir la pièce grecque (époque classique) reprise sur les pièces grèques d'un euro. Attention à ne pas confondre la grande Agora grecque et la petite *Agora romaine* – ou Forum –, largement postérieure (entrée au niveau de la tour des Vents dans Plaka ; *plan couleur II, B3, 216*) ; entrée : 2 €. Fait partie du billet à 12 € (voir plus haut texte sur l'Acropole). Ouvert de 8 h à 19 h, 15 h hors saison). Le principal intérêt en est l'horloge de Kyrristos, connue sous le nom de **tour des Vents,** qu'on voit assez bien de l'extérieur.

🎭 Un peu plus au sud *(plan couleur I, A4),* vous pouvez toujours monter sur la **colline de Philopappou** (moins pour le monument funéraire de ce prince syrien que pour la vue sur l'Attique jusqu'au Pirée). Beaucoup de plantations y ont été installées en 2003 et 2004. En redescendant par le côté ouest, vous apercevrez des vestiges d'habitations. Enfin, de l'autre côté de la route, après la chouette chapelle *Agios Dimitrios Lombardiaris,* qui rappelle les églises de montagne, se trouve la **colline des Nymphes** avec l'observatoire de la **Pnyx** (lieu de réunion de l'Assemblée du peuple, l'*ekklisia,* du VIe au IVe siècle av. J.-C.). Vous pourrez finir votre balade par l'*Aréopage (plan couleur II, A3, 217),* juste en face de l'Acropole, où se réunissait le tribunal qui jugea, entre autres, Oreste. Attention, marches très glissantes. Accès libre à tous ces sites.

🎭 **La porte d'Hadrien et l'Olympieion** *(plan couleur II, B4, 218) :* situés en bas d'Amalias, à l'angle d'Olgas. ☎ 21-09-22-63-30. Site ouvert de 8 h à 19 h (15 h hors saison). Entrée : 2 € ; réductions. Fait partie du billet groupé à 12 € (voir plus haut le texte sur l'Acropole). La porte date du IIe siècle ; elle séparait la ville grecque de la ville romaine. L'Olympieion était un temple monumental (diamètre des colonnes : 2,38 m !), dédié à Zeus, dont il ne subsiste qu'un alignement impeccable de quinze colonnes sur les 104 que comptait le temple complet, chacune atteignant la hauteur respectable de 17,25 m. Commencés en 515 av. J.-C., les travaux s'achevèrent en 131 apr. J.-C. sous la direction d'Hadrien. On peut dire qu'ils prenaient leur temps : il aura fallu sept siècles, avec de nombreuses interruptions, pour en venir à bout. Comme beaucoup de monuments de ce type, l'Olympieion servit de carrière au Moyen Âge.

🎭🎭 **Le cimetière du Céramique** *(plan couleur I, A3, 201) :* 148, odos Ermou. ☎ 21-03-46-35-52. Ouvert de 9 h à 19 h (15 h hors saison). Entrée : 2 € ; gratuit pour les étudiants de l'UE et les enfants. Fait partie du billet groupé à 12 € (voir plus haut le texte sur l'Acropole). Pour ceux qui apprécient les promenades au Père-Lachaise. Dans un site envahi par la végétation, pierres tombales des riches citoyens athéniens. Une manière pour les familles de continuer à rivaliser par l'intermédiaire de leurs morts. Consacrez la visite uniquement aux stèles, c'est-à-dire à gauche en entrant ; le reste du site est moins intéressant. Vous pouvez également jeter un coup d'œil au petit musée, rouvert en 2004, et enrichi par de nouvelles trouvailles découvertes à l'occasion des travaux du métro.

Les quartiers

🦿 *La place Syndagma (plan couleur II, B3) :* la grande place d'Athènes, située sous le Parlement. En grec, s'écrit Syntagma mais se prononce Sydagma, le « n » ne s'entendant pratiquement pas. Au passage, vous ne manquerez pas de voir le Vieux Palais, construit pour le premier roi de Grèce, Othon Ier, dans les années 1830, et les *evzones* de la garde, ces populaires soldats « à la belle ceinture » (traduction littérale), portant fièrement leur fustanelle.

🦿🦿 *Plaka (plan couleur II, B3) :* l'endroit le plus animé et le plus intéressant d'Athènes. Visite presque obligatoire le soir de préférence ou alors le matin. Mais ne croyez surtout pas que c'est le petit coin ultra typique « où l'on voit vraiment vivre les Grecs ». Il y a là certainement plus d'étrangers que de Grecs, et les odeurs de vieille graisse envahissent les charmantes ruelles. Et ne vous faites pas d'illusions, la guitare électrique remplace bien souvent le *bouzouki*. Bien sûr, des danseurs appointés exécutent encore le *sirtaki,* cette danse qui n'a jamais appartenu au folklore traditionnel grec... Mais Plaka est encore, par endroits, ce petit village planté comme ci comme ça. Chaque époque est venue construire ses fantaisies de pierre et de brique, sans trop se soucier de conformité. Chaque provincial ou émigré a apporté ses goûts, son architecture. C'est un merveilleux creuset de styles ! Se balader dans Plaka en pensant que la ville est tout autour, ça donne envie de siffloter. En l'air, c'est le ciel bleu et, de temps en temps, au hasard d'une ruelle, le Parthénon. On peut arbitrairement diviser Plaka en deux : le *bas,* en gros autour des rues Kydathinéon et Adrianou qui traversent tout le quartier, qui serait le produit monstrueux des amours de Pigalle et du Quartier latin complètement défiguré par les « marchands du Temple » et le tourisme agressif ; le *haut,* autour des rues Tripodon, Épiménidou ou Bacchou, au-dessus des derniers restos installés sur la pente, qui prend le soir des teintes extraordinaires et qui a un charme... (on n'en dit pas plus, ça prendrait trois pages ; signalons tout de même l'existence d'un quartier dans le quartier, à savoir celui d'*Anafiotika (plan couleur II, B3, 219),* construit au XIXe siècle par des maçons de l'île d'Anafi : murs passés à la chaux, géraniums, ruelles étroites, on se croirait presque dans les îles !). Dans les escaliers de la rue Lissiou, vous pourrez rencontrer un maximum de jeunes (et de touristes !). En flânant, à l'extrémité de Plaka côté sud, vous tomberez immanquablement sur le *monument de Lysicrate,* appelé aussi par les Grecs la *lanterne de Diogène (plan couleur II, B4* ; près de la rue du même nom), riche citoyen qui fêta ainsi sa victoire aux concours théâtraux de 335 av. J.-C. Le monument a appartenu à la France (acquisition faite en 1669). À côté se trouvait un couvent de capucins où Lord Byron vint mettre un peu d'animation en 1810-1811. La visite de Plaka dans la fraîcheur du matin, vers 7 h ou 8 h, quand les lampions sont éteints, vous livrera un autre aspect enchanteur. Un certain nombre de vieilles maisons sont en réfection ou ont déjà été rénovées : voir par exemple, au 18 de la rue Thrasyllou, la magnifique demeure à la façade ocre et à l'escalier en marbre appartenant au ministère de la Culture grec. Il y en a bien d'autres...

🦿 *Monastiraki (plan couleur I, A-B3) :* autour de la station de métro récemment rénovée, le bazar d'Athènes, prolongement de Plaka. Par définition, on y trouve tout et n'importe quoi.

🦐 **Les puces d'Athènes** *(plan couleur II, A3) :* pl. Avyssinias et autour de l'église Agios Philippos. Entre les stations de métro Thissio et Monastiraki, quand on descend l'odos Ermou sur la gauche. Tous les jours entre 9 h et 16 h. Ici, les Grecs s'activent et gèrent leurs affaires, comme au temps de l'ancienne agora, au même endroit où se tenaient, dans l'Antiquité, les petits commerces. Même si, depuis des lustres, les bidons d'huile d'olive ont remplacé les amphores, l'agitation collective, les odeurs, le langage de Socrate sont toujours aussi vivaces. À deux pas de Monastiraki, c'est le rendez-vous des revendeurs, des tsiganes, colporteurs, brocanteurs, avec les « rabatteurs », ceux qui quadrillent chaque jour la ville, la banlieue et les provinces, dans leurs *métaforas* (triporteurs à moteur).
Le jeu consiste, pour l'amateur, à les attendre, au fur et à mesure de leur arrivée, chargés jusqu'aux jantes. Ils débouchent tous de la rue Ermou. Et il est d'usage, et même recommandé, de les prendre d'assaut dès qu'ils s'engagent sur la place. Les habitués ne s'en privent pas. Ils attrapent un montant quelconque du véhicule et ne le lâchent plus jusqu'à son arrêt définitif, étant alors aux premières loges pour plonger le nez dans le butin. Cela peut aller du débarras du grenier athénien au déménagement complet des maisons du Magne ou de l'Épire, où s'entasse pêle-mêle toute une vie de paysan : la baratte, le seau en bois, le fusil, les *komboloï*, le narghilé... Les *kilims* épirotes, crétois, les coffres sculptés, les fixés sous verres, les icônes et les lampes à huile... rien que de la première main ! À emporter de suite mais en marchandant, et en grec *only* ! Alors, un petit conseil, emmenez un ami grec avec vous.
Le dimanche matin (et dans une moindre mesure le samedi matin) les trottoirs des rues environnant Monastiraki (Adrianou, Ifestou) et les abords de la station de métro Thissio sont envahis par les revendeurs de petites bricoles.

🦐 **Psiri** *(plan couleur II, A3) :* vieux quartier populaire autour des rues Miaouli et Evripidou. Centre de tous les artisanats et petits commerces. Ce quartier est récemment devenu à la mode : il s'y concentre un grand nombre de restaurants, souvent des *mézédopolia* ou *ouzeria* qui donnent un tout autre cachet au quartier le soir, quand les artisans ont fermé boutique. Plusieurs brocanteurs et antiquaires se sont également installés dans Psiri.

🦐 **Gazi** *(hors plan couleur I par A2-3) :* quartier à la mode où vibrionnent artistes et intellos branchés ainsi que les fêtards (boîtes à gogo). Un peu à l'écart du centre historique. Bus 049 au départ d'Omonia. Quand la station de métro Votanikos sera ouverte (2006), Gazi sera plus facilement accessible. Jusque-là, il faudra passer par des quartiers pas jojo si vous y allez à pied, soit en descendant l'avenue Piréos depuis Omonia, soit une rue depuis la place Karaïskaki. Le quartier tient son nom de l'usine à gaz retapée par la précédente municipalité dans une opération assez coûteuse (genre comment recycler le patrimoine industriel) et rebaptisée **Technopolis**. La radio de la ville (Athina 98.4 FM) émet de là, et en juin chaque année s'y déroule le festival de Jazz d'Athènes (intéressant). Un petit *musée Maria Callas* y est installé (voir plus loin la rubrique « Les musées »). L'animation du quartier est assurée par les nombreux cafés, restos et boîtes qui se sont ouverts odos Perséphonis ou Iéra Odos et de l'autre côté de Piréos, sur odos Ierofandon et Iraklidon. Souvent bien chers...

🦐🦐 **Les Halles** *(plan couleur II, B2) :* léoforos Athinas (entre la place Omonia et la rue Ermou). Vous ne pouvez pas les manquer, c'est un bâtiment blanc cassé, récemment rénové, qui ressemble à une gare du début du XXᵉ siècle. Sous une gigantesque construction s'étend la halle au poisson et la halle à la viande ; un étalage fellinien de tout gabarit. On se demande d'ailleurs comment la viande reste encore consommable après avoir été exposée toute une journée dehors, sous une chaleur accablante. Les centaines d'ampoules électriques accentuent le côté féerique. Y aller le matin pour l'ambiance, quand les clients crient et que les commerçants s'invectivent. Plus on avance dans la journée, plus les odeurs deviennent insistantes !

Le marché aux fruits qui se trouve juste là, en contrebas des Halles, est le moins cher d'Athènes. Ouvert tous les matins sauf le dimanche.

Le quartier autour des Halles mérite aussi un peu d'attention. Pas tellement du côté odos Eolou, rue piétonne très animée mais où les magasins modernes gagnent du terrain (voir quand même ces incroyables kiosques religieux face à l'église Agiou Markou). Mais il faut descendre odos Evripidou *(plan II, A-B2)* en milieu de matinée (la même rue n'a guère d'intérêt l'après-midi, on ne voit plus alors que les hôtels borgnes !) pour ses odeurs mélangées, ses populations de toutes origines (on est en plein quartier indien), son animation intense... De nouveaux magasins flambant neufs sont venus rompre quelque peu le charme... Côté odos *Sokratous*, perpendiculaire, les magasins en gros d'huile d'olive ou de fruits secs valent le coup d'œil et laissent dans les narines d'impérissables senteurs. Plus bas sur Evripidou, de quoi casser la croûte à tarif imbattable dans le centre d'Athènes (*tyropittés, pittés* aux légumes) et tout d'un coup, au n° 76, une boutique où l'on ne vend que de l'ouzo !

En remontant odos Athinas, vers le marché aux fruits, beaucoup de misère : alignement de femmes des pays de l'Est vendant cigarettes de contrebande et mouchoirs en papier, immigrés attendant des jours meilleurs... Odos Athinas regroupe aussi pas mal de kiosques « spécialisés » (lunettes de soleil, ceintures, drapeaux, fanions, etc.)

¶ *Le mont Lycabette (Likavitos ; plan couleur II, C2) :* ☎ 21-07-22-70-65. Bus n° 60 de la place Kolonaki (toutes les 30 mn), dans le quartier résidentiel près de Syndagma, derrière l'ambassade de France ; à l'arrêt Likavitos, rue Kléoménous, monter les quelques marches qui restent et prendre le funiculaire souterrain pour le sommet ; il fonctionne jusqu'à 3 h du mat' en été tous les jours ; entrée odos Aristippou, en face du n° 18. Billet : 4 €. Les sportifs monteront à pied.

Hyper touristique, mais belle vue jusqu'à la mer. Ne pas manquer d'y grimper, si possible en fin d'après-midi ou la nuit. Le jour, il fait trop chaud et il y a des dizaines de marches. On découvre tout Athènes illuminé : c'est magnifique. Le Lycabette en lui-même est en revanche décevant. Le restaurant du sommet est inabordable (même le café y est hors de prix). On peut redescendre à pied dans le quartier chic de *Kolonaki (plan couleur II, C3),* et flâner devant ses boutiques de luxe et ses galeries d'art. On peut y voir aussi de belles maisons néo-classiques comme celle du n° 3 de l'odos Alopékis qui accueille une galerie *(Stavros Mihalarias Art).*

Un petit *marché* se tient le vendredi matin, au printemps et en été, sur la rue Xenokratous.

¶¶ *Le Jardin national (plan couleur II, B-C3) :* entrée principale léoforos Amalias, tout près de la place Syndagma. Une oasis de fraîcheur, une débauche de plantes luxuriantes sur 158 000 m². Pour se reposer. Malheureusement, on ne peut pas rester longtemps allongé sur les gazons moquettes. Ne comptez pas y passer la nuit : on ferme les portes du jardin quand la nuit tombe pour les rouvrir quand le soleil se lève.

Dans ce parc, un petit jardin botanique (joli bâtiment) ouvert du mardi au dimanche de 9 h à 15 h. On y trouve aussi un café, très discret, situé à l'arrière du jardin, le long de la rue Irodou Attikou, où se trouve le bâtiment de la présidence grecque.

¶ Notez, de l'autre côté de l'avenue Vassiléos Konstandinou, le **stade** *(plan couleur I, C3, 202)* en forme de U, construit en 1895 pour les premiers Jeux olympiques organisés par Pierre de Coubertin.

Les musées

¶¶¶ *Le Musée archéologique national (plan couleur I, B1, 203) :* 44, odos Patission. ☎ 01-08-21-77-17. En haute saison, ouvert de 8 h (12 h 30 le lundi) à 19 h ; le reste de l'année, de 8 h à 17 h (12 h 30 le lundi) ; les samedi, dimanche et jours fériés, de 8 h 30 à 15 h. Mieux vaut se renseigner

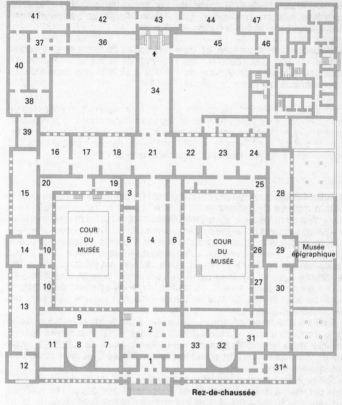

LE MUSÉE ARCHÉOLOGIQUE NATIONAL

1 Entrée principale	**23 et 24** Monuments funéraires du IVᵉ siècle av. J.-C.
2 et 3 Hall d'entrée (billets, catalogues, souvenirs, etc.)	**25 à 27** Reliefs votifs du IVᵉ siècle av. J.-C.
4 Salle mycénienne	
5 Salle néolithique	**27** Derniers monuments funéraires attiques et sculptures du IVᵉ siècle av. J.-C.
6 Civilisation cycladique	
7 à 13 Sculpture d'époque archaïque	
14 et 15 Sculpture du début du Vᵉ siècle av. J.-C.	**29 et 30** Sculpture hellénistique
16 à 20 Sculpture classique du Vᵉ siècle av. J.-C.	**31 et 32** Sculpture de la période romaine
Jardin Sarcophages, statues colossales, etc.	**33** Pièces datant de l'Antiquité tardive
21 Hall du Diadumène (copies romaines d'œuvres classiques, le Jockey, etc.)	**36** Collection Carapanos
	37 Petits bronzes
22 Salle d'Épidaure (sculptures du IVᵉ siècle av. J.-C.)	**38 et 39** Sculpture d'époque romaine, grands bronzes

auprès de l'office du tourisme. Entrée : 6 € ; réductions. En principe, gratuit pour les étudiants de l'UE munis de leur carte. Photographie avec flash payante. Il faut une autorisation pour utiliser un pied. Le personnel, nombreux, veille et ne laisse rien passer.

◈ **Boutique de moulages et de copies** où l'on peut acheter des moulages d'œuvres provenant de tous les musées de Grèce, ainsi que des copies de fresques et d'icônes. Ouvert du mardi au vendredi de 8 h 30 à 15 h 30 et le samedi de 9 h à 14 h.

Impossible, évidemment, de donner une vison exhaustive des richesses de ce musée : on vous conseille, si vous voulez le visiter dans une perspective chronologique, de commencer par les trois salles situées face à l'entrée, puis de revenir dans l'entrée et faire le tour du musée dans le sens des aiguilles d'une montre, quand on regarde le plan des salles.

Rez-de-chaussée

– **Salle 4** *(trésors mycéniens)* **:** face à l'entrée, les masques en or, dont le célèbre *masque d'Agamemnon* (le n° 624, qui est en fait le masque mortuaire d'un roi mycénien), attirent immédiatement le regard (ne pas manquer les 3 autres visibles à l'arrière de cette même vitrine). Cette découverte, faite à Mycènes par Schliemann, ne doit pas faire oublier la richesse des autres vitrines (bijoux, vases rituels, poteries, fresques – très abîmées...). Observez par exemple cette tête de femme dont les couleurs ont été conservées, provenant elle aussi de Mycènes (n° 4575) : est-ce une déesse, un sphinx ? Au fond à gauche, petite salle 3, consacrée au développement de la poterie mycénienne et attique. On voit l'influence minoenne sur une belle amphore décorée de poulpes.

– **Salles 5 et 6 :** respectivement consacrées à la période néolithique et à la civilisation cycladique, elles encadrent la salle 4. Œuvres moins spectaculaires, mais les explications sur les différents types de statuettes cycladiques (dont on voit un plus grand nombre au musée d'Art cycladique) sont très intéressantes.

– **Salles 7 à 13 :** consacrées à la sculpture du VIIIe au VIe siècle av. J.-C., elles permettent de voir l'évolution de la représentation des jeunes hommes nus (*kouros, kouroi* au pluriel) et jeunes femmes habillées (*korê, korai* au pluriel). Dans la **salle 8**, magnifique *kouros* trouvé à Sounion, à comparer avec le n° 3851 de la **salle 13**, réalisé 70 ans plus tard. Air volontaire, pied gauche un peu avancé (pour rompre la symétrie et entamer un début de mouvement), ce dernier a connu une existence mouvementée : volé, il a été gardé en France avant d'être rendu à la Grèce. D'autres *kouroï* sont frêles, presque féminins. D'autres pièces intéressantes dans ces salles (stèles funéraires).

– **Salle 14 :** sculptures du temple d'Aphéa à Égine.

– **Salle 15 :** on attaque avec cette salle la période classique (style sévère). On ne voit que le *Poséidon* (?) de l'Artémision, magnifique statue de bronze (460 av. J.-C.) qui représente le dieu brandissant son trident. Certains pensent qu'il s'agit plutôt de Zeus. La majesté du corps montre toute sa puissance. Le visage serein évoque la confiance en soi et l'instinct de supériorité. À noter, l'exactitude du mouvement : légèrement déséquilibrés par l'effort, les doigts du pied gauche se soulèvent tandis que les doigts du pied droit supportent le corps tout entier. Mais une autre pièce de grande valeur ne doit pas être manquée dans cette même salle : la stèle votive représentant une scène du rituel des mystères d'Eleusis (vers 440-430 av. J.-C.).

– **Salles 16 et 18 :** monuments funéraires (nombreux *lécythes,* dont le n° 4485 représentant Hermès qui conduit dans l'Hadès – les Enfers – une jeune morte ; stèles figurant le plus souvent 2 personnages, l'un assis, l'autre

debout, exprimant leur chagrin). Entre les deux, la *salle 17* présente des pièces provenant de l'*Heraion* d'Argos, comme ce bel *amphiglyphon* (à vos sou-
haits !), stèle sculptée sur 2 faces.

– *Salle 21 :* le cheval et le jockey de l'Artémision. Superbe œuvre en
bronze. L'enfant semble petit sur le cheval gigantesque, impression renforcée dans cette salle un peu vide. Sur son visage, on décèle la tension due à
l'effort. La tête de l'animal est, elle aussi, particulièrement réaliste.

– *Salle 22 :* éléments en provenance de l'Asklépion d'Épidaure.

– *Salle 28 :* deux chefs-d'œuvre voisins. La statue en bronze, de petit format, d'un éphèbe, trouvée au large de Marathon et attribuée à Praxitèle
(vers 340-330 av. J.-C.), et celle de Persée (ou Pâris) trouvée dans un
bateau naufragé au large d'Anticythère. D'autres pièces provenant de ce
même bateau sont visibles *salle 29* (voir en particulier la tête de philosophe,
très expressive).

– *Salle 30 :* on arrive à la période hellénistique. Au fond, gigantesque tête
de Zeus avec, à côté, un bras. Par la taille de ces fragments, on estime que
la statue mesurait plus de 7 m. *Les salles 31 à 33* (période romaine)
amènent tranquillement à la fin du monde antique.

1er étage

Les salles du 1er étage (bronzes et vases principalement) n'étaient pas
ouvertes à la visite lors de la réouverture du Musée national. Fin 2004, la
direction du musée espérait qu'elles seraient prêtes pour 2005, sans plus de
précision.

🔥 *Le Musée byzantin et chrétien (plan couleur II, C3, 220) :* 22, léoforos
Vassilissis Sofias. ☎ 21-07-23-15-70. Dans la grande avenue qui part de
Syndagma et qui longe le Parlement sur sa gauche. Ouvert de 8 h 30 à 15 h.
Fermé le lundi. Entrée : 4 € ; gratuit pour les étudiants.
Le musée occupe une villa réalisée dans les années 1840 pour Sophie de
Marbois-Lebrun, la duchesse de Plaisance, native des jeunes États-Unis et
qui préféra venir s'installer en Grèce !

– *Grand pavillon du fond :* collections de stèles funéraires (IVe siècle). Belle
frise d'animaux, chapiteaux, ambons (chaires primitives), reconstitution d'un
chœur byzantin. Superbe iconostase avec bois sculpté doré, orfèvrerie religieuse, croix marquetée, tabernacle en argent repoussé ou en ivoire et
nacre, fragments de fresques, icônes.

– *1er étage :* magnifiques portes d'iconostases marquetées de nacre (avec
figures peintes du XVe siècle). Icônes très anciennes (certaines doubles ou
en relief), bijoux. Fresques murales *(La Mort de la Vierge),* petits bronzes,
icônes en argent repoussé ou en vermeil.

– *Dans le bâtiment annexe,* en sortant de l'édifice principal, à gauche, expositions temporaires souvent plus intéressantes que le fonds permanent.

🔥🔥🔥 *Le musée Bénaki (plan couleur II, C3, 221) :* 1, odos Koumbari, à
l'angle de Vassilissis Sofias. ☎ 21-03-61-16-17. ● www.benaki.gr ● À deux
pas de Syndagma. Ouvert en haute saison les lundi, mercredi, vendredi et
samedi de 9 h à 17 h, le jeudi de 9 h à minuit et le dimanche de 9 h à 15 h.
Fermé le mardi. Entrée : 6 € ; réductions ; entrée libre le jeudi.
Installé dans un ancien hôtel particulier ayant appartenu à Antonis Benaki,
un riche Cairote d'origine grecque qui passa une grande partie de sa vie à
collectionner les œuvres d'art et fit don de sa collection à l'État grec. Le bâtiment est typique de l'architecture néo-classique à Athènes. Il propose un
vaste panorama de l'hellénisme depuis ses origines (l'âge du bronze)
jusqu'à la Grèce contemporaine. L'esprit du musée a quelque peu changé
puisqu'on ne peut plus y voir que des objets relevant de la culture grecque.
La collection d'art islamique ou les porcelaines chinoises, qui avaient fait la
réputation du musée Bénaki, ne sont plus exposées (il est prévu qu'elles
soient à nouveau visibles dans d'autres musées).

– *Rez-de-chaussée :* armes en bronze, bijoux, poterie « géométrique », délicats petits bronzes, rares casques de la période archaïque (VIe siècle av. J.-C.), figurines en terre cuite, remarquables bijoux en or (IIIe siècle av. J.-C.). Notamment les couronnes de laurier et ceintures, d'une grande finesse d'exécution. Admirables tissus coptes (du VIIe siècle av. J.-C. au VIIIe siècle apr. J.-C.) préservés grâce au climat sec de l'Égypte. Noter en particulier le geste gracieux de la femme se regardant dans un miroir. Peignes en ivoire, peintures funéraires du Fayoum, meubles sculptés, icônes, très belle porte sculptée de sanctuaire venant d'Épire et figurant l'Annonciation (prodigieux travail de ciselage).
– La nouvelle aile abrite les œuvres de la période chrétienne et byzantine, dont une mosaïque représentant la Vierge (seul fragment sauvé des décorations murales d'un monastère de Constantinople) datant du Xe siècle et deux icônes du Gréco, réalisées dans sa jeunesse.
– *1er étage :* essentiellement consacré à la Grèce sous l'occupation turque ou vénitienne. L'art religieux est encore fortement présent mais également l'art profane, avec de nombreux vêtements (habits de mariée, broderies...). Ne pas manquer le tissu brodé en provenance de Rhodes destiné à éviter que des regards indiscrets ne s'égarent vers le lit de la mariée... Deux salles de réception provenant de maisons seigneuriales de Kozani (en Macédoine) et datant du XVIIIe siècle ont été reconstituées. Nombreuses aquarelles représentant des vues d'Athènes par des artistes étrangers.
– *2e et 3e étages :* consacrés à la Grèce soulevée contre les Turcs puis devenue indépendante. Nombreux objets ayant appartenu à des combattants (pour l'essentiel des armes mais aussi, par exemple, la lunette de l'héroïne de Spetsès, Laskarina Bouboulina, qu'elle utilisa sur son bateau, l'*Agamemnon*, pendant le siège de Nauplie en 1822-1823). Photo de Vénizélos avec un général français en 1918 et caricature du même Vénizélos, en fustanelle, terrassant le tigre bulgare ! Des documents concernant de grandes figures de la littérature grecque contemporaine (Séféris, Elytis) complètent le panorama en le prolongeant jusqu'au XXe siècle.

[|●|] **Muséum-resto** ouvert aux horaires du musée (à noter, le jeudi, un buffet copieux, de 20 h 30 à minuit, pour 25 € par personne au minimum). Clientèle pas vraiment routard mais la terrasse est sympa et les prix pas excessifs.

🐾🐾🐾 **Le musée des Cyclades et de l'Art grec ancien** (fondation Goulandris ; plan couleur II, C3, **222**) : 4, odos Néofitou Douka. ☎ 21-07-22-83-21. ● www.cycladic-m.gr ● Ouvert de 10 h à 16 h (15 h le samedi). Fermé le mardi et le dimanche. Entrée : 5 € du lundi au vendredi, 2,50 € le samedi ; réductions.
Abrité dans un très bel édifice de verre et de marbre blanc. Remarquable musée né de la passion d'un amoureux de l'art des Cyclades. Indispensable complément au musée Bénaki. Demander le petit fascicule en français (à côté des vitrines, certaines explications sont également traduites en français).
– Une nouvelle aile (palais Stathatos, un bel exemple d'architecture néoclassique datant de 1895), relié au bâtiment principal par une galerie intérieure, accueille les expos temporaires.
– *Rez-de-chaussée :* introduction à l'art cycladique au IIIe millénaire av. J.-C., période particulièrement riche et féconde sur le plan artistique. En effet les Cyclades représentaient à l'époque, de par leur situation géographique, un pont naturel pour les courants d'influences évoluant d'est en ouest.
– *1er étage :* l'étage-phare du musée avec la collection cycladique riche de 230 œuvres. Dans une douce pénombre, objets superbement mis en valeur. Les sculptures des Cyclades (Syros, Amorgos et les Petites Cyclades), un peu abusivement appelées « idoles », présentent des formes modernes

étonnantes. Ceux qui pensaient qu'il s'agissait toujours d'œuvres de dimensions réduites seront surpris de voir une pièce de 1,40 m de haut ! On pense à Modigliani ou, mieux, à Brancusi ; et on distingue, en gros, trois périodes : les figures dites « schématiques » (corps humain au modelé très rudimentaire), les figurines féminines en forme de « violon », enfin celles dites « type de Plastiras ». Ces dernières restent pour beaucoup un mystère. Retrouvées en grande majorité dans des tombes (donc couchées), elles devaient faire l'objet d'un usage spécifiquement funéraire, selon les conclusions des archéologues. Cependant, certains fragments ont aussi été découverts dans des habitations. De même, pas de réponse à la symbolique des « bras croisés » : prudence technique, méthode d'exécution simplificatrice ou signification religieuse ? De même, pourquoi n'a-t-on pas représenté les oreilles dans la majorité des statues ? Quant aux statuettes mêmes, étaient-elles des représentations d'ancêtres vénérés, des concubines destinées à satisfaire le trépassé pendant son voyage, des substituts de sacrifices humains ? Les hypothèses sont variées. Nombreuses poteries et lames en bronze. Plats et vaisselle là aussi étonnamment design ! Voir en particulier cette étonnante pièce en marbre, d'un seul bloc, comportant une rangée de pigeons.

– *2e étage :* art grec ancien. Bas-reliefs figurant des banquets, verrerie phénicienne (IIIe siècle av. J.-C.), ravissants tanagras, vaisselle de table en bronze d'Askos (IIe siècle av. J.-C.), amphores et cratères décorés, objets en bronze du Luristan (où c'est, ça ?), etc. On vous laisse chercher le satyre !
– *3e étage :* collection numismatique ou expos temporaires.
– *4e étage :* collection Politis – terres cuites, poteries, figures, *kylix* (calice) en bronze, armes et casques, cratères joliment décorés. Intéressant mais après le 1er étage, difficile de soutenir la comparaison.

🏃🏃 **Le musée grec d'Art populaire** (*Greek Folk Art Museum ; plan couleur II, B3, 223*) **:** 17, odos Kydathinéon. À Plaka. ☎ 21-03-22-90-31. Ouvert de 10 h à 14 h. Fermé le lundi. Entrée : 2 € ; réductions.
Un musée devant lequel on ne fait le plus souvent que passer, à tort. Il est plus intéressant que ne le laisse penser le rez-de-chaussée, qui n'a que de grandes pièces de broderie à présenter. Au 1er étage, intéressantes sections sur le théâtre d'ombres *(Karaghiozis)* et sur les carnavals traditionnels de Grèce du Nord, héritiers de cultes dionysiaques. Également une chambre magnifiquement peinte à Lesbos par Théophilos (peintre naïf), datant des années 1924-30 et sauvée de la destruction par un « déménagement » opportun de toute la pièce ! Au 2e étage, le travail de l'argent est mis en valeur. Au 3e, riche collection de costumes traditionnels (mise en évidence des différences par régions, groupes d'îles, etc.).
Dépendent de ce même musée les deux annexes suivantes :

🏃 **La mosquée Tsizdaraki** (*collection Kyriazopoulos ; plan couleur II, A-B3, 224*) **:** pl. Monastiraki. ☎ 21-03-24-20-66. Ouvert tous les jours sauf le mardi, de 9 h à 14 h 30. Entrée : 2 €. Dans une vieille mosquée (1759), joliment restaurée face à la station de métro de Monastiraki. Pour les amateurs de céramiques. Œuvres de grands artistes du XXe siècle et poteries traditionnelles (Grèce continentale et îles) se côtoient sur deux niveaux.

🏃 **Les bains d'Aéridon** (*plan couleur II, B3, 225*) **:** 8, odos Kyrristou, près de la tour des Vents. Ouvert le dimanche et le mercredi de 10 h à 14 h. Entrée libre (sauf en période d'exposition temporaire). Ces anciens bains publics turcs sont les seuls à Athènes à avoir été sauvés et (joliment) restaurés. Rien de très extraordinaire mais un lieu agréable (et frais) où est plutôt bien expliquée, en grec et en anglais, l'importance qu'avaient les bains autrefois, pendant la période d'occupation ottomane. Petite salle vidéo.

🏃🏃 **Le musée des Instruments de musique populaire grecque** (*plan couleur II, B3, 227*) **:** 1-3, odos Diogénous, pl. Aéridès. ☎ 21-03-25-01-98.

ATHÈNES

Près de la tour des Vents. Ouvert de 10 h à 14 h ; le mercredi, de 12 h à 18 h. Fermé le lundi. Entrée gratuite. Boutique.

Cet intéressant petit musée présente, sur trois niveaux, les quatre grandes familles d'instruments de la musique traditionnelle grecque. Il s'agit de la collection d'un chercheur, Fivos Anoyanakis. On peut écouter le son des instruments grâce à des casques disposés près des vitrines d'exposition. *Gaïdas* et *tsambounés* vous feront immanquablement penser aux binious et bombardes bretons, les *zournadès* sont d'intéressants représentants de la famille des hautbois, au son très aigu.

À l'étage, belle collection de « chordophones », du baglamas au bouzouki en passant par la *lyra* crétoise et leurs nombreuses déclinaisons, sans oublier leurs cousins orientaux.

Le musée organise des concerts en saison et des cours d'instruments traditionnels.

🎵 **Le musée Canellopoulos** *(plan couleur II, A3, 228) :* 12, odos Theorias et Panos. ☎ 21-03-21-23-13. Ouvert de 8 h 30 à 15 h. Fermé le lundi. Entrée : 2 € ; réductions.

Beaucoup moins riche que le musée Bénaki (et présentation tellement dense que cela finit par en être étouffant), mais principe assez proche : sur trois niveaux sont présentées des œuvres témoins de l'hellénisme, de l'Antiquité (figurines cycladiques, vases, statuettes, etc.) à la période byzantine (école crétoise bien représentée, icônes et croix à la pelle). À l'entresol, une belle mise au tombeau de Tzanès et des lettres de patriarches avec des signatures incroyables. Voir aussi au sous-sol, un tableau du peintre naïf Théophilos.

🎵🎵 **Le musée Frissiras** *(plan couleur II, B3, 229) :* 3-7, odos Monis Astériou. ☎ 21-03-23-46-78. • www.frissirasmuseum.com • Ouvert les mercredi et jeudi de 11 h à 19 h et du vendredi au dimanche de 11 h à 17 h. Entrée : 6 € ; réductions.

En plein Plaka, dans deux bâtiments rénovés (l'un, néo-classique, date de 1860, l'autre, d'esthétique « Art nouveau », de 1904), un musée consacré à la peinture contemporaine grecque et européenne. Au n° 3 sont organisées les expos temporaires. Au n° 7 se trouve la collection proprement dite, immense (3 000 œuvres) et l'espace ne suffit pas : aussi, on procède par roulement, et une seule visite ne permet guère que de voir le tiers des œuvres, remplacé chaque mois de septembre par un deuxième tiers, et ainsi de suite. Très belle muséographie. Au sous-sol, cafétéria.

🎵🎵 **Le musée des Bijoux Ilias Lalaounis** *(plan couleur II, B4, 230) :* 12, odos Kallisperi (à l'angle de l'odos Karyatidon). ☎ 21-09-22-10-44. Ouvert du lundi au samedi de 9 h à 16 h (21 h le mercredi) ; le dimanche, de 11 h à 16 h. Gratuit le mercredi de 15 h à 21 h et le samedi de 9 h à 11 h. Fermé le mardi. Entrée : 3 € ; demi-tarif pour les étudiants.

Musée original, ouvert en 1994, exposant des créations d'un orfèvre contemporain qui s'est inspiré de l'art grec ancien et de douze autres civilisations, depuis la préhistoire. Il comprend, sur trois niveaux, 3 000 bijoux et microsculptures regroupés en 45 collections. Ne manquez pas, au premier étage, le « trésor de Priam », inspiré par la découverte de Schliemann sur le site de Troie. Le vrai trésor avait disparu du musée de Berlin durant la Seconde Guerre mondiale. Dix ans avant qu'on ne le retrouve au musée Pouchkine de Moscou, Lalaounis s'inspira des croquis de Schliemann pour créer cette collection ! Mais les autres collections ne sont pas moins intéressantes (art pariétal, art cycladique, etc.). Lalaounis a puisé son inspiration un peu partout, en Grèce avant tout mais aussi chez les Celtes ou les Amérindiens, et également dans la nature (collection Mikrokosmos et surprenante collection ADN, la plus récente, réalisée à l'âge de 80 ans). Dans le hall, possibilité de voir travailler un orfèvre. Au 1er étage, salle de vidéo en français (à demander par interphone).

🍽 ✆ Petite cafétéria dans un patio et boutique, évidemment !

🍴 *Le musée de la Poterie* *(plan couleur I, A3, 204)* : 4-6, odos Melidoni. ☎ 21-03-31-84-91. Ⓜ Thissio. Tout près du cimetière du Céramique et face à la synagogue. Ouvert les lundi, mardi, jeudi et vendredi de 9 h à 15 h, le mercredi de 9 h à 20 h et le dimanche de 10 h à 14 h. Fermé le samedi. Entrée : 3 €. Installé dans une belle demeure bourgeoise du XIXᵉ siècle, le musée présente le travail des potiers dans la Grèce des XIXᵉ et XXᵉ siècles. Matériel, techniques, coutumes et usages relatifs aux cruches, aux vases plutôt bien expliqués (grec et anglais).
🍸 ⊛ Petite cafétéria, boutique.

🍴 *Le musée Maria Callas* *(hors plan couleur I par A3, 205)* : quartier de Gazi, dans l'ancienne usine à gaz rebaptisée Technopolis, odos Piréos. ☎ 21-03-46-09-81. Ouvert du lundi au vendredi de 10 h à 17 h. S'il n'y a personne, se rendre au bâtiment D4 pour demander à ce qu'on vous ouvre. Entrée libre. Il s'agit de la collection que la municipalité d'Athènes a pu acheter à la vente aux enchères organisée à Paris en 2000. Des lettres à ses parents, des photos persos d'avant 1959, quelques habits et guère plus. Pas très passionnant mais les fans de la diva y trouveront certainement de l'intérêt.

🍴 *Le musée Benaki* *(annexe ; hors plan couleur I par A3, 206)* : 138, odos Piréos et Andronikou, quartier de Gazi. ☎ 21-03-45-31-11. • www.benaki.gr • Ouvert en principe de 10 h à 20 h mais les horaires varient en fonction des expos (de même que le prix des billets). Prix moyen : 3 €). Le musée Bénaki a ouvert en 2004 une annexe (dans ce qui était une immense concession automobile) où sont organisées des expositions, très diverses, d'artistes contemporains.
🍸 @ Belle cafétéria (avec des ordinateurs à disposition, accès Internet).

➤ *DANS LES ENVIRONS D'ATHÈNES*

Les monastères

🧍🧍 *Le monastère de Daphni* (Μονή Δαφνης) : à 10 km à l'ouest d'Athènes, sur la route de Corinthe. ☎ 21-05-81-15-58. Pour y aller, bus A16 de la place Elefthérias (aussi appelée place Koumoundourou, sur léoforos Piréos qui part d'Omonia). Arrêt à l'hôpital psychiatrique « Psychiatrio ». Le monastère est juste de l'autre côté de l'artère. Très mal signalé, quitter la voie rapide à la hauteur d'un parc public avec jeux d'enfants sur la gauche quand on vient d'Athènes. Durée du trajet : 45 mn. Ouvert de 8 h à 14 h 30. Fermé le lundi. Entrée : 3 € ; réductions.
Très belles mosaïques. Pour les passionnés, Malraux a écrit deux pages superbes, dans les *Antimémoires,* sur le Christ Pantocrator qui, entouré de ses 16 prophètes, orne le centre de la principale coupole de l'église. « Maître de l'Univers », il vous regarde de haut, le regard comme un peu perdu dans le lointain.
Le monastère a été assez fortement endommagé par le tremblement de terre de septembre 1999 ; il était toujours fermé en 2004. Impossible de savoir s'il rouvrira prochainement...

🧍🧍 *Le monastère de Kaissariani* (Μονή Καισαριανης) : à 10 km à l'est d'Athènes, dans un vallon boisé du mont Hymette. ☎ 21-07-23-66-19. Bus n° 224 sur l'avenue Vassilissis Sofias ou, à Athènes encore, sortir par la rue Filolaou *(plan couleur I, C4)*. Après le terminus au rond-point, grimper à pied 2 km. Ouvert du mardi au dimanche de 8 h 30 à 15 h. Entrée : 2 € ; réductions. Le parc autour du monastère est d'accès libre (sentiers pour randos digestives).

Les Athéniens viennent au monastère pour remplir leurs bidons à la fontaine, dont l'eau est, paraît-il, curative ; autrefois, on croyait même qu'elle apportait la fécondité. On la trouve à l'extérieur du monastère, sur le mur d'enceinte à l'opposé de l'entrée. Le contraste entre le versant côté Athènes, urbanisé à l'infini, et le versant opposé, côté campagne, est étonnant. Le programme de reforestation de ce coin d'Attique est une réussite ; respectez donc cet espace vert, rare dans le secteur. Éviter d'y aller le dimanche, beaucoup d'Athéniens viennent pique-niquer dans le bois à côté, d'où embouteillages, etc. 800 m plus haut que le monastère, petit café de style montagnard.

Les musées

🍴 *La fondation Yannis Tsarouchis :* 28, odos Ploutarhou, à **Maroussi** (Μαρονσι), à 10 km au nord d'Athènes. ☎ 21-08-06-26-36. Prendre l'avenue Vassilissis Sofias, puis l'avenue Kifissias jusqu'à **Maroussi.** Accès en métro : direction Kifissia, station Maroussi (marquée Amaroussiou) ou la suivante (Kat). Du métro, prendre la rue Périkléous derrière la place ; c'est la 6ᵉ rue à droite. Ouvert de 9 h à 14 h. Fermé les lundi et mardi. Entrée : 1,50 € ; réductions ; gratuit le mercredi en principe.
C'est la maison (assez tristounette car en mauvais état), l'atelier et les œuvres d'un des plus grands peintres grecs contemporains. Proche de Matisse à ses débuts, s'initiant également à différents styles de grands peintres reconnus (Vermeer, Hopper), il affirme par la suite sa tendance homosexuelle par le choix de ses sujets (nus masculins, marins et militaires). Huiles, gouaches, dessins pour des mises en scène (pièces, ballets).

🍴 *Le musée Spathario du théâtre d'ombres :* rues Vassilissis Sofias et Dimitriou Ralli, pl. Kastalias, en plein centre de **Maroussi.** ☎ 21-06-12-72-45. Ouvert de 10 h 30 à 13 h 30 (fermé les samedi et dimanche, sauf en été où les visites se font le dimanche entre 10 h 30 et 13 h 30). Préférable de téléphoner, les horaires peuvent varier. Entrée libre.
Spatharis a été l'un des plus grands animateurs du théâtre d'ombres, le *Karaguiozis,* du nom de son principal héros, sorte de guignol grec qui, durant tout le XXᵉ siècle, a fait rire des générations d'enfants (et d'adultes). C'est sa fille qui s'occupe de ce musée où sont exposés les figurines (incroyable, le nombre de personnages créés – même Hitler et Mussolini ont été passés à la moulinette Karaguiozis) et tout le matériel utilisé par Spatharis durant sa longue carrière. Si vous passez en même temps que des scolaires, vous pourrez mesurer à quel point Karaguiozis et ses compères sont populaires auprès des jeunes enfants grecs.

🍴 *Le musée Vorrès :* 1, parodos Diadochou Konstandinou, à **Péania,** à 18 km à l'est d'Athènes. ☎ 21-06-64-25-20 et 21-06-64-47-71. Prendre la route de Lavrio (en passant par l'avenue Mésogion et le quartier d'Agia Paraskévi). Juste avant le village de Péania, à la fourche, suivre le panneau fléché. Bus A5 depuis l'avenue Akadémias jusqu'à Mésogiou, correspondance avec le bus nº 308. Plus simple encore : prendre le métro (ligne 3) jusqu'au terminus (Ethniki Amyna) et prendre le bus nº 308. Ouvert uniquement le week-end de 10 h à 14 h (pour les autres jours, téléphoner). Entrée : 4,50 € ; réductions.
La collection privée de peintures et de sculptures d'artistes grecs contemporains intéressera les amateurs d'art moderne. Également deux maisons traditionnelles présentant, par contraste, la vie d'antan.

Les sites archéologiques

Attention : les horaires sont toujours susceptibles de modifications...

🍴 *Elefsina* (Ελενσινα ; *Éleusis en grec ancien*) : 1, Iera Odos. ☎ 21-05-54-34-70. C'est à 23 km à l'ouest d'Athènes si l'on prend la vieille route de

Corinthe, depuis le centre d'Athènes, mais beaucoup plus rapide par le nouveau périphérique qui rejoint la côte à Éleusis. Bus A16 depuis la place Eleftherias (appelée aussi Koumoundourou ; *plan couleur II, A3*). Ouvert de 8 h 30 à 15 h. Fermé le lundi. Entrée (site et musée) : 3 € ; réductions.

Au cœur de la ville et des raffineries subsistent encore les vestiges du sanctuaire des mystères d'Éleusis ! Haut lieu religieux de l'Antiquité, depuis le VIe siècle av. J.-C. jusqu'au IIe siècle apr. J.-C. L'origine de ce culte remonte à l'histoire de Déméter partie chercher sa fille Coré (Perséphone), enlevée par le dieu des Enfers. À travers cette légende évoquant les cycles de la végétation était symboliquement abordée la problématique et de la mort et de la renaissance. L'initiation, ouverte à tous (esclaves et femmes compris), consistait à mettre en action cette légende, afin de provoquer un sentiment de terreur suivi par l'apaisement procuré par le salut et la renaissance. À voir : vestiges du sanctuaire, des grands et petits propylées, d'un arc de triomphe, du télestérion (salle d'initiation), de l'Acropole. Dans le musée il reste quelques moulages mais, comme c'est presque toujours le cas pour les sites archéologiques, les plus belles pièces se trouvent au Musée national d'Athènes.

🔦 *Vravrona* (Βραυρωνα ; *Brauron en grec ancien*) : à 35 km à l'est d'Athènes. ☎ 22-99-02-70-20. Prendre la route de Rafina et descendre au sud de Loutsa. Situé à l'ouest de Néo Vravrona, à 1 km des habitations. Bus A5 depuis l'av. Akadémias (correspondance à la sortie de la station de métro Ethinki Amynas avec les bus nos 304 ou 316), mais il faudra marcher pour accéder à l'entrée. Ouvert, en principe, de 8 h à 15 h sauf le lundi. Entrée : 3 € ; réductions.

Petit site sympathique, perdu au milieu des collines couvertes de vignes. Il faut dire qu'il est très mal indiqué : on passe devant sans s'apercevoir de son existence ! C'est un des plus vénérables lieux de culte d'Artémis en Attique, datant de l'époque archaïque où, selon la légende, Iphigénie – au lieu d'être sacrifiée – aurait fini ses jours comme prêtresse ! À voir : portique, fondations d'un temple et d'un sanctuaire, chapelle du XVe siècle. Petit musée à quelques centaines de mètres.

🔦 *Amphiaraio* (Αμφιαραιο) : à 42 km au nord d'Athènes. ☎ 22-95-06-21-44. Prendre la route nationale (Ethniki Odos) en direction de Lamia, puis sortir à Markopoulo. Pas vraiment bien indiqué. Ouvrez l'œil ! On peut aussi y aller depuis Marathon en remontant vers le nord via Grammatiko et Kalamos. Accès en bus depuis le parc Aréos. Ouvert en principe de 8 h 30 à 14 h 30. Fermé le lundi. En été, doit ouvrir jusqu'à 19 h (fermé, en revanche, le lundi matin). Entrée : 2 € ; réductions.

Site très agréable au fond d'un vallon boisé. C'est le sanctuaire d'Amphiaraios, un des sept chefs qui assiégèrent Thèbes. Au IVe siècle av. J.-C., le culte de ce héros aux pouvoirs divinatoires s'installa ici, auprès d'une source réputée pour ses vertus curatives, lui octroyant la fonction de dieu guérisseur. À voir : vestiges de temple dorique, autel, installations pour la cure (portique à incubation où les fidèles passaient la nuit), théâtre avec fauteuils d'orchestre étonnamment bien conservés, thermes.

🔦 *Le tumulus de Marathon* (Μαραθωνας) : à 40 km au nord-est d'Athènes, un lieu historique présentant assez peu d'intérêt (on ne voit guère qu'un monticule). ☎ 22-95-05-54-62. Accès en bus depuis le parc Aréos. En principe, ouvert de 8 h 30 à 15 h. Fermé le lundi. Entrée : 3 € ; réductions.

En 490 av. J.-C., 10 000 Athéniens l'emportèrent sur 30 000 Perses, ne laissant sur le champ de bataille que 192 morts enterrés sous le tumulus. Pour annoncer la victoire, un soldat courut à Athènes si vite qu'il en mourut (ça, c'est du moins ce que rapporte la tradition). La ligne bleue visible sur l'asphalte représente le parcours de l'épreuve du marathon moderne. Bref, si vous êtes perdu et que vous regagnez Athènes, respirez et... courez ! Toutefois, le peu qu'il y a à voir est visible de l'extérieur !

� *Rhamnonte* (Ραμνους) *:* à 50 km au nord-est d'Athènes. ☎ 22-94-06-34-77. Prendre la route de Marathon, c'est à 10 km plus loin, direction Kato Souli. Difficile à trouver. Ouvert tous les jours, de 8 h 30 à 18 h (15 h hors saison). Entrée : 2 €.
Petit site hors des sentiers battus, dominant la mer. À voir : belle forteresse antique du IVe siècle av. J.-C., bien conservée ; voie sacrée bordée de tombeaux ; vestiges des temples du sanctuaire de Némésis, la déesse de la Vengeance.

� *Le cap Sounion* (Σουνιο) *:* à 70 km d'Athènes. Longez la côte, si vous n'êtes pas trop pressé, en stop à partir du Pirée : résultat non garanti. Les bus orange du *KTEL* d'Attique partent de la place d'Égypte, parc Aréos (Pédios Aréos en grec), près du Musée national *(plan couleur I, B1)*. Une quinzaine de bus par jour : départs de 6 h 30 à 19 h. Retour de 7 h 30 à 21 h 30 toutes les heures environ, soit par la côte ouest, soit par l'intérieur. Site ouvert tous les jours, de 10 h au coucher du soleil. ☎ 22-92-03-93-63. Entrée : 4 € ; réductions. Les plages sont merveilleuses mais très fréquentées. L'eau limpide donne envie de s'arrêter tous les kilomètres pour piquer une tête.

� *Le temple de Poséidon* se dresse majestueusement à l'extrême pointe du cap. Ne pas se faire d'illusions, le coin est très touristique. Certains peuvent être déçus, car le temple n'est qu'une ruine et vaut surtout pour son emplacement exceptionnel. Malheureusement, à cause d'un incendie qui a ravagé toute la colline, il se dresse dans un site sacrément dégradé !
Deux choses à observer toutefois : les colonnes sont plus fines en haut qu'en bas (0,79 m de diamètre en haut pour 1 m en bas). Cette technique permet d'accentuer l'effet de perspective et de les voir plus hautes qu'elles ne sont en réalité (en fait, elles ne mesurent que 6,10 m de haut). Enfin, le pilastre d'angle (celui de droite) est maculé de graffiti, dont celui de Lord Byron. Comme quoi on peut être poète et vandale à la fois.
Pas une boutique, donc prévoir des provisions si l'on veut y rester un peu. Merveilleux coucher de soleil du haut du temple.

🍴 Hors saison, la *cafétéria* près du site est l'endroit le plus agréable pour admirer le temple : terrasse ombragée, vue imprenable. Nourriture correcte mais prix élevés.
⛺ Si l'on veut absolument rester dans le coin, possibilité d'aller planter la tente au *camping Bacchus*, à 5 km du site archéologique, dans la direction de Lavrio. ☎ et fax : 22-92-03-95-72. ● campingbacchus@hotmail.com ● Dans les 16 € pour 2 personnes avec tente et voiture. Ambiance conviviale et resto correct. Sanitaires qui ne sont plus de toute première jeunesse. Réduction de 10 à 20 % selon la saison sur présentation du dépliant de la chaîne *Sunshine* dont le camping fait partie.

Les plages

Est-ce bien utile de vouloir aller à la plage en Attique ? Attention, la plupart des plages sont aménagées et payantes, bondées et, en prime, embouteillages à prévoir... Si vous êtes tenté, rendez-vous sur la côte au sud du Pirée, à *Voula*, *Vouliagméni* (bus au départ de Syndagma) ou *Varkiza* (quelques criques sympas). Sur la côte est de l'Attique, vous pouvez essayer du côté de *Loutsa*, près de Rafina ou de *Schinias*, près de Marathon. La plage de Schinias, appelée aussi plage de Marathon, bordée de pins, vaut le coup si l'on aime la planche à voile ou si on plante la tente au **camping Ramnous** qui n'est pas mal et finalement pas si loin de l'aéroport. ☎ 22-94-05-58-55. ● www.ramnous.gr ● Ouvert de mai à octobre. Compter autour de 20 € pour deux avec voiture et tente. 10 à 20 % de réduction sur présentation du dépliant de la chaîne Sunshine, dont le camping fait partie. Mais la construction d'un site olympique, à 1 km seulement, a pas mal modifié l'allure du coin, même si la plage de Schinias reste la plus belle de toute l'Attique.

QUITTER ATHÈNES

Transports en commun pour l'aéroport de Spata

Pour les détails sur les nouveaux moyens de transport mis en service en 2004, voir le début du chapitre « Athènes » (« Transports urbains à Athènes et en Attique »).

➤ **Bus E95** de la place Syndagma : départ sur l'avenue Amalias, à côté du Jardin national *(plan couleur I, B3)*. Départs toutes les 10 mn de 5 h 15 à 7 h 25, toutes les 20 mn de 7 h 25 à 2 h 40 du matin et toutes les 30 mn le reste de la nuit. Compter 50 mn de trajet s'il n'y a pas d'embouteillages et jusqu'au double en cas de gros trafic.

➤ **Bus E94** de la station de métro Ethniki Amyna *(terminus de la ligne 3 ; plan couleur d'ensemble)*. Départs toutes les 10 mn environ de 5 h 30 à 20 h 10, toutes les 20 mn de 20 h 10 à 2 h 55 du matin et toutes les 30 mn le reste de la nuit. Compter une grosse demi-heure de trajet s'il n'y a pas d'embouteillages. Prix du billet : 2,90 €.

➤ **En train urbain :** de la gare des trains appelée gare de Larissa *(plan couleur I, A1)*. Prix du billet : 8 € l'aller simple.

➤ **En métro :** de n'importe quelle station. Il suffit de rejoindre la ligne 3. Compter de 25 à 35 mn depuis la station de la place Syndagma. Prix du billet : 8 €.

En bus interurbain

🚌 **Bus du KTEL de l'Attique** *(bus orange)* **:** 28, odos Mavromatéon ; près de Pédios Aréos (ou Parc Aréos ; *plan couleur I, B1)*. Du centre d'Athènes, ligne 1 du métro direction Kifissia, jusqu'à Victoria, ou *trolleybus* jaune nos 2, 4 ou 9.

➤ Nombreux bus **pour le cap Sounion, Marathon, Rafina** (le port qui dessert Andros et Tinos, compter plus d'une heure de trajet), **Skala Oropou, Lavrio,** ainsi que pour **Thessalonique** (pour cette dernière destination, 6 bus par jour en semaine et 9 le week-end, de 8 h à 22 h 30). ☎ 21-08-23-01-79 (Sounion) et 21-08-21-08-72 (Rafina, Marathon).

➤ Pour les départs à destination d'Agios Konstantinos ou de Volos (ports d'où partent les bateaux pour les Sporades), voir le chapitre consacré aux Sporades.

En bateau

Départs du jour et du lendemain affichés à l'office du tourisme.

➤ **Depuis Le Pirée :** voir plus loin le chapitre « Le Pirée ».

➤ **Depuis Rafina :** voir plus loin le chapitre « Rafina ».

➤ **Depuis Lavrio :** bateaux pour Kéa et Kythnos. Renseignements à la capitainerie : ☎ 22-92-02-52-49. Liaisons nombreuses pour Kéa, de 2 à 4 fois par jour en été. Certains ferries continuent sur Kythnos. Lavrio accueillera peut-être, à terme, une partie du trafic du Pirée.

RAFINA (ΡΑΦΗΝΑ)

10 000 hab.

Petite ville à 28 km d'Athènes, très fréquentée l'été (résidences secondaires des Athéniens). Rafina est un petit port à taille humaine (rien à voir avec Le Pirée), le 2e port d'Athènes, mais avec l'ouverture du nouvel aéroport à Spata, Rafina est devenu stratégiquement intéressant, du moins pour certaines Cyclades ou pour ceux qui souhaitent passer en Eubée. Vous y trouverez des correspondances journalières pour Andros, Tinos, Mykonos, Syros, Paros. Liaisons plus rares pour Naxos, Santorin et Amorgos.

Comment y aller ?

➤ **En bus :** depuis odos Mavromatéon, en face du n° 29, à côté de Pédios Aréos (bus orange du KTEL d'Attique).
➤ **En voiture :** d'Athènes, compter au minimum 1 h à cause des embouteillages.

Adresses utiles

Pas d'office du tourisme à Rafina, il est donc préférable de prendre tous les renseignements à l'office d'Athènes.

🚢 **Capitainerie du port :** ☎ 22-94-02-23-00.
Toutes les agences sont sur la marina, proches les unes des autres. Plusieurs compagnies se partagent le marché : en ce qui concerne les horaires, difficile de vous donner des indications très précises, car le nombre de départs est légèrement différent chaque jour. Les premiers bateaux partent à 7 h 40 et les derniers vers 23 h. Une bonne dizaine de liaisons journalières vers les Cyclades et 6 à 8 vers l'île d'Eubée (Evia).

■ **Blue Star Ferries :** agence *Togias,* ☎ 22-94-02-33-50. Ferries pour Andros, Tinos, Mykonos. *Seajet* pour Tinos, Mykonos, Paros.
■ **Hellas Flying Dolphins :** central de réservations, ☎ 21-04-19-90-00. Fax : 21-04-13-11-11. À Rafina, agence *Mamalis :* ☎ 22-94-02-62-39. Fax : 22-94-02-62-40. Ferries pour Andros, Tinos et Mykonos. Également un *Flying Cat* (Tinos, Mykonos).

■ **Ydroussa :** ☎ 22-94-02-33-00. Un nouveau ferry, l'*Aqua Jewel,* dessert Andros, Tinos, Mykonos et Paros. Départ quotidien en saison à 7 h 25. Un départ l'après-midi les vendredi, samedi et dimanche.
■ **Karystia Shipping** (pour l'Eubée) : agence *Dimitrakis,* ☎ 22-94-02-67-01. Ligne Rafina-Marmari.
■ **Distributeurs de billets :** sur la partie neuve du port.

Où dormir ?

Peu de possibilités à Rafina même. Si tout est plein, continuer sur Mati, un peu plus au nord.

⛺ **Camping Kokkino Limanaki :** à 1,5 km du centre-ville de Rafina, sur la route côtière entre Rafina et Mati, au-dessus d'une jolie plage aux falaises ocre. ☎ 22-94-03-16-04. Fax : 22-94-03-16-03. À Athènes : ☎ 21-05-23-39-99. Fax : 21-05-23-55-93. ● www.athenscamping.gr ● Ouvert, en principe, de début mai à octobre. Correct mais cher : environ 18 € pour 2 adultes avec une voiture et une petite tente. 65 emplacements environ. Ombragé. Un point noir : le camping est très bruyant (le resto, *Balkoni,* par ailleurs pas mauvais du tout, est très fréquenté par des clients venant de l'extérieur, et ce, jusqu'à 2 h du matin...). Location de bungalows (très sommaires) également. Le patron, accueillant et disponible, parle le français. Plage très agréable et ventée, ce qui rend les grosses chaleurs plus supportables.

🛏 *Koralli :* sur la place principale. ☎ 22-94-02-24-77. Dans les 50 € la nuit en chambre double. Quelques chambres avec clim'. Rien de bien extraordinaire, mais utile si l'on a un bateau à prendre tôt le matin.

Où dormir dans les environs ?

🛏 *Hôtel Miami :* à Mati (à 6 km au nord de Rafina), sur le front de mer. ☎ 22-94-03-43-73. Fax : 22-94-03-43-72. Ouvert de mai à octobre. Chambres doubles à partir de 45 €. Hôtel offrant un bon rapport qualité-prix. Mati est une petite ville très fréquentée par les Athéniens.

Où manger ?

🍴 *Meteora :* 10, odos Vassileos Georgiou (rue parallèle à la place principale). ☎ 22-92-02-26-07. Ouvert tous les jours de 8 h à minuit. Fermé en novembre. Pour un repas complet, compter environ 9 €. Ici, on travaille en famille, la mère, le père et le fils. L'adresse à l'ancienne. Cuisine simple et traditionnelle. Farcis à la viande, moussaka, aubergines « spécial ».

LE PIRÉE (PIREAS ; ΠΕΙΡΑΙΑΣ) 190 000 hab.

> Pour la carte de l'embarquement pour les îles, se reporter au cahier couleur.

Port d'Athènes. C'est du Pirée que partent la grande majorité des bateaux qui desservent les îles. Le Pirée se divise en deux parties d'importance inégale : le premier port (à côté du terminus de métro) qui se subdivise en plusieurs quais (*akti* en grec). En sortant du métro, on a devant soi, légèrement sur la droite l'Akti Kondyli ; en prenant à gauche, c'est l'Akti Posidonos et en continuant on arrive sur l'Akti Miaouli. Les portes d'embarquement se succèdent depuis l'Akti Kondyli jusqu'à l'Akti Miaouli. On peut avoir à marcher pas mal (ou pire, à courir si le bateau est sur le point de partir) pour rejoindre son ferry. Un nouveau quai, extension du port principal, a été aménagé en 2003 (Akti Vassiliadi), tout au bout sur la droite, à un bon kilomètre du métro. Un bus gratuit fait la navette. Le second port, à l'opposé du premier – la marina – bordé de cafés, restos, très animés le soir, où la jeunesse grecque se retrouve. Dans la *marina de Zéa* sont amarrés les yachts des fameux armateurs grecs. Pour aller à la marina, bus n° 904 (en face de la station de métro) ou trolleybus jaune n° 20 (près de la station de métro). Toutes les 15 mn de 5 h à 1 h. À pied, compter 20 à 25 mn.

Comment y aller ?

➤ En prenant le métro (ligne 1) de la place Omonia, de Monastiraki, de Victoria ou de Thissio toutes les 10 mn, de 5 h à minuit. C'est le plus simple. De Syndagma, bus n° 40 de 5 h à minuit également et d'Omonia bus n° 49. De l'aéroport, bus E96. Environ 45 mn de trajet. Arrêt « Harbour ».

RAFINA ET LE PIRÉE

Adresses utiles

✉ **Bureau de poste :** à l'angle des rues Filonos et Tsamadou. Ouvert du lundi au vendredi de 7 h 30 à 20 h ; le samedi de 7 h 30 à 14 h et le dimanche de 9 h à 13 h (pour l'envoi des lettres seulement).

■ Nombreuses **banques** avec distributeurs regroupées, pour la plupart, sur l'Akti Miaouli. Ouvert du lundi au vendredi de 8 h à 14 h (13 h 30 le vendredi).

■ **Presse internationale :** Librairie Telstar, 57, odos Akti Miaouli (sur le port). Quelques journaux et magazines français, ainsi qu'un petit rayon de livres de poche français. De nombreux kiosques également sur les quais.

Où dormir ?

Prix moyens

🛏 **Hôtel Elektra :** 12, odos Navarinou. ☎ 21-04-11-27-30. Très central. Pas loin de la gare et du métro. Chambres doubles à 50 € avec TV et AC, mais sans petit déjeuner. Chambres assez spacieuses, claires et propres. Mobilier correct. Essayez d'éviter le côté rue (très passante et bruyante). Pas de consigne. Cartes de paiement acceptées.

Plus chic

🛏 **Lilia Hotel :** 131, odos Zeas. ☎ 21-04-17-91-08. Fax : 21-04-11-43-11. ● www.liliahotel.gr ● Juste au-dessus de la marina Zéa. Compter de 75 à 85 € pour une chambre double avec petit déjeuner servi dans une salle agréable. Dans un quartier sympathique du Pirée, à 50 m de la marina Zéa, mais à 1 km du quai d'embarquement des ferries (transfert gratuit organisé par l'hôtel jusqu'aux différents ports). Petit et familial, l'hôtel comprend 20 chambres au joli mobilier clair, avec TV et salle de bains ancienne mais tout à fait correcte et propre. Balcon fleuri. Prix intéressants pour les triples et quadruples. Cartes de paiement acceptées. Réduction de 5 % accordée à nos lecteurs (paiement en liquide).

🛏 **Hôtel Triton :** 8, odos Tsamadou. ☎ 21-04-17-34-57/8. Fax : 21-04-17-78-88. Chambres doubles à environ 80 €. Hôtel complètement rénové, chambres fonctionnelles avec AC et TV. Salle de bains avec une grande douche, très propre. Réserver si possible, car souvent complet. Accueil sympa. Consigne gratuite. Cartes de paiement acceptées.

🛏 **Hôtel Anemoni :** 65-67, odos Evripidou. ☎ 21-04-11-17-68. Fax : 21-04-11-17-43. ● www.anemoni.gr ● Assez proche du port, mais sans les nuisances. Compter dans les 100 € pour une double. Une cinquantaine de chambres, plutôt confortables. AC, TV. Bon rapport qualité-prix. Parking souterrain. Cartes de paiement acceptées.

🛏 **Hôtel Noufara :** 45, léoforos Iroon Politechniou (entre le port et la marina Zéa). ☎ 21-04-11-55-41. Fax : 21-04-13-42-92. Compter largement 90 € pour une chambre double avec petit déjeuner. Belle entrée en marbre. Petit hôtel propret, d'une cinquantaine de chambres assez chic, toutes avec de jolies salles de bains, frigo, TV et AC. Grands balcons. Cartes de paiement acceptées.

Où manger ?

Quelques gargotes au port, ça va de soi. Sinon, les *tavernes de la marina Zéa*. En particulier, 3 ou 4 restos populaires au carrefour des rues Sotiros Dios et Ralli. Choisir suivant son intuition. L'un d'eux, très grec, avec néons blafards et TV tonitruante, propose une cuisine correcte à prix parfois un peu élevés. Les restos de poisson de Microlimano sont beaucoup plus chers, mais l'ambiance petit port de plaisance est agréable.

|●| *Ennia Adelfoi :* 48, odos Sotiriou. ☎ 21-04-11-52-73. Pas très loin de la marina Zéa. Au niveau de l'avenue Lambraki et à l'angle de Ralli. Ouvert tous les jours, midi et soir. On y mange pour 10 € par personne. Dans une grande salle impersonnelle (sans aucune déco particulière), caractéristique des authentiques tavernes. Cuisine dans la salle, ce qui facilite le choix ! Terrasse sympa. Plats à emporter. Peu touristique.

|●| *Café-Restaurant + Ousia :* 5, odos Paléologlou (pl. Terpsithéas). ☎ 21-04-22-20-05. Remonter la rue qui part du port en face de la porte E. Fermé les dimanche soir et lundi soir. Compter dans les 12-15 €. Sous ce nom mystérieux se cache un petit restaurant crétois qui pro-

pose nombre de spécialités de la grande île. C'est la cantine de pas mal d'employés du coin. Terrasse sur estrade. Service rapide.

|●| *Vassilenas :* 72, odos Etolikou. ☎ 21-04-61-24-57. Un peu excentré. De l'Akti Kondyli, proche de la station de métro, prendre à droite l'odos Etolikou et la remonter en traversant le quartier des entrepôts. Ouvert à partir de 19 h. Fermé le dimanche et en août. Compter environ 20 € par personne pour le repas, vin résiné compris. L'été, on mange sur la terrasse. Ambiance des tavernes 1950 (époque où la taverne a vu défiler de nombreuses célébrités grecques), succession de 16 à 18 assiettes de *mezze* ! Soupe de poissons réputée.

À voir

⚲ *Le Musée archéologique :* 31, odos Har. Trikoupi. ☎ 21-04-52-15-98. Ouvert de 8 h 30 à 15 h. Fermé le lundi. Entrée : 3 € ; réductions. Bas-reliefs, stèles funéraires, marbres, mais surtout quatre grandes statues de bronze découvertes au Pirée.

QUITTER LE PIRÉE

En bateau

En principe, cela devrait être la seule raison ou presque de venir au Pirée... Si possible, en été, éviter les vendredi et samedi soir, et en particulier les week-ends de fin juillet ou début août : c'est de la pure folie, on a l'impression que tout Athènes embarque pour les îles. Éviter aussi de s'y rendre en

Destinations et temps approximatifs de transport en ferry au départ du Pirée	
(cf = car ferry ; cm = catamaran ; hy = hydroptère)	
AGIOS KYRIKOS (Icaria) 9-10 h (cf)	MILOS 6 h 30 (cf), 4 h (hy)
AMORGOS 8-11 h (cf)	MYKONOS 5 h 30 (cf), 3 h (cm)
ASTYPALÉA 10-13 h (cf)	MYTILÈNE (Lesbos) 6 h (cm), 13 h (cf)
CHIOS (HIOS) 8-9 h	NAXOS 6-7 h (cf), 3 h 30 (cm)
ÉGINE 40 mn (hy), 1 h 20 (cf)	PAROS 5 h (cf), 2 h 45 (cm)
FOLÉGANDROS 9 h (cf)	PATMOS 8-13 h
HYDRA 1 h 40 (hy), 4 h (cf)	RHODES 14-18 h (cf), 11 h (cm)
IOS 8-10 h (cf)	SANTORIN (Théra) 8-11 h (cf), 4 h 30 (cm)
KALYMNOS 5-12 h (cf)	SIFNOS 5 h (cf), 3 h (hy)
KARLOVASSI (Samos) 10 h (cf)	SÉRIFOS 4 h 15 (cf), 2 h 30 (hy)
KOS 11-14 h (cf), 9 h (cm)	SYROS 4 h (cf), 2 h 15 (cm)
KYTHNOS 3 h (cf), 1 h 35 (hy)	TINOS 4 h 15 (cf)
LÉROS 11 h (cf)	

plein milieu de journée pour un ferry : une première fournée de bateaux part tôt, entre 7 h 30 et 8 h 30, et ensuite il faut attendre l'après-midi, à partir de 15 h ou 16 h pour avoir la deuxième fournée de départs. Mais cela ne signifie pas que des bateaux partent matin et soir pour chaque île. En revanche, des bateaux rapides (qui font parfois 2 rotations dans la journée) peuvent vous éviter d'attendre jusqu'au soir.

🛥 Il existe **2 ports** *(carte couleur Embarquement pour les îles)* **:** le **port principal,** gigantesque, dont les différents quais se trouvent autour de la place Karaiskaki (à 200 m à gauche en sortant de la station de métro) et qui propose des départs en ferries et en *Flying Dolphin.* Attention : ce port est immense ; ne pas prévoir d'arriver à la dernière minute, en particulier si vous êtes à pied. Trouver le bon ferry ou le bon *Flying Dolphin* et y accéder peut prendre un peu de temps. Et la **marina Zéa,** qui se trouve à l'opposé du port principal, de l'autre côté de la presqu'île que forme Le Pirée (bus n° 904 depuis la place Karaiskaki, à la sortie du métro, environ 10 mn de trajet). En principe, pas de départ pour les îles depuis ce port.

Munissez-vous du plan d'Athènes et du Pirée offert par l'office du tourisme ; il permet de mieux visualiser cette multitude de quais d'embarquement. Les agences qui vendent les billets sont toutes à proximité de la station de métro, des guérites sont également disposées tout près des points d'embarquement. Pour les détails, voir le chapitre suivant « Les îles grecques. Comment y aller ? »

Comment se rendre aux différents ports ?

Depuis l'avenue Athinon, qui part du centre d'Athènes *(plan couleur I, A3)* :

➤ **Pour le port principal :** allez tout droit, direction « Central Harbour, station » ; arrivé en bord de mer, tournez à gauche et repérez-vous en fonction de votre île de destination (les départs sont regroupés par portes d'embarquement). Pour les îles Argo-Saroniques, les départs se font vers la porte Δ, devant la place Karaiskaki.

➤ **Pour la marina Zéa :** tournez à gauche, direction « Dimarkio, center ». Au bout de l'avenue Lambraki, longez le bord de mer par la droite, c'est à 1 km. Indiqué par un petit panneau pas très apparent.

Attention, il n'y a pas de parking et certaines rues sont munies d'horodateurs. Il est particulièrement difficile de se garer au Pirée.

Renseignements

– *Le Pirée-Rafina-Lavrio :* ☎ 143.
– *Port du Pirée :* ☎ 21-04-59-32-23 et 21-04-59-39-11.
– *Marina Zéa :* ☎ 21-04-59-30-00.
– Tous les départs du jour et du lendemain sont indiqués dans le supplément *(Kathimérini)* du *Herald Tribune.* L'office du tourisme d'Athènes (4, odos Amerikis ou à l'aéroport) édite quotidiennement des feuilles avec les horaires de départ et les affiches en vitrine.
– Agences et compagnies maritimes : inutile de se fatiguer, toutes les agences pratiquent les mêmes prix pour les ferries. Mieux vaut tout de même passer par les agences centrales.

En bus

➤ **Pour l'aéroport de Spata :** bus E96 qui part du port.
➤ **Pour les gares routières d'Athènes :** bus n° 420 en face de la station de métro.

LES ÎLES GRECQUES

Pour la carte *Embarquement pour les îles au départ du Pirée,* se reporter au cahier couleur.

> Nous le savions qu'elles étaient belles, les îles
> Quelque part près du lieu où nous allions à
> l'aveuglette,
> Un peu plus bas, un peu plus haut,
> À une distance infime.
>
> Georges Séféris, *Mythologie*
> (traduction : Jacques Lacarrière et Égérie Mavraki).

DES ÎLES ET DES CHIFFRES

Une question difficile pour commencer : combien la Grèce compte-t-elle d'îles ? Posez la question sur place, il n'est pas sûr qu'on sache vous répondre. Il y en aurait dans les 5 000 si l'on y inclut les *vrakhonissidès* (littéralement les « îles-rochers »), petits morceaux de terre émergée, tous inhabités ; plus que 1 300 ou 1 400 si l'on ne garde que ce qui couvre une surface minimum méritant l'appellation d'île et plus que 110 à 120 si l'on ne compte que les îles habitées. Et encore, parmi ces dernières, une vingtaine ne dépassent pas les 10 habitants permanents ! L'ensemble des îles grecques couvre un cinquième du territoire grec mais est assez peu peuplé puisque les insulaires, au nombre de 1,5 million, ne constituent qu'à peine 15 % de la population du pays. Beaucoup de petites îles en effet se sont dépeuplées après la Seconde Guerre mondiale en raison de vagues d'émigration massives. Trois îles dépassent néanmoins les 100 000 habitants : la **Crète** *(Kriti)*, un chouïa plus petite que notre Corse mais deux fois plus peuplée, avec 604 000 habitants environ, **Eubée** *(Evia)*, 210 000 habitants, reliée au continent par deux ponts, et **Corfou** *(Kerkyra)*, dans les îles Ioniennes, 110 000 habitants. Ce tiercé de tête est talonné de près par **Lesbos** et **Rhodes** qui frôlent les 100 000 habitants. Deux petites îles se distinguent par leur position géographique, **Gavdos**, tout au sud de la Crète, qui était le territoire le plus au sud de l'Union européenne jusqu'à l'entrée de Chypre dans l'Union européenne, et **Kastelorizo** (ou **Mégisti**), dans le Dodécanèse, le territoire le plus à l'est de cette même Union, à 72 milles nautiques au sud-est de Rhodes mais à quelques encablures seulement de la ville de Kas en Turquie.

Destination touristique phare, la mosaïque insulaire grecque a deux visages. D'octobre à début avril, tout est fermé ou presque, les liaisons maritimes se font rares, et soudain, à l'approche de l'été, hôtels et commerces ouvrent à nouveau, les touristes arrivent de plus en plus nombreux jusqu'à l'overdose de juillet et août. Quelques exceptions : la Crète et surtout Rhodes qui bénéficient d'un climat leur permettant d'accueillir les visiteurs toute l'année ou presque, ce qui ne veut pas dire qu'il reste beaucoup de structures hôtelières ouvertes en plein hiver.

QUELLES ÎLES CHOISIR ?

Le choix est difficile, il y en a pour tous les goûts et tous les budgets.

L'image que la plupart des gens se font de l'île grecque type est celle d'une île cycladique : montagneuse, surmontée d'un village aux maisons éclatantes de blancheur, sauf les volets bleus, avec de petites criques agrémentées d'autres maisons cubiques, tout aussi blanches. Or, sur l'ensemble des îles grecques, cette image ne correspond qu'à une partie d'entre elles, même si ce sont les plus visitées (les plus petites des Cyclades et du Dodécanèse) : les îles Ioniennes (traitées dans le *Guide du routard Grèce continentale*) présentent un aspect tout à fait différent. Elles sont boisées, plutôt vastes. Il en est de même avec les Sporades, plus petites mais très vertes également. Lesbos (Mytilène), c'est encore autre chose : des oliviers à perte de vue et, là où l'olivier cède la place, des pinèdes. On pourrait poursuivre la liste... En fait, chaque île possède sa spécificité, son « âme » et l'on vous recommande de bien vous renseigner pour éviter une déception (en plus de votre *GDR*, il existe des sites Internet sur chaque île permettant de se faire une idée). En effet, on n'aime pas forcément toutes les îles de la même façon et il est utile de savoir ce qui vous attend, avant d'y poser le pied,

Une des principales difficultés quand on souhaite visiter les îles est de composer au mieux son itinéraire. Il faut composer avec plusieurs paramètres :

– **Les liaisons bateaux :** leur fréquence est variable, en gros, la haute saison va de mi-juin à mi-septembre mais cela change beaucoup d'une compagnie à l'autre. Avant et après, la fréquence est moindre, avec une exception autour de Pâques (en 2005, la Pâque orthodoxe est le 1er mai), période à laquelle les bateaux sont plus nombreux. Comme on peut s'y attendre, les îles les plus fréquentées sont également les mieux desservies. Cela signifie qu'on peut, si on ne se plaît pas sur l'île choisie, en repartir dès le lendemain dans le meilleur des cas mais, pour des îles desservies 2 fois par semaine, il n'en est pas de même...

Attention : les liaisons se font plus facilement dans un même groupe d'îles et encore plus dans un même sous-groupe. Il est néanmoins possible de passer par exemple des Cyclades au Dodécanèse, mais les opportunités ne sont pas très nombreuses (passer d'Amorgos à Astypaléa). On peut aussi aller des Cyclades aux Sporades, mais il n'y a guère qu'une liaison qui le permet.

– **La durée du séjour sur chaque île :** évidemment, si vous n'avez un bateau que 2 fois par semaine, inutile de penser à repartir le lendemain de votre arrivée. Mais il est bon de se renseigner, pour élaborer son itinéraire, sur le temps à passer dans chaque île. De très grandes îles comme Lesbos (Mytilène), Chios, Samos ou Rhodes méritent bien 5 à 6 jours, voire une semaine. Des îles de taille médiane comme Paros, Amorgos, Santorin ou Naxos par exemple peuvent vous retenir au minimum 3-4 jours et certaines autres îles bien plus petites (par exemple Anafi, Astypaléoa, Nissyros) se visitent en 2-3 jours, si l'on est pressé du moins. Bien entendu, ces durées ne sont qu'indicatives et rien n'empêche de passer une semaine de farniente sur une petite île où il n'y a rien à faire, sinon bronzer... Mais si vous ne disposez que d'une semaine de vacances, il est évident qu'en moyenne deux îles suffiront à occuper votre séjour. Pensez aussi, si vous réservez, qu'il faut bien vérifier (ou faire vérifier) qu'il est possible de vous rendre, le jour voulu, de telle île à telle autre (dans des conditions normales, évidemment : les pannes de bateaux ou les annulations en raison d'un coup de vent sont des choses qui arrivent... Si vous repartez en avion d'Athènes, prévoyez évidemment d'y dormir au minimum 1 nuit avant votre départ, voire 2 pour éviter toute mauvaise surprise).

Il est aussi assez souvent possible, à partir d'une île très touristique, de faire des excursions, appelées « one-day cruises » dans une ou plusieurs île(s) voisine(s). L'avantage est de simplifier la tâche au niveau hébergement, mais évidemment on n'y passe que quelques heures (et le plus souvent en pleine chaleur).

Comment y aller ?

En avion

Une trentaine d'îles sont desservies par des vols intérieurs au départ d'Athènes (quelques liaisons également depuis Thessalonique et Rhodes). Ne pas s'attendre à voler sur de gros porteurs, à l'exception des grosses îles, c'est plutôt le genre *Dornier* (18 places) ou *ATR* (50 ou 70 places). Plutôt bon marché. Toutefois bien plus cher que le bateau, mais ô combien plus rapide ! En été, il est vivement conseillé de réserver au départ de Paris.

■ *Olympic Airlines :* 3, rue Auber, 75009 Paris. ☎ 01-42-65-92-42. ● www.olympicairlines.gr ● Ⓜ Opéra ; RER A : Auber. Attention, tous les vols annoncés par Olympic Airlines ne sont pas forcément effectués, les annulations sont fréquentes. Sur place, toujours téléphoner la veille pour vérifier.

■ La compagnie *Aegean Airlines* assure des liaisons au départ d'Athènes pour la Crète (La Canée-Héraklion), Chios, Corfou, Kos, Mykonos, Mytilène (Lesbos), Rhodes et Santorin. ● www.aegeanair.com ● De Grèce : ☎ 0801-11-20-000 ; de l'étranger : ☎ 21-09-98-83-00.

LES ÎLES GRECQUES (Généralités)

En bateau

➢ *D'Athènes :* le meilleur moyen pour aller au Pirée depuis le centre d'Athènes est le métro. Le prendre à Omonia ou Syndagma jusqu'au terminus (port du Pirée). Autre solution : le bus vert n° 40 à la place Syndagma (l'arrêt se trouve en face du 4, odos Philhellinon). Mais par le métro, c'est plus rapide. Ne pas oublier que certaines liaisons pour les Cyclades se font aussi au départ de Rafina, sur la côte est de l'Attique, plus proche du nouvel aéroport que Le Pirée, ainsi que de Lavorio, au sud de l'Attique.
➢ *De l'aéroport :* un bus direct (E96) relie l'aéroport au port du Pirée. Départ toutes les 20 mn de 7 h 20 à 22 h 10 et toutes les 30 mn de 22 h 10 à 7 h 20. Prix du billet : environ 3 €. Compter 45 mn à 1 h si la circulation est fluide, le double en cas de bouchons. Mieux vaut prévoir 2 h...

Conseils pratiques

– Prendre toujours un billet aller simple (on peut ainsi changer d'itinéraire pour le retour).
– *Les bateaux :* en quelques années, la flotte s'est modernisée. La plupart des *ferries* sont confortables, mais il en reste encore quelques-uns âgés d'une trentaine d'années. Il existe aussi des ferries rapides (de la compagnie *Blue Star Ferries*), un peu plus chers que les ferries de conception ancienne. Mais pour les îles plus proches du continent, les *hydroglisseurs* (qu'il faudrait appeler hydroptères en fait) sont nombreux (îles Saroniques, Dodécanèse). Deux fois plus rapides et deux fois plus chers que les ferries classiques, ils conviennent à ceux qui sont pressés et ne détestent pas faire la traversée enfermés (il faut aussi avoir le pied marin parfois, les plus sensibles du cœur éviteront les places avant, où l'on est beaucoup plus secoué). Les *catamarans* (*Flying Cat* ou *Sea Jet,* pour passagers ou *High-speed 2, 3* et *4,* pour passagers et véhicules, comme les ferries) sont de véritables TGV des mers et permettent de rejoindre certaines îles en un temps record (Le Pirée-Santorin en à peine 4 h, par exemple).
– *Les horaires des bateaux :* difficile de les annoncer d'une année sur l'autre avec certitude (les horaires et fréquences que nous indiquons ont été relevés en 2004 et peuvent subir des modifications), ils varient selon les époques de l'année. De plus, avec la libéralisation du cabotage dans le

cadre du grand marché européen, des changements importants risquent de se produire. C'est pourquoi il est préférable de s'adresser aux capitaineries et compagnies maritimes, ou mieux, d'entrer dans une agence pour demander un horaire (démarche qui ne vous oblige en aucun cas à acheter un billet sur place). Avantage : on a plus de chances d'y trouver des personnes anglophones que dans les capitaineries. N'oubliez pas non plus qu'à l'office du tourisme d'Athènes, les départs du Pirée et de Rafina sont affichés. On peut également les demander à l'office du tourisme de l'aéroport.

NB : depuis le 1er avril 1997, il est devenu obligatoire de se procurer son billet à l'avance dans n'importe quelle agence, voire à la dernière minute au port de départ mais pas sur le bateau même, comme cela se faisait autrefois. En effet, en raison de l'informatisation de la billetterie, la prévente se généralise ; fini l'époque romantique des bateaux surchargés en partance pour Mykonos.

– *Nourriture :* pensez à acheter de la nourriture et des boissons car, à bord, c'est souvent plus cher.

– *Vos affaires encombrantes :* laissez le maximum d'affaires à Athènes, dans une consigne *(left-luggage),* vous les reprendrez au retour. Voir « Adresses utiles » à Athènes.

– *Discrimination anti-touristes :* attention au moment d'embarquer à bord du ferry. Certaines pratiques illégales se répandent qui consistent à distinguer les passagers grecs des autres, c'est-à-dire des touristes étrangers. Les places assises sont attribuées d'office aux Grecs au détriment des autres passagers, qui doivent alors se contenter du pont. Cette pratique est interdite. Dans les faits, voilà comment cela se passe. Un employé de la compagnie, posté à l'entrée de la partie couverte du bateau, inspecte à nouveau les billets des passagers alors que ses collègues l'ont déjà fait avant l'embarquement. Si vous êtes un routard sac à dos et que vous ne parlez pas le grec, l'employé vous invite à rester sur le pont en prétextant que les places à l'intérieur sont réservées aux détenteurs de billets spéciaux. C'est FAUX ET MENSONGER ! Hormis ceux qui ont acheté des places en cabine, tout le monde a un billet semblable : des places assises, c'est-à-dire de simples sièges à l'intérieur du navire. Il n'existe pas de billets « différents », comme le disent parfois ces employés peu scrupuleux. Vous avez donc tout à fait le droit de refuser d'obtempérer et de vous asseoir comme il vous plaît dans la salle des places assises.

Réductions pour les étudiants

Plus appliquées, depuis fin 2003, en tout cas pour les étudiants non grecs. Mais rien n'empêche d'essayer... Pour les Grecs, la réduction a été ramenée à 20 %.

Où acheter son billet ?

Dans les *agences de voyages du Pirée,* prix identiques partout. Encore abordable. Attention aux *taxes d'embarquement* pour le bateau ; lorsque les trajets sont courts, les taxes deviennent relativement importantes, comparées au prix de la traversée.

Où prendre le bateau ?

➢ *Au port principal du Pirée :* se repérer au Pirée n'est pas toujours évident (voir la *carte couleur Embarquement pour les îles au départ du Pirée*).

La notion de porte (Pyli – ΠΥΛΗ en caractères grecs – ou *gate* en anglais) est assez floue : elle correspond aux points de passage des véhicules qui vont ensuite rejoindre la file d'attente pour leur ferry. Si l'on est à pied, après avoir franchi l'entrée de ladite porte, on peut avoir à marcher encore pas mal. Quand on arrive en métro d'Athènes, on se retrouve quai (akti) Kallimassioti.

Il faut, par prudence, bien se faire préciser le lieu d'embarquement au moment de l'achat du billet. Voici quelques repères à titre indicatif :
– Quai Kondyli – en grec *akti Kondili* –, face à la gare de Larissa – ferroviaire : bateaux pour la Crète *(Anek Lines, Minoan Lines)*.
– Akti Kallimassioti : bateau pour les Cyclades : plus près du terminus de métro.
– Akti Possidonos : Cyclades, îles Argo-Saroniques.
– Akti Tzélépi : Cyclades, îles Argo-Saroniques.
– Akti Miaouli : Cyclades, Samos-Ikaria et certaines îles du Dodécanèse.
– Akti Vassiliadi : départ pour la Crète (bateau rapide pour La Canée) et certaines des Cyclades (bateau *Blue Star 1*). Navette pour s'y rendre. À pied (c'est assez long) ou en voiture, de la station de métro, suivre akti Kondili, c'est très bien indiqué.
Le *quai Vassiliadi* était en plein développement en 2004 et il accueillera à terme davantage de bateaux, désengorgeant la partie du port la plus proche de la ville. Attention également : les emplacements de ces bateaux peuvent évoluer. Éviter d'arriver au dernier moment.
➤ **À Rafina :** le port est petit, pas de difficulté pour se repérer.
➤ **À Lavrio** (sud-est de l'Attique) *:* idem. Le port de Lavrio, agrandi pour accueillir de plus gros bateaux, pourrait devenir un port d'embarquement pour les Cyclades de l'Ouest et du Centre. En 2004, les bateaux pour Kéa en partaient (l'un deux continuait sur Syros, Tinos et Andros).

Où se renseigner ?

À Athènes

À l'office du tourisme et dans les agences de voyages ou, mieux encore, dans les agences centrales des compagnies maritimes (voir les « Adresses utiles » dans le chapitre « Athènes »). Au Pirée, évidemment (toutes les compagnies n'ont pas forcément d'agence centrale à Athènes mais toutes en ont une au Pirée).

Dans les capitaineries

Au mieux, accueil en anglais.
– *Le Pirée :* ☎ 21-04-51-13-10. Fax : 21-04-51-11-21. Le port du Pirée s'est doté d'un site Internet : ● www.olp.gr ● Fin 2004, il ne comptait que peu de pages en anglais.
– *Rafina :* ☎ 22-94-02-88-88. Fax : 22-94-02-57-98.
– *Lavrio :* ☎ 22-92-02-52-49. Fax : 22-92-06-01-88.

Auprès des compagnies

On peut consulter leurs sites Internet. Ils sont très inégaux et on ne garantit pas que tous répondront si vous les interrogez !
Voici les principales compagnies :
– **Blue Star Ferries :** ● www.bluestarferries.com ● (Cyclades, Dodécanèse, îles Ioniennes et Crète). Ferries rapides et catamarans.
– **Dane Sea Lines :** ● www.danesealine.com ● (Dodécanèse, via certaines des Cyclades). Ferries classiques.
– **Hellas Flying Dolphins :** ● www.dolphins.gr ● (Cyclades, Sporades au départ de Volos, îles Saroniques). Hydrofoils et Catamarans. Le site renseigne également sur les ferries des compagnies *Hellas Ferries* et *Saronikos Ferries*.
– **LANE :** ● www.lane.gr ● (Dodécanèse via Milos, dans les Cyclades, et la Crète). Ferries classiques.
– **Minoan Lines :** ● www.minoan.gr ● Ligne Thessalonique-Crète, via certaines Cyclades – Santorin, Paros, Tinos, Naxos, Syros et Skiathos, ces îles étant desservies en alternance. Cette ligne fonctionne toute l'année.

– **Nel Lines :** • www.nel.gr • Fin 2004, la plupart des pages du site étaient en grec. Lignes Le Pirée-Chios-Lesbos (Mytilène), Thessalonique-Lesbos et Le Pirée-Syros-Paros-Mykonos-Ikaria-Samos.
– Fin 2004, la compagnie **GA Ferries** n'avait pas de véritable site (voir les routes maritimes et horaires sur • www.ferries.gr • Il est bon de savoir que la flotte de cette compagnie n'est pas de toute première jeunesse...
– **Kiriakoulis Maritime :** • www.kiriacoulismaritime.com • (fin 2004, site en grec seulement) : îles Saroniques et Dodécanèse (ligne Samos-Kos, via certaines autres îles du Dodécanèse). Catamarans.
– **Dodekanissos Shipping Company :** • www.12ne.gr • Ligne Rhodes-Patmos (via certaines autres îles du Dodécanèse). Catamarans.
Pour les autres compagnies, consulter • www.ferries.gr • ou • www.gtp.gr •

Une fois dans les îles

– Partout dans les îles, départs annulés en cas de mer agitée. À partir de 8 Beaufort, les bateaux restent à quai.
– En été, prendre le billet de retour sitôt arrivé sur l'île.

Où dormir ?

Quand vous débarquerez sur une île, du moins sur une petite île ou une île très touristique, vous aurez fréquemment, bien que ce soit interdit, un tas de personnes qui vous proposeront des *chambres,* photos à l'appui bien souvent. On les appelle les *kamakia* et l'on ne peut pas recommander cette pratique : une fois que vous êtes harponné, difficile de refuser une chambre. S'il n'y en a pas et que vous n'avez pas de réservation, allez à l'association des propriétaires de chambres à louer ou, à défaut, à la police touristique pour trouver un lit. Quand celle-ci vous affirme que *Everything is full !* (avec l'accent grec...), allez vous-même frapper aux portes des maisons (même celles où il n'est pas écrit « Rooms to let »). Sur le port, on le répète, ne vous laissez pas embobiner, on vous véhiculera peut-être en minibus jusqu'à la chambre, mais être amené sur place ne vaut pas réservation (même si, au cas où les chambres sont à l'écart, on a plus de mal à repartir...).

Location de scooters

Il faut savoir que, le plus souvent, le permis de conduire est exigé pour la location d'un scooter. ATTENTION, le *meltémi* peut souffler très fort et rendre quasi impossible le maintien de l'équilibre sur la bête ! Les routes sont souvent défoncées et le goudron se révèle très glissant. Le nombre de bras cassés rencontrés est assez impressionnant. De plus, les engins sont la plupart du temps mal entretenus. Notamment les pots d'échappement, qui peuvent occasionner de graves brûlures à l'intérieur du mollet. Beaucoup de lecteurs ont eu maille à partir avec les loueurs.

LES ÎLES SPORADES

Comment y aller ?

➤ **D'Athènes :** accessibles assez facilement. En 2 h 30 un bus vous conduit à *Agios Konstandinos*, à 175 km. Il assure la correspondance avec les bateaux qui desservent les Sporades (les « îles dispersées ») dans le

LES ÎLES SPORADES DU NORD

sens Skiathos, Skopélos, Alonissos. Se renseigner sur les horaires de départ : en principe, 4 départs entre 7 h et 16 h. Départs du 97, odos Akadimias (près de la place Omonia), devant l'agence *Alkyon*. ☎ 21-04-19-91-00. ● www.dolphins.gr ● Durant l'été, il est prudent de retenir sa place de bus au moins la veille. Possibilité de prendre également un bus *KTEL* : environ un départ par heure entre 6 h et 21 h 30 du terminal B des bus (260, odos Liossion). ☎ 21-08-31-71-47. Environ 10 € le billet aller. En général, un départ de ferry en milieu de journée pour Skiathos, Skopélos et Alonissos. L'été, au moment des grands départs, un second bateau en soirée à 18 h ou 20 h. *Flying Dolphins* plus nombreux : 2 à 4 par jour en haute saison, pour les mêmes destinations. Attention, les tarifs sont sensiblement plus élevés au départ d'Agios Konstandinos qu'au départ de Volos. Les Athéniens qui se rendent dans les Sporades choisissent tous ce port plutôt que Volos, il est conseillé de réserver en été. Renseignements et réservations : ☎ 22-35-03-19-20 *(GA Ferries)* ou 18-74 *(Flying Dolphins)* ou encore 22-35-03-17-59 (capitainerie).

➢ *Du nord de la Grèce :* des bateaux assurent des liaisons pour les Sporades au départ de Volos.

– L'archipel est bien desservi, et les bateaux effectuent des liaisons régulières entre toutes les îles plusieurs fois par jour en saison. Attention toutefois : Skyros est desservie par un ferry qui part de Kymi, en Eubée, à 160 km environ d'Athènes, par la route.

SKIATHOS (ΣΚΙΑΘΟΣ)

5100 hab.

Skiathos est une île superbe avec ses 70 criques et ses collines boisées. On dit qu'elle possède la plus belle plage de Grèce (à Koukounariès)... Et les touristes, tant grecs qu'étrangers, le savent bien. En été, la capitale de l'île devient un petit Saint-Trop' envahi par les Allemands et les Anglais, et il est alors bien difficile de poser sa serviette sur le sable. Les loueurs de transats monopolisent toute la place : confortable mais cher et n'espérez pas échapper à leur contrôle ! Amateurs de criques désertes et de solitude, ne vous attardez pas trop à Skiathos ! L'île est également plus chère que ses consœurs des Sporades et la mentalité y est vraiment mercantile. Attention, pas grand-chose d'ouvert hors saison.

SKIATHOS *(la capitale)*

C'est de là que partent tous les ferries pour les autres îles des Sporades et pour Volos. C'est aussi le lieu d'arrivée et de départ pour Syros ou Tinos (horaires très variables, en général une fois par semaine en haute saison). Horaires et billets disponibles, entre autres, à la boutique *Rent a Car-Budget* à l'angle de la rue Papadiamanti, face au port. Attention, les fréquences des départs varient beaucoup entre l'hiver et l'été.

Skiathos est rarement calme en saison. Les scooters finissent même par être pénibles.

Comment y aller ?

En ferry ou en *Flying Dolphin*

➤ **De Volos ou d'Agios Konstandinos :** trajet en moins de 3 h (en ferry) et en 1 h 30-1 h 45 (en hydroglisseur). Voir plus haut « Les Sporades. Comment y aller ? ».

En avion

➤ **D'Athènes :** 2 ou 3 vols par jour en haute saison. Durée : 40 mn. Aéroport à 4 km de Skiathos. ☎ 24-27-02-20-49.

Adresses utiles

ℹ ✉ **Office du tourisme, poste, banque :** dans la rue Papadiamanti.

ℹ **Police touristique :** sur le côté droit dans la deuxième moitié de la rue Papadiamanti. ☎ 24-27-02-31-72.

◾ **Dispensaire :** tout au bout de la route périphérique, sur la gauche. Pour les piétons, prendre la rue à droite avant la poste, puis suivre les indications.

◾ **Station de taxis :** à droite du débarcadère quand on est dos à la mer. ☎ 24-27-02-44-61.

◾ **Station de bus :** à l'extrémité droite du débarcadère, quand on est dos à la mer. Le bus dessert toutes les plages de Skiathos. Départ toutes les 20 mn de 7 h 15 à 0 h 30 (environ 30 mn de trajet pour Koukounariès). ATTENTION AU RETOUR : à partir de 17 h, le bus est bondé !

◾ **Presse internationale :** kiosque devant l'agence *Rent a Car-Budget,* à l'angle de la rue Papadiamanti sur le port.

◾ **Laundry Snow Whites :** dans la rue qui monte à droite depuis le port.

◎ **Accès Internet :** au *Draft Net,* rue Papadiamanti, en face de la *National Bank.* Ouvert de 11 h à minuit.

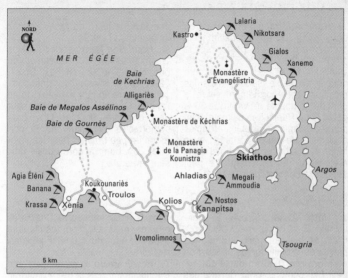

L'ÎLE DE SKIATHOS

Où dormir ?

Comme toujours dans les îles, ne pas oublier que la plupart des hôtels ouvrent en avril, voire mai, pour fermer en octobre, voire fin septembre.

Bon marché

▲ *Chambres chez l'habitant :* explorez le côté gauche du village, quand on est dos à la mer (ah, le bonheur de ceux qui tomberont sur *Violetta* !). On peut aussi contacter l'*Association des propriétaires de chambres à louer,* au bureau situé près du port. ☎ 24-27-02-29-90 et 24-27-02-42-60. Fax : 24-27-02-38-52. Ils mettent à disposition un livret-guide contenant des informations précises sur les locations de leurs adhérents et fournissent un plan détaillé de l'île et de la ville.

▲ *Chambres Météora :* 5, odos Georgiadou Glikofilousis. ☎ 24-27-02-21-82. Aucune enseigne. Sur le port, prendre les escaliers à droite en remontant la rue de l'hôtel *San Remo.* Une charmante ruelle un peu à l'écart du centre très touristique. Compter environ 40 € pour une chambre double en haute saison : rare à Skiathos ! Chambres simples et propres avec salle de bains et, pour certaines, vue sur le port.

▲ *Chambres chez l'habitant :* ☎ 24-27-02-24-47. Aucune enseigne. Du port, monter les escaliers vers la rue Georgiadou Glikofilousis, dépasser les chambres *Météora* et prendre la 1re rue à droite ; demander à la 1re porte à gauche. Petites chambres très propres, du marbre un peu partout dans l'entrée et une jolie vue sur les toits blancs et les bougainvillées. La patronne ne parle que le grec. Prix dégressifs.

▲ *Studios à louer chez Filippas :* sur la route périphérique de Skiathos. ☎ et fax : 24-27-02-27-10. Studios pour 3 ou 4 personnes, simples mais très propres, pour environ 55 €, à négocier avec Gorgina et Maria. Cadre verdoyant et « chatoyant » (eh oui, il y a beaucoup de chats !), mais route assez passante. Bien meilleur marché hors saison.

De prix moyens à plus chic

🛏 *Hôtel Australia :* en venant du port, dans la rue Papadiamanti, prendre à droite à la poste, puis la 1re à gauche. ☎ 24-27-02-24-88. Dans les 60 € pour une chambre double en haute saison, mais les prix fluctuent énormément selon la période (la double ne vaut que 30 € début juin). Ruelle très calme et bien placée. Chambres doubles et triples avec salle de bains, certaines avec frigo, et 3 studios. Petit hôtel sans prétention, très bien tenu. Le petit dej' n'est pas compris, mais il y a une taverne juste en face. Sonnez longtemps à l'entrée !

🛏 *Hôtel San Remo :* odos Filoklos Georgiadou, près de la station de bus. ☎ 24-27-02-20-78. Fax : 24-27-02-19-18. ● www.skiathosinfo.com/accom/sanremo.htm ● Ouvert toute l'année. Compter de 45 à 82 € pour une chambre double. Chambres confortables avec vue sur le port (donc un peu bruyant pour les lève-tard). Un bon rapport qualité-prix, sauf en août.

Plus chic

🛏 *Hôtel Kostis :* 5, odos Évangélistrias. ☎ et fax : 24-27-02-29-09. C'est la rue qui part à droite au niveau de la poste lorsqu'on vient du port. Environ 70 € en haute saison, petit dej' compris, pour de grandes chambres claires, très propres, avec terrasse. Clim' et petit réfrigérateur. Attention, des lecteurs ont eu des problèmes avec leur réservation.

🛏 *Hôtel Marlton :* juste après l'hôtel *Kostis,* dans la rue Évangélistrias. ☎ 24-27-02-25-52 ou 24-27-02-28-78. Dans les 70 € la chambre double sans petit dej' ; jolie terrasse dans la cour intérieure. Chambres propres, mais attention, les lits sont séparés, sauf pour une. Fait aussi restaurant.

🛏 *Hôtel Morfo :* prendre la rue Papadiamanti puis la rue à droite en face de la *National Bank.* ☎ 24-27-02-17-37. Environ 70 € la chambre double en pleine saison. Chambres avec balcon, plutôt mignonnes et bien entretenues. Idéalement situé dans une ruelle calme en plein centre-ville. Attention cependant aux 3 ou 4 chambres donnant sur un mur arrière pas vraiment joli-joli.

Où manger ?

Bon marché

|●| *Chez Zorba :* sur le port, en face de la file des taxis. Bonne cuisine grecque (excellente *moussaka*) pour pas trop cher... ce qui est rare dans l'île (plats entre 5 et 9 €). Patron sympa et de bon conseil. N'accepte pas les cartes de paiement.

|●| *Taverne Cuba :* du port, remonter la rue Papadiamanti et prendre à droite la rue Panora jusqu'à la place Pigadia. ☎ 24-27-02-26-38. Ouvert le soir uniquement. Bonne cuisine grecque et internationale à petits prix. Terrasse un peu kitsch mais au calme.

Prix moyens

|●| *Jailhouse :* tout au bout du vieux port, derrière le *Jimmy's Bar.* ☎ 24-27-02-10-81. Ouvert de mai à octobre le soir uniquement. Plats de 4 à 15 €. Cuisine aussi internationale que les patrons (australien et norvégien), et pour ceux qui en ont assez de manger trois bouts de concombre dans une mare d'huile en guise de salade grecque (eh oui, ça peut arriver...). Tous les plats sont originaux et agréables à l'œil comme au goût ! On retiendra notamment la soupe du chef, la copieuse salade *Jailhouse,*

ou encore le saumon aux tagliatelles. Il y en a pour toutes les bourses et, en plus, on sort de là avec la panse bien remplie !

|●| *Taverne Amfiliki :* en face de l'hôpital. ☎ 24-27-02-28-39. Ouvert de mai à octobre, midi et soir. Compter autour de 12 € pour un repas. Tenue par un ancien officier de marine, cette taverne ne paie vraiment pas de mine de l'extérieur. Pourtant, dès que vous passerez son seuil étroit, vous pourrez admirer la vue plongeante sur la mer, déguster les spécialités de Christos, et surtout écouter ses multiples récits de voyages sur les côtes françaises. Une excellente adresse.

|●| *Taverne Agnantio :* sur la route du monastère Évangélistria, à 1 km du port de Skiathos. ☎ 24-27-02-20-16. Ouvert de mai à octobre le soir uniquement. Compter dans les 12 à 15 €. Plats traditionnels et délicieux plats du jour élaborés selon les arrivages et l'humeur de la cuisinière. Terrasse avec vue splendide sur la mer. Accueil sympa.

Plus chic

|●| *Taverne Asprolithos :* prendre l'odos Papadiamanti, puis la route à droite juste avant l'école. ☎ 24-27-02-31-10 ou 24-27-02-10-16. Ouvert le soir uniquement, tous les jours en saison. Compter 15 € minimum. Excellent restaurant au service impeccable. Grand choix de plats à des prix certes un peu élevés mais la quantité et la qualité sont au rendez-vous. La maison offre tellement de petits plus (*ouzo*, salade de fruits...) qu'il n'est pas nécessaire de s'aventurer dans un menu compliqué : un plat (copieux) suffit. Un seul regret : le passage incessant des deux-roues dans la rue qui lui ôte son côté romantique.

|●| *Taverne Ilias :* prendre la rue principale qui part du port ; avant l'OTE, emprunter la 1re route à droite et suivre les flèches. Quartier très calme. Ilias parle le français et explique sa cuisine. Un peu cher, mais délicieux et très agréable.

|●| *Karnayio :* près de l'arrêt de bus. ☎ 24-27-02-28-68 ou 69-45-06-21-84 (portable). Ouvert de juin à septembre, le soir uniquement. Compter 15 €. Déco plutôt chic et romantique, c'est devenu le rendez-vous des VIP. Terrasse joliment décorée avec ses murs de pierre, sa treille et sa lumière tamisée.

|●| *The Windmill :* terrasse au pied du moulin à vent qui domine la ville de Skiathos. ☎ 24-27-02-45-50. Ouvert le soir uniquement. Vue imprenable dans un décor original. Assez chic et plutôt cher, mais la cuisine (européenne) est très fine et l'accueil charmant. Les propriétaires, Pam et Jon Dance, sont anglais, ce qui explique le nombre de touristes anglophones.

|●| *Le Gérania :* dans la rue principale. ☎ 24-27-02-15-61. Compter environ 15-18 € pour un repas. Accueil très sympathique. La cuisine est bonne et le service très professionnel. Décor plutôt du genre romantique.

Où boire un verre ?

🍸 ♪ *Pub Daskalis :* en face de la *Taverne Asprolithos.* Ouvert de 19 h à 3 h. Sympathique pub où l'on peut écouter de la bonne musique pop tout en se rafraîchissant le gosier. Tenu par des Anglais, Chris et Jan, et principalement fréquenté par leurs compatriotes.

À voir

🔫 Allez visiter la *maison de l'écrivain grec Alexandre Papadiamantis,* typique et charmante, avec son confort tout simple. Elle se trouve sur une place tout près de la rue principale de Skiathos. Ouvert de 9 h à 13 h et de 18 h à 20 h. Fermé le lundi.

L'OUEST DE L'ÎLE

C'est là que se trouvent la majorité des plages accessibles par la route. Beaucoup de monde, mais il reste encore quelques coins tranquilles. Un bus dessert toutes les plages jusqu'à l'extrémité de l'île. Départ toutes les 20 mn du débarcadère. Sinon, il reste le taxi (cher!) ou la location de scooters ou motos.

À voir. À faire

> **La plage de Banana** (Μπανανα) **:** à l'extrémité ouest de Skiathos, à 12 km du chef-lieu. Descendre au terminus du bus, Koukounariès-Banana. Pour Banana, préparez-vous à marcher environ 10 mn. Il faut prendre le chemin qui monte tout à droite quand on regarde vers la direction de Koukounariès, puis la 1re à droite et enfin la 1re à gauche. Balade agréable sur un chemin parsemé d'oliviers et de figuiers. Deux petites plages très mignonnes. Pour les nudistes, rendez-vous à *Small Banana,* derrière les rochers. Deux tavernes les pieds dans l'eau et possibilité de faire de la planche à voile, du ski nautique, du parachute... Assez cher tout de même.

> **Koukounariès** (Κουκουναριες) **:** plage presque digne de rivaliser avec celles du Pacifique. Bon, d'accord... tout le monde ne partage pas cet avis. Protégée par l'État, dans un cadre splendide, et bordée d'une forêt de pins. C'est en effet peut-être la plus belle plage de Grèce, mais aussi la plus encombrée... Pas mal de retraités descendus du *Skiathos Palace* qui domine la baie. Les tavernes y pratiquent les prix des palaces. Il y a aussi une école de ski nautique tout au bout.
Pour aller à Koukounariès, de Skiathos, un bus part du débarcadère. C'est à 9 km. Sinon, il reste le taxi.

> **Camping Koukounariès :** ☎ et fax : 24-27-04-92-50. Ouvert de mai à septembre. Hors saison, à Athènes, ☎ et fax : 21-08-81-79-83. Compter tout de même 20 € pour 2 personnes avec une tente et une voiture. Ombragé, calme et propre. Mini-marché. Resto avec de la bonne cuisine maison. Environne-ment agréable.

> **Taverne-bar Caravos :** ☎ 24-27-02-27-87. En bordure de route, quelques kilomètres avant la plage de Koukounariès. Ouvert uniquement le soir. Terrasse avec sa treille ou salle à l'intérieur. Assez chic, très copieux et prix raisonnables.

> **Agia Éléni** (Αγια Ελενη) **:** sur la droite avant la plage de Koukounariès, quand on vient de Skiathos-ville. Petite plage de sable fin dans une jolie crique.

> **Taverne** qui sert du bon poisson frais. Ouvert de mai à octobre. Prix moyens. Très exposée au vent... et aux touristes.

> **Les plages de Mandraki et Gournès** (Μανδρακι ; Γουρνες) **:** on y va à pied par un très beau sentier au milieu des pins, à mi-chemin entre le *Skiathos Palace* et l'hôtel *Xénia.* Deux grandes plages de sable très préservées, toujours moins peuplées que les autres car il faut presque 1 h de marche pour les atteindre. Gournès, envahie par les dunes de sable, est quasi déserte. Une petite taverne à Mandraki.

> **Chambres à louer chez Manos Holidays** (Noula) **:** à l'entrée du chemin. ☎ 24-27-04-94-72. Ouvert de mai à octobre. Studios pour 4 per-sonnes avec kitchenette. Très propre et confortable. Magnifique jardin. Petite terrasse à l'ombre. Pas cher du tout si l'on est assez nombreux.

🍴 *Le monastère de la Panagia Kounistra* (Μονή Παναγιας Κουνιστρας) *:* indiqué sur la droite avant Troulos lorsqu'on vient de Skiathos-ville. Belle route goudronnée qui part vers le nord. Paysage vallonné et très boisé. Au bout de 4 km, on tombe sur le petit monastère. Charmante chapelle, le cadre est splendide et d'un calme! Ouvert au public toute l'année de 8 h à 20 h. Entrée libre.

⌇ *La plage d'Assélinos* (Ασελινος) *:* bifurcation sur la gauche avant d'arriver au monastère.

⌇ *Camping Assélinos :* à environ 13 km de Skiathos-ville. Belle plage, ombragée, beaucoup de place, magasins, douches, etc. Également des petits bungalows.

🛏 *Villa Angela :* sur la route de la plage Asselinos à gauche. ☎ 24-27-04-96-20. Fax : 24-27-02-91-53. ● www.skiathosinfo.com/accom/villala.htm ● Studios ou chambres avec kitchenette dans une belle maison blanche. Compter dans les 50 € le studio de 2 ou 3 personnes. Beaucoup de boiseries et de marbre. Très propre. À l'écart de toute agitation, ce qui commence à devenir rare à Skiathos. Bar magnifique construit autour d'un vieil arbre. Les patrons doivent avoir ouvert une taverne.

⌇ *La plage d'Alligariès* (Αλυγαριες) *:* continuer la route après le monastère de Kounistra sur 6 km environ. Attention, ce n'est plus goudronné et la piste est assez mauvaise. Route en surplomb de criques magnifiques, au milieu des pins, dans un paysage vallonné. Tourner à gauche vers *Alligariès Beach.* On débouche après un tunnel de verdure et d'oliviers sur une plage quasi déserte avec son tronc de pin mort qui pointe vers le ciel. Sanitaires et petite taverne où il fait bon boire l'*ouzo* au coucher du soleil.

Balade en bateau

➤ On peut louer un bateau sans permis pour la journée. Au port, se rendre au loueur *Rent a Car* situé juste derrière l'*Alpha Credit Bank.* Mieux vaut réserver la veille ou directement à Koukounariès. Devenu assez cher. Le bateau est disponible à la Marina Beach, le petit port de la plage de Koukounariès. Vous pourrez ainsi aller sur les *îlots* de Skiathos : nombreuses plages et criques désertes (ce qui est rare dans le coin). Les deux principales plages ont chacune une petite taverne. Si vous n'en avez pas les moyens, il est tout de même possible d'aller de Skiathos sur ces îlots avec des caïques (horaires irréguliers, plutôt le matin et début d'après-midi).

L'EST DE L'ÎLE

Beaucoup moins de routes goudronnées, paysage plus accidenté. Mais attention, ça ne veut pas dire que vous ne rencontrerez aucun véhicule...

À voir

🍴🍴 *Le monastère d'Évangélistria* (Μονη Ευαγγελιστριας) *:* beaucoup de monastères sur l'île de Skiathos, mais celui-ci est le seul où vous verrez encore des moines, très accueillants. Construit en 1806, il a longtemps servi de refuge aux montagnards et aux Grecs qui fuyaient la présence turque. L'église, au centre du monastère, est de style byzantin. Très beaux dômes en brique rose et toit d'ardoise. On peut aller au monastère à pied (1 h 30 de Skiathos) ou en scooter avec une carte de l'île. Également desservi par le bus.

🏃 **Kastro** *(Καστρο)* **:** ancien village fortifié. On y descend à pied par un sentier étroit et plutôt raide (compter une bonne heure et demie). Le village a été construit au XIVᵉ siècle, afin de protéger la population de l'île des invasions des pirates. La vue est splendide et la petite plage de galets gris en contrebas, sur la droite avant de monter les escaliers blancs, est exceptionnelle.

|●| **Kantina Kastro :** sur la plage. Ouvert les jours de vent du sud et de bonne pêche. Taverne en pierre et aux volets bleus très pittoresque avec ses filets et cornes de bélier sur la porte.

|●| **Taverne Platanos :** sur la route un peu avant la bifurcation pour Kastro. Ouvert le midi et en début de soirée jusqu'à 20 h 30. Belle terrasse qui domine la ville de Skiathos. Vue d'ensemble imprenable. Bons plats grecs, barbecue le soir. Prix moyens. Accueil charmant, la cuisinière est aux petits soins avec ses clients. En attendant d'être servi, essayez de compter les chats...

🏃 **Lalaria** *(Λαλαρια)* **:** plage pavée de galets avec un rocher percé (on se croirait à Étretat), elle n'est accessible qu'en bateau. Nombreux départs de caïques le matin du port (horaires irréguliers). Il n'y a pas de tavernes. Pour l'hébergement, adressez-vous à la police du port. Annoncez-leur le budget dont vous disposez, car la vie à Skiathos est plutôt chère et ils ne peuvent pas faire de miracles.

— Vous pourrez aussi obtenir des tuyaux en vous adressant à *Dimitri Vassalias,* à l'agence *Heliotropo,* à droite en descendant du bateau. ☎ 24-27-02-24-30 et 24-27-02-15-38.

SKOPÉLOS (ΣΚΟΠΕΛΟΣ)

4 700 hab.

Cette île de 101 km² a au moins autant d'églises et de chapelles que l'année compte de jours. Il semble qu'elle ait été occupée par les Crétois, à l'apogée de la culture minoenne (1600 av. J.-C.). L'île est désormais très touristique (en été). Le port a été agrandi, ce qui permet de recevoir des catamarans nouvelle génération. Skopélos est la plus fertile des Sporades : quelques vignes, oliviers, amandiers et pruniers. Très verte, elle est aussi couverte de bois de pins. Les femmes y portent encore parfois le costume local à jupe brodée de fleurettes et corselet de velours. Les plages sont mignonnettes, mais celles de sable sont rares et donc très fréquentées ; les autres sont couvertes de galets. La partie nord de l'île est plus sauvage et plus calme.

Comment y aller ?

— Voir « Les Sporades. Comment y aller ? ». La plupart des *Flying Dolphins* desservent Loutraki, le port de Glossa (nord-ouest de l'île) et Skopélos-Chora, la capitale de l'île, au sud-est. 35 mn de ferry de Skiathos à Glossa et une bonne heure de Glossa à Skopélos-Chora. Deux fois plus rapide en *Flying Dolphin.*

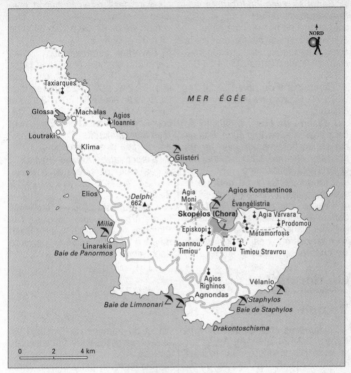

L'ÎLE DE SKOPÉLOS

SKOPÉLOS ou CHORA (ΧΩΡΑ)

Bâti sur une colline couverte de maisons blanches aux toits de brique rouge. Dans cet amas de constructions se cache une centaine d'églises et de chapelles. La plus étonnante, *Panagia Ston Pirgho,* est celle qui surplombe le port, au-dessus de la jetée. On y accède par un escalier d'ardoise. Une fois arrivé tout en haut, continuez jusqu'au kastro et redescendez ensuite sur le port en vous perdant dans le labyrinthe des ruelles étroites. Vous l'avez compris, pas très évident de se repérer dans un tel dédale... Du port, quand on est dos à la mer, sur la gauche, on se dirige vers la route qui quitte Chora, ou l'on revient sur Chora en contournant le village par au-dessus (*odos périfériakos,* rue périphérique). Sur la droite, on va vers la jetée et la chapelle mentionnée ci-dessus.

– Fin août, pendant une semaine, festival musical.

Adresses utiles

Office du tourisme municipal : sur le port, en face du débarcadère des ferries. ☎ 24-24-02-32-20. Fax : 24-24-02-32-21. Ouvert, en été, de 9 h 30 à 13 h et de 18 h à 22 h.

● desko@otenet.gr ●

✉ **Poste :** pas très loin de la place Tria Platania, dans la rue du café Internet *Click & Surf.* Ouvert du lundi au vendredi de 7 h 30 à 13 h 30.

LES ÎLES SPORADES

■ *Banques avec distributeur automatique de billets :* sur le port, côté station de bus ou côté jetée.

■ *Police :* dans le centre, derrière la *Banque Nationale,* dans une rue intérieure parallèle à la mer. ☎ 24-24-02-22-35.

■ *Capitainerie du port :* ☎ 24-24-02-21-80. On y trouve les horaires de bateau.

▭ *Station de bus :* à gauche du débarcadère, à environ 50 m. Pas de bâtiments, horaires affichés sur un panneau. Ne pas hésiter à demander conseil à un autochtone.

■ *Station de taxis :* à côté de la station de bus. ☎ 24-24-02-25-66.

■ *Presse internationale/librairie :* derrière le débarcadère, à gauche de la place triangulaire Platanos.

■ *Association des propriétaires de chambres à louer :* sur le port,

en allant vers l'extrémité du port, côté jetée. ☎ et fax : 24-24-02-45-67. Ouvert en été de 9 h 30 à 13 h 30 et de 18 h 30 à 22 h.

■ *Laveries automatiques : Self-Service Laundry,* à côté de la place triangulaire Platanos (proche des bus). ☎ 24-24-02-31-23. Ouvert tous les jours en été de 9 h 30 à 13 h 30 et de 18 h à 20 h. Dans les 10-12 € pour une machine. Cher... Également *Blue Star Laundrette* (☎ 24-24-02-28-44), un peu plus cher encore.

■ *Dispensaire (Kendro Hygias) :* sur la route périphérique, à droite. ☎ 24-24-02-22-22 et 24-24-02-25-92.

@ *Café Internet : Click & Surf,* dans la rue à gauche après la place Tria Platania. ☎ 24-24-02-30-93. Ouvert de 9 h à 23 h. Environ 5 € l'heure de connexion.

Où dormir ?

De bon marché à prix moyens

🛏 *Chambres chez Dimitrios Rantistis :* ☎ 24-24-02-25-21. Accès par la route périphérique, c'est tout en haut à droite. À pied, monter en direction du *kastro* (et ça grimpe). Compter 30 € pour une chambre double toute simple et jusqu'à 45 € pour plus de confort et une cuisine. Essayez d'avoir la chambre n° 1, avec vue imprenable et balcon. Ils fabriquent sur place les fameux yaourts de brebis et la *tiropitta* traditionnelle. On peut s'en procurer, ainsi que du

lait et du fromage. Si Dimitrios est absent, adressez-vous à la supérette en face.

🛏 Sur la route périphérique, après le dispensaire, nombreuses chambres à louer dont *Agni Al. Kafantari.* ☎ 24-24-02-26-74. Belle maison fleurie proposant 3 studios à environ 50 € et une chambre à 40 €, tous avec balcon. Récemment refaits, propreté irréprochable, fraîcheur assurée. Accueil très sympa de la timide propriétaire.

De prix moyens à plus chic

🛏 *Pension Kir Sotos :* sur le port, maison en pierre et en bois vers la jetée, à 30 m de la pharmacie. ☎ 24-24-02-25-49. Fax : 24-24-02-36-68. Chambres pour 2 à 4 personnes de 35 à 60 €. On a craqué sur l'intérieur boisé, type chalet montagnard. La déco est simple et les chambres sont toutes différentes. Cuisine commune bien équipée, frigo. Deux terrasses, l'une au calme et l'autre donnant sur le port. Hautement recommandable. On regrette juste l'accueil, glacial.

🛏 *Hôtel Agnanti :* bâtisse en pierre en direction des monastères, à l'extrémité du port. ☎ et fax : 24-24-02-27-22. Chambres tout confort pour environ 55 €, sans petit dej'. Hôtel familial dans un environnement plus calme que ses concurrents. Jolie vue.

🛏 *Thea Home Pension :* route périphérique, assez haut au-dessus de Chora. ☎ 24-24-02-28-59. Fax : 24-24-02-35-56. À Athènes, hors saison : ☎ 21-06-39-58-08. Chambres doubles dans les 55 € avec un excellent petit dej'. Très bien situé, belle vue sur le port de Chora depuis la grande terrasse. Mobilier récent, AC. Accueil agréable.

🛏 *Hôtel Éléni :* à l'extrême gauche du débarcadère, 100 m après la station de bus. ☎ 24-24-02-23-93 ou 24-24-02-29-34. Fax : 24-24-02-29-36. Chambres doubles à environ 60 €

en pleine saison, sans petit dej'. Bien situé, mais beaucoup de bruit dans le secteur dans la journée. Juste en face de la plage du port, pas géniale. Chambres claires et propres, assez sobres, avec un petit balcon. Frigo. Cartes de paiement acceptées.

Chic

🛏 *Hôtel Elli :* ☎ 24-24-02-29-43. Fax : 24-24-02-32-84. Hors saison, à Volos : ☎ 24-21-03-07-59. ● www.elliskopelos.com ● Prendre la route périphérique, c'est à gauche peu après la pension *Prodomina*. À pied, en coupant par l'intérieur, compter 10 mn. Ouvre mi-juin. En haute saison, une chambre double monte à 80 € avec le petit dej'. C'est un charmant hôtel à colombages, avec piscine et jolie terrasse où il est agréable de prendre le petit dej'. Les chambres ont des poutres apparentes et sont très agréables. Très bon rapport qualité-prix et encore plus hors saison.

🛏 *Rooms to let Lemonis :* sur le port, maison jaune aux volets verts après la *National Bank.* ☎ et fax : 24-24-02-23-63 ou 24-24-02-30-55. Dans

les 70 € la chambre double sans petit dej'. Chambres avec frigo, AC, TV et balcon, offrant tout le confort. Propreté irréprochable et accueil très sympa par une Canadienne. Tout de même assez cher.

🛏 *Hôtel Ionia :* au cœur du village. ☎ 24-24-02-32-85 ou 24-24-02-33-02. Fax : 24-24-02-33-01. En voiture, accès par la route périphérique ; à pied, prendre, depuis le port, l'odos Syndagmatarhou Manolaki. Dans les 100 € la chambre double en été. Architecture assez aérée et agréable ; les chambres donnent sur une cour centrale fleurie, avec piscine. Une cinquantaine de chambres avec réfrigérateur, AC et TV. Assez récent, très propre mais cher.

Où manger ?

Pour manger sur le pouce, *Apolavsi,* dans une ruelle peu après l'OTE, en face d'une église en pierre de taille. Petit grec tout simple et pas cher. Plusieurs tavernes sur le port.

Bon marché

I●I *Taverne O Platanos :* pl. Tria Platania. ☎ 24-24-02-30-67. Dans les 10 € le repas. Cette taverne rencontre un succès fou aussi bien parmi les touristes que chez les Grecs. Située sur une petite place ombragée, elle s'est spécialisée dans les *souvlakia* (au porc, au poulet ou au poisson). Le pain « Platanos », sorte de *pita,* est un véritable régal. En raison de son succès, l'attente est parfois un peu longue.

I●I *Taverne Ta Kymata :* à l'extrémité du port côté jetée. ☎ 24-24-02-23-81. Ouvert midi et soir. Repas à

environ 10 €. En raison de son emplacement à l'écart, cette taverne est beaucoup plus tranquille que les autres. Le service est efficace et l'on est aux petits soins pour vous satisfaire. Goûtez le fameux *exochiko,* sorte de feuilleté au porc avec de la féta et des légumes, un régal !

I●I *Restaurant Klimataria :* ☎ 24-24-02-22-79. Compter 10 € le repas. Cuisine plus imaginative qu'à la taverne *Molos :* feuilles de vigne à la béchamel, poulpes au vin rouge. Un bon signe, les Grecs y viennent.

Prix moyens

De nombreuses crêperies à Skopélos mais une seule mérite d'être citée :

|●| *Crêperie Chez Greka :* prendre la ruelle à droite de la place Tria Platania et remonter un peu dans le village. Greka est vraiment très sympa, elle parle bien le français et sera heureuse de vous accueillir. N'hésitez pas à discuter avec elle, car elle a plein de choses à dire. Ses crêpes maison sont excellentes : poulet estragon, ratatouille, fromage, même *spetsofaï,* la spécialité du Pélion, et pour le dessert, la crêpe chocolat blanc et caramel. Également des menus « fondue » à 16 € ou « table d'hôtes » à environ 14 €. Publicité pour votre guide préféré sur toute la vitrine. Petite terrasse (6 tables), mais Greka s'est arrangée avec le *Restaurant Adonis* situé quelques mètres en contrebas et elle sert également ses plats à la terrasse de celui-ci.

|●| *Taverne Molos :* à côté de *Klimataria.* ☎ 24-24-02-25-51. Dans les 12 € le repas. Excellente moussaka, calamars frais et poisson pour pas très cher. Spécialité de coq au vin et de lapin *stifado.*

|●| *Taverne Ilias :* à côté de *O Platanos,* les tables se mêlent sur la place exiguë. Environ 12 € le repas. Un poil plus chic que son voisin ; service assez distingué. Quelques bons vins grecs. La spécialité du lieu est le délicieux *souvlaki* royal. Goûtez également au *pastitsio.*

Où boire un verre ?

De nombreuses tavernes confortables sur le port, mais assez chères.

🍷 Ne pas manquer le *Dimotiko Cafénio,* le bistrot municipal, à l'ancienne. On le repère aisément sur le port : petites tables rondes bleues, chaises en paille et une clientèle grecque qui boit surtout du café grec. Les prix y sont beaucoup moins élevés qu'ailleurs !

🍷 *Thalassa :* en montant vers le kastro à partir de l'extrémité du port, côté jetée ; c'est 4 chapelles après le début de l'ascension. ☎ 69-45-43-96-62 (portable). Le café est minuscule (éviter les heures de pointe...), mais la terrasse, donnant sur la mer, est très belle. Patron loquace et appréciant les Français (sa fille a étudié à la Sorbonne).

🍷 ♪ *I Anatoli :* tout en haut, au niveau des ruines du kastro. ☎ 24-24-02-28-51. Ouvert le soir seulement. C'est un *ouzadiko,* on n'y boit pas de café mais principalement de l'*ouzo* accompagné de *mezze.* Très joli cadre avec le bleu des tables et le blanc du muret. Ambiance musicale (du bon *rébétiko*).

🍷 ♪ *Jazz-Bar Platanos :* sur le port en direction de la jetée. ☎ 24-24-02-36-61. Plus branché que les précédents. Bar exigu où l'on peut écouter de la *world music.* Déco intérieure sympa. Les cocktails restent assez chers.

À voir

🔍 *Le musée d'Arts et Traditions populaires :* au-delà de *Chez Greka* à droite. Ouvert de 11 h à 14 h. Entrée : 2 €. Historique et coutumes de l'île ; au premier étage, costumes traditionnels et icônes ; au second, outils, poteries et maquettes de bateaux.

Visite de l'île

➤ Un autobus parcourt l'unique route, longue de 30 km, qui relie Chora à Loutraki (environ 1 h de trajet). Il dessert les plages tout au long de la côte.

Attention au retour, le bus se fait souvent attendre! En été, une quinzaine de bus quotidiens pour Staphylos/Agnondas, une dizaine pour Panormos et Milia et plus de 8 pour Élios, Loutraki et Glossa (de 7 h à 22 h 30). Des agences organisent aussi des transports en bus vers les principales plages. Attention de ne pas rater le dernier bus, les tarifs des taxis augmentent subitement à partir d'une certaine heure!

L'idéal serait de louer un scooter ou une petite moto. Si vous en avez les moyens, ne vous en privez pas car vous découvrirez de beaux paysages. Très nombreuses agences de location à Chora, dans le secteur de l'hôtel *Éléni*. Les criques se succèdent tout au long de la côte, au milieu d'une végétation luxuriante (on est loin des Cyclades, dépouillées comme le crâne du professeur Choron). Nombreuses locations à proximité des plages.

⌂ **La plage de Glistéri** (Γλυστερι) **:** à 6 km au nord de Skopélos-ville. Accès par une route étroite qui conduit à la plage ou, mieux, en *taxi-boat* depuis le port de Skopélos. Étonnante taverne avec un petit *musée :* objets, ustensiles, vêtements, etc., ayant appartenu aux ancêtres de la famille (*To Palaio Karnagio :* le vieux chantier naval). ☎ 69-44-35-47-05. Ouvert midi et soir. Environ 10 € le repas.

|●| Sur le chemin, ne pas manquer si c'est l'heure du repas, la taverne **Romantica** au-dessus de la crique d'Agios Konstandinos. ☎ 24-24-02-32-63. Ouvert tous les jours midi et soir. Un groupe gréco-hollandais tient cette taverne dans l'esprit de la table d'hôtes. Cuisine maison à partir de produits de la mer pêchés le matin même par Vangélis. Pas de carte, choix limité, mais cuisine authentique.

⌂ **Staphylos** (Σταφυλος) **:** à 5 km au sud du bourg de Skopélos. Plage de sable assez fréquentée mais le site est superbe : magnifique crique dominée par les pins et les rochers. Plutôt que de descendre au milieu des transats, on peut aller se baigner par les rochers sur la droite. Au bout de la plage, une autre plage, celle de *Vélanio,* un peu moins abritée mais tout aussi belle et plus sauvage (clientèle naturiste).

🛏 **Chambres à louer :** juste avant Staphylos à gauche. ☎ 24-24-02-29-48 ou 24-24-02-24-74. Chambres sommaires avec frigo. Environnement sympathique et prix abordables : dans les 40 € la double en haute saison.

|●| **Taverne Pefkos :** à Staphylos. ☎ 24-24-02-20-80. Excellente taverne de poissons et de fruits de mer. Jolie terrasse donnant sur la crique en contrebas. Service efficace.

➤ En continuant par la route principale après Staphylos, ne pas manquer la première piste sur la gauche : panorama de carte postale au-dessus d'une crique aux eaux turquoise.

🎋 **Agnondas** (Αγνωντας) **:** charmant petit port de pêche, à 8 km de Chora dans une jolie crique. Sert parfois de port de substitution quand ça souffle trop fort sur l'est de l'île. Plage de galets gris. Liaisons en bateau pour Limnonari. Trois tavernes très agréables dont :

|●| **O Pavlos :** ☎ 24-24-02-24-09. Ouvert midi et soir. Une bonne taverne de poissons où l'on trouve également des plats traditionnels à tout petits prix (excellente moussaka). Les poissons restent tout de même assez chers (de 40 à 60 € le kilo). Emplacement privilégié dans cette ravissante petite crique.

⌂ **Limnonari** (Λιμνοναρι) **:** jolie plage de sable gris dans une crique très calme.

LES ÎLES SPORADES

🛏 *Chambres à louer Limnonari Beach :* ☎ 24-24-02-30-46 ou 24-24-02-22-42. Dans les 60 € en haute saison. Tout beau tout neuf et pas trop cher. Cuisine commune nickel, petites tables dans le jardin. Kostas Lemonis parle le français et est très sympa.

🍴 *Taverne* derrière la plage, excellente.

🏖 *Panormos (Πανορμος) :* la plus belle plage de l'île, mais pas la plus propre. Baie très cinémascope. De nombreuses tavernes. Si vous prenez le petit sentier tout à droite de la plage quand on regarde la mer, vous découvrirez de nombreuses minuscules criques plus agréables, très jolies et beaucoup moins fréquentées. Continuer encore un peu par la route pour découvrir les petites criques d'*Adrina,* face à l'îlot Dassia.

🛏 *Hôtel Afrodite :* à droite dans le village. ☎ 24-24-02-36-22 ou 24-24-02-31-50. Fax : 24-24-02-31-52. ● www.afroditehotel.gr ● Dans les 90 € pour une chambre double avec petit déj'. Cher mais assez chic, avec piscine. Chambres confortables, AC et belles salles de bain. Barbecues organisés une fois par semaine.

🛏 Toujours dans le haut de gamme, *Hôtel Adrina Beach :* sur la plage d'Adrina. ☎ 24-24-02-33-73 ou 24-24-02-33-75. Fax : 24-24-02-33-72. ● www.adrina.gr ● Ouvert de mai à septembre. Jusqu'à 150 € la chambre double. Grande piscine, chambres forcément très luxueuses. Pour les budgets plus réduits, on peut profiter de ce cadre splendide à la taverne de l'hôtel, à des prix raisonnables (compter tout de même dans les 15 €).

🏖 *Linarakia (Λιναρακια) :* taverne sur le sable tout au bout de la plage. Cadre splendide mais assez touristique.

🏖 *Milia (Μηλια) :* à 3 km de Panormos. Étale son sable et ses galets dans un décor de poster.

🏛 Un peu avant Glossa, s'arrêter au village de *Klima (Κλημα),* à 23 km de Chora, qui a frôlé l'abandon après le séisme de 1965. Beaucoup de maisons rachetées par des touristes étrangers. Fête populaire le 1er juillet.

🏛 *Agios Ioannis (Αγιος Ιωαννης) :* bifurcation sur la droite avant d'arriver à Glossa. Route assez mauvaise. Ce n'est pas une plage, c'est une petite chapelle perchée en haut d'un rocher posé dans la mer. Celle qui figure sur de nombreuses cartes postales de Skopélos. On raconte que l'icône du saint n'arrêtait pas de s'enfuir de l'église de Loutraki et comme on l'a retrouvée là, juste au-dessus de la mer, on a construit la chapelle pour l'icône.

🏛 *Glossa (Γλωσσα) :* superbe village qui se visite à pied au hasard de ses escaliers et ruelles étroites. À 30 km de Skopélos. Un charme fou. Café sur la place de l'église. Grande fête populaire le 15 août. Le port de Loutraki, où s'arrêtent la plupart des ferries et des *Flying Dolphins,* est 4 km plus bas (tavernes agréables sur le port).

🍴 *Taverne T'Agnandi :* ☎ 24-24-03-36-06. Compter dans les 12 € minimum. Tenue par la même famille depuis plusieurs générations. Le jeune patron, quatrième du nom, est adorable. Grand choix de vins (un peu chers), nourriture maison excellente et bon marché. Belle terrasse à l'étage. Réserver en été.

🛏 *Chambres chez Nina :* à 50 m de l'église, proche de l'arrêt de bus. ☎ 24-24-03-36-86. Chambres agréables à des prix tout doux : environ 35 € la double. Maison avec un petit jardin ombragé. Douche et w.-c. en commun. Nina vous accueillera avec un grand sourire (à défaut d'un mot d'anglais ou de français !).

▮ *Chambres chez Spirou Tas-soula :* à gauche, un peu avant l'entrée du village. ☎ 24-24-03-36-02. Studios avec kitchenette assez bon marché.

▮ *Studios chez Niki Kritsalou :* juste avant chez Nina. ☎ 24-24-03-32-36. Studios confortables, tout neufs donc plus chers que les précédents. Belle vue.

LES MONASTÈRES

Si vous aimez la marche, partez de Chora (Skopélos) à la découverte des monastères de l'île. Attention, le chemin est (presque) carrossable, et donc vous risquez de rencontrer des véhicules polluants. Certains monastères, situés à l'est de Chora, ont rouvert leurs portes ces dernières années. C'est le cas notamment de *Métamorfosis* (☎ 24-24-02-25-60), *Timiou Prodomou* (☎ 24-24-02-23-95) et *Évangélistria* (☎ 24-24-02-23-94), que l'on peut visiter de 8 h à 13 h et de 17 h à 20 h (tenue correcte exigée). Remarquer leur nef en forme de croix, ce qui est assez rare en Grèce. Allez-y au moins pour le panorama sublime ! Il y en a au total une dizaine, certains abandonnés, d'autres « privatisés » comme le petit monastère d'*Agia Varvara* (juste avant celui de *Prodomou*). Construit en 1697 et restauré depuis peu ; architecture plus intéressante que les autres monastères. Une famille y vit désormais et vous accueillera en toute simplicité.

Randonnée pédestre

➢ En continuant la piste qui monte aux monastères, au-delà de Prodomou, à 3 km environ, prendre à gauche un sentier très visible. 10 mn de descente et un embranchement : à droite, le sentier mène en 20 mn au *monastère* abandonné des Taxiarques (fontaine) ; à gauche, on atteint en 15 mn l'*église Agia Triada* (fontaine également). Les deux sites sont magnifiques.

QUITTER SKOPÉLOS

Horaires et vente de billets sur le port, à l'agence *Madro Travel* (☎ 24-24-02-21-45 ; fax : 24-24-02-29-41) ou chez *Kosifis Travel* (☎ 24-24-02-27-67). À Loutraki (le port de Glossa), agence *Triantafyllou* (☎ 24-24-03-34-35).
➢ Liaisons (ferries et hydroglisseurs) avec *Volos* et *Agios Konstandinos.* En été, 2 ou 3 ferries quotidiens pour Volos, 1 ou 2 pour Agios Konstandinos. Rotations de *Flying Dolphins* beaucoup plus nombreuses.
➢ En principe, un ferry hebdomadaire pour Lesbos (Mytilène). À vérifier.

ALONISSOS (ΑΛΟΝΝΗΣΟΣ)   3 000 hab.

Montagneuse et boisée, avec quelques champs d'oliviers et d'amandiers, cette île des Sporades est le paradis des amateurs de pêche sous-marine. L'île abrite en effet plusieurs grottes marines ornées de stalactites. Au nord de l'île, des phoques *monachus-monachus* y vivent, et l'île compte un centre d'étude et de protection du phoque méditerranéen (elle est aussi une des six *Ecolslands* que compte l'Europe). Royaume du calme et de la tranquillité, Alonissos s'éveille, hélas, au tourisme, même si le fait d'être en bout de ligne maritime lui assure une relative tranquillité par rapport à Skiathos et Skopélos. Pas mal de touristes du 15 juillet au 20 août, en particulier des Italiens qui peuvent constituer jusqu'à 60 % des estivants ; en juin et en septembre, un peu moins. En plein été, il peut y avoir des problèmes d'alimentation en eau et en électricité.

Les pistes de l'île ne sont plus très nombreuses, la plupart des plages étant désormais accessibles par route.

Comment y aller ?

La plupart des bateaux au départ de Volos et d'Agios Konstandinos desservent Alonissos (se reporter au chapitre « Les îles Sporades. Comment y aller ? »). Presque 5 h de traversée en ferry, beaucoup plus rapide en catamaran.

PATITIRI *(ΠΑΤΗΤΗΡΙ)*

Patitiri est le port principal de l'île et sa capitale. Si la baie de Patitiri est belle, avec les rochers blancs qui s'avancent loin dans la mer, le village lui-même est assez quelconque. Il a été construit à la hâte pour reloger les habitants chassés du vieux village par le tremblement de terre de 1965. L'île n'a pas été très chanceuse, Patitiri (« le Pressoir ») s'est vidé de ses habitants dans les années 1960, quand le phylloxéra a détruit toutes les vignes de l'île. Aujourd'hui sur l'île, on vit de la pêche (une centaine de bateaux de pêche professionnelle) et du tourisme.

Assez facile de se repérer dans Patitiri ; deux rues partent du port, l'odos Pélasgon à gauche quand on a la mer derrière soi et l'autre, en côte, à droite. Éviter les hôtels et tavernes situés en bordure de ces deux rues en raisons des nuisances sonores, vraiment pénibles. Il est plus agréable de loger à *Roussoum* (quartier à 15 mn à pied, vers l'est) ou à *Votsi* (30 mn à pied aussi vers l'est). Deux charmantes criques. On peut encore se rendre au vieux village d'*Alonissos (Hora),* situé à 4 km de Patitiri, vers l'ouest (à pied, remonter la rue de gauche, perpendiculaire à la mer, et prendre le sentier à gauche, après le restaurant *Astakos).*

Adresses utiles

ℹ *Informations touristiques :* tous les renseignements sont disponibles dans chacune des 3 agences *Flying Dolphins* situées sur le port. *Ikos Travel :* ☎ 24-24-06-53-20 et 24-24-06-56-48 ; *Alonissos Travel :* ☎ 24-24-06-60-00 ; *Vlaikos Travel,* la troisième, est située le plus à droite sur le port quand on est dos à la mer. ☎ 24-24-06-52-20. Ces agences louent également des chambres et organisent des excursions à la journée en bateau sur les petites îles environnantes.

✉ *Poste :* dans la rue principale qui monte à droite quand on est dos à la mer. ☎ 24-24-06-55-60. Ouvert du lundi au vendredi de 7 h 30 à 14 h.

■ *Banque :* dans la même rue que la poste, mais bien avant sur la gauche. Ouvert du lundi au jeudi de 8 h à 14 h et le vendredi de 8 h à 13 h 30. Distributeur automatique de billets.

■ *Police :* dans la même rue que la poste et la banque, tout en haut. ☎ 24-24-06-52-05. Ouvert de 9 h à 14 h et de 18 h à 21 h.

■ En face du débarcadère, *bureau Rooms to let,* qui est en fait une association regroupant une centaine de propriétaires de chambres à louer. ☎ 24-24-06-55-77. Fax : 24-24-06-61-88. Ouvert tous les jours de 9 h à 14 h et de 18 h à 22 h 30. Très pratique. Eva vous accueillera très gentiment et fera tout pour vous satisfaire.

■ Possibilité de *louer un vélomoteur ou un scooter* dans les agences *Flying Dolphins* ou *Chez Ilias-Mary Vlaikou :* dans la rue qui part du port vers le vieux village. ☎ 24-24-06-50-10. Chez *Axon,* en

NORD

Pointe de Gérakas

Baie de Gérakas

MER ÉGÉE

Pointe d'Amoni

Frouros
▲ 316

Pointe de Grégali

Baie de Géorgilas

Baie de Lalarias

Diasello

Léchousa (Likoréma)

N. Amoni

Pointe de Kalami

Agios Dimitrios

Gélidias
△ 456

Mourtero

Chondros Kavos

Pointe de Maistra

Kalamakia

Vassiliko

Manolas

Agios Petros

Péristéra

Korfoula
▲ 348

Steni Vala

Isomata

Stéfani
△ 260

Chondros Kavos
Baie de Mégali Ammos
Baie de Tsoukalia

Leftos Gialos
Tzortzi

Baie de Gialia

Kokkinokastro

Alonissos (hora)

Votsi

Milia

Mikro

Roussoum

Patitiri

Baie de Patitiri

Mikros Mourtias

Mégalos Mourtias

Marpounda

Agios Géorgios

Pointe de Marpounda

0 2 4 km

L'ÎLE D'ALONISSOS

LES ÎLES SPORADES

haut de la rue de la poste, matériel neuf et superaccueil. ☎ 24-24-06-58-04. Tarif dégressif pour plusieurs jours de location.

■ *Location de voitures :* beaucoup de loueurs, assez chers, donc ne pas hésiter à faire jouer la concurrence. À la journée, à partir de 50 € en haute saison pour une petite voiture. Tarifs plus intéressants à la semaine.

@ *Café Internet : Café Mondo* entre la banque et la poste, dans la rue en pente, sur la droite. ☎ 24-24-02-

90-67. ● blue@otenet.gr ● Ouvert tous les jours de 10 h à minuit. Quatre PC à disposition pour 2 € la demi-heure.

■ *Presse internationale :* sur le port, chez *Alonissos Travel* et également dans la rue qui monte à gauche, en face de *Patitiri Travel.*

🚌 *Bus :* sur le port, au niveau du débarcadère. Deux lignes : *Patitiri-Hora* (le vieux village), un départ par heure de 9 h à 15 h environ et de 19 h à 22 h 30, et *Patitiri-Steni Vala,* 2 fois par jour (matin et début d'après-midi).

Où dormir ?

Camping

🏕 *Camping Rocks :* au sud de Patitiri, à 20 mn du port à pied. ☎ 24-24-06-54-10. Du port, prendre la rue

Pélasgon, monter à gauche la rue qui prend à hauteur de la discothèque *Enigma* et continuer en suivant les pancartes discrètes (direction Marpounda). Environ 12 € pour deux. Un camping pour routards, pratiquement sans équipements ni services. Cadre agréable. On dort à l'ombre des pins, bercé par le chant des grillons. Les sanitaires, peu nombreux, sont plus que limite. Petite plage de galets et rochers plats à proximité. S'assurer avant que la discothèque ne fonctionne pas, sinon c'est l'enfer.

Prix moyens

● *Fantasia House :* au vieux village, en face de la taverne *Nikos.* ☎ 24-24-06-51-86. Non, cette petite pension n'est pas la résidence secondaire de *Mickey,* mais *Pluto* un ensemble de chambres simples et mignonnes à environ 40 €. Les salles de bains sont un peu sommaires mais très propres. Emplacement privilégié, magnifique vue sur la baie. Mirsini est adorable.

● *Chambres à louer :* à Roussoum, dernière maison sur la gauche quand on arrive de Patitiri par la route principale. Signalée par un panneau « Rent a room » ; arche d'entrée bleu ciel. ☎ 24-24-06-51-06 et 24-24-06-56-53. Compter dans les 40 à 45 € en été pour une chambre double. Allez au restaurant sur la plage : *To Tamalo,* le 2e à côté de la petite terrasse bleue, et demandez Kostas (le fils des propriétaires, qui parle l'anglais). Chambres très propres. Certaines ont vue sur la mer qui est à 20 m environ. D'autres pensions dans la même rue.

● *Chambres à louer :* à Votsi, petit port de pêche, avec une jolie plage (étroite) de galets. Les pensions se trouvent sur le chemin qui descend à la plage. Attention, elles offrent des chambres de qualité inégale mais à des prix relativement similaires.

– *Pension Votsi, chez Maria Drossaki :* ☎ 24-24-06-55-10. Fax : 24-24-06-58-78. • www.pension-votsi. gr • Dans les 45 € en haute saison pour une chambre double. Belles chambres avec AC, réfrigérateur et vue sur la plage de Votsi. Egalement quelques studios à louer. Préférer les chambres à l'étage.

– *Pension Alonissos :* ☎ 24-24-06-52-73. Fax : 24-24-06-58-22. S'adresser au restaurant en dessous. Environ 45 € la chambre double avec petite cuisine. Réductions significatives hors saison, les chambres peuvent alors tomber à 20 €. Propose également des studios.

– *Pension Dimitris, chez Dimitris Ouranitsa :* ☎ et fax : 24-24-06-50-35. • www.dimitrispension.gr • Chambres doubles assez petite de 35 à 45 € ; réductions de 30 à 40 % hors saison. Vue magnifique. Attention cependant au bruit causé par le bar du rez-de-chaussée.

● *Hôtel Ikion :* sur la route de Roussoum, prendre la route à droite juste avant l'école. ☎ 24-24-06-63-60. Fax : 24-24-06-57-36. • www. ikionhotel.gr • Ouvert de mai à octobre. Chambres et appartements pour 2 à 4 personnes très propres et confortables. De 35 à 100 € la nuit selon la taille. Salle de bains nickel, cuisine des studios idem. Demander ceux qui ont vue sur la mer.

● *Chambres à louer :* à Patitiri. Contacter le bureau de l'*Association des propriétaires,* en face du débarcadère (voir la rubrique « Adresses utiles » plus haut). Plusieurs pensions avec des chambres très simples et plus ou moins propres. Attention à celles qui donnent sur le port, elles sont très bruyantes : va-et-vient des ferries, bars, discothèques. En général, il est préférable de loger en dehors de Patitiri.

Plus chic

● *Studios Voula Agallou :* à la place de l'ancienne taverne *Faros,* sur la route de Marpounda. ☎ 24-24-06-61-10. Dans sa grande maison surplombant la mer, Voula met à votre disposition 3 studios pour

2 personnes dans les 50 € et un studio pour 5 personnes pour environ 60 € en haute saison, et c'est donné. Les studios sont vastes, neufs et possèdent une cuisine très bien équipée. Comme la maison faisait office de taverne auparavant, elle possède une immense terrasse avec vue plongeante sur le port. Ambiance familiale. Notre meilleure adresse.

🏠 *Hôtel Kavos :* sur le premier sentier à droite de la rue principale. ☎ 24-24-06-52-16. Fax : 24-24-06-50-83. ● www.kavoshotel.gr ● De 45 à 55 € la nuit. Cet hôtel surplombant le port propose des chambres simples mais proprettes, toutes avec une vue splendide et un balcon. Le couple qui en est propriétaire est très sympa.

Encore plus chic

🏠 *Hôtel Paradise :* ☎ 24-24-06-51-30 et 24-24-06-52-13. En hiver : ☎ 21-08-06-28-26. Fax : 24-24-06-51-61. ● www.paradise-hotel.gr ● Domine le port de Patitiri sur la gauche quand on regarde la mer. Accessible par un sentier. Ouvert de mai à mi-octobre. Chambres doubles de 55 à 80 €, petit déjeuner compris. L'une des plus belles adresses de l'île, avec une vue exceptionnelle sur la mer (côté *Roussoum Yialos*) et des îlots. Une trentaine de jolies chambres. Les bâtiments sont construits en terrasses qui descendent vers la mer pour arriver à une petite plage de rochers aménagée. Piscine, bar, restaurant. Adresse de charme, excellent accueil, personnel serviable

🏠 *Konstantina's Studios :* en plein centre du vieux village, grande bâtisse blanche bien visible du dernier parking en regardant vers la mer. ☎ et fax : 24-24-06-61-65 ou 24-24-06-59-00. Environ 65 € la nuit. Magnifiques studios pour 2 personnes, vastes, avec balcon et kitchenette très bien équipée. Déco chaleureuse et propreté irréprochable.

🏠 *Hôtel Gorgona :* dans la direction de Roussoum, à droite juste après l'école. ☎ 24-24-06-53-17. Fax : 24-24-06-56-29. Dans les 60 € pour une chambre double sans petit dej'. Hôtel propre, sans plus. Vue sur la crique pour certaines chambres. Réception quasi inexistante, s'adresser quelques mètres plus bas aux *studios Gorgona*.

et attentionné. Réservation indispensable en été. Réduction de 12 % sur présentation du *GDR.*

🏠 *Hôtel Atrium :* à 600 m du port de Patitiri, au début de la route qui mène au vieux village. ☎ 24-24-06-57-49 et 50. Fax : 24-24-06-51-52. ● www.atriumalonnissos.gr ● Ouvert de mai à fin septembre. Doubles de 50 à 87 € avec petit dej'; 30 % de réduction hors saison. Hôtel de grand standing à l'américaine avec piscine, bar, salle de fitness. Chambres climatisées, avec TV. Évitez absolument les 2 chambres du rez-de-chaussée avec leurs terrasses collées à la piscine. Réservation recommandée longtemps à l'avance.

Où manger ?

À Patitiri

Pour manger sur le pouce, on aime bien la crêperie *To Psichoulo* située en bas de la rue principale. Elle propose quelques spécialités du coin à emporter et de (très) copieuses crêpes à composer soi-même pour environ 4 €. Sur le port, de nombreuses tavernes assez chères et sans grand intérêt. L'accueil est plus qu'indifférent et la cuisine sans caractère, à l'exception d'une ou deux tavernes pour amateurs de poisson.

|●| **Astakos :** taverne située à la sortie de Patitiri, odos Pélasgon à moins de 1 km du port. ☎ 24-24-06-54-67. Pour y aller, prendre la rue Pélasgon à gauche quand on est dos à la mer ; c'est sur la gauche, indiqué en grec. Cadre agréable, jolie terrasse, endroit calme. Goûtez à leur homard *(astakos),* c'est leur spécialité et il est succulent ! Prix raisonnables (mais pour le homard, il faut compter près de 50 € le kilo).

|●| **To Akrogiali :** sur le port, à gauche quand on est dos à la mer. ☎ 24-24-06-52-36. Compter environ 10-12 € pour un repas. Petite taverne qui vaut surtout pour sa situation. Tout de même de bonnes brochettes aux fruits de mer ou de poisson et un excellent *kokkoras krassato* (coq au vin). Bondé le soir.

Au vieux village

Le vieux village d'Alonissos a été détruit en 1965 par un tremblement de terre. Mais maintenant, de nombreux étrangers ont acheté des maisons qu'ils rénovent. Il faut y aller, car la vue est vraiment superbe. Le village, du moins la partie où se trouvent les commerces, n'est pas très grand : une rue centrale et quelques petites ruelles autour. Il est devenu plutôt chicos. On peut redescendre à pied vers la mer.

Interdit aux voitures et aux scooters. Parking à l'entrée et le long de la rue qui mène au cimetière.

|●| **Astrofengia :** à l'entrée du village, sur la gauche (suivre la pancarte placée avant l'arrêt de bus). ☎ 24-24-06-51-82. Compter entre 15 et 18 €. Dans ce restaurant, le plus ancien du village, à l'écart de l'activité touristique, on peut déguster une cuisine traditionnelle (peu de choix néanmoins) aussi bien que quelques plats plus « exotiques » comme le *chilli con carne.* Service soigné. Belle terrasse.

|●| **Taverne Le Paraport :** tout en haut du village avec une petite terrasse surplombant la mer. ☎ 24-24-06-56-08. Sympathique taverne proposant des plats originaux ou locaux comme le délicieux steak d'espadon et la tourte *Paraport,* à prix très corrects. Le jeune patron est vraiment sympa.

|●| **Taverne Aloni** *(connue aussi sous le nom de* **Panayotis***) :* la seule taverne, sur la route qui monte à droite. ☎ 24-24-06-55-50. Service rapide et carte assez courte. Mais un très bel emplacement, idéal pour y dîner. Assez exposé au vent, il est préférable de prévoir un pull. Prix raisonnables et excellent accueil.

|●| **Taverne Nikos :** premier restaurant à droite dans la rue qui mène en haut du village. Ouvert midi et soir. Bon rapport qualité-prix. Bon accueil, cadre sympathique. Très fréquenté le soir, service parfois un peu lent. Bonne cuisine, et une carte complète. Goûtez le steak d'espadon, il est parfait.

Où boire un verre ?

Au vieux village

🍸 **Kafiréas :** prendre la rue principale. Elle est située en haut du village, juste après le *Café Naval* ; c'est indiqué en grec. ☎ 24-24-06-51-08. Ne sert pas de dîner, mais on peut y venir pour prendre un apéro ou un petit déj'. La vue sur le nord d'Alonissos est exceptionnelle depuis les trois petites terrasses.

🍸 ♪ **Café Naval :** dans la rue principale. ☎ 24-24-06-59-13. Une superbe terrasse avec une vue magnifique sur le sud d'Alonissos. Ambiance jazz. Ne sert qu'à boire, et à manger seulement de très bonnes crêpes (et le petit déj'). Prix moyens.

À *Patitiri*

🍸 De nombreux *bars* sur le port, plus chers qu'au vieux village et beaucoup moins charmants.

À voir. À faire

🍴 *Le centre d'information du MOm : * sur le port de Patitiri. Ouvert en été de 10 h à 15 h 30 et de 18 h à 23 h 30. Entrée libre. Le MOm est la société grecque qui s'occupe de l'étude et de la protection des phoques méditerranéens, dont une colonie d'une cinquantaine de membres vit en permanence au nord-est d'Alonissos, ce qui en fait le groupe le plus important de Méditerranée. Vidéo et panneaux explicatifs. Également un centre de soins à Sténi Vala (il arrive qu'on y nourrisse les bébés phoques). Le MOm participe à la gestion du Parc marin.

🍴 *Gallery 5 : * tout en haut du vieux village, dans la dernière ruelle à droite. Exposition et vente d'aquarelles et de bougies au miel originales réalisées par un jeune couple gréco-danois. Sympa pour faire des petits cadeaux. En outre, ils proposent un guide très détaillé des promenades et des lieux de baignade dans l'île.

Visite de l'île, les plages

On peut atteindre la plupart des plages d'Alonissos en *taxi-boat*. Départ toutes les 30 mn de Patitiri. Possibilité sinon de prendre le bus ou, mieux, de louer un scooter. Il est aussi possible de louer un bateau la journée. Cette formule permet d'accéder à toutes les plages de l'ouest d'Alonissos, plus éloignées de Patitiri.

Vers le nord-est

🔺 *Roussoum et Votsi (Ροσουμ ; Βοτσι) : * deux petites plages de galets aux eaux claires. Assez fréquentées puisqu'il est possible d'y loger. Votsi, avec sa falaise, est la plus belle des deux.

🔺 *Milia Yalos (Μηλια Γιαλος) : * superbe crique et plage de galets gris. Une petite taverne.

🔺 *Chryssi Milia (Χρυση Μηλια) : * plage de sable, la seule de l'île et de galets. Site exceptionnel et on a pied très loin. Idéal pour les enfants. Une petite taverne.

🔺 *Kokkinokastro (Κοκκινοκαστρο) : * paysage de carte postale avec l'île de Vrachos en face et les falaises rouge ocre qui surplombent la plage. Quand l'asphalte s'arrête, encore 900 m de piste. Pas mal fréquentée par les jeunes (il y a parfois de la musique).

🔺 *Leftos Gialos (Λεφτος Γιαλος) : * 2,6 km de piste à partir de la fin de l'asphalte. Jolie crique de galets, avec une belle vue. Deux tavernes sur place, au milieu des pins. Plus belle que *Tzortzi Gialos,* la plage juste avant.

🍴 *Sténi Vala (Στενη Βαλα) : * petit port de pêche dans un joli cadre (une crique très resserrée) assez animé puisqu'il a été choisi comme escale pour les voiliers de location *Sunsail.* Pas mal de *psarotavernès* sympas et de cafés pour un village qui doit compter 150 habitants l'hiver. Très agréable. La plage, une grande baie derrière le village, n'a rien d'extraordinaire. Le MOm y a une antenne.

⚓ *Camping Ikaro :* ☎ 24-24-06-55-67 ou 68. Dans les 12 € pour 2. Pour routards, mais la toute petite plage devant le camping n'est pas très propre (nombreuses navettes de bateau et des canards). Il faut s'éloigner de l'endroit où accostent les bateaux. Sanitaires limite. Cadre agréable mais les oliviers ne donnent pas beaucoup d'ombre. Très proche du village et des tavernes, avec ses avantages et ses inconvénients.

🛏 |●| *Taverne I Sténi Vala :* au bord de l'eau. ☎ 24-24-06-55-90 ou 45. Nourriture très classique, plats traditionnels dans les 5 €, poisson à prix abordable. Magnifique terrasse ombragée, envahie par les plantes et au milieu de laquelle trône un perroquet qui amuse beaucoup les enfants mais qui casse les oreilles au bout d'un certain temps ! Accueil très sympa. Également des chambres.

🍴 *Kalamakia* (Καλαμακια) : joli hameau de pêcheurs, deux tavernes les pieds dans l'eau, chambres chez l'habitant.

🏖 *Agios Dimitrios* (Αγιος Δημητριος) : très longue plage, dont on dit qu'elle serait la plus belle, ce qui est franchement douteux. En tout cas, c'est là que débarquent sur le coup de 10 h-11 h des dizaines de touristes amenés en bateau, qui se répandent sur toute la longueur de la plage. À éviter, au moins à ce moment-là.

Vers le sud

🏖 *Mégalos Mourtias* (Μεγαλος Μουρτιας) : plage au pied du vieux village d'Alonissos (2,5 km de route). Assez touristique. Fonds poissonneux. Plusieurs tavernes le long de l'eau.

🛏 |●| *Mégalos Mourtias* (c'est original) est bien, et pratique des tarifs honnêtes. ☎ 24-24-06-57-37. Fax : 24-24-06-59-54. Le couple qui tient cette taverne, Yiannis et Ria, propose en outre 4 chambres doubles dans une petite maison à part. Très simples mais propres et pas chères : environ 35 € la nuit, à négocier si l'on reste plusieurs jours.
À noter qu'on peut aussi accéder à cette plage depuis Patitiri en marchant vers Marpounda puis en bifurquant à droite dans les pins (1 km de piste puis de sentier).

🏖 *Mikros Mourtias* (Μικρος Μουρτιας) : un peu plus au nord, plus petite et beaucoup plus tranquille. Accès à pied depuis le vieux village (1,5 km), facile à l'aller, un peu moins au retour.

Vers l'ouest

Il y a très peu de plages sur le versant ouest d'Alonissos. Les rares existantes sont accessibles par la route qui dessert toutes les plages de l'est. La plus belle et la plus accessible est *Mégali Ammos* : plage de galets. De la route principale, il faut suivre une piste, sur 4,5 km, qui part sur la gauche (c'est indiqué au niveau d'un dépôt de matériaux de construction).

Randonnées

➤ 14 sentiers ont été aménagés pour randonner sur l'île. Cela va de la promenade de santé de 30-45 mn à la petite randonnée de 2 h 30-3 h (aller). La carte des éditions *Anavassi* indique clairement ces sentiers. Vérifier sur place car certains ne sont pas bien entretenus. Quatre d'entre eux, les plus courts, partent de Chora (le vieux village). Beaucoup partent des terres et aboutissent à une plage. En divers points de l'île, des panneaux permettent de se faire une idée de ces randonnées.

Le Parc national marin

Créé en 1992, le Parc national marin couvre une superficie de 2 200 km^2 et englobe une petite trentaine d'îles et îlots. On y protège non seulement le phoque méditerranéen *monachus-monachus,* particulièrement menacé, mais aussi le faucon d'Eléonore et le goéland d'Audoin. Plusieurs zones ont été établies, dans lesquelles une réglementation est en vigueur (interdiction d'entrer dans le parc avec un bateau non autorisé). L'îlot de Pipéri constitue une sorte de sanctuaire et ne peut être approché. Toutes les agences proposent des sorties organisées à la journée, repas inclus, dans les 38 € par personne, qui permettent de visiter certains points des îles de Kyra Panagia, Gioura ou Skantzoura (voir la carte des Sporades du Nord). Assez cher : certains de nos lecteurs vont jusqu'à qualifier ces sorties d'attrape-nigauds... Il faut sans doute préférer les petits bateaux qui ne dépendent pas d'une agence.

QUITTER ALONISSOS

➢ *Pour Volos (via Skopélos et Skiathos) et pour Agios Konstandinos :* plusieurs départs par jour en été. Renseignements auprès des agences de tourisme (voir « Adresses utiles »).

LES ÎLES SPORADES

SKYROS (ΣΚΥΡΟΣ)

2 900 hab.

On atteint cette île à partir de Kimi (Eubée). Elle est réputée pour le maintien de ses traditions et pour son artisanat, notamment le mobilier à panneaux sculptés de motifs d'inspiration byzantine, ses broderies et sa vannerie, ainsi que pour ses petits chevaux. On voit aussi des cuivres de toutes sortes, exposés aux murs des cuisines des maisons. Également de la faïence. Vous noterez aussi les petites chaises, dont on fait commerce maintenant. On raconte que leur format réduit est lié à la petite taille des maisons, astuce architecturale pour ne pas être vus des pirates qui arrivaient par l'est. Les habitants de Skyros n'étaient pas des saints non plus puisque, raconte Michel Déon, ils pillaient les bateaux qui s'échouaient sur leurs côtes... Dommage qu'une partie de l'île soit occupée, au nord, par une base de l'armée.

En ferry, on débarque au port de Linaria. Skyros (ou Chora), la capitale de l'île, est à 10 km vers le nord-est. Vous trouverez des bus en direction de Chora et des taxis. Le réseau routier s'est étendu et, à part quelques pistes, elles-mêmes plutôt en bon état, on roule très correctement sur l'île.

Comment y aller ?

➢ *De Kimi (versant nord-est d'Eubée) :* 2 ferries par jour en été, voire 3 les week-ends. Durée du trajet : 2 h. Réservation conseillée, surtout en été. Les bateaux partent, en haute saison, à 12 h et 18 h (voire 19 h). Le minuscule bureau de vente, à peine visible car coincé entre deux restos, n'est ouvert qu'une heure à peine avant le départ ; il est préférable d'aller directement sur la jetée du port. ☎ 22-22-02-26-06. Pour rejoindre Kimi en bus depuis Athènes, prendre le bus au terminal B (260, odos Liossion). Cinq départs par jour.

➤ *D'Athènes :* en avion. *Olympic Airlines* assure 2 vols par semaine, en principe les samedi et mercredi. 45 mn de vol. Aéroport : ☎ 22-22-09-16-25.

Adresses utiles

■ *Taxi Pergamalis Manolis :* ☎ 69-34-06-81-22 (portable). Flotte de 8 véhicules fonctionnant toute l'année.

■ *Station de taxis :* sur la place de Chora et en dessous, au niveau du parking du gymnase. ☎ 22-22-09-16-66.

LINARIA (ΛΙΝΑΡΙΑ)

Le port de Skyros, niché au fond d'une sorte de fjord grec bien abrité. Assez tranquille, sauf à l'arrivée du ferry, bruyamment saluée par de la musique symphonique mise à fond...

🛏 |●| 🍸 Quelques *bars,* une *pension* neuve, *Linaria Bay,* des chambres à louer et quelques *tavernes.*

|●| *Taverne Psariotis :* sur le port. ☎ 22-22-09-32-50 ou 34-35. Ouvert tous les jours midi et soir. Spécialiste des *spaghetti au homard* (dans les 40 € le kilo) et de la soupe de poisson (goûtez l'exquise *special fisherman* à 10 €). Grand choix de poissons à prix abordables. Terrasse agréable à l'étage. Patron jeune et sympa.

|●| *Taverna Philippaios :* sur le port, près de l'embarcadère. ☎ 22-22-09-14-76. Compter 10 € par personne. Rien de transcendant, cuisine honnête. Pratique quand on prend le ferry de 14 h.

|●| *Restaurant Almyra :* à droite sur le port. ☎ 22-22-09-62-53. Nourriture correcte pour environ 12 € le repas. C'est le lieu branché du moment. Apéros assez chers. Déco sympa.

Il est possible d'acheter ses billets pour les ferries dans un tout petit bureau, ouvert avant l'arrivée et le départ des ferries.

■ *Agence de voyages Aquarius :* ☎ 22-22-09-34-35. Sur le port, en partant vers Skyros. Propose des locations de deux-roues, des chambres à louer et des sorties en mer.

■ *Excursions* en bateau pour le sud de l'île *(Sarakino)* et les grottes *(Spiliès).* S'adresser au magasin de céramiques sur le port.

AHÉROUNÈS (ΑΧΕΡΟΥΝΕΣ)

La première baie après Linaria. Très jolie plage abritée, avec une belle vue. Il y a deux tavernes. Éviter la seconde qui s'étend vers la plage (nourriture calamiteuse).

🛏 *Pension Agnandéma :* à 2 km d'Ahérounès, sur la route de Skyros. ☎ 22-22-09-32-17 ou 22-22-09-32-58. Hors saison à Athènes : ☎ 21-02-81-92-78. Compter 70 € en été la chambre pour 4 personnes ou 50 € la chambre double, petit dej' inclus. Monter sur la droite un raidillon cimenté, on ne peut pas se tromper, c'est la seule maison du secteur. Chambres avec ou sans mezzanine, pour 2, 3 ou 4, assez exiguës. AC, réfrigérateur. Grande cuisine commune, salle à manger typique avec cheminée et objets fabriqués sur l'île. Excellent accueil des propriétaires. Très tranquille.

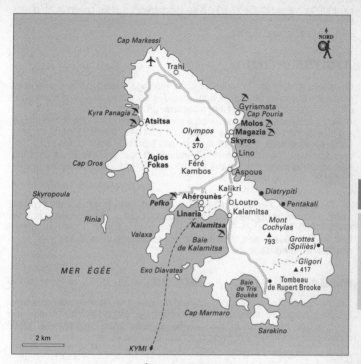

L'ÎLE DE SKYROS

PEFKO *(ΠΕΥΚΟ)*

On y accède par une courte route en pente mais goudronnée. Possibilité d'y aller en bus puis à pied au départ de Linaria. À 200 m de la plage, on poursuit la descente à pied entre les bois de pins dont on récolte la résine pour élaborer la *retsina* locale. Très joli site. Belle plage de sable, et port minuscule.

🛏 |●| *Chambres chez l'habitant* et *tavernes* au-dessus de la plage. |●| *Taverna Barba Mitsos :* vers l'extrémité du petit port. ☎ 22-22-09- 24-37. Compter 10 € le repas. Terrasse très agréable car bien ombragée. Bonnes brochettes et grillades.

AGIOS FOKAS *(ΑΓΙΟΣ ΦΟΚΑΣ)*

Avant d'arriver à Pefko, il faut, au niveau d'un groupe de maisons, prendre la piste qui monte sur la droite. Elle est magnifique, mais parfois difficile. En arrivant en haut des falaises, à *Agios Pandéleimonas*, une superbe chapelle du même nom offre une vue splendide sur Pefko. Il faut compter 20 bonnes minutes à moto ou en voiture avant d'accéder à la crique (6,5 km de piste). C'est une plage tranquille au milieu des chèvres, avec des fonds à admirer avec masque et tuba. Pour se nourrir après la baignade, une *taverne* est ouverte de mai à fin septembre et propose une production locale de tomates et pastèques, ainsi que du bon poisson. Superbe terrasse ombragée dor nant sur la plage. ☎ 69-37-09-08-48 (portable). La piste continue en direction d'Atsitsa. Pour rejoindre cette plage, il faut compter aussi 20 bonnes minutes (également 6,5 km).

ATSITSA (ΑΤΣΙΤΣΑ)

On atteint Atsitsa par la route du nord. Paysage superbe, très sauvage et plus aride que dans les autres Sporades. Atsitsa est au bout de la route goudronnée. Jolie crique et quelques bateaux de pêche.

Atsitsa est également le paradis où a choisi de s'implanter une communauté appelée *Skyros* (original!) qui propose de multiples activités (sports, relaxation, enseignement...). Ne soyez donc pas étonné si vous croisez des hippies sur votre chemin! *Taverne O Andonis* au bord de l'eau et un camping sauvage, très fréquenté et sans sanitaires. Avant Atsitsa, trois belles plages de sable, au nord de l'île.

|●| *Taverne To Perasma :* sur la route d'Atsitsa, près de l'aéroport. ☎ 22-22-09-29-11 ou 28-59. Nourriture traditionnelle à prix réduits. Sa situation en bord de route n'est pas géniale, mais le repas y est copieux et savoureux. Allergiques aux uniformes, s'abstenir : c'est la cantine des militaires de la base !

MAGAZIA (ΜΑΓΑΖΙΑ) – *MOLOS* (ΜΩΛΟΣ)

Deux longues plages de sable au nord du village de Skyros, qui rappellent les jolies plages normandes. Assez touristiques. Entre Skyros et Molos, ne pas manquer en contrebas une superbe plage de sable, juste après la bifurcation pour le Musée archéologique, très peu fréquentée.

Où dormir ? Où manger ?

On ne conseille pas le *camping* situé entre Skyros-Chora et Molos. Poussiéreux, mal équipé. Les proprios le rentabilisent en le proposant comme parking pendant la journée.

⌂ *Pension Karina :* à Molos, 300 m après l'hôtel *Mélikari* (en venant de Skyros-Chora, continuer tout droit). ☎ 22-22-09-21-03. Fax : 22-22-09-31-03. Ouvert de mai à octobre. Compter 35 € par personne en haute saison ; demi-tarif pour les enfants de moins de 12 ans. La pension dispose de trois maisonnettes mitoyennes, avec 2 chambres chacune, et d'un salon commun où il fait ⌐on se reposer en écoutant de la ⌐sique. Ameublement typique du ⌐local. Très beau jardin d'arbres ⌐s. Excellent accueil de Karine ⌐rt, suissesse de son état, ⌐amoureuse de Skyros au ⌐v installer. Ambiance très ⌐ Excellent petit dej' (en

supplément). Plage à moins de 10 mn à pied.

⌂ *Hôtel Hydroussa :* ☎ 22-22-09-20-63 et 65. Fax : 22-22-09-20-62. Hors saison, à Athènes : ☎ 21-07-22-92-18. Ouvert du 15 avril au 15 octobre. En été, 90 € la chambre double, petit dej' compris. Un des tout premiers hôtels *Xenia* (chaîne d'hôtels publique) qui a gardé son charme depuis sa privatisation. L'apparence extérieure est peu attrayante (non, ce n'est pas une prison !), mais les chambres sont superbes. La vue sur la plage de Magazia est magnifique. Le patron est charmant et parle très bien le français. Très chic.

|●| *Taverne Tou Thomas To Magazi :* sur la plage de Molos. ☎ 22-

22-09-19-42 ou 22-22-09-19-03. Dans les 10 € par personne, davantage si l'on fait un repas de poisson. Pas de carte. Très bon poisson. Atmosphère décontractée.

I●I **Taverna Sargos** : à côté de

Thomas. ☎ 22-22-09-31-87. Un peu moins cher que *Thomas* pour les plats de viande et prix raisonnables pour le poisson. Nourriture très correcte.

SKYROS ou CHORA *(ΧΩΡΑ)*

La capitale de l'île est un gros bourg bâti en amphithéâtre au pied d'une acropole *(kastro)*. Une rue court sur l'arête de deux collines où s'agrippent les cubes blancs des petites maisons. Les ruelles étroites et fleuries dévalent. Le haut du village, plus traditionnel, vit au rythme des ânes et des flâneurs. La rue centrale (odos Agoras) est particulièrement animée. C'est ici que Thésée aurait trouvé la mort, jeté du haut du kastro par Lycomède, le roi de l'île et qu'Achille aurait été caché et déguisé en fille par son père, pour échapper à la guerre de Troie.

Adresses et infos utiles

■ **OTE** *(plan A2, 2)* : à l'entrée est de la ville. Ouvert du lundi au jeudi de 7 h 20 à 13 h et le vendredi jusqu'à 12 h 30.

✉ **Poste** *(plan A2)* : en descendant la rue principale, 1re à droite juste après la *Banque nationale de Grèce*. Ouvert du lundi au vendredi de 7 h à 14 h.

■ **Banque nationale de Grèce** *(plan A2, 1)* : à 50 m à gauche en montant la rue principale après la place du village. Ouvert du lundi au vendredi de 8 h à 14 h et le samedi matin. Distributeur automatique de billets ouvert 24 h/24.

■ **Police** *(hors plan par A2)* : à l'entrée de Skyros, contre la station d'essence (attention, pas d'enseigne). ☎ 22-22-09-12-74.

■ **Dispensaire** *(hors plan par A2)* : derrière l'hôtel *Néféli* à l'entrée de la ville. Les médecins parlent l'anglais.

🚌 **Bus** *(plan A2)* : station en bas de la rue principale. Cinq liaisons quotidiennes pour Linaria en coordination avec l'arrivée et le départ des bateaux. Également des départs de Skyros (Chora) pour Molos (environ 6 par jour) et pour Kalamitsa (2 liaisons quotidiennes). Enfin, 4 liaisons

entre Molos et Linaria. Pour tout renseignement, s'adresser à l'agence *Skyros Travel*.

■ **Parkings** : impossible de circuler dans Skyros (Chora). Trois parkings à disposition :

– le parking du gymnase, avant la place du village ;

– le parking qui se situe sous la grande paroi rocheuse ; accès rapide à pied à l'odos Agoras ;

– le parking des musées, pour les visiter ou pour monter au *kastro*.

■ **Skyros Travel** *(plan A2, 5)* : en plein centre du village. ☎ 22-22-09-16-00 ou 22-22-09-11-23. La seule agence de voyages de Chora. Couplé avec *Pegasus Travel* qui loue des appartements et des voitures (dans les 50 € pour des Seat Marbella).

■ **Theseus Car** *(plan A2, 3)* : juste après la place des taxis, avant le raidillon qui mène au village. ☎ 22-22-09-14-59 ou 69-37-97-55-79 (portable). 50 € pour une Hyundaï Atos à la journée. Tarifs dégressifs. Véhicules neufs.

@ **Café Meroi** *(plan A2)* : dans la rue principale. Matériel récent. Compter 1,50 € les 20 mn de connexion.

Où dormir ?

Beaucoup de chambres chez l'habitant.

De bon marché à prix moyens

▤ *Chez Anna (plan A2, 10)* : du côté de l'OTE face au resto *Liakos*. ☎ 22-22-09-23-06 ou 22-22-09-11-15. Dans les 25 € la chambre double. Petite terrasse en haut, maison charmante. Chambres fraîches, bien tenues et très simples, avec ou sans salle de bains. Réfrigérateur.

▤ *Rooms to rent (plan A2, 13)* : contre l'agence *Theseus Car*, en bas de la rue principale. Même téléphone. Dans les 40 € en haute saison. Six chambres assez grandes avec balcon. Trois salles de bains communes. Bien situé, propriétaire charmante.

▤ *Pension Nikolaos (hors plan par A2, 14)* : 2ᵉ à gauche après l'hôtel *Néféli* quand on vient de Linaria. ☎ 22-22-09-17-78. Fax : 22-22-09-34-00. Chambres assez chic et confortables dans les 55 €. Au calme, en dehors de Skyros. Cour intérieure agréable et fleurie. Égale-

ment des chambres avec mezzanine pour 4 personnes.

▤ *Hôtel Éléna (plan A2, 11)* : dans une ruelle à droite quand on remonte la rue principale. ☎ 22-22-09-17-38 ou 22-22-09-10-70 ou 69-74-37-44-29 (portable). De 30 à 40 € la chambre double avec salle de bains en haute saison, en fonction de la taille. Chambres assez propres. Certaines avec salle de bains commune. Réfrigérateur à disposition. Assez bruyant. En dernier recours.

▤ *Hôtel Néféli (hors plan par A2, 12)* : à l'entrée de Skyros quand on va vers le parking du gymnase. ☎ 22-22-09-19-64. Fax : 22-22-09-20-61. Chambres doubles à 80 € en haute saison. Fait partie du complexe de studios *Dimitrios*. Possible de louer des appartements pour 4 personnes, bien plus chers (120 € en haute saison). Une grande piscine. Assez chic, déco agréable.

Où manger ?

|●| *Taverne Petroula (plan B1, 26)* : à l'entrée de Skyros, quand on vient de Linaria, prendre à droite du *kastro*. Petite enseigne discrète sur la droite. ☎ 22-22-09-32-87. Un petit resto comme on les aime, aux plats savoureux et à l'ambiance familiale. Magnifique terrasse dominant la mer. Déco sympa avec cheminée, atelier, coin salon : on se croirait chez soi ! Goûtez à l'excellente *aubergine spéciale* au prix modique de 5 €.

|●| *Restaurant Kristina's (plan A2, 25)* : dans la ruelle à gauche après *Skyros Travel* quand on remonte la rue principale. ☎ 22-22-09-18-97. Ouvert tous les jours midi et soir. On aime particulièrement la cuisine originale et sans chichis de Kristina. La petite terrasse est très agréable le soir, loin de l'agitation de la rue principale. Goûtez son copieux poulet ou l'assiette végétarienne à environ 5 €. Son pain chaud aux herbes fait

également des ravages !

|●| *Restaurant Kabanera (plan A1, 20)* : en montant la rue principale, tourner à gauche, entre un minuscule magasin d'artisanat et l'agence *Skyros Travel* ; puis tourner à droite et passer sous le portique, dans la rue en pente. ☎ 22-22-09-12-40. Ouvert tous les jours midi et soir. Très calme. Excellents légumes coniques, les *okras*. Vous choisissez vos plats en cuisine. Prix très raisonnables.

|●| *Tavernes* sur la plage de Bina. Entre le kiosque et la petite jetée, on peut manger chez les pêcheurs, en choisissant parmi leur pêche.

|●| *Chez Anemos (plan A2, 21)* : petit snack sur la droite, dans la rue principale, juste avant la pharmacie. Excellent petit dej', très copieux, servi tard. On peut faire faire des sandwichs à sa guise. La patronne est très sympa et parle bien le français. Très bon marché.

LES ÎLES SPORADES

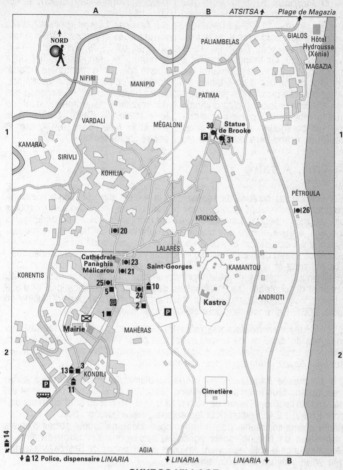

SKYROS-VILLAGE

■ **Adresses utiles**
✉ Poste
1 Banque nationale de Grèce
2 OTE
3 Theseus Car
@ Café Meroi
5 Skyros Travel
🚌 Bus

🏠 **Où dormir ?**
10 Chez Anna
11 Hôtel Éléna
12 Hôtel Néféli
13 Rooms to rent

14 Pension Nikolaos

|●| **Où manger ?**
20 Restaurant Kabanera
21 Chez Anemos
23 O Pappous Ki Ego
24 Taverne Liakos
25 Restaurant Kristina's
26 Taverne Petroula

🏃 **À voir**
30 Musée Faltaïs
31 Musée archéologique

▐●▌ *O Pappous Ki Ego* (plan A2, 23) **:** vers le fond de l'odos Agoras, sur la droite. ☎ 22-22-09-32-00. Ouvert le soir uniquement, et le midi également en août. Dans les 12 € par personne. On mange en salle, à moins d'être parmi les veinards qui ont droit à une des 3 ou 4 tables en terrasse. Jolie déco, mais on est serrés. Cuisine beaucoup plus originale que la moyenne. Goûter par exemple aux courgettes au yaourt et au poulet du grand-père (*kotopoulo tou pappou*). Ambiance musicale et accueil très sympa.

▐●▌ *Taverne Liakos* (plan A2, 24) **:** en face des chambres *Chez Anna*. ☎ 22-22-09-35-09. Dans les 12-14 € le repas. On mange sur le toit. Jolie vue le soir sur le monastère éclairé. Là aussi, cuisine assez originale, utilisant beaucoup les fromages grecs (la *myzithra*, le fromage local ou le *mastelo*, de Chio). Goûter à la *maniatiki pitta*, pas bien chère et assez copieuse.

À voir. À faire

🎭🎭 Grimpez au sommet du *kastro*, d'où la vue est superbe. Ouvert jusqu'au coucher du soleil. Les plus courageux partiront de l'odos Agoras (parcours plus ou moins fléché). Les autres peuvent monter en voiture au parking des musées, il reste encore une bonne petite grimpette. On traverse le monastère Saint-Georges, un des plus anciens de Grèce, fondé en 962, en réfection. Il se visite, demander au moine de service (tenue correcte conseillée). Les maisons et les chapelles rivalisent de beauté dans la décoration. Une fois franchi le passage voûté, après quelques marches, on débouche au sommet du château. Deux chapelles, des ruines de fortifications et d'une citerne. Vue magnifique. Malheureusement endommagé par un séisme en juillet 2001. Se renseigner pour savoir s'il est rouvert à la visite.

🎭 *Le Musée archéologique* (plan B1, 31) **:** du parking, descendre les marches en direction de la mer, c'est tout près. Ouvert de 8 h 30 à 15 h. Fermé le lundi. Entrée : 2 €. Y sont exposées toutes les découvertes faites sur l'île. Assez intéressant pour un musée local.

🎭🎭 *Le musée Faltais* (musée d'Arts populaires ; plan B1, 30) est à visiter absolument. Monter en haut du village, jusqu'à la pl. R.-Brook : le musée est au fond de la place. Ouvert de 10 h à 13 h et de 18 h à 20 h 30 en haute saison. Entrée : 2 € ; gratuit pour les enfants. Visite guidée : 5 €.
Riche collection, réunie par un ethnologue local, de toutes sortes d'objets (ustensiles de cuisine, outils agricoles, habits de fête, livres anciens...). Reconstitution de pièces à vivre typiques des maisons de Skyros. Visite guidée en anglais un peu trop rapide.

➤ Une belle *balade* : après la plage de Bina, un chemin mène au bout du cap. Il y a deux *chapelles troglodytiques* taillées dans le rocher, un moulin intact, une plage et une petite île avec sa chapelle que l'on peut atteindre à la nage. Les roches tendres ont servi de carrière dans l'Antiquité. Les pierres taillées sur place, du tuf, ont laissé des traces en forme d'escaliers. Malheureusement, le coin est assez sale et venteux.

➤ En caïque, vous pourrez effectuer de jolies *balades en mer* : falaises de *Diatrypti*, grotte de *Pentakali*, grottes bleues de *Limnionari*.

KALAMITSA *(ΚΑΛΑΜΙΤΣΑ)*

La route pour y arriver est magnifique, elle traverse la partie la plus étroite de l'île. Les champs cultivés arrivent jusqu'à la plage, agréable et sous le vent. Quelques tavernes éparpillées, dont une sur la droite en arrivant sur la plage. Nourriture moyenne mais superbe point de vue.

🛏 *Studios Roula Fiolakis :* grand panneau à gauche avant d'arriver sur la plage. ☎ 22-22-09-30-71. Ouvert toute l'année. Dans les 35 € la nuit, à négocier. Quatre studios pour 2 ou 3 personnes, calmes, très propres. Belle vue sur la plage, jardin agréable.

|●| *Restaurant Mouriès :* environ 2 km avant Kalamitsa. ☎ 22-22-09-35-55 ou 36-00. Ouvert le week-end uniquement. Non seulement il s'agit d'un excellent rapport qualité-prix, mais l'accueil n'est pas en reste : la gent féminine se verra remettre un brin de basilic, comme le veut la tradition, et distribution gratuite de sourires pour tout le monde ! Les légumes viennent directement du potager et on vous proposera d'excellents plats de viande du pays. Une bonne adresse.

Après Kalamista, à 2 km, plage de galets de *Kolimbadas* (se garer sur la route et descendre la piste). Sur la droite de la plage, une minuscule plage de sable et des rochers troués assez curieux ramenant sur d'autres criques après 15 mn de marche.

Continuer la route jusqu'à 1 km avant Tris Boukès (inutile de chercher la plage, c'est une zone militaire). Sur la gauche, parmi les oliviers, la tombe du poète anglais Rupert Brooke, mort en 1915 sur un bateau-hôpital français et enterré à sa demande sur l'île.

QUITTER SKYROS

➤ *Pour Kimi :* 2 fois par jour en ferry (en général, 1 le matin, 1 l'après-midi), puis correspondance en bus pour *Athènes.* Conseillé de réserver le retour. Billets à acheter sur le port de Linaria (bureau ouvert aux heures d'arrivée ou de départ du bateau seulement), ou, plus prudemment, à l'agence centrale à Skyros (Chora), dans l'odos Agora, face au cybercafé. En été, bureau ouvert de 9 h à 13 h et de 18 h 30 à 21 h.

➤ *Pour Athènes :* en avion, 45 mn de vol. *Olympic Airlines* assure 2 vols par semaine, les mercredi et samedi. ☎ 22-22-09-16-25. Se renseigner auprès de l'agence *Skyros Travel* à Chora.

LES ÎLES SARONIQUES

Les îles Saroniques (Αργοσαρωνικος, Argosaronikos en grec) présentent l'avantage d'être les plus proches d'Athènes. Toujours intéressante quand on dispose de peu de temps, cette proximité fait aussi qu'elles sont plus chères que bien d'autres îles, notamment pour l'hébergement.

Comment y aller ?

Ces îles sont desservies à la fois par des ferries (les *Saronikos Ferries*) et des hydrofoils (*Flying Dolphins* et *Euroseas-Eurofast 1*). Bien plus rapides, ces derniers sont néanmoins 2 fois plus chers. Tous les bateaux pour les Saroniques partent du Pirée.

ÉGINE (ΑΙΓΙΝΑ)

11 600 hab.

Égine est l'île la plus proche d'Athènes. Les touristes y viennent surtout pour voir le temple d'Aphéa, mais ceux qui ont du mal à supporter la fournaise de la grande ville pourront aussi y dormir avec délectation et profiter de son charme lié à son insularité et à son histoire, dont il reste maintes traces.

LES ÎLES SARONIQUES

Néanmoins, c'est une des îles les plus fréquentées, principalement par les Athéniens. Comme, en plus, elle est déjà plus peuplée que la moyenne (presque 12 000 habitants pour 100 km²), vous ne serez pas tout seul. Sachez aussi qu'elle est la capitale grecque de la pistache, le moment est donc venu de faire vos provisions pour les futurs apéros.

UN PEU D'HISTOIRE

Dans l'Antiquité, Égine fut la grande rivale d'Athènes. On y frappa les premières monnaies grecques. Sa flotte était puissante. Égine s'allia aux Perses et vainquit Athènes. Plus tard, elle s'unit avec Sparte, mais Athènes sortit victorieuse. Les habitants de l'île furent alors déportés et remplacés par des colons athéniens.

Comment y aller ?

➤ **Du Pirée**
– **En ferry** *(Saronikos Ferries)* : le trajet dure environ 1 h 30 (1 h 10 pour Souvala). Un départ pour Égine toutes les heures environ de 7 h 30 à 20 h 30 (mais les horaires changent toutes les semaines). Pour Souvala, une demi-douzaine de rotations par jour en été. L'île est également desservie par plusieurs petites compagnies locales (parfois moins chères), mais le trafic de ces dernières étant très changeant, mieux vaut se renseigner sur place.
– **En bateau rapide** *(Flying Dolphins)* : si vous êtes en fonds, prenez les *Flying Dolphins*. Les liaisons maritimes fonctionnent tous les jours toute l'année. De mi-juin à mi-septembre, environ un départ par heure de 7 h à 20 h. Trajet en 35-40 mn. Réservations : ☎ 21-04-19-92-00. Compter environ 9 € par personne.

LE PORT D'ÉGINE

Pas la peine de chercher midi à quatorze heures, le port d'Égine est l'un des endroits les plus agréables de l'île, avec son architecture vénitienne sans trop de béton. Ne manquez pas l'adorable petite chapelle (Agios Nikolaos) construite au bout du quai.
Éviter de se baigner sur la petite plage près du port. Coins sympas plus loin, notamment au nord du port entre l'hôtel *Plaza* et le Musée archéologique ou dans la jolie baie qui se trouve 500 m plus loin en contrebas de la route qui longe la mer, de l'autre côté de la colline dominée par le Musée archéologique, sa colonne et les murs de son ancienne acropole. Le coin est vraiment plus calme, à défaut d'être très propre.

Adresses utiles

🛈 **Police touristique :** odos Leonardos Lada (la rue du snack *Tropics* qui donne sur le port) ; maison au fond d'une cour, à gauche dans la rue. ☎ 22-97-02-77-77. Renseignements honnêtes et désintéressés.
✉ **Poste :** à gauche du débarcadère des bateaux, sur la place Ethnegersias (place des bus). Ouvert du lundi au vendredi de 7 h 30 à 14 h.
◼ **Banques :** plusieurs sur le port. Ouvertes du lundi au jeudi de 8 h à 14 h 30 et le vendredi de 8 h à 14 h.

Change et distributeur automatique de billets dans chacune d'elles.
@ **Cafés Internet :** *Avra Café*, à côté de l'hôtel *Plaza*, sur le port (dans la direction du Musée archéologique). Cinq ordinateurs, connexion assez rapide, cadre et accueil sympas. *Prestige Internet Café*, odos Aiakou. Huit ordinateurs à côté des billards. Pas spécialement calme, mais accueil agréable. Dans les deux cafés, compter environ 3 € pour une demi-heure de connexion.

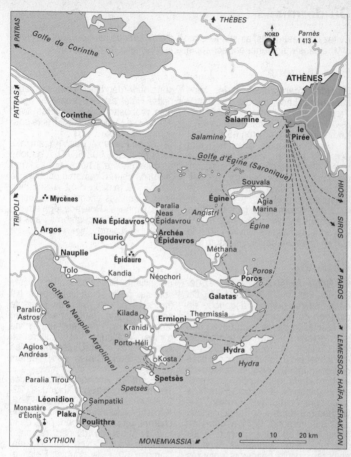

LES ÎLES SARONIQUES

■ *Presse étrangère :* Kalezis Nikos, sur le port, juste à côte de la National Bank of Greece.

■ *Dispensaire* (Kentro ygias) : ☎ 22-97-02-22-22 ou 28-86. Assez excentré. Prendre la direction du musée archéologique, puis suivre les indications.

■ *Hôpital* (Nosokomio) : ☎ 22-97-02-22-09 ou 22-51. Remonter odos Sokratou (rue avant l'église sur le port) puis odos Mitropolos. L'hôpital est sur la droite.

■ *Location de voitures et de deux-roues :* Rent a Car (chez Giorgo). ☎ 69-44-53-42-58 (portable). Du débarcadère, prendre à gauche, vers le Musée archéologique et la maison rouge carrée avec une terrasse blanche. Prendre la petite rue à droite juste avant d'arriver à l'hôtel Nafsika. Compter environ 12 € pour la location d'un scooter à la journée. Accueil sympa et matériel bien entretenu.

🚌 *Départ des bus :* sur la place Ethnegersias (à gauche du débarcadère).

Où dormir ?

Évitez les week-ends, ainsi que le mois d'août lorsque les rues sont bondées d'Athéniens qui souhaitent échapper à la fournaise de la capitale.

Prix moyens

▲ **Hôtel Marmarinos :** 24, odos Leonardos Lada (la rue du snack *Tropics* sur le port). ☎ 22-97-02-35-10 ou 24-74. Ouvert toute l'année. En haute saison, environ 45 € la nuit en chambre double avec AC ; tarif dégressif pour un séjour de longue durée. Certaines chambres possèdent un balcon. Propre, sympa, accueillant et très calme car à l'écart de l'agitation du port.

▲ **Hôtel Artémis :** en face de l'hôtel *Marmarinos*. ☎ 22-97-02-51-95. Ouvert toute l'année. Environ 50 € la nuit en chambre double en haute saison ; tarif dégressif pour plusieurs nuits. Hôtel simple, propre et agréable proposant des chambres avec AC, salle de bains et frigo. Petite cour sympa et un bar.

▲ **Hôtel Plaza :** 4, odos Kazantzaki. ☎ et fax : 22-97-02-56-00. À gauche du débarcadère. L'hôtel face à la mer le moins cher. Chambres doubles de 40 à 55 € avec la clim'. Assez bien tenu. Chambres encore moins chères dans l'annexe. Possède également, pas très loin, des chambres dans un immeuble calme, avec vue sur la mer.

Plus chic

▲ **Hôtel Nafsika :** ☎ 22-97-02-23-33. Fax : 22-97-02-24-77. Du débarcadère, prendre à gauche en direction du Musée archéologique et de la maison carrée rouge avec une terrasse blanche que l'on aperçoit au loin. Suivre la route sur 500 m (dépasser les 2 points de repère cités précédemment), jusqu'à apercevoir au bord de la route la grille d'entrée et l'enseigne de la maison. Fermé de fin octobre à début avril. Environ 70 € la chambre double en haute saison, petit dej' compris. On n'a pas l'impression d'être dans un hôtel : les chambres sont dispersées dans de nombreux petits bâtiments entourés de jardins, où se prélassent les matous de la maison. Chambres confortables avec salle de bains, AC, frigo et une terrasse (la plupart avec vue sur la mer). Pour le petit dej', chacun prend son plateau et s'installe où il le souhaite (notamment sur la terrasse près de la piscine avec vue imprenable sur la mer). Les jours de mauvais temps, on se réfugie dans la salle intérieure où trône une magnifique bibliothèque. Les hôtes sont aux petits soins (la patronne est française et son mari, un puits de science, parle parfaitement notre langue) et se révèlent une mine d'infos pratiques et culturelles. Adresse très courue, réserver tôt en haute saison. Cartes de paiement refusées.

▲ **Eginitiko Archondiko :** 1, odos Thomaïdou et Agiou Nikolaou. ☎ 22-97-02-49-68. Fax : 22-97-02-67-16. ● fotis@aig.forthnet.gr ● Adresse de charme, en retrait du port, près de la tour de Marcellus (du port, remonter l'odos Aiakou). Ouvert toute l'année. Compter 60 € la double. Relativement simple à trouver avec sa façade ocre. Le bâtiment date du début du XIXe siècle et s'enorgueillit d'avoir accueilli dans ses murs quelques grands noms de l'histoire grecque. Les peintures dans le salon ont été réalisées par des artistes vénitiens. Une douzaine de chambres claires et propres, avec salle de bains. Il y a même une terrasse pour se prélasser au soleil.

Où manger ?

Bon marché

– **Boulangerie :** sur les quais, au sud du port, face à la mer. À 50 m au sud du marché au poisson. Pain excellent quand il sort tout chaud du

L'ÎLE D'ÉGINE

four. Goûter à la *tiropita* (chausson au fromage). Également rue Aphaias : grand choix de biscuits maison.
– **Épicerie :** plusieurs épiceries en ville ainsi que le *supermarché Kritikos*, dans la rue de l'hôtel *Miranda*, situé après la chapelle et le stade. En revanche, éviter les **marchés aux fruits** présentés sur les bateaux à quai où les produits sont plus chers que partout ailleurs et de qualité médiocre.

|●| **Giladakis :** ☎ 22-97-02-73-08. Juste derrière le marché au poisson. Ouvert tous les jours, toute l'année. Environ 10 € le repas. Petite gargote populaire et familiale où se mêlent autochtones, pêcheurs et touristes. Plats à choisir en cuisine

Prix moyens

|●| **Maridaki :** ☎ 22-97-02-58-69. Sur le port, avant l'église. Repas pour 10 € environ, et plus pour un repas de poisson. Bonne cuisine fa-

(même s'il existe une carte). Poulpes et crevettes grillées, sardines... Que du frais, accompagné de délicieux légumes à déguster sur la terrasse dans la ruelle ou dans la petite salle. Très bon rapport qualité-prix et service sympa.

|●| **Snack Tropics :** face au débarcadère. Bons croissants chauds aux légumes, *apple pie* et sandwichs variés.

|●| **Restaurant Lekkas :** sur les quais, au nord du port, tout à côté de l'hôtel *Areti*. Ouvert toute l'année. Le resto le moins cher donnant sur la mer. Surtout du poulet-frites cuit à la broche. Rien d'extraordinaire donc, mais intéressant pour ceux qui veulent manger vite et pas cher.

miliale et traditionnelle proposant, entre autres, un grand choix de poisson (rouget, mulet, petite friture). Accueil un peu froid.

Ippokampos : 9, odos Phané-romenis (rue juste avant le stade qu'il faut remonter). ☎ 22-97-02-65-04. Ouvert uniquement le soir.

Repas à environ 15 €. Resto un peu plus chic proposant un large choix de délicieux *mezze.*

Où manger dans les environs d'Égine ?

Taverne Vagioulas : à l'inté-rieur de l'île. ☎ 22-97-02-58-69. À un peu plus de 2 km d'Égine, dans la direction du monastère Agios Nek-tarios. Ouvert le soir uniquement, le mercredi, le vendredi et le samedi. Compter entre 10 et 15 € le repas.

Adresse simple et pittoresque avec un patron haut en couleur proposant une très bonne cuisine familiale. Spécialité de la maison : le lapin aux macaronis. L'adresse étant un peu le rendez-vous du tout-Égine, réser-ver une table n'est pas superflu.

Où boire un verre ?

Av Li : odos Irioti. Dans la ruelle parallèle au port. Ouvert de 9 h à 4 h du mat'. Sur une terrasse ombragée, un petit bar sympa qui propose, se-lon les heures, des petits déjeuners, des plats variés et une ambiance bar de nuit avec un étonnant choix d'al-cools (à consommer avec modéra-tion, bien entendu). Prix très calmes.

Bar Maska : odos Mitropoleos. Remonter odos Socratous (rue de l'hôtel *Pavlou,* juste derrière l'église). Au bout de celle-ci, prendre la rue en face légèrement décalée sur la gauche. Le bar est sur la droite. En-droit sympa à la déco d'une taverne un peu branchée.

SOUVALA *(ΣΟΥΒΑΛΑ)*

Port à un peu moins d'une dizaine de kilomètres au nord d'Égine. Suivre la route côtière.

Où dormir ?

Ephi Hotel : pas loin du centre, en direction d'Égine. ☎ 22-97-05-22-14. Fax : 22-97-05-30-65. • www.hotelephi.gr • Ouvert d'avril à octo-bre. Compter dans les 60 € en

saison pour une double. Chambres simples mais assez spacieuses, avec AC, salle de bains et balcon. On ap-précie le petit effort de déco. Calme. Restaurant sur place.

PERDIKA *(ΠΕΡΔΙΚΑ)*

Au sud-ouest de l'île, à 11 km d'Égine. Dans un cul-de-sac, ce port avec ses tavernes au bord de l'eau est le deuxième site le plus sympa de l'île, loin des lieux à visiter mais beaucoup plus tranquille qu'Égine. Pour faire ses courses, quelques supérettes dans le village (et supermarché un peu plus important face à l'hôtel *Venetia).*

Où dormir ? Où manger ?

Studios Venetia : un peu avant d'arriver sur le port, sur la droite. ☎ 22-97-06-12-19 ou 22-97-06-13-41.

Fax : 22-97-06-10-83. Ouvert toute l'année. Pour tous renseignements, s'adresser à l'hôtel *Venetia,* un peu plus loin, ou auprès de la taverne *Antonis,* sur le port. Studios pour 2 personnes de 50 à 70 €, selon la saison. Studios tout équipés (AC, kitchenette, salle de bains minuscule et terrasse) dans une imposante maison jaune aux volets verts, au bord de la route. Intérieur aux couleurs un peu vives mais propre et récent. Dommage que l'environnement ne soit pas plus sympa. Les lo-

cataires des studios peuvent accéder gratuitement à la piscine de l'hôtel du même nom (qui est, lui, horriblement cher et assez impersonnel).

|●| *To Proréon :* ☎ 22-97-06-15-77. Ouvert toute l'année. Repas à environ 15 €. Au bord de l'eau, resto avec une superbe devanture de fleurs et de cactus qui propose de bons plats de poisson frais.

🍗 Avant d'arriver à Perdika, passer par le petit village de **Marathonas,** à 5 km d'Égine. Jolies plages de sable tout le long de la baie. Excellentes tavernes sous les tamaris, les pieds dans l'eau.

À voir. À faire

➤ Louez un vélo ou un scooter pour visiter l'île. Location à l'heure ou à la journée. Il faut généralement rendre l'engin à 18 h. Le plus simple est de partir du pont vers le nord, de longer la mer jusqu'à Souvala et de poursuivre jusqu'au temple d'Aphaia. Puis descendre jusqu'à Agia Marina. De là, emprunter la route qui s'enfonce dans les terres pour rejoindre le port d'Égine. En saison, bus fréquents pour les flemmards.

🍗 *Le Musée archéologique :* au port d'Égine. Ouvert de 8 h 30 à 15 h. Entrée : 3 €. Les amateurs d'histoire et de vieilles pierres pourront y contempler le fruit des recherches archéologiques menées sur le site ainsi que les vestiges des anciens murs de l'acropole et la colonne grecque qui domine la colline, unique survivante d'un temple dorique dédié à Apollon.

🍗🍗 *Le temple d'Aphaia* (Αφαια, prononcer « Afea ») : au nord-est de l'île, à 13 km d'Égine et 1,5 km avant d'arriver à Agia Marina. Le bus Égine-Agia Marina s'y arrête. Ouvert l'été de 8 h 30 à 19 h en semaine et de 8 h 30 à 17 h hors saison. Entrée : 4 € ; réductions.
Construit en 448 av. J.-C., il est de style dorique. Perché sur une colline et isolé, il offre un joli panorama sur la mer en contrebas. Ce temple était l'un des sommets du « triangle sacré », avec le Parthénon et le temple de Poséidon au cap Sounion. Ce triangle, composé de monuments proches de la perfection architecturale, était particulièrement vénéré dans l'Antiquité. Avec 24 colonnes sur 34 encore debout, ce temple est plutôt bien conservé. Il y a, paraît-il, un musée archéologique intéressant sur le site, mais il n'est ouvert que 15 mn toutes les heures et seulement le matin...
Possibilité de rejoindre la plage en traversant la pinède. Très belle vue. Sur la route, ne pas rater le *monastère Agios Nektarios (Saint-Nectaire !),* situé au bord de la route entre Égine et Aphaia. Construit au début du XXᵉ siècle, il est joliment restauré et semble dater d'hier. En revanche, sur le flanc de la colline derrière (direction Souvala), beaucoup plus discrètes sont les ruines qu'on pourrait ne pas voir tant elles se confondent avec la roche : il s'agit d'un ancien village, **Paléochora,** capitale de l'île du IXᵉ au XIXᵉ siècle et dont ne subsistent qu'une vingtaine d'églises et de chapelles en ruine sur un total, paraît-il, de plus de 100... L'emplacement du village permettait d'échapper aux raids des pirates. De la route, un chemin mène aux ruines. Y aller le matin, quand le versant de la colline est encore à l'ombre.

🍗 *Le musée Christos Kapralos :* à 3 km d'Égine, en suivant la route côtière en direction de Souvala. De juin à octobre, ouvert de 10 h à 14 h et de 18 h à 20 h ; fermé le lundi. De novembre à mai, ouvert uniquement les vendredi, samedi et dimanche, de 10 h à 14 h. Exposition de céramiques et de sculptures sur marbre et bois, réalisées par l'artiste Christos Kapralos durant ses étés passés à Égine entre 1963 et 1993.

LES ÎLES SARONIQUES

⟩ *Agia Marina* (Αγια Μαρινα) *:* au nord-est de l'île. Très construit, pas toujours avec bonheur. Lieu de prédilection des agences de voyages scandinaves. La rue principale regorge de bars et de restos chic. Usine à touristes et rente pluriannuelle des bétonneurs. Autant vous dire qu'on n'aime pas. Dommage car la plage sans son alignement de transats et de chair à rôtir serait vraiment très sympa.

➤ *Comment y aller ?* Du port d'Égine, un bus dessert Agia Marina. Des bateaux également partent directement du Pirée (45 mn) ou du port d'Égine.

L'ÎLE D'ANGISTRI (ΑΓΚΙΣΤΡΙ)

À partir du Pirée, on peut aussi prendre un ferry qui dessert Égine, puis Angistri (2 h de trajet, 30 mn d'Égine). Des petits ferries partent de Skala et Milos, et les catamarans y vont aussi (1 h depuis Le Pirée et 10 mn depuis Égine). Cette petite île commence à être fréquentée par les touristes, mais on est loin de l'invasion. Idéal pour se reposer quelques jours.
Un minibus fait la navette Milos-Skala. La route longe la mer. Si vous vous ennuyez, vous pouvez aussi y aller à pied. On ne peut pas faire le tour complet de l'île, mais, en louant une mob, possibilité de faire quand même de jolies balades à l'intérieur. Très peu de plages, autant le savoir.

Où dormir ? Où manger ? Où sortir ?

⌂ À Skala, les hôtels sont souvent complets. On recommande l'*hôtel Vassilaras.* ☎ 22-97-09-13-87. Fax : 22-97-09-12-75. • www.angistri.com • 3 catégories d'appartements pour tous les budgets. Bon resto (*Le Neptune),* appartenant à la même famille. Sinon, allez à Milos (2 km à l'ouest), hameau plus nonchalant, où il y a toujours de la place. En général, les chambres sont tout à fait correctes. Réductions si vous y restez la semaine.
|◦| ⚕ À Milos, le *restaurant-bar Le Château (Castle)* surplombe l'île.

Vue superbe sur la mer et Égine. Mini-discothèque et cocktails à prix abordables.
⌂ |◦| Les *restaurants* de Skala sont plus chers. Une adresse sympa tout de même à Skliri (1 km au sud-est de Skala) : *Agistri Club,* dont le propriétaire, Bryan Robinson, est une haute figure de l'île. L'établissement (qui fait également hôtel) domine l'île, belle vue sur les environs. ☎ 22-97-09-12-42. Fax : 22-97-09-13-67. • www.agistriclub.com • Compter de 55 à 75 € pour une double, petit dej' compris.

POROS (ΠΟΡΟΣ) 3 600 hab.

Poros est l'escale après Égine sur la ligne maritime qui rejoint Hydra. Elle se compose, en fait, de deux îles (une toute petite, *Sphèria,* presque entièrement occupée par Poros-ville, et *Kalavria,* plus grande, au nord) reliées entre elles par un pont traversant un chenal. Elle est située à une centaine de mètres du Péloponnèse, on peut donc aisément rejoindre Galatas par bateau-taxi ou avec le bac. La ville principale est étagée au-dessus du port, avec ses maisons blanches se détachant entre mer et ciel. En définitive, l'île de Poros n'offre au visiteur rien d'autre que le charme insulaire de cette ville, mais cela suffit largement pour y justifier un séjour. Par ailleurs, beaucoup plus authentique que ses voisines, elle est agréablement verte et boisée et sa petite taille permettra aux plus courageux de ne s'y déplacer qu'à pied.

Quant à ses plages, sympas mais petites et peu nombreuses, elles tendent à être prises d'assaut en été.

Comment y aller ?

➤ *Du Pirée*
– *En ferry* (Saronikos Ferries) : en été, 5 liaisons en bateau par jour. Durée : 2 h 30.
– *En bateau rapide :* les *Flying Dolphins* effectuent en été une bonne demi-douzaine de traversées dans la journée et *Euroseas-Eurofast 1* au moins deux. Durée : 1 h.
➤ *De Galatas*
– Le bac qui relie Galatas à Poros part toutes les 30 mn de 6 h 30 (7 h le dimanche) à 22 h 30. Tarif passager : 0,50 € l'aller. Attention l'embarcadère de ce bac est à 500 m du port, face à l'hôtel *Dyonisos,* en allant vers l'île de *Kalavria.*
– Des sortes de bateaux-taxis, situés sur le port juste à côté de l'embarcadère des *Flying Dolphins,* font également la navette pour le même prix, mais ne partent qu'avec un minimum de 4 personnes.

POROS-VILLE

Adresses utiles

🛈 *Police touristique :* odos Agiou Nikolaou. ☎ 22-98-02-22-56. À côté du lycée, situé à proximité de l'embarcadère des bacs pour Galatas.
✉ *Poste :* au début d'une ruelle partant de la place située sur le port et sur laquelle trône un petit monument cylindrique, avec tridents et serpents. Ouvert du lundi au vendredi de 7 h 30 à 14 h.
■ *Banques :* plusieurs banques avec distributeur automatique de billets sur le port.
■ *Presse étrangère :* dans une petite échoppe dans la rue principale au bord de l'eau, entre l'embarcadère des bacs pour Galatas et le port.
@ *Internet :* Latini Internet Café, dans la rue principale au bord de l'eau, entre l'embarcadère des bacs pour Galatas et le port. Deux bons ordinateurs au fond d'un café. Connexion rapide et accueil sympa. Environ 3 € la demi-heure et 5 € l'heure.
■ *Plusieurs loueurs de vélos et de scooters :* le long du quai, dont *Chez Kostas,* ☎ 22-98-02-35-65. Pas trop cher, matériel en bon état et entretenu.
🚌 *Bus :* départ des quais, sur le port. Deux lignes : l'une dessert les arrêts entre Poros et Neorio (Russian Bay) et l'autre entre Poros, Askali et le monastère. Départ toutes les heures de 8 h à 23 h.
■ *Taxis :* sur le port, à côté des bus et de l'embarcadère des *Flying Dolphins.*

Où dormir à Poros-ville ?

🛏 *Chambres chez Georgia Mellou :* 10, odos Kolokotronis. ☎ 22-98-02-23-09. Sur les hauteurs, remonter la ruelle qui passe devant la poste. La maison se trouve près de la place de l'église Agios Georgios, à côté de la taverne *Garden.* De 35 à 40 € la double (tarif dégressif pour plusieurs nuits). Toutes les chambres, simples mais propres, disposent d'un balcon donnant soit sur la ruelle, soit sur le port. Certaines ont leur propre salle de bains et d'autres ont des sanitaires communs. Bon rapport qualité-prix. Dans le couloir, frigo à disposition des locataires. Propriétaire très sympa.

Où dormir sur l'île de Kalavria (de l'autre côté du pont)?

Si vous êtes chargé, la solution du taxi pour rejoindre votre hébergement peut s'avérer très pratique et peu onéreuse (compter environ 2 € la course pour rejoindre les hôtels situés à Askéli et un peu plus pour Néorio).

Vers Askéli *(à droite du pont en venant de Poros-ville)*

🛏 **Villa Mimosa :** 7, odos Monastririou. ☎ 22-98-02-46-59. Hors saison à Athènes : ☎ 21-06-74-43-64. ● vil laporos@yahoo.com ● Peu après le pont, le cimetière et le grand virage, c'est la maison n° 7 sur la droite (dont on n'aperçoit presque que le toit un peu étrange. Attention, le nom de la villa n'est pas indiqué). Ouvert d'avril à fin octobre. Pour 2, compter environ 40 € et 60 € pour 3 ou 4 personnes. Dans une villa où les propriétaires résident en été, spacieux studios et appartements avec AC. Simples mais très agréables. Très joli jardin tout fleuri avec accès direct à la plage de Kanali. Priorité donnée aux séjours un peu prolongés. Très bon accueil de la famille Lykiardopoulos.

🛏 **Panorama Apartments :** à 2 km de Poros-ville. ☎ 69-72-16-99-77

(portable). Fax : 22-98-02-34-11. Avant d'arriver à l'hôtel *New Aegli* et à la plage d'Askéli, monter les escaliers à gauche de la route, à flanc de colline. Si vous êtes en voiture, prendre la petite route sur la gauche quelques mètres après les escaliers. En haute saison, 38 € la nuit en studio et 72 € l'appartement pour 4 personnes. Imposant complexe en étage (jambes fragiles s'abstenir), pas vraiment élégant au premier abord, mais finalement bien sympa et offrant des studios et appartements agréables et spacieux avec terrasse bénéficiant d'une vue plongeante. Kitchenette, Salle de bains, AC, TV. Établissement très prisé des Suédois, et pour cause : le proprio, Christian Souliotis, dont la maman vient du Nord, est bilingue. Accueil jeune et très sympa.

Vers Néorio *(à gauche du pont en venant de Poros-ville)*

🛏 **Hôtel Théano :** peu après le pont, près du restaurant *Spiros*. ☎ 22-98-02-25-67. Fax : 22-98-02-66-90. Prévoir environ 60 € en haute saison pour 2 personnes et 45 € hors saison. Chambres climatisées plutôt coquettes avec une belle salle de bains, un balcon et un frigo. Dommage que l'environnement de cet hôtel rutilant, bien que près de l'eau et pas très loin du centre, ne soit pas plus sympathique (nombreux hôtels pas toujours très esthétiques). Les mêmes propriétaires disposent également d'appartements sur la plage d'Askéli.

🛏 **Hôtel-pension White Cat** (*Aspros Gatos* en grec) *:* à 1 km du port, près de la taverne avec les pieds dans l'eau du même nom. ☎ et fax : 22-98-02-56-50. Chambres doubles de 25 à 50 €. Grande bâtisse blanche aux volets bleus, en bord de mer. Les chambres disposent d'un balcon mais elles n'ont pas toutes vue sur mer. Salle de bains très sommaire. Un intérieur pas des plus neuf ni des plus reluisant, qui conviendra peut-être aux plus petits budgets.

🛏 **Simeon Appartments :** à Néorio ; à 2,5 km du port (arrêt de bus juste devant). ☎ 22-98-02-25-14.

● www.simeon.gr ● Ouvert toute l'année. Selon la saison, la durée du séjour et la vue, appartement pour 2 personnes de 36 à 56 € et de 52 à 72 € pour 4. Appartements avec AC.

Cour pas très attirante et un peu fouillis, mais dans un coin de l'île plutôt sympa, juste au bord de la plage et avec le club nautique à proximité.

Où manger à Poros-ville ?

|●| **Taverna Karavolos :** dans une ruelle perpendiculaire au port (prendre au niveau du cinéma et monter). ☎ 22-98-02-61-58. Compter 10 € le repas. Petite terrasse tranquille. Spécialité de la maison : les escargots, d'où l'enseigne. Carte assez variée avec des plats qui sortent de l'ordinaire, service diligent (les escargots ne sont que dans l'assiette).

|●| **Taverna Apagio :** ☎ 22-98-02-62-19. En venant de Poros-ville, dans une petite rue à droite peu avant le pont (indiqué). En sous-sol d'une maison privée. Ouvert tous les jours, toute l'année. Repas entre 12 et 15 €. Pour vous attabler, on vous laisse le choix : soit dans la grande salle conviviale, soit sur la

mignonne et agréable terrasse de poche dans l'arrière-cour entourée d'arbres. La patronne (Liz, une Anglaise mariée à un Grec) prend ensuite le temps de vous énoncer et vous expliquer les plats du jour. Une bonne cuisine maison, plutôt originale, et rendue encore plus savoureuse par l'accueil chaleureux de Liz et de son époux.

|●| **Taverna Poséidon :** presqu'en face de l'embarcadère des bacs pour Galatas, entre la collège-lycée et le cinéma. ☎ 22-98-02-30-33. Ouvert midi et soir. Compter 10 à 12 € le repas. Resto touristique, mais assez large choix de plats, bonne *moussaka* et poisson frais.

À voir. À faire

🎬🎬 **Le monastère de Zoodochou Pigis** (Μονη Ζοοδοχου Πηγης) **:** sur l'île de Kalavria, à une demi-heure à pied de la plage d'Askéli (suivre la route goudronnée, qui se termine au monastère). Accès en bus, à pied pour les plus courageux (à une petite heure de Poros-ville), à vélo ou à moto. Dans un joli site au milieu des arbres, il domine la mer en contrebas. Ouvert du lever au coucher du soleil et fermé entre 13 h 30 et 16 h 30 en été. Les shorts sont interdits pour les hommes, ainsi que les pantalons pour les femmes. Cela dit les imprévoyantes pourront emprunter sur place un paréo qui leur conférera une allure plus « décente ».
🏖 Très belle plage au pied du monastère.

🎬 **Le temple de Poséidon** (Ναος Ποσειδωνα), situé dans la montagne, à 5 bons kilomètres du port, est très ruiné. Comme souvent, on est venu, de la ville ou même d'Hydra, se servir en marbre et ce, pendant des siècles... Accès libre. La *vue sur le golfe* mérite une halte. Un endroit historique toutefois : Démosthène, célèbre orateur athénien (auteur des *Philippiques*), fuyant les Macédoniens qu'il combattait depuis des années par ses discours véhéments, s'y réfugia. Rattrapé, il s'empoisonna. Les amateurs iront voir le résultat des fouilles au *Musée archéologique* de Poros (sur le port, ouvert de 8 h 30 à 15 h, fermé le lundi ; entrée libre).

🏖 **Néorio** (Νεωριο) **et ses environs :** à environ 3 km du port. On peut y aller à pied, en deux-roues ou en bus. Après le hameau de Néorio et l'hôtel *Poros*, la jolie plage de *Love Bay* en contrebas de la route, très ombragée mais un peu envahie par les transats et les parasols. Vient ensuite la plage de *Mégalo Néorio*, un peu moins sympa que la précédente.

Le goudron s'arrête ensuite pour laisser la place à une piste. Là, les touristes n'y vont plus. Pas de village au bout, donc ni eau, ni provisions, ni plage malheureusement (les deux principales criques du secteur sont occupées par des élevages de poissons et sont sales). La piste fait le tour de l'île par le nord-ouest au milieu des pins et finit par rejoindre l'asphalte pour redescendre sur Poros-ville.

QUITTER L'ÎLE DE POROS

➤ *Pour Le Pirée :* en ferry ou en hydroglisseur. Nombreuses rotations en été.
➤ *Pour Hydra et Spetsès :* en ferry ou en hydroglisseur. Liaisons quotidiennes et assez nombreuses en été.

HYDRA (YΔPA) .... 2 400 hab.

Sans conteste, le plus beau port de toutes les îles grecques, mais aussi l'un des plus fréquentés : les hôtels sont souvent pleins, même en basse saison, et les gens y sont moins accueillants qu'ailleurs, en particulier dans les *tourist offices* ou dans les magasins de souvenirs. Autre inconvénient : il n'y a pas de vraie plage de sable à proximité de la ville. Aucune voiture sur l'île, aucune mobylette non plus (à part le camion de poubelles, seules les charrettes à bras sont autorisées), cela n'empêche pas Hydra d'être inondée de touristes en été. Mélange de Saint-Trop' et de Portofino, mais un sacré charme quand même, surtout le soir, quand les touristes venus faire le tour des Saroniques en une journée sont repartis et que l'atmosphère devient un tantinet romantique.
De ce repaire de corsaires il y a encore un peu plus d'un siècle (si !), l'essor touristique a fait une station balnéaire à la mode. Et s'il est vrai que son port a un charme typiquement méditerranéen, on remarquera que les maisons sont plus hautes et plus belles que dans les autres îles grecques, l'île ayant un riche passé dans tous les sens de l'adjectif.
Pour les Grecs, cette île est, avec Spetsès, liée à leur histoire contemporaine : les Hydriotes, pendant l'occupation turque, avaient développé une flotte marchande importante qui avait enrichi quelques familles d'armateurs. Quand l'heure de la révolution pour l'indépendance sonna, ces mêmes armateurs se lancèrent dans la bataille, armant de nombreux vaisseaux sur leurs fonds propres. Leur but n'était pas que désintéressé ou patriotique, ils espéraient bien en retirer quelques miettes de pouvoir... Qu'importe, ils ont contribué à la libération de la Grèce et les noms des Miaoulis, Koundouriotis ou Tobazis sont encore très connus aujourd'hui en Grèce. Leurs demeures ont en général été restaurées et ne figurent pas parmi les plus modestes de l'île...
À cette époque glorieuse, Hydra a compté jusqu'à 20 000 habitants et l'île avait de l'eau (son nom, d'ailleurs, y fait référence). Aujourd'hui, les nombreux puits que l'on peut voir sont asséchés et l'eau doit être apportée de l'extérieur en bateau-citerne.

Comment y aller?

➤ *Du Pirée*
- **En ferry** *(Saronikos Ferries) :* Hydra est à environ 3 h du Pirée (ligne Le Pirée-Égine-Poros-Méthana). Départ quotidien.

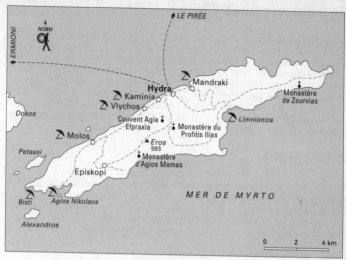

L'ÎLE D'HYDRA

– **En hydroglisseur** (*Flying Dolphins* et *Euroseas-Eurofast 1*) **:** une dizaine de départs entre 8 h et 20 h 30 l'été. Entre 1 h et 1 h 30 de trajet selon que le trajet est direct ou non.

➢ **D'Ermioni :** le plus proche (environ 30 mn de trajet). Environ 3 départs par jour avec les *Flying Dolphins* du lundi au jeudi, 4 le week-end.

HYDRA-VILLE

Adresses et infos utiles

ℹ Police touristique : sur le quai, prendre la ruelle à droite de l'église avec la grosse horloge et suivre la direction de la pharmacie. Juste en face de l'OTE. ☎ 22-98-05-22-05. Rien d'extraordinaire à en attendre.

✉ Poste : sur la place du marché ; prendre la ruelle à gauche de la *National Bank*. Ouvert du lundi au vendredi de 7 h 30 à 14 h.

■ Banques : plusieurs banques et distributeurs automatiques sur le quai, face à la mer.

■ Bureau des compagnies de bateau : sur les quais, côté gauche quand on arrive de la mer. À l'étage.

■ Laverie : *Yachting Center,* sur le port, qui propose aussi des douches (payant). Ouvert de 8 h à 12 h et de 17 à 21 h.

■ Journaux français : juste au début de la rue à gauche de l'*Alpha Bank*. Prendre le petit escalier sur la droite, c'est à l'étage.

@ Café Internet : café sans nom, dans la rue à gauche de l'*Alpha Bank*. Plusieurs ordinateurs dans un cadre agréable.

■ Plongée : *Hydra Divers,* ☎ 22-98-05-39-00. ● www.divingteam.gr ● Près de la poste. Forfait découverte de la plongée à 60 €, équipement compris. Patron sympa.

Se déplacer dans l'île

Si on loge assez loin du port, deux solutions : l'âne ou les *taxi-boats* (☎ 22-98-05-36-90). Vous trouverez les ânes ou les mulets sur le port, juste à côté des *taxi-boats,* face à l'*Alpha Bank.* Les tarifs des bateaux, élevés si vous êtes seul, deviennent plus abordables en se groupant : course à environ 8 € pour Kaminia, par exemple, et 10 € pour Vlychos, et ce, que l'on soit seul ou 8 (nombre de passagers maximum). Quant au mulet, il vous coûtera aussi cher que le *taxi-boat,* plaira peut-être beaucoup aux enfants et vous déchargera de vos sacs (c'est lui le baudet, plus vous !), mais il est beaucoup moins rapide que le bateau (et que vous sans vos sacs !).

Où dormir ?

Le camping sauvage est strictement interdit et il n'y a pas de camping sur l'île. On ne vous le répétera pas deux fois. À vos risques et périls...
Les *pensions* abondent, mais sont souvent complètes ; tâchez d'arriver tôt ! Consultez avant de partir ● www.hydradirect.com ● Attention, Hydra se paie cher, plus cher en tout cas que les autres îles Saroniques.

Prix moyens

Toutes les adresses ci-dessous se trouvent dans la ville et assez peu éloignées du débarcadère. Si ces dernières sont complètes, remonter la rue à gauche de la grosse horloge sur le port et vous trouverez là encore quelques pensions très agréables.

🏠 ***Alkionidès Pension :*** ☎ et fax, 22-98-05-40-55. ● www.hydrarooms. com/alkionides ● Du port, remonter la première ruelle à droite de l'*Emporiki Bank,* jusqu'à ce qu'une maison en pierre avec balcon et volets blancs vous « bloque » (la vilaine !). La pension est dans l'impasse juste à gauche. Ouvert toute l'année, sauf à Noël. Pour 2 personnes, compter de 40 à 60 € selon la saison. Belles chambres sobres et propres avec salle de bains, AC et frigo. Délicieuse courette intérieure, ombragée et fleurie.

🏠 ***Pension Erofili :*** ☎ 22-98-05-40-49 et 69-77-68-84-87 (portable). Fax : 22-98-05-40-49. ● www.pensio nerofili.gr ● Du port, remonter la rue à gauche de l'*Alpha Bank.* À la fourche prendre à droite, puis à gauche à l'hôtel *Amarillis.* Continuer tout droit jusqu'à la placette avec le buste. C'est dans la ruelle juste en face de vous. Une douzaine de chambres avec AC, frigo et salle de bains, de 40 à 60 € selon la période. Agréable et très propre. Petit patio fleuri et bien ombragé, propice au farniente dans une ambiance calme et détendue. Également quelques chambres triples. Bon accueil d'Irini et Yorgos.

🏠 ***Pension Antonios :*** ☎ 22-98-05-20-50. Fax : 22-98-05-32-27. Du port, remonter la ruelle à gauche de l'*Alpha Bank.* Prendre à droite à la fourche et encore à droite à l'*Amarillis.* Continuer jusqu'à la place ombragée du resto *I Xéri Ilia* et prendre la rue à droite de celle-ci. La pension est sur la droite. Ouvert de mars à octobre. Une dizaine de chambres, à environ 60 € en été. Simples mais confortables (TV, AC, frigo) et bien tenues. De la terrasse tout en haut, vue sur le port. Là encore, agréable cour intérieure où paresser. Bon accueil d'Achilléas (qu'on trouve le plus souvent sur le port, à préparer des *souvlakia*) et de Constantinada, sa femme.

🏠 ***Pension Anna Kavalierou :*** ☎ 22-98-05-30-66. Du port, remonter la première ruelle à droite de l'*Emporiki Bank* jusqu'à ce qu'une maison en pierre avec balcons et volets blancs vous « bloque ». Prendre la ruelle sur la droite et la remonter jusque chez m'dame Kavalierou (à la placette ombragée et fleurie, continuer tout droit). Prévoir de 40 à 60 € pour 2 personnes. Chambres bien tenues et surtout accueil sympa. Douches en bas et quelques chambres à l'étage. En outre, Anna confectionne de très bons gâteaux qu'elle offre à l'arrivée et au départ.

Plus chic

🛏 *Hôtel Leto :* ☎ 22-98-05-33-86. ● soflaw@otenet.gr ● Du port, remonter la rue à droite de l'*Emporiki Bank* jusqu'à ce que la maison en pierre avec balcons et volets vous « bloque ». Prendre la ruelle à droite jusqu'à la placette ombragée, puis tourner à droite. Ouvert de début avril à fin octobre. Double standard à 90 €, (bon) petit déjeuner compris. Hôtel de charme caché dans une ruelle. Un bel intérieur d'une élégante sobriété aves ses murs blancs et ses parquets brillants et des chambres bien confortables. Petit patio et beau salon cossu à la disposition des clients.

🛏 *Hôtel Angelica :* 42, odos Miaouli. ☎ 22-98-05-32-02. Fax : 22-98-05-35-42. ● www.angelica.gr ● Remonter toute la rue à gauche de la grosse horloge (assez long et ça grimpe légèrement). Pension sur la droite. Ouvert toute l'année. Compter de 75 à 100 € selon la période, petit déjeuner inclus. Un havre de paix, à l'écart du passage incessant des touristes sur le port. Chambres claires et agréables disposant d'une terrasse à partager avec les voisins. Cette belle maison aux volets bleus est cachée par des murs qui abritent aussi une jolie cour ombragée.

Encore plus chic

🛏 *Orloff :* 9, odos Rafalia. ☎ 22-98-05-25-64. Hors saison : ☎ 21-05-22-61-52. Fax : 22-98-05-35-32. ● www.orloff.gr ● En haut d'odos Votsi. Prendre la rue à droite de la grosse horloge, longer le jardin public sur la droite et continuer tout droit jusqu'à la pharmacie ; c'est sur la place, juste à droite. Une minuscule pancarte rouge indique l'entrée de cette splendide demeure datant du XVIIIe siècle. Ouvert de mars à octobre. Chambre double standard, avec salle de bains, à 135 € hors saison et 165 € en saison, petit déjeuner compris. Ajouter 20 € pour une personne supplémentaire. Dix chambres meublées à l'ancienne, tout confort évidemment. Chacune a son caractère. Patio intérieur. Adresse de charme.

Où dormir dans les environs ?

Quitter le port en le longeant sur la gauche et aller jusqu'au village de *Kaminia* (15 mn à pied), où vous trouverez *pensions* et chambres à louer. Calme et peu de touristes. Ça change. Du port d'Hydra, on peut aussi s'y rendre en bateau (5 mn). Si l'on continue le chemin, on arrive à *Vlychos* où, là encore, on peut trouver à louer.

Où manger ?

Bon marché

– *Marché aux fruits :* tous les matins. Du port, prenez la ruelle à gauche de la *National Bank of* *Greece*. Pêches, raisins et brugnons (entre autres, car il s'agit en fait du marché d'Hydra, fermé par des grilles).

– *Boulangerie Il Forno* : sur le port, à côté du bar *The Pirate*. *Tyropitès, spanakopitès* (feuilleté aux épinards) et autres *bougatsès* (gâteaux à la crème) à des prix tout à fait compétitifs.

|●| *Taverna Barbadimas :* ☎ 22-98-05-29-67. Du port, remonter la ruelle à gauche de l'*Alpha Bank*. À la fourche, prendre à droite et encore à droite à l'hôtel *Amarillis*. Maison jaune-marron aux volets bleus. Une petite taverne typique et pas chère. Compter environ 8 € pour un repas. Spécialité d'escargots.

Prix moyens

Les restaurants ne sont guère abordables sur le port même, mieux vaut s'en éloigner ; les prix diminuent alors sensiblement. Éviter les menus tout compris où, tout compte fait, on paie cher pour pas grand-chose.

|●| *Léonida's Taverna :* à Kala Pigadia. ☎ 22-98-05-28-86. Compter 10 €. Bon, bien sûr, il y a des contraintes : il faut appeler la veille, ou au pire le matin, pour expliquer en anglais ce qu'on souhaite manger. Ce n'est ouvert que le soir et il faut demander dix fois son chemin avant de trouver... Mais après ! On trouve ici à la fois l'hospitalité et la cuisine grecque comme on se les imagine. Les propriétaires sont extraordinairement gentils et Léonidas connaît 120 façons de cuisiner le poulet ! Les *mezze* sont nombreux et copieux, et le café grec très bon. On n'a pas l'impression de manger au restaurant mais en famille, et l'on se sent tout penaud devant le faible montant de l'addition.

|●| *Taverne Gitoniko, « Chez Christina et Manolis » :* ☎ 22-98-05-36-15. Du port, remonter la ruelle à gauche de l'*Alpha Bank,* prendre à droite à la fourche puis encore à droite à l'hôtel *Amarillis* et continuer jusqu'au resto *I Xéri Ilia* sur sa place ombragée. Prendre la rue à droite de la place, la taverne est sur la gauche (presque en face de la pension *Antonios*). Ouvert de février à novembre, midi et soir. Compter environ 10 à 12 € par personne, davantage si l'on opte pour du poisson. Bonne cuisine familiale et parts copieuses. Possibilité de manger dans la rue, dans la cour intérieure ou sur la terrasse ombragée. Pas de mauvaise surprise : vous choisissez votre plat avant de vous installer (ou dans un menu mais c'est moins sympa !). Christina propose aussi quelques desserts de sa composition.

|●| *Taverne Stéki :* remonter la rue à gauche de l'horloge, les tables sont sur une terrasse surplombant la rue. Fermé en novembre et décembre. Compter de 12 à 15 €. Cuisine grecque relativement abordable (cependant, ne pas manquer de vérifier la note). Fûts de *retsina* aux murs. Fresques naïves de bateaux sur les murs. S'est malheureusement mis à la mode des menus tout faits. Préférez la carte.

|●| *I Xéri Ilia* (*L'Olive Sèche*) : prendre la ruelle à gauche de l'*Alpha Bank* sur le port et c'est (presque) tout droit. ☎ 22-98-05-28-86. Ouvert tous les jours de mars à octobre (en hiver seulement le week-end). Environ 12 € le repas. La cuisine de cet établissement mondialement connu (oui, c'est ce qu'il annonce modestement en anglais) n'a absolument rien de renversant, mais le belle place, très ombragée, est bien agréable. À midi, vous ne serez pas tout seul à y manger. Choix assez large de plats classiques.

Où boire un verre ?

🍸 *The Pirate :* sur les quais, après l'horloge. Bonne musique, mais touristique. Une orgie de cocktails explosifs (tequila, liqueur de café et soda). Rien de grec évidemment, mais pas mauvais. Également d'excellents cocktails de fruits à essayer.

Où boire un verre dans les environs?

Kodylenia's Taverna : à Kaminia. Ouvert de Pâques à octobre, midi et soir. Taverne au cadre plutôt romantique avec vue sur la mer et le port de Kaminia au pied. Sympa pour boire un verre en fin d'après-midi ou en soirée, assis à l'une des petites tables rondes qui bordent le chemin (lesdites tables rondes étant en plein cagnard, on évitera les heures où le soleil rayonne). Possibilité éventuellement d'enchaîner sur un repas puisque l'endroit est avant tout un honnête resto.

Où danser?

Disco Heaven : tout au bout du quai, vers le sud. Ouvert uniquement en haute saison. Les sportifs sont avantagés car la discothèque a été aménagée dans une maison en haut de la colline. Évidemment, de la terrasse, vue splendide sur le port et la mer. Un paysage digne des dieux.

À voir

Le musée d'Hydra : sur la partie gauche du port, du côté de l'embarcadère des ferries, dans une énorme demeure en pierre. ☎ 22-98-05-23-55. Ouvert du dimanche au jeudi de 10 h à 15 h 30 et les vendredi et samedi de 9 h à 16 h 30 et de 19 h 30 à 21 h 30. Entrée : 3 €. Pour les fans d'histoire maritime ou militaire. Le musée fait revivre le glorieux passé militaire d'Hydra au moment de la lutte pour l'indépendance.

Les plages

Les plages près d'Hydra sont le plus souvent des plages de galets ou des endroits peu pratiques pour les familles avec des enfants en bas âge.

À gauche du port en regardant la mer, on peut se baigner après le *Yachting Club House*. À droite, *Mandraki Beach* est loin mais agréable. Resto sur place. On peut nager à côté de **Lagoudéra** (rochers, mais eau bien claire).

Possibilité aussi d'aller à **Kaminia** (Καμινια) à partir d'Hydra, en caïque ou à pied. Longer le port sur la gauche (donc du côté opposé à l'embarcadère des ferries). Une fois sorti d'Hydra, une première petite crique extra en contrebas, mais mieux vaut continuer jusqu'à Kaminia (15 mn à pied). Vraiment bien (avec des enfants, notamment) et assez calme. Plus loin, **Vlychos** (Βλυχος) offre aussi une plage (et une ou deux tavernes), également desservie par caïque. Pour les plages plus éloignées, si l'on est en fonds, reste les bateaux-taxis.

Randonnées pédestres

Le monastère de Profitis Ilias : à 500 m d'altitude. Ce monastère, situé dans une pinède, fut fondé au début du XIXᵉ siècle. La vue y est fort belle. Partez très tôt le matin à cause de la chaleur et pensez à emporter votre provision d'eau. La montée dure 1 h. Le monastère est théoriquement ouvert du lever au coucher du soleil mais fermé entre 12 h et 16 h. Comme d'habitude, que les filles prévoient une robe, pas trop décolletée, et que les garçons mettent un pantalon et pas de short... La route que nous indiquons n'est peut-être pas la plus courte, mais elle est la plus simple à suivre. Du port, remonter la rue à gauche de la grosse horloge jusqu'en haut du village. Toujours suivre cette large route cimentée : vous êtes sur la grande route empruntée par les ânes (sans vouloir vous manquer de respect !) et qui va grimper jusqu'au monastère. Après quelques virages et une fois hors du village, la route se sépare : prendre à gauche et poursuivre l'ascension. Au retour, les Indiana Jones du pavé pourront prendre la route qui, à cette même bifurcation, part tout droit. Ils découvriront une route qui se faufile entre les arbres et débouche sur une église qui domine la ville. De là, aventurez-vous dans ce labyrinthe de ruelles et d'escaliers qui vous ramènera, quoi qu'il en soit, au port. De jolies découvertes vous attendent au hasard des rues.

➤ **Une excursion dans la partie occidentale** de l'île vous amènera, en sortant d'Hydra par le faubourg de *Kaminia*, dans les parages du hameau d'*Episkopi*. Attention l'aller-retour prend au moins 4 h, ce n'est pas un circuit en boucle, donc demi-tour oblige (chic alors !), il y a très peu d'ombre, souvent pas un poil de vent au centre de l'île (partie la plus longue et qui grimpe le plus)... bref, partez tôt, avec eau, collation, chapeau et crème solaire. La première étape, après 15 mn, est le pittoresque et charmant port de Kaminia (pour y arriver, toujours longer la côte, il faut donc traverser quelques terrasses de resto). Un autre quart d'heure de marche et vous atteindrez *Vlychos* et son étrange pont de pierre en dos d'âne, très étroit, et sous lequel rien ne coule. De Vlychos, vous allez rejoindre un hameau (à 10 mn) puis, 20 mn après, l'*anse de Palamidas* où sont réparés les bateaux. À cet endroit, le chemin ne vous laisse pas le choix : comme lui passer le pont et pénétrer dans les terres. Compter ensuite une bonne grosse demi-heure de montée vers l'intérieur de l'île pour atteindre enfin le hameau d'Episkopi. Ce dernier ne présente en soi rien d'extraordinaire (c'est bien le moment de le dire !), mais la rando permet d'avoir un aperçu varié de l'île et de ses différents paysages. En plus, vous serez à l'écart des foules. On vous déconseille, en revanche, de continuer jusque de l'autre côté de l'île : vue décevante et le chemin truffé de grosses pierres devient mortel pour les chevilles.

QUITTER L'ÎLE D'HYDRA

➤ En ferry ou en *Flying Dolphins* à destination du Pirée. Nombreuses rotations d'hydroglisseurs en été. Possibilité de continuer sur Spetsès ou Ermioni.

SPETSÈS (ΣΠΕΤΣΕΣ) 3 500 hab.

Celle que l'on surnomme l'île aux Jasmins embaume tout particulièrement le soir, quand les femmes arrosent leur jardin.

Spetsès est bizarrement envahie par les Anglais. Le port est moins charmant qu'à Hydra (un ou deux hôtels en béton, un peu trop visibles), mais aussi moins oppressant, on trouve de belles maisons d'armateurs, et les rues étonnent par leurs galets noir et blanc formant des motifs marins (poissons, algues, ancres, etc.). Michel Déon, écrivain, a longtemps partagé son temps entre Spetsès et l'Irlande, mais il a fui devant l'invasion touristique. Spetsès a aussi un avantage certain pour ceux qui recherchent le calme : elle est en dehors de la majorité des circuits de découverte des îles Saroniques à la journée organisés par les hôtels athéniens : elle n'a donc pas trop souffert du tourisme de masse et reste très agréable et très accueillante.

Deux incendies ont ravagé cette île très verdoyante en août 2000 et 2001 mais ne l'ont heureusement pas trop défigurée : elle reste superbe (mais assez chère). Elle recèle en plus de merveilleuses petites criques sans grand monde et bon nombre d'endroits où se jeter à l'eau, y compris autour de la ville même.

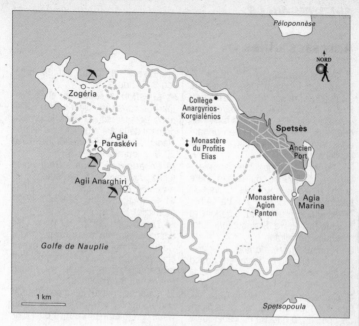

L'ÎLE DE SPETSÈS

Il n'y a pas d'eau sur l'île : elle est quotidiennement apportée par bateau. Résultat, les maisons s'agglutinent toutes autour du port. Voilà pourquoi vous serez surpris, lors de votre balade autour de l'île, de constater que tout le reste est quasiment désert.

Pas de location de voitures sur place. Il est en revanche possible de louer des vélos ou des scooters (faites attention à l'état de l'engin), mais on prévient les mollets peu habitués à pédaler : l'île n'est pas plate du tout et les vélos loués (des VTT pour la plupart) sont lourds à hisser en haut des côtes, surtout en plein cagnard et avec le vent dans le nez. En scooter, le tour de l'île se fait en 2 h (28 km). Ne louer donc votre pétaradant deux-roues pour la journée que si vous souhaitez multiplier les « pauses-criques » au cours de votre escapade. Les fauchés peuvent en louer un à deux places.

– Grande fête le premier dimanche qui suit le 8 septembre, pour commémorer le combat naval qui s'est déroulé devant Spetsès le 8 septembre 1822.

Comment y aller ?

➤ **Du Pirée :** compter 5 h en ferry *(Saronikos Ferries)* ou entre 1 h 40 et 2 h 30 en bateau rapide *(Flying Dolphins* ou *Euroseas-Eurofast 1),* selon le nombre d'escales. En tout, une demi-douzaine de départs par jour.

➤ **De Kosta** *(à côté de Porto-Héli) :* la traversée la plus courte. Attention, il y a bien un petit ferry, mais on ne passe pas sa voiture (les véhicules ne sont autorisés sur l'île que pour les résidents et les livraisons). Parking surveillé à Kosta (environ 3 € par jour). En été, 6 rotations par jour de 6 h 45 à 17 h en semaine, 4 les samedi et dimanche de 8 h à 17 h. Prix dérisoire (0,80 € par passager). ☎ 22-98-07-22-45.

SPETSÈS-VILLE

Adresses utiles

ⓘ *Police touristique :* ☎ 22-98-07-37-44. Sur le chemin du musée de Spetsès (le musée Mexis, distinct du musée Bouboulina). Du débarcadère, le musée est plus ou moins bien indiqué ; suivre les pancartes en partant dans les rues intérieures, à gauche du débarcadère.

✉ *Poste :* dans une rue parallèle à la mer, à gauche du débarcadère quand on arrive à Spetsès. Ouvert du lundi au vendredi de 7 h 30 à 14 h.

■ *Banques :* sur le port, à gauche et à droite de l'église. Distributeurs automatiques de billets.

■ *Presse internationale :* légèrement à droite du débarcadère quand on descend de bateau, en haut de la rue à gauche de l'*Alpha Bank.*

▣ *Cafés Internet : Delfinia Net Café,* face à la mer, en direction de la plage de Spetsès, à gauche en débarquant du ferry. Dans un bar jeune et branché avec billards, cinq ordinateurs légèrement en retrait, dans un coin un peu trop sombre. Environ 4 € l'heure de connexion. *Kafé 1800,* un peu excentré, à droite en débarquant du ferry (entre l'imposant hôtel *Posidonion* et la plage suivante). Chouette coin Internet (plusieurs postes) dans ce bar-restaurant, installé dans une grande salle en pierre voûtée. Environ 6 € l'heure.

■ *Location de scooters :* chez *Kostas Delaportas,* en plein centre (dans odos Botassi, située dans le prolongement de la rue à gauche de l'*Alpha Bank*). ☎ 22-98-07-20-88. De 15 à 20 € la journée.

■ *Location de vélos : Rent-a-bike* (chez Anargyros Skarmoutsos), à proximité de la poste. ☎ 22-98-07-41-43 (magasin) ou 22-98-07-22-09 (domicile).

■ *Taxi-boat :* départ du port. Tarif des courses affiché sur un panneau. Comme d'habitude, la course revient cher pour un individuel, mais devient raisonnable si le bateau est rempli (maximum 8 personnes).

■ *Calèche :* départ de la place sur le port. Compter environ 8 € jusqu'au vieux port (même prix pour 1 ou 4 personnes).

■ *Meledon Tourist :* ☎ 22-98-07-44-97. Fax : 22-98-07-41-67. ● www.meledon.com ● En retrait du port, dans les rues piétonnes. Une adresse qui propose des locations d'hébergements. Le patron a vécu en France et il aime faire découvrir son île. N'oubliez pas cependant que son métier est de vendre.

Où dormir ?

Pratiquement pas de pensions bon marché. De plus, les pancartes « Rooms to let » sont assez rares. En fait, il faut passer par les *tourist offices* sur le port, qui ont le quasi-monopole des chambres chez l'habitant. Ne vous faites pas d'illusions, ce sont des agences de voyages déguisées et qui empêchent les Grecs d'apposer lesdites pancartes. Évidemment, c'est plus cher qu'ailleurs, commission oblige. Cependant, un certain nombre de « pensions » ou de « villas » attendent le client à l'arrivée des bateaux et on trouve quand même des chambres à louer en allant se promener en direction du musée, à l'arrière du vieux port.

Prix moyens

🛏 *Chambres chez Kochila Matoula :* dans le centre. ☎ 22-98-07-45-71 et 22-98-07-27-40. Du débarcadère, prendre la première rue commerçante parallèle à la mer qui débouche sur une placette. Remonter la rue de la pharmacie et du snack-bar *Poggi*. Prendre ensuite à gauche en direction du musée de Spetsès. Juste après la clinique, tourner à gauche ; il s'agit de la grande bâtisse jaune aux volets verts. Doubles de 30 à 50 €, selon la période. Sympathiques chambres équipées (frigo, AC, salle de douche) et à la déco personnalisée (on aime ou on n'aime pas...). Une cuisine toute petiote est mise à la disposition des hôtes ainsi que la terrasse sur le toit. Endroit et accueil sympa.

🛏 *Villa Moriatis :* dans le centre. ☎ 22-98-07-38-21. Du débarcadère, prendre la première rue commerçante parallèle à la mer qui débouche sur une placette. Remonter la rue de la pharmacie et du snack-bar *Poggi*. La villa, une grande bâtisse aux volets vert pomme, se trouve dans la petite ruelle ombragée face à vous. Doubles de 30 à 50 €, selon la période. Des chambres impeccablement tenues par Mimika, avec, dans chacune d'entre elles, un agréable mobilier en pin, une salle de bains très bien pour le pays, l'AC et un petit frigo. La plupart des chambres disposent d'un balcon.

🛏 *Villa Marina :* dans le centre, près de l'eau. ☎ 22-98-07-26-46. À gauche en débarquant du ferry, dans une ruelle presque en face de l'entrée sur la plage de Spetsès.

Doubles de 35 à 61 €, selon la saison. Chambres très propres et agréables, même s'il reste peu de place pour bouger une fois les valises posées. Frigo, AC et salle de bains privée pour toutes les chambres ; certaines ont vue sur la mer avec une belle terrasse (mais plus de bruit). Petite cuisine à disposition des hôtes. Accueil vraiment très gentil et professionnel.

🛏 *Villa Orizontis :* en haut de la ville. ☎ 22-98-07-25-09. Du débarcadère, prenez la première rue commerçante parallèle à la mer et qui débouche sur une placette ; remonter la rue de la pharmacie et du café-snack *Poggi* et la petite ruelle ombragée face à vous (odos Ilia Thermisiotou) ; en haut de celle-ci, montez les marches et continuez votre ascension dans la rue, en prolongement et au bout de celle-ci (face à une sorte de jardin entouré d'un mur) prenez la rue à droite ; la villa est une grande maison aux volets marron. Doubles de 35 à 50 € selon la saison. Chambres simples mais propres et bien équipées : salle de bains, AC, frigo et TV (mais êtes-vous là pour regarder la télé ?). Une partie des chambres dispose d'un petit balcon avec vue sur la mer. Le patron et son fils sont le plus souvent sur le port à l'arrivée des ferries.

Plus chic

🛏 *Villa Christina Hotel :* odos Botassi. ☎ 22-98-07-22-18. Fax : 22-98-07-42-88. ● villachristina@hol.gr ● Ouvert de mars à octobre. À 5 mn du port. Prendre la rue à gauche de l'*Alpha Bank,* puis celle dans son prolongement (odos Botassi). La villa est dans une rue sur la gauche. Compter de 45 à 60 € la nuit selon la période. Maison traditionnelle construite au-

tour d'un jardin ombragé. Propose une dizaine de chambres pleines de charme. Très propre. La patronne, très disponible et qui s'exprime dans un bon anglais, saura vous guider pour toutes vos activités sur l'île. Une bonne adresse qui peut entrer dans un budget moyen en période de faible activité, n'hésitez donc pas à vous renseigner.

Encore plus chic

🛏 *Armata Hotel :* à quelques pas du centre. ☎ 22-98-07-26-83. Fax : 22-98-07-54-03. À droite en débarquant du bateau, derrière l'hôtel *Posidonion.* Double à 130 € en saison, petit déjeuner compris (prix heureu-

sement légèrement négociable hors mois d'août ou pour un séjour prolongé). Un très joli hôtel à taille humaine, lové dans son petit coin et autour de sa piscine. Chambres petites mais joliment et élégamment décorées. Salles de bains elles aussi de taille réduite mais belles (même le rideau de douche est coquet !). Toutes les chambres disposent d'un balcon (et aussi d'un frigo et de l'AC, évidemment). Ensemble bien conçu et bien entretenu.

Où manger ?

Sur le port, on le dit tout net, bien rares sont les adresses qui se détachent du lot. Rien à dire, si ce n'est que tout est moyen pour un prix à peine honnête. Dommage, car l'île est réputée pour sa spécialité, le *poisson à la spetsiote,* préparé avec de l'oignon et de l'ail (idéal pour aller jouer le joli cœur en fin de soirée !).

Bon marché

|●| Pour manger sur le pouce, pas mal de choix à la « croissanterie » **Roussos** (*tyropitès, milopitès...*) en plein centre du port, à côté de l'église. Très agréable terrasse ombragée dominant le port et idéalement située pour « surveiller son ferry » ou observer l'activité des bateaux-taxis juste en-dessous.

|●| *Chez Kokatou :* à côté du bar *Socratès,* spécialité de *gyros* à manger sur le pouce et ce sur la petite terrasse dans la rue ou dans la petite salle intérieure.

Prix moyens

|●| *Taverna Lazaros :* remonter l'odos Botassi sur 500 m ; maison aux volets bleu ciel. ☎ 22-98-07-26-00. Adresse assez excentrée. Ouvert de Pâques à octobre. On a parcouru toute l'île : c'est la dernière taverne typique de Spetsès et elle n'est ouverte que le soir. Compter 10 € pour un repas avec des aliments de qualité et des recettes originales (essayer le chevreau sauce au citron). *Retsina* maison. Bon accueil.

|●| *Restaurant Stelios :* à gauche du débarcadère, sur le port. ☎ 22-98-07-37-48. Ouvert de février à octobre, midi et soir. Compter autour de 15 €. Sort-il vraiment du lot ? Pas vraiment, mais la *moussaka* est très honorable.

|●| *Taverne Patralis :* à 1 km du port, en direction de Ligonéri (à droite du port, donc, quand on regarde la ville de face). Repas entre 15 et 20 €. Restaurant de poisson, très réputé, dont la salle ouvre sur l'eau. Propose, en autres plats, le *poisson à la spetsiote.*

|●| *Taverne Exedra :* sur le vieux port. ☎ 22-98-07-34-97. Ouvert de mars à octobre. Pas donné : environ 20 € le repas. Poisson frais et là aussi la spécialité locale (poisson à la *spetsiote*). Terrasse juste au bord de l'eau, dont le clapotis berce votre repas. Dommage que la maison se plie à la règle des spaghetti bolognaise ou autres spécialités touristiques.

|●| *Restaurant Orloff :* un des premiers restos en arrivant sur le vieux port. Dans une vieille bâtisse d'un blanc plus très frais, avec une terrasse surplombant la route et légèrement à l'écart de l'agitation du vieux port. Ouvert de Pâques à septembre, midi et soir. Compter dans les 15-20 € le repas. Menu en grande partie en grec. Spécialité de poisson grillé (goûter au poulpe).

Où boire un verre ?

♟ *Socratès :* sur le port, *happy hours* le soir. L'Union Jack y flotte, et les sujets de Sa Majesté viennent y déguster des cocktails à prix raisonnables.

À voir. À faire

🏃🏃 *Le musée Bouboulina* : odos Kiriakou. ☎ 22-98-07-24-16. En plein centre de Spetsès-Ville, derrière le port, dans une grande maison seigneuriale. Visites guidées (d'une demi-heure à peu près) toutes les 45 mn environ (entre 10 h 30 et 18 h – horaires des visites affichés à l'entrée). Entrée : 4 € ; réductions.

Musée à la gloire de l'héroïne locale, Laskarina Bouboulina (1771-1825). Deux fois veuve de marin, à la tête d'une belle petite fortune personnelle, elle se lança en femme de guerre dans le combat contre les Turcs, au commandement de son navire, l'*Agamemnon*. Victime de la vendetta, elle ne connut pas la Grèce devenue indépendante.

🏃 On vous conseille de vous rendre au ***vieux port*** *(paléo limani)*, situé à droite de Spetsès quand on regarde la mer. De 15 à 20 mn de marche environ. Beaucoup moins de touristes, mais le quartier est encore actif et plus populaire que le centre de Spetsès-Ville. Pas mal de restos ou bars sympas mais pas donnés, un petit chantier de construction navale très artisanal, une petite baie... Un joli coin plein d'âme qui donne envie de s'y attarder. Si vous êtes fatigué, allez-y en calèche.

Du vieux port, un chemin mène vers le phare et un autre vers l'église de la *Panagia tis Armatas,* liée à un épisode de l'histoire de l'île. On raconte que la Vierge inspira aux femmes restées sur l'île (leurs maris combattaient les Turcs en mer) l'idée de couronner les buissons de fez rouges pour faire croire que les hommes attendaient de pied ferme. Et ça a marché...

➤ *Balade* : il suffit de marcher une demi-heure en allant sur la droite quand on arrive au port pour sortir du trafic de touristes. Dépasser les énormes bâtiments du collège Anargyrios-Korgialénios. On parvient alors à la solitude au milieu des collines et des rochers. Même en août.

🏊 On trouve à Spetsès même une ***plage*** familiale, à gauche du débarcadère. En poursuivant un peu vers le vieux port, vous en découvrirez une autre.

🏊 *Agia Marina* *(Αγια Μαρινα) :* à l'extérieur de la ville de Spetsès, après le vieux port, jolie plage un peu plus sauvage et nature que ses copines du centre-ville.

🏊 *Zogéria* *(Ζογερια)* : à 8 km au nord-ouest de Spetsès-ville. Accès par route puis par une piste. Taverne sur place fréquentée naguère par Mélina Mercouri et Jules Dassin. Sur le chemin, d'autres plages, desservies par le bus qui part devant l'hôtel *Posidonion* (une quinzaine par jour en été, de 9 h à minuit).

🏊 *Agii Anarghiri* *(Αγιοι Αναργυροι) :* sur la côte ouest, à 13 km de Spetsès-ville. Située de l'autre côté de l'île, sur une côte beaucoup plus sauvage, cette belle plage de galets s'étend longuement. Malheureusement les transats et parasols ont largement envahi le lieu. Essayez donc de vous réfugier dans les criques aux alentours ou sur les rochers. Desservie 2 fois par jour en été par un bus qui part de la plage de Spetsès (à 11 h et 12 h 30, retours à 15 h 30 et 17 h). On peut aussi y aller en *taxi-boat* (course à environ 20 €).

🏃 Une fois là, allez donc visiter la ***grotte marine*** à droite de la plage. Il faut prendre un petit escalier puis se faufiler par un petit trou (cependant une personne un peu charpentée ou claustrophobe risque d'avoir du mal à s'y glisser). Possibilité de revenir à la nage. Pendant la guerre contre les Turcs, femmes et enfants spetsiotes venaient se réfugier ici pour échapper aux pillages.

|●| *Taverne Tassos :* ☎ 22-98-07-30-18. Compter environ 10 €. À proximité de la plage, cuisine copieuse et goûteuse. Essayer le poulet grillé arrosé de citron vert. Le patron vous accueillera avec bonne humeur et quelques blagues dont il a le secret. Ambiance familiale qui tranche heureusement avec l'environnement devenant peu à peu bien touristique.

QUITTER L'ÎLE DE SPETSÈS

➤ *Pour Le Pirée :* en *Flying Dolphins*, entre 6 et 10 départs par jour. De 1 h 45 à 2 h 30 de trajet selon le nombre d'escales. ☎ 22-98-07-31-41 *(Bardakos Travel)*.

➤ *Pour Kosta :* 4 ferries par jour, de 7 h 20 à 16 h 30 (horaires légèrement décalés le dimanche).

LES CYCLADES

PRÉSENTATION ET CARTE D'IDENTITÉ

Avec leurs maisons blanches écrasées de soleil, leurs monastères, leurs moulins à vent, leurs pigeonniers, leurs plages, les Cyclades, surnommées Perles de l'Égée, comptent parmi les destinations vedettes des étés méditerranéens. Chacune d'entre elles a un caractère et un charme particuliers, et le seul énoncé de leur nom fait rêver.

Les Cyclades constituent un archipel de 56 îles et îlots, mais il n'y a qu'un peu plus de 20 îles qui sont habitées. Elles s'étendent jusqu'au sud de l'Attique et de l'Eubée. Elles comptent une population d'environ 112 000 habitants sur une surface de 2 572 km². Leur capitale administrative est Ermoupolis à Syros.

Certains disent qu'on les appelle Cyclades parce qu'elles dessinent un cercle *(kuklos)* autour de l'île sacrée de Délos. D'autres pensent qu'elles doivent leur nom à la force des vents qui soufflaient si fort qu'ils obligeaient les bateaux à tourner « en rond » !

Selon les géologues, les Cyclades font partie des restes d'un continent immergé à la suite de nombreux séismes, et les différentes roches qui les composent sont à l'origine de la diversité de leurs paysages.

Quant aux fouilles archéologiques, elles prouvent que les Cyclades furent habitées dès l'époque mésolithique (7 000 ans av. J.-C.). Entre 4 000 ans et 3 000 ans av. J.-C., les îles furent petit à petit colonisées, et à l'âge du bronze (IIIe millénaire) se développa une brillante civilisation, réputée surtout pour ses fameuses idoles en marbre, visibles au musée des Cyclades et de l'Art grec ancien d'Athènes (fondation Goulandris) ainsi qu'au musée de Naxos (période cycladique divisée en trois époques). Vers 1500 av. J.-C., les îles passèrent aux mains des Mycéniens, puis des Ioniens. Elles prirent part aux conflits entre Grecs et Perses, et entrèrent dans la confédération athénienne, constituée en 478 av. J.-C. et dont le centre était Délos. À l'époque byzantine, elles connurent de multiples incursions des pirates, puis elles tombèrent aux mains des Vénitiens (1204) qui constituèrent un duché qui regroupait 17 îles. Elles subirent la domination turque à partir du XVIe siècle et elles jouèrent un grand rôle dans la lutte pour la libération pendant la révolution de 1821.

Les Cyclades sont des îles très ventées en été : le vent y souffle entre 120 et 180 jours par an, et les vents du nord *(meltémi)*, surtout présents en juillet et

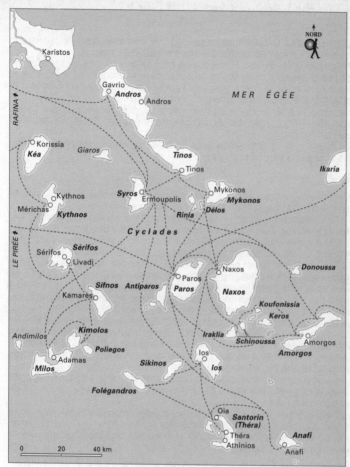

LES ÎLES CYCLADES

encore plus en août, sont parfois très violents et peuvent atteindre la force 9.
Ils sont cycliques, en rapport avec les changements de lune, et durent géné-
ralement plusieurs jours. Les îles les plus concernées sont Andros, Tinos,
Mykonos, Paros, Naxos et Milos.

Classification des îles

Elles se répartissent en 4 groupes :
– *les Cyclades de l'Ouest :* Kéa, Kythnos, Sifnos, Sérifos, Milos, Kimolos ;
– *les Cyclades centrales :* Syros, Paros, Antiparos, Naxos ;
– *les Cyclades du Nord et du Nord-Est :* Andros, Tinos, Mykonos, Délos ;
– *les Cyclades du Sud et du Sud-Est :* Santorin, Amorgos, Anafi, Folégandros, Ios, Sikinos, et les Petites Cyclades, Koufonissia, Donoussa, Héra-
kleia, Schinoussa.

COMMENT CHOISIR SON ITINÉRAIRE ?

Savoir d'abord ce que l'on recherche

L'archipel des Cyclades regroupe des îles très différentes les unes des autres, et il n'est pas certain que vous adhériez à l'esprit de chacune.

Mykonos, Santorin, Ios, Paros, Naxos sont les îles les plus visitées par les touristes (Grecs y compris), et cela peut devenir assommant en saison. Si vous recherchez la Grèce typique, il vaut mieux vous diriger sur Sérifos, Sifnos, Anafi, Folégandros, Amorgos, Kythnos ou Tinos.

Les amoureux de la nature, de paysages sauvages, de belles plages, choisiront Milos, Anafi, Folégandros, Sifnos (encore !) ou les Petites Cyclades au sud de Naxos.

Le budget dont on dispose est aussi un critère important : Mykonos et Santorin sont particulièrement chères.

Notre conseil

Organisez bien votre séjour à l'avance pour que votre rêve ne tourne pas au cauchemar, en gardant en mémoire les points suivants :

– l'infrastructure touristique est surdéveloppée à Mykonos, Santorin, Ios, Paros et Naxos. De ce fait, le prix des chambres varie beaucoup, de très bon marché à très cher. Attention ! Surdéveloppée ne signifie pas qu'il y ait trop d'hôtels ou de chambres ; au contraire, la demande dépasse l'offre et est telle qu'il est difficile, en plein mois d'août, d'absorber les flots de vacanciers débarqués dans les îles (il n'y a pas que vous... Les Grecs sont de plus en plus nombreux à profiter de leur propre pays, en priorité dans les îles). Et il n'est pas rare, on le rappelle, que des chambres à moins de 20 € hors saison soient louées à plus de 50 € dès la fin juillet.

– Dans les autres îles, l'infrastructure touristique reste relativement limitée. L'hébergement est bon marché hors saison mais cher en été (ainsi qu'à Pâques), et les liaisons par bateau moins fréquentes (en 2004, par exemple, Anafi ne recevait la visite que de 5 ferries par semaine, dont 3 à des heures impossibles, et ce, en plein été).

– Il faut aussi noter que toutes les îles ne sont pas directement reliées entre elles, et qu'en été, les retards de bateaux sont chose courante... Alors, attention aux surprises !

– Paros, grâce à sa situation, est une étape incontournable pour votre séjour, car elle a des liaisons avec toutes les Cyclades, la Crète, certaines îles du Dodécanèse et Thessalonique. Donc très pratique pour organiser le déroulement de votre séjour.

MEILLEURES PÉRIODES POUR VISITER LES CYCLADES

Préférer le printemps, de mi-avril à fin juin. La nature est riante et fleurie, les champs sont tapissés de fleurs sauvages et multicolores, et c'est un véritable paradis pour les chercheurs en botanique. Ce n'est pas tant le nombre d'espèces que leur rareté qui leur donne tant de valeur.

De début septembre à mi-octobre, c'est une autre période très agréable ; le temps y est clément, propice à la baignade, et il y a peu de vent. C'est l'époque des vendanges. À Santorin, on vous invite à y participer.

– Les avantages : la foule n'est pas encore là ou bien elle est partie, et les prix sont très intéressants. Il fait moins chaud.

– Les inconvénients : en début et en fin de saison, tous les établissements ne sont pas ouverts, et les liaisons en bateau sont moins nombreuses. Pour les hôtels, le démarrage de la saison est généralement en avril, au moment de la Pâque orthodoxe (où, pendant quelques jours, les tarifs sont aussi élevés qu'en été, voire plus, encore que cela dépende des îles). Fin octobre constitue la limite extrême de la saison. Les liaisons en bateau ne deviennent nombreuses que de mi-juin à début septembre.

Pour ceux qui ne peuvent pas partir hors saison

Planifiez bien votre séjour à l'avance pour éviter les surprises. Risque de coucher à la belle étoile ! Cela dit, en raison de la baisse de fréquentation très nette en 2004, il était assez facile l'année dernière de trouver des chambres au dernier moment, sauf peut-être vers le 15 août. Mais rien ne dit ce qu'il en sera en 2005.

HÉBERGEMENT

Dans les îles, le ***logement chez l'habitant*** est devenu une véritable institution. Le prix des chambres peut varier du simple au triple selon l'offre et la demande, et surtout selon la saison ! En règle générale, une chambre double confortable avec salle de douche et w.-c. coûte de 25 à 35 € en basse saison, de 35 à 40 € en moyenne saison et de 50 à 60 € en haute saison. Les chambres avec salle de bains commune sont moins chères, mais de plus en plus rares.

En dehors des chambres chez l'habitant, de nombreuses pensions, hôtels, studios, appartements et quelques villas (rares) sont disponibles. La location de studios et d'appartements avec cuisine est plus intéressante financièrement pour les familles. En Grèce, la location de villas n'est pas encore très répandue.

À Paros, ***Îles Cyclades Travel*** est un central de réservations qui propose des locations sur une dizaine d'îles des Cyclades (Paros, Antiparos, Sifnos, Sérifos, Santorin, Milos, Folégandros, Naxos et Mykonos). Très fiable : la réservation est garantie. Et tout se fait en français. Prix étudiés. D'avril à octobre : ☎ 22-84-02-84-51. Fax : 22-84-04-19-42. En hiver, en France : ☎ et fax : 01-39-50-60-51. ● www.iles-cyclades.com ● info@iles-cyclades.com ●

Camping

Au total, les campings ne sont pas si nombreux : une grosse vingtaine sur l'ensemble des Cyclades. Certains appartiennent à des chaînes nationales de campings qui offrent 10 à 20 % de réduction sur présentation du prospectus de l'un des campings (voir les « Généralités »). Une autre mini-chaîne, régionale celle-ci, regroupe 7 campings des Cyclades. Pour avoir droit aux 10 % de réduction, présenter le dépliant que l'on se procure dans le 1er de ces campings où l'on séjourne. Il s'agit des campings suivants : *Camping Milos* à Milos, *Two Hearts Camping* à Syros, *Camping Koula* à Paros, *Camping Maragas* à Naxos, *Camping Paradise* à Mykonos, *Camping Santorini* à Santorin et *Camping Far Out* à Ios.

D'autres campings indépendants existent également. Seules les îles les plus touristiques ont plusieurs campings. Attention, pas de camping à Kythnos, à Anafi et dans certaines des Petites Cyclades.

Les campings annoncent souvent leur ouverture pour fin avril ou début mai ; dans la pratique, certains n'ouvrent pas avant le 1er juin ou bien font leurs travaux en même temps qu'ils accueillent les premiers campeurs. À noter également qu'en fin de saison, parfois dès la mi-septembre, les propriétaires de campings semblent empressés de faire vider les lieux aux derniers campeurs plutôt que de les bichonner...

LES BATEAUX

Les horaires des bateaux varient selon les époques de l'année, et d'une année sur l'autre. Plus grave encore, il arrive souvent que l'horaire programmé en début de saison change subitement en plein été sans raison apparente. C'est pourquoi il est préférable de se renseigner auprès des agences de voyages qui, elles, sont (en principe) au courant de ce qui se passe, ou auprès des capitaineries (là, c'est un peu plus difficile pour se faire comprendre). On peut se renseigner en consultant le site • www.gtp.gr • ; malheureusement, il est parfois incomplet et pas toujours exact. Même chose pour • www.ferries.gr • même si ce site est plus fiable. (Ne pas hésiter à consulter les sites des compagnies que l'on donne dans la présentation générale des îles grecques).

ATTENTION : les liaisons et les fréquences que nous donnons au début et à la fin des chapitres consacrés aux îles ne sont qu'*indicatives.* Chaque année, de nombreux changements se produisent et ne sont annoncés qu'après la période de préparation de ce guide. Les routes maritimes peuvent être modifiées, telle liaison supprimée car insuffisamment rentable ou un nouveau navire mis en service modifiant, par ricochet, les lignes de la compagnie... Plusieurs types de bateaux desservent les Cyclades : les ferries classiques, les *Flying Dolphins,* hydroglisseurs (ou plus exactement hydroptères) de technologie déjà assez ancienne, et les catamarans, de type *Flying Cat* et *Sea Jet* ou, plus modernes encore, les *High Speed,* véritables navires à grande vitesse. Ces derniers vous permettent d'économiser un temps précieux : les vacances, c'est sacré, mais les billets sont, bien entendu, plus chers (le double des billets en ferry !). Attention, on se répète, mais avant la mi-juin et après la mi-septembre, pas toujours facile de se déplacer rapidement dans les Cyclades, surtout au niveau des liaisons inter-îles. Et même en pleine saison, il faut souvent, pour aller d'une île à une autre, passer par une troisième (quand ce n'est pas plus), mieux desservie, comme Syros, Paros ou Naxos, toutes trois bien placées au centre de l'archipel. Pas toujours facile non plus de passer des Cyclades au Dodécanèse, mais c'est quand même faisable.

LES CYCLADES DE L'OUEST

KYTHNOS (ΚΥΘΝΟΣ)   1 900 hab.

Située entre les îles de Kéa, Syros et Sérifos, Kythnos est encore une île authentique qui plaira à ceux qui recherchent des vacances tranquilles. Si vous arrivez de nuit, vous aurez le sentiment de changer de monde dès votre arrivée au port. Kythnos a une superficie de 90 km² et un périmètre côtier de 98 km. Les trouvailles archéologiques faites dans la région de Loutra révèlent que l'île fut habitée dès l'époque mésolithique (7 500-6 500 ans av. J.-C.).

Si l'île peut sembler décevante au premier abord (notamment à cause de ses localités côtières à l'architecture pas toujours très heureuse et désordonnée), elle distille peu à peu son charme au hasard de ses belles routes étroites et sinueuses offrant de superbes vues et de ses villages à l'intérieur des terres qui se caractérisent par une architecture insulaire typique : maisons asymétriques aux toits de tuiles petites ruelles en escalier dallées et peintes de motifs divers à la chaux (poissons, fleurs, bateaux). Le sol en est rocheux et très aride, avec quelques vallons fertiles, plantés d'oliviers et d'amandiers, et surtout de nombreux golfes et criques où se nichent de belles plages de sable fin, accessibles avec un scooter. Les habitants de l'île sont d'une grande gentillesse et beaucoup ne parlent que le grec, signe que l'île est encore épargnée par le tourisme de masse. L'hiver, ils vivent de la pêche et de l'agriculture.

L'infrastructure touristique est finalement assez limitée et, dans l'ensemble, modeste. Très fréquentée par les Grecs en été (réserver est donc plus prudent), l'île devient très bon marché hors saison et vous serez pratiquement tout seul (mais pas mal d'établissements ferment). Évitez cependant les week-ends, car c'est une destination très fréquentée par les Athéniens.

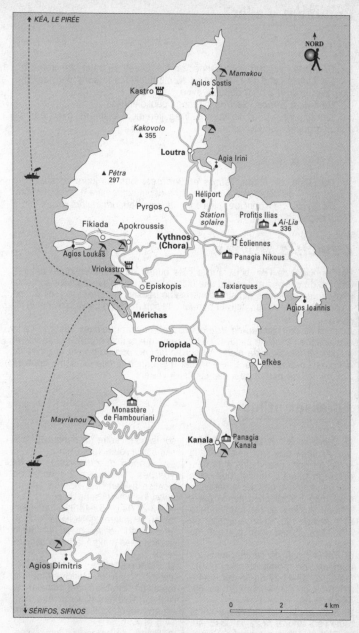

KÉA, LE PIRÉE

NORD

Mamakou

Agios Sostis

Kastro

Kakovolo
▲ 355

Loutra

Agia Irini

▲ *Pétra*
297

Héliport

Pyrgos

*Station
solaire*

Profitis Ilias

Ai-Lia
▲ 336

Fikiada

Apokroussis

**Kythnos
(Chora)**

Éoliennes

Agios Loukas

Vriokastro

Panagia Nikous

Episkopis

Taxiarques

Agios Ioannis

Mérichas

Driopida

Prodromos

Lefkès

Monastère
de Flambouriani

Mayrianou

Kanala

Panagia
Kanala

Agios Dimitris

SÉRIFOS, SIFNOS

0   2   4 km

L'ÎLE DE KYTHNOS

KYTHNOS ET SIFNOS
(Cyclades de l'Ouest)

Comment y aller ?

En ferry

➤ *Du Pirée :* liaisons quotidiennes en été. Durée du trajet : environ 3 h.
➤ *De Lavrio* (sud de l'Attique) *et Kéa :* quelques liaisons par semaine. Compter environ 2 h 30 depuis Lavrio.
➤ *De Milos, Sifnos, Sérifos :* liaisons quotidiennes.
➤ Se renseigner pour les liaisons, irrégulièrement assurées, avec les trois autres groupes des Cyclades.

En bateau rapide

➤ *Du Pirée, de Milos, Sifnos et Sérifos :* tous les jours en saison et 6 jours sur 7 de début mai à mi-juin et de début septembre à fin septembre.
➤ *De Syros :* en principe, plusieurs liaisons hebdomadaires de mi-juin à début septembre.

MÉRICHAS (ΜΕΡΙΧΑΣ)

Port principal de l'île, situé sur la côte ouest. Au fond d'un golfe naturel, entouré de collines et bordé d'une plage de sable, il s'avère plutôt agréable (malgré les quelques constructions malheureuses qui blessent l'œil quand on débarque) avec son activité portuaire et son mélange de vacanciers et de locaux.
Au nord du port, au lieu-dit *Vriokastro,* se trouvent quelques vestiges de la ville antique (Xe siècle av. J.-C.). On y remarquera trois grottes qui servaient à collecter les eaux de pluie. Au nord-ouest du port se trouve la petite *île d'Agios Loukas,* reliée à la terre par une bande étroite de sable appelée *Kolona,* refuge parfait pour les yachts et voiliers.

Adresses utiles

■ *Capitainerie :* ☎ 22-81-03-22-90.
🚌 *Arrêt de bus :* normalement à la sortie du port, néanmoins à la descente du bateau, vérifiez que votre bus ne se trouve pas sur le débarcadère (direction affichée sur le pare-brise). Deux bus se partagent le nord et le sud de l'île. Service régulier en été. Hors saison, pas pratique du tout.
■ *Taxis :* pas de central, mais les numéros de portables des chauffeurs. ☎ 69-44-27-66-56 ou 69-44-27-16-09 ou 69-44-74-37-91 ou 69-44-62-21-08.
■ *Pharmacie :* dans le village, sur la route vers Chora. ☎ 22-81-03-22-40.
■ *Distributeurs d'argent :* 2 distributeurs d'argent. Attention ce sont les deux seuls de l'île. L'un se trouve sur le port, l'autre (la banque *Emporiki*) sur la route vers Chora.
■ *Location de deux-roues ou de voitures :* seulement 2 agences de location à Merichas. *Antonis Larentzakis,* juste au-dessus du port. ☎ 22-81-03-21-04 ou 69-44-90-65-68 (portable). ● anlarent@otenet.gr ● Voitures bien entretenues et tarifs raisonnables malgré la faible concurrence.
■ *Station-service :* 2 stations seulement. L'une à Merichas (sur la route en direction de Kanala) et l'autre à Kythnos (Chora). Attention, elles ferment toutes les deux entre 14 h et 17 h.
■ *Billets de bateau :* agence *Anéroussa,* ☎ 22-81-03-22-42 ou chez *Antonis,* ☎ 22-81-03-21-04.

KYTHNOS ET SIFNOS (Cyclades de l'Ouest)

Où dormir ?

🛏 **Studios Panorama :** ☎ 22-81-03-21-84 ou 28-08. Du côté du débarcadère, tout près de la plage et à côté des commerces, mais il faut affronter une volée de marches. Studios (2 ou 3 personnes) sur les hauteurs du port, avec terrasse et vue panoramique sur la mer. Compter environ 50 € en été et 35 € le reste de l'année.

🛏 **Rooms Martinos Giorgos :** ☎ 22-81-03-24-69. Hors saison : presque à l'opposé du débarcadère.

☎ 21-05-77-06-14 (à Athènes). Sur les hauteurs et tout près de la plage, derrière un immeuble imposant et assez laid. Fermé de mi-septembre à mi-juin. Joli petit complexe un peu en retrait proposant une dizaine de chambres spacieuses (2 à 4 personnes) avec balcon et, pour la plupart, vue sur la mer. À proximité des commerces. Accueil familial. Très propre.

Où manger ?

🍽 **Restaurant Gialos :** ☎ 22-81-03-22-77. Taverne classique, à la cuisine fine. Service soigné. Repas entre 12 et 15 €, mais c'est mérité. Goûter le mouton. Agréable terrasse ombragée juste sur la plage.

🍽 **Ostria :** ☎ 22-81-03-22-63. Juste à côté du débarcadère. Prévoir environ 15 € le repas. Sous ses airs d'attrape-touriste, ce resto se révèle agréable, bon et avec un vaste choix de plats, qu'il s'agisse de poisson (très frais), de viande ou de légumes.

À voir. À faire

⌂ Très jolies plages à *Épiskopis, Apokroussis* et *Fikiada*. Départs en caïque du port pour les plages (en été).

➤ Jolie balade au départ d'Épiskopis, en direction de Vriokastro et d'Apokroussis. Si vous commencez la balade de la plage d'Épiskopis elle-même, il faut remonter sur les hauteurs, près du groupe d'habitations, et retrouver la grande route de terre puis la remonter en direction de la route goudronnée. Juste avant d'atteindre cette dernière, tourner à gauche et descendre l'étroit chemin qui court entre les murets de pierre. Quelques barrières à franchir : couvrez un minimum vos jambes, sinon elles risquent de ressortir zébrées d'égratignures (le sentier est tout à fait praticable, mais par endroits les herbes piquent). Le chemin passe dans les terres derrière la montagne et offre une vue moins hostile et aride de l'île. Balade assez facile. Compter environ 1 h pour l'aller.

➤ De la plage d'Apokroussis, possibilité de continuer par un large chemin de terre (qui est aussi le chemin d'accès des voitures, aux risques et périls de votre véhicule) jouant aux montagnes russes jusqu'à Fikiada et Agios Loukas. Compter 1 h de marche de plus.

KYTHNOS ou CHORA *(ΧΩPA)*

À 7 km au nord-est du port, à l'intérieur des terres, chef-lieu de l'île bâti dès le XVIIᵉ siècle en amphithéâtre sur les versants d'une colline. Très pittoresque et plein de charme avec ses ruelles étroites peintes à la chaux avec des motifs insulaires, ses passages couverts, ses maisons en pierre de pays, ses ravissantes églises, ses moulins à vent, ses sympathiques *kafénia*. Le tout embelli de bougainvillées et de géraniums. Vraiment un endroit qui donne envie de s'attarder, d'autant plus qu'il propose quelques jolis restos. C'est aussi le point de départ de nombreux sentiers de randonnée (prévoyez de l'eau).

Station éolienne (la première en Grèce) et station solaire (la deuxième en Grèce). En effet, Kythnos a trouvé le moyen de produire en partie sa propre électricité (un tiers de sa production).

– *Panigiria* début juillet (fête d'Agia Triada), le 20 juillet (Profitis Ilias) et le 15 août.

Adresses utiles

i ✉ *OTE, poste* et *police* juste à l'entrée du bourg.
– Plusieurs *épiceries* dans le village.

@ *Internet :* le seul café Internet de l'île, situé dans la rue principale du village, était fermé lors de notre dernier passage, mais allait peut-être rouvrir...

Où dormir ? Où manger ?

🏠 *Filoxenia Studios :* ☎ 22-81-03-16-44. ● www.filoxenia-kythnos.gr ● Sur la place, juste au début de la rue commerçante. Ouvert toute l'année. Compter entre 40 et 60 € pour 2 personnes. Charmante maisonnée proposant les seuls hébergements de Chora (n'hésitez donc pas à réserver). Petits studios impeccables, très agréables et respirant le neuf, tous avec balcon, kitchenette, salle de bains et AC. Une adresse vraiment bien sympathique.

|●| *Taverne To Stéki :* ouvert le soir seulement. En plein centre du village. Compter environ 12 € le repas.

Taverne familiale servant des plats traditionnels, une goûteuse féta locale et de bons *souvlakia,* sur deux exquises terrasses (l'une joliment ombragée et presque dans la rue, l'autre un peu en retrait). Très jolie salle intérieure également. Accueil simple et sympa.

|●| *Kafénio To Kendro :* situé en bas de la place du village, dans un endroit calme. Ouvert le soir uniquement. Repas à environ 10 €. On y mange de la bonne cuisine, simple, à des prix passe-partout. Accueil familial. Spécialité de lapin.

À voir

🕯 Il y a quelques très belles *églises,* malheureusement souvent fermées. Parmi elles, *Agia Triada* (XVIe siècle), *Agios Savvas* (1613) avec des icônes superbes, *Agios Sotiris* et *Métamorphossis* (XVIIe siècle), avec une très belle iconostase en bois sculpté. Les églises possèdent dans l'ensemble de très belles icônes postbyzantines de facture créto-vénitienne de la famille d'artistes Skordilis.

🕯 À côté de Kythnos, au lieu-dit *Chordaki,* ne pas manquer d'aller voir l'église de *Prodromos* et sa magnifique iconostase de bois sculpté du XVIe siècle, d'une valeur inestimable.

DRIOPIDA *(ΔΡΥΟΠΙΔΑ)*

À 5 km à l'est du port. Ce village paisible en retrait des côtes, bâti sur les deux rives d'un torrent asséché, a beaucoup de cachet avec ses maisons coiffées chacune d'une toiture différente ! Quelques belles églises, en particulier celle d'*Agios Minas,* dont l'iconostase et le trône épiscopal sont de belles œuvres d'art en bois sculpté.

En errant au hasard des ruelles, le routard blasé de la côte pourra se réfugier dans ce havre de paix où la langue de Shakespeare n'est encore que très peu utilisée. Les habitants sont néanmoins très accueillants (même lors des périodes de sieste). À voir aussi : le petit *musée d'Arts populaires.*

LOUTRA (ΛΟΥΤΡΑ)

À 11,5 km au nord-est du port. Petite station estivale, réputée pour ses sources thermales dont les eaux très chaudes et sulfureuses proviennent d'un ancien volcan éteint. Elle est construite autour d'un golfe bien abrité des vents et bordé d'une plage. Animée en été, elle dispose d'une bonne infrastructure touristique. En longeant le port, on tombe sur une plage très prisée par les locaux à laquelle quelques arbres offrent un peu d'ombre. En partant dans la direction opposée, on peut aussi aller à pied vers la petite plage d'Agia Irini (à 1 km) pour se baigner au pied d'une petite église.

Où dormir ? Où manger ?

🛏 *Porto Klaras :* ☎ 22-81-03-12-76. Fax : 22-81-03-13-55. ● www.porto-klaras.gr ● Ouvert d'avril à octobre. Compter de 55 à 65 € pour une chambre et de 65 à 90 € pour un studio avec cuisine. À 50 m de la plage, architecture traditionnelle, jardin fleuri, vue sur la jolie baie de Loutra, pour cet agréable complexe comprenant chambres, studios et appartements pour 4 personnes (il y a même des cheminées). TV et AC. Cuisine, sauf dans les chambres (mais frigo à disposition). Bien tenu. Nombreux services à votre disposition. Pas de petit déjeuner. En juillet et août, il faut réserver à l'avance. Réduction de 10 à 15 % accordée à partir de 3 nuits sur présentation du *Guide du routard.*

🛏 *Kalypso Studios :* ☎ 22-81-03-14-18 ou 11-63. Pour toute info, s'adresser à la *taverne Katerina* (voir ci-dessous) : c'est le petit ensemble de maisons aux murs de pierre blancs et situé juste au-dessus. Compter environ 60 € pour 2 personnes en pleine saison. Agréables studios tout équipés, au calme et perchés sur leur colline avec des terrasses offrant une belle vue sur Loutra et la mer. Situation isolée assez sympa, même si les petites maisons sont en plein soleil et manquent encore cruellement d'ombre.

🍴 *Taverne Katerina :* longer le port, c'est après la plage « très prisée par les locaux » (les bons yeux apercevront la maison et l'enseigne du port). ☎ 22-81-03-14-18. Compter environ 10 € par personne. Très bonne cuisine traditionnelle et faite maison que l'on peut aller choisir près des fourneaux (on n'a d'ailleurs pas trop le choix : la patronne ne parle que le grec) et servie sur une terrasse ombragée et fleurie, merveilleusement située sur les hauteurs, avec vue sur la baie et au calme puisque aucune route ne passe à proximité. Accueil parfois un peu rugueux.

🍴 *Restaurant Araxoboli :* ☎ 22-81-03-10-82. Compter 10 €. Petite taverne sympathique avec carte en français. On vous conseille le fromage de Kythnos arrosé d'un filet d'huile d'olive. Possibilité de manger sur la plage.

🍴 *Taverne Kondaratou :* à la sortie du village, direction Chora (presque en face de l'hôtel *Meltémi*). Compter environ 10 € par personne. Le mari est pêcheur, madame cuisine. Une adresse un peu à l'écart du circuit touristique et authentique : les patrons ne parlent que le grec et l'on ne choisit pas sur une carte longue de 10 m, mais parmi ce qu'il y a de disponible ce jour-là (et parfois il n'y a pas grand-chose, mais c'est bon !).

Randonnées pédestres

➤ **De Loutra au site de Kastro :** environ 1 h de marche. C'est l'ancienne capitale médiévale de l'île, dont ne subsistent aujourd'hui que les ruines de la forteresse vénitienne au sommet de la colline. À voir aussi, les deux petites églises du XIIIe et du XIVe siècle (en assez mauvais état).

➤ **De Loutra à Mamakou :** environ 1 h 30 de marche. Jolies plages et criques de Maroula, Sarandou et Agios Sostis.

KANALA (ΚΑΝΑΛΑ)

À 11 km au sud-est du port, on rejoint cet endroit par une très belle route qui monte et se tortille. Si le village lui-même est assez dispersé et anarchique, le site naturel est un des plus beaux de l'île, réputé pour ses calanques et ses plages, à l'abri du vent du nord. C'est le seul endroit de l'île à avoir un petit bois de pins maritimes ! À voir : le **monastère de la Panagia Kanala,** patronne de l'île (fêtes patronales : le 15 août et le 8 septembre). Dans l'église se trouve la superbe icône de la Vierge (XVIIe siècle), protectrice de l'île qui, selon la tradition, aurait été trouvée dans un canal. Hors saison, encore moins bien desservi par les bus que Chora et Loutra.

Où dormir ? Où manger ?

Studios Dimitris Gonidis : tout au bout de la plage. ☎ 22-81-03-23-66. Pour 2 personnes, compter de 30 à 60 € selon la saison. Petite résidence comprenant une dizaine de beaux et spacieux studios tout équipés, avec terrasse et vue sur la mer. Endroit tranquille. Bon accueil de Marietta Gonidis.

Rooms Giannis Filippéos : au-dessus de la plage, en entrant dans le village. ☎ 22-81-03-23-57. Ouvert en été uniquement. Chambres tout confort avec réfrigérateur, terrasse et vue sur mer.

|●| Quelques **tavernes,** les plus fréquentées étant les deux à l'entrée du village, et une épicerie, elle aussi à l'entrée du village.

QUITTER L'ÎLE DE KYTHNOS

Les destinations sont les mêmes que pour l'arrivée. Voir « Comment y aller ? ».

SIFNOS (ΣΙΦΝΟΣ)   2 000 hab.

Sifnos, située entre Sérifos et Kimolos, compte encore parmi les îles les plus authentiques des Cyclades si on s'éloigne du port. Elle a une superficie de 74 km² et possède approximativement 70 km de côtes.
Elle fut connue dès l'Antiquité, grâce à ses mines d'or et d'argent, célèbres dans toute la Méditerranée. La légende raconte que les riches Sifniotes oublièrent d'envoyer à Delphes le dixième du produit de leurs mines et que ces dernières furent submergées par la mer...
Riche en beautés naturelles, grâce à la diversité de ses sols (schiste, marbre, granit, calcaire), Sifnos offre au voyageur de très beaux paysages :

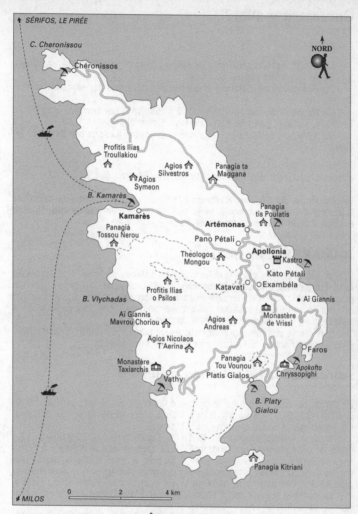

L'ÎLE DE SIFNOS

vallées fertiles entre massifs montagneux, campagne couverte d'oliviers millénaires (on en compte 60 000), plages de sable fin. Elle est aussi réputée pour la beauté de ses monastères, très nombreux, pour ses poteries, sa gastronomie – c'est en effet une des îles grecques où vous mangerez le mieux – et les nombreuses randonnées qu'elle offre. Il faut saluer également l'excellence du réseau de bus qui relie toutes les destinations très régulièrement.

Ses touristes sont en grande majorité grecs. De fin juillet à fin août, il est quasiment impossible de trouver des chambres ou des appartements sans avoir réservé à l'avance : prenez donc vos précautions. Sachant qu'en juillet et août les prix sont élevés, de même qu'à Pâques.

Comment y aller ?

En ferry

➤ **Du Pirée, Kythnos, Sérifos et Milos :** liaisons quotidiennes en saison. 5 h 30 de traversée depuis Le Pirée.

➤ **De Folégandros, Sikinos et Santorin :** 2 liaisons par semaine en saison.

➤ **De Paros et Syros :** en principe, 2 à 3 liaisons par semaine en saison. En 2004, il n'était pas très facile de faire Sifnos-Paros.

➤ **De Santorin et Naxos :** en principe, plusieurs liaisons par semaine en saison.

En bateau rapide (*High Speed* ou *Flying Cat*)

➤ **Du Pirée, de Sérifos, Kythnos et Milos :** quotidien en haute saison et 6 jours sur 7 de début mai à mi-juin et de début à fin septembre. Prévoir environ 3 h de traversée depuis Le Pirée.

KAMARÈS (ΚΑΜΑΡΕΣ)

Port principal de l'île, c'est là qu'arrivent les bateaux de ligne. Il se trouve au fond d'une crique entourée de montagnes et bordée par une belle et grande plage de sable. C'est un lieu de villégiature agréable, réputé aussi pour ses ateliers de poterie. Ne manquez pas d'aller admirer le coucher du soleil de la petite église *Agia Marina*, à gauche du port.

➤ Service de caïques pour se rendre aux plages de *Vathy*, *Chéronissos*, *Plati Gialos*, *Faros*... Se renseigner au restaurant *Méropi*.

Adresses et téléphones utiles

🛈 **Office du tourisme :** sur le port. ☎ 22-84-03-19-77. ● www.sifnos.gr ● Le personnel efficace pourra vous fournir des renseignements en tout genre et vous réserver une chambre chez l'habitant moyennant une somme de 3 €. Distribue une brochure gratuite sur l'île avec ses hébergements (localisés sur une carte) et une rapide présentation des différents sites à visiter. Vend également différents types de cartes détaillant les balades et randos à faire sur l'île.

■ **Banque :** distributeur de billets dans une cabane en pierre à côté de l'office du tourisme et du débarcadère.

■ **Capitainerie :** ☎ 22-84-03-36-17.

🚌 **Départ des autobus :** à 50 m du port, à droite. Deux lignes de bus couvrent bien toute l'île. Sont desservis : Apollonia, Artémonas, Kastro, Faros, Platis Gialos, Vathy et Chéronissos.

■ **Presse internationale :** dans la librairie sur le port, juste à côté de l'agence *Aegean Thesaurus Travel*.

■ **Secours :** ☎ 22-84-03-13-15.

Réservations de chambres, locations et hôtels

■ **Îles Cyclades Travel** peut vous aider à réserver une location à Sifnos : voir le chapitre consacré à Paros (Marpissa).

■ **Aegean Thesaurus Travel :** à Kamarès, à 100 m du port, dans la

rue principale tout de suite après le kiosque, et à Apollonia, juste avant la place principale entre la poste et la banque. ☎ 22-84-03-11-51. Fax : 22-84-03-21-90. ● www.thesaurus.gr ● Agence qui recherchera, moyennant finance, un hébergement selon vos moyens et vos désirs. Mais s'il s'agit d'une simple réservation dans une pension, ils peuvent se désintéresser de votre demande. Location de voitures et de scooters, change, billetterie, bonnes infos. Vendent aussi les billets de bateau.

Où dormir à Agia Marina et à Kamarès ?

Camping

☖ *Camping Makis :* en direction d'Agia Marina, sur la plage, à 600 m du port (bien indiqué). ☎ et fax : 22-84-03-23-66. • www.makiscamping. gr • Ouvert d'avril à octobre. Environ 14 € par jour pour 2 personnes et une tente. Assez petit – évidemment, on est serré en pleine saison – mais pas bien cher et surtout propre et très convivial. Sanitaires bien entretenus. De l'ombre grâce aux pergolas et aux tamaris. Accueil formidable, et en français si vous tombez sur Makis Korakis, le patron. Très arrangeant, il loue aussi des chambres avec salle de bains et AC (de 20 à 45 € pour 2). Petit déjeuner au snack. Possibilité de faire sa tambouille à la cuisine du camping. Accès Internet et laverie.

Prix modérés

☖ *Panorama :* ☎ 22-84-03-35-67 ou 23-56. Fax : 22-84-02-89-67. • www.panorama-sifnos.gr • Du débarcadère, prendre la rue juste à droite de l'agence *Aegean Thesaurus* et la remonter jusqu'en haut. La villa (blanche aux volets bleus... original, non ?) est une des dernières tout en haut, au pied de la montagne ; elle a pour voisine une maison aux volets verts (pour toute info, vous pouvez aussi demander Tassos au resto *Captain Andreas*). Compter de 25 à 55 € la chambre double. Des chambres rutilantes et bien équipées (AC, frigo et salle de bains) avec terrasse et vue plongeante sur Kamarès. Adresse au calme (qui, il est vrai, se mérite au prix d'une montée un peu rude) et des proprios adorables.

☖ *Froudi :* à 300 m du port. ☎ 22-84-03-03-47. Hors saison : ☎ 21-07-78-75-56 (à Athènes). Ouvert de mai à fin août. Remonter la dernière rue à droite en quittant Kamarès (juste après le carrefour vers Agia Marina donc) et prendre la deuxième (et dernière) rue à gauche. C'est la grande maison blanche aux volets marron clair trônant au pied de la montagne. Selon la saison, compter de 30 à 50 € pour 2 personnes et 10 € par personne supplémentaire. Belles chambres spacieuses pour 2 ou 3 personnes, équipées (AC, frigo et salle de bains) et absolument impeccables. Toutes disposent d'une jolie terrasse avec vue sur Kamarès et la mer. Très bonne adresse, au calme, et accueil sympa de la maîtresse des lieux, Katerina, qui parle un peu le français.

☖ *Hôtel Afroditi :* vers Agia Marina, face à la plage qui se trouve à seulement 30 m. ☎ 22-84-03-17-04. Fax : 22-84-03-16-22. • www.hotel-afroditi. gr • Ouvert d'avril à fin octobre. De 30 à 58 € la chambre double, selon la saison. Petit bâtiment de 2 étages, entouré d'un beau jardin, comportant une vingtaine de chambres, toutes avec frigo, douche et w.-c. privés, balcon ou terrasse et, pour la plupart, vue sur mer. La fille de la maison se débrouille en français et les parents sont adorables. Une adresse vraiment sympathique à deux pas de la plage. Réduction de 15 % sur présentation du *GDR* d'avril à juin et en septembre-octobre. Carte de paiement acceptée, mais prix majoré de 3 %.

☖ *Chambres chez Andreas :* sur la place en face du resto *Captain Andreas* (Andreas est aussi le propriétaire des chambres). ☎ 22-84-03-16-68. Fermé en hiver. Selon la saison, de 25 à 55 € pour 2 personnes. Cinq petites chambres propres et correctes avec frigo, terrasse, douche, w.-c. Attention, deux des chambres n'ont pas vue sur la mer, mais sur les pensions concurrentes à l'arrière. Une adresse centrale, mais bruyante (les bars sont à côté).

De prix moyens à plus chic

▀ *Moscha Pension :* à Agia Marina, à 150 m de la plage. ☎ 22-84-03-12-69. Réservation possible auprès d'*Îles Cyclades Travel* à Marpissa (île de Paros). Ouvert d'avril à fin octobre. Chambres doubles de 37 à 75 € selon la saison et la vue (sur la mer ou pas), avec salle de bains, w.-c., frigo, AC et petit dej'. Également des chambres pour 3 et 4. Ensemble propre et accueil très gentil.

▀ *Hôtel-appartements Aéolos :* vers Agia Marina, à 50 m de la plage. ☎ 22-84-03-17-03. Fax : 22-84-03-36-13. ● aeolosthefi@yahoo.gr ● Réservation possible auprès d'*Îles Cyclades Travel* à Marpissa (île de Paros). Ouvert de début juin à fin septembre. Selon la saison, studios de 64 à 90 € et appartements de 74 à 100 € pour 2 personnes et de 90 à 110 € pour 4 personnes. Ce petit complexe hôtelier, faisant aussi bar, propose de coquets appartements, spacieux, confortables et bien équipés, avec vue sur la mer. Sympa-thique mais un tantinet bruyant (un peu près des routes).

▀ *Pension Simeon :* ☎ 22-84-0316-52. Fax : 22-84-03-10-35. ● studios_simeon@hotmail.com ● Maison aux volets rouges sur les hauteurs du « centre-ville ». En pleine saison, compter environ 50 € pour une double et de 75 à 90 € le studio ou l'appartement pour 4 personnes. Logements bien équipés avec balcon privatif et une belle vue sur la baie.

▀ *Hôtel Myrto :* sur les collines de Kamarès sur la route d'Apollonia, à 200 m de la plage. ☎ 22-84-03-20-55. Hors saison : ☎ 21-06-71-52-02 (à Athènes). Fax : 22-84-03-23-86. ● www.hotel-myrto.gr ● Réservation possible auprès d'*Îles Cyclades Travel* à Marpissa sur l'île de Paros. Ouvert du 15 mars au 31 octobre. Selon la période et le type de chambre, compter de 70 à 110 € pour deux, petit déjeuner compris. Chambres confortables avec AC, frigo et TV. Hôtel bien tenu avec une très belle vue sur toute la baie.

Où manger ?

|●| *Restaurant O Argiris :* au bord de l'eau, à Agia Marina, à côté du café *Follie*. ☎ 22-84-03-23-52. Ouvert d'avril à octobre, midi et soir. Bonne cuisine traditionnelle, copieuse et savoureuse : cassolette d'agneau mijotée au vin et aux épices qui mérite vraiment le déplacement, ainsi que d'autres spécialités régionales servies dans un joli cadre. Excellent rapport qualité-prix.

|●| *Delphini :* à Agia Marina. ☎ 22-84-03-37-40. Tout au bout de l'anse, à l'opposé du débarcadère. Ouvert de Pâques à octobre, midi et soir. Compter environ 15 € pour un repas. Possibilité de manger autour de la piscine. Un très bon petit resto et accueil vraiment sympathique. Là aussi spécialités sifniotes. Fait aussi hôtel, mais très cher.

|●| *Kamarès Ouzeri :* spécialisé en *mezze* pour accompagner l'*ouzo*. Prix très raisonnables.

– *Pâtisserie Venios :* très bonnes pâtisseries traditionnelles.

Où boire un verre ?

▼ *Bar Collage :* ouvert toute la journée. Très jolie vue sur la baie de la terrasse surplombant la rue.

▼ *Café Follie :* réputé déjà à Athènes, a décidé d'ouvrir ses portes en saison à Sifnos. Sert aussi le petit déjeuner. Prix un tantinet exagérés.

APOLLONIA *(ΑΠΟΛΛΩΝΙΑ)*

Capitale de l'île, située à 5,5 km du port. C'est un joli village perché, entouré d'oliveraies et construit en amphithéâtre sur les versants de trois collines. Remarquable pour son architecture populaire qui allie modernité et traditions insulaires. Maisons cubiques blanches, cours très fleuries, dédale d'étroites ruelles dallées, le tout ponctué de vieilles églises byzantines aux dômes bleus. Parmi les plus belles, l'*église de la Panagia Ouranofora,* avec de remarquables icônes et une iconostase superbe. Ne pas manquer également celles d'*Agios Sozon* (iconostase en bois sculpté), *Agios Stavros* et *Agios Spiridonas.*

Ne pas oublier le *Musée folklorique* (sur la place principale ; en principe, ouvert au moins le matin) où sont présentées de nombreuses expositions sur la vie traditionnelle des habitants de l'île.

Apollonia est aussi le point de départ de nombreuses randonnées pédestres.

Adresses utiles

ℹ *Office du tourisme :* en face de l'OTE, avant la place principale. ☎ 22-84-03-13-33. Ouvert de fin mai à fin juin de 10 h à 14 h et de 18 h à 22 h et de 10 h à minuit en juillet et août. Distribue la brochure indiquant les hébergements sur l'île et leur localisation. Donne également toutes sortes d'infos.

■ Sur la route venant de Kamarès, un peu avant d'arriver sur la place principale, vous trouverez successivement : l'*OTE,* le *distributeur de billets,* la *poste* et la *pharmacie.*

■ *Banque :* distributeur automatique de billets et banque sur la route principale.

🚌 *Arrêt de bus :* en face de la poste pour Kamarès, vers la pâtisserie *Gérondopoulos* pour les autres villes.

■ *Station-service :* 3 stations sur l'île. Deux se trouvent à Apollonia et la troisième sur la route de Vathy.

■ *Centre médical :* en direction d'Artémonas, sur la gauche après l'embranchement pour Kastro. ☎ 22-84-03-13-15.

■ *Commissariat de police :* juste en face du centre médical. ☎ 22-84-03-12-10. Accueil glacial.

▣ *Café Internet : Billard 08,* sur la route de Platy Gialos. Ouvert de 18 h à minuit. Quatre ordinateurs à disposition. Compter environ 6 € de l'heure de connexion.

Où dormir ?

Nombreuses chambres à louer, pensions, locations disséminées dans les petites ruelles et dans les alentours d'Apollonia. Hébergement le plus souvent de qualité et à des prix raisonnables hors saison mais, comme d'habitude, élevés en juillet et août.

Dans le quartier Pano Pétali

De la place principale (celle du musée folklorique), prendre la ruelle en escalier qui monte vers l'hôtel *Pétali* et mène à Artémonas.

Prix moyens

🛏 *Chambres chez la famille Géronti :* ☎ 22-84-03-23-16 (Irini) ou 14-73 (Nicoletta) ou 34-33 (Flora). Ouvert d'avril à octobre. Réservation possible auprès d'*Îles Cyclades Travel* à Marpissa sur l'île de Paros. Compter de 50 à 65 € pour deux selon la saison. Trois maisons alignées appartenant aux membres d'une même famille : Irini, la mère, propose de belles chambres rutilantes et confortables avec AC, frigo et une terrasse commune ombragée et luxuriante offrant une vue plongeante sur Apollonia et la mer. Parmi les filles ou les belles-filles, on trouve ensuite Nicoletta, dans la maison du milieu, qui offre une chambre tout aussi impeccable et accueillante, mais avec, en outre, une déco originale très sympa et un grand lit. Quant à Flora, ses chambres sont elles aussi toutes fraîches, agréables et tout et tout. Bref, le coup de cœur

pour Irini et sa famille, la qualité de ce qu'elles proposent et leur hospitalité.

▲ *Chambres chez Evangélia Kouki :* ☎ 22-84-03-12-63. Réservation possible auprès d'*Îles Cyclades Travel* à Marpissa sur l'île de Paros. Ouvert d'avril à octobre. Compter de 33 à 50 € pour 2 personnes. Grande maison aux balcons bleus, située juste en face des *chambres Géronti,* avec vue plongeante sur Apollonia et la mer. Chambres confortables et très propres avec salle de bains, frigo mais pas l'AC, et une terrasse. Un petit bout de cuisine est mis à la disposition des hôtes.

Dans le centre d'Apollonia

Prix moyens

▲ *Chambres Giamaki :* ☎ 22-84-03-39-73. Fax : 22-84-03-39-23. Remonter la principale ruelle piétonne et commerçante. La maison se trouve dans une des petites rues sur la gauche (enseigne sur le toit assez bien visible). Doubles de 25 à 50 € selon la saison. Chambres nickel et spacieuses avec AC, frigo et salle de bains agréable, dans un petit complexe entouré de barrières bleues qui lui donnent des airs de maison de poupée. Agréable terrasse commune (sans vue sur la mer).

▲ *Hôtel Anthoussa* (prononcer « anssousa ») *:* à l'étage de la pâtisserie *Gérondopoulos* (même établissement), tout près de la place principale. ☎ 22-84-03-14-31. Fax : 22-84-03-22-07. À proximité de l'arrêt des bus. De 40 à 60 € pour une double avec vue sur la mer et un peu moins pour une chambre sans vue. Petit hôtel confortable de 10 chambres entourant une cour intérieure très fleurie. Bien tenu. Sert le petit déjeuner (pour les résidents et non-résidents), assez cher cependant.

Où manger ?

|●| *Tou Apostoli to Koutouki :* ☎ 22-84-03-31-86. Dans la principale rue piétonne et commerçante. Ouvert le soir seulement, d'avril à septembre. Compter environ 12 € par personne. Petite taverne typique qui sert une cuisine de terroir appréciée (quelques spécialités locales).
|●| *Mezedopolio Adiexodo :* ☎ 22-84-03-15-42. Dans une petite ruelle qui part de la principale rue piétonne (indiqué). Compter entre 15 et 20 € le repas. Une belle carte proposant un large choix de plats, sortant un peu de l'ordinaire pour certains, et surtout goûteux et bien cuisinés (que ce soit, par exemple, le kébab à la

tomate et au yaourt ou les légumes grillés). Vaste terrasse très agréable (au-dessus de la route qu'on ne voit pas mais qu'on entend malheureusement) avec ses arbres, ses fleurs et le glouglou de sa petite fontaine.
|●| *Cafétéria-pâtisserie Gérondopoulos :* tout près de la place principale. Le palais des délices (pas donné, malheureusement) : fruits confits, gâteaux au miel, délices aux noix et au chocolat... On a essayé de goûter à tout (voyez un peu jusqu'où va notre dévouement pour vous !), mais on a calé. À éviter en période de régime !

Où boire un verre ?

🍷 *Cafés Volto et Botzi :* dans la ruelle piétonne principale. Des intérieurs cosy et élégants pour ceux qui aiment la musique forte.

🍷 *Argo :* dans la ruelle piétonne principale. Terrasse agréable, pour profiter pleinement d'une soirée aux sons d'une musique rock et soul.

🍷 *Aloni :* situé sur la route vers Artémonas, à proximité du centre médical. Le patron est un passionné de musique grecque populaire, et son établissement bénéficie d'une bonne réputation dans toutes les Cyclades. N'ouvre pas avant 21 h.

Randonnées pédestres et balades

Au risque de nous répéter, nous vous signalons que des cartes des randos ou balades sur l'île de Sifnos sont en vente à l'office du tourisme de Kamarès.

➢ *Apollonia-Katavati-Profitis Ilias* (Απολλωνια-Καταβατη-Προφητης Ηλιας) *:* environ 2 h ; assez difficile. Cette promenade est un must. Après avoir atteint le village de *Katavati,* que vous aurez rejoint en remontant toute la rue piétonne centrale d'Apollonia, continuez jusqu'à la très vieille église de la *Panagia I Anghéloktisti* dont l'architecture se révèle intéressante (église à trois nefs en forme de croix avec un dôme conique, unique sur l'île ; très belles fresques à l'intérieur). Prendre ensuite la première ruelle sur la droite (petit panneau). Vous allez sortir du village par un sentier cheminant entre des murets de pierre. En retrouvant la route goudronnée, prendre à droite en direction de Kamarès. Le sentier menant au monastère se trouve sur la gauche et est indiqué par un grand panneau (probablement lisible que d'un côté, comme d'habitude !)... et ensuite, cher lecteur, bon courage pour la grimpette ! Au sommet, vue époustouflante sur huit îles des Cyclades, et surtout vous y verrez le *monastère du Profitis Ilias* (ou *prophète Élie*), datant de 1650. Impressionnant avec ses murs faits d'énormes blocs de pierre, ses nombreuses cellules, ses galeries souterraines et ses anciennes colonnes de marbre. Fête patronale : le 20 juillet. Nombreuses festivités.

➢ *Apollonia-Artémonas :* environ 20 mn. De la place principale (celle du musée folklorique), prendre la ruelle en escalier qui monte vers l'hôtel *Pétali.* Elle vous mènera à Artémonas en traversant les hameaux de *Pano Pétali* et *Agios Loukas.* Paysages superbes et églises intéressantes.

ARTÉMONAS (ΑΡΤΕΜΩΝΑΣ)

Ravissant village perché, entouré de moulins à vent. Labyrinthe d'étroites ruelles pavées, bordées de très belles demeures néo-classiques se mêlant intimement à l'architecture populaire. Cours fleuries de géraniums, de jasmins et de bougainvillées qui reflètent la douceur de vivre. Jolis chapeaux de cheminée. Belles églises, en particulier celle d'*Agios Konstantinos* (XVe siècle) dont l'architecture est assez particulière. Et, recouverte d'un dôme avec une grande nef centrale et deux nefs latérales, celle de la *Panagia tis Ammou,* avec de superbes icônes et une très belle iconostase en marbre. Ici encore, nombreuses randonnées pédestres.

Où dormir ? Où manger ?

Chambres à louer, petites pensions disséminées dans les ruelles.

≜ |●| *Wind Mill Villas :* ☎ et fax : 22-84-03-20-98. ● www.windmill-vil las.gr ● À Artémonas, prendre la route en direction de Chéronissos. Le moulin est indiqué sur la gauche. Ouvert de début avril à fin octobre. Studios pour 2 personnes de 30 à 65 € selon la période et appartements pour 4 personnes de 50 à 105 €. Perché sur sa colline, ce moulin abrite quelques jolis studios et appartements avec une vue large et plongeante sur la mer. Logements très bien équipés et vraiment sympas, tout comme l'accueil.

|●| *Taverne Liotrivi :* ☎ 22-84-03-20-51. Ouvert toute l'année. Compter environ 13 € pour un repas. Existe depuis plus de 40 ans, et compte parmi les meilleures adresses de l'île. Très jolie décoration. Parmi les objets décoratifs : une ancienne presse à huile en pierre, située au sous-sol transformé en salle-cave. Plus de 10 000 bouteilles ! Nombreuses spécialités régionales : *mastelo me arni* (cassolette d'agneau cuite dans un four à bois), *tzatziki* aux câpres, salade aux feuilles de câpres, plats à base de pois chiches... La qualité est cependant inégale. Demander à voir les plats.

– *Pâtisserie Nikos Théodorou :* ouvre en fin d'après-midi. Existe depuis 1933. Reste la meilleure pâtisserie de l'île. Gâteaux délicieux : *bourékia* farcis au miel, graines de sésame et amandes, *loukoums,* gâteaux aux amandes... Possibilité normalement d'acheter des paquets pour emporter. Mais aux dernières nouvelles, on est loin de trouver tout cela en magasin régulièrement, l'établissement fonctionnant davantage comme un musée.

Randonnées pédestres

➤ Si vous en avez le courage, faites la très intéressante promenade d'Artémonas aux anciennes mines d'or d'*Agios Sostis* (environ 2 h). Provision d'eau nécessaire, comme d'habitude.

➤ À partir d'Artémonas, en prenant un chemin parmi figuiers et oliviers, ne pas manquer d'aller au village fortifié de *Kastro,* en passant d'abord par le monastère de la *Panagia tis Poulatis* (80 mn). En sortant de la ville d'Artémonas, prendre la route vers Chéronissos, puis suivre la direction de Poulati et des studios *Bella Vista.* Vous trouverez alors un cimetière d'où vous aurez une vue imprenable sur la mer. Là encore, la rando est assez éprouvante, n'oubliez donc pas vos provisions d'eau.

🕯🕯 *Le monastère de la Panagia tis Poulatis* (1871) *:* les falaises majestueuses qui entourent le monastère rendent le site superbe. Merveilleuse petite crique aux eaux cristallines couleur vert émeraude, pour vous baigner et vous rafraîchir.

KASTRO (ΚΑΣΤΡΟ)

Capitale de l'île jusqu'en 1836. Habité depuis les temps préhistoriques, Kastro compte parmi les beaux villages de ce coin des Cyclades. Il y règne une ambiance médiévale, et l'on a l'impression de vivre à une autre époque. Le rempart est formé par des maisons à deux ou trois étages, de forme allongée, étroitement serrées les unes contre les autres, ne laissant que quelques petites ouvertures. À l'intérieur du village, grandes demeures seigneuriales, aux blasons gravés au-dessus des portes. Ruelles très étroites, galeries voûtées, cours minuscules. Quelques *chambres à louer, tavernes* et *bars.*

Où dormir ? Où manger ? Où boire un verre ?

≜ *Maximos :* le long des remparts, face à la mer et Epta Martyrès. ☎ 22-84-03-36-92. Environ 45 € en juillet et août, dans les 30 € le reste de l'année. Maximos loue un petit appartement avec cuisine et salle de bains pour 2 ou 3 personnes à proximité de son atelier de poterie dans une maison des remparts donnant sur l'extérieur. C'est pas le grand luxe, mais la vue est à vous couper le souffle : on a à ses pieds la petite église d'Epta Martyrès, puis la mer à perte de vue avec un panorama sur une bonne partie des Cyclades. Très bonne adresse si on peut se passer du tout-confort.

🛏 *Hôtel Gérofinikas :* entre Apollonia et Kastro, prendre la route à droite vers Chrisostomos. ☎ et fax : 22-84-03-34-50. • www.gerofinikas complex.gr • Ouvert du 15 avril au 15 octobre. Chambres doubles de 65 à 90 € selon la saison, petit déjeuner compris. Petit hôtel de charme d'une quinzaine de chambres coquettes et confortables avec un balcon donnant sur Kastro et la mer. Adresse isolée et au calme pour laquelle un véhicule est préférable.

🍴 *Taverne Léonidas :* au pied de la ville, en arrivant à Kastro. Cuisine locale et vue panoramique sur la mer Égée depuis la véranda.

🍸 *Remezzo Bar :* vue superbe et ambiance agréable. Excellent cocktail de fruits frais.

🍸 *Castello Club :* bar-boîte à l'entrée de Kastro. Ouvert l'été. Rendez-vous de la jeunesse locale.

À voir

🏺 *Le Musée archéologique :* vous y trouverez de nombreux objets qui retracent tout le passé historique de Sifnos : sculptures, vases, pièces de monnaie.

🏺🏺 *Les églises :* en particulier celle de la *Panagia I Eléoussa* (cathédrale de l'île rénovée en 1635 ; à remarquer, la belle iconostase et ses icônes des XVe et XVIe siècles), les églises de *Théosképasti,* d'*Agia Katerina,* de *Taxiarchis.*

🏺 *L'acropole de Kastro :* en cours de restauration, le petit panneau explicatif manque malheureusement de clarté. Très belle vue.

🏺🏺 *La baie de Séralia :* ancien port de Kastro, niché au fond d'une crique, et la petite église *Epta Martyrès,* construite sur un rocher.

LES PLAGES DE SIFNOS

PLATIS GIALOS *(ΠΛΑΤΥΣ ΓΙΑΛΟΣ)*

🏖 Considérée comme l'une des plus grandes plages de sable fin des Cyclades. Entourée d'oliviers et de jardins potagers, c'est la plage la plus fréquentée de l'île. Hébergement très cher et bruyant aux mois de juillet et août. Peu d'ombre. Peu de charme et intérêt restreint pour le routard.

Où dormir ? Où manger ?

⛺ *Camping municipal :* chemin à droite en arrivant au terminus des bus (au bout de la plage). Assez moyen et loin de la plage. Préférez-lui celui de Kamarès.

🛏 Nombreuses *chambres* et nombreux *studios* à louer.

🍴 *Taverne Sofia :* ☎ 22-84-07-12-02. Situé au tout début de la plage. Ouvert de Pâques à septembre. Compter environ 10 à 12 € par personne. Cuisine régionale. Cadre sympathique avec jolie vue. Quelques spécialités : agneau en cassolette et soupe de pois chiches, le tout cuit dans un four à bois. Bon vin également.

🍴 *Psarotaverna Foni :* calme, agréable, situé tout au bord de l'eau. Ouvert uniquement en juillet et août. Petite taverne de poisson. Excellents petits gâteaux au fromage blanc et au miel.

🍴 *To Kati Allo :* au bout de la plage, en bord de route et face au terminus

des bus. Repas à environ 15 €. Taverne familiale : madame aux fourneaux, monsieur au service. Carte

offrant un large choix. Plats frais et
portions très généreuses.

FAROS *(ΦΑΡΟΣ)*

⚓ Petit port de pêche, bien abrité des vents et situé entre les criques de Gli-
fos et de Fassolos. Ne pas manquer de faire la promenade (une petite demi-
heure) jusqu'au **monastère de Chryssopighi** (1650). Les paysages sont
superbes, le site est magnifique (vous le verrez représenté sur toutes les
plaquettes de l'île), et les eaux d'une grande limpidité. Baignade possible,
sur la gauche du monastère (rochers plats sculptés de couleurs variées).
Pour les mous du mollet, une route goudronnée mène à ce même monastère.
Juste à côté du monastère, petite crique sympathique à **Apokofto**. *Chambres à louer*, pensions et une *taverne* de poisson qui mérite le déplacement.

|◉| **Chryssopighi :** sur la plage.
☎ 22-84-07-12-95. Ouvert midi et
soir d'avril à octobre. Compter environ 10 €. Sur une terrasse ombragée par les tamaris, une authentique
taverne qui propose des plats au-

thentiques (plusieurs plats à base
d'agneau et le *hanoum*, aubergine
farcie à la viande et au fromage)
à des prix très raisonnables. Très
bon accueil. Une des meilleures
adresses de l'île.

VATHY *(ΒΑΘΥ)*

◹ Longue plage de sable, aux eaux cristallines peu profondes, bien abritée
des vents et tranquille en dehors de l'été. Malheureusement, la bordant, un
lotissement de constructions blanches brise un peu l'idylle. À voir, le **monastère de Taxiarchis** (XVIᵉ siècle). Pour y aller : route goudronnée de Kamarès à Vathy.

🛏 Quelques **chambres à louer.**
|◉| **Taverne Tsikali :** bien située au
bord de la plage, après le petit port
et l'église (donc à l'opposé de la
longue plage de sable évoquée ci-
dessus). ☎ 22-84-07-11-77. Ouvert
midi et soir d'avril à octobre.
Compter environ 12 € par personne.

Très bonne cuisine régionale. Parmi
les spécialités : *tirohortopita* (tourte
aux légumes et fromage), chevreau
aux petits légumes, lapin à l'origan,
excellents fromages de ferme, poisson grillé au feu de bois. Accueil
sympa (en français, s'il vous plaît).

CHÉRONISSOS *(ΧΕΡΡΟΝΗΣΣΟΣ)*

Au nord de l'île, adorable petit port de pêche encerclé par la roche où deux
charmantes tavernes, pépères au bord de l'eau, sont prêtes à accueillir les
estomacs affamés. On y accède par la route goudronnée à la sortie d'*Artémonas* ou en prenant un des quelques bus qui relient le site à Artémonas.
L'avantage, c'est que le coin est beaucoup plus sauvage que le reste de l'île
et moins fréquenté. Paysages ruraux, très intéressants : aires de battage,
gerbiers (petits abris en pierre servant à abriter les gerbes), colombiers disséminés çà et là... Autre moyen d'accès : en caïque à partir de *Kamarès*.

QUITTER L'ÎLE DE SIFNOS

Les destinations sont les mêmes que pour l'arrivée. Voir « Comment y
aller ? ».

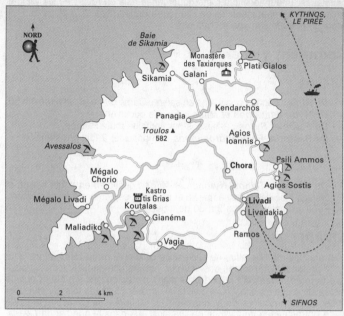

L'ÎLE DE SÉRIFOS

SÉRIFOS (ΣΕΡΙΦΟΣ)

1 150 hab.

Située entre Kythnos et Sifnos, Sérifos est une petite montagne rocailleuse plantée dans la mer avec un point culminant à 585 m. Pour rompre cette aridité, quelques vallons fertiles, plantés de vignobles et d'arbres fruitiers comme des figuiers, des amandiers et des lauriers (région de Kendarchos). Son sous-sol est riche en métaux qui ont permis à l'île de connaître un grand essor au XIXe siècle.

Sa côte très échancrée et dentelée abrite de nombreuses plages et criques et de très beaux golfes (Livadi et Koutalas) au sud de l'île.

Sa superficie est de 78 km² et son périmètre côtier de 70 km.

Vous serez vite séduit par le charme de cette île, offrant de très belles balades aux amateurs de randonnées pédestres et encore relativement préservée du tourisme de masse. De ce fait, l'infrastructure touristique y est peu développée et reste très concentrée autour de Livadi et la plage de Livadakia. On constate cependant au fil des ans une prolifération des constructions venant occuper des plages autrefois désertes et rendant leur accès parfois un peu plus compliqué voire agaçant (c'est vrai, c'est pénible à la fin de faire la chasse au sentier qui mène à la plage !). Par ailleurs, cette île ne fait pas exception : août sonne l'heure de l'invasion touristique (constituée à 90 % de Grecs) et de la flambée des prix. Tout est donc vite complet en été. Réservez à l'avance. Une bonne solution : *Îles Cyclades Travel* (à Marpissa, voir plus loin le chapitre « Paros »).

Le réseau routier, en constante évolution, pourra quant à lui alimenter votre réflexion : si la rue principale de Livadi n'est qu'une piste poussiéreuse et cahoteuse, une magnifique route goudronnée relie en revanche les villages isolés et quasiment inhabités de l'île (entre Kendarchos et la plage de Psili Ammos, notamment)... vive l'Europe !

Comment y aller ?

En ferry

➢ **Du Pirée :** départs quotidiens en saison. Durée du trajet : environ 4 h 30.
➢ **De Kythnos, Sifnos et Milos :** départs quotidiens.
➢ **De Paros et Syros :** 2 liaisons par semaine toute l'année.
➢ **De Santorin, Folégandros et Ios :** en principe, 2 fois par semaine.

En bateau rapide *(High Speed)*

➢ **Du Pirée, de Sifnos, Kythnos et Milos :** quotidien en haute saison et 6 jours sur 7 de début mai à mi-juin et de début septembre à fin septembre. Du Pirée, compter environ 2 h 30 de trajet.

LIVADI *(ΛIBAΔI)*

Port principal de l'île, situé au sud-est de celle-ci et niché tout au fond d'un golfe profond, bien protégé des vents. Il y règne une gentille anarchie puisque la route desservant le port et la plage n'était encore (en 2004) qu'une piste cahoteuse (et chaotique) qu'il fallait arroser plusieurs fois par jour pour éviter que la poussière n'envahisse tout. C'est là que se concentre presque toute l'infrastructure touristique de l'île ainsi que dans le quartier de *Livadakia* et sa belle plage (à 800 m du port, sur la gauche en débarquant) où les *Rooms to rent* tendent malheureusement à pousser ici et là comme de vilains champignons.
À contempler : le lever du soleil sur Chora.

Adresses et infos utiles

■ *Capitainerie :* ☎ 22-81-05-14-70.
✉ *Poste :* dans la rue commerçante et goudronnée parallèle au port.
■ *Banque et distributeur automatique de billets :* sur le port. Accepte les cartes *Visa* et *MasterCard*.
■ *Médecin :* ☎ 22-81-05-12-02. Le médecin se trouve à Chora. Sur la route en arrivant au village, dernière maison sur la gauche avant l'arrêt de bus.
■ *Pharmacie :* ☎ 22-81-05-12-05. À côté de la poste.
■ *Police :* ☎ 22-81-05-13-00.
■ *Presse étrangère :* en été, boutique sur le port, à côté de l'impasse menant au *Serifos Beach*.
▨ *Internet :* un ordinateur au *Café Vitamine C*, bar jeune et branché situé dans la rue au bord de l'eau.

Connexion à 2,50 € l'heure (indivisible) mais conso obligatoire... Autant dire que la consultation de quelques e-mails revient cher !
■ *Location de voitures et de deux-roues :* *Krinas,* sur le port. ☎ 22-81-05-14-88. Fax : 22-81-05-11-64. Sérieux et compétent. Fait aussi la vente des billets de bateau (cartes de paiement acceptées pour les voitures uniquement).
■ *Station-service :* la seule station de l'île, ouverte toute la journée en continu, se trouve dans la rue en sens unique (théoriquement !) à l'entrée de Livadi quand vous venez de Chora.
🚌 *Autobus :* une ligne relie toute la journée Livadi et Chora. En été, bus de 7 h à 1 h du matin. De Chora, une ligne dessert toute l'année (mais à des horaires pas toujours idéaux

pour les vacanciers) les villages jusqu'à Kendarchos ainsi que le monastère des Taxiarques. Un autre bus, en été uniquement (et parfois en septembre), dessert deux fois par jour Mégalo Livadi et Koutalas.

Où dormir ?

Camping

⛺ *Coralli Camping Bungalows :* à Livadakia, plage à droite du port, en regardant la mer. ☎ 22-81-05-15-00. Fax : 22-81-05-10-73. Hors saison : ☎ 21-06-91-10-62 (à Athènes). Fax : 21-06-98-44-70. ● www.coralli.gr ● Ouvert de mai à octobre. En bord de plage. En août, compter environ 17 € pour 2 campeurs et 65 € pour 2 personnes en bungalow. 150 places et une trentaine de bungalows (pour 2 à 4 personnes). Bien ombragé, fleuri, bien entretenu, bien aménagé et bien équipé : *mini-market,* réception, salon TV, poste, piscine. Malheureusement très bruyant en haute saison (un conseil : s'installer, si possible, au fond du camping près de la plage). Transfert gratuit de et pour le port. Cartes de paiement acceptées.

Prix moyens

🛏 *Helios :* à Livadakia ; bien indiqué. ☎ et fax : 22-81-05-14-22. Compter de 25 à 40 € pour une double selon la saison. Enfin de vraies chambres chez l'habitant, puisque la famille habite aussi la maison. Chambres toutes simples et agréables, avec salle de bains, frigo, AC ou ventilo. L'entrée se fait par un jardin tout fleuri, aussi avenant que les hôtes.

🛏 *Hôtel Serifos Beach :* à droite du port en débarquant, au fond d'une impasse à 50 m de la mer. ☎ 22-81-05-12-09 ou 14-68. ● www.serifos-gr.com ● Ouvert toute l'année. Selon la saison et la fréquentation, de 25 à 70 € la double. Si le rez-de-chaussée a des relents des années 1970, les chambres, elles, sont impeccables, aménagées de meubles récents et agréables, et elles sont dotées d'une salle de bains, d'un balcon, de l'AC et d'un frigo. Le proprio est une mine d'infos sur l'île dont il est originaire.

🛏 *Hôtel Aréti :* près du débarcadère, monter le petit escalier qui longe l'agence *Krinas.* ☎ 22-81-05-14-79. Fax : 22-81-05-15-47. Ouvert d'avril à octobre. Une quinzaine de chambres impeccables, de 40 à 65 € selon les mois, toutes avec douche, w.-c., frigo et AC, et agréablement décorées. Leurs terrasses offrent une très belle vue.

🛏 *Pension Dorkas :* ☎ 22-81-05-14-22. Hors saison : ☎ 22-99-02-35-18. Fax : 22-81-05-21-82. Pas très loin du camping. Ouvert d'avril à fin octobre. Réservation possible auprès d'*Îles Cyclades Travel* à Marpissa (île de Paros). Chambres doubles de 42 à 73 € environ, petit dej' compris, et studios pour 2 personnes à peu près au même prix mais sans collation matinale. Également des appartements pour 2-3 ou 4-5 personnes (*Aigaion*) à 250 m de Dorkas, sur les hauteurs, répartis dans deux bâtiments. Petite bâtisse sur 3 niveaux comprenant chambres et studios climatisés avec, pour la plupart, vue sur la mer. Grand jardin et aire de jeux pour les enfants, à deux pas de la plage (accès par chemin privé). Très bien tenu, et prix raisonnables.

🛏 *Chambres Rotas :* derrière l'hôtel *Sérifos Beach.* ☎ 22-81-05-15-95. Chambres doubles de 25 à 45 €. Chambres chez l'habitant bon marché mais d'une extrême simplicité... Calme assuré.

🛏 *Pension Naïas :* à 500 m du port et 150 m de la plage de Livadakia. ☎ 22-81-05-17-49. Fax : 22-81-05-24-44. ● www.naiasserifos.gr ● Du port, prendre la direction de Livadakia. Dans une rue sur la gauche, en hauteur. Ouvert toute l'année et réservation possible auprès d'*Îles Cyclades Travel* à Marpissa (île de

Paros). Pour 2 personnes, compter de 45 à 70 € environ, petit dej' compris. Chambres avec salle de bains et AC. Vue sur la mer ou sur le jardin. Frigo à disposition. Dommage que l'environnement soit un peu sec et tristoune.

Où manger ?

La plupart des tavernes se trouvent le long du port. Éviter les premières, plus chères et où les produits ne sont pas toujours très frais.

|●| *Taverne Stamatis :* à 500 m du port, le long de la plage. Environ 10 € le repas. Plats mijotés et goûteux, servis généreusement dans une atmosphère détendue.

|●| *Taverne Margarita :* tout au bout de la plage. Ouvert normalement midi et soir en juillet et août, et uniquement pour le dîner en septembre. Repas à environ 10 €. Bons petits plats que l'on va choisir en cuisine. Lieu sans prétention, avec le poulailler juste derrière le resto, tenu par deux anciens, et où règne une ambiance décontractée. En cas de grande affluence, service un peu débordé.

Où se baigner ?

⤳ *Les plages de Livadi :* d'une part, à gauche du port, *Avlomona,* qui s'étend sur 2 km, avec en alternance du sable et des petits cailloux. Les eaux y sont peu profondes. D'autre part, à droite du port, *Livadakia,* où le nudisme est toléré (après le camping). Les deux plages sont ombragées grâce à une rangée de pins maritimes.

⤳ De Livadi, on peut gagner à pied les très belles *plages de Psili Ammos, Kalo Ambéli, Agios Sostis* et *Agios Ioannis.*

|●| *Taverne Stephanakos :* sur la plage de Psili Ammos. Compter entre 10 et 15 € le repas. Jolie taverne cachée dans son bouquet d'arbres. Carte variée offrant, entre autres bons petits plats, un poisson frais et délicieux.

Balades et randonnées pédestres

L'île offre de nombreuses possibilités de randos. Pour les marcheurs avertis, il existe une carte détaillée de l'île au 1/25 000 avec tous les sentiers (éditions *Anavassi*). Elle est disponible dans quelques boutiques de Livadi. Attention, cependant, l'infrastructure routière se transforme et les cartes antérieures à 2004 n'indiquent pas ces changements (une belle route goudronnée, par exemple, relie désormais Kendarchos et la plage de Psili Ammos).

Par ailleurs, il existe plusieurs randonnées numérotées et fléchées. Pour en avoir un aperçu, allez consulter la carte qui se trouve près de l'arrêt de bus à Chora, au pied de l'escalier qui monte vers le Kastro. Malheureusement le fléchage laisse parfois à désirer...

➢ *De Livadi à Chora :* pour monter au village, emprunter les escaliers qui tracent une ligne blanche dans la montagne. Attention aux coups de soleil ! Bon courage !

➢ *De Chora au monastère des Taxiarques :* sentier théoriquement balisé comme le *sentier 1*. On dit « théoriquement » car les indications manquent cruellement à certains points clés, notamment au départ ! Donc à Chora, sur la place centrale où se trouvent les petites supérettes, prendre la route plus ou moins cimentée qui descend vers l'intérieur des terres et passe devant l'épicerie. Descendre cette large rue. Après avoir quitté le groupe d'habitations et dans un virage, il faut emprunter le petit chemin de terre face à vous et non pas continuer à descendre la route principale qui mène au cimetière et son église un peu plus bas (et qui débouche, beaucoup plus loin, sur la plage de Psili Ammos). Une fois sur le sentier entre les murets de pierre (et au loin duquel vous apercevez une église sur la colline), vous n'avez plus qu'à le suivre jusqu'à Kendarchos et, de là, prendre la route qui mène au monastère. Si vous logez à Livadi, la rando peut aussi se faire dans le sens inverse, en prenant le bus jusqu'au monastère et en rentrant à pied jusqu'à Chora... où vous devrez descendre la volée de marches jusque chez vous. Prévoir 3 h de marche de Chora au monastère.

Doit-on vous le répéter ? N'oubliez pas les provisions d'eau et de nourriture (même si, théoriquement, il existe des points d'eau potable environ toutes les 30 mn sur les sentiers de l'île – pour vous il s'agit du robinet à côté de la source réservée aux animaux).

CHORA (ΧΩΡΑ)

À 5 km au nord du port, surmontée d'une ancienne forteresse vénitienne et de ses deux petites chapelles, d'où la vue sur l'île (et par temps clair sur Sifnos, Kythnos et Folégandros) est à vous couper le souffle. Chora, chef-lieu de l'île, est une petite bourgade pittoresque. Accrochée aux flancs d'une colline abrupte et aride, elle domine de loin le port. Petites maisons de poupée, construites en terrasse à même la roche, labyrinthe de venelles étroites serpentant à travers le village, ruelles en escalier toutes dallées et blanchies à la chaux (attention au vertige !). Petites placettes sympathiques avec quelques *kafénia* et moulins à vent.

Où dormir ? Où manger ?

Quelques chambres à louer seulement.

🛏 ***Pension Apanémia :*** ☎ 22-81-05-15-17. Dans la partie basse du village qui s'étend vers les terres (de la place, descendre la large rue passant devant l'épicerie-supérette). La pension est une imposante maison aux volets marron sur la droite. Pour 2 personnes, compter de 25 à 35 € selon la saison. Petites chambres impeccables, sans AC mais avec frigo et salle de bains. Toutes disposent d'un petit balcon avec vue plongeante sur l'île. Adresse au calme, très chouette et accueil gentil.

🍽 ***Café Tou Stratou :*** place de la mairie, sur le chemin du *kastro*. ☎ 22-81-05-25-66. Compter environ 10 € pour repartir repu. Petit café très agréable et dans un cadre charmant pour prendre votre *ouzo* accompagné de quelques *mezze*, une vraie carte l'été. Très sympa, en plus le patron parle couramment le français. Quelques tables pour jouer aux échecs.

🍽 ***Taverne Pétros :*** juste après la place principale en montant vers les moulins. Prévoir environ 10 € pour un repas. Cuisine régionale et familiale toute simple et à des prix modérés. Étrange impression cependant que de manger sur une terrasse installée dans une rue en pente !

À voir

🗡 Ne manquez pas d'aller voir l'église d'***Agios Athanassios,*** pour sa très belle iconostase en bois sculpté du XVIIIᵉ siècle, et la collection de trouvailles faites dans l'île dans le bâtiment de la mairie.

À voir dans les environs

🚶🚶 *Panagia (Παναγια) :* à 7 km au nord-ouest de Chora. Petit village construit sur les flancs d'une colline et d'où l'on a une très belle vue panoramique sur l'ensemble de l'île.

Au centre du village se trouve la plus vieille église de l'île, l'*église de la Panagia,* construite entre 950 et 1000 apr. J.-C. Basilique de forme cruciforme, à l'intérieur de laquelle on peut voir des vestiges de peintures murales qui datent de la fin du XIIIᵉ siècle.

– Du 14 au 16 août, les habitants de l'île se réunissent à Panagia pour la *fête de Marie.*

– À 2 km à l'ouest de Panagia, l'*église d'Agios Stéfanos* avec quelques traces de peintures murales.

🚶🚶 *Le monastère des Taxiarques (Μονη Ταξιαρχων) :* à 2 km au nord-est du village de Galani. Certains bus s'y arrêtent. Pour le visiter, demandez à votre logeur, qui prendra rendez-vous avec le maire Makarios. C'est l'édifice le plus significatif de l'île. De loin, il ressemble à une forteresse, et lorsqu'on se rapproche, on aperçoit le dôme de l'église. Il fut construit au début du XVIIᵉ siècle et subit de nombreux pillages de la part des pirates. Pour le protéger des ennemis, une enceinte de 8 m de haut fut construite tout autour. Le monastère comporte 60 cellules, dont quelques-unes furent complètement rénovées et réservées à l'usage des pèlerins. Le monastère renferme des objets sacrés de grande valeur et des manuscrits importants.

À l'intérieur de l'église, de très belles icônes, un trône épiscopal en bois sculpté et une très belle iconostase en marbre et en bois. L'intérieur de l'église ainsi que la cour sont dallés de marbre. Le monastère est habité par un moine. Pensez à avoir une tenue vestimentaire correcte (pantalon pour les hommes, jupe pour les femmes et bras couverts) !

Peu après le monastère, en direction de Kendarchos, suivez la route de 2 km très étroite et très pentue mais goudronnée qui vous mènera à la jolie petite *plage de Platys Gialos,* avec ses quelques arbres et ses bateaux.

🚶 Après Panagia, prenez à gauche, vous arriverez au petit port de *Sikamia (Συκαμια),* avec sa grande plage de sable, malheureusement peu protégée du vent. La route d'accès est très étroite, tortueuse mais goudronnée (sauf à l'arrivée). Attention aux nids-de-poule, cependant. Si votre estomac crie famine et que la soif vous taraude, vous trouverez le *Café Akrogali,* presque en bout de plage et bien caché derrière ses arbres.

🚶🚶 *Kendarchos (Κενταρχος) :* étrange petit village, plus ou moins abandonné aujourd'hui. Maisons creusées à même la falaise. C'est la région la plus verdoyante de Sérifos, car très abondante en eau. Jolis paysages pastoraux. Une oasis de fraîcheur, en contraste avec l'aridité générale de l'île.

LA RÉGION DE KOUTALAS

Elle englobe Mégalo Chorio (à 8 km à l'ouest de Chora), Mégalo Livadi (à 13 km à l'ouest de Chora) et Koutalas (à 15 km à l'ouest de Chora). C'est une région qui connut un grand essor jusqu'en 1910, grâce à l'extraction du cuivre et des autres minerais de métaux.

🚶 *Mégalo Livadi (Μεγαλο Λιβαδι) :* ancien port de chargement des métaux, aujourd'hui à l'abandon. Reste l'ancien pont de chargement des métaux et les maisons basses des ouvriers, partiellement ruinées. Cela n'empêche pas cet endroit pittoresque, situé au fond d'un golfe très bien abrité des vents du nord, d'offrir un joli cadre pour un séjour reposant (quelques chambres à louer, deux tavernes authentiques).

🚶 *Koutalas (Κωταλας) :* sur les hauteurs, le site de *Kastro tis Grias* révèle la présence d'un ancien habitat médiéval fortifié : quelques ruines de mai-

L'ÎLE DE MILOS

sons et du rempart. Le golfe de Koutalas est très agréable avec sa plage de pierres transparentes. Très jolies *plages* aussi de *Gianéma, Sotiras, Vagia.* À *Maliadiko,* superbes petites criques bien abritées des vents.

QUITTER L'ÎLE DE SÉRIFOS

Les destinations sont les mêmes que pour l'arrivée. Voir « Comment y aller ? ».

MILOS (ΜΗΛΟΣ)

4 720 hab.

Située au sud de Sifnos, l'île de la *Vénus* du musée du Louvre, surnommée aussi l'Île aux couleurs, offre au visiteur des villes et des villages peut-être un peu décevants (on a beaucoup construit) mais en revanche des paysages insolites et parfois envoûtants grâce à sa nature volcanique et à la diversité de ses roches. Un voyageur du XIXe siècle voyait en Milos une « grande étape pétrifiée et imbibée d'eau de mer ». On ne se lasse pas de ses rochers « sculptés » aux formes étranges, taraudés à longueur de journée par la mer et les vagues, ses falaises aux couleurs somptueuses – rouge, orange, blanc, vert, noir, gris... – entre lesquelles se nichent de belles plages. Plus de cinquante, nous dit-on, aux eaux limpides et cristallines, déclinant tous les tons de vert et de bleu. Bon nombre d'entre elles sont bordées de tamaris dont l'ombre aide à supporter la canicule estivale. Milos est l'île des amateurs de nature et de grand large.

Côtes très déchiquetées, paysages assez plats au nord, montagneux au sud (point culminant : 751 m). L'île a une superficie de 151 km² et un périmètre côtier de 126 km. Elle doit sa forme et son originalité au golfe d'Adamas, créé par le cratère du volcan. C'est l'un des plus grands ports naturels de la Méditerranée, où règne une intense activité commerçante. Autrefois connue pour sa richesse en minerais – l'obsidienne surtout, dont on faisait le commerce dès le néolithique –, ce qui explique la multitude de carrières et de mines qui enlaidissent par endroits les paysages. Ce n'est que récemment que l'île s'est tournée vers le tourisme. L'infrastructure hôtelière n'y est pas encore si développée mais tend, malheureusement, encore une fois à polluer le paysage ; elle se concentre surtout à Adamas, port principal, et à Apollonia, deuxième grande station estivale de l'île. En été, tout est vite complet (une majorité de Grecs et beaucoup d'Italiens), et l'hébergement reste cher tout de même par rapport aux autres Cyclades. Alors, prenez vos précautions et réservez à l'avance.

Comment y aller ?

En ferry

➤ *Du Pirée :* tous les jours. Entre 6 et 7 h de trajet selon les escales.
➤ *De Santorin, Syros et Paros :* cette liaison n'étant pas régulièrement assurée d'année en année, se renseigner auprès des agences.
➤ *De Sifnos, Sérifos et Kythnos :* tous les jours.
➤ *De Crète, de Karpathos et de Rhodes :* plusieurs fois par semaine (de Crète – d'Agios Nikolaos et de Sitia – compter entre 7 h et 8 h de traversée).

En bateau rapide *(High Speed)*

➤ *Du Pirée, de Kythnos, Sifnos et Sérifos :* tous les jours en saison et 6 jours sur 7 de début mai à mi-juin et en septembre. Compter 4 h 30 de trajet depuis Le Pirée.
➤ *De Santorin :* liaison aléatoire selon les années ; se renseigner auprès des agences.

En avion

➤ *D'Athènes :* 1 ou 2 vols par jour en été. Durée du trajet : 45 mn. *Olympic Airlines* à l'aéroport. ☎ 22-87-02-23-81.

ADAMAS (ΑΔΑΜΑΣ) *ou ADAMANTAS* (ΑΔΑΜΑΝΤΑΣ)

Port principal et « cœur » de l'île, dominé par une colline sur les flancs desquels s'étagent, jusqu'à la rade bordée de commerces et de tamaris, des constructions pas toujours très belles. En regardant la mer, vous verrez sur la droite, à 300 m du port, la plage de *Lagada,* et à gauche, à 1 km du port, le quartier de Néo Chori, juste derrière la plage de *Papikinos.* Vous y trouverez chambres à louer, habitations diverses, pensions... Voir absolument l'*église d'Agia Triada* (XVIIe siècle) au centre, à 50 m du bord de mer, pour ses icônes rares et son architecture particulière : église à trois absides dominée par un toit voûté qui s'élève au-dessus du toit principal. Très jolie mosaïque dans la cour de l'église. Autre église intéressante, celle de *Kimissi Théotokou* (1868-1870), construite au sommet de la colline.

Adresses utiles

Attention : la poste, la police (☎ 22-87-02-13-78), une pharmacie et le centre médical ouvert en permanence (☎ 22-87-02-27-00 ou 01) se trouvent à Plaka.

🛈 *Office du tourisme municipal :* sur le port. ☎ 22-87-02-24-45. ● www.milos-island.gr ● Distribue une brochure dans laquelle vous trouverez répertoriées toutes les chambres chez l'habitant de l'île (avec une carte les localisant), les horaires de bus et une rapide présentation des choses à voir ou à faire. Bon accueil.

■ *Capitainerie :* ☎ 22-87-02-21-00.

■ *Banques :* on en trouve plusieurs avec distributeurs automatiques sur le port.

■ *Médecin (urgences) :* ☎ 22-87-02-17-55. Ouvert du lundi au vendredi de 8 h 30 à 14 h (11 h le mardi). Si vous en avez la possibilité, préférez le centre médical de Plaka ouvert 24 h/24.

■ *Pharmacie :* dans la rue en direction de Plaka. ☎ 22-87-02-21-78.

◙ *Internet :* *Internet Info,* dans la rue en direction de Plaka, à droite juste après la *Banque Agricole de Grèce* qui fait l'angle. Ouvert de 11 h à 14 h et de 17 h à minuit. Bon service. Compter environ 3 € pour une demi-heure de connexion.

■ *Presse étrangère :* dans la petite boutique sur le port, juste à côté du resto *Kynigos.*

■ *Olympic Airlines :* 11, odos Plakas. ☎ 22-87-02-23-80.

■ *Taxis :* ☎ 22-87-02-22-19. La station de taxis se trouve sur le port, à côté de l'arrêt de bus.

■ *Billets de bateaux :* *Pirounakis Tours (Milos Travel),* ☎ 22-87-02-22-00. Fax : 22-87-02-26-88. ● www.milostravel.gr ●

■ *Location de voitures et de deux-roues :* *Tomaso Rent a Car.* Deux agences : l'une sur le port et l'autre sur la route bordant la mer en direction de Néo Chori. ☎ 22-87-02-37-00. Fax : 22-87-02-38-00. ● www.tomaso.gr ● Elles proposent des voitures très bien entretenues. *Kozzmos,* peu après le port, à gauche sur la route de Néo Chori. ☎ 22-87-02-80-36 ou 40. Location de voitures et deux-roues (avec ou sans moteur). Accueil sympa. En août, compter environ 20 € par jour pour la location d'un scooter et 50 € pour une petite voiture. Tarifs jusqu'à 50 % moins cher en dehors de cette période. Quel que soit le loueur, faites particulièrement attention au contrat proposé. En général, les dégâts éventuels occasionnés par la conduite sur piste ne sont pas couverts par l'assurance (et vous pourrez difficilement éviter les pistes à Milos).

■ *Stations-service :* 5 stations-service sur l'île et à proximité d'Adamas. La 1re se trouve à Néo Chori, 2 autres sont sur la route principale d'Adamas à Plaka, et les 2 dernières sur la route entre Adamas et Pollonia.

🚌 *Arrêt de bus :* à la sortie du port, près de l'hôtel *Portiani.* En saison, bonne couverture de l'île et ses plages, et les bus sont assez fréquents. 4 lignes fonctionnent toute l'année (notamment celles pour Pollonia et Plaka). Une ligne dessert Sarakiniko en juillet et août uniquement.

■ *Îles Cyclades Travel :* peut vous aider à réserver une location sur Milos. ● www.iles-cyclades.com ● Voir plus loin le chapitre sur Paros, à Marpissa.

Où dormir ?

Bon nombre d'adresses citées ci-dessous viennent cueillir le client à la descente du bateau et vous trouverez à votre arrivée une volée de camionnettes arborant le nom des différents établissements. Comme d'habitude, les prix varient monstrueusement selon l'époque et la demande (et donc certaines de nos adresses « Prix moyens » et « Chic » deviennent « Bon marché »).

Dans le centre

De prix moyens à plus chic

🛏 *Tilemachos :* ☎ 22-87-02-21-60. Fax : 22-87-02-34-03. ● www.tilemachos-rooms.gr ● À 150 m de la mer. | Longer le front de mer vers Néo Chori et prendre la rue à gauche, juste après le pont sous lequel rien ne coule. Doubles de 25 à 53 €, selon la saison, avec AC, salle de bains, frigo et balcon. Maison proposant de petites chambres doubles et des studios pour 4 personnes respirant le neuf et entourant une jolie terrasse ombragée et un jardin tout fleuri. Atmosphère familiale et détendue. Au calme.

🛏 *Hôtel Semiramis :* ☎ 22-87-02-21-17 et 18. Fax : 22-87-02-21-18. ● argyreas89@hol.gr ● Prendre la route en direction de Plaka ; l'hôtel se trouve dans une ruelle à sens unique sur la gauche. Ouvert à l'année. Selon la saison, de 40 à 63 € la chambre double avec AC. Un petit hôtel familial à l'allure un peu vieillotte, mais aux chambres très propres et agréables, avec une terrasse ombragée par une tonnelle couverte de plantes grimpantes. Bon accueil. Il y a aussi une annexe *(Dionysis)* avec 7 studios neufs et spacieux entre 44 et 73 € selon la saison. Cartes de paiement acceptées

au *Dionysis* (mais prix majoré) et refusées au *Sémiramis*.

🛏 *Chambres et studios Giorgos Mallis :* derrière l'église. ☎ 22-87-02-26-12. Chambres doubles et studios de 30 à 60 €, selon la saison. Agréable petit complexe sur deux niveaux proposant des chambres spacieuses avec AC, frigo et salle de bains. La plupart d'entre elles disposent d'une kitchenette, demandez donc celles-ci de préférence (le prix restant le même). Bon accueil.

🛏 *Aeolis Hotel :* ☎ 22-87-02-39-85. Fax : 22-87-02-11-14. ● www.aeolis-hotel.com ● À 200 m de la mer. Longer le front de mer vers Néo Chori et prendre la rue à gauche juste après ce fameux pont sous lequel rien ne coule. Prix pour 2 de 35 à 76 €, selon la saison. Vastes studios pour 2 à 4 personnes aux meubles dans des teintes vert bleuté avec AC, balcon, salle de bains et kitchenette. Un ensemble hospitalier qui respire le propre et le neuf.

À Néo Chori

De prix moyens à plus chic

🛏 *Chambres chez Anna Makrinou :* ☎ 22-87-02-20-58. À la limite entre Néo Chori et Adamas. Longer le front de mer sur 500 m et remonter la ruelle à sens unique après le supermarché *Sifis*. En arrivant à la taverne *Zygos,* prendre la rue sur la droite. Ouvert d'avril à fin octobre. Réservation possible auprès d'*Îles Cyclades Travel* (voir chapitre sur Paros, à Marpissa). Chambres doubles de 30 à 50 €. À peine plus cher pour 3 personnes. Sept chambres avec douche, w.-c. et vue sur la baie. Bon accueil.

🛏 *Chambres chez Christos et*

Giorgos (annexe des chambres Anna Makrinou) : à Néo Chori. Tout près de la route qui longe la plage de Papakinou. Compter de 32 à 58 € pour une chambre double et de 36 à 63 € pour un studio pour deux. Chambres plutôt coquettes, spacieuses et confortables avec frigo, TV et AC.

🛏 *Pension Soulis :* ☎ 22-87-02-24-50. À côté de la maison *Anna Makrinou.* De 20 à 50 € la double avec douche, frigo et AC (un peu moins cher en haute saison pour des chambres sans AC). Ensemble propre, accueil plutôt sympa, mais environnement pas extraordinaire.

Où manger ? Où boire un verre ?

🍴 *Zygos :* ☎ 22-87-02-31-20. À la limite entre Néo Chori et Adamas. Longer le front de mer sur 500 m et remonter la ruelle à sens unique après le supermarché *Sifis*. Compter

environ 10 €. Une taverne typique, à l'écart de l'agitation du port, où l'on va choisir ses plats en cuisine. Repas peu onéreux, bon et copieux.

🍴 *Kynigos :* sur le port. ☎ 22-87-

02-23-49. Compter entre 12 et 15 € le repas. Une adresse aux prix raisonnables, à la cuisine tout à fait respectable et servie généreusement. Carte variée. Terrasse pervenche très agréable et au cœur de l'activité touristique de la ville. Service sympa mais parfois débordé en période de grosse affluence.

|●| *Taverne Kyma :* au bord de la mer en direction de Néo Chori. ☎ 22-87-02-25-22. Compter de 12 à 17 €, selon votre appétit et vos envies (les mangeurs de pâtes et de pizza s'en sortiront beaucoup mieux que les amateurs de viande ou mets plus raffinés). Si la simple pensée d'une nouvelle *moussaka* ou d'une salade grecque vous soulève le cœur, cette adresse est pour vous : la maison, orientée vers la cuisine italienne, propose de tout, du petit déjeuner au dîner en passant par les glaces et les cafés. Ambiance tendance jeune et branchée, et terrasse au bord de l'eau plutôt sympa. Quant aux plats, on vous recommande chaudement les pâtes : elles sont délicieuses et les portions idéales pour combler les plus gloutons d'entre vous.

🍸 *Café-bar Akri :* il domine le port. Belle terrasse et cadre très sympa, bien que l'ambiance musicale ne soit pas toujours très reposante et propice aux discussions. Jus de fruits frais et bons cocktails.

À voir. À faire

🎦🎦 *Le musée de la Mine :* à Néo Chori, face à la mer (bâtiment avec les wagonnets devant). Ouvert tous les jours en été, de 10 h à 14 h et de 18 h 30 à 21 h 30 ; ouvert du mercredi au dimanche le reste de l'année, de 8 h à 14 h. Entrée libre. Très beau musée présentant les différents minéraux et minerais de Milos et la vie dans les mines. Film au sous-sol avec interview des hommes et des femmes ayant travaillé à la mine. Tous les textes sont traduits en anglais, le film également (sous-titré).

➤ *Spa :* juste à côté de l'office du tourisme, au pied de la falaise, possibilité pour environ 2 € de tester les sources thermales chaudes en faisant trempette dans une baignoire naturelle. Ouvert uniquement en été.

➤ *Le tour de Milos en bateau :* départ du port d'Adamas vers 9 h, retour vers 18 h 30. Compter environ 20 € par personne. Un peu onéreux pour un budget routard, mais mérite vraiment d'être fait. Quelques longs arrêts pour nager sur des plages uniquement accessibles en bateau, pause déjeuner sur l'île de Kimolos, vues superbes sur les roches volcaniques noires juxtaposées à des strates de kaolin blanc et de basalte, des falaises colorées et accès à des petites criques où se cachaient autrefois les bateaux de pirates, telle que Kleftiko.

Les deux sites suivants, *Sikia* et *Kleftiko,* ne sont accessibles qu'en bateau. Se renseigner au port où vous trouverez moult compagnies proposant différents itinéraires et prestations.

🎦🎦 *Sikia* (Συκια) *:* immense grotte sous-marine (110 x 70 x 30 m), dont la voûte s'est partiellement effondrée, créant ainsi des effets de lumière superbes.

🎦🎦🎦 *Kleftiko* (Κλεφτικο) *:* ancien repaire de pirates avec des rochers blancs, composés de cendres volcaniques (beaucoup de pierre ponce). Notez leurs formes étranges, érodées par les vents et les vagues, surgissant des eaux de couleur vert émeraude. Magnifique. Site visité lors du tour de Milos en bateau.

LE NORD DE L'ÎLE DE MILOS

KLIMA (ΚΛΗΜΑ)

À 30 mn à pied de l'arrêt de bus de Tripiti. Tapi derrière ses jardins et vergers, on découvre ce ravissant petit port de pêche aux couleurs vives, composé de minuscules maisons à deux ou trois niveaux et dont le rez-de-chaussée est occupé par des garages à bateaux, creusés dans la roche (on les appelle des *suimatas*). Peu de chambres chez l'habitant.

Où dormir à Klima ?

🛏 *Panorama :* ☎ 22-87-02-16-23. Fax : 22-87-02-21-12. Compter de 38 à 62 € pour une chambre double. Petit hôtel familial d'une dizaine de chambres, plutôt petites mais propres et toutes avec douche, w.-c., frigo, AC et balcon. En hauteur, face au golfe, à l'écart du bruit et avec une jolie vue sur la mer et les jardins au pied (très chouette quand le soleil se couche). On peut y manger aussi (un peu cher).

Où manger à Tripiti ?

|●| *Taverne Ergyna :* dans le centre de Tripiti. ☎ 22-87-02-25-24. Ouvert de juin à septembre, le soir seulement. Compter entre 12 et 18 € par personne. Cuisine régionale originale et délicieuse, offrant un large choix de spécialités. Superbe vue sur le golfe depuis la terrasse. Accueil charmant et bon rapport qualité-prix. Très fréquenté, réservation conseillée en saison et le week-end.
|●| *Ouzeri Méthisméni Politia :* ☎ 22-87-02-31-00. Sur la route de Tripiti aux catacombes. Ouvert de Pâques à septembre. Compter de 10 à 15 € pour un repas. Joli cadre et belle vue sur le golfe. Bon accueil. Délicieux *mezze* et plats classiques ou locaux également. Les parts sont copieuses.

À voir. À faire

🕯 *Les catacombes :* près de Klima. Ouvert de 8 h 30 à 13 h sauf le lundi. On ne le dirait pas, mais ce sont les plus importantes connues après celles de Rome. 185 m de longueur. Les chrétiens s'y réfugiaient et y enterraient leurs morts. Une minuscule partie se visite, le reste est fermé. Elles datent des IIIe et IVe siècles apr. J.-C. Seule une petite partie est ouverte au public. Assez peu intéressant en fait. Près des catacombes, prendre le sentier qui vous mènera aux ruines d'un *théâtre romain* (IIe siècle av. J.-C.) dans un site superbe. Et c'est tout près qu'on a découvert en 1820 « notre » fameuse *Vénus* (ou plutôt Aphrodite pour les Grecs).

➤ *Balade :* montez jusqu'à la chapelle blanche qui domine la mer près des catacombes. Ensuite, grimpette jusqu'à Plaka par des petits sentiers et continuez jusqu'à la chapelle du *kastro* d'où vous aurez un panorama fabuleux. Au pied du *kastro*, petit chemin qui descend en 45 mn à *Fourkovouni*, un petit hameau de pêcheurs très pittoresque avec ses garages à bateaux.

PLAKA (ΠΛΑΚΑ)

Chef-lieu de l'île. C'est un village perché, dominé par un *kastro* d'où part un labyrinthe de petites ruelles tortueuses et dallées. La vue sur la mer Égée et les villages de Tripiti et Triovassalos est superbe. Il ne faut surtout pas manquer le coucher de soleil. Seul regret, Plaka est devenu trop touristique. Nombreuses *tavernes*.

À voir : l'église de *Korfiatissa* (1810), construite au bord d'une falaise abrupte ; le *Musée archéologique* qui renferme quelques trouvailles intéressantes, datant du néolithique jusqu'à l'époque contemporaine (ouvert du mardi au dimanche de 8 h 30 à 15 h ; entrée : 3 €) ; le *musée d'Arts populaires* (juste à côté de l'église de Korfiatissa ; ouvert du mardi au samedi en saison, de 10 h à 14 h et de 18 h à 21 h). La visite est très intéressante car le musée retrace la vie des habitants de l'île du XVIIIᵉ siècle à nos jours ; meubles anciens, broderies.

Dans les environs de Plaka, il faut voir, dans un décor de cendres et de lave, *Mandrakia* et surtout *Firopotamos,* petits hameaux bien protégés des vents. Quant à la plage de *Platienia,* si le site et les eaux sont magnifiques, on regrette que la plage elle-même soit plus ou moins propre.

À voir encore au nord de l'île

🐾🐾 *Sarakiniko* (Σαρακινικο) : prendre la route de Triovassalos à Pollonia d'où Sarakiniko est indiqué. Paysage d'une très grande beauté : curieux rochers « sculptés », tout blancs, qui émergent de l'eau. Véritable paysage lunaire. Site desservi par les bus, uniquement en été.

POLLONIA (ΠΟΛΛΩΝΙΑ) *ou APOLLONIA* (ΑΠΟΛΛΩΝΙΑ)

À 12 km d'Adamas, au nord-est de l'île. Station de villégiature très prisée des Grecs, construite autour d'une grande baie bordée d'une longue plage de sable abritée de tamaris. Sur la droite, le petit port de pêche avec ses tavernes et cafés est plutôt sympathique. Mais c'est le quartier de Pélékouda, sur la gauche, qui concentre la majorité des chambres et des appartements à louer. Si l'endroit en lui-même manque de charme à cause des villas à louer plantées ici et là, les criques très rocheuses qui le bordent offrent une vue enchanteresse et une atmosphère reposante. Club de plongée.

Info utile

■ *Axios Rent a Car :* ☎ et fax : 22-87-04-12-34. Bons prix. Compter environ 50 € la location d'une voiture pour une journée en plein mois d'août (possibilité de réserver), tarif dégressif pour une location de plusieurs jours et beaucoup moins onéreux aux intersaisons. Véhicules neufs et impeccables, et patron (un Anglais) arrangeant et honnête.

Où dormir ?

Dans le quartier de Pélékouda (Πελεκουδα)

🛏 *Studios Andréas :* sur un promontoire rocheux avec triple vue sur la mer ; bien indiqué. ☎ 22-87-04-12-62. Ouvert d'avril à fin octobre. Réservations possibles chez *Îles Cyclades Travel,* à Marpissa (île de Paros). De 30 à 70 € le studio pour 2 personnes. Studios non climatisés pour 2 ou 4 personnes. Bon accueil. Andréas offre des légumes frais à ses clients et organise des excursions vers les îles voisines.

🛏 *Soultana :* ☎ 22-87-04-13-46. Fax : 22-87-04-12-40. Compter environ de 28 à 55 € la chambre double selon la saison ; tarifs négociables sur la durée. Ensemble fleuri et bien entretenu, géré par une patronne accueillante. Chambres petites mais agréables et confortables. Également des appartements pour 4 personnes dont le prix est le double de celui des chambres. Attention, des problèmes avec les réservations parfois.

🛏 *Astrofeggia :* ☎ 22-87-04-13-96. Ouvert d'avril à fin octobre. Réservations possibles chez *Îles Cyclades Travel,* à Marpissa (île de Paros). Chambres doubles de 40 à 85 € selon la saison et studios de 45 à 90 €. Studios et chambres avec vue panoramique sur la mer. Tous sont climatisés. Excellent service et très propre.

🛏 **Vourakis :** ☎ 22-87-04-11-11. Ouvert d'avril à mi-octobre. Réservations possibles chez *Îles Cyclades Travel*, à Marpissa (île de Paros). Dans deux petits bâtiments d'architecture traditionnelle, une dizaine de studios (pour 2, 3 et 4 personnes) et 1 appartement qui peut loger jusqu'à 4 personnes avec belles petites terrasses privatives ombragées. Compter de 42 à 85 € pour les studios 2 personnes et de 75 à 140 € pour l'appartement. Cher mais très bon niveau de confort, AC, TV et loge-

ments vraiment sympas. Autour, joli jardin fleuri avec barbecue.

🛏 **Villa Sosanna :** ☎ 22-87-04-13-82. Réservations chez *Îles Cyclades Travel*, à Marpissa (île de Paros). Pour une chambre double avec vue, compter de 45 à 65 € (un peu moins cher sans la vue) et à peu près le double pour un appartement pour 4 personnes. Dans une imposante résidence, bâtie sur deux niveaux et à quelques pas de la mer. Grandes chambres lumineuses offrant un bon niveau de confort. Possibilité de louer tout le rez-de-chaussée, soit l'appartement et deux chambres, pour 8 à 10 personnes.

Derrière le port

🛏 **Kostantakis Studios :** en arrivant sur la plage d'Apollonia, remonter la route sur la droite. ☎ 22-87-04-13-57. Fax : 22-87-04-1-00. • ire nal@otenet.gr • Studios pour 2 à 3 personnes de 35 à 75 €. À l'écart du village, cette petite oasis toute fleurie avec vue au loin sur la mer propose des petits studios, tous légèrement différents. Ils ont en commun d'être coquets, vraiment agréables, bien équipés (salle de bains, AC et kitchenette), de plain pied et de disposer d'une terrasse privative avec un élégant salon de jardin. Bref, bien que dans une zone un peu déserte et relativement éloignée de la mer, cette adresse

s'avère vraiment charmante et de qualité. Accueil agréable et détail sympa : la maîtresse des lieux parle le français.

🛏 **Chambres Malli Korina :** en arrivant sur la plage d'Apollonia, remonter la route sur la droite. ☎ 22-87-04-12-09. Fax : 22-87-04-14-62. • korinasrooms@yahoo.gr • Chambres doubles de 25 à 50 €, selon la saison. Une dizaine de petites chambres très sommaires mais avec salle de bains, AC, frigo et balcon. Relativement propre mais bruyant en été, car au bord de la route. Une adresse tout à fait acceptable pour les petits budgets et à 100 m de la plage et du village.

Où manger ?

🍴 **Taverne Apanémia :** à la sortie d'Apollonia, à 150 m du port, sur la route d'Adamas. *Mezze* sympa-

thiques, grillades de poisson et de viande. Accueil sympa. Très fréquenté, ne pas arriver trop tard.

À voir dans les environs

⌓ Aux alentours d'Apollonia, belles *plages* à *Mytakas* et *Agia Irini*.

🎣 **Agios Konstantinos** *(Αγιος Κωνσταντινος)* : d'un côté de l'église vous trouverez quelques garages à bateaux et de l'autre côté la plage de petits cailloux aux belles eaux, mais au rivage hélas relativement parsemé de déchets. Attention, le chemin rocheux qui mène de l'église à la plage est extrêmement bosselé (au cas où vous seriez un routard motorisé...).

🎣🎣 **Glaronissia** *(Γλαρονησια)* : spectacle impressionnant que de voir ces énormes blocs verticaux de basalte à facettes hexagonales qui surgissent de l'eau à 20 m de hauteur. Certains bateaux peuvent vous y emmener du port d'Adamas.

🎌🎌 *Papafrangas* (Παπαφραγκας) : belle gorge formée par un bassin naturel encaissé entre deux parois rocheuses, qui dispose de trois grottes sous-marines créées par la mer. L'accès « terrestre » aux grottes elles-mêmes étant désormais interdit, on peut soit les admirer d'en haut, soit – pour les plus courageux – les atteindre à la nage depuis la crique voisine (à 200 m au sud-ouest par la route). Très beau site complété par les blocs fantasmagoriques de Glaronissia qui surgissent de l'eau juste en face des grottes.

🎌 *Le site préhistorique de Phylakopi* (Φυλακωπη) : à 3 km de Pollonia et juste à côté des grottes de Papafrangas. Quelques ruines de trois villes successives du cycladique ancien, moyen et de l'époque mycénienne. À l'origine, c'était une colonie chinoise (minoenne).

🎌🎌 *Kimolos* (Κιμωλος) : une petite île satellite de Milos, habitée par 750 habitants, dont les falaises crayeuses sont exploitées pour leur terre calcaire et savonneuse. Un service de bac est assuré depuis Pollonia entre juin et septembre. En juin, juillet et août, environ 4 départs aller-retour par jour et 3 en septembre. Prix : environ 2 € par passager. Cependant, ces bacs ne partent que si le temps le permet. Une liaison régulière et quotidienne est assurée par un ferry au départ du port d'Adamas (environ 5 € par tête). Par ailleurs, *le tour de l'île en bateau* fait normalement escale à Kimolos pour le déjeuner. Curieux paysages constitués de roches dures creusées d'anfractuosités, en alternance avec des falaises aux parois tendres, bordées par des eaux d'une couleur bleu turquoise. La capitale, *Chora*, à 2 km du port, avec son quartier ancien autour du *kastro* à demi abandonné, ses rues étroites et ses vieilles églises. À Kimolos, autobus desservant quelques plages et le village.

LE SUD DE L'ÎLE DE MILOS

C'est là que se trouvent les plus belles plages.

◿ *Paliochori* (Παλιοχωρι) : à 10 km d'Adamas, prendre la route en direction de Zéfiria, puis tourner à droite en direction de Paliochori. Superbe plage entourée de falaises jaune, vert et rouge. Les eaux y sont plus chaudes qu'ailleurs en raison de sources marines. Attention aux courants, on perd vite pied ! Quelques chambres à louer. Plusieurs tavernes. On nous a dit du bien de la *Taverne Artémis*, qui loue aussi des chambres. Malheureusement, une fois de plus, les constructions finissent par dénaturer le site.

◿ *Agia Kyriaki* (Αγια Κυριακη) : de Zéfiria, prendre la direction de Paliochori, puis prendre la piste à droite. Longue plage alternant sable fin et petits galets tout blancs, très belles eaux.

◿ *Tsigrado* (Τσιγκραδο) : aller jusqu'à Achivadolimni, puis prendre la direction de Provatas ; emprunter à gauche la bifurcation pour Tsigrado, puis tourner encore à gauche. À éviter si vous sentez vos jambes d'humeur paresseuse ou avec des enfants en bas âge qui risqueraient d'être dégoûtés à vie des dunes de sable : si la descente vers cette superbe crique n'est pas trop difficile, bien que très pentue, le retour en revanche est vraiment ardu (la dune de sable étant presque à la verticale). Au fait ! n'attendez pas d'être en bas pour réaliser que vous avez oublié l'eau (indispensable) et de quoi grignoter (indispensable et agréable !)...

◿ *Firiplaka* (Φυριπλακα) : même direction que précédemment, mais après avoir pris la bifurcation pour Tsigrado, tourner à droite. Si la première partie de la plage fait un peu club avec son bar, son alignement de transats et ses parasols, la seconde, elle, est splendide : plage de sable fin argent dominée par des falaises aux couleurs incroyables. On se croirait dans un univers à la

Jules Verne. Les eaux de couleur turquoise vif y sont sublimes et peu profondes ! Pas un poil d'ombre, en revanche. Nudisme toléré.

➤ *Provatas* (Προβατας) : petites criques de sable fin et doré, entourées de falaises colorées. Quelques chambres et studios à louer.

➤ *Achivadolimni* (Αχιβαδολιμνη) : la plus grande plage de l'île en longueur. Du sable mais pas très propre. Elle tire son nom de gros coquillages qui se trouvaient dans le lac salé juste derrière la plage. La couleur des eaux, peu profondes, y est absolument étonnante, passant par toute la gamme des bleus.

⊼ *Camping Milos Achivadolimni :* situé à 7 km du port d'Adamas (arrêt de bus devant l'entrée du camping), à Achivadolimni. ☎ 22-87-03-14-10 ou 11. Fax : 22-87-03-14-12. • www. miloscamping.gr • À 300 m de la plage (accès par un sentier). Ouvert de mai à octobre. En haute saison, compter environ 16 € pour 2 personnes et une tente. Des pergolas font de l'ombre aux tentes et la vue y est très belle. Camping bien équipé (lingerie, cuisine, bar et restaurant – malheureusement médiocre, mieux vaut donc prévoir son ravitaillement), mais genre usine à touristes en pleine saison. En été, on s'y entasse vraiment, et encore le mot est faible. Musique techno à revendre. Il faut vraiment beaucoup de bonne volonté pour rester... Faut dire qu'il n'y a pas d'autre camping sur l'île ! Loue aussi des bungalows (2 ou 4 personnes), mais prix un peu élevés. Desservi par les bus et navette depuis le port. Location de scooters. Cartes de paiement refusées.

LE SUD-OUEST DE L'ÎLE DE MILOS

Cette région est connue sous le nom d'*Halakas* (du nom du sommet qui culmine à 748 m). Elle est montagneuse et boisée par endroits.

🗡 *Le monastère Agios Ioannis Sithérianos :* date de 1582. Renferme des documents anciens racontant tous les miracles de ce saint. Grande fête patronale le 25 septembre. En continuant vers la mer, jolie plage.

➤ Prendre la route d'Achivadolimni à Emborios : belles *plages de Fatourénas, Rivari, Emborios.*

|◉| ⌂ *Taverne Manolis Koliarakis :* à Emborios. ☎ 22-87-02-13-89. • http://hellasislands.gr/milos/emborios • Suivre la direction d'Emborios puis les indications. Ouvert midi et soir. Repas à environ 10 €. Le repas se mérite puisque seule une piste cahoteuse de 4 km mène à cette adresse. Jusqu'au bout on se demande si le chemin mène vraiment quelque part. Eh bien oui, on arrive à cette fort sympathique taverne du bout du monde avec sa petite terrasse les pieds dans l'eau et toute une famille qui s'active pour vous servir. Bonne cuisine, simple, fraîche, traditionnelle et généreuse. La maison loue également à l'étage quelques chambres doubles, lilliputiennes mais mignonnettes. Compter environ 40 € pour 2 personnes, quelle que soit la saison. Éviter cependant de vous y rendre de nuit : on le répète, la route n'est pas toujours très bonne et, surtout, votre périple pourrait bien se terminer en plongée motorisée...

QUITTER L'ÎLE DE MILOS

Les destinations sont les mêmes que pour l'arrivée. Voir « Comment y aller ? ».

LES CYCLADES CENTRALES

SYROS (ΣΥΡΟΣ)
24 000 hab.

Syros, entre Kythnos et Mykonos, est le chef-lieu des Cyclades. Elle a une superficie de 96 km² et un périmètre côtier de 87 km. Bien qu'assez peu touristique (tourisme grec essentiellement), c'est la plaque tournante des Cyclades, car la plupart des bateaux qui les desservent y font escale.
Île au riche passé, comme en témoignent les monuments, île aux paysages verdoyants et aux belles plages, elle offre aux visiteurs plusieurs facettes qui font qu'elle mérite vraiment qu'on s'y arrête.

UN PEU D'HISTOIRE

L'île fut habitée dès le néolithique, puis plus tard, tour à tour, par les Phéniciens et les Ioniens. Sous la domination romaine, l'île connut une grande prospérité. En 1207, elle fut comprise dans le duché de Naxos administré par les Vénitiens, puis tomba aux mains des Turcs en 1537. Pendant longtemps, Syros servit de refuge à de nombreux catholiques des îles voisines et devint le bastion du catholicisme dans la mer Égée, grâce à la protection des rois de France qui, implantés sur place par l'intermédiaire des capucins et des jésuites, avaient négocié des privilèges pour la population. De nos jours, elle concentre 45 % des catholiques grecs. Le XIXᵉ siècle marqua sa grande période de gloire, en tant que plus grand centre naval et commercial de la Grèce, jusqu'à l'ouverture du canal de Corinthe qui favorisa l'essor du Pirée et précipita le déclin d'Ermoupolis. Après 1821, la population de l'île a brusquement augmenté, de nombreux réfugiés en provenance de Chios, Kassos ou Psara venant s'installer dans cette île qui, vu son statut particulier, resta dans un premier temps étrangère à la guerre gréco-turque. Son excellent port et une tradition déjà ancienne d'échanges avec l'Occident ont aidé au développement très rapide d'Ermoupolis, faisant de ce port le plus important de l'ensemble de la Méditerranée orientale. En 1889, au sommet de sa puissance économique, l'île totalisait 31 500 habitants.

Comment y aller ?

En ferry ou en bateau rapide

➤ **Du Pirée :** plusieurs liaisons quotidiennes (plus nombreuses en été). Durée du trajet : 4 h en ferry. En *High Speed*, 2 h 30.
➤ **De nombreuses Cyclades :** en tant que « capitale » régionale, Syros reste une plaque tournante pour le trafic maritime. Il est également possible de s'y rendre depuis certaines *îles du Dodécanèse* (Rhodes, Kos et Patmos plusieurs fois par semaine, Kalymnos, Astypaléa, Symi, Tilos et Nyssiros une fois par semaine), ainsi que depuis certaines *îles de la mer Égée* (Samos, Lesbos et Chios).

En avion

✈ **L'aéroport** est au sud-est d'Ermoupolis. ☎ 22-81-08-70-25.
➤ **D'Athènes :** 3 à 4 liaisons par semaine. Durée du trajet : environ 30 mn.

ERMOUPOLIS *(ΕΡΜΟΥΠΟΛΙΣ ; 19 000 hab.)*

Capitale administrative des Cyclades, elle en est aussi la ville la plus importante, réputée pour ses spécialités gastronomiques : entre autres, excellents fromages locaux, *loukoums* et nougat. Une vraie ville : elle concentre les deux tiers de la population de l'île.

Ne vous laissez pas dérouter, à votre arrivée au port, par la vue du chantier naval ou celle des entrepôts, la ville vous réserve de très belles surprises et vous replongera dans une autre époque. En fait, Ermoupolis est composée de plusieurs unités totalement différentes : la ville basse, le port, créations du XIXe siècle, avec de nombreux témoignages de l'architecture néoclassique, et deux collines jumelles, *Anastassi* (Résurrection), aussi appelée *Vrondado,* qui est le quartier orthodoxe, et *Ano Syros* (quartier catholique), sur la colline Saint-Georges, typique de l'architecture cycladique.

Adresses utiles

✉ *Poste :* 1re rue en partant du pont sur la droite.
■ *Capitainerie :* ☎ 22-81-08-88-88 et 26-90.
■ *Agence consulaire de France :* M. Georges Evripiotis, 69, odos Stam. Proiou. ☎ et fax : 22-81-08-09-14. Portable : ☎ 69-37-32-16-22. ● artion@syr.forthnet.gr ●
■ *Agence Teamwork :* ☎ 22-81-08-34-00. Fax : 22-81-08-35-08. ● www.teamwork.gr ● Sur le port. Agence compétente. Accueil francophone. Location de voitures et de chambres ou d'appartements. Billetterie. Change.
🚌 *Gare routière :* les bus partent du port. ☎ 22-81-08-25-75. Nombreux départs (en saison, 1 départ toutes les 30 mn vers les villages du Sud).

■ *Billets pour les bateaux rapides et les ferries :* Gaviotis Tours. ☎ 22-81-08-62-44.
■ *Presse étrangère :* sur le port, en allant vers l'hôtel *Hermès.*
◙ *Net Café :* pl. Miaoulis, sous la mairie, à gauche. ☎ 22-81-08-53-30. Six ordinateurs dans une salle surchauffée à côté de la salle de billard. Sur le port, *Computer Explorers,* 12, Ethnikis Antistassis (à l'étage). ☎ 22-81-08-16-53.
■ *Olympic Airlines :* chez l'agent de voyages qui est juste en face du débarcadère des ferries. ☎ 22-81-08-26-34 et 80-18. Si vous devez prendre l'avion, des navettes gratuites vous conduisent à l'aéroport.
■ *Hôpital :* au sud d'Ermoupolis, au début de la route pour Kini. ☎ 22-81-09-65-00 ou le 166.

Où dormir ?

Il est très difficile de trouver des chambres le week-end, car c'est une destination très prisée des Athéniens. La conséquence de cette fréquentation est que les chambres ne sont pas vraiment bon marché. En dehors du mois d'août, on peut négocier.

De prix moyens à plus chic

🛏 *Rooms Kastro :* 12, odos Kaloménopoulou. ☎ 22-81-08-80-64 et 69-32-85-04-01 (portable). Entre le port et le quartier Vaporia. Double à environ 50 € en juillet et août (50 % de réduction hors saison). Pas de petit déjeuner. Sept chambres dans un ancien petit palais. Frigo dans les chambres, petite cour agréable, patron particulièrement sympa, qui donne parfois des petits concerts de *bouzouki.*
🛏 *Rooms Marina :* 15, odos Petrokokkinou ; tout près du marché de la rue de Chios. ☎ 22-81-08-29-40 ou 68-24 ou encore ☎ 69-32-20-94-33

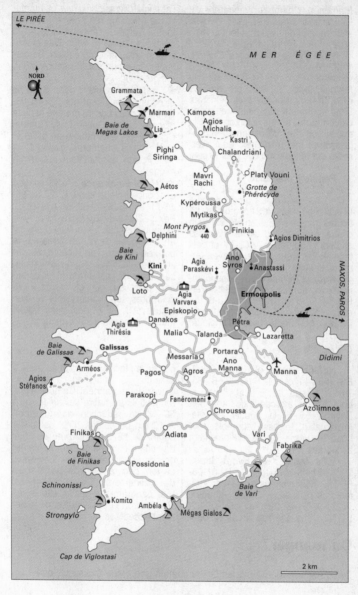

LE PIRÉE

MER ÉGÉE

NORD

Grammata

Marmari   Kampos
Lia   Agios
Baie de   Michalis
Megas Lakos   Kastri

Pighi   Chalandriani
Siringa
                              Platy Vouni
Aétos   Mavri
              Rachi   Grotte de
                              Phérécyde
           Kypéroussa

           Mytikas
Mont Pyrgos   Finikia
Delphini   440
                                   Agios Dimitrios

Baie
de Kini
                Agia   Ano
        Kini   Paraskévi   Syros   Anastassi

Loto   Agia   Ermoupolis
                Varvara
              Episkopio
              Danakos   Pétra
    Agia
    Thirésia   Malia   Talanda
                                   Lazaretta
Baie
de Galissas   Galissas   Messaria   Portara
                                   Ano   Didimi
    Arméos   Pagos   Agros   Manna
Agios   Manna
Stéfanos   Parakopi   Fanéroméni
                                   Chroussa   Azolimnos

    Finikas   Vari
        Baie   Adiata   Fabrika
    de Finikas
              Possidonia

Schinonissi   Baie
                                   de Vari
           Komito   Ambéla
Strongylo   Mégas Gialos

Cap de Viglostasi

2 km

L'ÎLE DE SYROS

(portable). Chambres modernes et lumineuses à prix très raisonnables, sauf en août où elles montent jusqu'à 50 € minimum. AC, frigo et TV.

🏠 *Villa Sylvia :* 42, odos Omirou. ☎ 22-81-08-10-81 et 69-37-57-03-60 (portable). Fax : 22-81-08-71-89. Du marché (odos Chiou), prendre les rues Pétrokokkinou puis Omirou. Située dans une rue piétonne calme. Ouvert toute l'année. Environ 60 € la double en été. Jolie demeure néo-classique, meublée avec goût. Terrasse sur le toit avec vue pour le petit déjeuner.

🏠 *Pension Paradise :* 20, odos Petrokokkinou. ☎ 22-81-08-32-04. Fax : 22-81-08-17-54. Du port, prendre la rue Hiou, puis la 3e à gauche. La double grimpe à 65 € en été. En plein centre, une pension calme, avec des chambres agréables. AC, TV et petit frigo. Petite cour intérieure avec terrasse et tables sur le toit.

🏠 *Rooms Pefkakia :* 1, odos Gym-nastiriou, donnant sur la place Per-tezi. ☎ 22-81-08-80-95 ou 10-62 ou encore ☎ 69-32-84-32-22 (portable). Du port, prendre la ruelle à l'angle de l'agence *Olympic Airlines* et monter la rue I. Kosma (ça grimpe !). Ouvert toute l'année. Compter 65 € la double en juillet et août. Des chambres simples mais agréables. De certaines, jolie vue sur la baie. AC, TV, réfrigérateur.

🏠 *Asteria Rooms :* odos Syngrou et odos Abela. ☎ et fax : 22-81-08-52-55. À deux pas du marché et de la place Miaoulis. Ouvert toute l'année. Compter 65 € la double en juillet et août. Belles chambres avec AC et TV. Patron sympathique et dyna-mique.

🏠 *Hôtel Espérance :* Akti Papagou et 1, odos Folegandrou. ☎ 22-81-08-16-71 et 69-32-92-92-82 (portable). Fax : 22-81-08-57-07. De 65 à 75 € la double en été. La maison mère est un petit hôtel de 8 chambres sur le port, de construction récente dans le style néoclassique. Au rez-de-chaus-sée, salle de restaurant (petit déjeu-ner, plats du jour et *mezze*). Les chambres sont confortables et bien tenues. AC, TV et petit frigo. Également 2 annexes dans Ermoupolis.

Plus chic

🏠 *Hôtel Hermès :* pl. Kanari. ☎ 22-81-08-30-11 et 12. Fax : 22-81-08-74-12. Grand hôtel tout blanc, au bout du port, à droite le dos à la mer. Environ 85 € la double en été. Impeccable, terrasse agréable pour boire un verre. Cartes de paiement acceptées.

🏠 *Villa Maria :* 42, Hydra Street. ☎ 22-81-08-15-61. Fax : 22-81-08-65-36. Réservations : *Dasco*, 102, léoforos Kifissias, 11526 Athènes. ☎ 21-06-91-02-38. Fax : 21-06-91-51-42. Dans une rue située au-des-sus de la place Miaoulis et parallèle à celle-ci. 75 marches à monter ! Ouvert toute l'année. Compter envi-ron 110 € en haute saison (jusqu'à 50 % de réduction hors saison). À 10 mn du centre, hôtel particulier datant de 1873, transformé en hôtel de charme. Chambres, suites et grands appartements sur 3 niveaux. Le tout décoré avec un grand souci de raffinement. Excellent service. Vue panoramique sur la ville et les îles environnantes. Cartes de paie-ment acceptées.

Où manger ?

Syros est considérée par les Grecs comme une étape gastronomique.

Bon marché

🍴 Pour un repas sur le pouce, *souv-lakia* également, mais à emporter, sur odos Protopadaki *(To Maroulaki),* presque à l'angle d'odos Vénizélou, qui relie le port à la place Miaoulis. Les amateurs de poulpe grillé pour-ront aller au dernier café sur la gauche, sous les arcades, dos à l'hôtel de ville. Pour des feuilletés au fromage, aux épinards ou à la viande, faire une descente à *Thessalonikia,* 26, odos Parou (rue parallèle au port, près du marché).

Sur le port et le long du front de mer

Prix moyens

|●| *Taverne Psaropoula :* agréable taverne de poisson. Parmi les spécialités : *gouna* (maquereau en salaison séché au soleil et grillé ensuite), poulpe grillé, *skordalia* (sorte d'aïoli grec).

|●| *Restaurant Hermès :* attenant à l'hôtel *Hermès*. Compter 12 € minimum. Cuisine très honnête et portions copieuses.

En retrait du port

|●| *Taverne Nissiotopoula :* dos à la statue de Miaoulis, prendre la rue perpendiculaire qui lui fait face (Vénizélou), puis la 3ᵉ à gauche (odos Antiparou). ☎ 22-81-08-12-14. Compter entre 9 et 12 € pour un repas. Carte variée. Goûter à la saucisse de pays.

|●| *Stin Ithaki Tou Aï :* odos K. Stéfanou. ☎ 22-81-08-20-60. De la place Miaoulis, descendre Vénizélou, prendre la 1ʳᵉ à gauche et continuer jusqu'à une sorte de place. Environ 12 € le repas. Bon, ils auraient pu choisir un nom un peu plus simple pour cette taverne... Dans l'assiette, originalité moindre : c'est du classique, sans surprise mais très honorable.

|●| *Taverne Edelweiss (ex-Steki tou Louka) :* quartier Kaminia. Le soir uniquement. Situé sur les hauteurs de la ville, avec à vos pieds les lumières d'Ermoupolis. Bons *mezze,* servis dans une ambiance feutrée. Goûter absolument à la *kaparo salata* (salade aux feuilles de câpres), à l'*hiroméri* (roulé de porc aux feuilles de laurier), servi froid.

À Ano Syros

|●| *Taverne Lilis :* ☎ 22-81-08-80-87. Ouvert midi et soir. Compter de 12 à 17 €. Excellente cuisine de taverne servie dans un cadre très agréable. Très belle vue sur la baie. Les galettes de pommes de terre *(patato keftédès),* la saucisse régionale *(louza)* et les viandes grillées y sont délicieuses. Excellent vin de pays. L'établissement étant très fréquenté, il est conseillé de réserver.

|●| *Taverne Ioakim :* 7, odos Ethnikis Andistassis. ☎ 22-81-08-81-61. Compter 10 € par personne. Jolie terrasse fleurie avec magnifique vue. Cuisine traditionnelle goûteuse.

Où manger une pâtisserie ? Où boire un verre ?

La place Miaoulis et le port sont les deux grands lieux d'animation nocturne.

|●| *Pâtisserie Koumarianos :* sur le côté gauche de l'hôtel de ville. Vous y dégusterez d'excellents petits chaussons au fromage blanc et miel *(tsoureki me myzithra kai meli).*

🍸 *Bar Agora :* bar assez branché, toujours à gauche de l'hôtel de ville. Musique rock et ethnique. Jardin agréable. On y sert des plats légers.

À voir

Le port et la ville basse

🦌 L'impressionnante *place Miaoulis* (1876-1881), toute dallée et bordée de magnifiques palmiers. Elle fut conçue par l'architecte autrichien Ziller. Parmi les édifices, on y remarquera la *statue de l'amiral Miaoulis*, le très imposant *hôtel de ville*. Très animée avec ses cafés, c'est le grand lieu de rendez-vous des habitants de l'île. Le centre culturel, à gauche de la mairie, abrite le *Musée archéologique* (☎ 22-81-08-88-47, ouvert du mardi au dimanche de 8 h 30 à 15 h ; entrée : 2 €). Quelques pièces de la période cycladique (mais les plus intéressantes parmi les œuvres trouvées à Syros sont parties à Athènes...). Sur la place Vardaka, en allant vers Vaporia, voir le *théâtre municipal Apollon,* réplique en miniature de la Scala de Milan.

🐾 *Le quartier Vaporia :* surnommé aussi la Venise de Syros, à cause de ses fondations sous-marines. Dans le secteur nord, après le port. Remarquable pour ses belles demeures néo-classiques. C'était autrefois le quartier des armateurs.
L'église Agios Nikolaos, construite au XIXe siècle grâce aux dons des marins, est impressionnante avec ses immenses campaniles.

🐾 *La rue de Chios (odos Chiou)* et son marché pittoresque. On peut acheter des produits de Syros (huile d'olive, vins, fromages) au magasin de l'association des producteurs de Syros (fermé les lundi, mercredi et samedi après-midi, ainsi que le dimanche).

Ano Syros *(Άνω Σύρος)*

🐾🐾🐾 À voir absolument. Séparé de la ville basse par 400 marches ! (on peut aussi y monter en voiture ou en bus : 6 départs par jour depuis le port). Précisons que ce ne sont pas de petites marches d'escaliers... C'est le quartier le plus ancien de la ville. Construit en 1207 sous les Vénitiens, il se développe en amphithéâtre sur les versants de la colline Saint-Georges, au sommet de laquelle est perchée l'imposante *église catholique de Saint-Georges* et, non loin de là, le *monastère des Capucines (Clarisses).* Il s'en dégage une ambiance très romantique, créée par son enchevêtrement de passages voûtés secrets, ses escaliers, ses placettes ombragées, ses petites maisons cubiques éclatantes de blancheur. Sur une petite place, une statue rappelle que Markos Vamvarakis, un des plus grands chanteurs de *rébétiko,* est né à Ano Syros. Petit *musée* qui lui est en partie consacré, ouvert tous les jours en saison, de 10 h 30 à 13 h et de 19 h à 22 h.

À voir dans les environs

Au nord d'Ermoupolis

Connue sous le nom d'*Ano Méria (Άνω Μεριά),* c'est une région montagneuse et sèche. Les paysages y sont superbes et sauvages. Le mont Pyrgos (431 m) est le point culminant de l'île.

🐾🐾 *Chalandriani (Χαλανδριανή) :* à 6 km d'Ermoupolis, les fouilles de l'archéologue grec Tsountas permirent de mettre au jour un important complexe de plus de 500 tombes datant du bronze ancien (environ 3000 av. J.-C.). Prévoir de l'eau. Les découvertes qui ont été faites sont exposées au Musée archéologique d'Ermoupolis.

🐾 Sur la *colline de Kastri (Καστρι),* au nord-ouest de Chalandriani, (environ 45 mn à pied), les archéologues ont retrouvé un habitat fortifié considéré comme l'un des plus anciens des Cyclades.

⌂ Les *plages* au nord de l'île : *Varvaroussa, Marmari, Grammata* sont très belles. Pour y accéder, prendre un caïque à Kini ou marcher : au départ de Kampos, plusieurs sentiers balisés permettent d'accéder à ces plages (compter entre 30 mn et 1 h l'aller).

Au sud et à l'ouest d'Ermoupolis

Région essentiellement constituée de vallons fertiles, c'est là aussi que se trouvent les plus belles plages : *Mégas Gialos, Kini, Galissas, Agathopès, Possidonia...*

➤ *D'Ermoupolis à Finikas* (15 km) *:* une des plus jolies promenades à faire sur l'île.

⚲ *Possidonia* (Ποσειδωνια) *:* station estivale élégante, remarquable là aussi pour ses très belles demeures néo-classiques, croulant sous une végétation luxuriante. Quelques *hôtels, locations* et *chambres à louer.*

🛏 *Hôtel Eléana :* ☎ 22-81-04-26-01. Fax : 22-81-04-26-44. Environ 60 € la double en juillet et août, petit dej' compris. Hôtel confortable, un peu en retrait de la plage. AC, TV et petit frigo. Piscine. Très jolie terrasse-jardin. Séjour reposant.

🛏 *Apartments Carmela :* à 2 km de Possidonia. ☎ 22-81-04-37-24 et 69-72-52-35-95 (portable). Hors saison : ☎ 21-02-52-29-85 (à Athènes). ● www.carmela.gr ● Compter environ 45 € pour une chambre en haute saison et 65 € pour un appartement. Petit ensemble de 3 chambres et 4 appartements, récent et confortable. Vue panoramique depuis chaque chambre. Excellent accueil de Carmela et Yannis (prof de français dans le civil).

◿ *Finikas* (Φοινικας) *:* jolie petite plage de sable. Idéal pour des vacances tranquilles, très fréquenté l'été tout de même. *Pensions, hôtels* et *locations* diverses à des prix très raisonnables. Club de plongée *(Syros Diving Center).*

◿ *Mégas Gialos* (Μεγας Γιαλος) *:* jolie plage (mais minuscule) bordée d'arbres, sur la route d'Ermoupolis. Rideaux de canisses jusqu'à la mer. Champs potagers ici et là.

🛏 *Hôtel Alkyon :* en peu en dehors du village, sur la droite de la route quand on descend vers Mégas Gialos. ☎ 22-81-06-17-61. Fax : 22-81-06-10-00. ● www.alkyonsyros.gr ● Ouvert d'avril à octobre. Chambres doubles de 79 à 90 €, petit déjeuner inclus. Bel hôtel dont la direction est franco-grecque. Chambres toutes blanches, dans le style cycladique. Piscine, tennis. Réduction de 20 % sur présentation du *GDR* hors saison et 5 % en juillet, août et septembre.

KINI (KINI)

Charmante petite station estivale, très verdoyante, belles vignes et nombreux figuiers. Très belle plage de sable. *Chambres à louer* à des prix très abordables. Du port, on peut atteindre, par un chemin à flanc de colline et en 30 mn, la superbe plage de *Delfini* (naturisme toléré). Le sentier est assez facile et le paysage magnifique. Taverne en retrait de la plage. Accès par une piste également (2,5 km).

Où dormir ? Où manger ?

🛏 *Golden Sun Apartments :* chez Ilias Tselebis. ☎ 22-81-07-11-29 ou 69-44-87-32-76 (portable). Fax : 22-81-08-38-21. Environ 70 € en été. Appartements pour 4, bien équipés (cuisine, TV, AC, terrasse avec vue sur la baie).

🛏 ⏐●⏐ *Apospéritis :* chez Antoni et

Marianna Voutsinou. ☎ 22-81-07-12-07. Fax : 22-81-07-11-51. Environ 55 € pour deux en été. Des chambres récentes, avec frigo. Tonnelle très sympa pour manger, soirées grillades.

🛏 *Chambres Lygariès :* dans une grande maison blanche, à 100 m de la plage. ☎ 22-81-07-14-19. Ouvert de mai à décembre. Compter de 30 à 55 € pour 2 ou 3 personnes. Douze studios récents, bien équipés, avec cuisine, AC et grande terrasse. Jardin potager autour de la maison. Bon accueil de Kyriaki et Dimitri.

À voir

🍴 *Le monastère d'Agia Varvara* (Μονη Αγιας Βαρβαρας) *:* sur la route d'Ermoupolis à Kini, habité par des nonnes. Très belle vue sur la baie. On peut y acheter des beaux tissages fabriqués sur place.

GALISSAS (ΓΑΛΗΣΑΣ)

Village réputé pour ses jardins bien entretenus et son climat doux toute l'année. C'est la station estivale la plus prisée de l'île. On peut y aller en bus (15 mn). Prendre la ligne qui passe par Talenta, c'est plus rapide. La plage y est belle, notamment *Arméos Beach* (plage de nudistes), sur le chemin de la *chapelle d'Agia Pakou*. Ne manquez pas d'aller voir la petite **chapelle d'Agios Stéfanos,** construite dans une grotte. Mais ça tape en été, et on le déconseille aux jeunes enfants.
– *Attention :* certains lecteurs ont trouvé Galissas bruyant en raison d'un bar-discothèque qui diffuse des décibels jusqu'à 4 h du matin. Boules *Quiès* nécessaires pour dormir.

Où dormir ? Où manger ?

⛺ 🍽 *Camping I Dyo Kardiès (Les Deux Cœurs) :* ☎ 22-81-04-20-52. Fax : 22-81-04-32-90. ● www.two hearts-camping.com ● Ouvert de début mai à fin septembre. De 17 à 19 € pour 2 personnes et une tente. Transfert gratuit du port au camping (arrivée seulement). Camping plutôt agréable, mais les sanitaires sont peu nombreux. Bon accueil. Sanitaires corrects. Bonne cafétéria. Location de tentes et de scooters (cher pour ces derniers). Quelques bungalows.

🛏 Beaucoup de **chambres chez l'habitant :** entre autres, celles tenues par **Tony et Venita,** en face de l'arrêt de bus, en venant de Finikas, au carrefour d'où part la rue vers la plage. ☎ 22-81-04-28-79 et 69-32-15-93-32 (portable). Environ 30-35 €. Grandes chambres à l'ancienne, literie qui n'est pas de toute première jeunesse. Bon accueil.
🍽 *Zérokini :* sur la plage de galets Arméos.

QUITTER L'ÎLE DE SYROS

➤ **En bateau :** liaisons régulières pour les autres *Cyclades* et les *îles du Dodécanèse* ainsi que pour *Samos,* via *Ikaria,* et pour Chios et Lesbos.

PAROS (ΠΑΡΟΣ) 9600 hab.

C'est la troisième île des Cyclades en taille après Naxos et Andros. De forme ovale, elle a une superficie de 195 km² et un périmètre côtier de 118 km. Elle est située approximativement au centre des Cyclades, à l'ouest de Naxos.

LES ÎLES DE PAROS ET D'ANTIPAROS

Elle doit sa réputation tout d'abord à son marbre blanc qui servit à la sculpture des plus célèbres chefs-d'œuvre, comme la *Vénus de Milo,* mais également à la douceur et à la beauté de ses paysages, qui en font l'une des îles les plus attrayantes des Cyclades. Vous viendrez à Paros pour ses douces collines, pour ses vallons tantôt plantés de vignobles, tantôt couverts d'oliveraies, pour ses ravissants villages éclatants de blancheur, aux ruelles tortueuses et fleuries de géraniums, bougainvillées, jasmins... pour ses petits ports de pêche sympathiques, pour ses plages au sable doré (Golden Beach, Logaras, Molos, Pisso Aliki...), pour ses nombreuses petites criques aux eaux cristallines et pour sa multitude de chapelles et monastères disséminés ici et là. À Paros, tout le monde trouve son compte : randonneurs, véliplanchistes, amateurs de farniente... De plus, sa situation au centre des Cyclades permet de se déplacer facilement vers les autres îles.

Comment y aller?

En avion

> **L'aéroport** se trouve dans la partie sud de l'île. ☎ 22-84-09-12-57.
> **D'Athènes :** 2 ou 3 vols par jour, avec *Olympic Airlines.* Il est conseillé de réserver de Paris. Le vol d'Athènes à Paros dure 35 mn.

En ferry

> **Du Pirée :** environ 4 liaisons par jour. Durée du trajet : entre 4 et 5 h.
> **De Naxos, Ios et Santorin :** environ 4 liaisons par jour (davantage en été).

➤ *De Crète, Astypaléa et Rhodes :* plusieurs liaisons par semaine.
➤ *De Folégandros, Sikinos, Anafi, Kythnos, Milos, Sifnos et Sérifos :* plusieurs liaisons par semaine en été, moins hors saison.
➤ *De Mykonos, Tinos, Andros et Syros :* liaison quotidienne.
➤ *De Samos et Ikaria :* 1 ou 2 liaisons par semaine.
➤ *De Thessalonique :* 1 à 2 liaisons par semaine (compter au moins 14 h de traversée).

En bateau rapide

➤ *Du Pirée :* liaisons quotidiennes en saison.
➤ *De Syros, Naxos, Ios, Santorin, Tinos et Mykonos :* liaisons quotidiennes en saison.
➤ *D'Amorgos, des Petites Cyclades, de Sifnos, Milos, Sérifos et Folégandros :* liaisons irrégulières selon les années (en saison seulement).
➤ *D'Héraklion (Crète) :* plusieurs liaisons hebdomadaires en saison, via Santorin et Ios.

PARIKIA *(ΠΑΡΟΙΚΙΑ)*

La capitale de l'île est une charmante bourgade dont les maisons blanches et pimpantes, souvent ornées de fleurs, bordent – selon la plus grande fantaisie – de tortueuses ruelles. En saison, beaucoup de touristes, la langue dominante est l'anglais. Si vous n'aimez pas trop les discothèques et la profusion de bars, abstenez-vous, ou bien donnez-vous la peine de plonger dans les petites ruelles en arrière du port. Très bruyant en juillet et août.
La plupart des hôtels, pensions et chambres à louer se trouvent dans le quartier moderne et sans trop de charme de Livadia, à gauche en sortant du port (dos à la mer).

Adresses et infos utiles

Office du tourisme : près de l'embarcadère. ☎ 22-84-02-20-79 ou 28-61. Pas grand-chose à se mettre sous la dent. Carte de l'île disponible, indiquant hôtels et numéros de téléphone. Mais seuls sont indiqués les hôtels qui font partie de l'Association des hôteliers.

Police touristique : ☎ 22-84-02-16-73.

✉ **Poste :** à gauche en sortant du port, un petit peu après *Iria Travel.*

Banques : il y a 6 banques à Parikia, avec distributeurs de billets. Quatre d'entre elles sont autour de la place centrale, derrière les taxis.

Journaux et livres en français : dans la librairie de la ruelle principale ou à gauche en sortant du port.

Consigne : au 1er étage de l'agence de voyages *Iria Travel*, à côté du moulin sur le port. Autre consigne à l'embarcadère.

Laverie automatique : *Ostria Laundry*, sur la petite place où se trouve l'hôtel *Kontès.*

Olympic Airlines : sur la place principale. ☎ 22-84-02-19-00.

🚌 **Arrêt de bus :** à gauche en sortant du port. ☎ 22-84-02-13-95. Les horaires sont affichés en face de l'agence de location *Budget*. En été, 30 bus par jour pour *Naoussa*, une douzaine pour *Lefkès* et *Pisso Livadi.* Bus également pour Drios et Alyki. Fonctionnent de 8 h à 3 h du matin en été.

Taxis : la station se trouve sur la place principale. ☎ 22-84-02-15-00.

Iria Travel : en sortant du port, à gauche, après le square, face à la marina. ☎ 22-84-02-12-32. • iria cars@hotmail.com • Loue aussi des voitures. Agence sérieuse.

Billets pour les Flying Dolphins : *Polos Tours.* ☎ 22-84-02-20-92 et 93.

@ **Cafés Internet :** ils ne manquent pas. En sortant du port, *Memphis Net*, à côté de *Budget*. Sur la place Mado, à côté de la banque *Emboriki*, *Georgy Net Cafe* (☎ 22-84-02-25-

43). Et dans la rue commerçante, *Wired Cafe* (☎ 22-84-02-20-03). Compter environ 3 € l'heure.

■ *Location de voitures :* *Vassilios Parais-Car Rental,* ☎ 22-84-02-17-71 ou 36-81. Longer la mer en direction du sud, c'est à gauche sur une grande place. Accueillant et prix sages. *Sixt* (agence *Polos*), en sortant du port à droite, c'est l'agence qui est à côté du bâtiment de l'*OTE* (télécommunications). ☎ 22-84-02-13-09. Bon rapport qualité-prix. *Budget,* le long de la mer, après le square, en allant vers le camping *Koula.* Et bien d'autres agences tout autour. *Impératif :* réclamez un contrat et lisez-le attentivement avant de payer. Attention au prix ! Assez cher. Négociez hors saison.

■ *Location de scooters :* vous en trouverez partout. N'hésitez pas à comparer les prix et à discuter. Certains loueurs font des prix à la semaine. Mais préférez les agences précisant que les motos sont neuves. Sinon, vous allez payer le même prix pour des engins qui tombent en panne. Vérifiez son état avant de partir. En ville, les vélomoteurs ne sont autorisés que de 7 h à 15 h.

■ *Police :* ☎ 22-84-02-33-33.

■ *Medical Center :* près du port. ☎ 22-84-02-44-10 et 24-77. Ouvert récemment, un centre médical ultramoderne dispensant quasiment tous les soins. Réputation de sérieux confirmée localement. Mais très cher. Les fauchés iront au centre de soins public *(Kendro Hygias),* à côté du square central (☎ 22-84-02-25-00).

■ *Ciné Rex :* films français ou anglais. En plein air. Tous les soirs à 21 h et 23 h. Bien, même si le son n'est pas excellent.

■ *Ciné Paros :* du port, longer la mer vers le camping *Koula.* En plein air aussi. Un film différent chaque soir à 21 h et 23 h, en général américain. Sympa et le son n'est pas mauvais.

– *Le 15 août :* fête patronale.

Où dormir ?

Avertissement : en saison, il arrive que tout soit complet, y compris les chambres chez l'habitant. Pensez donc à réserver. En revanche, hors saison, évitez de choisir une chambre à la descente du bateau, là où des dizaines de proprios vous attendent : il est impossible de marchander. Traversez la foule et partez immédiatement dans les rues de la ville. Non seulement vous choisirez mieux votre chambre, mais vous pourrez la marchander gentiment. Attention, comme dans beaucoup d'îles, la plupart des hôtels ouvrent en avril ou mai et ferment fin septembre, voire en octobre. Et, comme ailleurs, la plupart des adresses sont « bon marché » jusqu'en juin, « prix moyens » en juillet et « plus chic » en août !

Campings

⚕ *Camping Koula :* du débarcadère, c'est au bout de Livadia, à 1 km à gauche (le dos à la mer). ☎ 22-84-02-20-81 et 20-82. Fax : 22-84-02-27-40. ● www.campingkoula.gr ● Fort bien situé, avec une plage devant. Compter autour de 15 € pour 2 personnes et une tente en haute saison. Loue aussi des tentes « en dur ». Sanitaires complètement refaits à neuf. Accueil variable, on s'entasse en haute saison et la propreté s'en ressent. Bonne ambiance. Navette de (et pour) le port. Cybercafé à deux pas.

⚕ *Camping Parasporos :* à 2 bons kilomètres du port, prendre la route du sud, c'est indiqué sur la droite. ☎ 22-84-02-11-00 ou 45-60. Fax : 22-84-02-22-68. Bus aux arrivées des bateaux et navettes, matin et soir (sauf de 15 h à 18 h). Compter dans les 15 € pour 2 personnes avec 1 tente. Grand camping (70 emplacements environ) plutôt poussiéreux mais assez fleuri et végétation abondante. Pas mal d'ombrage et canisses pour se protéger du soleil. Beaucoup de monde en haute saison. Sanitaires rénovés et corrects, douches chaudes. Atmosphère assez chouette genre « néo-bab ». Resto (self) et *mini-market*. Piscine (guère propre selon des lecteurs). Possibilité de louer des tentes déjà montées (pas mal de groupes). Plage à 700 m.

🏕 *Camping Krios :* ☎ 22-84-02-17-05 et 69-45-83-84-80 (portable). ● www.greek-tourism.gr/krios-camping ● À 2 km de Parikia, en direction du nord, pas loin du cap d'Agios

Fokas. Ouvert de mai à fin septembre. Compter 16 € pour 2 personnes et une tente. Près d'une plage propre, plus belle que celle du *Koula*. 77 emplacements. Sanitaires corrects. Cafétéria, mini-marché. Jolie piscine avec bar. Un bateau (payant) relie toutes les 30 mn l'endroit à la plage de Parikia jusqu'à 3 h. Minibus gratuit pour Parikia plusieurs fois par jour.

Bon marché

🛏 *Pension Antoine :* ☎ 22-84-02-44-35 et 69-45-04-11-67 (portable). De l'église Ékatonpiliani, se diriger vers la ruelle commerçante et tourner à gauche, c'est là. Compter autour de 15 € par personne en été. Seulement 8 chambres. Confort minimum mais suffisant. Propre. Salles de bains privées. Le proprio est serviable et parle le français (il possède aussi d'autres chambres très proches de sa pension). Cartes de paiement refusées.

🛏 *Pension Rena :* ☎ et fax : 22-84-02-14-27 ou 22-84-02-22-20. ● www.

cycladesnet.gr/rena ● Du port, prendre la direction de Livadia, tourner à droite avant la poste et c'est dans la rue, sur la gauche, 200 m plus haut. Ouvert toute l'année. Chambres doubles de 20 à 35 €. Chambres triples et quadruples également, à tarifs tout aussi intéressants. Chambres toutes simples, avec douche, frigo. Certaines ont AC et TV. Excellent accueil de Renate, néerlandaise d'origine, mariée à un Grec, Giorgos.

De prix moyens à plus chic

La plupart des adresses ci-dessous sont bon marché hors juillet et août.

🛏 *Chambres Vassiliki :* en direction de la plage de Livadia. ☎ 22-84-02-15-56 et 69-38-32-41-99 (portable). Jusqu'à 50 € en août, plus de 50 % de réduction hors saison. Petite pension moderne et confortable, avec des chambres très propres (terrasse et balcon). Déco un peu kitsch. Ambiance conviviale.

🛏 *Hôtel Eleftheria :* ☎ 22-84-02-20-47. Hors saison : ☎ 21-06-13-88-87 (à Athènes). Fax : 22-84-02-48-69. À 400 m du débarcadère et à 100 m de la plage. Du moulin à vent sur le port, marcher sur le quai jusqu'à la taverne *Katerina,* puis tourner à droite dans une petite rue perpendiculaire à la mer. Ouvert de mi-avril à mi-octobre. Environ 60 € la double en août avec AC, mais tarifs beaucoup plus bas en juillet et hors saison. Bien tenu. Le propriétaire, accueillant et serviable, parle français. Chambres climatisées équipées de

frigo. Bougainvillées abondantes. Atmosphère assez familiale. À l'écart du brouhaha touristique (ouf !). Une très bonne adresse, dont nos lecteurs nous disent toujours grand bien. Réservation impérative.

🛏 *Hôtel Stergia :* à côté du précédent. ☎ 22-84-02-17-45. Hors saison : ☎ 21-09-91-90-62 (à Athènes). Fax : 22-84-02-45-44. ● www.stergia hotel.com ● De 20 à 60 € selon la saison. Petit hôtel envahi par les fleurs, tenu par des gens aimables et attentionnés. On y parle l'anglais. Joli jardin intérieur avec pergola. Chambres modernes et impeccables.

🛏 *Rooms Eleni :* ☎ 22-84-02-27-14 et 20-36 ; portable : ☎ 69-45-01-21-11. Fax : 22-84-02-41-70. ● www.el eni-rooms.gr ● En sortant du port, à gauche (dos à la mer), longer le bord de mer jusqu'au niveau de l'hôtel *Argo,* puis tourner à droite ; c'est au bout de la rue. Ouvert de début avril à fin

PAROS ET ANTIPAROS (Cyclades centrales)

octobre. De 25 € en avril, la double monte à 60 € en août. Ravissante bâtisse toute neuve, construite avec beaucoup de goût, s'ouvrant sur un joli jardin, à l'écart du bruit. Onze chambres spacieuses, avec réfrigérateur, salle de bains, w.-c., AC, TV et 2 terrasses par chambre, le luxe pour un prix modéré ! Accueil charmant. Une excellente adresse. Cartes de paiement refusées.

▪ *Hôtel Irene :* en bord de mer, près du camping *Koula,* à Livadia. ☎ 22-84-02-14-76. Fax : 22-84-02-27-41. ● www.hotelirene.gr ● La double grimpe, comme il se doit, à environ 60 € en été. Tenu par une famille charmante, un hôtel aux chambres propres, avec AC, TV et frigo (dans certaines chambres). Jardin avec pergola très agréable. Bon petit déjeuner. Également de petits studios avec kitchenette. Excellent accueil.

▪ *Pension Sofia :* dans le même coin que l'*Eleftheria.* ☎ et fax : 22-84-02-20-85. ● www.sofiapension-paros.com ● Du port, aller à gauche (dos à la mer), puis c'est la 4e à droite (à partir du square avec la petite église). Ouvert du 10 avril au 20 octobre. La double est à 60 € en août et, hors saison, baisse de 25 à 40 %. Deux jolies maisons blanches avec jardin fleuri, palmiers et plantes grasses. Situé dans un endroit plutôt tranquille. Chambres très propres, plaisantes et confortables, avec TV, frigo et balcon. Excellent petit déjeuner. Bon accueil de la proprio qui parle le français et l'anglais. Bon rapport qualité-prix !

▪ *Hôtel Margarita :* à proximité de la taverne *Paros* (300 m du port). ☎ 22-84-02-18-62 et 69-46-33-65-29 (portable). Fax : 22-84-02-49-50. Doubles et studios de 25 à 67 € pour 2 selon la saison ; triples un poil plus chères. Chambres agréables, avec salle de bains (et balcon pour certaines). La fille du propriétaire gère *Moschoula Apartments,* dans le quartier de Livadia. Mêmes téléphone et fax. ● www.moschoula.com ● Six studios, un peu plus chers que les chambres, très confortables (AC,

TV satellite, réfrigérateur, cuisine). Jolie terrasse sur le toit. Pas de petit déjeuner.

▪ *Hôtel Platanos :* dans un quartier un poil excentré (avec un lourd sac à dos, ça fait assez loin !). ☎ 22-84-02-42-62. Fax : 22-84-02-80-48. ● hotelplatanos@hotmail.com ● Du port, prendre à droite (dos à la mer) ; suivre le quai jusqu'à une grande place avec une église ; une rue part en biais sur la droite : la suivre sur 300 m, l'hôtel est au niveau du parking. De 25 à 50 € la double. Hôtel offrant des chambres correctes à prix encore acceptables. Éviter celles qui donnent sur la ruelle, car elles sont très bruyantes la nuit. Accueil en français ou *in english.* Remise de 10 % sur présentation du *GDR.*

▪ *Hôtel Anna :* à Platanos, à deux pas de l'adresse précédente. ☎ 22-84-02-17-51 ou 69-44-74-83-68 (portable). ● www.annaplatanou.gr ● Ouvert du 1er avril au 31 octobre. Environ 60-70 € la double du 15 juillet au 31 août, de 25 à 35 € le reste de l'année. Propre, calme, accueillant, et d'un bon rapport qualité-prix dans cette catégorie. Possibilité de préparer son petit déjeuner. À noter : l'hôtel dispose aussi de bâtiments annexes *(pension Anna)* avec quelques chambres plus économiques mais sans cachet. Remise de 15 % sur présentation du *GDR.*

▪ *Denis Apartments :* à la sortie de Parikia, côté Livadia, en direction de Krios. ☎ et fax : 22-84-02-24-66. ● www.paros-island.com/denis ● Adresse excentrée, à un peu plus de 1 km du débarcadère. De 25 à 50 € pour 2 personnes, selon la saison, ajouter 5 à 10 € pour une 3e personne. Dans une grande maison aux volets bleus entourée d'un beau jardin, une douzaine d'appartements climatisés avec petite cuisine.

▪ *Hôtel John Antipariotis :* même quartier que les adresses précédentes, à gauche du port (dos à la mer). ☎ et fax : 22-84-02-27-97. Environ 65 € en été, deux fois moins cher hors saison. Dans l'ensemble, correct, comme les autres adresses du quartier. Bon accueil.

Où manger ?

On a le choix entre deux grands secteurs de restauration quand on a le dos à la mer au niveau du moulin. À gauche (vers le nord), les restos s'étirent jusqu'au camping *Koula*. Tous les Grecs rencontrés ont confirmé qu'ils n'y allaient pas. Ça va du banal au pire. À droite (vers le sud), tous les restos se situent entre le port et la vieille ville. Mêmes remarques que précédemment, l'animation en plus. En outre, quelques restos émergent quand même et d'autres nous ont fatalement échappé. Y aller à l'intuition (comme toujours). Rappelons aussi que presque toutes les adresses proposées sont saisonnières (de Pâques à octobre).

– *Boulangerie Chaniotis :* près de la place principale, tout de suite après la *Banque nationale de Grèce*. Grand choix de gâteaux (*bougatsa*, *tiropita*, *galaktobouréko*, etc.).
– Une autre *boulangerie* pas mal au début de Livadia, dans la 2e rue après l'agence *Avis*.

Bon marché

|●| *Nick's Hamburgers :* longer la mer vers le sud, sur 300 m, puis tourner à gauche à la hauteur de la place Mavroghénis. Compter 2 à 3 € le hamburger. Spécialisé dans les hamburgers, particulièrement consistants. Nick prépare lui-même sa viande de bœuf. Propre. On y retrouve beaucoup de jeunes routards désargentés et affamés.

|●| *I Oréa Paros :* à gauche, au fond de la place centrale (dos à la mer). ☎ 22-84-02-23-20. Compter 9 € par personne. Le resto à l'ancienne, tenu par des personnes surgies d'une autre époque et toujours fringantes : 5 tables et choix très limité (quelques plats préparés, genre aubergines farcies). Assez huileux. Vraiment pas cher.

Dans la vieille ville

Bon marché

|●| *Apanémia :* dans le quartier de Platanos. ☎ 22-84-02-36-84. Du quai de droite, dos à la mer, marcher environ 500 m, jusqu'à la place de l'Église ; prendre la rue en biais et tourner à gauche au niveau de l'hôtel *Platanos*. Compter environ 10 €. Pour les amateurs de calme, une bonne adresse dans un cadre relaxant. Grand jardin agréable et fontaine illuminée qui glougloute.
|●| *Christos :* en face de la mer. ☎ 22-84-02-46-66. Longer le rivage en direction du sud, le resto se trouve entre les bars *Saloon d'Or* et *Black Barts*. Environ 10 €. Petite taverne avec terrasse ombragée près de la mer. On y trouve les plats traditionnels, servis copieusement. Suivant l'humeur du patron, apéro ou digestif offert.
|●| *Café Symposium :* longer l'ancienne rivière asséchée qui part de la station de taxis ; c'est à l'intersection avec l'une des deux grandes rues commerçantes. ☎ 22-84-02-41-47. Environ 10 €. Toute petite terrasse surélevée bien agréable pour snacks divers, crêpes (salées et sucrées), croissants, glaces... Idéal pour le petit déjeuner ou pour manger léger.
|●| *Café-Bistro Sarniès :* à proximité du précédent, près de la fontaine de Mavroghénis. ☎ 22-84-02-25-72. Environ 10 €. Un « world-café resto ». Joli cadre bien mis en valeur par Carine et Vassilis. *Mezze* et tapas, salades, crêpes ou pâtes et bien d'autres bonnes choses encore.
|●| *Distrato Café :* adresse mitoyenne de *Sarniès*. ☎ 22-84-02-47-89. On s'en sort pour moins de 10 €. Également tenu par un couple franco-grec. La différence ? L'ambiance : ici, c'est un « jazz and new age café ! ». Petit déjeuner, sandwichs, salades, crêpes...

De prix moyens à plus chic

|●| **Aromas :** entre les deux stations-service, dans la rue périphérique, direction Pounda. ☎ 22-84-02-19-85. Ouvert de mars à novembre. Compter de 12 à 15 €. Caroline, une Française, est en salle et son mari aux fourneaux. Carte originale proposant un large choix de plats de toute la Grèce, voire d'Anatolie. Goûter, par exemple, le *bouyourli* (cassolette de féta gratinée avec poivrons, tomates et piments frais) ou le *kébab* de Smyrne. Une excellente adresse qui ne bénéficie certes pas d'un joli environnement, mais ce qui remplit votre assiette mérite le détour. Cartes de paiement refusées.

|●| **Taverne Paros :** de l'église Ekatonpiliani, remonter vers les terres et dépasser le parking. ☎ 22-84-02-43-97. Compter de 12 à 14 € par personne. Taverne familiale (ce qui devient rare) où il fait bon se restaurer à l'ombre d'une très agréable tonnelle. Appétissantes grillades (le soir). Bonne adresse.

|●| **Ouzeri Boudaraki :** dos à la mer, tout à droite, au bout de la plage, face au petit port de pêche. ☎ 22-84-02-22-97. Compter de 12 à 15 € par personne. Ancienne maison de pêcheurs transformée en resto ! Deux petites terrasses fleuries (places limitées). Bonnes saveurs, bon poisson grillé, bons *mezze*. Goûter aux *kalamaria yémista* (petits calamars farcis) et aux *soupiès* (seiches). Accueil jovial de Dimitris et Voulas. Nos lecteurs en redemandent. Cartes de paiement acceptées.

|●| On signale également un restaurant végétarien : **Happy Green Cow,** dans la minuscule ruelle qui fait face aux banques de la place principale. ☎ 22-84-02-46-91. Créé par 2 peintres. Ambiance branchouille, plats plutôt sophistiqués. Pas donné.

À Livadia

Prix moyens

|●| **Porphyra :** à côté du cimetière, au nord du port. ☎ 22-84-02-34-10. Entre 8 et 15 € le repas. Ouvert le soir seulement. Restaurant de poisson et de fruits de mer. Agréable terrasse. Aux murs, reproductions de célèbres fresques évoquant la mer et la pêche. C'est ici que l'on vient lorsque l'on veut déguster des violets ou des oursins (en fonction de la marée). Bonnes grillades de poisson et excellent poulpe grillé.

Un peu plus chic

|●| **Tamarisko :** ☎ 22-84-02-46-89. Emprunter Market Street, puis la 1re à gauche après la *Banque nationale de Grèce*; prendre tout de suite à droite, sous le passage voûté; continuer tout droit; c'est là! Compter au bas mot 15 €. Ouvert le soir. Fermé le lundi. Dans un jardin fleuri. Cuisine soignée. Très apprécié. Cartes de paiement acceptées.

Où boire un verre? Où écouter de la musique? Où danser?

♫ La plupart des **discothèques** sont regroupées au même endroit. Du débarcadère, partir à droite (dos à la mer), longer la mer jusqu'à la montée du 2e moulin. Avant la montée, s'enfoncer dans la ville et tourner à gauche avant la dernière taverne. Les clubs de Parikia sont réunis sur deux rues. Très sympa, car ce ne sont pas forcément des endroits où l'on danse; la plupart sont plutôt des bars, avec une très bonne musique, où l'on discute.

Vous pouvez faire un tour au *Sex Club* (tout un programme !), qui commence par diffuser des variétés internationales, puis vers 2 h des tubes grecs qui font littéralement fureur dans la salle. Chose amusante, au beau milieu des discothèques, une petite église (où le recueillement doit être assez difficile). Sur le chemin des discos, on rencontre pas mal de bars.

♏ ♩ *Pebbles Bar :* à l'étage, sur une super petite terrasse donnant sur la mer. Excellents cocktails de fruits frais et, en saison, concerts jazz live de bonne tenue. Évidemment, c'est cher.

♏ ♩ *Saloon d'Or :* un peu plus loin que le précédent ; grande terrasse en plein air donnant sur une place, face à la mer. Musique à tue-tête, nombreux cocktails.

♏ ♩ *Black Barts :* un peu plus loin que *Saloon d'Or*. Style américain (d'ailleurs, on en trouve beaucoup !). Excellents cocktails aux noms pittoresques.

♏ ♩ *Pirate Bar :* odos Koptiano. ☎ 22-84-02-11-14. Quand on arrive du port et qu'on suit la principale rue commerçante, on passe sous une voûte. Après une charmante église et une fontaine à droite, on parvient à ce bar très sympa, véritable temple du jazz. Bons cocktails, ambiance jazz, évidemment et blues.

À voir

🏛🏛🏛 *L'église de la Panagia Ékatondapiliani* (ou *Katapoliani*) : en haut du grand jardin public. En saison, ouvert de 7 h à 22 h. Entrée libre. À ne pas rater. C'est l'une des plus anciennes églises de Grèce, et en tout cas la mieux conservée. On la doit à l'impératrice Hélène, mère de Constantin le Grand, le 1er empereur romain chrétien. D'après la légende, au IVe siècle, Hélène fit escale à Paros sur la route de la Palestine. Elle émit un vœu : si elle découvrait les reliques de la Vraie Croix, elle s'engageait à construire un grand sanctuaire sur l'île. C'est finalement Constantin qui construisit l'église. Justinien y mit aussi sa patte au VIe siècle. Elle traversa les siècles malgré bien des vicissitudes, notamment lors de l'invasion de Barberousse et les occupations franque et turque. Beaucoup de dégâts aussi lors du séisme de 1773. Mais une habile restauration dans les années 1960 restitua l'essentiel du sanctuaire, qui nous apparaît aujourd'hui dans toute son ampleur (ne pas manquer de jeter un coup d'œil sur le chevet). Jouxtant un cloître tout blanc avec cellules, l'église possède une façade à triples arcades s'ouvrant sur un élégant narthex, lui-même donnant accès à une nef entièrement en marbre sculpté et d'une remarquable harmonie architecturale. Notez le fabuleux camaïeu (utilisation d'une myriade de tonalités de gris, blanc, vert, beige...) des blocs utilisés pour ce magnifique édifice byzantin. Impressionnante iconostase avec icônes en argent du XVIIIe siècle. Chaire du XVIIe siècle sur deux colonnes. À gauche, les icônes expriment encore le style byzantin, notamment le *Christ Pantocrator* (traits affirmés de noir). L'autel est coiffé d'un ciborium de marbre sur colonnes (beau travail de ciselage sur les chapiteaux corinthiens de cette sorte de baldaquin). Dans un coin, le synthronon, petit amphithéâtre de huit rangées de sièges réservés au clergé. Vestiges de fresques.

– Intéressantes *chapelles,* notamment celle de Saint-Nicolas qui présente également un synthronon. C'est la partie la plus ancienne de l'église. Dans la chapelle d'*Ossia Théoktisti,* belle icône de la sainte.

– *Fonts baptismaux* en forme de croix datant du IVe siècle apr. J.-C. Ce sont les plus anciens de tout le Proche-Orient orthodoxe.

🏛🏛 *Le Musée archéologique :* dans la rue qui longe la Katapoliani à droite, un peu plus haut que le lycée. ☎ 22-84-02-12-31. Ouvert de 9 h à 15 h. Fermé les lundi et jours fériés. Entrée : 5 € ; réductions. Devant le musée, de splendides tombeaux. Riches collections comprenant de nombreuses sculptures funéraires, notamment un bas-relief de banquet (VIᵉ siècle av. J.-C.) et des stèles. Intéressant lion attaquant un taureau et statue archaïque de Gorgone. Délicats petits verres provenant de tombes romaines. Noter, sur la statuette d'Artémis, le beau mouvement du drapé. Petits objets égyptiens, poterie, quelques figures cycladiques (quand même !). Dans la cour, mosaïque de la *Chasse au cerf.*

La vieille ville : à voir de bonne heure, avant que cartes postales et colifichets n'envahissent tout. Vous y rencontrerez un nombre incroyable d'églises et de chapelles, notamment aux alentours de l'odos Koptiano (la rue commerçante).

➤ À droite, un escalier mène au *kastro.* En fait, vestiges de l'ancienne enceinte du château dont l'intérêt réside dans le remploi massif d'éléments antiques, notamment de fûts de colonnes et d'entablements. Impression nocturne assez étrange. À côté, deux chapelles accolées. Retour sur odos Koptiano. Peu après le passage voûté, sur la gauche, le linteau d'une chapelle indique « 1649 ». Belle iconostase et fresque. À deux pas, sur la droite, fontaine de Mavroghénis au chevet d'une jolie église. Prendre la ruelle qui la longe pour dénicher l'*église Saint-Constantin,* la plus secrète, la plus séduisante aussi de la ville. Quelques marches pour ce sanctuaire surplombant la mer. Merveille de joliesse et de sérénité avec son fronton en espalier, le petit campanile, le dôme hexagonal et, sur le côté, une galerie à colonnes de facture très archaïque.

À voir dans les environs

Le cap Agios Phokas *(Αγιος Φωκας) :* en partant du port, prenez à droite la route qui longe la mer et allez jusqu'au cap Agios Phokas, d'où vous aurez une très jolie vue sur Parikia. C'est là aussi que se trouve la *grotte d'Archiloque* (grand poète antique), qui selon la tradition était son lieu d'inspiration. Site archéologique de Dilion, consacré aux trois divinités de Délos : Léto, Artémis et Apollon.

Le monastère Christos tou Dassous *(Μονη Χριστου Δασους) :* à 6 km de Parikia. Suivez la route qui va à Alyki, puis vous trouverez sur votre gauche celle qui mène au monastère. Situé sur le col d'une colline, c'est un monastère de femmes, voué à la Transfiguration du Christ. Il est aussi appelé *Agios Arsénios* en souvenir du patron de Paros, mort dans le monastère en 1877. Vue magnifique sur Antiparos. Un seul problème : les religieuses supportent difficilement la vision d'un bras nu ou d'un genou.

La vallée des Papillons *(Pétaloudès ; Πεταλουδες) :* pour atteindre ce vallon prendre la route côtière vers Pounda. À 4 km de Parikia, on atteint une côte. À cet endroit, prendre la route sur la gauche, puis continuer sur 1 km. Ouvert de 9 h à 20 h en été. Entrée : 1,50 €. Éviter d'y aller via une agence. Tenu par des écologistes allemands. Le terme « vallée » est franchement exagéré, mettons « grand jardin ». Un peu décevant et beaucoup de monde. Papillons de la famille des *Panaxia Quadripunctaria,* fixés ici par une essence rare d'arbres. À propos, les papillons ont bien compris les exigences du tourisme et n'y vivent que de juin à septembre et encore il arrive qu'en septembre ils soient déjà passés de vie à trépas. Ils dorment pendant le jour et se réveillent le soir. Or le soir, le site est fermé !

Le monastère de Longovarda *(Μονη Λογγοβαρδας) :* prendre la route qui mène de Parikia à Naoussa ; après la descente sur Naoussa, emprunter un chemin de terre sur la droite. Très bel exemple d'architecture monastique insulaire (1638) : église cruciforme, cour plantée de cyprès, ensemble de cellules harmonieux. Il possède des ateliers de peinture et de reliure, et une bibliothèque renfermant des livres rares. Visite (le matin seulement) réservée aux hommes (pantalon de rigueur). ☎ 22-84-02-24-76.

🏃 *Marathi* (Μαραυι) *:* entre Parikia et Lefkès. Petit village traditionnel. Prendre la route en terre à droite, après le village. On découvrira les ruines des bâtiments de la Société des marbres de Paros, fondée en 1878 pour l'exploitation des carrières. Pas grand-chose à voir, continuer la route en terre. Au bout de 3 km environ, un embranchement : prendre à droite pour se rendre au *monastère d'Agios Minas* (XVIIe siècle). Belle architecture. Un vieux moine y est présent dans la journée. Il vous raconte plein d'histoires. Attention, son fromage en a fait fuir plus d'un et ses mélanges de vins aussi !

NAOUSSA (ΝΑΟΥΣΑ)

Au nord de l'île, à 10 km de Parikia (nombreuses liaisons en bus). Beaucoup de touristes, avec ce que cela suppose d'industrie touristique. Village dont le port est resté typique avec ses pêcheurs et les clichés traditionnels de la Grèce : petite église toute blanche, minuscule port vraiment adorable, genre décor de film, avec les bateaux de pêcheurs qui se tiennent chaud et les terrasses animées. Le matin, les pêcheurs écaillent le poisson, tuent les poulpes et réparent leurs filets. Allez-y tôt, dès qu'ils rentrent de la pêche. Lumière rasante, douce et chaude... Vestiges d'un château vénitien et belle plage.

Il convient cependant de nuancer notre enthousiasme pour Naoussa à cause de l'urbanisation désastreuse (pourtant dans le style du pays !). Les collines se couvrent de pensions et studios à louer (vides neuf mois sur douze) et la capacité d'hébergement devient ici complètement surdimensionnée. Naoussa se paie également : à qualité égale, tout y est plus cher qu'ailleurs sur l'île, sauf les scooters.

– Le 1er dimanche de juillet, *fête du Vin et du Poisson.*

Adresses utiles

■ *Banques :* il y a 2 banques avec distributeurs de billets.

🚌 *Bus :* sur la place principale. Après le pont qui mène au port, juste à droite. ☎ 22-84-05-28-65. En plus de la liaison avec Parikia, liaison locale pour Ambélas (de mi-juin à début septembre).

■ *Location de scooters :* chez *Nick Golfis,* à l'entrée de la ville sur la droite quand on vient de Parikia, pas très loin de l'hôtel *Le Mersina.* Loueur sympa et serviable, ouvert tôt le matin et tard le soir. Matériel propre et bien entretenu. On recommande également *Ride Moto Rent* (☎ 22-84-05-35-61 et 62 ou 69-72-

24-30-07, portable) et *ML moto.*

■ *Location de voitures :* Ballos Tours Rent-a-Car (Sixt), sur la place principale. ☎ 22-84-05-10-73. Fax : 22-84-05-15-44. Agence très sérieuse. Personnel serviable et parc de véhicules bien entretenu. Change, billetterie, bonnes infos. Loue aussi des mobs. Excellent rapport qualité-prix.

■ *Presse française :* dans la librairie derrière l'arrêt de bus. Également un service de fax pour les routards managers en vacances.

■ *Laverie automatique :* en arrivant sur le port, juste à droite avant le pont. Ouvert de 9 h à 15 h.

Où dormir ?

Les routards désargentés fuiront Naoussa, car les hôtels y sont vraiment plus chers qu'ailleurs. Comme partout, négociez. Dans l'ensemble, c'est difficile en juillet et août. Cacophonie venant de la musique des bars.

On peut s'adresser au bureau d'informations de l'*Association des loueurs,* au niveau du pont. ☎ 22-84-05-28-41. Ouvert du 20 mai à fin septembre de 10 h 30 à 15 h et de 17 h 30 à 20 h, voire plus tard en juillet et août. Accueil sympa et francophone.

Campings

⛺ *Camping Naoussa :* à 4 km au sud de la ville, sur la route de Kolymbithrès. ☎ 22-84-05-15-65. Fax : 22-84-05-27-27. À 50 m d'une plage de sable. Ouvert de mai à septembre. Compter 13 € pour 2 routards avec une tente. Abrité du vent par des bambous. Épicerie et taverne. Malheureusement, pas très bien entretenu.

⛺ *Camping Surfing Beach :* plage de Santa Maria. ☎ 22-84-05-10-13 et 22-84-05-24-91. Fax : 22-84-05-19-37. ● www.surfbeach.gr ● À 5 km au nord-est de Naoussa. Ouvert de juin à septembre. De 13 à 20 € pour 2 personnes avec tente. À déconseiller aux routards non motorisés, le système de navettes ne fonctionnant pas bien (navettes pour Naoussa et Parikia). Intéressera particulièrement les routards véliplanchistes. Camping bien situé et confortable. Sanitaires corrects. Self-service et bar. Mini-marché. Piscine. Belle plage. Également une cinquantaine de bungalows loués au prix de chambres, voire davantage. Réduction de 10 à 20 % sur présentation du dépliant de la chaîne *Sunshine,* dont ce camping fait partie.

De prix moyens à plus chic

🛏 *Chambres George Vavanos :* ☎ 22-84-05-11-63. Du port ou de la station de bus, prendre la rue qui monte à la grande église ; situées à gauche de l'école et juste avant les moulins. Coin assez calme et plaisant. Chambres propres et confortables dans une maison traditionnelle. Accès indépendant. Prix modérés.

🛏 *Chambres et appartements Antonia :* ☎ et fax : 22-84-05-11-37. En retrait de la route allant de l'église à la plage, derrière *Léonardos.* Pas loin de la plage. Jusqu'à 55 € en août. Bon accueil. Petit ensemble fort bien tenu avec tout le confort.

🛏 *Chambres Léonardos :* à côté du *mini-market* éponyme. ☎ 22-84-05-12-61 et 15-59. Fax : 22-84-05-27-88. ● www.leonardos-paros.com ● Tout à fait le même genre qu'*Antonia :* prestations et tarifs similaires.

🛏 *Chambres et appartements Troussas :* sur les hauteurs de Naoussa (vue imprenable sur toute la baie). ☎ et fax : 22-84-05-26-55. ● www.parosweb.gr ● À 5 mn à pied du centre-ville. Du terminus des bus, prendre la route vers Parikia jusqu'au bâtiment de l'*OTE* ; monter les marches, prendre à droite puis à gauche (c'est tout en haut et ça grimpe !). Si l'on arrive de Parikia, monter à droite au niveau du resto *Galatis.* Ouvert de début avril à fin septembre. De 25 à 55 € selon la saison pour une chambre double standard et de 30 à 65 € pour un studio. Un peu plus cher pour la catégorie supérieure (clim'). Deux petits bâtiments, orientés vers la baie de Naoussa. Chambres décorées avec soin et confortables. Grands studios très agréables, composés d'une pièce principale avec TV et un coin cuisine, une salle de bains (douche et w.-c.). Service de petit déjeuner. Accueil chaleureux, par une jeune famille allemande. Calme. Parking.

Chic

🛏 *Hôtel Christina :* à 100 m de la place principale. ☎ et fax : 22-84-05-10-17 ou 17-55. Hors saison : ☎ 21-08-97-20-36. Fax : 22-84-05-33-72. ● www.christinaparos.gr ● Suivre la rue piétonne et c'est fléché ; légèrement sur les hauteurs, au calme. De 35 à 75 € la double, sans le petit déjeuner. Une petite résidence hôtelière de 12 chambres, tenue par un couple sympathique. Cadre très joli. Belles chambres avec AC et TV. Petit déjeuner maison (en supplément). De 5 à 15 % de réduction selon la saison à condition de rester plusieurs nuits.

🛏 *Hôtel Pètrès :* à 1,5 km de Naoussa. ☎ 22-84-05-24-67. Fax : 22-84-05-27-59. ● www.petres.gr ● Un peu en retrait de la route principale qui mène à Parikia. Ouvert du 1er avril au 15 octobre. Compter de 65 à 105 €, petit déjeuner-buffet compris. Construit en harmonie avec le paysage, dans le style authentique des Cyclades, l'hôtel possède 16 chambres, un très joli salon et une salle pour les petits déjeuners, décorés avec un très grand souci de raffinement. Chambres spacieuses et élégantes, avec poutres apparentes. Confort dans les moindres détails : AC, téléphone, minibar, salle de bains (douche et w.-c. privés), balcon avec une vue splendide sur la baie de Kolymbithrès. Il dispose aussi d'une ravissante piscine, d'un court de tennis (éclairé pour jouer en nocturne), d'une salle de gym, d'un

sauna, d'un jacuzzi et d'un barbecue. Accueil chaleureux et francophone. Très reposant. Excellent rapport qualité-prix. Parking (voiture indispensable). Transfert gratuit depuis le port (ou l'aéroport) ainsi que pour Naoussa. Une de nos meilleures adresses sur l'île.

|●| *Aris Apartments :* à 1,5 km au sud de Naoussa-centre. ☎ et fax : 22-84-05-18-50. ● www.arisparos.gr ● En retrait de la route pour Parikia (1er chemin de terre à gauche après l'embranchement pour Kolymbithrès). Ouvert du 15 avril au 30 octobre. Compter de 52 à 90 € pour un studio (2 personnes, pas beaucoup plus cher pour 3 et 4 personnes) et de 80 à 150 € pour des maisonnettes avec coin cuisine pouvant accueillir 2 ou 3 personnes (également des maisonnettes pour 5, un peu plus chères). Sur un vaste terrain ombragé, plusieurs bâtiments de charme accolés à une chapelle. Les terrasses donnent sur la baie de Kolymbithrès. Équipement de qualité (TV satellite, accès Internet). Belle piscine avec jacuzzi et *pool-bar.* Voiture indispensable.

Où manger ?

Une série de petites tavernes sur le port, très touristiques. Produits frais de la mer dans un cadre traditionnel : bateaux de pêcheurs, filets qui sèchent, poulpes décongelés et petite chapelle. Menu quasi identique dans toutes les tavernes. Pas mal de nos compatriotes vont manger à l'*ouzeri Barbarossa* ou à la taverne *Papadakis* (pour ces deux restos, l'addition tourne autour de 20 €).

|●| *Minoa :* pas très loin du centre. ☎ 22-84-05-20-04. Du centre, se diriger vers la grande église sur la colline (celle aux deux clochers) et, au début de la montée, prendre une ruelle à droite. Compter de 9 à 12 €. Le seul resto familial ancien de Naoussa. Grand choix de plats cuisinés à prix très modéré. Service attentionné et rapide. Une très bonne adresse.

|●| *Restaurant Diamandis :* de la place des bus, s'enfoncer dans les terres ; c'est à 250 m, à droite, en contrebas. Environ 9 ou 10 € par personne. Jardin sympathique et abrité des vents. Bonne cuisine de taverne (goûter au *kondosouvli*).

|●| *Spyros :* sur la plage, à 2 km à l'ouest de Naoussa en direction de Kolymbithrès. ☎ 22-84-05-23-27. Cuisine grecque sans prétention servie à la diable mais pas mauvaise du tout (aubergines, *keftédès*...). Bon marché. Loue aussi des chambres.

|●| *Le Sud :* depuis la place principale prendre la ruelle allant vers l'église. À 200 m sur la droite, suivre les indications. ☎ 22-84-05-15-47. Ouvert le soir uniquement. Au moins 30 € par personne. Un resto, tenu par des « zinzins » français, qui se démarque des tavernes grecques. Ici, on mange une cuisine raffinée, d'origine méditerranéenne, préparée

avec soin par un chef français. Idéal pour ceux qui veulent changer de régime et passer une bonne soirée.

Endroit gay-friendly. Clientèle classe, qui compte parmi ses habitués quelques stars du petit écran français.

Où boire un verre ?

🍷 Nombreux **bars** se succédant à gauche du terminus des bus, le long du canal.

🍷 Autour du port, d'autres bars, dont l'**Agosta**. ☎ 22-84-05-13-45. Très bien aménagé, dans une vieille demeure. Cadre charmant avec vue sur les deux petits ports.

🍷 ♪ **Epsilon :** sur le chemin de la grande église sur la colline. ☎ 22-84-05-22-72. Bons cocktails, musiques variées. On peut aussi y manger (crêpes salées).

À voir. À faire

⛵ Des petits bateaux font la navette depuis le nouveau port pour amener les baigneurs de l'autre côté de l'anse, sur une jolie **plage.** Si elle est bondée, continuez à marcher sur la droite (en regardant la mer) pendant 10 mn. D'autres langues de sable s'offrent à vous.

⛵ Ne pas manquer de se baigner à la **plage de Kolymbithrès,** à 3 km. Petites criques entre des chaos rocheux aux formes souvent originales. Surfréquentée en été. L'horrible parc nautique au-delà de la plage n'arrange rien.

⛵ Également la **plage de Santa Maria,** au nord-est, avec un *camping* bien équipé et des locations de planches à voile.

➤ **Visites de l'île à cheval :** s'adresser au centre d'équitation *Kokou Riding Center* (prendre la route de Drios, c'est fléché), tenu par un sympathique couple canadien, Dany et Ivan. ☎ 22-84-05-18-18 ou 69-44-17-49-98 (portable). ● www.greekisland.net ● Ouvert toute l'année. Accueil excellent et jovial. Pour débutants et confirmés. Balades de 1 h 30 à 2 h 30. Réserver.

– **Plongée :** X-Ta-Sea Divers. ☎ 22-84-05-15-84. ● www.santamariax-ta-seadivers.gr ● Centre de plongée sous-marine sérieux. Excellent matériel. S'adresser soit au centre sur la plage de Santa-Maria (à 1 km du camping), soit sur le port de Naoussa (bateau *Santa Maria*).

– **Sorties en mer, cours de voile :** *Naoussa Paros Sailing Center.* ☎ 22-84-05-26-46 ou 69-44-99-73-98 (portable). ● www.paros-sailing.com ● Sortie en mer tous les jours, sur un 9,70 m, vers Naxos, Iraklia ou Délos.

À voir dans les environs

🍴 **Santa Maria-Filitzi-Ambélas** (*Σαντα Μαρια–Φιλιτζι–Αμπελας*) : en sortant de Naoussa, suivre la direction de Drios et prendre la 1re route à gauche. Quelques jolies plages. Malheureusement la centrale électrique qui se trouve tout près a énormément gâché le paysage, et les nombreuses nouvelles constructions n'ont rien arrangé. Pour une jolie promenade, prendre la piste de Filitzi à Ambélas. Jolis paysages. Falaises et belles criques.
Ambélas est un petit port de pêche tranquille. Lieu de villégiature des habitants de Naoussa et des Grecs en vacances. Trois tavernes de poisson tenues par des patrons pêcheurs, où le poisson est moins cher qu'à Naoussa. On recommande la *kakavia* (soupe avec morceaux de poisson, pommes de terre, huile), à commander avant d'aller à la plage.

Damianos : bien situé sur la petite plage, à droite du petit port d'Ambélas. ☎ 22-84-05-10-57. Ouvert tous les jours de juin à septembre, uniquement le week-end hors saison. Assez cher (compter environ 12 à 15 €), mais excellent poisson et savoureuse *kakavia*.

Christiana : un peu au nord du port. ☎ 22-84-05-15-73. Grande terrasse. Plats de poisson mais pas uniquement. Parts généreuses.

KOSTOS (ΚΩΣΤΟΣ)

Entre Marathi et Lefkès, un petit village très paisible, où les habitants nonchalants prennent le temps de vivre. Quelques ruelles intéressantes. La petite place, avec sa taverne ombragée par de grands arbres, est très sympathique. La taverne mérite également qu'on s'y arrête, de même que le petit café en face. Vous y verrez aussi de belles églises.

LEFKÈS (ΛΕΥΚΕΣ)

À 14 km de Parikia (nombreux bus en été). Perché sur un promontoire pour éviter jadis les razzias des pirates. Longtemps capitale de l'île, Lefkès en est le village le plus authentique, entouré de collines découpées en terrasses. Dédale de rues, multiples placettes, balcons fleuris. Le village le plus visité de l'île, à raison. Un *musée de la Culture égéenne* abrite quelques beaux objets. Fermé l'après-midi. Interdiction de rouler à mobylette dans le village. Tant mieux !

Où dormir ? Où manger ?

Quelques **chambres à louer** et 2 **hôtels,** dont un haut de gamme, **Lefkès Village,** où l'on mange bien pour un prix forcément plus élevé que la moyenne.

Clarinos : dans le centre du village, la terrasse surplombe la place. ☎ 22-84-04-16-08. Ouvert le soir seulement. Quelques spécialités régionales.

Agnantio offre une belle terrasse avec vue sur le village. ☎ 22-84-04-30-89. Ouvert d'avril à octobre, midi et soir. De 10 à 12 € pour un repas. On y va pour les bonnes viandes qui sont cuisinées. Cartes de paiement acceptées.

À voir. À faire

L'église est un magnifique bijou de marbre ; malheureusement, elle est souvent fermée. L'iconostase, la chaire, etc., sont du même matériau – roi de l'île. Très belles icônes.

➢ De Lefkès à Prodromos, très jolie randonnée par la **route byzantine,** encore dallée par endroits de pavés de marbre. Environ 1 h 30 de balade romantique et bucolique. Point de départ en bas du village (bien indiqué). Un must ! À Prodromos, bus pour le retour.

➢ **Balade** facile et agréable. Départ de Lefkès, du grand parking ombragé près de l'école. Prendre à droite en direction d'Agii Pandès (755 m), le plus haut sommet de l'île. Remonter le large chemin carrossable pendant 2 petites heures jusqu'au col. On suit une jolie gorge et l'on peut voir la grande ceinture montagneuse qui isole Lefkès au sud-ouest. Possibilité de continuer vers le sud (encore 2 h de marche) pour arriver au clou de la randonnée : le **monastère d'Agion Théodoron.** Magnifique bâtisse aux allures fortifiées. Très bien entretenue. Patio fleuri très frais. Attention pour les visites : ouvert de 10 h à 12 h et de 18 h à 20 h ! La randonnée peut se pour-suivre par différents chemins : soit prendre le sentier (1 h) qui descend à *Angéria* (bus pour Parikia) ; de là, on peut continuer pour piquer une tête à *Alyki* (bus). Soit descendre la vallée vers l'est en direction de la mer. On arrive après 45 mn à *Aspro Chorio*. De là, rejoindre la route jusqu'à *Drios* (bus).

PISSO LIVADI (ΠΙΣΩ ΛΙΒΑΔΙ) – *LOGARAS* (ΛΟΓΑΡΑΣ)

Deux villages jumeaux : *Pisso Livadi,* petit port de pêche tranquille au fond d'une baie abritée des vents du nord, et, dans son prolongement, *Logaras,* belle plage de 400 m de long, bordée de tamaris. Endroit de villégiature idéal, car à proximité des plus belles plages de l'île et des villages les plus intéressants. Développement maîtrisé, les collines ne sont pas encore méchamment bétonnées. Probablement ce à quoi pouvait ressembler Naoussa il y a une quinzaine d'années ! Bien sûr, beaucoup moins de tou-ristes. Excellent hébergement, qui fait de l'endroit une alternative très inté-ressante à Parikia et Naoussa. Quelques tavernes et bars, suffisants pour créer une petite ambiance...

Adresses et infos utiles

▷ *Poste :* un peu en retrait de la mer. Ouvert le matin du lundi au ven-dredi.

■ *Banque :* avec distributeur auto-matique de billets.

▭ *Arrêts de bus :* il y en a 4 ; un devant le camping, un sur le parking de Pisso Livadi, un devant la plage de Logaras et un autre sur la route principale de Drios, au niveau de la 2ᵉ sortie pour Logaras.

■ *Location de scooters : Poulios rent a bike,* ☎ 22-84-04-14-30. Maté-riel récent qui peut vous être livré (et repris) dans les différents établisse-ments de Pisso Livadi et de Logaras.

Où dormir ?

À *Pisso Livadi*

Camping

⚐ *Camping Kafkis :* à 500 m de Pisso Livadi en allant vers Parikia. ☎ et fax : 22-84-04-14-79. ● www. campingkafkis.com ● Environ 15 € pour 2 personnes avec une tente. Ac-cueil sympa (la réceptionniste parle le français). Snack-bar. Sanitaires propres. Coin cuisine avec frigo. Pe-tite piscine. Pour éviter le bruit de la circulation, éviter de s'installer trop près de la route. Arrêt de bus à proxi-mité.

Bon marché

🛏 *Hôtel Magia :* sur les hauteurs de Pisso Livadi. ☎ 22-84-04-33-90. Ou-vert du 15 avril au 30 septembre. Compter 25 € pour deux hors saison et environ 50 € en été (un peu moins si la chambre n'a pas la vue sur mer). Les chambres sont assez petites, mais elles disposent d'une salle de douche avec toilettes, d'un frigo et d'une terrasse (magnifique vue pour les chambres les mieux orientées). Catherina est charmante et se met en quatre pour faire plaisir à ses hôtes. Une bonne adresse.

🛏 *Maria's Rooms (chez Maria Tri-vizas) :* pas très loin de l'église. Diffi-cile pour les réservations (la mamie ne parle pas l'anglais), tentez le fax d'avril à octobre : 22-84-04-22-52. Suivre les panneaux des studios *Vrochaki* (voir plus loin), au bout de la rue qui y mène, tourner à gauche, puis encore à gauche. Bâtiment blanc et bleu sur deux niveaux. Compter de 35 à 50 € pour une chambre et de 40 à 60 € pour un stu-

dio, petit déjeuner compris. Cinq chambres simples avec salle de bains, AC, TV et terrasse. Au rez-de-chaussée, 3 studios avec petite cuisine. Très propre. Jolie vue sur mer. Les petits déjeuners, servis sous la tonnelle, sont mitonnés par Maria, la mamie qui bichonne ses hôtes.

Prix moyens

🛏 *Anna's Rooms :* à proximité du port. ☎ 22-84-04-13-20. Fax : 22-84-04-33-27. ● www.annasinn.com ● Ouvert du 1er avril au 15 octobre. De 32 à 57 € la chambre double selon la période. Chambres et studios confortables (TV, AC) dans un bâtiment qui domine le port ou dans une petite rue tranquille et fleurie. Excellent rapport qualité-prix des appartements pour 4. Très bien tenu (ménage quotidien), accueil chaleureux. Possibilité de préparer son petit déjeuner.

🛏 *Chambres et studios Vrochaki :* face à la mer, derrière l'église de Pisso Livadi, à l'écart de tout bruit.

☎ 22-84-04-14-23 et 22-84-05-19-95. Ouvert du 15 avril au 15 octobre. Chambres standard de 34 à 58 € selon la saison ; ajouter quelques euros pour avoir un standing supérieur. Studios pour 2 personnes de 39 à 64 €. Petite résidence sur 3 niveaux comprenant 7 studios (2 à 4 personnes) et 12 chambres (2 ou 3 personnes), tous climatisés, avec balcon ou terrasse privés offrant une belle vue. Joliment fleuri. Très propre. Accueil charmant et très bien tenu. Prix raisonnables pour la qualité. Possibilité de préparer son petit déjeuner.

Plus chic

🛏 *Villa Giorgio :* à côté de l'hôtel *San Antonio.* ☎ et fax : 22-84-04-17-13. ● www.villagiorgio.com ● Ouvert du 20 avril au 10 octobre. Appartement climatisé pour 2 personnes de 45 à 75 € (petit déjeuner inclus). Jolie vue sur le port. Propreté irréprochable. Grande gentillesse de Giorgio, aux petits soins avec ses clients ! Réduction de 12 % sur présentation du *GDR.*

🛏 *Hôtel San Antonio :* sur les hauteurs de Pisso Livadi, dans une petite rue tranquille. ☎ 22-84-04-15-11. Fax : 22-84-04-26-81. Ouvert du 15 avril au 31 octobre. De 45 à 85 € la double selon la saison, petit déjeuner compris. Chambres calmes avec

tout le confort (clim' récemment ajoutée). Jolie vue sur le port pour la majorité des chambres. Accueil charmant et francophone.

🛏 *Elena Studios :* à 200 m du port. Réservation à *Îles Cyclades Travel :* à Marpissa (voir plus loin). Ouvert du 4 avril au 30 septembre. De 35 à 60 € le studio standard pour deux, de 42 à 68 € pour avoir l'AC et un standing supérieur. Également des appartements : compter de 60 à 115 € pour 2 ou 3 personnes. Ensemble de bâtiments construit avec goût, dans le style local, au milieu d'un jardin. Studios et appartements sont spacieux. Accueil sympathique.

À Logaras

Bon marché

🛏 *Oasis Rooms et Studios :* sur la route entre Logaras et Pisso Livadi. ☎ 22-84-04-14-56. ● oassis10@yahoo.gr ● À 400 m de la plage, dans un joli jardin. Ouvert du 4 avril au 30 septembre. Chambres doubles

standard de 22 à 40 € selon la saison, studios de 26 à 48 €. Ajouter quelques euros pour avoir une chambre ou un studio de standing supérieur et la clim'. Sur deux niveaux. Chaque chambre et studio a sa terrasse privative. Bien tenu. Possibilité de louer tout l'étage, pour deux familles. Accueil chaleureux. Coin cuisine pour préparer son petit déjeuner.

🛌 *Afroditi Rooms, chambres et studios :* en bord de plage, à côté des appartements *Stavros.* ☎ 22-84-04-14-30. Ouvert du 1er avril au 18 octobre. Compter de 25 à 48 € pour une chambre standard (de 33 à 58 € avec la clim'), et de 32 à 55 € pour un studio standard (37 à 60 € pour la catégorie supérieure, avec AC). Petit établissement familial. Chambres avec frigo, TV et terrasse donnant sur la plage. Kitchenette dans les studios (et possibilité de préparer son petit déjeuner pour les chambres).

🛌 *Carmel Apartments :* dans le centre de Logaras. ☎ 22-84-04-19-00 et 69-72-20-45-67 (portable). Fax : 22-84-04-21-58. • www.paroscarmel. gr • Un peu en hauteur, face à la plage ; juste avant la station d'autobus de Logaras. Ouvert du 1er mai au 30 octobre. Environ 45 € la double en haute saison. Grande bâtisse toute blanche avec terrasse surplombant la mer. Huit studios pour 2 à 4 personnes. Deux appartements de 2 pièces, d'un bon rapport qualité-prix, et un autre avec 3 chambres. Accueil quasi familial. Sur présentation du *GDR,* 10 % de réduction pour un séjour de plus de 4 nuis.

Plus chic

🛌 *Albatross Bungalows :* sur une hauteur, à 200 m de la belle plage de Logaras. ☎ 22-84-04-11-57. Fax : 22-84-04-19-40. • www.albatross.gr • Accès : 2e sortie pour Logaras. Ouvert de début mai à fin septembre. Compter de 54 à 84 € pour 2 et de 83 à 118 € pour 3. Hôtel construit dans le style des Cyclades, composé de petits corps de bâtiment qui n'ont rien de bungalows ! Une quarantaine de chambres d'excellent confort, aux couleurs fraîches, fort plaisantes (minibar, téléphone, balcon, etc.). Bien

isolé, loin de tout bruit, on a une vue superbe sur toute la baie et les collines environnantes. Copieux petit déjeuner (formule buffet). Jolie piscine avec snack-bar, aire de jeux pour les mômes. Magnifique jardin arboré, bien entretenu. Nos lecteurs apprécient aussi l'accueil de Stella, la directrice. Parking et arrêt du bus à proximité. Pour un séjour d'une semaine, la 7e nuit est gratuite en basse et moyenne saisons sur présentation du *GDR.*

Où manger ?

🍴 *Taverna Markakis :* plage de Logaras, les pieds dans l'eau. Compter 10 € pour un repas. Parmi les plats proposés, du poisson et une assiette de *mezze* de la mer (calamars frits, crevettes, petite friture), copieuse et bon marché. Accueil sympathique. Chambres avec douche et w.-c. au-dessus du resto.

🍴 *Filisanis :* plage de Logaras. Compter environ 12 € par personne, vin compris. Resto tenu par une des

plus vieilles familles de Marpissa. On y mange de bonnes grillades. Certains soirs, musique.

🍴 *Taverna Stavros :* à Pisso Livadi, sur le port. ☎ 22-84-04-14-04. Ouvert midi et soir d'avril à septembre. Environ 15 € le repas. Établissement familial, bien tenu. Plats traditionnels et bonnes grillades de poisson frais. Fruits de mer et oursins en fonction de la pêche.

Où boire un verre ?

🍸 ♪ *Remezzo Bar :* très bien situé sur la plage de Pisso Livadi. Ouvert toute la journée. Accueil chaleureux.

Musique agréable et pas trop forte. Petite terrasse sympathique. Prix raisonnables.

♟ *Captain Yannis :* au bout du port de Pisso Livadi. Très sympa. L'apéro au moment du coucher du soleil, un moment magique ! Pas mal aussi pour le petit dej'.

♟ ♪ @ *Anchorage Bar :* bien situé sur le port. Ouvert toute la journée. Petit déjeuner copieux, omelettes, excellents yaourts aux fruits frais.

Très bonne musique. Accès Internet. Bon accueil du patron francophone.

♟ ♪ *Ostrako Bar :* au-dessus du restaurant *Stavros,* d'où la vue sur le port de Pisso Livadi est superbe. Ouvert de 17 h à 2 h. Bons cocktails. On y vient également pour la musique cool et les méga-gaufres (ou les crêpes) et les coupes glacées aussi.

À voir dans les environs

⌂ *Pounda* (Πουντα) *:* petite plage, à quelques centaines de mètres après celle de Logaras. Un grand complexe réunissant un bar, un resto, une piscine et des boutiques, le tout planté sur la plage et fréquenté essentiellement par des jeunes Grecs. L'ambiance musicale (techno) plaira plus particulièrement aux jeunes. Et l'on peut même faire du saut à l'élastique à partir d'une grue !

⌂ *Messada* (Μεσαδα) *:* à 5 ou 10 mn de marche de Pounda à droite en regardant la mer, petite plage par endroits ombragée par des tamaris et abritée du vent par des murets de pierre. Pas mal de naturistes.

MARPISSA (ΜΑΡΠΗΣΑ)

Charmant petit village. Nombreuses demeures anciennes. Un resto, une taverne, deux mini-marchés et magasins de souvenirs : on respire ! La plage est à une dizaine de minutes à pied, à Logaras.

Adresses utiles

■ Une bonne solution pour réserver de l'étranger ou de Paros, s'adresser à *Îles Cyclades Travel,* à Marpissa. ☎ 22-84-02-84-51. Fax : 22-84-04-19-42. Renseignements et réservations en hiver en France : ☎ et fax : 01-39-50-60-51. ● www.iles-cyclades.com ● info@iles-cyclades.com ● Situé dans un petit centre commercial, sur la route principale de Marpissa, à 20 m de la station de bus, à côté de la pharmacie. Ouvert de début avril à fin septembre, de 9 h à 16 h et de 19 h à 21 h. Garantie de vos réservations. Prix étudiés. Les réservations doivent être payées à l'avance. Bonnes infos, renseignements précis (le tout en français) et réservations sur beaucoup d'îles des Cyclades. Distribution d'une carte de l'île commentée avec les promenades à faire. Location de voitures et de scooters. Promotions intéressantes hors saison. Accès Internet sur place.

■ *Médecin :* dans le haut du village. ☎ 22-84-04-12-05.

■ *Pharmacie :* dans la rue principale (à côté d'*Îles Cyclades Travel*).

■ *Police :* après l'hôtel *Afendakis*. ☎ 22-84-04-12-02.

Où dormir ?

🛏 *Chambres chez l'habitant :* frapper aux portes et choisir.

🛏 *Hôtel Afendakis :* sur la route principale. ☎ 22-84-04-11-41. Hors saison : ☎ 21-05-12-81-73. Les doubles montent à un peu plus de 50 € en haute saison. Très sympathique hôtel abondamment fleuri. Accueil très cordial. Chambres confortables. Studios et appartements avec 2 chambres, salon-cuisine. Jolie terrasse enfouie dans la végétation. Établissement présentant un bon rapport qualité-prix. Un seul inconvénient : c'est bruyant.

🏠 ***Makronas Bungalows :*** à la sortie de Marpissa (direction Naoussa), un peu en retrait de la route principale vers Pisso Livadi. ☎ 22-84-04-13-72 ou 22-94. Ouvert du 1er juin à fin septembre. Chambres doubles de 35 à 65 € selon la période, appartement (pour 4) de 72 à 114 €. Ravissant petit complexe abritant des appartements et chambres au fond d'un grand jardin fleuri. Possibilité de préparer son petit déjeuner. Accueil charmant et francophone.

À voir. À faire

➤ Pour une balade dans le ***vieux village*** piéton, emprunter la ruelle qui part dans l'axe de la place des Trois-Moulins. Pratiquement chaque rue possède son église et sa chapelle. La première d'entre elles présente un fronton triangulaire et un clocher ouvragé en pierre. Placette paisible et passage voûté. *Kafénio* traditionnel pour faire une pause, si vous avez la chance qu'il soit ouvert... Beaucoup de charme, tout ça ! Ruelle de droite : d'autres églises et passages voûtés. Ravissants campaniles. Bon, on vous laisse vous perdre...

➤ Autre petite balade à partir de la place des Trois-Moulins. Prendre la rue à droite pour le ***monastère Saint-Antoine.*** Au bout de la route, on laisse son véhicule et l'on entame une montée à pied d'une vingtaine de minutes. Beau panorama. Monastère ouvert tous les jours de l'année, de 11 h à 19 h.

– *Festivités de la Pâque* à Marpissa : plutôt uniques dans leur genre et qui valent le voyage ! Chœurs byzantins, processions aux flambeaux, représentation vivante de la Passion, grand repas pascal, danses et folklore (organisés par la mairie).

À voir. À faire dans les environs

🏹 ***Marmara*** (Μαρμαρα) : ce village doit son nom aux auges en marbre (que l'on peut voir en sortant de Marmara en direction de Molos sur la gauche) où les femmes du village venaient autrefois laver leur linge. Quelques ruelles intéressantes et surtout très belles églises : *Agios Savas* (1608) et son très beau clocher de pierre sculptée. Sur la gauche dans la direction de Molos, *Péra Panagia* (XVIIe siècle) : église à double abside. Superbe clocher. Admirable exemple de l'architecture égéenne.

Aller jusqu'à ***Molos*** (Μωλος, à 20 mn à pied de Pisso Livadi par la côte), très belle plage de sable bordée de tamaris ; chambres à louer, quelques tavernes et, surtout, continuer la piste sur la gauche de Molos, jusqu'à la fin : très belles criques avec une eau limpide et *plages de Tsoukalia* et *Glyfadès,* idéales pour les amateurs de planche.

🏹 ***Prodromos*** (Προδρομος) : là aussi, ravissant village fort peu touristique. Anciennement fortifié. Arrivé sur la grand-place, accès au centre piéton par une porte de ville. Abside de l'église englobée dans le système défensif. Joli campanile à colonnettes. Remonter la ruelle sur 50 m, puis tourner à droite. Commence alors un petit treillis de ruelles pour atteindre la deuxième église fortifiée du village. Le matin, c'est désert. Beaux jeux d'ombre et de lumière. La deuxième église sert également de porte de ville. Ravissant clocher ouvragé en marbre. Petit escalier sur le côté.

🍴 *Taverne* sur la place principale.

🏹 ***Golden Beach*** (en grec *Chryssi Akti*) : la plus grande plage de l'île. À 4,5 km au sud de Marpissa. Propre (sauf à l'entrée). Superbe plage de sable blanc. Il y a du monde en saison, mais ça reste vivable car l'endroit est vaste. Au bout à droite, location de planches à voile. Très cher, mais toujours le rendez-vous des amateurs de funboard grâce aux conditions météo géniales. Attention à eux pendant la baignade !

DRIOS *(ΔΡΥΟΣ)*

Village assez étendu et récent. Très vert (on l'appelle le Jardin de Paros). Résidentiel et tranquille. Plage de sable et galets, bordée de tamaris. Accès en bus.

Où dormir ? Où manger ?

🛏 **Nissiotiko House :** dans un quartier résidentiel, tout près du port. ☎ 28-84-04-15-00. ● www.nissiotiko-paros.gr ● Ouvert du 1er avril au 25 octobre. Réservations à *Îles Cyclades Travel* à Marpissa. Compter de 45 à 65 € en chambre double avec le petit déjeuner. Un peu plus cher en studio 2 personnes et compter de 70 à 90 € pour un appartement (2-4 personnes). Une quinzaine de chambres très agréables pour deux ou trois dans le bâtiment principal, et, dans l'annexe, huit studios ou appartements. Bon niveau de confort. Jardin enfoui sous la végétation.

|●| **Taverna Markakis-Zeus :** sur le port. Compter de 10 à 12 €. Cuisine classique de taverne et *mezze*. Légumes, fromages, fruits ainsi que l'ouzo et le vin viennent de la ferme du propriétaire.

|●| **Taverna Anchor :** en retrait du port. Très fréquenté par la clientèle locale.

À voir

🦑 Prendre la vieille route, coincée entre de hauts murs menant au port, pour aller observer les longues entailles creusées dans la roche et qui permettaient pendant l'Antiquité de dissimuler les bateaux (étroits à l'époque !) aux yeux des pirates et autres envahisseurs.

➤ **Entre Drios et Alyki :** très jolis paysages de côtes découpées. Ici et là, quelques vieilles habitations rurales. Très belles *plages de Lola-Antonis, Glyfa* et *Trypiti*.

ALYKI *(ΑΛΥΚΙ)*

Charmant petit port de pêche au sud de l'île, à 20 mn en bus de Parikia.

Où dormir ? Où manger ?

⛺ |●| **Camping Alyki :** à 100 m de la mer. ☎ 22-84-09-13-03. Fax : 22-84-09-11-50. Compter 12 € pour deux avec une tente. Ouvert de fin juin à mi-septembre. Bien conçu, espaces ombragés. Taverne familiale. Huttes en bambou et chambres à louer également. Accueil sympa de la patronne qui parle *tutti-frutti* (un savant mélange linguistique). Moins fréquenté que les campings de Parikia.

🛏 **Young Inn :** dans les terres (à 150 m de la plage), un peu avant d'arriver sur Alyki. ☎ 69-76-41-52-32 (portable) et, l'hiver : ☎ 00-49-17-91-35-67-66 (en Allemagne). ● www.young-inn.com ● Ouvert du 1er mai au 30 septembre. Compter de 8 à 12 € par lit en dortoir et de 24 à 50 € pour une chambre double. Une auberge de jeunesse récemment ouverte, tenue par des Allemands. Chambres et dortoirs très propres (on s'en serait douté). Terrasse. Activités diverses. Ambiance jeune. 5 % de réduction sur présentation du *GDR*.

À voir

🎭 Petit ***Musée traditionnel et historique*** *(Scorpios museum),* près de l'aéroport. ☎ 22-84-09-11-29. Ouvert de 10 h à 14 h du 1er mai à fin septembre. Entrée : 2 €. Nombreuses maquettes (bateaux, moulins). Certaines fonctionnent. Très beau travail !

🎭 *À Angéria :* sympathique centre d'exposition installé dans un vieux moulin du XIXe siècle. Joliment restauré. Photos, artisanat, icônes, etc.

QUITTER PAROS

En bateau et en avion, les destinations sont les mêmes que pour l'arrivée. Voir « Comment y aller ? ».

ANTIPAROS (ΑΝΤΙΠΑΡΟΣ) 800 hab.

Ceux qui recherchent la tranquillité, pour passer des vacances relativement calmes, peuvent prendre un caïque à moteur pour cette petite île à l'ouest de Paros. Les voitures peuvent y aller. Il faut vite s'éloigner du village. Beaucoup de criques à découvrir. À Antiparos, on est bien loin de la clientèle huppée de Mykonos. Les randonneurs seront comblés.
On trouve toutes les facilités du confort moderne dans la rue principale du village : change, mini-marché, *OTE,* lavomatique, poste, etc.

Comment y aller ?

➤ *De Pounda :* la solution la plus intéressante consiste à louer un vélomoteur puis à descendre jusqu'à ce village, situé à 5 km au sud-ouest de Paros. Là, un bac assure la navette toutes les 30 mn en été (de 7 h 15 à 1 h) et jusqu'à 17 h en hiver, et l'on peut embarquer son véhicule. À noter : devant l'embarcadère un resto sympa : *Théa* (☎ 22-84-09-12-20) ouvert midi et soir.
➤ *De Parikia :* bateaux effectuant l'aller-retour dans la journée. 30 mn de trajet. Certaines compagnies incluent la visite de la grotte dans le prix du ticket. Bien vérifier. Mieux vaut, pour être libre de ses horaires, prendre un aller-retour simple.

Où dormir ?

Les policiers n'aiment pas que l'on dorme à la belle étoile. Mais il faut dire qu'en été, ils sont débordés. Si vous voulez tenter votre chance, prenez la rue principale, puis tournez à gauche vers la plage.

Camping

⛺ *Camping :* à 1 km du port, en allant vers le nord, puis à droite à travers les collines. ☎ 22-84-06-12-21. Fax : 22-84-06-14-10. Compter environ 13 € pour 2 personnes avec une tente. Sanitaires bien tenus. Des bambous sont plantés sur le site, ce qui est efficace contre le vent, un peu moins contre le soleil. Ambiance routard (ou zen pour certains), mais assez bondé en été. Restaurant en self-service. Plage tout à côté, protégée par une petite île. Naturisme autorisé. Discothèque à proximité et drague gentille. Un peu le paradis sans les saints du calendrier.

De prix moyens à chic

🛏 *Chambres chez l'habitant* nombreuses.

🛏 *Hôtel Madaléna* (*Mantalena*) : sur le port. ☎ 22-84-06-12-06. Fax : 22-84-06-15-50. ● www.hotelmanta lena.gr ● Ouvert d'avril à octobre. Environ 65 € la double en août. Architecture cycladique plaisante. Chambres simples mais confortables. Terrasse. Cartes de paiement acceptées.

🛏 *Hôtel Artemis :* au bout du port, avec une jolie vue. ☎ 22-84-06-14-60. Fax : 22-84-06-14-72. ● artemis@par. forthnet.gr ● Ouvert d'avril à octobre. Chambres doubles de 38 à 75 €, petit déjeuner en sus. Chambres confortables, avec AC. Également des studios pour 2 à 4 personnes. Très agréable. Bon accueil.

Où manger ?

🍴 *Café K. Paroussos :* suivre la rue principale. Plus loin que la poste, sur la place au fond du village. Le coin le plus animé et le plus sympa du village. Tables occupant toute la place autour d'un gros arbre. Les Grecs s'y retrouvent volontiers le soir. Snacks. Pâtisseries grecques.

🍴 *Taverne Yorgis :* dans la rue principale. Ouvert uniquement le soir. Cuisine familiale excellente. Bon marché. Très bon rapport qualité-prix.

🍴 *Taverne Klimataria :* prendre la rue principale puis une ruelle à gauche, où elle est indiquée. Ouvert le soir uniquement. Compter 10 € pour un repas. Sous les grenadiers et les bougainvillées, on dîne d'une cuisine maison, mais le service est bien lent.

– La *boulangerie* située dans la rue principale, un peu avant la taverne *Yorgis*, fait un pain excellent.

À voir. À faire

🔭 *Le quartier du kastro :* au bout de la rue principale, à droite, à côté de la chapelle *Agios Nikolaos*. Ce sont les murs des maisons qui forment l'enceinte du *kastro*. Très pittoresque.

🔭 *La grotte :* à 9 km du village. C'est une immense salle souterraine à 70 m de profondeur. Entrée : 3 €. Un bus (en saison) relie assez souvent la grotte au village. Possibilité d'y aller en bateau. Départs à 10 h, 11 h et 12 h. À pied, la balade dure environ 2 h pour y aller et laisse découvrir de jolies criques bien tranquilles. Une fois arrivé, inutile de prendre un des ânes qui y grimpent, car c'est vraiment l'arnaque. *Attention,* la grotte ferme à 15 h 30. Une anecdote : c'est dans cette grotte que le marquis de Nointel, ambassadeur de France auprès de l'Empire ottoman, célébra avec sa suite de 500 personnes la messe de minuit de Noël 1673 (une inscription en latin, sur une stalagmite, le rappelle).

AGIOS GIORGIOS (*ΑΓΙΟΣ ΓΕΩΡΓΙΟΣ*)

À une douzaine de kilomètres au sud-ouest de la « capitale ». La route est maintenant goudronnée, donc pas de problème pour s'y rendre ! Le sud de l'île vit ses dernières années de tranquillité. Projets immobiliers en cours. L'un d'eux, très luxueux, s'achève d'ailleurs (avec faux moulins et tout !). Mais que cela ne vous décourage pas, Agios Giorgios reste encore fascinant.

⌂ Au km 8 : plage d'***Apandima*** avec un *Beach Café* où grignoter.

– Au km 10 : *studios à louer* à ***Soros****. Taverne.* Coin très peu urbanisé.

– Au km 12 : arrivée sur la pointe d'***Agios Giorgios****.* Quelques maisons blanches, un poil de villas en construction, trois *tavernes* et c'est tout. On est d'emblée frappé par la sérénité du paysage, son ampleur, sa douceur aussi. Mais une grande partie de la pointe est percée de routes (parfois trois ou quatre en parallèle sur une même pente, cimentées pour certaines). Et l'on devine le projet immobilier qui pointe le bout de son nez. Sachez profiter du secteur avant qu'il soit trop tard.

En face s'élève ***Despotiko,*** une île complètement déserte. Tout au bout, une église minuscule à la blancheur immaculée qui se mire dans l'eau, quelques barques colorées et une mer chaude et limpide de rêve.

Où dormir ? Où manger ?

🛏 ***Résidence Oliaros :*** à deux pas de la mer. ☎ 22-84-02-53-05. Fax : 22-84-02-53-04 (de mai à octobre). Le reste de l'année : ☎ 22-94-03-26-61. ● www.oliaros.gr ● Ouvert du 1ᵉʳ mai à fin septembre. Studios pour 2 ou 3 personnes de 55 à 70 €, appartements standard pour 4 ou 5 personnes de 65 à 85 €. Mignon petit hôtel tout blanc, dans le style local. Huit logements indépendants pouvant accepter de 2 à 5 personnes. Jolie décoration intérieure et bon confort. Terrasse ombragée devant. Barbecue à disposition. 10 % de réduction sur présentation du *GDR* (et 5 % supplémentaires à partir de 7 nuits).

|●| ***Taverne Zombos :*** ☎ 22-84-06-14-05. Paysan et pêcheur, Zombos propose la meilleure friture de l'île. Une adresse appréciée par Lionel Jospin quand il était en vacances sur l'île. Chambres à louer également, à côté du resto.

NAXOS (ΝΑΞΟΣ)

18 000 hab.

Située entre Amorgos, Mykonos et Paros, Naxos, île montagneuse dominée par un point culminant à 1 003 m, la montagne Zas (comprenez Zeus), avec une superficie de 428 km² et un périmètre côtier de 148 km, est non seulement la plus élevée des Cyclades, mais aussi la plus fertile, grâce à des ressources en eau que n'ont pas ses voisines cycladiques.

Ses vallons plantés d'oliviers, de vignobles, de citronniers ou d'orangers, ses champs potagers réputés pour la culture de pommes de terre, ses vergers, ses pâturages et son bétail, ainsi que ses carrières de marbre, de granit et d'émeri, font d'elle une île quasiment autonome, qui avait pendant longtemps négligé le tourisme. Cependant, on assiste depuis quelques années à une expansion touristique galopante, surtout concentrée autour du port et des plages du sud de l'île (fréquentées par les Allemands et les Scandinaves).

C'est une île au riche passé mythologique et historique. Selon la tradition, c'est là que Zeus aurait passé son enfance et que serait né Dionysos, le dieu du Vin ; c'est là aussi qu'Ariane, abandonnée par Thésée, aurait été recueillie par le même Dionysos. Plus prosaïquement, en s'y promenant on découvre les merveilles architecturales que recèle Naxos, qui demeura longtemps sous domination vénitienne : monastères, belles demeures seigneuriales, tours de défenses, *kastro*...

Malgré le côté rébarbatif du port, enlaidi par des constructions qui n'ont tenu compte ni de l'échelle de l'architecture traditionnelle ni de l'esthétique du paysage, elle mérite d'être explorée car elle offre au visiteur de nombreuses facettes : hautes montagnes à pics très abrupts, maquis, vallées intérieures qui ont la douceur des paysages de Toscane et où la lumière dorée met en valeur tous les verts des arbres, ainsi qu'ici et là de nombreux et beaux villages encore préservés du tourisme.

Elle séduira à la fois les amateurs de plages, les véliplanchistes, grâce aux bonnes conditions climatiques qui y règnent, et aussi ceux qui aiment les randonnées pédestres. Il faut bien avouer que le réseau routier, bien qu'amélioré ces dernières années, ne permet pas aux automobilistes de découvrir complètement l'arrière-pays qui demeure par son authenticité la partie la plus intéressante de l'île.

Comment y aller ?

En avion

➤ *D'Athènes :* trois ou quatre vols par jour en été. Compagnie *Olympic Airlines.* Durée du trajet : 45 mn. Agence *Olympic Airlines* à Chora : ☎ 22-85-02-30-43. À l'aéroport : ☎ 22-85-02-32-92.

En ferry ou en catamaran

L'île est un peu moins bien desservie que sa voisine Paros, mais les liaisons sont néanmoins assez nombreuses.

➤ *Du Pirée :* environ 4 liaisons par jour (davantage en été). Durée : 6 h.

➤ *De Paros, Ios et Santorin :* environ 4 liaisons par jour ; en été, davantage.

➤ *De Sikinos et Folégandros :* 3 liaisons par semaine.

➤ *Des Petites Cyclades* (Schinoussa, Irakleia, Koufonissi) *et d'Amorgos :* plusieurs liaisons par semaine en saison. Par le petit ferry *Express Skopélitis.*

➤ *De Donoussa :* plusieurs liaisons par semaine.

➤ *De Mykonos, Tinos et Syros :* liaison quotidienne.

➤ *De Crète, de Samos, Astypaléa, Rhodes et Kos :* une à plusieurs liaisons par semaine.

CHORA (XΩPA)

Chef-lieu, port principal de l'île et grand centre commercial des Cyclades, Chora, avec environ 7 000 habitants, est en constante mutation depuis le développement du tourisme.

En arrivant au port, la petite *île de Palatia,* qui lui est reliée par une chaussée, vous accueille avec son immense portique en marbre appelé *Portara.* Il s'agit de l'entrée du **temple d'Apollon-Palatia** (plan A1, **50**), dont la construction, commencée au VIe siècle av. J.-C., n'a jamais été achevée. Un must : vous y rendre au coucher du soleil.

Quant au port, il est dominé par une colline de forme conique, surmontée par les ruines d'un impressionnant *kastro* vénitien, autour duquel sont massées une multitude de constructions cubiques dans l'ensemble assez élevées et disparates, qui s'échelonnent jusqu'au port animé d'une intense activité touristique. Succession de cafés, restos, agences de voyages... Que cela ne vous décourage pas, Chora, qui se compose de quatre quartiers (le port, le quartier du *kastro,* celui de Grotta et la plage d'Agios Giorgios où se concentre la majorité des hôtels et locations) a beaucoup à offrir.

Le quartier du *kastro,* qui abrite la communauté catholique de l'île, est indéniablement le plus pittoresque. Du *kastro* – âme de la ville –, construit au XIIIe siècle sous la domination vénitienne, la vue sur la mer Égée et les collines de Paros, surtout au coucher du soleil, est extraordinaire. Il n'en subsiste que très peu de choses aujourd'hui : quelques pans de muraille, les ruines du palais surmonté d'un blason, 2 des 3 entrées et 7 tours. L'entrée

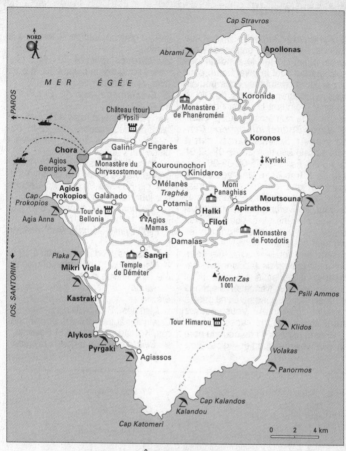

NORD

MER ÉGÉE

PAROS

IOS, SANTORIN

Cap Stravros

Apollonas

Abrami

Koronida

Château (tour)
d'Ypsili

Monastère
de Phanéroméni

Koronos

Galini

Engarès

Kyriaki

Chora

Agios
Georgios

Monastère du
Chryssostomou

Kourounochori

Kinidaros

Agios
Prokopios

Galanado

Mélanès

Traghéa

Moni
Panaghias

Moutsouna

Cap
Prokopios

Tour de
Bellonia

Potamia

Halki

Apirathos

Agia Anna

Agios
Mamas

Filoti

Damalas

Monastère
de Fotodotis

Plaka

Sangri

Mikri Vigla

Temple
de Déméter

Psili Ammos

Kastraki

Mont Zas
1 001

Klidos

Alykos

Tour Himarou

Volakas

Pyrgaki

Agiassos

Panormos

Cap Kalandos

Kalandou

Cap Katomeri

0   2   4 km

NAXOS
(Cyclades centrales)

L'ÎLE DE NAXOS

située au nord-ouest est intacte. On peut encore y voir une gigantesque porte en bois (c'est la *Trani Porta*) et, un peu plus loin, une tour circulaire bien conservée, plus connue sous le nom de *tour de Glézio*. À l'intérieur du *kastro* se trouvent de belles demeures patriciennes des XIVe et XVe siècles à cour intérieure, de 2 ou 3 étages pour la plupart et dont les façades sont ornées de blasons des familles qui y habitaient à l'époque. Il abrite également le couvent des Ursulines, le couvent des Capucins et, au centre, la cathédrale catholique.

À partir du *kastro,* un entrelacs de petites ruelles tortueuses, souvent en escalier, serpente selon la plus grande fantaisie sur les flancs de la colline : passages voûtés surmontés en général d'une chambre, portes en ogives, belles demeures en pierre du pays, embellies de superbes bougainvillées et de jasmin, placettes ombragées, *kafénia,* tavernes, pots de fleurs ici et là, petites chapelles et églises (plus de 45, fermées pour la plupart) contribuent à embellir ce quartier plein de mystère.

– Grande fête le 14 juillet pour la *Saint-Nicodimos* : procession le soir avec tous les popes locaux. Également en juin, le soir de la *Saint-Jean*.

Adresses utiles

ℹ️ *Syndicat d'initiative :* tout de suite face à vous en sortant des bateaux. C'est en fait le syndicat des hôteliers qui sont là, avant tout, pour placer leurs chambres. Vous pouvez vous y procurer une carte de l'île et un livret indiquant la plupart des hôtels et leurs numéros de téléphone.

■ *Naxos Tourist Information Center (plan A1, 3) :* en sortant du port, à côté du café *Bikini.* ☎ 22-85-02-52-01 ou 45-25. Fax : 22-85-02-52-00. Ouvert de 8 h à 23 h. Une agence de voyages pas comme les autres ! Vous serez accueilli avec gentillesse ; ils vous trouveront une chambre selon vos moyens et, si vous en avez besoin, ils vous conseilleront sur les promenades à faire dans l'île (ils proposent des feuillets avec de nombreux itinéraires de randonnée). Demandez à parler à Despina Kitini pour les infos en français. Téléphone international. Change. Consigne à bagages (payante). Vous pouvez aussi laisser des messages.

✉️ *Poste (plan A3) :* au bout du port, en direction du quartier Agios Giorgios, à gauche, tout de suite après le parking.

■ *Banques (plan A-B2, 1) :* plusieurs banques, la plupart sur le port, avec distributeurs de billets.

■ *Capitainerie (plan A2, 2) :* ☎ 22-85-02-33-00.

🚌 *Arrêt de bus (plan A1) :* juste en face du débarcadère. ☎ 22-85-02-22-91. Plusieurs lignes desservent plages et villages de l'île.
– *Agios Prokopios-Agia Anna-Plaka :* en été, toutes les 30 mn de 8 h à 1 h.
– *Vigla-Kastraki-Pyrgaki :* 5 départs par jour, de 7 h 30 à 17 h.
– *Apollonas :* 5 départs par jour jusqu'à 15 h.
– *Filoti-Chalki-Damarionas :* environ 6 départs par jour.
– *Apirathos :* 5 départs jusqu'à 19 h.
– *Moutsouna :* 1 départ quotidien en été (en principe à 11 h).
– *Sangri :* 6 départs quotidiens en été.
– *Mélanès :* 3 départs.
Quelques autres départs pour Engarès, Koronos, Kinidaros et Potamia.

■ *Billets pour les bateaux rapides :*

■ **Adresses utiles**

✉️ Poste
🚌 Arrêt de bus
1 Banques
2 Capitainerie
3 Naxos Tourist Information Center
4 Hôpital
5 Pharmacies et ZAS Travel (point Internet)
6 Librairie Zoom (presse française) et point Internet
7 Police
8 Falcon (location de scooters)
9 Ciao (location de scooters)

🛏️ **Où dormir ?**

10 Hôtel Anixis
12 Château Zevgoli
13 Hôtel Grotta
14 Pension Irene
15 Hôtel Anna
16 Pension Kalamiès
18 Hôtel et studios Glaros
19 Hôtels Galini et Sofia Latina
20 Hôtel Apollon
21 Hôtel Galaxy

🍴 **Où manger ?**

30 Scirocco
31 Taverne Kastro
32 Lucullus
33 Café Picasso
34 Ouzeri Galini
35 Restaurant Ellis
37 Taverne Koutouki
38 Popi's Grill
39 Taverne O Apostolis

🍸 **Où boire un verre ? Où manger une glace ? Où sortir ?**

42 Bar-discothèque Ocean
43 Super Island
44 Waffle House
45 Pâtisserie Rendez-Vous

📷 **À voir**

50 Temple d'Apollon-Palatia
51 Musée archéologique
52 Maison-musée Della Rocca-Barozzi

NAXOS (Cyclades centrales)

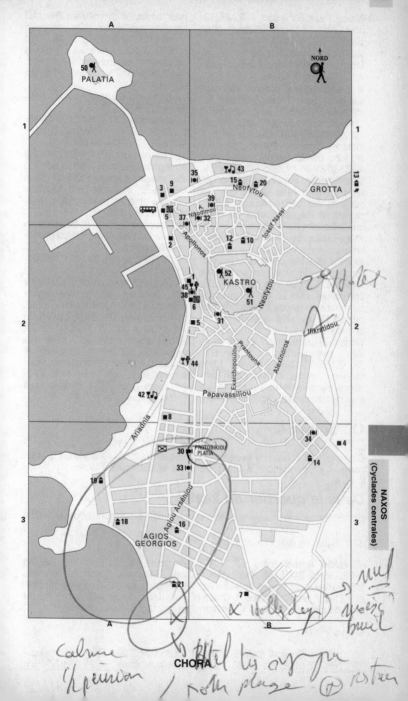

CHORA

Naxos Tours, sur le port. ☎ 22-85-02-30-43 et 20-95. Également chez *Grotta Tours* (accueil francophone).

■ *Taxis :* la station se trouve en face du terminus des autobus *(plan A1)*. ☎ 22-85-02-24-44.

■ *Location de scooters :* il y a plusieurs loueurs. Tous pratiquent les mêmes prix, c'est-à-dire environ 15 €. On recommande *Falcon (plan A2, 8)*, ☎ 22-85-02-53-23. Sérieux et bon matériel. Également *Ciao (plan A1, 9)*, tenu par un couple franco-grec, ☎ 22-85-02-66-12. Scooters et motos, matériel bien entretenu. Vérifier en règle général l'état de l'engin, les freins surtout. Les routes sont dangereuses, et l'hôpital compte de nombreux blessés de la route.

■ *Location de voitures :* nombreuses agences. Compter environ de 21 à 35 € par jour pour le premier modèle. Les voitures sont en général récentes. Il est plus prudent de louer une voiture, voire un 4x4, qu'un scooter, vu les distances à parcourir. Les prix sont à peu près identiques d'une agence à l'autre. On conseille *Rental Center*, le plus ancien loueur de la ville : place Protodikiou *(plan B3)*, ☎ 22-85-02-33-95. Ouvert toute l'année. De mai à mi-octobre, présence d'employés francophones qui sont de bon conseil et pas seulement pour la location de voitures. Très bon rapport qualité-prix. On conseille aussi *Sixt*, ☎ 22-85-02-62-16. Tout près de la place Protodikiou. On peut également recommander *Apollon*, ☎ 22-85-02-31-75 ou 69-44-87-87-51 (portable).

■ *Hôpital (Kendro ygias ; plan B3, 4) :* ☎ 22-85-02-33-33.

■ *Médecins :* Dr Veniéris, ☎ 22-85-02-21-54. Centre médical privé : ☎ 22-85-02-32-34 ou 35-76.

■ *Pharmacies (plan A-B2, 5) :* il y en a plusieurs, dont 2 sur le port.

■ *Presse française :* librairie *Zoom (plan A-B2, 6)*, sur le port. Journaux français et livres divers. Autre *librairie*, platia Protodikiou.

■ *Douches et w.-c. publics :* dans Old Market Street, pas loin du restaurant *Apolafsis*.

■ *Police (plan B3, 7) :* ☎ 22-85-02-21-00.

■ *Stations-service :* on conseille de faire le plein, les stations-service n'étant pas très nombreuses sur l'île.

@ *Points Internet :* ZAS Travel *(plan A1, 5)*, sur le port. ☎ 22-85-02-33-30. À côté d'une pharmacie, dans une petite salle au fond de l'agence de voyages, quelques ordinateurs. Point Internet également à côté de la *librairie Zoom (plan A-B2, 6)* ainsi qu'à l'hôtel *Glaros (plan A3, 18)*.

Où dormir ?

Chora est en constante évolution : depuis le début de l'expansion du tourisme, il y a de nombreux hôtels, pensions et chambres à louer.

Dans le quartier du kastro

En flânant dans les rues, vous trouverez chambres, pensions et petits hôtels.

De prix moyens à plus chic

🛏 *Hôtel Anixis (plan B2, 10) :* ☎ 22-85-02-21-12 et 29-32. Fax : 22-85-02-21-12. • www.hotel-anixis.gr • Ouvert d'avril à octobre. Chambres doubles de 35 à 55 € environ en haute saison. Petit déjeuner en plus. Mauvaise insonorisation des chambres malgré la récente rénovation. Jardin fleuri. Vue sur la mer et la montagne. Bon accueil.

Plus chic

🛏 *Château Zevgoli (plan B2, 12) :* ☎ 22-85-02-61-23 ou 29-93. Fax : 22-85-02-52-00. Réservation possible à Athènes : ☎ 21-06-51-58-85.

• www.naxostownhotels.com • Tarif spécial pour nos lecteurs sur présentation du *GDR* : entre 50 et 80 € selon la saison. Tout en haut de la vieille ville, maison ancienne transformée en hôtel avec jardin intérieur, bien fleuri. Tout est joliment décoré avec des meubles anciens de l'île.

Dans le quartier de Grotta

À 10 mn à pied du centre.

Prix moyens

🛏 **Pension Anna-Maria** *(hors plan par B1) :* quartier de Grotta. ☎ 22-85-02-53-10 ou 69-36-28-92-66 (portable). Pour une double en haute saison, compter autour de 40 €. Sept chambres avec salle d'eau, minifrigo, ventilo. Très propre. Patronne très sympathique. Parking au pied de la pension.

De prix moyens à plus chic

🛏 **Hôtel Grotta** *(hors plan par B1, 13) :* sur la colline. ☎ 22-85-02-20-01 ou 22-85-02-22-15. Fax : 22-85-02-20-00. • www.hotelgrotta.gr • Ouvert toute l'année. Compter de 40 à 85 € pour 2 personnes, petit déjeuner (copieux buffet) inclus. Très bon accueil. Vue superbe, notamment sur le temple d'Apollon. Patron serviable, ainsi que sa fille, qui parle l'anglais. L'hôtel a été récemment rénové avec goût et présente tout le confort souhaité (chambres avec TV satellite, AC, frigo). Jacuzzi dans l'hôtel (très appréciable hors saison). Peu de chambres avec vue toutefois.

En ville

De bon marché à prix moyens

🛏 **Pension Irene** *(plan B3, 14) :* dans un quartier non touristique, près de l'*ouzeri Galini.* ☎ 22-85-02-31-69. • irenepension@hotmail.com • Ouvert toute l'année. Compter de 25 à 40 €. Sept chambres très simples, mais avec frigo, TV et AC. Un petit appartement également. Pas de petit déjeuner, mais une petite cuisine commune. Les mêmes proprios ont également ouvert une autre adresse un peu plus chic (avec piscine), avec le même nom, près du cinéma *(hors plan par B3).* Cartes de paiement refusées.

De prix moyens à plus chic

🛏 **Hôtel Anna** *(plan B1, 15) :* près de la cathédrale orthodoxe, à gauche en regardant le *kastro.* ☎ 22-85-02-24-75 ou 52-13. Fax : 22-85-02-54-16. • hotelannanaxos@yahoo.gr • Ouvert toute l'année. La chambre double avec petit balcon est à 50 € en haute saison. Hôtel simple mais très agréable. Chambres avec réfrigérateur, réchaud et vaisselle. La patronne, francophone, est d'une grande gentillesse et se mettra en quatre pour vous faire plaisir.

🛏 **Hôtel Apollon** *(plan B1, 20) :* à côté du précédent. ☎ 22-85-02-24-68 et 69-76-61-83-84 (portable). Fax : 22-85-02-52-00. • www.naxostown hotels.com • Ouvert toute l'année. Pour nos lecteurs, sur présentation du *GDR* : de 50 à 80 € selon la saison, petit déjeuner compris. Une douzaine de belles chambres spacieuses, classiques et confortables. AC, TV, minibar, sèche-cheveux. Un petit goût de luxe à prix encore abordable. Prestations et prix similaires pour les **studios Fontana** (☎ 22-85-02-64-17), jouxtant cet hôtel.

Près de la plage d'Agios Giorgios

C'est un quartier en pleine expansion touristique. C'est là que se trouvent la plupart des hôtels. Archi bondé en été.

Camping

⚏ *Naxos Camping :* à 3 km au sud de la ville. ☎ 22-85-02-35-00. Fax : 22-85-02-35-01. ● www.naxoscamping. gr ● Desservi par le bus pour Agia Anna. Ouvert de mai à octobre. Compter environ 16 € en juillet-août pour 2 personnes et une tente. Une centaine de places, pas mal d'espace. Location de tentes et de sacs de couchage. Bien protégé du vent, grâce aux bambous. Aire de jeux. *Mini-market.* Grande piscine et jacuzzi. Sanitaires moyens. Cafétéria et restaurant. Réductions de 10 % en été et de 20 % en hiver sur présentation du dépliant de la chaîne *Sunshine,* dont le camping fait partie.

Prix moyens

🛏 *Pension Kalamiès (plan A3, 16) :* dans une petite rue calme. ☎ 22-85-02-31-27 ou 23-25 ou 24-98. Fax : 22-85-02-55-60. Compter entre 25 et 40 € selon la saison, pour une chambre double avec salle de bains. Très propre, balcons fleuris. Tenu par un vieux couple affable. Très bon accueil, mais toujours beaucoup de monde.

🛏 *Hôtel et studios Glaros (plan A3, 18) :* très bien situé, à 20 m de la plage. ☎ 22-85-02-31-01. Fax : 22-85-02-48-77. ● www.hotelglaros.com ● Ouvert d'avril à octobre. Le prix d'une chambre double va de 30 à 75 €, petit déjeuner compris (et réduction sur présentation du *GDR* incluse). Bon rapport qualité-prix tout de même. Jolie terrasse fleurie sur le toit. Accueil vraiment charmant. Propreté impeccable. Petit déjeuner copieux. L'hôtel dispose aussi de 8 studios et 3 appartements sur deux niveaux pour 4 ou 5 personnes, qui se trouvent à proximité de l'hôtel, dans une ruelle calme. Très bonne adresse : est conseillé de réserver. Pas mal d'ordinateurs (ouvert aux non-résidents).

🛏 *Hôtels Galini et Sofia Latina (plan A3, 19) :* à côté de la chapelle d'Agios Giorgios, à quelques mètres de la plage. ☎ 22-85-02-21-14. Fax : 22-85-02-26-77. ● www.hotelgalini. com ● Ouvert du 1er avril au 30 octobre. Doubles de 30 à 70 € en haute saison, avec le petit déjeuner offert sur présentation du *GDR.* Petit hôtel sympathique qui propose aussi des triples. Accueil en français (que la mère du patron parle très bien).

Très chic

🛏 *Hôtel Galaxy (plan A3, 21) :* un peu à l'écart, derrière la plage d'Agios Giorgios. ☎ 22-85-02-24-22 à 24. Fax : 22-85-02-28-89. ● www.hotel-galaxy.com ● Ouvert du 1er mai au 20 octobre. En haute saison, compter entre 115 et 145 € pour deux. Très beau complexe comprenant une cinquantaine de chambres et studios entièrement équipés. Service irréprochable. Jardin, piscine, bar. Bref, tout le nécessaire si vous avez un certain penchant pour le luxe.

Où manger ?

Bon marché

|●| Pour manger sur le pouce, aller au bout de la rue Papavassiliou, chez *Moustache (plan A2),* en français dans le texte, pour ses petits

NAXOS (Cyclades centrales)

souvlakia et ses *gyros,* ou encore, place Protodikiou, chez *Thanassis*

(plan B3) pour son poulet à emporter. Les deux sont fermés le midi.

Prix moyens

|●| Les deux *ouzeria* les plus réputés du port sont **Stis Irinis** et **Limanaki** surnommé **Gato** à cause de son chat noir. Compter 9 à 12 € pour un repas. On y trouve les plats traditionnels et des grillades de viande ou de poisson.

|●| *Scirocco* (plan A-B3, *30*) : sur la place Protodikiou. ☎ 22-85-02-59-31. Ouvert midi et soir, d'avril à octobre. Compter environ 10-12 € pour un repas. Bonne cuisine traditionnelle, servie sous une tonnelle généreuse. On a particulièrement apprécié les *mezze* variés et les *biftekia* farcis. Très copieux. Accueil sympa, en français de surcroît. Une très bonne adresse.

|●| *Popi's Grill* (plan A-B2, *38*) : sur le port, à gauche de la librairie *Zoom.* ☎ 22-85-02-23-89. Ouvert le soir. Autour de 9-10 € le repas. Pas de grande gastronomie, mais on vient dans cette *psistaria* populaire pour se sustenter d'une assiette de *gyros* ou de *kondosouvli.* On peut aussi se procurer sur place du (bon) fromage local.

|●| *Café Picasso* (plan A-B3, *33*) : un peu plus bas que la place Protodikiou. ☎ 22-85-02-54-08. Environ 12 € pour un repas. Cuisine mexicaine. Pour changer de la cuisine grecque.

|●| *Lucullus* (plan B1, *32*) : dans les ruelles du *kastro.* ☎ 22-85-02-25-69. Compter de 12 à 15 €. La plus vieille taverne de Naxos. Une adresse un peu plus chère que les autres, mais légèrement plus sophistiquée. La déco est un bric-à-brac d'antiquités et d'ustensiles divers. La cuisine, qui propose des plats traditionnels, est soignée et à base de produits du terroir. Bonne ambiance musicale (le patron est un grand fan de Loreena McKennit).

|●| *Ouzeri Galini* (plan B3, *34*) : au bout du port, prendre l'avenue à gauche ; c'est à environ 700 m du port à droite. Compter environ 9 €. Excellent choix de *mezze* et poisson pour un prix très raisonnable. Accueil sympa et qualité régulière. Attention, places limitées. Un peu bruyant.

|●| *Restaurant Ellis* (plan B1, *35*) : après le terminus des autobus, prendre la 1re rue à gauche, à 300 m du port. ☎ 22-85-02-54-76. Ouvert le soir, d'avril à novembre. De 15 à 18 € le repas. Lui est grec, elle est allemande. Très joli cadre. Cuisine internationale et grecque. Goûter, par exemple, aux *keftédès* (boulettes) au fromage ou aux courgettes. Grand choix de vins. Terrasse avec vue sur mer.

|●| *Taverne O Apostolis* (plan B1, *39*) : à deux pas du vieux marché, en allant vers la plage de Grotta. ☎ 22-85-02-67-77. Environ 10 €. Une petite taverne qui s'étend dans une ruelle calme et propose une cuisine honnête. Pas mal fréquenté par les Français. Venir tôt (ou tard) pour trouver de la place.

|●| *Taverne Koutouki* (plan A-B1-2, *37*) : dans une petite rue d'Old Market Street. Compter environ 10 € le repas. Petit resto traditionnel, avec sa musique et ses plats typiques, dans un cadre vieillot un peu exigu.

|●| *Taverne Kastro* (plan B2, *31*) : dans la vieille ville en direction du *kastro,* sur la place Prandouna. ☎ 22-85-02-20-05. Environ 14 € le repas. Cadre très agréable avec jolie vue sur le port. Quelques spécialités sympathiques. Attention, c'est vite complet ! Accueil inégal.

À Agios Giorgios

|●| **Les tavernes Kavouri et Yalos** (plan A3) : au bord de la plage d'Agios Giorgios. Bonne cuisine copieuse et variée pour 13 € en moyenne. Cadre plus qu'agréable, au bord de l'eau et les pieds dans le sable.

Où boire un verre? Où manger une glace? Où sortir?

Sur le port

♟ ♦ *Waffle House (plan A-B2, 44) :* sur une placette, quelques pas en retrait du port. ☎ 22-85-02-30-07. Beaucoup de monde qui s'y presse à toute heure du jour ou de la nuit pour venir déguster des gaufres bien appétissantes ainsi que de succulentes glaces. Difficile de résister à la vision de ces délices ou à l'odeur des cornets de glaces fabriqués sur place. Attention aux kilos superflus en rentrant à la maison.

♟ ♦ *Pâtisserie Rendez-Vous (plan A-B2, 45) :* ☎ 22-85-02-38-58. Grande diversité de pâtisseries, glaces, cocktails tous aussi alléchants les uns que les autres. Les gourmands auront du mal à faire leur choix!

♟ *Bar Karma :* après la pâtisserie *Rendez-Vous*. ☎ 22-85-02-48-85. C'est là que la jeunesse de Chora se retrouve. Jolie décoration et jeu de lumière. Autre bar du port où il faut être vu : le *Prime*.

♟ ♪ *Bar-discothèque Ocean (plan A2, 42) :* sur le port, les pieds dans l'eau. Décor tropical et coloré. Terrasse ombragée. Idéal pour l'apéro ou en soirée. *Happy hours* de 17 h à minuit.

♟ ♪ *Super Island (plan B1, 43) :* à proximité du restaurant *Ellis*, dancing-club branché au bord de la mer. Bonne musique et jolie vue.

♟ ♪ *Ole :* boîte branchée dans une cave, derrière le bar *Karma*, pour les jeunes.

À voir

✸ *Le temple d'Apollon-Palatia (plan A1, 50) :* sur un îlot relié à la terre ferme, c'est là que, selon la tradition, Thésée abandonna la malheureuse Ariane.

✸✸✸ *Le Musée archéologique (plan B2, 51) :* dans l'ancienne école de commerce des jésuites. ☎ 22-85-02-27-25. Ouvert de 8 h 30 à 15 h. Fermé le lundi. Entrée : 3 €. Il renferme des objets de grande valeur, qui s'échelonnent de la période cycladique au début de l'époque byzantine, soit du IVe millénaire av. J.-C. au VIe siècle apr. J.-C. Statuettes, poteries, bijoux... Les pièces les plus intéressantes sont celles de la civilisation cycladique : dépouillées, intrigantes et fascinantes. Dans la cour, belle mosaïque de l'époque hellénistique, présentant une Néréide sur un taureau.

✸✸ *La maison-musée Della Rocca-Barozzi (plan B2, 52) :* ☎ 22-85-02-23-87. Ouvert de 10 h à 15 h et de 19 h 30 à 22 h. Entrée : 3 € ou 5 € avec une visite guidée (dont certaines en français). Située à droite de l'entrée du *kastro* (vieille ville), cette demeure fait partie intégrante de la muraille du château. Son propriétaire, Nikolas, descend d'une ancienne famille française au nom italianisé (« de la Roche » est devenu « Della Rocca ») et met un point d'honneur à faire revivre cette bâtisse chargée d'histoire. Un des ancêtres Della Rocca fut gouverneur de Naxos à son retour des croisades. À l'intérieur, on peut voir une collection d'objets remontant au XVe siècle. De l'un des balcons, vue splendide sur le port et l'île Palatia. Au coucher du soleil, danses folkloriques, concerts de musique baroque ou classique.

✸ *Visite de la cathédrale catholique :* tous les jours en saison, de 17 h 30 à 19 h, rendez-vous à la cathédrale. Visite guidée (guide francophone) : 4 € par personne. En fait, on peut voir aussi l'église des jésuites, le palais archiépiscopal et l'église du couvent des Capucins. Très intéressant : avec

Syros, Naxos fut un bastion catholique au milieu des Cyclades. L'institution catholique a même compté parmi ses élèves le grand écrivain crétois Kazantzakis.

🎯 *L'église de la Panagia Vlacherniotissa :* c'est l'église la plus ancienne de Chora, avec une superbe iconostase en bois sculpté et des icônes de grande valeur.

🎯 *La cathédrale Zoodochos Pigi :* entre le port et le quartier de Grotta. Iconostase en marbre sculpté, belles icônes. Les colonnes en granit qui se trouvent dans l'église proviendraient du temple d'Apollon à Délos.

À voir dans les environs

🎯🎯 *Le monastère d'Agios Ioannis tou Chryssostomou* (Μονη Αγιου Ιωαννη του Χρυσοστομου) : à la sortie de Chora, en direction de Galini. La route qui y mène vous ménage des points de vue impressionnants sur la côte nord-ouest de l'île, bien balayée par les vents. Une fois arrivé au monastère, jolie vue sur Chora et les collines de Paros au loin.

🎯🎯 *La tour de Bellonia* (Πυργος του Μπελλονια) : à 6 km de Chora environ, à la sortie du village de Galanado (sud-est de Chora). Construite sous la domination vénitienne, c'était la résidence de la famille Bellonia. On y verra aussi la curieuse petite *chapelle* à double abside d'*Agios Ioannis* (un côté catholique, l'autre orthodoxe).

🎯 *Mélanès* (Μελανες) : à 8 km à l'est de Chora. Situé dans l'une des vallées les plus verdoyantes de l'île. Mélanès regroupe plusieurs hameaux et se caractérise par ses nombreuses tours que l'on pourra découvrir au détour d'un sentier.
– *Fête patronale :* le 29 juin *(Agion Apostolon).* Dure en fait 3 jours.

🍽 *Taverne Vassilis Xénakis :* excellente taverne à Mélanès. ☎ 22-85-06-23-74. Compter entre 10 et 12 €. Sert des spécialités locales : pigeon, lapin et bons mezze, arrosés d'un bon vin de pays. Très fréquentée par les gens de la région.

🍽 *Restaurant O Giorghis :* à Mélanès. ☎ 22-85-06-21-80. Ouvert toute l'année, midi et soir. Compter 8 à 10 € pour un repas. Patron très accueillant qui vous préparera sa spécialité (le coq en sauce) ainsi que du lapin. Belle terrasse.

🎯 *À Flério* (Φλεριο), à 3 km de Mélanès, voir le *kouros* inachevé (VIIe siècle av. J.-C.), allongé dans un jardin, où les propriétaires ont ouvert une buvette. Cette grande statue d'un jeune homme attend tranquillement, en position couchée, que le temps passe... Si vous venez en autobus de Chora, demander l'arrêt « Kouros » ; le bus s'arrête juste au bout du chemin.

LES PLAGES DE L'ÎLE DE NAXOS

Les plus belles se trouvent à l'ouest et au sud-ouest de l'île. Elles sont très prisées des Scandinaves. Il s'agit d'une enfilade de plages (avec pas mal de spots pour véliplanchistes) qui s'étendent sur plus d'une vingtaine de kilomètres, d'Agios Prokopios jusqu'à Agiassos. Les plages sont très agréables bien que les paysages se révèlent un peu répétitifs : sable blanc fin en général, mais pour ainsi dire pas de criques, quelques avancées rocheuses, peu de végétation dans l'ensemble, à part, de temps à autre, des tamaris et quelques massifs de buissons ; et surtout beaucoup de dunes parsemées de-ci de-là par un genre de cèdre ou par des haies de roseaux. Si vous finissez par vous en lasser, d'agréables criques sauvages vous attendent du côté d'Alykos.

AGIOS PROKOPIOS (ΑΓΙΟΣ ΠΡΟΚΟΠΙΟΣ) – *AGIA ANNA* (ΑΓΙΑ ΑΝΝΑ) – *PLAKA* (ΠΛΑΚΑ)

À 5 km au sud de Chora, *Agios Prokopios* (1 200 m de longueur) compte parmi les plus belles plages de sable de Grèce. Bien abritée des vents, c'est une plage de sable blanc très fin. Depuis la construction de la route, le site a fait l'objet d'une intense urbanisation. Nombreux hôtels et tavernes. En été, la plage est bondée.

Où dormir ? Où manger à Agios Prokopios ?

Hôtel Studios Protéas : sur les collines de Stelida. ☎ 22-85 -02-61-34 et 35. Fax : 22-85-02-33-28. ● www.hotelproteas.com ● À 10 mn à pied de la plage. Ouvert du 10 mai au 10 octobre. Compter de 45 à 90 € pour deux ; pour 4 personnes, environ 105 € en haute saison. Petite résidence hôtelière comprenant 28 stu dios avec cuisine pour 2 à 4 personnes, tous avec de très grandes terrasses et une belle vue sur la mer. Joliment fleuri. AC. Petite piscine. Accueil charmant. Salle pour le petit déjeuner. Salon TV. Éviter les studios au rez-de-chaussée, car ils sont bruyants. Tarifs très intéressants hors saison.

Birikos : à 5 mn à pied de la plage d'Agios Prokopios en face de la station-service. ☎ 22-85-02-54-74.

Fax : 22-85-04-16-54. ● www.birikos-studios-naxos.gr ● En saison, compter 50 € pour une chambre et environ 80 € pour un appartement. Architecture traditionnelle pour ce joli complexe de 3 petits bâtiments en retrait de la route principale. Il comprend 9 appartements (2 à 4 personnes), 8 studios et 11 chambres. Tous les logements ont une terrasse, certains avec vue sur la mer et d'autres avec vue sur les champs. Joli jardin fleuri et piscine récente magnifique. Parking.

Taverne Perama : en arrivant à Agios Prokopios. Bon marché, compter moins de 9 €. Taverne familiale, le mari aux fourneaux, femme et enfants au service... Spécialité de chèvre.

Dans le prolongement d'Agios Prokopios, le petit port de pêche d'*Agia Anna* et ses deux petites plages de sable, dont l'une se termine par un promontoire rocheux dominé par une petite chapelle. Ces plages, bien aménagées (cafés, petits restos), prennent un petit air de Côte d'Azur.

Où dormir ? Où manger à Agia Anna ?

Nombreuses *chambres* et *locations* à tous les prix.

Hôtel Artémis : à l'entrée du village, juste derrière la plage, dans une petite ruelle sympathique et toute fleurie. ☎ 22-85-04-11-50 et 11-51. En hiver : ☎ 21-07-48-28-90 (à Athènes). Fax : 22-85-04-11-52. ● www.artemishotel.gr ● Ouvert de mai à fin octobre. De 35 à 70 € la double. Petit hôtel familial entouré d'un joli jardin très fleuri. Toutes les chambres ont w.-c., téléphone, radio, réfrigérateur et véranda. En revanche, il vous faudra choisir entre la clim' ou la vue sur la Grande

Bleue. Bien tenu. Accueil sympa.

Iria Beach : à coté du port, derrière le *mini-market*. ☎ 22-85-04-26-00 et 26-01. Fax : 22-85-04-26-03. De 40 à 80 € la double et jusqu'à 120 € pour 4 personnes. Un petit complexe récent de chambres et d'appartements bien équipés. Terrasses avec vue sur la mer. Très bon accueil.

Stella Apartments : ☎ 22-85-04-25-26 ou 21-66 (saison) et 22-85-02-31-66 (hors saison). Fax : 22-85-04-21-66. ● www.stella-apartments-naxos.gr ● Ouvert d'avril à fin octobre. Pour 2 personnes, les prix s'échelonnent entre 30-40 et 65 € selon l'équipement. Emplacement privilégié, au bord de la plage, pour cette ravissante résidence aux couleurs bleu et blanc, entourée d'un joli jardin. Elle comporte 8 appartements (pour 4 à 6 personnes), 7 studios et 11 chambres. Chaque logement dispose d'une terrasse couverte et fleurie. Il faut réserver à l'avance, même hors saison !

⌂ *Plaka :* tout de suite après Agia Anna. C'est la plus grande des trois plages, elle s'étend sur environ 4 km ! C'est l'ex-paradis des babas. Quelques locations. Pas encore trop construit, ouf !

|●| Nombreuses *tavernes* le long de la plage. La meilleure est *Faros.*
|●| *Café-bar Ostria :* au bord de la plage. Décor de bois avec banquettes et coussins. Cocktails. Repas légers. Idéal pour un bon petit déjeuner les pieds dans l'eau.
|●| ♟ *Island :* bar-resto branché au bord de la plage. Le soir, c'est le grand rendez-vous des jeunes.

Où dormir à Plaka ?

⌂ *Camping Maragas :* en face de la plage, à 700 m d'Agia Anna. ☎ et fax : 22-85-02-45-52 ou ☎ 22-85-04-25-52. ● www.maragascamping.gr ● Ouvert du 1er mai au 15 octobre environ. Compter de 12 à 18 € pour 2 personnes et une tente. Camping propre et bien situé. Location de tentes et de sacs de couchage. Également des chambres, studios et appartements. Taverne avec vue sur la mer, mini-market, change, location de voitures, excursion et minibus pour les clients. Point Internet. 10 % de réduction en haute saison sur présentation du Guide du Routard.

⌂ *Camping Plaka :* en face de la plage lui aussi, 1,5 km plus loin que Maragas. ☎ 22-85-04-27-00. Fax : 22-85-04-27-01. ● www.plakacamping.gr ● À 20 mn en bus de Chora. Ouvert du 1er avril au 30 octobre. Environ 15 € pour 2 personnes et une tente en haute saison. Camping récent et très propre. Bien ombragé mais moins agréable que le précédent car plus petit (60 places) et l'été on s'y entasse. Cafétéria pas chère. Change, mini-market. Coffres de sécurité. Location de tentes et de sacs de couchage. Minibus pour les résidents. 5 % de réduction sur présentation du GDR. Cartes de paiement refusées.

🏠 *Studios et appartements Athina :* 200 m après le camping Maragas. ☎ 22-85-04-11-53 ou 11-54. Fax : 22-85-04-11-52. ● www.studiosathina.gr ● Ouvert de mai à fin octobre. Compter de 35 à 75 € le studio pour 2 selon la saison. Bon rapport qualité-prix pour 3 et 4 personnes. Architecture traditionnelle très raffinée pour cette petite résidence assez luxueuse, avec piscine, jardin et fontaine, comprenant 16 studios et 4 appartements, tous avec terrasse, certains avec vue sur la mer et d'autres avec vue sur le jardin et la piscine. Accueil chaleureux. Très bien tenu. Réservez à l'avance. La même propriétaire a ouvert un autre établissement, *Muses Suites,* plus luxueux et plus cher (● www.themuses.gr ●).

🏠 *Three Brothers :* 800 m après le camping Maragas. ☎ 22-85-04-15-71. Fax : 22-85-04-15-70. Compter environ 50 € pour deux. Résidence récente, en retrait du restaurant du même nom, proposant studios (avec frigo et plaque électrique) et appartements (avec cuisine), plutôt chers. Beau jardin fleuri qui donne sur la plage. Bon marché hors saison, prix moyens en saison.

MIKRI VIGLA (ΜΙΚΡΗ ΒΙΓΛΑ)

À 17 km au sud de Chora, coin sympa encore pas trop construit, avec de l'espace. Deux plages de sable blanc très fin, séparées par un cap rocheux. Les eaux y sont cristallines et déclinent tous les tons de bleu, du plus foncé au plus clair.

⚴ La plage de **Parthéna**, très ventée, s'étend sur 400 m. C'est le grand lieu de rendez-vous des véliplanchistes, qui offrent parfois un superbe spectacle. Un club *Mistral*, ouvert de mai à septembre, est tenu par Pascal et son équipe francophone.

⚴ La plage de **Sachara** s'étend sur 3 km au sud. Idéale pour les familles avec des enfants en bas âge.

Où dormir ? Où manger ?

⬛ **Oasis Studios :** à 120 m de la plage. ☎ 22-85-07-54-94. Fax : 22-85-07-53-37. En hiver : ☎ 22-85-03-17-40. ● www.oasisnaxos.gr ● Ouvert d'avril à octobre. Compter de 45 à 78 € pour 2 personnes. Jolie résidence avec piscine, comprenant 8 studios et appartements bien équipés pour 2 à 4 personnes, tous avec véranda et vue sur la mer. Réductions 20 % en fonction hors saison. Meilleur rapport qualité-prix si l'on est 3 ou 4.

⬛ **Victoria :** à proximité de l'adresse précédente ; sur réservation uniquement. ☎ et fax : 22-85-07-52-32 (été), ☎ 22-81-08-03-36 (hiver). ● www.victoria-studios.com ● Ouvert du 15 mai au 15 octobre. Pour 2 personnes, compter de 34 à 62 € selon la saison. Trois superbes maisons d'architecte (immenses baies vitrées, balcons-terrasses sous véranda fleurie, etc.). Les appartements sont hyper propres. Terrasses avec belle vue. Intéressants tarifs pour 3 ou 4 personnes. Pas de petit déjeuner. Réduction de 15 % accordée à nos lecteurs sur présentation du *GDR*, sauf en juillet et août.

|●| **Taverne Mikri Vigla :** dans l'hôtel *Mikri Vigla*. Compter 10 € pour un repas. Grande taverne familiale avec vue sur la plage de Parthéna. Grand choix de plats traditionnels et copieux. Sympathique.

KASTRAKI (ΚΑΣΤΡΑΚΙ)

⚴ Regroupement de 3 plages sur 3 km, toutes avec un sable éclatant de blancheur ; les eaux y sont très limpides. Il s'agit des **plages de Kastraki, Glyka Néra** et **Agali Glyfada.** Kastraki est fréquentée par les véliplanchistes et les adeptes de *kite-surf*. Site encore préservé, qui s'adresse aux amateurs de tranquillité. Quelques locations et tavernes.

Où dormir ?

⬛ **Studios Akrogialis :** sur la plage de Kastraki, au-dessus de la taverne du même nom. ☎ 22-85-07-54-20 ou 22-85-02-39-01 (demandez Irini, elle parle l'anglais). Fax : 02-85-02-35-66. En août, compter 50 € pour 2 personnes. Superbe vue sur la colline de Mikri Vigla. Les studios, pour 2 à 4 personnes, sont grands mais pas extraordinaires (c'est un peu vieillot). Très familial. Petits commerces à proximité. Si vous avez des problèmes de communication pour réserver, vous pouvez vous adresser au *Naxos Tourist Information Center* à Chora (☎ 22-85-02-52-01 ou 29-93).

⬛ **Glyfada View :** ☎ 22-85-07-52-88 et 69-72-30-90-40 (portable). Fax : 22-85-07-54-43. En hauteur sur la gauche de la route quand on arrive en vue d'une sorte d'étang situé, lui, à droite, entre mer et route. Chambres doubles culminant aux environs de 55 € en août. À peine plus cher pour 3. Petit déjeuner (en sus) pour ceux qui le désirent. Petite résidence comprenant 9 studios pour 2, 3 ou 4 personnes, bien équipés, à 400 m de la plage de Glyfada. Bon rapport qualité-prix. Très belle vue. Chaque studio a deux terrasses indépendantes.

ALYKOS *(ΑΛΥΚΟΣ)* – *PYRGAKI* *(ΠΥΡΓΑΚΙ)*

⚐ La route part de Chora et s'achève à Pyrgaki après être passé par *Alykos,* petite presqu'île verdoyante couverte de buissons et de cèdres, entourée de grandes dunes de sable. Le spectacle un peu sinistre de constructions inachevées n'altère pas cependant la beauté du site, et les adeptes de criques sauvages seront ravis (très calme, les naturistes y côtoient les « textiles »).

➤ Pour rejoindre la plage de *Pyrgaki,* prendre à gauche, juste avant d'arriver à Alykos. Quelques tavernes. Un grand complexe hôtelier et plusieurs locations. Continuer la piste jusqu'à *Agiassos,* jolie plage de sable dans un beau site.

🏠 |●| *Vrahia :* une taverne agréable tout au bout de la plage d'Agiassos (on a même l'impression d'être un peu au bout du monde). ☎ et fax : 22-85-07-50-53. ● www.vrahiastudios.gr ● Ouvert de juin à septembre seulement. De 35 à 70 € pour 2 personnes. Tenu par un jeune couple dont la femme parle le français. Six studios à louer, pour les amateurs de grand calme.

L'ARRIÈRE-PAYS ET LES VILLAGES DE L'ÎLE DE NAXOS

L'arrière-pays de Naxos est splendide et offre au visiteur des paysages d'une grande variété. Les villages qui s'y trouvent reflètent l'âme de Naxos. Encore préservés du tourisme, ils sont restés authentiques et vous permettront de voir et de comprendre la façon de vivre des Naxiotes. Chaque village, qu'il soit de montagne ou de plaine, a son identité propre. Véritable paradis pour les randonneurs qui, au détour d'un chemin, découvriront une église byzantine, une tour vénitienne, un monastère fortifié, de vieilles maisons, ou même des sources.

SANGRI *(ΣΑΓΚΡΙ)*

À 11 km au sud-est de Chora, dans une région fertile. Il est formé de 3 hameaux : *Ano Sangri, Kato Sangri* et *Kanakari,* ponctués de pittoresques moulins à vent, de tours défensives vénitiennes et de charmantes petites églises byzantines. Celle d'*Agios Nikolaos* (Xe-XIIIe siècles) renferme quelques belles fresques murales. Celle de *Kaloritissas* (Xe-XIIIe siècles) est construite à l'intérieur d'une petite grotte à flanc de la montagne du Prophète Ilias. Églises souvent fermées vers 14 h ou 15 h.

➤ Au sud d'Ano Sangri, il y a maintenant une route goudronnée qui mène aux ruines d'un temple de Déméter (voir « Randonnées pédestres sur l'île de Naxos » plus loin).

– *Tour Bazéos :* au sud-est de Sangri, à 300 m de l'intersection de la route pour Agiassos. ☎ 22-85-02-48-79. Château vénitien où, pendant l'été, sont donnés concerts et pièces de théâtre. Pendant cette même période (du 10 juillet au 10 septembre), expos organisées dans le château. Ouvert de 10 h à 17 h.

HALKI *(ΧΑΛΚΙ)*

Halki et ses hameaux se trouvent dans la vallée de Traghéa, recouverte d'oliviers et d'arbres fruitiers qui s'étendent à l'infini. Vous y verrez la belle *tour vénitienne de Gratzia-Barotsi*; et aussi d'intéressantes églises byzan-

NAXOS
(Cyclades centrales)

tines. Celles d'*Agios Giorgios Diassoritis* (XIᵉ siècle) et de *Daminiotissa* (XIᵉ siècle) possèdent de belles fresques murales. On peut visiter dans le village la *distillerie Vallindras* (☎ 22-85-02-22-27, propriétaire francophone) qui produit depuis le XIXᵉ siècle une liqueur à base de citrus (entre le citron et l'orange) ainsi que du cédrat. Dégustation et vente sur place. Également une poterie artisanale, *L'Olivier* (☎ 22-85-03-28-29) où l'on fait de belles céramiques sur grès. Accueil francophone de Katarina Bolesch et Alexander Reichardt.

➤ Ne pas hésiter à prendre les sentiers qui serpentent à travers les oliveraies et les vergers. Près de Moni se trouve l'*église de la Panagia Drossiani* (VIᵉ siècle), la plus ancienne de l'île, et dont l'architecture est très particulière (voir « Randonnées pédestres sur l'île de Naxos » plus loin).

FILOTI *(ΦΙΛΟΤΙ)*

Construit sur les flancs de la montagne Zas, Filoti bénéficie d'un site privilégié. La vue sur les alentours y est époustouflante. C'est le plus grand village de l'île et aussi l'un des plus beaux. Bien mis en valeur par le contraste entre les maisons blanchies à la chaux avec leurs ruelles dallées, les flancs gris de la montagne et le vert émeraude de la vallée. Allez au centre du village où se trouve l'*église de la Panagia tis Filotissas* (iconostase en marbre tout blanc et belles icônes). Grande fête patronale de la Vierge qui dure 3 jours, du 14 au 16 août; danses folkloriques et agapes.

➤ Au sud de Filoti, on peut prendre une route asphaltée qui mène à la surprenante *tour hellénistique d'Himarou* (environ 3 h de marche). De forme circulaire et à quatre étages, c'est un bel exemple d'architecture de défense (tour similaire sur l'île d'Andros). Malheureusement, ne se visitait pas en 2003, car la tour était en réfection et le site en cours d'aménagement. Une piste en très mauvais état conduit à la *plage de Kalandou*, bien abritée des vents et complètement au sud de l'île (voir plus loin « Randonnées pédestres sur l'île de Naxos »).

APIRATHOS *(ΑΠΕΙΡΑΘΟΣ)*

À 26 km à l'est de Chora. Construit au pied du mont Fanari (883 m), c'est le plus beau village de l'île et le plus ancien aussi. Il a conservé son aspect traditionnel : ruelles très étroites dallées de marbre, belles demeures généralement à deux étages en pierre du pays, ruelles en pente, tours vénitiennes, voûtes en ogive, belles églises et placettes charmantes bordées de pittoresques *kafénia* et de petites tavernes sympathiques. Les habitants, dont les ancêtres sont venus de Chora Sfakion en Crète, restent très attachés à leurs traditions – entre autres, le tissage – et conservent leur propre dialecte.

Où manger ?

|●| *Taverne Leftéris :* dans le centre (se garer à l'extérieur et gagner les ruelles à pied). ☎ 22-85-06-13-33. Ouvert d'avril à octobre, midi et soir. De 12 à 15 € pour un repas. Terrasse arborée, avec vue sur la vallée. Excellente cuisine. Les plats sont bien présentés. Un peu plus cher qu'ailleurs, mais c'est de la qualité.

|●| *Taverne Paradise :* peu après Apirathos, sur la route de Moutsouna. ☎ 22-85-06-11-11. Moins de 10 € le repas. Cuisine familiale faite par une vieille petite dame. Vraiment typique, assez rustique. Prix raisonnables et très bon accueil.

À voir

🕯 *L'église de la Panagia tis Apirathitissas :* parmi les plus grandes de l'île. Très belles icônes et une superbe iconostase en marbre finement travaillée.

🔱 *Le Musée archéologique :* il renferme une collection de différentes trouvailles découvertes sur l'île (statuettes cycladiques, poteries...).

🔱 L'école primaire abrite un petit *Musée géologique* avec une collection de pierres, fossiles, minéraux trouvés sur l'île et une collection de marbres. Également un Musée d'histoire folklorique (billet combiné avec le Musée géologique).

🔱 *La chapelle de la Panagia tis Fanariotissas :* creusée dans la montagne Fanari, elle offre une vue époustouflante sur l'île. Plus de 2 h de marche pour l'atteindre. Cette promenade s'adresse aux randonneurs avertis.

MOUTSOUNA *(MOYTΣOYNA)*

À 37 km à l'est de Chora. Attention, la descente depuis Apirathos est dangereuse (incessante succession de lacets). Pittoresque petit port de pêche face à l'île de Donoussa, qui servait autrefois de port de chargement pour l'émeri, dont l'extraction se faisait à Apirathos et Koronos (il n'en reste aujourd'hui que l'ancien téléphérique et quelques bennes). Petite plage de galets.

Où dormir ? Où manger ?

🛏 Quelques *chambres* à louer. Rien d'ouvert hors saison.

🛏 🍽 *Studios Ostria :* ☎ et fax : 22-85-06-82-35. ● ww.thegreektravel. com/naxos/ostria ● Compter jusqu'à 75 € la nuit pour 2 personnes ; prix dégressifs selon la durée du séjour. Jolie petite résidence, construite avec beaucoup de goût. Appartements spacieux, impeccables, avec vue sur la mer. La patronne est une vieille dame charmante. Fait aussi taverne et *minimarket*.

🍽 *Taverne Michaloukos :* sympathique petite taverne de poisson sur l'ancien port. ☎ 22-85-06-82-40. Compter 10 à 12 € en moyenne par personne. On y trouve des salades, des plats chauds traditionnels, de bonnes viandes et du poisson. Excellent calamar. Agréable terrasse ombragée par des haies de bambous et dans les tons bleu et blanc locaux. Accueil sympa.

🍽 *To Dichty :* sur le port. ☎ 22-85-06-82-55. Compter dans les 12 € par personne. Tables à l'ombre des tamaris. Ne pas manquer le calamar frais grillé.

À voir. À faire

➤ Les solitaires et les amateurs de terres (quasi) inviolées pourront prendre la piste de Moutsouna à Panormos, 16 km plus au sud (elle est goudronnée jusqu'à Klidos). Très beaux paysages sauvages et quelques belles *plages : Psili Ammos, Klidos* et *Panormos.*

KORONOS *(KOPΩNOΣ)*

À 30 km au nord-est de Chora. Croquignolet village traditionnel construit au pied de la montagne Koronos, dans un cadre verdoyant. C'est là qu'autrefois on extrayait l'émeri. Le petit *musée d'Arts populaires* abrite une collection intéressante d'outils et d'ustensiles divers. On pourra y voir aussi un centre de broderie traditionnelle géré par l'association des femmes du village.

🍽 *I Platsa :* ☎ 22-85-05-12-43. Taverne traditionnelle à prix raisonnables.

APOLLONAS (ΑΠΟΛΛΩΝΑΣ)

À 48 km au nord-est de Chora. Desservi par le bus, mais c'est long (2 h : le bus prend la route de l'intérieur). Petite station estivale sympathique, malheureusement un peu trop touristique (par contre, carrément morte hors saison). Néanmoins, jolie plage. La réputation de son *kouros* (VIᵉ siècle av. J.-C.), une simple ébauche de statue de 10,50 m, est un peu surfaite. La promenade de Chora à Apollonas, en revanche, est très belle. Les paysages sont contrastés : villages verdoyants, montagnes et à-pics abrupts.

≜ Pas mal de **pensions** et de **chambres à louer.**

RANDONNÉES PÉDESTRES SUR L'ÎLE DE NAXOS

Nous remercions Jean-Paul Nail, grand randonneur devant l'Éternel, qui a concocté ces belles randonnées. Se munir d'une carte de l'île (*Road Editions* ou *Harms-IC-Verlag*). Ne pas partir sans s'être au préalable renseigné sur place sur l'état des sentiers. Pas vraiment de balisage et les temps indiqués ne prennent pas en compte le temps perdu pour retrouver son chemin... Les bus ne sont pas très nombreux non plus au retour l'après-midi, donc partir tôt, et toujours avec suffisamment d'eau.

🚶🚶 **Le monastère Fotodotis** (Μονή Φωτοδότη) : se faire arrêter par le bus Naxos-Apollonas, après Filoti, au croisement de la route menant à Danakos. Monter le lacet avant d'atteindre une chapelle. Sur la gauche, prendre une piste menant en 20 mn à cet étrange monastère. Dans l'église, remarquer l'iconostase et les quatre piliers de marbre. De là part un excellent sentier qui remonte légèrement, passe un col et l'on descend aisément jusqu'à Apirathos. Au passage, vous verrez une église byzantine en pierre sèche, Agios Pachomios, l'une des plus anciennes de l'île. Compter 3 h maximum pour l'ensemble.

🚶🚶🚶 **L'ascension du mont Zas** (Ζας) : balade Agia Marina-Filoti, compter environ 4 h. De la chapelle (voir plus haut), prendre à droite le sentier qui, en montée légère, contourne le mont Zas (ou Zeus). Lorsque le sentier s'incurve, le quitter et grimper sans difficulté jusqu'au sommet (vue évidemment splendide). On peut redescendre plein nord-ouest dans un petit ravin (grotte de Zeus) qui s'élargit, passe une fontaine et atteint la route, à droite, de Filoti. Le ravin est là aussi assez difficile à trouver. On peut également faire la rando dans le sens inverse, en partant par le sentier 700 m au-dessus de Filoti, et là, c'est beaucoup moins risqué de se perdre mais c'est plus difficile et limite dangereux.

🚶🚶🚶 **Kaloritissa** (Καλωριτισα) : tout près d'Ano Sangri se dresse le monastère fortifié cubique Timiou Stravou. De là, scruter la montagne proche et suivre un mur de pierre : on repère des ruines. Y monter aisément en une demi-heure. Derrière ces ruines, une église dans une large grotte. Fresques.

🚶🚶🚶 **Le temple de Déméter** (Ναος της Δημητρας) : balade Ano Sangri-temple de Déméter et retour, compter au grand maximum 2 h. D'Ano Sangri, prendre à côté du buste de Xénatis, près du monastère désaffecté d'Agios Eleftérios, le chemin qui passe sous la chapelle d'Agia Paraskévi sur une colline. Ne pas hésiter à emprunter sur 400 m un sentier à gauche qui mène à l'église byzantine Agios Nikolaos.

De retour sur le sentier, continuer en faible descente. On voit déjà le site du temple de Déméter « protégé » par une chapelle : Agios Ioannis Giroulas. Presque en face, on prend un sentier qui traverse la vallée, on monte parmi les oliviers et l'on atteint les restes du temple. Tout ce sentier, aisé, est balisé de points et de flèches rouges.

Au retour, suivre la colline à travers champs, passer à côté de la chapelle byzantine (hélas cimentée) *Métamorfossis*. On trouve, après un passage dans le lit d'une rivière à sec, un sentier qui monte vers Ano Sangri. Avant le village, un autre détour s'impose vers l'église byzantine Agios Ioannis.

🐾 **Koronida-Apollonas** *(Κωρονιδα–Απολλωνας) :* balade de 2 h. Pour ceux qui veulent visiter Apollonas, il est conseillé de descendre du bus à Koronida. Après le cimetière (chapelle byzantine), on découvre au premier tournant de la route (marques rouges), un superbe *kaldérimi* (sentier dallé qui plonge et atteint la route à 2 km d'Apollonas).

🐾🐾🐾 **Agios Artémios** *(Αγιος Αρτεμιος) :* balade de 3 h aller et retour; retour par Engarès, compter 4 h. À Kinidaros, monter au sommet du village et prendre une route de terre qui, après un col, descend en lacet à ce site luxuriant. Une rivière y coule et, après l'avoir traversée, on atteint la basilique à trois nefs, *Agios Artémios*, un peu incongrue et, tout proche, l'ancien monastère *Agios Dimitrios*. On peut, en suivant la vallée par un sentier à gauche avant le pont, rejoindre Engarès, en passant par la tour Prandouna.

🐾 **La tour Himarou** *(Πυργος Χειμαρρου) :* balade Filoti-Himarou, compter 3 h. De Filoti, une route d'abord goudronnée, puis de terre, mène à cette tour hellénistique, constituée de blocs de marbre. La piste se prolonge vers la belle plage de Kalados (attention, c'est loin : encore 3 h).
On peut aussi gagner cette tour à partir d'Agia Marina, en contournant le mont Zas et en visant plein sud.

🐾🐾🐾 **Halki - Potamia - Agios Mamas** *(Χαλκι–Ποταμια–Αγιος Μαμας) :* balade de 5 h. À l'entrée de Halki, prendre à gauche une petite route de terre qui mène à Tsikalario. À un tournant, près d'une chapelle, se trouve l'ancien chemin qui, passant près de l'église byzantine *Agios Stéfanos* (fontaine), traverse le village. Monter dans la même direction. Le sentier, c'est évident, amène près d'*Apano Kastro,* forteresse vénitienne. On peut grimper au sommet (restes d'églises et de tours).
Le chemin s'élargit, passe près d'une chapelle et rejoint Ano Potamia *(taverne)*. On glisse doucement par le flanc gauche de la vallée d'abord, jusqu'à Messa Potamia. On arrive ensuite près de la tour Kokou et, restant sur le flanc droit, on aboutit à Kato Potamia *(kafénio)*. Avant l'église, prendre le sentier qui traverse la vallée et se poursuit au sud. Bientôt on aperçoit *Agios Mamas* (IXᵉ siècle) dans les champs. Pour monter à la route, il faut passer derrière l'ancien palais épiscopal, prendre un sentier à droite. À un croisement, le sentier de gauche mène à la route. Attendre le bus.

🐾🐾 **Agia Kyriaki** *(Αγια Κυριακη) :* balade de 2 h aller et retour. Bus jusqu'à Apirathos. Sous la route part un sentier de marbre. Après 15 mn, le sentier, parfois dallé, traverse le ravin sur un pont. Belle montée de 30 mn pour atteindre l'église byzantine en pierre sèche d'*Agia Kyriaki*. Restes de fresques aniconiques (oiseaux, fleurs).

🐾 **Koronida-Abrami-Galini** *(Κορωνιδα–Αμπραμι–Γαληνη) :* balade Koronida-Abrami, compter 2 h 30 ; Abrami-Galini, compter 2 h. Bus pour Koronida. Au sommet du village, on trouve une piste (un sentier à gauche permet de l'éviter un moment). À un petit col, prendre un sentier à gauche d'une bergerie. Descente superbe sur le hameau de Mirissis par ce sentier raide mais facile. À l'église d'*Agia Anastassia* on doit reprendre la piste qui, traversant la route, rejoint à droite la plage d'Abrami (taverne sympa : ☎ 22-85-06-32-44).
Au retour, suivre (hélas) la route sur 4 km et, peu après le monastère *Fané-romeni,* obliquer vers la mer. De crique en crique, atteindre la plage d'Amiti. Route jusqu'à Galini où l'on peut, du *kafénio* agréable, appeler un taxi.

🐾🐾 **Les églises byzantines à partir de Halki :** compter 2 h. Malheureusement, toutes ne sont pas ouvertes et les sentiers ne sont pas tous bien entretenus.

– À 600 m sur la route de Filoti, petit café à côté d'une église. Prendre en face (droite) un chemin qui se transforme en sentier. En 10 mn, on atteint *Agii Apostoli* (Xᵉ siècle), composée de deux églises. De retour au café, repasser le pont, continuer sur 300 m et prendre un chemin à droite ; à 100 m à gauche, dans un champ, *Agios Ioannis de Keramis*.
– À 3 km de Halki, route de Moni, à droite : *Panagia Drossiani* (VIᵉ siècle), la plus connue. On la visite (fresques).
– Route de Moni. À 300 m, après la station-service *EKO,* petit sentier à gauche. Prendre à droite (source) et continuer dans la même direction. Lorsqu'on aperçoit des ruches, on se tourne vers la droite : *Panagia Dami-niotissa* apparaît dans les oliviers.
– En poursuivant le sentier, on descend dans le lit à sec d'une rivière un peu encombrée. 200 m plus loin, une piste traverse le lit : prendre à droite et monter. On peut voir à gauche l'église *Panagia I Rachidiotissa*, blanche (fresques, petite iconostase en bois peint). Mais on nous a signalé que le sentier n'était plus praticable. Se renseigner.

QUITTER L'ÎLE DE NAXOS

Les destinations sont les mêmes que pour l'arrivée. Voir « Comment y aller ? ».
➤ On peut également rejoindre ***Koufonissi*** toute l'année en bateau-taxi depuis *Volakas* (sur la côte est). Appelez monsieur Prassinos (☎ 22-85-07-14-38) ou adressez-vous au *Naxos Tourist Information Center.*

LES CYCLADES DU NORD
ET DU NORD-EST

ANDROS (ΑΝΔΡΟΣ)   10 000 hab.

Située à l'extrême nord des Cyclades, entre l'île d'Eubée et Tinos, Andros, patrie de nombreux armateurs et capitaines, est la deuxième grande île en taille de l'archipel après Naxos, avec une superficie de 380 km² et un péri-mètre côtier de 177 km. C'est aussi la plus verdoyante, ce qui en fait une île propice à la randonnée.
Son relief très accidenté, avec un point culminant à 994 m, offre au visiteur des paysages contrastés, formés de falaises abruptes et d'à-pics, de belles plages, de ravins et de gorges où coulent de ravissantes sources et cas-cades, ainsi que de vallons fertiles plantés de blé, d'oliviers, de vignobles ou d'arbres fruitiers. De nombreuses cultures en terrasses sont délimitées par d'interminables murets de pierre qui serpentent entre les collines, et partout on trouve des cyprès, le tout ponctué de beaux villages aux coquettes mai-sons coiffées de tuiles rouges et pour la plupart croulant sous une végétation luxuriante. Monastères et églises, tours vénitiennes à l'architecture curieuse, fontaines et pigeonniers viennent compléter le tableau de cette île si dif-férente des autres Cyclades. Le peuplement de cette île est aussi particulier : en 1880, un voyageur anglais s'étonnait de ne pouvoir communiquer en grec avec les habitants : une grande partie de ces derniers, dans le nord de l'île, d'origine albanaise, n'étaient toujours pas hellénisés, 400 ans après l'arrivée de leurs ancêtres dans l'île ! Aujourd'hui, ils le sont, mais un œil attentif par-vient à distinguer, paraît-il, l'organisation des villages « albanais », différente de celle des villages grecs.

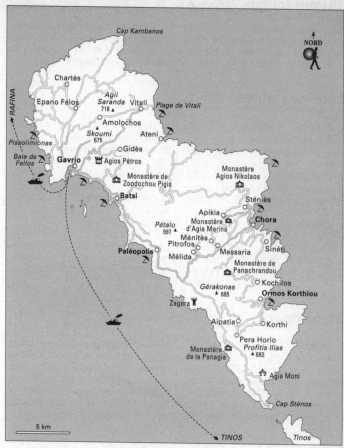

L'ÎLE D'ANDROS

L'île reste assez mal connue des Français et le tourisme y est essentiellement concentré dans la station estivale de Batsi. Les locations sont assez chères.

Comment y aller ?

En ferry

➤ *De Rafina :* départs quotidiens en ferry (en général, un le matin vers 7 h 30 ou 8 h, les autres en fin d'après-midi). Durée du trajet : 2 h. Les ferries continuent en général vers Tinos et Mykonos, compter respectivement 1 h 30 et 2 h 15.

➤ *De Tinos et Mykonos :* ce sont les mêmes bateaux, lorsqu'ils rentrent sur Rafina. Liaisons plus rares de Santorin, Amorgos et Syros.

En hydrofoil

➤ *De Rafina :* liaison irrégulière selon les années. Se renseigner. Durée du trajet : 1 h.

GAVRIO (ΓΑΥΡΙΟ ; 750 hab.)

Port principal, situé au nord-ouest de l'île, avec une très grande activité touristique, du moins en été, car dès le 15 septembre, le village semble bien mort. À 31 km de Chora. Ne présente pas beaucoup d'intérêt et, surtout, est assez excentré. Vous y trouverez de nombreuses chambres à louer.

Adresses utiles

ℹ *Syndicat d'initiative :* installé dans le pigeonnier sur le port. ☎ 22-82-07-17-70. Ouvert en saison seulement.

■ *Capitainerie :* ☎ 22-82-07-12-13.

■ *Agence Porto Andros* (Hellas Ferries) : sur le port. ☎ 22-82-07-12-22.

■ *Agence Alpha Ferries* (Panagakis Travel) : sur le port, à deux pas de la précédente. ☎ 22-82-07-23-63.

■ *Agence G. Batis* (Blue Star Ferries) : sur le port, face au syndicat d'initiative. ☎ 22-82-07-14-89 et 69-45-25-33-54 (portable).

■ *Location de voitures :* quelques agences sur le port. *Tassos :* ☎ 22-82-07-10-40. *Colours :* ☎ 22-82-02-91-85

■ *Centre médical :* ☎ 22-82-07-12-10.

■ *Taxis :* ☎ 22-82-07-11-71.

🚌 *Autobus :* les bus (pour Batsi et Chora) attendent sur le port l'arrivée des ferries. Horaires sur un tableau. De 6 à 8 bus par jour en saison.

Où camper ?

🏕 *Camping Andros :* ☎ 22-82-07-14-44. Fax : 22-82-07-10-44. Hors saison, ☎ et fax : 21-05-22-27-23 (à Athènes). Ouvert de fin mai à fin septembre. Situé à 600 m du port, (discrètement) indiqué. Compter environ 13 € pour 2 personnes avec une tente, et 3 € de plus pour une voiture. Une soixantaine de places sous les oliviers. Supermarché, cuisine commune pour faire sa tambouille. Piscine. Resto sur place. Location de tentes également. Le seul camping de l'île. Réservation conseillée.

Où manger ?

🍽 *Ouzeri En Gavrio :* juste à côté de l'agence *Blue Star Ferries*. Compter environ 9 €. On y mange, entre autres, d'excellents *mezze* servis dans un très joli cadre.

🍽 *Veggera :* un peu en retrait du port. ☎ 22-82-07-10-77. Compter 10 €. Taverne servant des spécialités traditionnelles, que l'on peut apprécier en profitant de l'agréable terrasse.

Où dormir ? Où manger dans les environs de la plage d'Agios Pétros ?

🛏 *Villa Maniati :* ☎ 22-82-07-15-77 ; hors saison : ☎ 21-08-10-12-80 (à Athènes). ● www.villamaniati.gr ● Pour deux, compter de 30 à 70 €. À proximité de la plage de Golden Beach. Beaux appartements, véranda avec vue sur mer, dans un joli jardin. BBQ. Aire de jeux pour les enfants.

🛏 *Studios Aktio :* en quittant Gavrio, au bord de la plage d'Agios Pétros. ☎ 22-82-07-16-07. De 40 à 90 € selon la saison. Beaux studios avec cuisine à proximité de la plage. Aménagement récent. Les chambres sont calmes car à l'opposé de la circulation. Bon accueil.

🛏 *Villa Giannakis :* prendre une route qui s'enfonce dans les terres à hauteur de la plage d'Agios Pétros. ☎ 22-82-07-15-94 et 22-82-02-42-93. De 50 à 75 € selon la saison. Grands appartements avec cuisine, pour 2 à 5 personnes, à 200 m de la plage d'Agios Pétros, dans un grand jardin. AC. Très tranquille.

🍴 *Yannoulis :* de l'autre côté de la route qui longe la plage, à mi-chemin entre Gavrio et Batsi. ☎ 22-82-07-13-85. Compter 10 €. La taverne classique peinte aux couleurs grecques. Déco basique. Côté cuisine, pas de chichis, choix assez limité (surtout des plats préparés). Service rapide.

À voir. À faire dans les environs

🏛 *La tour d'Agios Pétros :* à 5 km au nord-est de Gavrio. C'est un impressionnant édifice circulaire de cinq étages en pierre de taille, d'une hauteur de 20 m à peu près. On pense que sa construction remonte au IVe siècle av. J.-C.

➤ Prendre la *route de Gavrio à Chora* qui longe en partie le bord de mer. Elle offre des points de vue superbes sur Kythnos, Kéa et Syros.

Les plages

🏖 *Kato Fellos* (Κατω Φελλος) *:* à 5 km au nord-ouest de Gavrio. Jolie plage. Encore peu de constructions. Un peu avant d'arriver à Kato Fellos, une piste part sur la droite et mène en 4 km à la plage de Pissolimonas. Tranquille.

🏖 *Agios Pétros* (Αγιος Πετρος) *:* à 2,5 km au sud-est de Gavrio. Belle grande plage de sable. Nombreuses *locations.* Idéal pour des vacances en famille. Un peu plus loin, direction Batsi, plage de *Golden Beach* (*Chryssi Ammos),* très propre, très bien pour les enfants en bas âge. Malheureusement, le *beach bar* et sa musique sont dérangeants.

🏖 *Vitali* (Βιταλι) *:* à 16 km au nord-est de Gavrio. C'est une grande plage (tranquille) de galets, accessible par une piste caillouteuse. Propreté cyclique.

BATSI (ΜΠΑΤΣΙ)

Station estivale, à 24 km à l'ouest de Chora, construite en amphithéâtre autour d'une grande baie bordée d'une plage de sable qui se termine par une petite presqu'île abritant un petit port.

Il y règne une intense activité touristique en saison, car Batsi est très prisée par les Grecs et les tour-opérateurs anglais et scandinaves. Beaucoup d'hôtels et de locations diverses.

Où dormir ? Où manger ?

🛏 *Villas Amorani I et II :* à droite sur la rue qui monte de la petite corniche à la route Gavrio-Hora. ☎ 22-82-04-17-06 ou 22-82-04-16-61 (domicile) ou 21-06-44-89-16 (à Athènes). ● www.amorani-studios.gr ● Ouvert du 20 avril au 30 octobre. De 25 à 60 € pour 2 personnes selon la saison. Chambres, studios, appartements, dont certains avec terrasse et vue sur mer, à 350 m de la plage.

🛏 *Likio Studios :* en longeant la plage prendre la rue perpendiculaire au niveau de *Dinos Bike.* ☎ 22-82-04-10-50 et 18-11. Fax : 22-82-04-20-00. ● likiostu@otenet.gr ● Ouvert toute l'année. Pour 2 personnes, compter de 40 à 70 € selon la saison. Pour les appartements, de 60 à 110 €. Au cœur d'un quartier résidentiel, dans un grand jardin, à 150 m de la plage, un joli complexe de 2 petits bâtiments comprenant 16 studios (cuisine, petit frigo, TV) et 2 appartements pour 2 à 5 personnes. Accueil agréable.

🛏 *Villa Arni :* ☎ 22-82-04-13-60. Fax : 22-82-07-19-50. Hors saison, à Athènes : ☎ 21-06-82-76-59 ; fax : 21-06-81-13-03. Compter de 50 à 80 €. C'est (assez mal) fléché ; depuis la rue qui borde la plage, emprunter la deuxième à droite après *Dinos Bike.* Dix beaux appartements avec TV et AC, autour d'un joli jardin, à 150 m de la plage. Tout confort. Jolie vue.

🛏 *Aneroussa Beach Hotel :* à 1 km au sud de Batsi. ☎ 22-82-04-10-44. Fax : 22-82-04-14-44. Hors saison :

☎ 21-06-52-56-59 (à Athènes). Ouvert de mi-avril à mi-octobre. Chambres doubles de 45 à 90 €. Prendre la petite route dans un virage serré sur la petite corniche de Batsi. Elle vous mène à ce petit ensemble idéalement placé (plage semi-privée en dessous), joliment inséré dans le paysage avec ses couleurs pastel. Très agréable et avec tout le confort moderne. Excellent petit déjeuner que l'on prend sur de petites terrasses étagées.

🍴 Batsi n'est pas spécialement une étape gastronomique, beaucoup trop touristique pour ça. Pour manger correctement, on peut s'éloigner du centre, soit vers la taverne *Oasis,* à proximité de la route qui contourne Batsi (☎ 22-82-04-15-90). Viande cuite au charbon de bois, parfois *kokoretsi* ou *kondosouvli.* Soit se diriger vers l'hôtel *Aneroussa Beach* et poursuivre jusqu'à la taverne *Agia Marina,* taverne de plage joliment située. Dans les deux cas, compter environ 10-12 €. Mais on nous a dit du bien de *Meltemi,* sur le port près de la station des taxis et de *Stamatis* (monter les marches derrière la station des taxis, vers la boulangerie, puis à droite).

À voir. À faire

🔆 *Le monastère Zoodochou Pigis* (Μονη Ζοοδοχου Πηγης) *:* à 4 km de Batsi, au lieu-dit *Kapsorachi,* à 320 m de hauteur, avec une vue superbe. Sa fondation remonte peut-être au IXᵉ siècle. Il n'est plus habité que par deux ou trois nonnes. Dans le monastère sont conservés manuscrits et objets religieux. Grande fête patronale le 27 juillet.

🔆 Les villages *Katakilos* (6 km à l'est de Batsi) et *Arnas* (13 km à l'est de Batsi) sont tous les deux entourés d'une végétation luxuriante. Tavernes réputées à Katakilos.

🔆 La ravissante *plage d'Ateni* (Ατενι) *:* à 11 km au nord-est de Batsi, dont 5 km de bonne piste. Quand on est devant la chapelle, descendre à gauche. Jolie crique avec petites dunes, mais la propreté laisse à désirer.

PALÉOPOLIS (ΠΑΛΑΙΟΠΟΛΙΣ)

🔆🔆 Construite au bord d'une falaise qui descend à pic dans la mer, Paléopolis fut l'ancienne capitale d'Andros depuis les temps historiques jusqu'à l'époque byzantine. Aujourd'hui, on ne peut voir que des ruines, en bord de mer (pas grand-chose) et une collection archéologique (renseignements : ☎ 22-82-04-19-85). Jolie plage de sable, si vous avez le courage de descendre (puis de remonter) les 1 039 marches ! De l'axe Gavrio-Chora, dans le village moderne de Paléopolis, une petite route descend et se prolonge par un sentier menant aux marches.

🦌 Au sud de Paléopolis, le ***site archéologique de Zagora,*** très significatif pour l'histoire de l'île, car les fouilles ont permis de révéler l'existence d'une agglomération de l'époque géométrique et archaïque, qui atteste de la prospérité de la région aux VIIIe et VIIe siècles av. J.-C. Compter 45 mn de marche par un sentier qui commence au croisement des routes pour Gavrio et Chora.

CHORA *(XΩPA ; 1 600 hab.)*

Construite à l'emplacement d'une ville médiévale sur une petite péninsule rocheuse entre deux plages de sable (à gauche, quand on est face à la mer, *Nimborio,* et, à droite, *Paraporti,* avec une mare aux canards derrière), Chora, située à 31 km à l'est du port, est le chef-lieu de l'île.

C'est une agréable bourgade aux allures aristocratiques, où fusionnent architectures néo-classique et cycladique. Créée en grande partie par des familles d'armateurs, Chora étonnera le visiteur, parce qu'elle est différente, mystérieuse et impressionnante. Presque entièrement piétonne, elle se caractérise par un labyrinthe d'étroites ruelles dallées, tantôt voûtées, tantôt en escalier, de belles demeures patriciennes des XVIIIe et XIXe siècles, d'imposants édifices publics, des musées, de belles églises, de grandes places animées bordées d'arbres, de commerces et de cafés. C'est une étape très agréable pour y séjourner et pour rayonner dans les villages avoisinants.

Adresses utiles

■ Plusieurs ***banques*** avec distributeurs de billets dans la rue principale piétonne.

@ ***Internet café :*** *e-waves,* dans la même rue.

Où dormir ?

Chora est dotée d'une excellente infrastructure touristique. Vous y trouverez de nombreux hôtels, pensions et locations diverses (attention, le week-end, c'est souvent complet, car c'est une destination proche d'Athènes).

🛏 ***Pension Stella :*** à Nimborio, en bord de plage, vers le bout de la baie. ☎ 22-82-02-24-71. Fax : 22-82-02-44-19. • www.pension-stella.gr • Ouvert toute l'année. Compter environ 55 € pour deux dans un appartement avec cuisine. Chambres et appartements pour 2 à 4 personnes, avec une jolie vue sur la mer, dans un cadre verdoyant.

🛏 ***Myrto :*** à 600 m de Nimborio. ☎ 22-82-02-36-73 et 69-44-47-61-27 (portable). Fax : 22-82-02-45-95. En haut de la colline (prendre la route de Sténiès), dans un grand jardin en espalier. Ouvert toute l'année. Compter

de 30 à 55 € pour 2 personnes, selon la saison. Dans une grande villa, 12 appartements décorés avec goût, pour 2 à 6 personnes. Peinture récente et meubles neufs. Cuisine équipée. TV, AC. Vue sur la mer ou sur Chora. Petite aire de jeux pour les enfants. Accès à la plage par un chemin. Accueil familial très sympathique.

🛏 ***Irene's Villas :*** ☎ 22-82-02-33-44. Fax : 22-82-02-45-54. • www. irenes-villa.gr • Au milieu de la baie de Nimborio (les appartements se repèrent de loin sur les hauteurs à leur couleur bleu-mauve). Ouvert toute l'année. De 55 à 70 € pour 2 personnes en été. Appartements pour 2 à 4 personnes, de bon confort, dans un grand jardin fleuri qui est le havre d'une ribambelle de chats. Au-dessus de la plage, prévoir une bonne grimpette. Petit déjeuner (en supplément).

🛏 *Chambres et appartements chez M. et Mme Karaoulanis :* s'adresser au bazar de plage *Riva,* à Nimborio, et demander Yannis ou Caroline. ☎ 22-82-02-20-78 ou 44-12 (magasin) ou 69-74-46-03-30 (portable). ● www.androsrooms.gr ●

Chambres doubles de 25 à 50 €. Chambres standard avec salle d'eau, toilettes et frigo à disposition. Également de grands appartements qui peuvent accueillir jusqu'à 5 ou 6 personnes (compter 75 € pour 2 en haute saison, et environ 120 € pour 5 ou 6 personnes). Yannis est très serviable et c'est une mine d'infos sur l'île. Sa femme, Caroline (française), la connaît presque aussi bien. Le coin est sympa (Plakoura, le vieux port de Nimborio, est au pied de la ville). Location de scooters également.

Où manger ?

|●| *Ouzeri Nostalgia :* sur la place T. Kairi, en bas de la rue piétonne centrale. ☎ 22-82-02-44-96. On vous sert *ouzo* ou *raki,* accompagné de *mezze* appropriés (ou *pikilia* de trois tailles différentes, assez cher néanmoins). Très bon café grec. Décor sympathique et terrasse ombragée.

|●| *Mezzedopolio O Nonas :* dans le quartier du vieux port, à Plakoura. ☎ 22-82-02-35-77. Ouvert midi et soir. Un peu plus cher que la moyenne : compter au minimum 14 €. Plats mijotés, *mezze* sympathiques à base de poisson, poisson grillé et langoustes, le tout servi avec du bon vin local. Les calamars farcis sont délicieux.

|●| *Medousa :* à Nimborio, sur une jetée aménagée au bord de la mer où se sont installés quelques restos. ☎ 22-82-02-47-66. Ouvert toute l'année. Compter 10 € le repas. Cuisine familiale avec des plats de poisson et de viande (cuisine au charbon de bois), ainsi que la spécialité locale qu'est la *froutalia.* Terrasse abritée

du vent (ce qui est appréciable quand souffle le *meltémi*).

|●| *Ta Delfinia :* au milieu de la baie de Nimborio. ☎ 22-82-02-41-79. Ouvert midi et soir. Compter environ 10 € pour un repas. Taverne familiale bon marché, à la cuisine égale. Service rapide.

|●| *Restaurant Cabo del Mar :* à Nimborio, tout au bout de la baie. ☎ 22-82-02-50-01. N'ouvre qu'en saison, à partir de début juin seulement. Assez smart et pas donné : compter environ 16 € le repas. Vous y trouverez une cuisine à base de spécialités locales : tourte aux oignons, omelette aux épinards. Joli cadre et belle vue. Plus prudent de réserver en saison ou le week-end. En fin de soirée, le resto laisse la place à un agréable bar-club.

|●| *Confiserie Laskari :* dans la rue centrale. ☎ 22-82-02-23-05. Délicieux fruits confits en sirop et douceurs aux amandes. Également *Onira Glyka* (☎ 22-82-02-32-07).

Où manger dans les environs ?

|●| *Taverne Ta Yialia (chez Balas) :* à Yialia, sur la route de Stémiès, en arrivant vers la plage, juste avant le pont. ☎ 22-82-02-46-50. Bonne taverne de poisson (de 35 à 50 € le kilo). Quelques plats mijotés à environ 6 €.

|●| *Paraporti :* à Paraporti, en face

du terrain de foot. On peut y aller en voiture en suivant la rivière ou plutôt à pied depuis la place du platane (15 mn de marche). ☎ 22-82-02-35-15. Compter environ 11 €. Spécialités de grillades et de viande à base de produits locaux et d'animaux élevés par les patrons.

À voir

🎥 *Le kastro :* bâti sur la petite presqu'île située à la pointe de Chora, et dont il ne subsiste aujourd'hui que des pans de murailles, des parties de la tour et un ravissant pont de pierre (XIIIᵉ siècle), franchissant le fossé qui l'isolait. C'est un bombardement en 1943 qui l'a mis dans cet état.

🎥 *Le musée de la Marine :* juste avant d'arriver au *kastro*. Il renferme une belle collection de maquettes de bateaux, d'instruments de marine et de photos. Pas souvent ouvert.

🎥 *Le Musée archéologique :* dans le centre de Chora, place Kairis, en bas de la rue piétonne centrale. Ouvert tous les jours, sauf le lundi, de 8 h 30 à 15 h. ☎ 22-82-02-36-64. Il possède de nombreuses trouvailles des époques géométrique, hellénistique et byzantine. Voir en particulier l'*Hermès*, peut-être de Praxitèle.

🎥 *La bibliothèque Kairios :* elle possède des éditions rares et des vieux manuscrits.

🎥🎥🎥 *Le musée d'Art moderne :* ☎ 22-82-02-24-44. Descendre les escaliers sous le Musée archéologique. De juin à septembre, ouvert de 10 h à 14 h et de 18 h à 20 h, fermé le mardi toute la journée et le dimanche après-midi ; d'octobre à mai, ouvert uniquement les samedi, dimanche et lundi de 10 h à 14 h. Entrée : 3 € pour la collection permanente et 6 € avec les expos ; réductions. Ouvert depuis 1986, il est plus connu sous le nom de fondation *Goulandris* (le donateur : grand armateur de l'île et, avec sa femme Eliza, insatiable amateur d'art). Même si sa collection permanente est digne d'intérêt, il est surtout réputé pour les expositions internationales, organisées tous les étés, consacrées à des artistes incontournables : Matisse, Rodin, Chagall, Henri Moore, Miró, Braque, Picasso (en 2004)...

🎥 *La maison de retraite Embirikio* et le *lycée naval* comptent parmi les plus beaux édifices de la ville.

Balades dans les environs

Elles sont nombreuses, car il y a plus de 40 hameaux ou villages à découvrir autour de Chora, chacun avec son caractère propre. Les distances sont assez courtes entre chaque localité. Une carte au 1/50 000 (éd. Anavassi) mentionne 12 randonnées, de 45 mn à 4 h de durée, dont un bon nombre aux alentours de Chora.

🎥 *Apikia* (Αποικια) *:* à 4 km au nord-est de Chora. Village verdoyant réputé pour ses sources d'eau minérale Sarriza (la mise en bouteilles se fait sur place).

🍴 *O Tassos :* dans le centre, à côté de l'hôtel *Pighi Sariza*. ☎ 22-82-02-25-82. Ouvert midi et soir. Compter environ 10 € pour un repas. Taverne familiale bien connue sur toute l'île. Grande terrasse en surplomb, où l'on mange des plats traditionnels locaux. Service rapide.

🎥🎥 *Le monastère Agios Nikolaos* (Μονη Αγιου Νικολαου) *:* à 5 km à l'est du village d'Apikia. ☎ 22-82-02-21-90. Il fut fondé au XVIIIᵉ siècle. Il renferme des livres précieux, de belles étoffes brodées et des objets d'art religieux. À l'intérieur de l'église, très beau trône et iconostase en bois sculpté, ainsi qu'une icône miraculeuse. Une dizaine de moines y vivent (le supérieur est francophone).

🏃🏃 *Sténiès* *(Στενιες)* : au-dessus de la plage de Yialia, au milieu d'une oasis aux mille parfums. C'est l'un des plus pittoresques et des plus riches villages d'Andros, avec ses belles demeures. Patrie de nombreux armateurs et de capitaines. Quel régal de se balader dans ses ruelles presque entièrement piétonnes ! La végétation y est si belle et si variée que c'est un vrai rêve pour les botanistes. Et même en plein été, l'eau coule dans les caniveaux.

🛏 *Chez Soula et Dimitri Tsou-mézi :* entre Yialia et Sténiès, à 700 m de la plage. ☎ 22-82-02-31-30. Les propriétaires habitent sur place à l'année. Compter environ 45 € le studio pour 3 personnes et à peu près 55 € l'appartement pour 4 personnes. Dimitri, un ancien capitaine de la marine marchande, et sa femme sont très serviables et louent 2 studios et 2 appartements, tous équipés d'une cuisine. Terrasse privative. Bon accueil.

🎍 À côté de Sténiès, la *tour Bisti-Mouvéla,* édifice de 3 étages construit au XVIIe siècle, est un bel exemple d'architecture de défense.

🎍 Les villages de *Strapouriès* *(Στραπουριες)* et *Ipsilou* *(Υψηλου)* : noyers, platanes, fleurs à profusion et surtout grande sérénité. On y entend seulement le bruit de l'eau qui coule.

🍽 À Ipsilou, un excellent restaurant, réputé dans toute l'île : *Bozakis,* ☎ 22-82-02-41-50.

🎍 *Ménitès* *(Μενητες)* : avec sa végétation luxuriante, compte parmi les plus beaux villages de l'île avec ses sources qui jaillissent de la gueule d'un lion en marbre. Voir l'*église de la Panagia Vergi* avec une belle iconostase en bois sculpté.

🎍🎍 *Le monastère de Panachrandou* *(Μονη Παναχραντου)* : à Fallika. Construit sur les flancs de la montagne Kataphygio, il a l'apparence d'une forteresse. La vue sur la vallée et sur Chora y est époustouflante. Il fut construit au Xe siècle apr. J.-C. À l'intérieur de l'église, on peut voir une icône de la Vierge de grande valeur ainsi que le crâne de saint Pantaléon, médecin chrétien décapité par les Romains.

🎍🎍 *Sinéti* *(Συνετι)* : à 7 km au nord-est du monastère de Panachrandou, ravissant avec ses maisons en pierre du pays disposées en amphithéâtre et embellies de pigeonniers. Il faut remonter la route qui va en direction d'Ormos. Autrefois, il y avait là, dans les gorges en contrebas de la route, une multitude de moulins à eau. Aujourd'hui, il en reste encore pas mal, et la promenade à travers cette région est des plus reposantes et des plus rafraîchissantes. La végétation luxuriante et l'écosystème qui s'y est développé ont attiré une profusion de papillons de type *Panaxia* (similaires à ceux de Rhodes).

Les plages

🏊 *Plage de Nimborio :* avec douches. Toujours bondée. C'est la plage principale de Chora.

🏊 *Plage de Paraporti :* l'autre plage de Chora. En longeant la rivière qui s'y déverse on peut atteindre le monastère de Panachrandou (compter quand même 2 à 3 h de balade).

🏊 *Plages de Gialia et Piso Gialia :* au nord de Nimborio. Piso Gialia a beaucoup souffert en 2004 de la construction de villas.

🏊 *Plage de Sinéti :* facilement accessible par la route, malheureusement parfois sale.

🏊 *Plage d'Achla :* dans un site féerique, au-delà du monastère d'Agios Nikolaos.

ORMOS KORTHIOU *(ΟΡΜΟΣ ΚΟΡΘΙΟΥ)*

À 19 km au sud de Chora, petite station estivale sympathique avec une grande plage de galets et de sable, bordée de belles maisons. On y trouvera chambres et locations diverses.

À voir

⌂ *La plage de Pidima tis Grias* (en v.f. : *le saut de la Vieille*) *:* au nord de Korthi. Indiquée depuis le village. 1 km de route, puis un autre de piste puis un petit sentier qui s'accroche à la falaise et tout d'un coup la plage, magnifique avec son rocher phallique du haut duquel, pour expier une trahison, une vieille se serait jetée, d'où son nom. Sable fin. Site fabuleux.

🗡 Le village d'**Aïdonia** *(Αηδονια),* dominé par la *tour Sarelli* (1690), complètement restaurée et transformée en hôtel, que l'on peut visiter. À l'arrière de la tour, deux jolies chapelles, et quelques mètres plus bas, une source avec trois fontaines en marbre sculpté provenant d'une église byzantine, finissent de mettre en valeur ce paysage si reposant.

QUITTER L'ÎLE D'ANDROS

Les destinations de départ sont les mêmes que pour l'arrivée. Voir « Comment y aller ? ».

TINOS *(ΤΗΝΟΣ)*   10 000 hab.

> On observe peu de maladies
> car l'île est exposée à tous les vents
> et particulièrement à celui du nord,
> qui est appelé le « médecin de Tinos ».
>
> **Coronelli, XVIIᵉ siècle.**

Le Lourdes de l'orthodoxie grecque est assez injustement délaissé par les étrangers ; pourtant, la beauté paisible de ses campagnes et de ses côtes mérite davantage qu'un rapide coup d'œil depuis le pont des bateaux qui desservent Mykonos, sa voisine et heureuse rivale.

Le chef-lieu, Tinos, est une bourgade aux maisons blanches, dominée par l'église de la *Panagia Evanghélistria,* lieu de pèlerinage le 15 août. À moins que vous ne vouliez vous immerger dans le dolorisme orthodoxe, ne venez pas à cette période à Tinos. Évitez aussi, de manière plus générale, les week-ends, du moins si vous ne comptez passer que 2 jours sur l'île : il y a toujours plus de monde qu'en semaine, Panagia oblige. Il n'est pas rare que l'on y prolonge son séjour, succombant aux charmes de la population et des petites ruelles bordées d'excellentes tavernes. L'arrière-pays est finalement beaucoup plus intéressant que la capitale de l'île dont la rue principale ressemble plutôt à un souk pour touristes : on y rencontre beaucoup moins de monde évidemment et, si on se débrouille bien, pour pas cher, on peut s'offrir une balade d'une journée en alternant marche à pied et bus. Ceux qui ne sont pas fauchés loueront un scooter ou une voiture et verront encore davantage de pays. Attention : en été, comme à Andros, le vent peut être très violent. En conséquence, en période de *meltémi* (mi-juillet à fin août), ne pas louer de scooter pour plusieurs jours car si le *meltémi* se lève, il est quasiment impossible de circuler sur un deux-roues par vent de force 8 ou 9 !

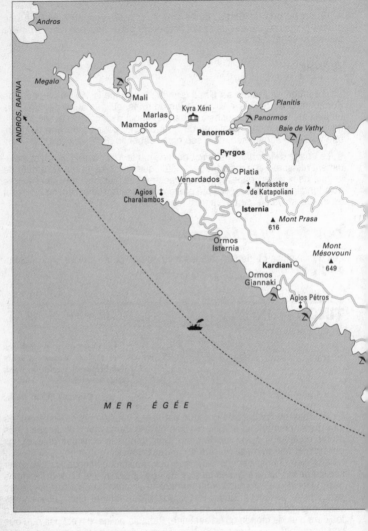

UN PEU D'HISTOIRE

Il semble que Tinos ait été un lieu de pèlerinage dès l'Antiquité : on venait y sacrifier à Poséidon. Mais c'est au Moyen Âge que l'île a commencé à se distinguer : possession vénitienne appartenant tout d'abord à la famille Ghizi, l'île est la seule des Cyclades où la Sérénissime République réussit à se maintenir au nez et à la barbe des Ottomans, et ce, jusqu'en 1715, soit 150 ans de plus que dans les îles voisines. La forteresse jusqu'alors inexpugnable de Santa Elena, sur la colline de l'Exobourgo, finit par tomber mais l'île a longtemps gardé des traces de l'influence latine. En 1781, on dénombrait 7 000 catholiques dans 32 villages. Paradoxe : les orthodoxes viennent

0   2   4 km

NORD

Vourniotissa

Kaki Skala

Kolymbithra

Baie
de Livada

Agia
Marina

Aétofolia

Kato Klisma

Agapi

Karkados

Kalloni

Slavochori

Livada

Komi

Monastiria

Perastra

Skalados

Volax

Mont
Tsiknia
▲
727

Krokos

Falatados

Smardakito

Loutra

Koumaros

Myrsini

Fanéroméni

Tarabados

Exobourgo

Kambos

Moulin
à vent

Messia

Sténi

Xynara

Chatzirados

Karya

Tzados

Potamia

Vryssi

Kéchros

Agios Pétros
Santa Margarita

Agios
Romanos

Ktikados

Mountados

Monastère de Kechrovounio

Arnados

Tripotamos

Sbérados

Dyo Choria

Kionia

Agios Nikolaos

Triantaros

Berdémiados

Agios Markos
Stavros

Agios
Varvara

Agios
Georgios

Agios Antonios

Tinos

Agios
Triada

Pachia Ammos

Agios
Fokas

Porto

Agios Ioannis

Livadi

Agios Sostis

➜ MYKONOS

L'ÎLE DE TINOS

ANDROS ET TINOS
(Cyclades Nord et Nord-Est)

en masse en pèlerinage dans une île historiquement marquée par le catholicisme.

Comment y aller ?

En ferry

➤ **Du Pirée,** *via Syros* (et parfois *Mykonos*) *:* plusieurs ferries par jour. Prévoir 5 h de traversée.

➤ **De Rafina** (direct ou via *Andros*) *:* tous les jours. Environ 3 h 30 de traversée.

➤ *D'Andros, de Paros et de Naxos :* plusieurs liaisons par semaine.
➤ *D'Héraklion :* le ferry assurant la liaison Héraklion-Thessalonique s'arrête, en été, 2 fois par semaine à Tinos.
➤ *De Chios ou Lesbos :* en principe, une liaison hebdomadaire.

En catamaran

➤ *De Rafina, Mykonos et Syros :* plusieurs liaisons par semaine en été, un peu moins hors saison. Rafina-Tinos : 1 h 30 en *Sea Jet*. Également au départ du Pirée (2 h 45).

TINOS-VILLE

Adresses et infos utiles

■ Sur le port, au débarcadère, un *kiosque,* ouvert en saison seulement, où l'on trouve la brochure de l'*Association des propriétaires de chambres à louer.* Sinon, s'adresser à la *mairie,* léoforos Mégalocharis, mais elle n'est pas bien riche en doc (et elle ferme vers 14 h).

✉ *Poste :* quand on est dos à la mer, elle est située tout à droite, à côté de l'hôtel *Tinion.*

■ *OTE :* léoforos Mégalocharis, la « grande » rue qui mène à l'église *Panagia Evanghélistria.*

■ *Presse internationale :* près du débarcadère. À droite de la station des bus (quand on est dos à la mer).

■ *Agence Mariner Andonis Foskolos :* sur le port de Tinos. ☎ 22-83-02-31-93. Fax : 22-83-02-35-97. On y parle le français.

■ *The Little Green* (*Takis Wheel*) : 13, odos Trion Ierarhon ; une rue perpendiculaire au port. ☎ 22-83-02-28-34. Takis Malliaris, patron aimable, loue des scooters en très bon état, et reçoit bien les Français.

■ *Vidalis :* odos Trion Ierarhon et 16, odos Alavanou. ☎ 22-83-02-34-00. Fax : 22-83-02-59-95. ● www.vidalis-rentacar.gr ● Location de motos, scooters et voitures. Bon matériel. Prix raisonnables, bon accueil

et l'on y parle le français. Tarif dégressif selon la durée.

■ *Jason Rent-a-Car :* sur le port, sous l'hôtel *Avra* et 43, odos Z. Alavanou. ☎ 22-83-02-42-83 et 40-61. Fax : 22-83-02-25-83. Prix corrects. Vous change votre véhicule en cas de problème (autos et scooters).

■ *Dimitris :* 8, odos Z. Alavanou. ☎ 22-83-02-35-85. Fax : 22-83-02-27-44. Location de scooters aussi. Prix très abordables hors saison. On y parle le français.

■ *Koulis :* à l'angle de l'odos Z.Alavanou. ☎ 22-83-02-39-55.

■ *Fotogonia :* 5, odos Evanghélistrias. ☎ et fax : 22-83-02-43-65. Tout au début de la « rue des bondieuseries », à gauche, en haut des escaliers. Un photographe sympa et très pro, et le meilleur choix de films de la ville.

■ *Centre de soins :* ☎ 22-83-02-37-81.

■ *Taxis :* dans la dernière rue perpendiculaire au port à l'est. ☎ 22-83-02-24-70.

@ *Aioli :* sur le port, en s'éloignant vers la plage d'Agios Fokas, à côté de l'hôtel *Okéanis.* Quelques ordinateurs pour se connecter.

– *Bus :* les villages sont assez bien desservis en saison, mais hors saison les bus se raréfient.

Où dormir ?

Pour se loger dans l'île, pas trop de problèmes, sauf en août. D'abord, vous trouverez à votre arrivée les habituels « démarcheurs ». Ensuite, contrairement à Parikia (Paros) et Théra (Santorin), les bonnes petites adresses ne manquent pas (et elles vous attendent toutes au ferry).

Camping

⚠ *Camping Tinos :* ☎ 22-83-02-23-44 et 35-48. Fax : 22-83-02-45-51. ● www.camping.gr/tinos ● À 550 m du débarcadère, en longeant le port vers la droite en sortant du bateau (suivre le fléchage). Ouvert de début avril à fin octobre. Environ 15 € pour 2 personnes avec tente. Cuisine. On y loue aussi, entre autres, des bungalows (sommaires) et plusieurs chambres de 2 à 4 lits. Taverne très agréable et ombragée, avec musique. Le patron, adorable, élève poules et canards... en liberté, et quelques autres animaux. Il fait de gros efforts pour transformer son camping en véritable paradis pour campeurs, et il y arrive très bien ! Un peu poussiéreux tout de même et les équipements sont un peu limités en nombre, en cas de grosse affluence. Le fils du patron ainsi que la réceptionniste parlent couramment le français. On y accepte la carte *Visa*. De 10 à 15 % de réduction au camping sur présentation du *GDR*.

Bon marché

🛏 *Chez Vasiliki Kouli :* 13, odos Ilia Gafou. ☎ 22-83-02-25-35. Du port, prendre la rue Alavanou (celle du loueur *Koulis*), puis c'est la 5e à droite. Chambres à environ 25 € sans le petit déjeuner ; prix fixe toute l'année. Petite maison fleurie avec un charmant jardin. Une vieille dame vous accueille très gentiment (en grec) et fait des prix spéciaux pour les Français. Elle ne parle que le grec. Quatre chambres propres et climatisées avec un ameublement un peu disparate. Deux salles de bains. Une cuisine commune à votre disposition. Possibilité de louer des motos.

🛏 *Chez Anastasia Plyta :* 20, odos Ilia Gafou. ☎ 22-83-02-23-11. Presque en face de *Vasiliki Kouli* (voir ci-dessus). Compter de 25 à 35 € en haute saison pour une double. Là aussi, une excellente adresse. Anastasia est charmante, elle adore les Français ; elle ne parle quasiment pas l'anglais, mais avec du cœur, on se comprend toujours. Surtout, elle tient remarquablement sa pension. Au 1er étage, chambres plaisantes avec ou sans salle de bains. Un coup de cœur pour la chambre du fond à gauche, qui a une super terrasse. Il y a une cuisine commune au 1er étage et il est possible d'étendre son linge. Jardin exubérant où l'on peut louer deux petites maisons (avec salle de bains) et coin cuisine. Prix toujours modérés et dégressifs.

🛏 *Giannis :* à côté de l'hôtel *Okéanis*, tout à droite du port. ☎ 22-83-02-25-15. Compter environ 25 à 30 € la double. Chambres (avec ou sans salle de bains) et studios donnant sur la mer ou sur le jardin fleuri et ombragé où l'on peut prendre ses repas. Cuisine commune. Pas le grand luxe, mais les propriétaires sont gentils et serviables.

🛏 *Chez Nikoleta Andrioti :* 11, odos Kapodistriou. ☎ 22-83-02-47-19 et 69-32-95-72-57 (portable). Fax : 22-83-02-58-63. Vers le quartier d'Angali. À droite de la baie quand on est le dos à la mer. Prendre la direction du camping au niveau de l'hôtel *Tinion,* puis à droite sur la place, c'est à une centaine de mètres. Environ 25 à 40 € pour deux en été. Rue calme. Nikoleta reçoit fort courtoisement et parle un *fluent english*. Sept chambres agréables et de bon confort, dont un studio dans le jardin et 2 grandes chambres familiales avec coin cuisine et salle de bains quelque peu rustiques. Une cuisine commune.

Prix moyens

🛏 *Chambres Lucas :* 3, odos Agias Paraskévis. ☎ 22-83-02-39-64 ou 69-74-80-62-12 (portable). Depuis la rue Alavanou (encore celle du Kou- lis), aller jusqu'à la placette, c'est dans la rue derrière l'hôtel *Favie Suzanne.* De 25 à 35 € environ. Sept chambres dans le style traditionnel.

Salle de bains, AC, TV et frigo. Loukas Aperghis, le proprio discret et sympathique, est par ailleurs apiculteur de son état (pour les achats de miel, c'est tout trouvé).

🛏 *Chez Manthos et Marios Boussetil :* 5-7, odos Ioannou Voulgari. ☎ et fax : 22-83-02-26-75 ou ☎ 69-32-80-08-84 (portable). Remonter la rue Alavanou et prendre la 6e à droite au niveau du garage Mazda. Deux catégories de chambres : petit déjeuner compris, les standard, pas extraordinaires, montent à 35 € en été, les autres à 55 €. Grande demeure dans une rue calme. Les chambres sont propres et confortables, certaines ont des sanitaires privés et des terrasses communes, agréables pour la bronzette. Là aussi, jardin luxuriant où il fait bon prendre le petit déjeuner. Également, bungalows à louer émergeant dans la végétation. Navette pour aller au débarcadère où Boussetil est un du démarchage, ce qui n'est pas sans inconvénient parfois. Cartes de paiement refusées.

🛏 *Chez Maria Délatola :* dans le quartier de Palada. ☎ 22-83-02-46-19. Face au jardin d'enfants, on voit cette maison, située à gauche de l'église San Antonio. Jusqu'à 45 € en août. Six chambres pour 2 ou 3 personnes. Confort très moyen mais très bon accueil et ambiance familiale. La patronne parle l'anglais et donne des tuyaux sur le coin.

Plus chic

🛏 *Hôtel Tinion :* 1, odos K. Alavanou. ☎ 22-83-02-22-61. Fax : 22-83-02-47-54. • www.tinionhotel.gr • À droite en arrivant par la mer. Ouvert du 1er avril à fin octobre. Doubles de 55 à 70 €. Petit déjeuner cher mais non obligatoire. Hôtel très agréable. On peut aimer l'atmosphère surannée de cette bâtisse du début du XXe siècle. Grandes chambres hautes de plafond. Certaines donnent sur une gigantesque terrasse surplombant le port. AC et TV. Cartes de paiement acceptées.

Où dormir dans les environs ?

À *Stavros*

🛏 *Anna's Rooms :* à 500 m à l'ouest de Tinos, juste au-dessus de la mer. ☎ et fax : 22-83-02-28-77. • www.tinos.nl • annaroom@otenet.gr • (de mai à septembre) et • anna-room@home.nl • (d'octobre à avril). Jusqu'à 60 € pour 2 en plein mois d'août, mais prix très intéressants en dehors de la période de pointe. Il s'agit plutôt d'un ravissant ensemble de 6 appartements (dont 4 climatisés) avec cuisine équipée (four, cafetière, etc.). Petit jardin pour les enfants et accès Internet. Anna Vidou est une sympathique Néerlandaise polyglotte, mariée à un Tiniote, qui partage sa vie entre Groningue et Tinos. Elle vous donnera une foule de renseignements. Accueil très convivial. Une excellente adresse !

À *Kionia*

🛏 *Studios Vidalis :* à 2 km à l'ouest de Tinos, près de l'hôtel *Tinos Beach.* ☎ et fax : 22-83-02-26-86 et également ☎ 22-83-02-48-21. • www.vidalishotel.gr • Ouvert de début avril à mi-octobre. De 58 à 71 € la chambre pour 2 personnes (studios un chouïa plus chers). Des chambres et des appartements (2 à 6 personnes), dans un joli jardin, avec coin cuisine très bien tenu, à 300 m de la plage d'une grande beauté et dotée du drapeau bleu. Très bon rapport qualité-prix. Les studios ont un peu vieilli, mais les propriétaires en ont fait construire de nouveaux juste à côté. TV et frigo dans toutes les chambres, cuisine dans les appartements. Accueil charmant. Katerina, la patronne, parle le français. Vous trouverez aussi une taverne sur les lieux où sont mitonnés d'excellents petits plats. Possibilité de randonnées accompagnées.

Navette en minibus de Kionia à Tinos et vice versa. Remise de 20 % sur présentation du *GDR* sauf le weekend.

À Agios Fokas

🛏 *Blue Bay Teresa* : à 1,5 km du port, près de la plage d'Agios Fokas. ☎ 22-83-02-53-43 et 23-43. Fax : 22-83-02-32-49. Pour deux, jusqu'à 55 €. Un petit ensemble hôtelier très fleuri, au milieu d'un agréable jardin. À deux pas de la mer. Coin fort peu urbanisé. Calme garanti. Bon accueil. Studios fort confortables, avec cuisine équipée. Location d'un grand appartement pour famille au 1er étage, à prix intéressant.

🛏 *Golden Beach Bungalows* : à côté du précédent. ☎ 22-83-02-25-79 et 41-39. Hors saison : ☎ 21-04-22-43-50. Fax : 22-83-02-33-85. ● www.goldenbeachtinos.gr ● Ouvert d'avril à octobre. Transport gratuit en navette. Jusqu'à 70 € pour 2 personnes en haute saison. Une vingtaine d'appartements pour 2 à 4 personnes avec cuisine, un petit peu chers tout de même. Cafétéria et taverne sur place. Plage tranquille.

À Agios Ioannis

🛏 *Porto Raphael Bungalows* : à 6 km de Tinos et juste au-dessus de la plage. ☎ 22-83-02-24-03. Fax : 22-83-02-39-12. ● www.portoraphael.gr ● Ouvert d'avril à septembre. Compter de 40 à 70 € la chambre double. Construit dans le style des Cyclades. Chambres confortables. Des studios pour 2 personnes et des appartements pour 4 personnes également. Beau jardin. Chic et calme.

🛏 *Bungalows Carlo* : 600 m plus loin que *Porto Raphael Bungalows*.

☎ 22-83-02-41-59. Fax : 22-83-02-41-69. ● www.bungalowscarlotinos.gr ● Ouvert de mi-avril à mi-octobre. Chambres à environ 85 € en août. Emplacement très agréable. Quinze chambres avec douche et terrasse ou balcon avec vue sur mer, ainsi que quelques appartements plus récents, avec cuisine (plus chers). Cafétéria, restaurant et piscine avec vue splendide sur la mer. Calme. La patronne parle très bien le français. Navette pour aller à Tinos.

Où manger ?

Attention, beaucoup de restaurants sont fermés hors saison.

De bon marché à prix moyens

|●| *Restaurant Koutouki tis Elenis* : prendre la ruelle commerçante (et non la grande rue) qui monte à l'église, puis la 1re ruelle à droite. Repas pour environ 10 €. Endroit éminemment touristique. Quelques tables qui s'étalent dans la ruelle. Une petite taverne sans chichis. Salades grecques, tomates farcies, beignets et *retsina* pour l'ambiance. Bon marché.

|●| *Taverna Pigada* : pl. Malamatenias, à deux pas du précédent. Environ 12 €. Taverne familiale. Spécialité de veau et de *dolmadès*. Prix moyens. Bon accueil de Maria et Kostas.

|●| *Aithrio* : pl. Pallada (fontaine avec des dauphins), à l'ouest du port près de l'hôtel *Leto*. Compter environ 12 €. Taverne familiale. Spécialité de *mezze*. Poulpe excellent. Lapin pas mal également, à accompagner de *retsina*.

|●| *Taverne O Pallada* : prendre la petite ruelle couverte de vigne qui quitte la place Pallada ; vous y trou-

verez la taverne. ☎ 22-83-02-35-16. Environ 10 €. Joli emplacement, mais la cuisine est plutôt moyenne (principalement des plats « à la casserole ») et l'accueil peut sembler assez froid en apparence. Service rapide. Pas cher.

|●| *To Symposion :* 13-15, odos Evanghélistrias. ☎ 22-83-02-43-65. Au début de la rue des bondieuseries. Bistrot nouvellement ouvert (2004) où l'on peut manger, boire du vin (grec et de qualité) et, en été, certains soirs, écouter des chanteurs. Ambiance jazzy. Ordinateurs à disposition.

– Dans odos Evanghélistrias, trois bonnes **boulangeries-pâtisseries** proposent *tiropitas* (feuilletés au fromage), *loukoums,* nougats. Mais encore faut-il les trouver au milieu des bondieuseries...

De prix moyens à plus chic

|●| *Taverne Ta Tsabia :* dans le dernier virage sur la route de la corniche avant d'arriver à Kionia ; attention, la taverne est en retrait de la route. ☎ 22-83-02-31-42. Compter environ 15 € le repas. Adresse bien connue des Tiniotes.

À voir

🎬🎬 *L'église Panagia Evanghélistria :* en haut de la léoforos Mégalocharis. Elle fut édifiée sur le site même où l'on retrouva l'icône de la Vierge Marie (sur des indications de sœur Pélagie, la Bernadette Soubirous locale, à la suite d'une vision, en 1822). Considérée comme la première grande œuvre architecturale du pays après que la Grèce eut conquis son indépendance. Architecture néo-classique triomphante. Sur la droite de l'avenue, un tapis a été installé pour soulager la souffrance des pèlerins (ou plutôt des pèlerines, car ce sont très majoritairement des femmes) qui montent à genoux, puis volée de marches pour atteindre le sanctuaire. À l'intérieur, cadre comme toujours particulièrement chargé. Immense iconostase de marbre décoré de superbes icônes. Devant, deux énormes chandeliers de cuivre. Noter tous les ex-voto *(tamata)* qui pendent du plafond : bateaux en argent, voitures, cœurs, enfants, maisons, vignes, moutons, etc. Large éventail des préoccupations des Grecs qui viennent pieusement, en files serrées, embrasser l'icône.

– Tout autour de l'église, nombreux édifices appartenant au complexe religieux. Possibilité de visiter des genres de petits musées ou salles d'expo (aux horaires extrêmement indécis). Ainsi, en sortant du sanctuaire, au même niveau, à droite (lorsqu'on est face à l'autel), découvre-t-on dans l'ancienne sacristie un petit *musée des Pèlerinages* : orfèvrerie religieuse, ostensoirs, évangiles, chasubles brodées or et argent. Plus de nombreuses offrandes de pèlerins allant jusqu'aux défenses d'éléphant.

– Dans la même galerie, un musée abrite les œuvres d'artistes tiniotes soutenus par le mécénat de l'Église. Intéressante collection d'art moderne constituée de peintures et de sculptures datant de la fin du XIXᵉ siècle et de la première moitié du XXᵉ. Remarquez, en particulier, les tableaux presque « magrittiens » de Yannis Gaïtis.

– Sous le sanctuaire, petit *mausolée* dédié aux victimes du bateau *Elli,* torpillé le 15 août 1940, par un sous-marin mussolinien, alors qu'il était chargé de pèlerins.

– À côté, une *crypte,* site original où l'on découvrit l'icône de la Vierge. Jolie fontaine de marbre de 1823 représentant la Vierge. Nombreuses icônes de toutes époques.

– On pourra encore visiter, en bas des escaliers, dans la grande cour à droite (quand on est face à l'église), un intéressant petit *musée* avec des cartes, estampes, gravures anciennes, broderies, icônes, médailles, panneaux d'iconostases, crosses d'évêques, etc. À noter, de ravissants triptyques du XVIIᵉ au XIXᵉ siècle. Dans la cour de gauche, une pinacothèque (de la Renaissance au XIXᵉ siècle) et une section d'arts décoratifs.

🔦 *Le Musée archéologique :* léoforos Mégalocharis. ☎ 22-83-02-26-70. Ouvert de 8 h 30 à 15 h. Fermé le lundi. Expo des produits des fouilles sur l'île. Immenses jarres de la période géométrique (VIIIᵉ siècle av. J.-C.). Noter en particulier l'une d'entre elles, fort belle avec son décor d'inspiration égyptienne (animaux, chasseurs, chars). Poteries de diverses périodes. Figure de femme en terre cuite de Xobourgo (Vᵉ siècle av. J.-C.). Dans la cour, stèles gravées, vestiges du temple de Poséidon (Iᵉʳ siècle av. J.-C.), fragments de mosaïque ainsi que d'intéressants torses d'empereurs romains de Kionia.

🔦 *Les ruines du sanctuaire de Poséidon et d'Amphitrite :* à Kionia, à 3 km, vers l'ouest. Pas spectaculaire en soi. On a mis au jour en bordure de mer les vestiges de ce temple (IIIᵉ siècle av. J.-C.). Ce sanctuaire était très important et on venait de toute la Grèce pour honorer Poséidon et son épouse, Amphitrite, protectrice des marins. Le site est fouillé par les archéologues de l'École française d'Athènes.

Les plages dans les environs de Tinos-ville

🏖 *La plage d'Angali :* la plus proche, mais sans intérêt ; étroite, caillouteuse, souvent sale. Celle d'*Agios Fokas,* à 1 km, est un peu mieux.

🏖 *La plage de Porto* (Agios Ioannis) *:* à ne pas confondre avec la précédente. Située à 6 km à l'est de Tinos. Une jolie plage fréquentée par les Grecs, bien exposée. En été, bus toutes les 2 h entre 8 h et 19 h. Celle de *Pacheia Ammos,* à l'est de Porto, est encore plus belle. Il faut monter sur plus de 1 km à partir de Porto jusqu'à un col et prendre à droite. Encore un peu plus de 1 km de piste et l'on y est.

🏖 *La plage de Stavros :* à 1 km à l'ouest de Tinos. Markos, un pêcheur, tient un petit resto tout simple, ouvert en saison. Une bonne adresse pour manger du poisson.

🏖 Celle de *Kionia,* 1 km plus loin que Stavros, est jolie et assez tranquille à condition de s'éloigner de l'hôtel *Tinos Beach* en remontant le long de la côte, à 300 m au nord. Un bus y va toutes les heures entre 9 h 30 et 19 h 40.

Quitter Tinos-ville

🚌 *Station de bus :* en face du débarcadère, près de l'hôtel *Delfina.* ☎ 22-83-02-24-40. La plupart des villages sont desservis mais, attention, liaisons beaucoup plus rares hors saison.

➤ *Pour Pyrgos :* 4 bus par jour. Villages desservis : Tripotamos, Kambos, Tarabados, Kardiani, Isternia, Pyrgos, Marlas et Panormos.

➤ *Pour Sténi :* 6 bus par jour. Villages desservis : Triandaros, Duo Horia, Arnados, Monastiri, Messi, Falatados, Sténi, Myrsini et Potamia.

➤ *Pour Kalloni :* 3 bus par jour. Villages desservis : Tripotamos, Xynara, Loutra, Krokos, Komi, Agapi, Kalloni, Kolymbithra.

LES VILLAGES ET LES PLAGES

Tinos compte plus de 60 villages, presque tous situés à l'intérieur de l'île, dans les montagnes. La plupart sont superbes. Rares sont ceux qui n'ont pas au minimum une taverne. L'île est parsemée de pigeonniers (environ

ANDROS ET TINOS
(Cyclades Nord et Nord-Est)

650) et de chapelles blanchies à la chaux (environ 1 200), qui se remplissent de pèlerins les jours de fête, comme l'Annonciation (le 25 mars) et l'Assomption (le 15 août). Quant aux plages, elles sont nombreuses mais pas toujours propres.

AU NORD DE TINOS-VILLE

Prendre en direction de Triandaros. La route s'élève superbement, livrant un somptueux panorama sur Tinos-ville. Au passage, *Berdémiados,* avec ses pittoresques demeures-pigeonniers en plein centre du village. Plus loin, *Triandaros,* où beaucoup d'étrangers ont acheté une maison (ce qui a permis la rénovation de beaucoup d'entre elles). Tout au long de cet itinéraire, on est veillé par l'omniprésent *mont Exobourgo.*

LA COLLINE DE L'EXOBOURGO *(ΕΞΩΜΠΟΥΡΓΟ)*

C'est sur les flancs de cette montagnette (520 m) que l'on a découvert les vestiges de la capitale antique de l'île (enceinte et sanctuaire du VII\e siècle av. J.-C.). La forteresse, édifiée par les Vénitiens, a longtemps été réputée imprenable avant d'être détruite par les Turcs. Il n'en reste pratiquement rien.

LE MONASTÈRE DE KECHROVOUNIO *(MONH KEXPOBOYNIOY)*

Dans un site magnifique, au nord-est de Tinos-ville, en plein arrière-pays. ☎ 22-83-04-12-18. En été, le monastère est desservi par bus au départ de Tinos-ville. Ouvert, en saison, de 7 h à 12 h 15 et de 14 h 20 à 19 h 15. Présentation correcte exigée (pantalon, jupe en dessous du genou et chaussures fermées). Il est occupé par des religieuses. Fondé au XII\e siècle, il abrite la cellule de sainte Pélagie, encore honorée dans l'île (celle qui découvrit l'icône vénérée de Tinos). Ce couvent haut perché fut surtout l'une des retraites favorites de la princesse Alice de Grèce, mère du prince Philippe, duc d'Édimbourg. Dédale d'étroites ruelles, volées de marches menant aux cellules. Une véritable petite ville. Balade fleurie et charmante. Boutique de souvenirs tenue par les nonnes.

ARNADOS *(ΑΡΝΑΔΟΣ)*

Petit village, le plus haut de Tinos, non loin du monastère. Petit *Musée religieux* local.

KÉCHROS *(KEXPOΣ)*

À l'écart de la route de Falatados. Minuscule village à la pittoresque architecture. Jolie *église Panagia Xesklavotra,* en particulier vue du chevet (avec pigeonnier accolé). Dôme et clocher ouvragés. Si elle est ouverte, belle décoration intérieure.

FALATADOS *(ΦΑΛΑΤΑΔΟΣ)*

Gros village agricole. Bout de la route. Quelques chambres à louer et une taverne avec terrasse surplombant le paysage (!). Beaucoup de blanches églises ponctuent la région. Sur les trois paroisses du coin on dénombre pas moins de 125 églises et chapelles de campagne ! Jolie route vers *Koumaros* et *Volax*. Quelques intéressants exemples d'architecture rurale en chemin. Au passage, on frôle le *monastère du Cœur-Sacré-de-Jésus*.

🏠 🍽 ***Lefkès :*** à l'entrée du village. ☎ 22-83-04-13-35. Une dizaine de chambres correctes à 40 € environ en été. Salle de bains, petit frigo et terrasse. On peut aussi y aller simplement pour manger (bien) et pas cher à la taverne. Plats à environ 5 €. Jolie terrasse ombragée.

VOLAX (*ΒΟΛΑΞ*)

Un de nos villages préférés. Après avoir passé Koumaros, on le voit sur la droite, en contrebas, au milieu d'un chaos rocheux étonnant. En peu de temps, on est passé d'un paysage essentiellement herbu à ce paysage minéral composé de monolithes de toutes formes. Village piéton, ça va de soi. Beaucoup de maisons s'insérant dans la roche. On retrouve souvent ici l'architecture villageoise classique. Au rez-de-chaussée, l'entrée en arche avec les petites portes de l'étable à chèvres et du grenier à foin. Au-dessus, la maison elle-même (une pièce ou deux, rarement plus). Spécialité du coin : la fabrication de paniers en vannerie.

Où manger ?

🍽 Pour se restaurer ou humer l'air du temps, deux ***tavernes*** qui se valent, l'une à l'entrée du village (*I Volax,* ☎ 22-83-04-10-21), l'autre près du petit théâtre de plein air (*O Rokos,* ☎ 22-83-04-16-39).

À voir

🏛🏛 Le petit ***musée*** local, créé et tenu avec beaucoup d'enthousiasme par les villageois. Ils ont rassemblé là, pêle-mêle, leur patrimoine d'objets domestiques : vieux distillateur d'*ouzo,* vaisselle, poids anciens, outils, vêtements de paysans, dentelles, chemises faites main, etc. À côté, une ravissante église.

🏛 En bas du village, ne pas rater la charmante ***fontaine-lavoir*** datant de 1882. En septembre, les figues de Barbarie sont bien mûres et tombent en chemin. Eau limpide et bien fraîche.

À voir dans les environs

🏛 L'itinéraire se poursuit avec *Skalados,* charmant village, puis le minuscule *Krokos* avec trois tavernes quand même. Petite escapade à droite pour *Agapi,* village de montagne traditionnel. Tout le long de la vallée, nombreux pigeonniers vénérables. Après Agapi, route nouvellement goudronnée menant au *sanctuaire de Vourniotissa*. En chemin, la croquignolette *église Agia Ioulani,* dans un bel environnement, ainsi qu'un village fantôme. Peu de touristes dans le coin. Impression de totale sérénité. Du monastère, par une piste, possibilité de rejoindre de jolies criques du côté de Kolymbithra.

KOMI (*ΚΩΜΗ*)

Sur la route Tinos-Kolymbithra. Village accroché sur l'arête de la colline. Gentil et paisible.

KALLONI (ΚΑΛΛΟΝΗ)

Voir l'*église Agios Zacharias,* de rite catholique, avec sa cour charmante. Un peu avant le village part une piste qui rejoint la route de Pyrgos, via le *monastère de Katapoliani* (compter 12,5 km de tape-cul). Vues magnifiques sur le nord de Tinos.

LA PLAGE DE KOLYMBITHRA (ΚΟΛΥΜΒΗΘΡΑ)

En route, on traverse une plaine alluviale particulièrement fertile. Des bosquets de joncs délimitent des potagers. Des eaux superbes et deux plages. La première, que l'on découvre de la route, est un peu sale (mare aux canards juste derrière). Continuer sur la droite, la seconde crique est le rendez-vous des familles le dimanche. Situation exceptionnelle. Ne pas hésiter à prendre des chemins de traverse (concrètement, des pistes) pour suivre le bord de mer jusqu'à d'autres criques bien abritées et souvent désertées. Ne pas oublier son masque. Attention, coin très venté. Malheureusement les courants, comme un peu partout sur les plages exposées à l'est, apportent beaucoup de détritus qui auraient tendance à prendre racine...

🛏 **Kolimbithra Rooms :** juste au-dessus de la baie. ☎ 22-83-05-13-09 et 69-77-50-88-41 (portable). Doubles à environ 45 €. Un peu spartiate. Beau panorama. Pour les amoureux de la solitude et du vent.

🍽 *Taverne* en bord de plage.

AU NORD-OUEST DE TINOS-VILLE

En route vers Pyrgos par un très pittoresque itinéraire.

🍖 Petit crochet pour **Ktikados** (Κτικάδος). Le clocher de son église catholique *(Timios Stravros)* est le plus ancien de l'île. Village attachant. Vieille fontaine publique. À Pâques se déroule un rituel assez inhabituel : « La Table d'Amour » ! Tout le village festoie à la même table, catholiques et orthodoxes réunis, pour marquer l'unité de l'île.

🍽 On peut manger à la **taverne Drossia,** dans la ruelle principale. ☎ 22-83-04-12-15. Ouvert midi et soir. Cuisine familiale, belle terrasse. Excellent pigeon en saison. Adresse très connue des habitants de l'île.

🍖 Puis **Xynara** (Ξυνάρα), à 13 km au nord de Tinos-ville. Un petit village bâti à côté des vestiges d'une *forteresse* édifiée par les Vénitiens pour se défendre des pirates. Siège de l'archevêché catholique (pour Naxos, Andros et Mykonos).

🍖 On peut pousser un peu plus loin jusqu'à **Loutra** (Λουτρά). Minuscule village qui abrite tout de même un monastère d'Ursulines (l'école, qui a jadis été très importante, fermée depuis 1988, se visite l'été de 10 h 30 à 14 h 30) et un autre de jésuites. Visite possible du *musée* (ouvert de juin à septembre de 11 h à 16 h) créé à l'initiative du dernier moine encore sur place. On y voit un peu de tout, des outils agricoles d'autrefois aux vieilles chasubles.

🍖🍖 Puis on revient vers la route de Kardiani. Voir la **vallée de Tarabados** avec un ensemble de pigeonniers assez remarquable.

KARDIANI (ΚΑΡΔΙΑΝΗ)

Encore un village traditionnel tout blanc, avec un panorama exceptionnel sur la mer. Jolies églises, notamment la *Généthliou Théotokou* et sa charmante fontaine. On peut descendre à *Ormos Giannaki*, prendre la route un peu avant Kardiani. Descente assez vertigineuse vers la fin.

|●| **Taverne O Anémos :** au bout de la route, au bord de l'eau. ☎ 22-83-03-17-60. De 9 à 13 € pour un repas. Même les chaises genre Gros-fillex ne gâchent pas le plaisir d'y déguster une bonne friture de petits poissons et la cuisine familiale traditionnelle.

ISTERNIA *(ΙΣΤΕΡΝΙΑ)*

Village bâti en amphithéâtre. L'église est surmontée de dômes revêtus de faïence. Beaux jardins.

🍴 **Ormos Isternia :** prendre la route qui descend sur la gauche avant l'embranchement vers Pyrgos. 5 km de descente.
|●| Trois *tavernes* sur le port.

PYRGOS *(ΠΥΡΓΟΣ)*

Là aussi, un de nos villages préférés. Il joue à cache-cache avec les collines lors de la descente et se fait désirer avant d'apparaître (à moins de 30 km de Tinos). Ravissant spectacle que la bourgade toute blanche, les cultures en terrasses, avec chapelles, pigeonniers et la rangée de moulins sur une crête ! C'est le village du marbre ; on en trouve dans toutes les constructions (carrières à proximité). La balade à pied dans les ruelles pour admirer l'architecture de ses demeures se révèle un vrai délice. Patrie de *Yannoulis Halépas*, l'un des plus grands sculpteurs modernes grecs.
– Laisser la voiture au parking devant la taverne. Plusieurs bus quotidiens de Tinos.

Où manger ?

La meilleure option est la place centrale avec ses cafés, ses restos, sa fontaine et son platane, millésimé 1859.

|●| **Ta Myronia :** ☎ 22-83-03-12-29. Au centre du village. Ouvert midi et soir en saison. Compter environ 12 € le repas. Carte variée offrant des plats qu'on ne voit pas partout, comme les *pigeonneaux* (évidemment !) ou le *békri mezze* (morceaux de saucisse dans une sauce au vin). Accueil sympathique et francophone.
|●| **Café-pâtisserie O Platanos :** dans l'ombre dorée du jour déclinant, tous les villageois s'y retrouvent. Quelques snacks. Demandez le gâteau fait maison.

À voir

🏛🏛 **Le musée Yannoulis Halépas :** ☎ 22-83-03-12-62. Ouvert de 10 h 30 à 14 h et de 17 h 30 à 20 h 30 (horaires susceptibles de changements). Entrée (billet valable pour l'autre musée) : environ 1,50 €. Le musée présente deux aspects de l'artiste : son œuvre (plâtres, esquisses de projets, bustes, etc.) et sa vie domestique, émouvante de simplicité. Ameublement rustique traditionnel, objets d'art et personnels. Tout en bas, la cuisine. Photos de ses œuvres, notamment la célèbre *Jeune Fille endormie* au grand cimetière d'Athènes.

🏛 **Le musée des Artistes locaux :** à côté du précédent. Mêmes horaires et billet (voir ci-dessus). Expo des œuvres d'artistes de la région dans toute leur diversité.
Pyrgos abrite également une école de sculpture. Les deux premiers étudiants sont d'ailleurs admis aux Beaux-Arts d'Athènes sans concours. Les

autres diplômés de l'école s'installent dans le village et dans les environs pour travailler. Ce qui explique les nombreux ateliers où les routards ayant les moyens pourront effectuer leurs emplettes.

🍴 *Le cimetière :* prendre la ruelle qui part derrière la fontaine ; c'est après le virage. Superbes tombes en marbre blanc sculpté (on ne pouvait guère faire moins !) et ostéothèques. Sur le parvis de l'église, anciennes pierres tombales, remontant à 1804.

PANORMOS *(ΠΑΝΟΡΜΟΣ)*

À 35 km au nord-ouest de Tinos. Le seul village (à l'exception de la « capitale ») qui soit en bord de mer. De Pyrgos, on peut descendre à pied, en 45 mn, jusqu'à la plage de Panormos. On suit le lit d'une rivière asséchée. On y arrive par une belle route bordée de vieux pigeonniers. C'était un petit bout du monde jusqu'à ce qu'on goudronne le chemin menant à la petite crique qui faisait le charme de Panormos. *Attention :* seulement 5 bus par jour et 4 restos devant le port.

⌇ Au fait, on déconseille la plage de gauche en arrivant : elle est trop sale et venteuse (mais si l'on a des forces à revendre, on peut suivre la piste sur 1 km, puis traverser une plage très moyenne et continuer pendant 10 mn par un sentier le long de la mer pour trouver un coin sympa). Il vaut mieux prendre un caïque ou marcher, par la route de droite, jusqu'à la *plage de Rochari*, située en face. Un vrai petit paradis pour les plongeurs, qui y trouvent une eau limpide et profonde. N'oubliez pas toutefois de demander le prix du caïque avant de partir, sinon, au retour, c'est la surprise ! Sur la plage, camion-buvette et sono !

Où dormir ? Où manger ?

🛏 Juste à l'entrée du village, possibilité de louer des *chambres,* notamment les *rooms Faidra* (☎ 22-83-03-12-29). Pas cher, compter environ 20 € pour une chambre avec ou sans salle de bains.

🛏 Pas mal d'autres possibilités de location à un bien meilleur standing en poursuivant dans le village ou en grimpant sur la colline, dont l'hôtel *Planitis View* (☎ 22-83-03-16-50) et l'hôtel *Panormos* (☎ 22-83-03-

19-00) qui dominent le port et offrent une vue splendide sur les flancs escarpés qui s'engloutissent dans la mer. Compter environ 35-40 €.

🛏 🍽 La *taverne Markos* loue aussi des chambres sur le port. ☎ 22-83-03-13-36. Bonne taverne. Le poisson y est moins cher qu'ailleurs sur l'île. Service indolent.

🍽 La *taverne Agia Thalassa* est réputée sur toute l'île pour son excellent poisson grillé.

À voir dans les environs

🍴 Ceux qui ont du temps peuvent aller se balader vers les villages de montagne de *Mamados* et *Marlas.* Remarquables points de vue sur les vallées (surtout en fin d'après-midi, la lumière y est superbe). Au-delà de Marlas, une bonne route mène au *monastère de Kyra Xéni.* Paysages d'une grande sérénité.

QUITTER L'ÎLE DE TINOS

Les destinations sont les mêmes que pour l'arrivée. Voir « Comment y aller ? ».

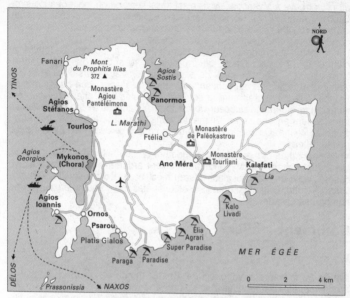

L'ÎLE DE MYKONOS

➢ *Pour Skiathos :* il est possible d'aller à Skiathos (Sporades) 1 fois par semaine en été ; la traversée dure 8 h (ligne Héraklion-Thessalonique). Vérifier auprès de *Minoan Lines.* ☎ 21-09-20-00-20 (à Athènes). ● www.minoan. gr ●

MYKONOS (ΜΥΚΟΝΟΣ)

9 600 hab.

On raconte qu'en 1937, le duc de Kent ne fut pas loin de provoquer un scandale parce qu'il avait osé se promener en short sur le port... Aujourd'hui où l'île semble s'être livrée à des concours d'extravagances, l'anecdote fait sourire. Mykonos a peut-être été la plus typique des îles grecques, avec ses moulins à vent étincelants de blancheur ; elle est certainement devenue aujourd'hui, avec Santorin, l'île la plus commerciale, la plus « moderne ». Il y a pas mal de Yankees, et bien sûr beaucoup d'homos, pour qui Mykonos est un rendez-vous estival branché : La Mecque des mecs en quelque sorte... Tout cela évolue puisque les gays sont en passe de se faire supplanter par ces satanés hétéros, attirés par la *branchitude* de l'île. Tout cela se paie, et l'île est devenue infréquentable pour les fauchés, en été du moins. Un exemple : le prix des chambres chez l'habitant est deux fois supérieur à celui pratiqué sur le continent !
La saison commence vers Pâques, sensiblement plus tôt que dans la plupart des autres Cyclades, sauf Santorin : en mai, on a déjà l'impression qu'il y a plein de monde. On va à Mykonos pour voir ou se faire voir, c'est selon... Étape pas vraiment indispensable si l'on s'accroche à une idée de la Grèce d'autrefois ; par contre, l'île vaut le détour si l'on aime s'éclater. L'île est un des hauts lieux de rendez-vous de la jet-set (gay mais pas uniquement). La fréquentent, entre autres, Jean Paul Gautier, Giorgio Armani, Gianfranco Ferré ou Thierry Mugler... Imaginez alors le nombre de boutiques de fringues

que l'on trouve à Mykonos... Mais c'est aussi l'endroit où, pour beaucoup de Grecs, il faut être vu. Le Tout-Athènes s'y précipite donc et, par ricochet, ceux qui veulent voir le Tout-Athènes... Un journal grec, en juin 2001, écrivait que Mykonos était devenue une banlieue de la capitale...

Les touristes auront beau faire, ils n'arriveront pas à supprimer la totalité du charme de Mykonos. On se perdra toujours aussi bien dans les merveilleuses petites ruelles bordées de petites maisons aux murs chaulés et aux volets bleu délavé et qui contiennent autant d'églises... que de bistrots en France. Ces demeures sont si souvent blanchies à la chaux qu'elles ont acquis une étonnante douceur de contour. À partir de 22 h, les ruelles se transforment en une sorte d'immense boîte de nuit ; difficile de circuler ou d'être au calme. Ça vaut quand même le coup d'œil. Mais en plein été, ça mérite réflexion...

Vous serez peut-être surpris par le nombre de chapelles dans l'île : en fait, jadis, les habitants de Mykonos pratiquaient ardemment la piraterie et, en cas de pépin en mer, faisaient le vœu d'édifier une chapelle s'ils s'en sortaient. Nombreux pirates, nombreuses tempêtes, nombreux vœux... d'où de nombreuses chapelles.

Comment y aller ?

En avion

➤ **De Paris :** en été, vol direct de 4 h 15. Vendu par *Air Sud, Nouvelles Frontières*, etc. Un peu plus cher qu'un Paris-Athènes.
➤ **D'Athènes :** vol de 40 mn, avec *Olympic Airlines*. Plusieurs vols quotidiens en saison. Conseillé de réserver de Paris. Quelques vols avec *Aegean Airlines* également.
À l'aéroport de Mykonos, service de location de chambres d'hôtel. Bon accueil.

En bateau

➤ **Du Pirée :** environ 4 h 30 en ferry, moins de 3 h 30 en catamaran, *High Speed* ou (via Syros et Tinos). Départs quotidiens en été.
➤ **De Rafina :** de 2 h à 2 h 30 en catamaran (via Tinos). Départs quotidiens en été. Liaisons en ferry également.
➤ **Des Cyclades :** nombreuses liaisons en saison, souvent via Paros, Syros ou Tinos. Possibilité également de rejoindre Mykonos dans certaines îles du Dodécanèse (Rhodes, Kos, Kalymnos, Léros et Patmos) ainsi que Héraklion (Crète).

Arrivée à Mykonos

– **Conseils pratiques :** une fois arrivé au port de Mykonos, deux cas de figure. Vous avez réservé et dans ce cas, il y a pas mal de chances pour que quelqu'un de votre hôtel ou votre loueur soit au port, avec le minibus. Ils font presque tous cela, ce qui entraîne une sacrée cohue et une circulation encore plus infernale aux heures d'arrivée des bateaux. Deuxième cas, vous n'avez pas réservé et vous êtes (logiquement) assailli par les loueurs de chambres brandissant leurs pancartes ou leur book présentant leurs jolies chambres (ce qui est, soit dit en passant, illégal mais toléré). Là encore, deux options : vous passez dédaigneusement au milieu de la foule en délire (bon courage ensuite, pas toujours facile de se repérer si l'on ne connaît pas Mykonos) ou vous vous laissez tenter, et là, difficile d'échapper ensuite à un logeur qui a commencé à mettre le grappin sur vous. Si vous souhaitez chercher une chambre par vous-même, faites un arrêt au port, en sortant du débarcadère *(hors plan par D1)* : côte à côte, vous trouverez l'*Association hôtelière de Mykonos* (☎ 22-89-02-45-40 ; ● www.mykonosgreece.com ●), qui ne propose que des hôtels chicos ; l'*Association des propriétaires de chambres* (ou *d'appartements*) *à louer* (☎ 22-89-02-48-60 ou 68-60), là, beaucoup plus de choix ; et pour finir le bureau d'infos sur les *campings* de l'île (il y en a deux).

MYKONOS-VILLE *(4 000 hab.)*

Adresses et infos utiles

■ *Police touristique :* à l'aéroport. ☎ 22-89-02-24-82.
– On peut retirer un *plan de la ville* à la *mairie,* presque au bout du port. ☎ 22-89-02-39-90.
■ *OTE* *(téléphone ; plan D1, 2) :* pas loin du débarcadère des ferries. Ouvert en semaine de 7 h 30 à 22 h.
■ *Distributeurs de billets :* en arrivant du débarcadère à l'entrée de Mykonos-ville, dans la ruelle parallèle au port, derrière l'hôtel *Délos (plan D1, 12).* Deux banques avec distributeur sur le port *(plan C1).* Et dans odos Matogianni *(plan C2),* la ruelle avec tous les bijoutiers *(Alpha Bank)* et, à deux pas, pas loin du croisement des rues Kalogéra-Zouganéli, l'*Agrotiki Trapeza.*
■ *Olympic Airlines :* à l'aéroport, ☎ 22-89-02-23-27.
■ *Location de motos et de scooters :* à l'entrée de la ville, en venant du débarcadère *(plan D1)* et surtout dans le secteur de la gare des bus sud *(plan B3).* Plusieurs agences les unes à côté des autres. Attention aux engins défectueux, mais le parc est renouvelé régulièrement. Plus cher que sur les autres îles : n'hésitez pas à les mettre en concurrence. Faites vos calculs ! À partir de 3 personnes, il n'est pas plus cher de louer une voiture et c'est moins dan-

■ Adresses utiles
✉ Poste
🚌 Gares routières
✈ Aéroport
🚢 Bateau pour Délos
2 OTE
4 Newstand (presse internationale)
5 Double Click
6 Angelo's Internet Café
7 Taxis
8 Délia Travel (agence consulaire de France et American Express)

Où dormir ?
11 Hôtel Philippi
12 Hôtel Délos
13 Hôtel Terra Maria
14 Chez Anna
15 Hôtels Karboni et Matogianni
16 Marios Hotel
17 Matina Hotel
18 Hôtel Pelecan
19 Hôtel Nazos
21 Angela's
22 Hôtel Apollon

Où manger ?
31 The Donut Factory
32 Pelican
33 O Kounélas
34 Ta Kioupia
36 El Greco
37 Dilès
38 Archéon Gefsis

Où boire un verre ?
51 Diva
53 Kastro Bar
54 Piero's et Icaros
55 Porta Bar et Scandinavian Bar
56 Montparnasse
57 Oniro Bar

À voir
71 Église de Paraportiani
72 Musée d'Arts populaires
73 Musée maritime égéen et maison de Léna
74 Musée archéologique

MYKONOS ET DÉLOS

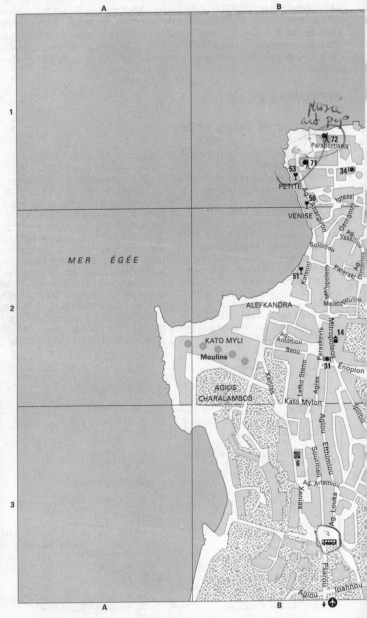

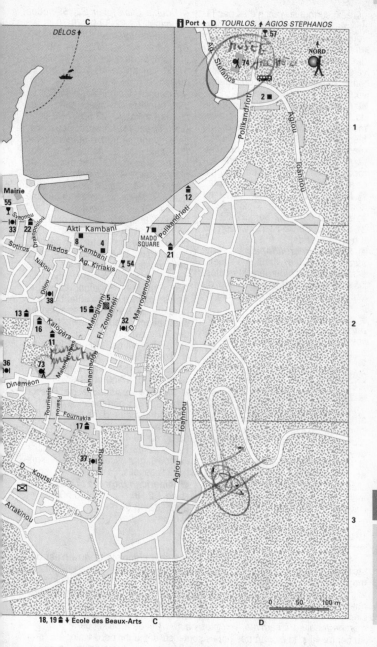

DÉLOS ↑

NORD

57

74

2

1

Mairie

55
Sivagnou
33 22
Vrysoulou
Agiou Ioannou

Akti Kambani

7
MADO SQUARE

12

Polikandrioti

8 Kambani
4
Iliados
Ag. Kiriakis
54
21

Sotiros
Niklou

Dilou
38

5
Matogianni
Fl. Zouganeli

13
16
Kalogéra
15
32

11
Enoplon Dynameon
Mavrogenous

36
73
A

Dinaméon
Tourliani
Psarou
Fournakia

17

Panachrádou

D. Koutsi
37
Rochari

Artakinou

Agiou Ioannou

0   50   100 m

3

18, 19 ↓ **École des Beaux-Arts** **C** **D**

MYKONOS-VILLE

gereux, surtout si vous n'êtes pas familiarisé avec ces engins. Méfiez-vous également du mauvais état des routes, qui de plus sont bordées par des murets de pierre pouvant se révéler assassins. On tient à nos lecteurs, demandez un casque quand vous louez un deux-roues.

■ *Hôpital* (kendro hygias) : sur le nouveau périphérique, au croisement des routes pour Tourlos et Ano Méra. ☎ 22-89-02-39-96 et 94. Le médecin parle l'anglais. La consultation y est gratuite (avec la Carte européenne de santé), contrairement à celle des deux médecins de Chora.

■ *Pharmacies* : elles sont au nombre de 4 en ville. ☎ 22-89-02-41-88, 22-89-02-32-50, 22-89-02-31-51 et 22-89-02-37-70. Ouvert de 9 h à 14 h et de 17 h à 22 h.

■ *Presse internationale* : Newstand (plan C2, 4), dans la 1re ruelle parallèle au port, derrière les cafés, juste avant la banque. Pas mal de journaux en français et librairie richement fournie.

■ *Consigne à bagages* (hors plan par D1) : chez Pier 1 (agence de voyages), en débarquant du bateau, au-dessus de la police touristique. ☎ 22-89-02-40-04 et 41-11. Compter 1,50 € par pièce jusqu'à 4 h et 3 € au-delà.

■ *Laverie* : Hercules (☎ 22-89-02-31-68), près de la gare des bus nord et de l'OTE. Environ 10 € la machine de 5 kilos. Également Maroussa, dans le quartier de la gare des bus sud.

▣ *Internet* : plusieurs points Internet, évidemment. En voici trois faciles à trouver, aux tarifs sensiblement similaires (compter environ 9 € l'heure).

– *Double Click* (plan C2, 5) : odos Zouganéli. ☎ 22-89-02-70-70.

– *Angelo's Internet Café* (plan B3, 6) : odos Xénias, entre les moulins et la station de bus sud. ☎ 22-89-02-41-06. Ouvert de 10 h 30 à 1 h du matin.

– Et aussi *Marko Polo* (plan B2) : à côté du resto du même nom (quartier de Lakka). ☎ 22-89-07-92-99.

🚌 *Gares routières* : deux stations. L'une se trouve au nord (plan D1), tout près du débarcadère des ferries, près de l'OTE et dessert les plages de l'est (Kalafatis, Elia), du nord (Tourlos, Agios Stéfanos) ainsi que Ano Méra au centre (il semble qu'elle ait la bougeotte... à l'automne 2003, elle a été déplacée vers le port avant de revenir à sa place initiale...) ; l'autre est au sud, platia Agiou Louka (plan B3), près de la poste. Elle dessert les plages du sud et du sud-ouest (Platys Gialos, Paradise, Paranga, Ornos et Agios Ioannis). Faire attention aux horaires, qui sont différents selon les destinations. Vous pouvez demander au chauffeur de vous arrêter à votre hôtel s'il est situé sur la route.

■ *Taxis* (plan C2, 7) : pl. Mado (ou place des taxis), en arrivant en ville. ☎ 22-89-02-37-00 et 24-00.

■ *Agence consulaire de France* (plan C2, 8) : permanence de 9 h à 13 h en semaine dans l'agence Délia Travel. ☎ 22-89-02-23-22 et 36-50 ou 69-44-34-13-69 (portable). Fax : 22-89-02-44-00. ● yzouganelis@delia.gr ● Vice-consul : M. Yannis Zouganélis.

■ *American Express* : Délia Travel (plan C2, 8). ☎ 22-89-03-02-89 et 22-89-02-43-00.

Où dormir ?

Il faut savoir qu'en saison tous les hôtels sont complets et qu'il n'est pas facile de trouver une chambre chez l'habitant. On connaît peu d'endroits au monde comme Mykonos, où les prix peuvent être parfois trois fois moins élevés le 15 septembre que le 15 août (vous nous avez compris, encore une raison de venir hors saison). On peut toujours marchander si l'on est plusieurs, et souvent les prix baissent quand on reste plusieurs jours. Pour la marche à suivre à l'arrivée, voir plus haut « Arrivée à Mykonos ».

Au centre-ville, la plupart des hôtels sont localisés dans odos Kalogéra (prononcer « Kaloyéra »), une rue calme et fleurie, ou à proximité. Ils appartiennent tous à la même catégorie et sont très chers en haute saison : les catégories « Prix moyens » et « Chic » n'ont plus vraiment cours en été et surtout en août, et nous les avons classés par ordre de prix croissant. La plupart sont très agréables. Il y a quand même une adresse bon marché.

Dans la ville

🛏 *Chez l'habitant, chez Anna* (plan B2, 14) : 17, odos Mitropoléos. ☎ 22-89-02-80-97. Compter 15 € par personne. Pas de petit déjeuner. Au cœur de la ville, dans une demeure du XIXe siècle qui respire l'histoire de l'île. Trois chambres très simples, pour deux ou trois personnes. Sanitaires communs. Confort on ne peut plus spartiate, un peu bruyant, mais bon accueil d'Anna et de sa fille. Et surtout : une des adresses les moins chères de la ville. Pourvu que ça dure...

🛏 *Angela's* (plan C2, 21) : à côté de la place des taxis. ☎ 22-89-02-29-67 ou 27-16. Ouvert d'avril à septembre. Compter entre 50 et 60 € en été. Des chambres correctes dans une petite pension au-dessus d'un restaurant. Situation très centrale, mais on profite évidement de l'animation et des odeurs des fourneaux. Bon accueil, parfois en français.

🛏 *Hôtel Apollon* (plan C1-2, 22) : sur le port. ☎ 22-89-02-22-23. Fax : 22-89-02-42-37. Entre 50 et 65 € en pleine saison. Une adresse tenue depuis 1930 par la famille de Maria, une dame âgée qui a la pêche. La réception, à l'étage au-dessus du restaurant, est aménagée avec goût et donne aux hôtes l'impression d'avoir remonté le temps. Les chambres, quant à elles, ne sont pas toutes agencées avec la même réussite. La plupart sont très simples et certaines seulement disposent d'une salle de bains privative. Si vous recherchez le calme, préférez celles donnant sur l'arrière. Les autres offrent une belle vue sur le port et son remue-ménage.

🛏 *Hôtel Philippi* (plan C2, 11) : 32, odos Kalogéra. ☎ 22-89-02-22-94. Fax : 22-89-02-46-80. ● chriko@otenet.gr ● Ouvert de début avril à fin octobre. De 60 à 90 € pour une double. Pas de petit déjeuner. Charmant petit hôtel, idéal pour les familles. Les chambres ont été rénovées récemment (frigo, TV, AC).

Toutes donnent sur un jardin intérieur magnifiquement fleuri. Cartes de paiement acceptées. Pour nos lecteurs, 10 % de réduction en basse et moyenne saisons sur présentation du *GDR*.

🛏 *Hôtel Délos* (plan D1, 12) : à l'entrée de la ville close, juste après la petite plage. ☎ 22-89-02-25-17. Fax : 22-89-02-23-12. Ouvert d'avril à octobre. Chambre double à 85 € en août, 55 € hors saison. Sept chambres rénovées. C'est le plus ancien hôtel de l'île, le seul à fonctionner avant la Seconde Guerre mondiale. Très bon accueil.

🛏 *Hôtels Karboni et Matogianni* (plan C2, 15) : odos Matogianni. ☎ 22-89-02-22-17 et 34-48. Fax : 22-89-02-32-64. Dans l'une des rues principales. En plein été, environ 75 € pour une chambre standard. Quelques chambres dites « de luxe », plus chères. Au cœur de l'animation (euphémisme). Chambres agréables (mais pas trop pour sommeils légers si l'on dort la fenêtre ouverte), avec terrasse, TV et AC. De plus, il est possible de louer des petits studios.

🛏 *Hôtel Terra Maria* (plan C2, 13) : 18, odos Kalogéra. ☎ 22-89-02-42-12 ; en hiver : ☎ 22-89-02-29-57. Fax : 22-89-02-42-13. ● tertaxma@otenet.gr ● Ouvert de mars à octobre. Situé dans la 1re rue à gauche après la pension *Maria's*. De 50 à 90 € la double. Chambres à 2 lits, avec TV et AC, qui donnent sur un petit parc ou sur un jardin. Calmes, propres, douches privées. Cartes de paiement acceptées. 10 à 20 % de réduction aux porteurs du *GDR* selon la période sauf en août.

🛏 *Marios Hotel* (plan C2, 16) : 24, odos Kalogéra. ☎ 22-89-02-46-70. Fax : 22-89-02-27-04. ● hlmarios@otenet.gr ● Fermé du 20 décembre au 20 janvier. De 30 à 90 € la double, petit déjeuner compris. Très propre. Téléphone et TV dans les chambres, ainsi que l'AC et un petit frigo. Jacuzzi. Il est préférable de prendre les chambres qui donnent sur le jardin. Accueil francophone, ce qui ne gâte rien. Pour nos lecteurs, transfert gratuit de et pour l'aéroport.

🛏 *Matina Hotel (plan C3, 17) :* 3, Fournakia. ☎ 22-89-02-23-87. Fax : 22-89-02-45-01. Vers le « quartier italien », un peu avant le théâtre en plein air. La double monte à 100 € de mi-juillet à mi-septembre ; prix beaucoup plus raisonnables hors saison. Petit hôtel de charme avec un agréable jardin. Le patron parle assez bien le français (sa femme est originaire de la région bordelaise). Chambres également agréables dans deux annexes proches.

Sur les hauteurs de la ville

Loin de l'animation et du bruit, tout en étant *walking distance*. Conviendra à ceux et celles souhaitant une franche rupture avec le centre-ville (mais c'est guère moins cher !). Bien entendu, superbe vue sur le port et la baie. Trois des adresses ci-dessous sont dans la même rue *(hors plan par C3)*, très pentue, qui prend sur la rue Agiou Ioannou (l'ancien périphérique) et mène au nouveau périphérique, plus haut.

🛏 *Chambres Domna :* à Pétinaros, un quartier sur les hauteurs. ☎ 22-89-02-20-60 et 48-73. Fax : 22-89-02-57-48. À environ 800 m de la ville. Sur le boulevard périphérique, tourner au panneau indiquant « Pétinaros et Kamalafka », et c'est à 50 m. À pied, on peut monter et redescendre par des chemins qui coupent le lacet de la route. Pour deux, jusqu'à 100 € en plein mois d'août ; compter environ 60 € en juillet, et tarifs beaucoup plus abordables en mi-saison. Petit ensemble plaisant, à l'écart de l'agitation du village. Seize chambres et studios bien tenus. AC, TV, petite cuisine. La fille de Domna parle le français. Transfert possible depuis le port. D'autres chambres appartenant à la même proprio sont à louer dans deux quartiers plus centraux de Mykonos.

🛏 *Hôtel Pelecan (hors plan par C3, 18) :* dans la rue des Beaux-Arts. ☎ 22-89-02-34-54. Fax : 22-89-02-37-49. En hiver : ☎ 22-89-02-36-26. Chambre double à environ 83 € fin juillet et en août, petit déjeuner-buffet compris. Fort bel ensemble hôtelier dominant la baie. 27 chambres impeccables avec AC, petit frigo, balcon et très belle vue. On vous reconduit au port ou à l'aéroport le jour de votre départ.

🛏 *Hôtel Nazos (hors plan par C3, 19) :* à 100 m en dessous du *Pelecan.* ☎ 22-89-02-26-26. Fax : 22-89-02-46-04. ● www.hotelnazos.com ● Ouvert d'avril à octobre. De 50 à 100 € pour une double en fonction de la catégorie et de la saison. Les chambres avec vue sur la mer et les villages sont plus chères, mais elles sont grandes et impeccables. 10 % de réduction sur présentation du *Guide du routard.*

Où manger ?

On indique peu de restos et pas de boîtes. À chacun de découvrir selon ses goûts, sa sexualité et ses moyens. Bien sûr, les restos le long du port sont les plus chers. Des copines à nous ont payé à peu près l'équivalent de 12 € trois boules de glace et un café ! Voilà pourquoi on conseille de manger dans une gargote à l'intérieur du village, puis de prendre le café le long du port en regardant la faune qui y déambule le soir. Les fauchés peuvent toujours se rassasier de *souvlakia*, que l'on trouve partout.

ATTENTION à l'eau minérale, parfois remplie au robinet du coin : vérifier la capsule.

Bon marché

I●I Près de la Petite Venise, à l'intersection de Mitropoléos, Ipirou et Énoplon Dinaméon (point de repère : *The Donut Factory*). Ici, vous pouvez choisir parmi une demi-douzaine de **snacks** et **boutiques à souvlakia et pittas.** Très populaire parmi les jeunes, si l'on en juge par leur concentration sur 50 m ! Carrefour particulièrement animé... On peut également aller chez *Takis*, 7, odos N. Kalogéra, un peu plus loin que les hôtels de cette même rue, qui fait du *gyros* (un peu gras tout de même) à environ 2 € l'unité. Pour les *souv-*lakia et *gyros,* également, pas loin du resto *El Greco,* **Spilia.**

Le plus fameux de tous les rendez-vous des petits budgets est :

I●I **The Donut Factory** *(plan B2, 31) :* au carrefour des rues Mitropoléos, Ipirou et Énoplon Dinaméon. Snacks, salades, sandwichs, gâteaux, glaces, etc. Surtout fameux pour ses jus et cocktails de fruits frais pressés devant vous. Deux ou trois tables sur une minuscule terrasse.

I●I D'autres **fast-foods** se situent autour de la place des taxis (**Alexis** et **O Dilianos**).

Prix moyens

I●I **Pelican** *(plan C2, 32) :* platia Goumenio, au bout de la rue Mavrogenous. ☎ 22-89-02-62-26. Compter entre 13 et 16 €. Un resto proposant les grands classiques de la cuisine grecque. La terrasse, qui s'étale sur toute la place, est agréable. Côté assiette on s'en sort plutôt bien : ce n'est pas très cher et les portions sont assez copieuses. Service plutôt impersonnel.

I●I **O Kounélas** *(plan C1-2, 33) :* dans la ruelle qui part du port et qui commence à la hauteur de l'Apollon Art Gallery. ☎ 22-89-02-82-20. Environ 15 €. Une trentaine de mètres à gauche avant d'arriver à la chapelle avec un dôme bleu. Cour très agréable. Un des rares restos grecs du port. Du style gargote familiale. D'ailleurs, les vieux pêcheurs viennent encore y manger du poisson, ce qui est bon signe. On le fait griller devant vous, mais si vous n'y prenez garde l'addition est parfois un peu salée. Bon, rien à dire, le typique, ça se paie !

I●I **Ta Kioupia** *(plan B1, 34) :* pl. Agias Monis Kastro. ☎ 22-89-02-28-66. Sur une grande place, pas loin de la Paraportiani. Compter environ 15 €. Taverne pas encore frelatée (confirmé par des amis grecs). Cuisine traditionnelle qui n'atteint tout de même pas des sommets. Pas loin du précédent, **Nikos,** une taverne du même style bien appréciée des touristes.

De prix moyens à plus chic

I●I **Dilès** *(plan C3, 37) :* platia Lakka. ☎ 22-89-02-21-20. Ouvert le soir seulement. Menu (choix de trois services) à 19 € jusqu'à 21 h 30, sinon plats à la carte à environ 20 €. Un endroit très romantique : une vingtaine de tables joliment dressées au bord d'une piscine. L'accueil est charmant, tout sourire et très prévenant. Et pour ne rien gâcher, on mange délicieusement bien : la cuisine, d'inspiration grecque et préparée à base de produits frais, est originale et raffinée. Elle allie avec brio épices et saveurs. On passe une onctueuse soirée et au moment de l'addition, on n'implore pas le ciel. Une excellente adresse !

I●I **El Greco** *(plan C2, 36) :* 3, platia Pigadia (sur odos Énoplon Dinaméon). ☎ 22-89-02-20-74. Même rue, plus bas, que le Musée maritime. Compter au bas mot 20 €, et bien plus si l'on choisit du poisson. Le patron est sympathique et parle quelques mots de français. Terrasse ombragée vraiment plaisante. Ici, vous goûterez l'une des cuisines les plus sérieuses de Mykonos. Un vrai restaurant, pas une gargote! Des plats mijotés, parfumés, et de bonnes recettes familiales. Belle carte (traduite en français) avec le coq au vin à la grecque maison, la succulente *moussaka,* les moules à la « petite poêle »... Un bon rapport qualité-prix.

Chic

I●I *Archéon Gefsis (plan C2, 38) :* 19, odos Dilou. ☎ 02-89-07-92-56. Pas donné : compter au minimum 30 € pour un repas. Une adresse pas comme les autres : on est en Grèce, alors pourquoi ne pas (re)créer des plats semblables à ce qui se mangeait dans l'Antiquité? Le concept, qui ne manque pas d'allure, est né à Athènes et, comme ça a marché, un resto a été ouvert à Mykonos. Le décor imite l'antique : dans des vasques posées sur trépied dansent des flammes, les serveurs portent par-dessus leurs vêtements une toge ou un drapé évoquant l'Antiquité On sirote un verre d'hydromel en faisant son choix parmi une très large proposition de plats tous plus originaux les uns que les autres. Des combinaisons assez surprenantes, parfois un peu déroutantes pour le palais de l'homme moderne...

– *Remarques :* dommage que nous ne puissions recommander les deux restos bénéficiant du site le plus romantique dans la Petite Venise : le *Venezia* et le *Scarpa* qui sont hors de prix. Quant à l'*Édem* (près de l'église Panachrandou), il a incontestablement de beaux atouts : bon accueil, cadre plaisant (ancienne salle de cinéma en plein air dont on a gardé l'écran détourné artistiquement), piscine, bonne animation nocturne... mais la nourriture y est souvent banale pour le prix.

Où boire un verre? Où manger une glace?

Les terrasses des cafés du port sont complètes le soir. Il y règne l'ambiance de Saint-Tropez à la mi-août. La moindre conso tourne autour des 6 €. Sympathique quand même, à condition d'avoir le portefeuille bien rempli.

I *Diva (plan B2, 51) :* odos L. Katsoni, qui rejoint le resto *La Cathédrale,* dans la Petite Venise. Café très agréable et très cher. Terrasse et bar à l'intérieur. Tenu par Evangelina, une vraie Mykoniote. Prix raisonnables. Beau coucher de soleil en prime. Avec vue sur les moulins.
I *Kastro Bar (plan B1, 53) :* à deux pas de l'église Paraportiani. ☎ 22-89-02-30-72. Le plus connu. Clientèle gay de trentenaires épanouis et habitués. Musique classique et le plus séduisant coucher de soleil du village. Meilleure heure : autour de 19 h. Goûtez le champagne à la framboise et le spécial *Kastro café.*
I *Piero's (plan C2, 54) :* tout au début de Matogianni. À deux pas de la place des taxis. L'adresse qui, la première, en 1968, a lancé Mykonos comme haut lieu gay. Vers minuit-1 h, ambiance indescriptible. Presque l'émeute. La rue est pleine. Clientèle gay, *straight* ainsi que quelques *drag-queens* égarés. Au-dessus, l'*Icaros,* autre bar sympa (☎ 22-89-02-27-18).
I Plus branchés et aussi un peu plus jeunes : le *Scandinavian Bar (plan C1, 55)* et le *Porta Bar* (☎ 22-89-02-70-87), situés un peu en retrait du port en allant vers l'église Paraportiani, accueillent une clientèle mixte (homos, hétéros).
I *Montparnasse (plan B1-2, 56) :* odos Agion Anargiron. ☎ 22-89-02-37-19. Dans la ruelle qui part de l'église Paraportiani jusqu'à la Petite Venise. Clientèle mixte. Cadre plaisant. Surtout la salle juste au-dessus de l'eau. Plus calme que *Piero's.* On n'y va pas vraiment pour s'enivrer de bruit, de fureur et de sueur...
I *Oniro Bar (plan D1, 57) :* dans la

rue qui passe derrière le Musée archéologique, un peu à l'écart de la ville. ☎ 22-89-02-66-26. Bar-terrasse accroché à la colline et livrant la plus belle vue sur Mykonos-ville. Cadre élégant et recherché, fauteuils et canapés relax, musique douce et en prime excellents cocktails. Adapté si vous éprouvez le besoin de vous reposer des trépidations de la ville.

† Pour une petite glace, si *Häagen-Dazs* est un peu cher pour votre portefeuille, allez faire un tour chez *Dodoni* (plan C2).

À voir

Eh oui ! la culture est bien présente à Mykonos. Outre la découverte des plus belles églises et chapelles de la vieille ville, vous aurez droit à trois intéressants petits musées.

🚶🚶 **L'église de Paraportiani** (plan B1, 71) **:** dans le quartier du *kastro*, tout au fond du port, au-delà du point de départ des bateaux pour Délos. La plus ancienne église de Mykonos (XVIᵉ siècle). Son nom vient de *paraporti*, qui veut dire « petite porte » et indique qu'elle se trouvait devant une entrée secondaire du *kastro*. Ici, c'est l'architecture extérieure qui est intéressante. L'édifice est composé de pas moins de cinq églises sur deux niveaux (à chaque campanile, son église). Festival de courbes presque voluptueuses dont la douceur est encore renforcée par le badigeon qui, année après année, arrondit les angles. À voir à différents moments de la journée, pour la surprendre dans tous ses habillages de lumière !

🚶🚶 *Le musée d'Arts populaires* (plan B1, 72) **:** à deux pas de la Paraportiani, dans le long bâtiment parallèle à la mer. ☎ 22-89-02-25-91. Ouvert d'avril à octobre, de 17 h 30 à 20 h 30 (de 18 h 30 à 20 h 30 le dimanche). Entrée libre. Ancienne demeure de capitaine, construite sur la base des anciens remparts. Un des derniers vestiges du *kastro*. Intéressante présentation ethnographique : belles collections d'assiettes, meubles anciens, estampes, gravures, objets d'art, vêtements traditionnels. Noter le bel encadrement de porte sculpté (1701) entre les deux premières salles. Vieux poids (disques), balances antiques, broderies, ex-voto. Chambre à coucher et cuisine traditionnelle, avec tous les objets domestiques.
– Au sous-sol, *Mykonos et la mer* : maquettes, vieux canons, photos jaunies, cartes, marines, nombreux souvenirs. Navire qui participa à la guerre d'indépendance (1821).

🚶 *Le quartier d'Alefkandra* (plan C2) **:** le quartier qui se trouve entre la Petite Venise et les moulins pour cartes postales. Point de repère : la *cathédrale* (Mitropolis). Pas moins de 10 églises sur 100 m. Sur odos Mitropoléos, à l'entrée de la rue, trois petites, côte à côte. Celle dont le linteau porte l'indication « 1616 » est souvent ouverte. Iconostase en bois brut richement sculpté. Devant la Mitropolis, on trouve la seule église catholique de Mykonos : la *Panagia Rodariou*. Belle icône à l'intérieur.

🚶 *Le Musée maritime égéen* (plan C2, 73) **:** odos Énoplon Dinaméon. ☎ 22-89-02-27-00. Ouvert du 1ᵉʳ avril au 1ᵉʳ novembre (sauf fêtes) de 10 h 30 à 13 h et de 18 h 30 à 21 h. Entrée : 3 € ; réductions. Intéressante collection de maquettes. Certaines ont été réalisées à partir des fresques d'Akrotiri (1500 av. J.-C.), à Santorin. Le musée retrace toute l'histoire de la navigation en mer Égée, depuis les *dingys* assyriens, en passant par les bateaux égyptiens et les *holkadès*, navires de guerre du IVᵉ siècle av. J.-C. Impressionnante trirème grecque (170 rameurs sur trois niveaux). Amphores, instruments de bord et de navigation, galerie des portraits des héros de l'indépendance. Dans le jardin, petite bibliothèque avec cartes et gravures.

🚶🚶 *La maison de Léna* (plan C2, 73) **:** à côté du Musée maritime. ☎ 22-89-02-25-91. Ouvert du 1ᵉʳ avril au 31 octobre, tous les jours de 18 h à 21 h (de

17 h à 19 h le dimanche). Entrée gratuite. Demeure d'un riche commerçant du XIXe siècle, dont la fille (décédée en 1970) fit don à la ville. C'est l'occasion rêvée d'admirer l'élégance d'une maison bourgeoise d'époque. Bel ameublement, souvenirs et objets personnels. On y parle le français. Atmosphère chaleureuse.

🏛 *Le Musée archéologique (plan D1, 74) :* sur le chemin du port des ferries. ☎ 22-89-02-23-25. Ouvert de 8 h 30 à 15 h. Fermé le lundi. Entrée : 2 € ; réductions. Il abrite essentiellement des collections de poteries : vases, cratères en terre cuite de qualité exceptionnelle avec « figures noires », stèle funéraire de Rhinia (Ier siècle av. J.-C.). Vases de style géométrique et cycladique. Tout au fond : bijoux, statuettes en terre cuite, outils de paysans (serpes), bijoux en or, beaux verres. Vases corinthiens décorés de représentations animalières.

Transports dans l'île

Mykonos dispose d'un bon réseau de bus (☎ 22-89-02-33-60) dont voici les principales destinations (attention, il s'agit des horaires d'été, applicables de la mi-juin à début septembre ; hors saison, départs beaucoup plus espacés). Évidemment, les bus pour les plages sont pris d'assaut en saison.

🚌 *De la station sud (plan B3)*
➤ *Pour Ornos et Agios Ioannis :* de 8 h à 3 h, toutes les heures. De 10 à 15 mn de trajet.
➤ *Pour Platis Gialos et Psarou :* de 8 h à 1 h, toutes les heures. 15 mn de trajet.
➤ *Pour Paraga et Paradise :* de 8 h à 2 h, un bus par heure.
🚌 *De la station nord (plan D1)*
➤ *Pour Ano Méra et Kalafatis :* de 7 h à 22 h.
➤ *Pour Élia :* de 11 h à 18 h 30, une demi-douzaine de parcours. 30 mn de trajet.
➤ *Pour Kalo Livadi :* peu de bus, horaires assez variables.
➤ *Pour Agios Stéfanos :* de 8 h à 2 h, toutes les heures ; 15 mn de trajet, l'arrêt se trouve à proximité de la station nord, sur le port.

TOURLOS *(ΤΟΥΡΛΟΣ)*

À 1,5 km au nord de Mykonos-ville (partir directement sur la gauche quand on sort du débarcadère). Un avantage : beaucoup moins fréquenté que Mykonos-ville. Un inconvénient : c'est là qu'on a aménagé le seul port en eaux profondes de l'île et, en saison, on y voit fréquemment débarquer des paquebots de croisière des flots de touristes qui partent en chœur faire la visite de Mykonos. Spectacle garanti donc, mais devient assez vite rengaine.

Où dormir ? Où manger ?

Chambres à prix plus abordables qu'à Mykonos-ville, et vous avez une chance d'en trouver une en été.

Bon marché

🛏 *Pension Tourlos :* à l'arrivée à Tourlos, juste sur la droite. ☎ 22-89-02-48-40. De 30 à 60 € environ selon la saison. Face à la plage, 10 chambres gentillettes au-dessus d'une taverne couverte par une treille. Dans l'ensemble, bien tenu, par un couple âgé. Bon accueil ! Une des dernières adresses à l'ancienne sur l'île.

De prix moyens (sauf en août!) à plus chic

📧 |●| **Pension Kavaki :** tout près de l'adresse précédente. ☎ 22-89-02-25-79. Environ 65 € en plein mois d'août ; tarifs négociables (le patron est très sympa et très commerçant, il baisse rapidement les prix). Certaines chambres ont vue sur la mer, d'autres ont une salle de bains. Belle chambre pour trois avec arcades. On peut manger sur place. Également à louer à des prix très abordables, des studios ou des appartements situés à Pétinaros, à 1 km de Mykonos : *Vasso's & Michael's villa,* ☎ 22-89-02-50-24.

📧 **Pension Alexandra :** juste derrière *Kavaki* en empruntant la même entrée. ☎ 22-89-02-29-33 et 34-71. ● pouloudi@msn.com ● Ouvert d'avril à novembre. Jusqu'à 90 € en août, au moins 3 fois moins cher le reste de l'année, sauf juillet ! Accueillant. La plupart des chambres ont une salle de bains et un frigo. Propre. Si complet, possibilité de dormir sur le toit. La patronne parle l'anglais et sa fille le français. Quelques chambres également dans Mykonos-ville. Réductions sur présentation du *GDR*.

📧 |●| **Hôtel Sunset :** comme les autres, face à la mer, en bord de route. ☎ 22-89-02-30-13 et 39-31. Ouvert d'avril à octobre. Doubles de 35 à 75 €. Hôtel sympathique de 17 chambres. La réceptionniste parle très bien le français. Terrasse ombragée surplombant la mer. Resto sympathique. Mais ne prenez pas les chambres donnant sur le mur d'en face, au rez-de-chaussée.

Plus chic

📧 **Hôtel Alex :** à l'entrée de Tourlos, sur la droite en venant de Mykonos. ☎ 22-89-02-30-30. Fax : 22-89-02-31-93. Environ 100 € au plus fort de la saison, petit déjeuner compris ; prix très intéressants de mi-septembre à mai. Très bel hôtel récent, installé en hauteur, avec de jolies chambres spacieuses bien entretenues. Clim', TV satellite, coffre. La piscine, située tout en haut, offre une vue magnifique sur la mer.

📧 |●| **Makis Place :** au fond de la baie. ☎ 22-89-02-51-18 ou 31-56. En hiver : ☎ 22-89-02-51-81 ; fax : 22-89-02-31-56. Environ 100 € de mi-juillet à fin août ; 2 fois moins cher en mai et octobre ; prix intermédiaire en juin, début juillet et en septembre. Charmant complexe d'une trentaine de chambres s'étageant sur la colline et bien en retrait de la route. Patron très sympa parlant le français, l'anglais, l'italien, et qui a le sens de l'accueil. Chambres confortables, certaines avec terrasse. Possibilité de s'y restaurer. Bonne cuisine et excellent café grec ! Superbe piscine. Une navette vous conduit à Mykonos.

AGIOS STÉFANOS (ΑΓΙΟΣ ΣΤΕΦΑΝΟΣ ; STÉFANOS BEACH)

⬎ Petite plage agréable, un peu plus loin que Tourlos, et quelques hébergements bon marché. Bondée en été. Quand le *meltémi* souffle, la plage est très exposée au vent.

➤ Prenez le bus : vous ne pouvez pas vous tromper, c'est le dernier arrêt.

Où dormir ? Où manger ?

Les trois adresses qui suivent sont situées dans le même quartier (avant d'arriver à Agios Stéfanos, prendre impérativement la route qui monte sur la droite). Il s'agit des premières maisons que l'on rencontre, pas d'enseigne. Les trois proprios appartiennent à la même famille et proposent une piscine en commun (chez Mme Gripari). Prix sensiblement similaires pour les trois.

▲ *Chez Mme Eleni Gripari :* ☎ 22-89-02-30-27. Compter 60 € en saison. Très bon marché pour l'endroit, très propre, douche commune, balcon donnant sur la plage. Quelques chambres ont l'AC. La dame fait la chambre tous les jours. Elle est charmante, et vous offre le café dans de jolies tasses servies sur un plateau d'argent.

▲ *Chez Maria Kouka :* ☎ et fax, 22-89-02-30-34. Juste derrière le gros hôtel *Alkistis*. Chambres doubles de 30 à 60 € selon la saison ; réduc-tions pour un séjour de plusieurs jours. Chambres propres, avec salle de bains et petit frigo, certaines avec un grand balcon. À 10 mn de la plage. Accueil très gentil de Maria.

▲ *Fraskoula :* à 300 m de la mer. ☎ 22-89-02-30-62 ou 69-44-33-76-74 (portable). En principe, la patronne est au débarcadère. Chambres de 35 à 65 € selon la saison ; tarifs dégressifs pour plusieurs nuits. Pension bien entretenue. Chambres avec frigo. Minibus qui fait la navette.

Prix moyens

▲ |●| *Hôtel Artemis :* ☎ 22-89-02-23-45. Fax : 22-89-02-38-65. ● www.artemishotel.net ● Ouvert de mai à octobre. Juste en face de l'arrêt de bus. De 45 à 90 € selon la saison. Accueillant. L'hôtel de plage classique de style cycladique. Pas de faute de goût. La plage est de l'autre côté de la route. Chambres confortables avec AC, douche, w.-c. et TV satellite. Il est préférable de prendre celles avec terrasse privée et vue sur mer. Possibilité de s'y restaurer.

PANORMOS (ΠΑΝΟΡΜΟΣ) *– AGIOS SOSTIS* (ΑΓΙΟΣ ΣΩΣΤΗΣ)

⌯ Deux plages situées au nord de l'île. Non desservies par le bus. Pour y aller, la route, assez mauvaise et finissant en piste, passe le long du lac de Marathi (la réserve d'eau de toute l'île). À *Panormos,* à 8 km de Mykonos-ville, plage sans transats ni parasols. Taverne et *beach bar.* Plus loin (1,5 km), *Agios Sostis,* avec très peu de constructions. Un resto bien caché dans une courette : *chez Vassilis* (repas à environ 15 €) ouvert le midi et souvent plein. La (grande) plage est en contrebas, magnifique. Là aussi, ni transats ni parasols, du moins pour l'instant.

ANO MÉRA (ΑΝΩ ΜΕΡΑ)

C'est un petit village à 8 km de Mykonos. Peu touristique, mais intéressant de s'y arrêter pour visiter le monastère. Et des petits restos relativement tranquilles. Une poste aussi sur la place, pour ceux qui en auraient marre de faire la queue à Mykonos-ville.

Où dormir ?

▲ S'adresser au supermarché *Ano Méra* dans la rue menant à la place principale. ☎ 22-89-07-12-18. Le patron, Christos Skoulaxinos, propose des *chambres* avec salle de bains à des prix raisonnables pour l'île (environ 45 €).

Où manger ?

Il n'y a que l'embarras du choix : 4 tavernes se regardent sur la place centrale. Celle nommée *To Stéki tou Proédrou* est tout à fait correcte (repas à environ 15 €).

À voir

🐒🐒 *Le monastère :* ouvert de 9 h à 13 h et de 14 h à 19 h 30. Pourvu d'une cour intérieure fraîche, il est très richement décoré. Jolis ouvrages d'art. Un beau clocher recouvert de marbre ciselé. À l'intérieur, coupole peinte *(Christ Pantocrator)*. Iconostase particulièrement ouvragée. Noter, dans la *Dormition de la Vierge,* le Turc qui se fait trancher les mains et dans la *Crucifixion,* le mauvais larron crucifié à l'envers. Vierge en argent de 1732. Bon, on est à Mykonos, certes, mais ça n'empêche pas de se vêtir correctement pour pénétrer dans le monastère.

LES PLAGES AU SUD DE L'ÎLE

KALAFATI BEACH (ΚΑΛΑΦΑΤΗΣ)

⌂ Accès par Ano Méra. Une fois arrivé, la route qui mène au cap Kalafati se divise et conduit à deux plages. Sur la gauche, c'est *Aphroditi Beach,* grande plage où l'on trouve un *Windsurfing Center.* Au bout, le *Beach Aphrodite Hotel.* À droite, dans une petite anse, plage semi-privée au-dessous de l'*Anastassia Village.* Forte concentration italienne. Et au milieu, une sorte de presqu'île avec un hameau de pêcheurs.

🍽 *La Bandanna :* resto-pizzeria situé au carrefour. ☎ 22-89-07-18-00. Ouvert le soir de mai à septembre, voire octobre. Prix raisonnables pour l'île. Resto 100 % italien, dans un coin où, justement, il y a beaucoup d'Italiens... Ambiance assurée.

🍽 *Taverne Markos :* au petit port de Divounia, face à Aphroditi. ☎ 22-89-07-14-97. Assez cher puisque c'est une taverne de poisson et qu'on est à Mykonos, mais pas encore trop touristique. Poisson et langoustes arrivent directement de l'eau dans l'assiette. Spécialités de *kakavia* (sorte de soupe de poisson, assez consistante, à près de 50 € le kilo) et d'*astakomakarounada* (pour 80 € le kilo).

KALO LIVADI (ΚΑΛΟ ΛΙΒΑΔΙ ; LIVADI BEACH)

⌂ Comme la précédente, on y accède depuis Ano Méra. Si vous en avez assez de la foule, ce qui est bien compréhensible en été, cet endroit est pour vous : paysage un peu austère, une chapelle, quelques chambres à louer, deux tavernes, une plage de sable et quelques maisons en construction. On peut y louer des pédalos. Malheureusement, aux dernières nouvelles, la foule l'a découverte, mais la fréquentation reste sensiblement plus familiale.

➤ Prenez le bus pour *Kalafati Beach* (6 par jour) et demandez au chauffeur de vous arrêter à l'intersection qui conduit à Livadi Beach. Une taverne se trouve au carrefour. Puis un bon kilomètre à pied ou en stop. De Livadi Beach, possibilité de continuer vers Kalafati sans remonter à Ano Méra.

🛏 *Rooms Livadi Beach :* ☎ et fax : 22-89-07-12-98. En hiver : ☎ 21-06-82-32-13. Compter 50 € la nuit. Au bout de la baie (prendre la piste en retrait de la plage, c'est dans la petite côte au fond). Demander Jean Papoutsas, un sympathique vieux monsieur. N'ouvre que courant juin. Prix d'un petit 2 étoiles. Quelques bungalows avec salle de bains et terrasse donnant sur la mer. Taverne en contrebas. Tranquillité assurée.

ÉLIA BEACH (ΕΛΙΑ)

⌁ Accessible également depuis Ano Méra. Suivre la direction de *Watermania* (beurk !) et descendre jusqu'à la mer. Beaucoup de parasols. Plage mixte à haute densité gay. Deux tavernes, en fait des *beach bars* dimensionnés restos.

|●| Pour un resto de plage à Mykonos, on mange pas mal à **Élia Beach** (☎ 22-89-07-12-04), pour un minimum de 15 €. Cartes de paiement acceptées, mais majoration de 4 % pour les additions de moins de 35 €.

PARADISE BEACH (ΠΑΡΑΝΤΑΙΣ)

À 4,5 km de Mykonos-ville. *Paradise* est agréable mais hyper peuplée. Animation tous les soirs.

⌁ La plage de *Paradise Beach* en elle-même mérite le détour, juste pour voir ou pour faire la fête ! Beaucoup de jeunes (homos et hétéros mélangés) et une animation techno assurée par les deux *beach bars*. Surtout ne pas y aller avec l'espoir de poser sa serviette en toute tranquillité, car c'est impossible ! Il faut y venir pour profiter de l'ambiance qui monte en puissance en fin d'après-midi lorsque tout ce petit monde danse joyeusement autour des piscines. Il y a également un complexe où il est possible de faire du ski nautique et de louer des scooters de mer.

Comment y aller ?

➤ *En bus :* prendre le bus à la station sud.

➤ *Accès aux plages :* les plages de *Paradise*, *Super Paradise*, *Platis Gialos* et *Paraga* sont desservies par de très beaux caïques multicolores. Leurs horaires sont indiqués sur chacune de ces plages.

Adresse utile

■ *Location de scooters :* en face du camping. Les assurances ne sont pas comprises.

Où dormir ? Où manger ?

⋌ |●| *Camping Paradise :* sur la plage. ☎ 22-89-02-28-52. Fax : 22-89-02-43-50. ● www.paradise-greece. com ● On vous attend à la descente du bateau ou de l'aéroport, et on vous transporte en camionnette jusqu'au camping. Des bus réguliers et quelques navettes payantes permettent d'aller à Mykonos, mais le retour est gratuit pour le départ. Ouvert d'avril à octobre. Compter de 5 à 7 € par personne selon la saison et de 2,50 à 3,50 € pour une tente. Un vrai village. 10 m² par personne ! Impressionnant par l'étendue des services qu'il propose. Selfs, restaurants, bars, coffres-forts. Bruyant néanmoins, normal puisque la fête est de rigueur... Pour plus de calme, s'installer dans la partie la plus récente, sur les hauteurs. Palissades de bambou pour se protéger de la chaleur. Les plus fortunés peuvent louer des chambres (entre 60 et 80 € la double) ou des *beach cabins*, très chauds (45 € pour deux). Des chambres pour groupes également. Tarifs intéressants hors saison. Surpeuplé, attention aux vols. Sanitaires très corrects. Le restaurant n'est pas donné et pas exceptionnel mais assez agréable surtout pour le petit déjeuner. L'ambiance est très baba cool d'opérette. Vraiment un lieu pour routard fatigué acceptant sans révolte de faire la queue au self ! À noter : de mai à octobre, un club de plongée sur place, *Dive Adventures*

(☎ et fax : 22-89-02-65-39 ; ● www.diveadventures.gr ●) CMAS et PADI (tous niveaux). Contacter Kostas Sgourakis. Sur présentation du dépliant de la chaîne *Harmonie*, dont le camping fait partie, réductions de 10 % en été et de 20 % hors saison sur les prix du camping.

SUPER PARADISE

⌂ Pas très loin de Paradise Beach. De plus en plus de monde. Sanctuaire homo, mais également beaucoup d'hétéros qui viennent goûter l'ambiance mythique du lieu. La plage est bien organisée : parasols, chaises ainsi qu'une partie résolument naturiste. Atmosphère pas margeo pour un rond.

➤ Si vous arrivez d'Ano Méra, motards, attention ! Route tortueuse à souhait avec passages en terre, tronçons en mauvais ciment et beaucoup de dos-d'âne. Tous les jours un caïque part du port de Mykonos pour Super Paradise. Il y a aussi des caïques qui partent de Paradise.

|●| Sur la plage, une superbe *taverne* très propre, plutôt chic, avec l'ambiance d'une boîte et piscine ouverte de jour comme de nuit. Juste à côté, un *resto*. À l'autre extrémité de la baie, un bar avec piscine surplombant la mer. Sympa !

PARAGA BEACH (ΠΑΡΑΓΚΑ)

⌂ Entre celles de Paradise et de Platis Gialos. Elle est sympa, car plus un peu plus calme. Plage de sable abritée. Rochers et fonds super. On peut y aller en taxi de l'aéroport, ou bien du port avec le minibus du camping, ou encore par les bus municipaux jusqu'au camping. Ou encore en caïque. De Paraga, on peut, en repassant par les terres, gagner Agia Anna.

Où dormir ? Où manger ?

⌘ *Mykonos Camping :* au-dessus de la plage. ☎ et fax : 22-89-02-45-78. ● www.mycamp.gr ● Ouvert de mai à fin septembre. Selon la saison, compter de 6 à 8 € par personne et de 3 à 6 € pour une tente. L'antithèse du *Paradise*. Atmosphère moins rugissante, plus familiale (ce qui ne veut pas dire calme : on est à Mykonos tout de même !). Une centaine d'emplacements. Camping propret, pas mal de travaux ont été réalisés pour le rendre plus agréable (mais on nous a signalé des problèmes occasionnels d'entretien concernant les sanitaires). Minimarché, téléphone international et fax, point Internet, buanderie, petits

coffres, etc. Piscine refaite (mais elle n'appartient pas au camping et il faut consommer au bar pour en profiter). Quelques bungalows à louer (à 50 € en haute saison) et des studios climatisés également (depuis 45 € jusqu'à 110 €). Belle plage et au bout du camping, à la pointe, de jolies petites criques plus sauvages.

⌂ *Hôtel Zéphyros :* au-dessus de la plage. ☎ 22-89-02-39-28. Fax : 22-89-02-49-02. ● zephyros@myk.forthnet.gr ● Ouvert de mi-avril à fin octobre. Chambres standard confortables de 55 à 120 € selon la saison. Petit hôtel confortable dans le style local. Très calme, belle piscine.

⌂ |●| *Restaurant Nikolas :* à 200 m

de la plage, entre Paraga Beach et Platis Gialos Beach. ☎ 22-89-02-35-66. Compter de 10 à 12 €. Quatre tables sur la plage et une petite terrasse. Patron sympa. Rien de très original (sauf que la taverne res-semble à une taverne traditionnelle, ce qui est normal en Grèce mais cela devient rare à Mykonos!). Loue également des chambres, presque les pieds dans l'eau (entre 40 et 60 €).

PLATIS GIALOS BEACH (ΠΛΑΤΥΣ ΓΙΑΛΟΣ)

⌅ Bien desservie par les bus. C'est une petite plage semi-privée, bordée d'hôtels et de tavernes plutôt chic, car elle accueille le tourisme de masse à devises fortes. Si l'on tient absolument à y manger, éviter *La Playa* et choisir *Nikos*. Malgré tout, la plage est jolie et propre. Évidemment bondée en saison.

Où dormir?

Une vingtaine d'hôtels à Platis Gialos. Allez plutôt dans ceux qui se trouvent sur la route après l'embranchement vers Psarou Beach.

🛏 ***Studios Mina :*** au bout de la route, sur la gauche avant d'arriver à Platis Gialos. ☎ 22-89-02-56-25. Fax : 22-89-02-75-55. ● www.mina-studios.com.gr ● Ouvert toute l'année. De 35 à 90 € pour deux. Studios pour 2, 3 et 4 personnes et appartements pour 4 ou 5 personnes, avec 2 chambres. Cuisine, salle de bains et TV. Très propre. Bon accueil d'Assimina Mantzavidou. Transfert gratuit au port. Réductions à partir de 3 nuits.

🛏 ***Hôtel Kamari :*** au bord de la route, sur la gauche dans un creux quand on arrive. ☎ 22-89-02-34-24. Hors saison : ☎ 22-89-02-20-24. Fax : 22-89-02-44-14. ● www.kamari-hotel.gr ● Ouvert d'avril à fin octobre. Chambre standard de 68 à 103 € ; chambres supérieures entre 75 et 150 € en fonction de la saison ; petit déjeuner inclus. L'architecture est plaisante, les chambres agréables et lumineuses. Neuf et impeccable. Il y a une superbe piscine. Cartes de paiement acceptées. Selon la saison (et sauf en août), de 10 à 15 % de réduction pour nos lecteurs sur présentation du *GDR*.

PSAROU BEACH

⌅ Plage restée plus familiale que sa voisine, Platis Gialos. Ne pas aller s'imaginer tout de même que c'est une plage sauvage... par endroit les égouts font des ravages. Juste après le parking (obligatoire), un club de plongée *(Diving Psarou)*, à l'entrée du *Psarou Beach Hotel*. ☎ 22-89-02-48-08. ● www.dive.gr ● Contacter Théodoros Goudis. CMAS et PADI.

🛏 ***Soula Rooms :*** accès par une ruelle à droite, quand on vient du parking (c'est fléché). ☎ et fax : 22-89-02-20-06. ● www.soula-rooms.gr ● Ouvert d'avril à fin octobre. De 50 à 100 € la double. Un large choix de chambres avec AC, frigo et TV. Elles donnent sur la plage. Quelques appartements également. Plutôt calme pour Mykonos. Cartes de paiement refusées.

ORNOS BEACH (ΟΡΝΟΣ)

⌅ Une plage protégée du vent mais envahie l'après-midi. Il est très agréable d'y aller en fin de journée, car il y a une jolie vue et ça devient calme. Plage propre. C'est bien le seul intérêt qu'elle ait encore.

AGIOS IOANNIS BEACH (ΑΓΙΟΣ ΙΩΑΝΝΗΣ)

Au sud-ouest de l'île, c'est une petite baie abritée et sympa, avec vue sur Délos. Désormais très construit et sans charme, mais moins fréquentée que les autres plages.

Kolovas House : ☎ 22-89-02-40-15. Fax : 22-89-02-66-22. Sur la route d'Agios Ioannis, tout en haut de la colline avant d'entamer la descente, en venant de Mykonos. En face d'un *mini-market* et de l'arrêt de bus. Ouvert de fin avril à octobre. De 40 à 125 € selon la période. Un petit complexe hôtelier très réussi, qui comprend 16 superbes chambres, étincelantes de propreté et confortables. Piscine. Un très bon plan hors saison. À noter, le petit déjeuner est servi à toute heure de la journée !

QUITTER L'ÎLE DE MYKONOS

ATTENTION, il arrive que certains bateaux partent du port de Tourlos. Faire vérifier par prudence le port de départ pour éviter une situation embarrassante...

➤ **Pour Paros, Naxos, Ios et Santorin :** plusieurs liaisons par semaine, soit en ferry, soit en hydrofoil.

➤ **Pour Tinos, Syros et Andros :** plusieurs départs par jour en saison.

➤ **Pour Amorgos :** 3 fois par semaine en été.

➤ **Pour Thessalonique :** 2 ou 3 fois par semaine en été.

➤ **Pour Skiathos :** 1 fois par semaine en été.

➤ **Pour Ikaria et Samos :** 2 fois par semaine.

➤ **Pour Délos :** plusieurs départs par jour (sauf le lundi) de 9 h à 13 h environ. Attention pour le retour, le dernier bateau pour Mykonos part à 15 h.

➤ **Pour la Crète :** 2 fois par semaine, par Santorin, par le ferry qui fait Thessalonique-Héraklion. Également 1 liaison en catamaran.

➤ **Pour Athènes :** faites-vous préciser le port d'arrivée, Rafina ou Le Pirée. Sinon, vous risquez d'avoir des surprises. Pendant la haute saison, nombreux départs quotidiens (3 à 6 compagnies). Pour Le Pirée, la traversée dure entre 3 h 30 et 5 h. Pour Rafina, compter entre 2 h et 5 h en fonction du type de bateau. Les jours de grand vent, ça va moins vite et l'on a l'impression d'être dans une machine à laver !

DÉLOS (ΔΗΛΟΣ)

Délos est l'une des plus petites îles des Cyclades (à peine moins de 7 km²), mais, pour les Anciens, elle était comme le centre de l'archipel, autour duquel les autres îles gravitaient. Il faut dire que Délos était considérée comme le lieu de naissance d'Apollon (dieu solaire) et de sa sœur Artémis. Le lieu sacré fut érigé en sanctuaire et la cité prospéra avec l'arrivée des Ioniens qui y inaugurèrent des festivités panhelléniques tous les quatre ans, dès l'avènement du Ier millénaire av. J.-C. Thésée lui-même aurait été à l'origine de ces réjouissances, ce qui arrangeait bien les Athéniens qui voulaient s'approprier Délos. Anecdote moins drôle, le caractère sacré de l'île interdisait toute naissance et tout décès sur son sol. Du moins c'est ce qu'on décida à l'époque classique, sur la foi d'un oracle. Les mourants et les femmes enceintes proches de leur terme étaient conduits dare-dare sur l'île voisine de Rhénée (Rhinia), pour y rendre leur dernier soupir ou pour accoucher. Même les tombes furent déplacées afin d'écarter toute souillure! Actuellement, seuls quelques archéologues peuvent y passer la nuit. L'avantage de tout cela, c'est que l'île est un véritable conservatoire du passé, figé dans l'état où il était dans l'Antiquité, sans avoir été remodelé par la suite.

UN PEU D'HISTOIRE

Centre religieux aussi important que Delphes, Délos fut une puissance commerciale merveilleusement située au carrefour des routes maritimes, mais aussi une puissance politique de premier plan après les guerres médiques, quand tous les membres de la Ligue attico-ionienne déposaient dans le temple d'Apollon les sommes destinées à leur défense commune. Préservés du pillage par le caractère sacré du site, les marchands y développaient des affaires juteuses, et la petite cité se dota d'un port de commerce, de quais, de comptoirs et de magasins florissants. Seul handicap au tableau : le manque d'eau, qui obligeait les habitants à construire des citernes pour conserver les eaux de pluie et parfois même à la faire acheminer de l'extérieur.

Athènes priva Délos des revenus de la coalition en 454 av. J.-C., mais après l'avènement d'Alexandre le Grand, elle retrouva son indépendance et connut son apogée, en servant de plaque tournante au négoce de l'est de la Méditerranée. Centre cosmopolite où se pratiquait le change, Délos accueillait toutes les nationalités qui s'empressaient d'ajouter leurs propres divinités à la panoplie déjà vénérée sur place. Les Romains confirmèrent le statut de l'île en la déclarant port franc. Malgré la chute de Corinthe, qui renforça Délos, le coup d'arrêt à cette belle histoire fut porté par le roi du Pont, Mithridate, en 88 av. J.-C., qui pilla l'île, devenue colonie latine, et en massacra les habitants, puisque 20 000 des 35 000 Déliens furent exterminés. Moins de 20 ans plus tard, rebelote, un pirate égorgea ou déporta en esclavage les survivants, et l'île sombra dans l'oubli. On raconte qu'Athènes tenta de vendre l'île aux enchères et que personne ne se montra intéressé, même au prix d'une malheureuse pièce d'or! Depuis le VIIe siècle, l'île est totalement abandonnée.

Les fouilles furent menées dès 1873 par l'École française d'archéologie, les équipes françaises étant associées à des équipes grecques.

Comment y aller?

➢ **De Mykonos :** départs quotidiens, sauf le lundi où le site est fermé. S'il n'y a pas de vent, une bonne demi-heure de bateau. Différentes compagnies proposent leurs services. Le choix, donc! Plusieurs départs, par plusieurs compagnies, toutes les heures de 8 h à 13 h ; retours toutes les heures de 9 h à 15 h. Prenez votre billet sur le port, et surtout pas dans les agences de voyages. Compter à peu près 30 € avec guide. Sans guide, à l'agence *Flying Dolphins*, billets en vente à 7 € environ l'aller-retour. On peut aussi y aller de Paros *(MV/Cat Alexandros)*, 3 fois par semaine en saison ; départ à 9 h.

À voir

🌟🌟🌟 *Le site :* ouvert tous les jours (sauf le lundi, on le rappelle) en été, de 8 h 30 à 15 h. Entrée : 5 € ; réductions ; gratuit avec une carte d'étudiant. Sur place, on fait la queue à l'entrée. Pas d'ombre en dehors des bâtiments, et le soleil tape dur. Prévoyez donc un chapeau et une bouteille d'eau. Prendre le dépliant, bien fait, rédigé par l'Association des amis de Délos.

On dispose d'environ 6 h maximum pour visiter Délos avant le dernier départ, à condition d'avoir pris les premiers bateaux à Mykonos ; vous avez donc un peu de temps pour faire le tour de l'île.

– À partir du **port Sacré,** aujourd'hui ensablé, où débarquaient autrefois les délégations conviées aux cérémonies religieuses, le mieux à faire est de filer sur la droite (mais pas trop longtemps, sinon on arrive à la plage !) vers le site de l'ancien **théâtre,** d'en gravir les gradins et de s'asseoir tout en haut pour embrasser le paysage du regard, en observant à la dérobée le comportement des lézards et des geckos rigolos.

– On peut s'arrêter, avant le théâtre, pour voir la **maison de Dionysos,** celle **de Cléopâtre** et celle **du Trident.**

– Ensuite, se diriger dans le dédale des ruines vers la **maison des Masques,** belle demeure du IIe siècle av. J.-C., dotée d'une cour avec *impluvium,* cernée d'un péristyle. À droite de l'entrée, un Dionysos en mosaïque tenant le *thyrse,* bâton entouré de pampre et couronné d'une pomme de pin.

– Côté mosaïques, ne pas rater la très renommée **maison des Dauphins** et son magnifique pavement, miraculeusement conservé, où les mammifères marins sont chevauchés par des personnages divins.

– De là, la tentation est grande d'entamer la grimpette des 113 m du **mont Cynthe** (Kynthos) pour profiter de l'exceptionnel panorama sur les îles voisines : Naxos et ses montagnes, Syros au nord, Tinos au sud et bien sûr les chapelles de Mykonos, la proche voisine. Si cette perspective vous intéresse, faites-le très vite pour ne pas entamer le temps qu'il vous reste pour la suite. La grotte pavée de granit qu'on peut apercevoir lors de la descente n'est pas, comme certains le croient, l'antre d'Apollon mais celui d'Héraklès.

– En contrebas, la **terrasse des Divinités étrangères** accueillait les temples dédiés aux dieux syriens et égyptiens (plus il y en avait, plus ça rapportait ; futés, les Grecs anciens !). On a reconstitué la façade de celui consacré à Isis. Une statue de la déesse se dresse au fond.

– **La maison d'Hermès,** un peu plus bas, a conservé des colonnades et des portiques en étage. Les eaux de pluie recueillies par l'*impluvium* étaient stockées dans une citerne aménagée sous la cour. Dispositif indispensable sur une île peu arrosée. À remarquer, les latrines au fond à gauche. On se demande pourquoi les lieux d'aisance sont toujours parmi les vestiges les mieux conservés.

– De retour à proximité du débarcadère, à partir de l'agora des Compétaliastes (répondaient à ce nom barbare des Romains qui honoraient des dieux appelés Compétales), on entame l'exploration de la longue série des ruines du quartier des sanctuaires, articulés autour de celui d'Apollon. L'**avenue** dite **des Processions** est bordée à gauche par le portique de Philippe, colonnade dorique dont on lit la dédicace à Philippe V de Macédoine sur l'architrave. À droite, l'**agora des Déliens,** une place de marché de forme carrée, et plus loin, l'amorce du site apollonien proprement dit, marqué par les *propylées* de l'entrée monumentale. On traverse une esplanade dallée de marbre bleuâtre, parsemée d'autels, de statues et de pas mal de ruines, dont seul un spécialiste peut interpréter l'agencement. À gauche s'élèvent le portique et la **maison** (oikos) **des Naxiens,** et tout près, la base colossale d'une statue d'Apollon. Suit alors une ribambelle de vestiges dont un autre temple dédié à Apollon, le *kératon,* autel garni de cornes de béliers (Apollon était aussi le dieu gardien des troupeaux), passait pour l'une des merveilles du monde antique. Si le soleil ne vous taraude pas trop le cerveau, vous aurez encore assez de lucidité pour identifier l'Artémision, le Thesmophorion, l'Ekklésiastérion, le Dodécatheion, le portique d'Antigone et à droite, en face du musée, à l'emplacement du **sanctuaire de Dionysos,** deux fiers phallus sur socle dont les dimensions – même un peu tronquées – ne manqueront pas de faire rêver les jeunes routardes en quête d'un complément de formation !

– À côté, à droite, le **sanctuaire des Taureaux,** plus long que large, est l'un des vestiges les mieux conservés de Délos. On pense qu'il abritait un navire offert en ex-voto à Apollon. Ses chapiteaux sont ornés de poitrails de taureaux, d'où son nom.

– Une vaste esplanade, nommée *agora des Italiens,* précède l'emplacement du *lac Sacré* (asséché en 1925 pour cause d'insalubrité) où trône un palmier, seul arbre de l'île. À gauche, ce qui était l'attraction majeure de Délos, la *terrasse des Lions,* dont il ne reste plus que les bases depuis que quelques-uns des lions en question ont été entrés au musée. Ils ont été sculptés en marbre de Naxos au VII° siècle av. J.-C. et placés là, sans doute à l'imitation des rangées de sphinx des temples égyptiens antiques. Selon les spécialistes, il devait y en avoir entre 9 et 16.

– À gauche, des îlots d'habitation sans grand intérêt, et au bout du champ de fouilles, la *maison du Lac,* entourée de deux palestres. Beaucoup plus loin, si le cœur vous en dit, en franchissant un espace dénudé où se situent un hippodrome et des jardins, se profile le site du *stade,* bordé d'une rangée de maisons et d'un gymnase. À flanc de colline, l'exhumation d'une synagogue atteste de la présence d'une colonie juive sur Délos. Elle serait la plus ancienne synagogue de la diaspora.

– Avec le laps de temps qui vous reste, vous ferez un crochet par le *musée* pour voir les fragments de sculptures et de mosaïques qui n'ont pas été transférés au musée d'Athènes, et les lions, les cinq survivants de la terrasse en portant le nom, qui ont quand même fière allure.

|●| ☙ À côté, la *cafétéria-boutique* profite outrageusement de son monopole pour facturer boissons et vic- tuailles à prix d'or ! Carrément honteux...

LES CYCLADES DU SUD ET DU SUD-EST

SANTORIN (ΣΑΝΤΟΡΙΝΗ)

9 500 hab.

Santorin est sans aucun doute l'un des spectacles naturels les plus saisissants de la Méditerranée. L'enfant terrible des Cyclades est la seule île grecque perchée sur un ancien volcan (outre Milos, beaucoup moins spectaculaire). C'est la raison pour laquelle elle ne ressemble à aucune autre. Témoin d'une des plus importantes éruptions volcaniques (vers 1500 av. J.-C.), qui serait à l'origine du mythe de l'Atlantide. Platon en parle dans ses écrits, mais les archéologues n'en sont pas totalement persuadés. Il est plus probable que, pour le philosophe, l'Atlantide ait été de la politique-fiction, destinée à illustrer ses conceptions. Quoi qu'il en soit, l'éruption de Santorin fut l'une des plus violentes de ces 10 000 dernières années. On a retrouvé des fragments de roche volcanique jusqu'en Égypte ou en Palestine, à 900 km de là, et la colonne de fumée se serait élevée à 65 km au-dessus du niveau de la mer. Dans le temple égyptien de Karnak, des traces écrites relataient le cataclysme : elles ont nourri l'hypothèse selon laquelle la mer Rouge s'ouvrant devant Moïse serait en fait le reflux précédant le raz-de-marée induit par l'onde de choc monumentale. D'où la noyade bien compréhensible des sbires de Pharaon, lancés à la poursuite du peuple hébreu. Le raz-de-marée engendré aurait aussi décimé la flotte de guerre et marchande de l'empire minoen, accélérant son déclin. Mais de l'histoire à la légende... Revenons à la réalité de Santorin.
L'île présente l'image inoubliable d'une longue falaise en à-pic de 60 à 120 m de haut, véritable coupe géologique où se superposent les couches de scories, cendres noires ou rouges, et, au sommet, le bourg que l'on atteint à

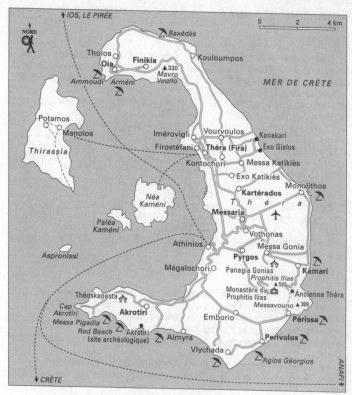

L'ÎLE DE SANTORIN

pied ou à dos de mulet. Simone de Beauvoir, racontant, dans *La Force de l'âge,* son voyage à Santorin (1937), a ainsi décrit la falaise : « Elle n'était pas vraiment rouge, elle ressemblait à certains gâteaux feuilletés où se superposent des strates rouges, chocolat, ocre, cerise, orange, citron. » La dernière en date est une strate de béton, géologiquement constituée d'un chapelet d'hôtels et de boutiques à touristes ; certains théoriciens parlent d'une invasion entamée vers la fin du XXe siècle de notre ère... La silhouette même de l'île rappelle bien la forme d'un cratère de volcan, avec les falaises à l'ouest, surplombant le cratère effondré, et la pente douce qui conduit jusqu'au littoral de l'est de l'île. Il se dégage de cette curiosité géologique gigantesque une atmosphère tout à la fois bizarre et menaçante. Vous serez sans doute abasourdi par la démesure et la singularité du site (la caldeira sous-marine est considérée, avec ses 83 km², comme la plus grande du monde, et sa profondeur serait de 300 à 400 m !). On a vraiment l'impression d'un avant-goût de fin du monde ! Santorin connaît aussi périodiquement des secousses, plus ou moins graves (le 9 juillet 1956, il y a tout de même eu 48 morts et 200 blessés).

Vous viendrez donc pour le spectacle du lieu, les quelques plages de sable noir et, éventuellement, l'animation nocturne de Théra (Fira). Attention au surpeuplement en été et aux prix des chambres chez l'habitant qui doublent, voire triplent. Pour ces raisons, certains repartent déçus de Santorin !

Comment y aller ?

En avion

✈ *L'aéroport* (☎ 22-86-03-15-25 et 16-66) est situé au sud de Monolithos, à environ 8 km de Théra. Deux bureaux de change dans le nouveau terminal. Ouverts tous les jours de 9 h à 23 h. Retrait avec la *MasterCard* seulement.
– Pour rejoindre Fira, des bus (mais ils ne coïncident pas toujours avec l'arrivée des vols...) et des taxis. Vous pouvez demander au point info ou à l'agence *Olympic Airlines* d'en appeler un.

➤ *D'Athènes :* 5 ou 6 vols par jour en été. Fonctionne aussi en hiver, mais avec 1 ou 2 vols quotidiens. Durée du trajet : 40 mn. Pas vraiment cher, comparé au temps et à la fatigue épargnés. À Athènes : ☎ 21-09-66-66-66 ou 0801-114-44-44 (pour ce dernier numéro, appel depuis la Grèce seulement) ; à Santorin : ☎ 22-86-02-24-93, 22-86-02-27-93 (réservations pour les vols *Olympic Airlines*) et 0801-11-200-00 (appel depuis la Grèce seulement) ou 22-86-02-85-00 à l'aéroport (vols *Aegean Airlines*).

➤ *De Rhodes, Thessalonique et Mykonos :* seulement en été. Il y a 2 liaisons hebdomadaires directes pour Thessalonique, 3 pour Rhodes et jusqu'à 5 pour Mykonos. Il est conseillé de réserver de France.

➤ *De Paris et province :* vols charters en été. Un peu plus cher qu'un vol Paris-Athènes.

En ferry

➤ *Du Pirée :* plusieurs liaisons par jour ; en été, elles sont beaucoup plus nombreuses. Durée du trajet : 8 à 12 h selon le nombre d'escales.

➤ *De Syros, Mykonos :* plusieurs liaisons hebdomadaires.

➤ *De Paros, Naxos et Ios :* plusieurs liaisons par jour.

➤ *De Crète, Folégandros, Sikinos et Anafi :* plusieurs liaisons par semaine.

➤ *De Milos, Sifnos, Sérifos et Kythnos :* 2 liaisons par semaine.

➤ *De Thessalonique :* 2 à 3 fois par semaine, parfois via *Tinos* et Skiathos.

En hydrofoil ou catamaran (quand le temps le permet)

➤ *Du Pirée :* départs quotidiens de début juin à début septembre. De 4 à 5 h de traversée en *High Speed*.

➤ *De Paros, Naxos, Ios, Syros et de Mykonos :* plusieurs liaisons hebdomadaires en été.

➤ *De Milos :* liaisons irrégulières selon les années. Il n'y en avait pas en 2004.

Conseils pratiques

– *Propositions de chambres :* il y aura des personnes parfois très insistantes, sur le quai, qui vous proposeront des chambres. Faites comme vous voulez, mais vous courez le risque de vous retrouver loin de Théra, d'Ia (Oia) et à l'écart des lignes de bus. Mieux vaut monter à Théra en bus (qui se prend à 50 m à gauche de l'embarcadère).

– *Plages :* de sable noir uniquement, elles sont souvent sales avant le nettoyage de printemps. Mais de gros efforts sont accomplis depuis quelque temps.

– *Athinios* (le port) *:* les départs et les arrivées de ferries se font d'Athinios uniquement, à une dizaine de kilomètres de Théra. En principe, il y a toujours un bus qui vous emmène à Théra, même pour les arrivées en soirée,

SANTORIN
(Cyclades Sud et Sud-Est)

en haute saison (dès septembre ou dans la nuit, c'est autre chose...). Pour les départs, en raison des embouteillages fréquents sur la sinueuse route du port, il faut partir tôt de votre pension pour ne pas rater votre ferry, qui partira rarement en retard, lui. Attention aux bus bondés : on peut vous en refuser l'entrée. Dans tous les cas, il y a la possibilité du taxi, mais gare à l'arnaque ! Compter normalement dans les 10 €.

THÉRA *(ΘHPA)* **ou FIRA** *(ΦHPA)*

La capitale de l'île est une bourgade aux ruelles très pittoresques souvent colorées de bleu et de blanc, coupées d'arcades et d'escaliers ménageant parfois des percées sur la rade et la mer. Vue exceptionnelle. Mais l'incroyable attraction de Santorin sur les touristes a fait surgir un nombre étonnant de boutiques en quelques années. Il y aura bientôt plus de bijouteries dans la ruelle principale que place Vendôme à Paris. Évitez la place centrale et les ruelles alentour, bruit et arnaque. Ceux qui n'ont pas supporté Mykonos fuiront Théra pour se réfugier à Oia (la). Mais il est conseillé de louer un scooter car, en été, les bus sont archibondés et c'est la galère.

Pour s'orienter à Théra, c'est très simple. Vous avez une place principale, Théotokopoulou Square, traversée par une route qui monte jusqu'en haut du village, la rue du 25-Mars (ou 25-Martiou). De la place, vous rejoignez la mer par une petite rue pavée qui remonte au coin de l'agence *Pelikan Travel*. Dans ce secteur, une demi-douzaine de ruelles concentrent l'activité diurne et nocturne.

Nos lecteurs les plus romantiques ne supporteront pas, bien sûr, l'atmosphère lourdement touristique de toute cette partie de la ville. Ils apprécieront plutôt Firostéfani, un petit quartier tranquille au nord de la ville, en bordure de corniche.

Adresses utiles

■ **Capitainerie** *(Port authority ; plan B3, 1) :* odos 25-Martiou. ☎ 22-86-02-22-39. Près de la place, dans une boîte d'allumettes blanc et bleu. Ouvert 24 h/24. Utile pour se renseigner sur les départs des ferries, dont les horaires changent selon le mois, le sens du vent, etc.

✉ **Poste** *(plan B4) :* odos 25-Martiou. Un peu avant l'arrêt de bus, dans un renfoncement. Ouvert du lundi au vendredi de 7 h 30 à 14 h.

■ **OTE** *(téléphone ; plan B3, 8) :* prendre odos 25-Martiou ; l'*OTE* est à 300 m sur la droite après la place principale. Ouvert du lundi au vendredi de 7 h 30 à 15 h 10 (précisément !).

■ **Police :** voir le chapitre sur Kartérados.

■ **Olympic Airlines** *(plan B4, 2) :* ☎ 22-86-02-24-93 et 22-86-02-27-93. Sur la route de Messaria, à droite en descendant de Théra, 200 m avant la station-service. Ou-

vert tous les jours (ferme tôt le dimanche).

■ **Agence consulaire de France :** M. Christophe Assimis. ☎ 22-86-02-30-41. Fax : 22-86-02-27-18. ● chasimis@otenet.gr ●

■ **Change :** entre autres, National Bank of Greece *(plan B3, 3)*, odos Joseph Desigala. Près de la place. Ouvert du lundi au vendredi de 8 h à 14 h (13 h 30 le vendredi) ; en été, ouvert aussi le soir.

■ **Distributeurs automatiques :** un peu partout dans la ville. Celui de la Commercial Bank *(plan B3, 5)* donne les instructions en français.

■ **American Express :** X-Ray Kilo, odos Marinatou. ☎ 22-86-02-36-01 ou 34-01 pour le fax.

■ **Pharmacie** *(plan B3-4, 4) :* 50 m après l'arrêt de bus, en montant vers la place. Pour les indispensables pilules anti-mal de mer.

■ **Urgences médicales :** ☎ 22-86-02-22-37. Dans chaque ville et village de l'île, un centre médical d'urgence.

■ **Lavomatique** *(plan B3, 6)* : plus cher qu'en France. Mais le linge est séché et repassé. On en trouve un jouxtant l'hôtel *Pelican,* dans la rue pavée qui descend sous la place. Ouvert de 9 h à 21 h. Un autre sous l'hôtel *Villa Maria,* odos 25 Martiou (la rue principale), 200 m après la place. Ouvert de 8 h à 23 h.

■ **Consigne à bagages** : sur la place et dans la rue principale, une multitude d'agences vous proposent ce service. Compter environ 2 € par jour et par bagage.

■ **Journaux français** : à la librairie de la place centrale ou chez plusieurs marchands de journaux du centre-ville, du port et de Firostéfani.

@ **Lava Internet Café** *(plan B3, 39)* : voir « Où boire un verre ? ».

Transports

🚌 **Gare routière** *(plan B4)* : le service de bus est efficace (départs pour tous les villages de l'île) et pas cher, mais totalement centralisé sur Fira. ☎ 22-86-02-38-12. L'horaire complet de tous les départs est affiché à la *bus station*; sinon, dans les agences-offices du tourisme. Les billets s'achètent dans le bus même. Garder son ticket, il peut y avoir des contrôles. En juillet et août, les bus sont souvent bondés bien qu'ils soient plus nombreux. Ils circulent jusque tard dans la nuit. Les prendre d'assaut dès leur arrivée, quelque

10 mn plus tôt. Attention, en dehors de ces mois, beaucoup moins de bus.

■ **Location de scooters** : de la gare routière de Théra en allant à l'AJ, plusieurs loueurs. Compter 10 à 15 € par jour, pas plus sauf du 10 au 20 août. Tarifs dégressifs à partir du 4ᵉ jour. On peut trouver moins cher, mais faites attention aux contrats. Éviter de louer dans les hôtels. On conseille *Lignos Markos (plan B3, 7),* en retrait de la rue Danezi. Gérant sérieux, scooters et motos plutôt bien entretenus. ☎ 22-86-02-32-26. En

---

■ **Adresses utiles**

✉ Poste
🚌 Gare routière
1 Capitainerie
2 Olympic Airlines
3 National Bank of Greece
4 Pharmacie
5 Commercial Bank
6 Lavomatique
7 Location de scooters
8 OTE
@ 39 Lava Internet Café

🏕 🛏 **Où dormir ?**

10 Camping Santorini
11 Santorini International Youth Hostel
12 Vallas Apartments
13 Apartments Gaby
14 Galini Hotel
15 Chambres Ioannis Ch. Roussos
16 Hôtel Sofia Sigala
17 Chambres Maria Damigou
18 Villa Ilias
19 The Cool Cat Houses
40 Couvent des dominicaines

🍴 **Où manger ?**

20 Naoussa
21 Le Posidon
23 Restaurant Sélene
24 Mama's Cyclades
25 The Flame of the Volcano

🍷 🎵 🎶 **Où boire un verre ?
Où sortir ?**

30 Murphy's
31 Koo Club
32 Kira Thira Jazz Club
33 Enigma
34 Two Brother's Bar
35 Tithora Club
36 Tropical Bar
37 Tango Bar
38 The Dubliner's Café
39 Lava Internet Café

🏛 **À voir**

40 Couvent des dominicaines et musée Megaro Ghizi
41 Musée préhistorique
42 Musée archéologique
43 Folklore Museum
44 Thera Foundation - Petros Nomikos

☎ 22-86-02-23-87 ou 38-64. • y-hostels@otenet.gr • De 8 à 10 € en dortoir, sinon des chambres (plus chères) de 2, 3, 4 ou 5 places. Attention, en haute saison, les prix grimpent. AJ non affiliée à la fédération internationale (carte non nécessaire). Chambres spartiates et cloisons de fortune. Confort moyen donc (certains matelas sont presque aussi vieux qu'Hérode) et propreté variable. En été, possibilité de dormir sur le toit, mais prévoir un duvet. Ambiance très détendue. Petit snack-bar très bon marché (réjouissez-vous, chers étudiants ! les spaghetti bolognaise sont à 3 € environ). Une bonne vieille AJ privée qui n'a pas perdu de son authenticité !

Plus chic

🛏 **Apartments Gaby** *(plan A1, 13)* : accès facile par le sentier de la corniche. ☎ et fax : 22-86-02-20-57. Ouvert de Pâques à fin novembre. À partir de 65 € pour 2. Chambres tout confort et agréables pour 2 à 4 personnes, souvent avec petite terrasse et vue imprenable sur le coucher de soleil. Conseillé de réserver – c'est souvent complet dès le mois de mai – et de bien se faire préciser le tarif en arrivant. Quelques chambres moins chères (de 35 à 50 €), mais grandes et jolies dans une annexe à 200 m. Une très bonne adresse. Cartes de paiement refusées.

🛏 **Vallas Apartments** *(plan A1, 12)* : sur la corniche, peu avant d'arriver à l'église Saint-Gérasimos. ☎ 22-86-02-20-50 et 22-86-02-35-20. Fax : 22-86-02-21-42. • www.vallas.gr • Ouvert d'avril à novembre. Chambre double à partir de 76 € et jusqu'à 100 € en août, ce qui commence à peser lourd sur le budget même si le petit dej' est compris. Meilleur rapport qualité-prix pour les triples et les quadruples. Petites maisonnettes à un étage dans le style bleu et blanc du pays, composant un ensemble de charme autour de la cour fleurie.

Chaque chambre est fraîche et colorée, avec kitchenette et terrasse particulière. Vue superbe sur la baie et grande sérénité des soirées, loin des marchands du Temple. Attention ! quelques chambres en sous-sol.

🛏 **Galini Hotel** *(plan A1, 14)* : sur la corniche (Catholica). ☎ 22-86-02-20-95 et 38-81. Fax : 22-86-02-30-97. • www.hotelgalini.gr • Compter de 85 à 105 € pour une chambre double. Hôtel accroché à la falaise avec balcon et terrasse surplombant directement la baie. Belles chambres dans le style local. Possibilité de louer des maisonnettes troglodytiques ravissantes pour 2 à 5 personnes, à partir de 100 € la nuit.

🛏 **The Cool Cat Houses** *(plan A3, 19)* : de belles maisons avec vue sur la caldeira, gérées par les propriétaires du *Cool Cat* à Périvolos, près de Périssa. ☎ et fax : 22-86-02-87-25 ou ☎ 69-46-72-20-17 (portable). • www.thecoolcat.org • Compter de 100 à 150 € la nuit. Grandes maisons anciennes, avec vastes terrasses, pouvant accueillir 2 à 4 personnes. Cuisine. Pas de service hôtelier. Réservation indispensable.

À Firostéfani *(Φηροστεφανι)*

En continuant le chemin de la corniche, on parvient à ce sympathique petit quartier piéton au nord de Théra. Environ 15 mn de marche à partir du téléphérique. C'est le toit de Fira, le plus haut point de vue du coin sur la caldeira. Tranquille et beaucoup moins touristique. Mais cher pour se loger. On peut aussi monter par la route, en bus ou à deux-roues.

De prix moyens à plus chic

🛏 **Chambres Ioannis Ch. Roussos** *(plan A1, 15)* : entre *Sofia Sigala* et *Maria Damigou*. ☎ et fax : 22-86-02-26-11 ou 30-28-62. D'avril à septembre. Chambre à partir de 30 € jusqu'à mi-juillet, puis jusqu'à environ 50 € en août. Une poignée de chambres doubles, pas très grandes mais propres, avec une vue magnifique sur le volcan pour trois d'entre elles, bien que la fenêtre soit large comme une meurtrière. Courette pour se détendre au coucher de soleil.

🏠 *Chambres Maria Damigou (plan A1, 17) :* dans la ruelle principale. ☎ et fax : 22-86-02-37-25. ● www.villamariadamigou.gr ● Ouvert de mars à octobre. Compter 60 à 90 € pour 2. Grande demeure un peu cossue et raffinée, offrant d'agréables et confortables chambres (dont au moins 6 avec vue sur la baie), toutes avec kitchenette équipée. Patronne charmante et très attentionnée. Mais prix...

hypertrophiés.

🏠 *Hôtel Sofia Sigala (plan A1, 16) :* à l'entrée de Firostéfani. ☎ et fax : 22-86-02-28-02. Réception au magasin de vin, en bas. Les 6 chambres doubles vont de 45 à 70 € selon la saison. Maison moderne sans charme particulier. Chambres classiques bien tenues. Accueil discret. Les 2 plus chères offrent une vue sur la baie et un moulin rénové. Également des studios pour 2 ou 3 personnes (de 50 à 110 €). Les mêmes dames peuvent vous proposer des chambres luxueuses (plus chères) à l'intérieur dudit moulin. Mais quand on est entré là-dedans, on n'a pu s'empêcher de penser aux routards en voyage de noces, tant l'endroit est romantique.

Bien plus chic

🏠 *Villa Ilias (plan A1, 18) :* dans la rue piétonne, à côté de l'église bleue (Saint-Érasme). ☎ et fax : 22-86-02-25-19. ● www.villailias.gr ● Ouvert de mi-mars à fin octobre. Pour une double standard, compter de 74 € hors saison à 100 €, petit déjeuner compris. Une quinzaine de chambres avec réfrigérateur, douche, w.-c., balcon, AC et TV. Certaines d'entre elles ont une vue extraordinaire sur le volcan et toute la baie de la caldeira. Certaines chambres sont petites. Quelques studios également. L'établissement se targue d'être au point culminant de Fira. Accueil détendu et atmosphère relax autour de la piscine. 20 % de réduction sur présentation du *Guide du routard*.

Où dormir dans les environs ?

🏠 *Ampelonas :* à Imérovigli, un peu au nord de Firostéfani. ☎ et fax : 22-86-02-49-52. ● www.ampelonasapartments.gr ● Réservations possibles auprès d'*Îles Cyclades Travel* à Marpissa (île de Paros). Ouvert du 15 avril au 15 octobre. Un peu à l'écart du centre d'Imérovigli, très calme. Studios de 55 à 85 € (les moins chers avec vue sur le jardin, les plus chers avec vue sur la caldeira). Appartements pour 3 à 5 personnes, tous avec vue, offrant un excellent rapport qualité-prix. Bon niveau de confort. Piscine. Excellent accueil familial (pour l'essentiel en grec).

Où manger ?

Fira compte des restos de qualité. Prix un peu élevés pour la Grèce, mais raisonnables dans l'absolu. Ne partez pas de Santorin sans avoir goûté au vin local, qui rappelle les meilleurs muscats.
Également quelques *restos* populaires grecs dispensant une cuisine simple. Éviter les boutiques à *gyros* des ruelles touristiques. On vous recommande le *Lucky Souvlaki,* peu après la station de bus. Bien sûr, plus de Grecs qu'ailleurs.

Prix moyens

⁓ The Flame of the Volcano *(plan A2, 25)* : chemin de la corniche, peu après l'arrivée du téléphérique. ☎ 22-86-02-52-45. Compter à partir de 18 € pour un repas. Nombreux choix parmi les spécialités grecques, poissons, crustacés et viandes, préparés avec soin. Le patron, italien, parle bien l'anglais et l'allemand, un peu le français. Regardez-le attirer le client, devant son resto ! Il a un vrai don. Et un grand respect de sa clientèle. La situation, surplombant la caldeira, est un atout supplémentaire, surtout si l'on obtient une table directement sur la corniche, face au fascinant cratère englouti.

⁓ Le Posidon *(plan B4, 21)* : entre l'arrivée des bus et la place principale. ☎ 22-86-02-54-80. Compter à partir de 15 €. Petits dej' pour 6 à 8 €. Charmante terrasse à l'abri des palmiers et plus basse que la rue. Éclairage agréable et musique typique discrète. Le personnel est charmant et le service rapide. La carte est bien fournie : grillades, fruits de mer... bref, un très bon plan.

⁓ Naoussa *(plan A3, 20)* : à l'intersection de la principale rue commerçante et de la rue menant à l'église. ☎ 22-86-02-48-69. On mange une entrée et un plat pour 12 à 20 €. Au 1er étage, décor blanc et bleu (bon, d'accord, pas très original, ici !). Bon accueil. Salle vitrée fraîche donnant sur les ruelles touristiques. Plats classiques et toujours un goûteux plat du jour. Bonnes pâtisseries. Musique grecque sachant rester discrète. Très fréquenté.

⁓ Mama's Cyclades *(plan B2, 24)* : un peu à l'écart de l'agitation, en remontant l'odos 25-Martiou (direction Oia), sur la droite. ☎ 22-86-02-30-32. Ouvert de 8 h à tard. Plats à environ 8 €. On commence par d'excellents petits déjeuners, très copieux. Pour les repas, une liste de spécialités chaudes ou froides bien alléchante. Salle intérieure pas géniale ou terrasse sous la tonnelle. Lieu fréquenté à la fois par des Grecs et des touristes, ce qui est toujours bon signe. Service très pro. Le personnage de Mama ajoute au charme de la maison.

Chic

⁓ Restaurant Sélene *(hors plan par B4, 23)* : derrière l'hôtel *Atlantis*. ☎ 22-86-02-22-49. Compter environ 27 à 34 € par personne (et 3 € le couvert !) pour une cuisine excellente et originale, comme ces délicieux *fa-vas*, pigeon et lapin aux accompagnements inventifs. Très joli cadre pour se détendre à l'écart de la ville avec vue sur le volcan. L'adresse la plus chère de la ville et peut-être un peu surfaite ?

Où boire un verre ? Où sortir ?

Pour nous y retrouver, nous distinguerons trois secteurs stratégiques. La ligne de séparation (un peu artificielle, il est vrai) entre la ville haute et la ville basse est la rue du 25-Mars (la rue principale). Fira est la seule ville de Santorin où l'on peut sortir et s'éclater toute la nuit. Les autres villages sont bien plus calmes, en diurne comme en nocturne.

Dans la ruelle qui descend vers l'ancien port

⁓ Tropical Bar *(plan A3, 36)* : en haut des marches pour aller au port. Ouvert jusqu'à environ 3 h du mat'. Spécialisé dans les cocktails et les cafés glacés d'une saveur indicible : essayez l'excellent Marvin Gaye au Bailey's et au cacao, ou encore le Bob Marley au rhum (entre autres).

Bonne musique et vue d'enfer sur la baie. Les prix restent raisonnables, vu la situation.

🍸 *Tango Bar (plan A3, 37) :* cock-tails délicieux et musique de jazz de qualité. Un peu guindé, pas pour la même clientèle que le précédent. Attention, assez cher !

Dans la ville haute

Prenez la rue remontant au coin de l'agence *Pelikan Travel,* puis la première sur la droite ; vous déboucherez sur le quartier branché des nuits de Fira... Un petit air d'Ibiza, idéal pour les rencontres !

🍸 ♪ *Murphy's (plan B3, 30) :* semble être le nouveau point de rendez-vous de Fira. Commence à s'emplir pendant les *happy hours* et tourne à plein régime à partir de 22 h. Musique et clientèle qui invitent volontiers à la fête. Il est difficile de ne pas s'y arrêter !

🍸 ♫ *Koo Club (plan B3, 31) :* invite à la fête également. Cette boîte comprend un espace extérieur avec un petit kiosque au centre, entre fleurs et palmiers.

🍸 ♪ *Kira Thira Jazz Club (plan B3, 32) :* jazz-bar relativement tranquille par rapport aux autres. Pourtant, il s'y passe plus de choses qu'ailleurs : concerts (malgré une salle carrément riquiqui !) et diverses manifestations culturelles. Ambiance détendue et accueil génial, idéal pour nouer la conversation. Le prix des consos reste bas. Le patron a lui-même peint une fresque qui peut rappeler la Cène, mais qui représente en fait le dernier symposium de la Théra antique. Les démons ont l'air de s'en payer une bonne tranche... On apprécie diablement ce petit endroit.

🍸 ♪ *Two Brothers' Bar (plan B3, 34) :* prendre la rue qui remonte devant l'agence *Pelikan Travel,* puis la 1re à gauche. À fréquenter uniquement si vous aimez les chaudes ambiances de mâles anglo-saxons qui boivent de la bière. Plutôt rock. Sympa pour ceux qui aiment !

🍸 ♫ *Enigma (plan B3, 33) :* plus boîte que bar (l'entrée est payante). Les adeptes de soirées dans les grandes boîtes méditerranéennes seront comblés.

🍸 *Lava Internet Café (plan B3, 39) :* même bâtiment que le *Murphy's,* mais face à la grand-rue. Ouvert de 9 h à minuit. Super accueil, musique branchée. Du matin au soir, ambiance décontractée pour siroter un café frappé ou consulter ses e-mails.

Dans la ville basse

🍸 *Tithora Club (plan B3, 35) :* dans la rue principale, pas loin de la place centrale. *Happy hours,* notamment sur les bières, entre 23 h et 0 h 30. On aime beaucoup. Décor délirant qui mélange fontaines orientales, psyché, un décor *seventies* bon ton et une ambiance taverne de pêcheur, le tout sous une tonnelle chargée de grappes de raisin. Ça décoiffe !

🍸 ♪ *The Dubliner's Café (plan B2, 38) :* rue principale. En contrebas, à gauche. Super musique. Excellents cocktails. Terrasse. *Happy hours* de 22 h 30 à minuit (réduction sur les boissons). Sert aussi un excellent petit dej'.

À voir

🚶 *Le couvent des dominicaines (plan A2, 40) :* situé à côté de l'église catholique. Se présenter aux heures de messe. Les nonnes font visiter les lieux avec beaucoup de bienveillance et d'attention (parfois en français). Ambiance sereine et mystique. Malheureusement, la visite se limite au parloir et au patio. Comme en boîte de nuit, tenue correcte exigée : pantalon pour les hommes et robe longue et ample pour les femmes.

Le musée Megaro Ghizi (plan A2, 40) : à côté du couvent. ☎ 22-86-02-22-44. Ouvert de mai à septembre de 10 h 30 à 13 h 30 et de 17 h à 20 h (le dimanche, de 10 h 30 à 16 h 30) ; en octobre et de 10 h 30 à 16 h 30. Entrée : 2,50 € ; réductions. L'entrée de la maison (sans l'expo) est gratuite. Le centre culturel de Théra est installé dans une vieille demeure patricienne ayant appartenu à la famille vénitienne Ghizi. Une collection de photos et d'objets relatant l'histoire de l'île. Un peu limité, mais les amateurs de vieilles estampes, gravures et manuscrits seront comblés. Quantité de gravures du comte de Choiseul-Gouffier, fin du XVIIIᵉ siècle. Documents des archives épiscopales du XVᵉ au XIXᵉ siècle et photos impressionnantes du tremblement de terre de 1956. Également quelques roches fossiles et objets traditionnels. Au 1ᵉʳ étage, expo d'artistes locaux. Dans l'arrière-cour, expo-vente d'icônes byzantines kitsch et hors de prix. En août, concerts gratuits de musique classique et grecque.

Le Musée préhistorique (plan B4, 41) : en face de la station de bus, en plein centre. ☎ 22-86-02-32-17. Un musée tout beau tout neuf, ouvert tous les jours sauf le lundi et les jours fériés de 8 h 30 à 15 h. Entrée : 3 € (le billet permet de visiter également le Musée archéologique).
Présentation du produit des fouilles dans l'île, dont les trouvailles les plus intéressantes sont les fresques d'Akrotiri, partiellement rapatriées du Musée archéologique d'Athènes. Il n'en reste que quelques fragments. Ce qui manque a été peint sur le mur pour qu'on ait quand même une idée du tableau. Observez ce qu'il reste de la fameuse fresque des *Singes bleus*, de 1700 av. J.-C., où nos cousins jouant dans les branches sont présentés avec une morphologie presque humaine. Sinon, des objets de la vie courante datant des IIᵉ ou IIIᵉ millénaire avant notre ère, meubles, poteries et diverses gamelles de bronze ou de terre cuite aux formes parfois originales et plaisantes. On n'est pas sûr que le fait d'avoir rapporté ces fresques soit une chose heureuse. Les touristes de Santorin ne sont pas venus par intérêt archéologique : ils passent 30 secondes devant et, comme aucun personnel qualifié ne se trouve sur place pour donner les explications nécessaires (ne parlons pas des guides des agences privées), les fresques d'Akrotiri dorment, près de leur lieu de naissance, certes, mais peu mises en valeur. On conseille en tout cas de compléter la visite par un passage impromptu à la *bijouterie Porphyra,* dans la rue en bord de falaise (c'est tout près). Panos parle couramment le français (attention il est intarissable) et s'inspire des fresques pour concevoir ses bijoux. Partagez sa perception de l'homme et des civilisations à travers les âges, enfin... si vous avez la journée devant vous !

Le Musée archéologique (plan A3, 42) : pas loin de la station du téléphérique et de l'église catholique, sur une petite place. Même téléphone, mêmes horaires, mêmes tarifs. Plus petit que le Musée préhistorique et d'intérêt plus limité. Il intéressera surtout les amateurs de poteries (nombreux vases et amphores allant de la période géométrique à la période hellénistique). La plupart des œuvres viennent de l'ancienne Théra.

Folklore Museum (plan B2, 43) : à l'écart du centre-ville. Ouvert de 9 h à 14 h et de 16 h à 19 h. Entrée : 3 €. L'habitat traditionnel de l'île tel qu'il n'en existe plus depuis des calendes (grecques fallait-il le préciser), avec ses ateliers d'artisans et ses lits en coin nichés dans des caves troglodytiques creusées dans la cendre. Petite chapelle privée et expo sur le passé volcanique de Santorin pour comprendre comment s'est formée la caldeira. Musée modeste mais qui vaut le coup.

Thera Foundation - Petros Nomikos (plan A2, 44) : au centre dès Congrès. ☎ 22-86-02-30-16. ● www.idryma-theras.org.gr ● Ouvert tous les jours de 10 h à 20 h, fermé en décembre. Entrée : 3 € ; réductions et gratuit pour les moins de 18 ans. Audioguide payant en français. L'œuvre d'un mécène amoureux de Santorin qui souhaitait reconstituer intégralement les fresques d'Akrotiri, plus anciennes de 500 ans que celles de Pompéi. À partir de clichés des fragments retrouvés, et grâce à une technique française (coco-rico !), la scène des *Singes bleus* en particulier, les étonnantes couleurs et la modernité de certaines fresques sont magnifiquement valorisées. Quelques originaux sont exposés au tout nouveau Musée préhistorique (voir plus haut).

À voir. À faire dans les environs

🎥🎥 Superbe balade vers Firostéfani (le quartier au nord), par le chemin à flanc de falaise. À 2 km environ, avant le *cap Skaros,* la charmante petite *église de Firostéfani,* dédiée à la Vierge d'Agii Théodori, repérable à sa façade jaune et à son clocher à trois cloches. On peut, de Théra, y accéder par bus en s'arrêtant à Firostéfani. Là, il faut remonter 50 m environ vers l'hôtel *Santorini Palace.* L'église est là, dominant la caldeira. Magnifique au coucher du soleil.

🎥🎥 *Excursions en caïque aux Kaïmenès :* toutes les agences vendent des excursions pour découvrir les îlots de la caldeira, avec des durées variables (de 3 h à une journée). Bien se faire préciser le programme : arrêts prévus, durées, etc. Les excursions courtes ne sont pas forcément les moins intéressantes. Dans tous les cas, s'assurer que la visite des volcans est gui-dée. De Théra à l'embarcadère, compter 20 bonnes minutes à pied ou prendre le téléphérique (épargnez le dos des ânes, ils ne voient le vétéri-naire qu'une fois par an !). Attention, depuis 2004 on fait payer 1 € l'accès à l'îlot de Néa Kaïméni, ce qui vient s'ajouter au prix de l'excursion (sur pré-sentation du *GDR,* si vous réservez l'excursion auprès de l'agence *Santo Star Travel,* à Kartérados – voir ci-dessous –, cette « taxe » vous est rem-boursée par l'agence, du moins si vous êtes un enfant, un étudiant ou si vous faites partie d'un groupe.)
Sur le grand îlot *(Néa Kaïméni)* qui n'est sorti des flots qu'en 1573, paysage de désolation, anciennes coulées de lave noire, fumerolles : c'est très spec-taculaire. Balade assez physique ! Prévoir absolument de bonnes chaus-sures, à boire en quantité et un chapeau. N'empruntez que les sentiers : vous êtes sur un espace naturel protégé (interdiction de ramasser les cail-loux !) et vous risqueriez de détruire certains cristaux superficiels très fra-giles. Au petit îlot *(Paléa Kaïméni,* littéralement l'« ancienne brûlée ») apparu en 196 av. J.-C., on peut se baigner dans une petite baie où l'eau sulfureuse est naturellement chaude. Attention ; le bateau n'accoste pas, il faut plonger du pont et nager une cinquantaine de mètres ! Certaines excursions vous mènent également à Thirassia, l'îlot habité qui fait face à Théra. Montée très raide mais vue somptueuse et restos plus sympas qu'en bas, forcément.

KARTÉRADOS *(ΚΑΡΤΕΡΑΔΟΣ)*

Village bien calme et pittoresque, à 30 mn à pied au sud-est de Théra (2 km). Sympa d'y résider dans l'un des petits hôtels-pensions (moins coûteux qu'à Théra) car la position centrale du village permet de rayonner partout dans l'île. La plage, à environ 3 km en descendant à travers le village, n'est en revanche guère engageante.

Adresses utiles

■ *Police :* à l'entrée du village, ve-nant de Santorin. ☎ 22-86-02-26-49.
■ *Santo Star Travel :* dans le cen-tre de Kartérados, à côté du resto *Neraida.* ☎ et fax : 22-86-02-23-59. Hors saison : ☎ 69-77-65-91-75 (por-table). • www.magicbluesantorini.

com • Ouvert de fin avril à novembre de 9 h à 12 h et de 18 h à 22 h. Agence tenue par Bozena Kielkowska, qui parle le français et l'italien. Information complète sur l'île. Propose des hébergements (pas seulement à Santorin même, mais aussi dans le reste des Cyclades, à Rhodes...) et des excursions en caï-

que, ainsi que la vente de tous billets de bateau, avion, etc.

■ *Rent Bikes Tassos :* à côté de *Santo Star Travel.* ☎ 22-86-02-24-04. À partir de 10 € et jusqu'à presque le double selon les modèles et la saison. Scooters en bon état, accueil sympa.

Où dormir ? Où manger ?

Prix moyens

🛏 *Pension Roussos Vassilios :* du côté de Fira, à seulement 1 km de cette dernière. Suivre le panneau « Kartérados Vathis ». ☎ et fax : 22-86-02-35-28. De 30 à 60 € la chambre double avec petit déjeuner. Coin tranquille. Petite pension à caractère familial, fort bien tenue avec chambres doubles et triples agréables. La patronne adore les *Frenchies.* Minibus qui peut vous emmener au port. Piscine à débordement et jacuzzi. Réductions si l'on reste plus d'une nuit pour les possesseurs du *GDR.*

🛏 *Artemis Village :* Karterados Beach. ☎ 22-86-02-48-84. Fax : 22-86-02-48-42. • artemis@santorini. org • À 3 km, dans le virage avant d'arriver à la plage. Ouvert d'avril à octobre. Deux bâtisses blanches abritant des doubles ou triples neuves, pour quelque 25 € en moyenne saison et le double en été. Toutes possèdent TV, salle de bains nickel, balcon. Du bâtiment principal, d'où les chambres ont la plus belle vue, un escalier mène directement à la plage. Le patron est accueillant et serviable, il vous déposera où vous voulez

avec son minibus. Il parle l'anglais et l'italien, et sa femme le français. Piscine. Une excellente adresse. Attention à ne pas confondre avec un autre établissement, beaucoup plus cher, *Artemis Studios Caldera* (certains se sont fait avoir sur le port...).

🍴 *Taverna Exo Yalos O Panos :* sur la plage de Kartérados, à 3 km. ☎ 22-86-02-49-05. Ouvert de mai à septembre, de midi à minuit. Carte peu variée, mais prix attrayants : compter environ 12 € pour 3 plats. Baie vitrée face à la Grande Bleue. Murs ornés de quelques fresques naïves. Une affaire de famille gérée par une Allemande, installée là depuis plus de 15 ans. Accueil chaleureux et position extra.

🍴 Pour un snack pas cher dans un cadre agréable, *Jerry's,* sur la place centrale. Pizzas et copieuses salades pour environ 8 €. Aussi glaces et petits déjeuners. Très bien situé pour observer l'animation du village. Sinon, une bonne adresse dans le centre du village, la taverne *Agapi,* récemment ouverte par l'ancien cuisinier de la taverne *Savas.*

Plus chic

🛏 *Pension George :* après la place principale, dans le grand virage, prendre le chemin à droite du *mini-market.* ☎ et fax : 22-86-02-23-51. • www.pensiongeorge.com • Ouvert de mars à novembre. En tout, 25 chambres ou appartements (tarifs particulièrement intéressants), pour 25 à 60 € selon la saison et la vue. Ravissante pension toute blanche,

croulant sous les cactées et les bougainvillées, qui s'est récemment agrandie en achetant une maison voisine et la jolie piscine qui va avec. Le couple Georgios-Helena *(from Liverpool)* est charmant. Au calme. Très propre.

🛏 *Hôtel Londos :* à l'entrée du village, sur la gauche en venant de Théra (derrière l'*Albatros*). ☎ 22-86-

02-21-46. Fax : 22-86-02-50-70. La chambre double va de 45 à plus de 80 € selon le mois, petit déjeuner compris. Petit ensemble hôtelier fort plaisant, magnifiquement fleuri, qui a su garder un accueil familial malgré les années. Agréable piscine.

PYRGOS (ΠΥΡΓΟΣ)

À 6 km au sud de Théra. Bus toutes les 30 mn en journée. Village le plus élevé de l'île, plusieurs fois centenaire et perché sur une colline. Endroit superbe à voir à toutes les heures de la journée à cause des couleurs. Un repère d'artistes encore épargné par le tourisme de masse, calme et pittoresque. Il suffit de se perdre dans le dédale de ruelles pour monter jusqu'au *kastro,* mais inutile de dérouler son fil, les papis sur leurs ânes ou les mamies assises à l'ombre vous remettront sur le droit chemin. De là-haut, la vue embrasse presque les trois quarts de l'île. On peut aussi profiter d'un petit musée gratuit des icônes des XVe et XVIe siècles et d'un adorable café providentiel pour les gorges asséchées par la montée.

Où dormir ? Où manger ?

🛏 **Margarita :** au bord de la route, sur la droite avant d'atteindre la place principale. ☎ 22-86-03-18-66. Tarifs tout doux, à partir de 30 € pour deux. Quelques chambres, exiguës mais correctes, avec salle de bains et minuscule balcon. Tenu par une gentille vieille dame ne parlant que le grec.

|●| **Taverne Kallisti :** juste au-dessus de la place centrale, où s'arrêtent les bus. ☎ 22-86-03-41-08. Compter à partir de 11 € pour un repas. Tonnelle. Très bonne cuisine : goûter au *kontosouvli* (porc farci aux herbes, le soir seulement), à l'agneau au four, à la *moussaka* et au yaourt au miel. Pas cher. Le patron parle le français et il est très sympa. Parfois, il accorde des réductions sur présentation du *GDR*. Une des bonnes adresses de Santorin.

|●| **Pyrgos Tavern :** à l'entrée du village. ☎ 22-86-03-13-46. Ouvert toute l'année de 12 h à minuit. Compter plus de 20 € sans les boissons (et ça assomme pas mal sur le vin !). Vue panoramique imprenable. Le porche d'entrée est un moulin reconverti. Salle rustique, ainsi qu'un promontoire rond vitré qui avance sur la pente comme une soucoupe volante de bois. Service classe et prix chic. Accueil bien plus sympa pour les Américains qui commandent du poisson hors de prix que pour les routards qui viennent prendre un café. Mais faut pas se gêner pour si peu...

Où dormir dans les environs ?

⛺ **Caldeira View Bungalows :** Mégalochori. ☎ 22-86-08-20-10 ou 12. Fax : 22-86-08-18-89. Hors saison, à Athènes : ☎ 21-08-62-70-17. Sur la route d'Akrotiri, à 1,5 km de Mégalochori. Ouvert de mai à septembre. Compter environ 20 € pour 2 avec une tente. Bungalows très chers. Le nom n'est pas usurpé, mais de moins en moins de place pour les campeurs hélas. Plutôt bien équipé. Superbe piscine. *Mini-market.* Bar et resto. Transfert gratuit au port d'Athinios. Arrêt de bus en face de l'entrée.

À voir dans les environs

🏛🏛 **Le monastère Prophitis Ilias** (Μονή Προφήτη Ηλία) **:** une route y monte (sinon, 45 mn de grimpette). Fondé en 1711, au sommet du point culminant de l'île (584 m). Le monastère se trouve au pied des relais de télé-

vision. Ouvert de 5 h à 10 h et de 17 h à 19 h. Fermé les lundi et mardi. Tenue correcte exigée (et malgré cela, certains lecteurs se sont plaint d'avoir été fort mal accueillis, sous prétexte qu'ils n'étaient pas orthodoxes...).
– Le 20 juillet, jour de la fête du prophète, a lieu une célébration fort courue des habitants de l'île, où l'on offre aux visiteurs pain, fromage, tomates et vin.

🍴🍴 *Mégalochori* (Μεγαλοχωρι) *:* à 3 km sur la route d'Akrotiri. Un autre petit bourg pittoresque avec son église sur la place centrale ombragée. En raison de l'étroitesse des rues, le village est presque impossible à traverser autrement qu'à pied. Café d'artistes sympa, le *Philochoria,* avec banquettes sur le toit et salades aux noms de peintres.

– *Winery Boutari :* entre Mégalochori et Akrotiri. ☎ 22-86-08-10-11. Tous les jours en été, show multimédia sur l'histoire de l'île dans cette cave fondée en 1879 et dégustation payante (compter environ 6 € pour 6 vins – tout le monde n'aime pas, vous êtes prévenu...).

AKROTIRI (ΑΚΡΩΤΗΡΙ)

À 9 km au sud-ouest de Théra. On aime bien ce village au rythme paisible, situé à l'extrémité de Santorin. La vue sur la caldeira y est saisissante. Assez sympa d'y résider. Dans le bourg, ravissante *église* avec absides à dômes et petit campanile. Le site archéologique se trouve après le village en descendant vers les plages. En juillet et août, nombreux bus jour et nuit de Théra à Akrotiri (toutes les 30 mn à 1 h). Hors saison, bus toutes les heures d'environ 9 h à 20 h 30. Liaisons également avec Périssa.

Où louer une voiture, une mob?

■ *Axion Rent a Car :* chez *Vangelis Georges,* en plein centre. ☎ 22-86-08-16-83. • www.axion.gr • Location de voitures ainsi que de 50 cc et 90 cc. Bon matériel.

Où dormir? Où manger?

🏠 |●| *Carlos Pansion :* au centre d'Akrotiri. ☎ 22-86-08-13-70 et 18-58. Fax : 22-86-08-10-95. • pansion carlos@san.forthnet.gr • Bien indiqué. Ouvert de mars à début novembre. Chambre double de 25 à 35 € jusqu'à début juillet ; bien compter 45 € en plein mois d'août. Eva propose une vingtaine de chambres plaisantes avec salle de bains, frigo et balcons. Atmosphère familiale. Salle à manger où aiment bien se retrouver les hôtes. Maria, la fille, peut véhiculer les clients et parle le français.
🏠 *Pension Tsarouha :* en plein centre. ☎ 22-86-08-13-51. Chambres doubles à 50 € en haute saison. Maison agréable. Accueil charmant allié à quinze années d'expérience et d'hospitalité. Chambres chaulées de blanc avec entrée indépendante

et salle de bains. Studio avec coin cuisine à louer également.
🏠 *Villa Maria :* descendre par la route raide et sinueuse depuis la *taverna Anémos,* en allant vers le phare. ☎ et fax : 22-86-08-17-18. Trois chambres doubles de 40 à 80 € selon la période, petit dej' inclus. Il s'agit d'une maison complètement isolée, nichée dans un écrin de fleurs face à la caldeira. Merveilleusement calme. Chambres impeccables, avec balcon offrant une vue magnifique sur la caldeira. Prix tout de même gonflés en été.
|●| *Taverne Giorgio :* presque à la pointe de l'île, sur la route qui mène au phare *(pharos).* Compter à partir de 8 € pour une petite entrée et un plat. Taverne assez peu fréquentée par les touristes, qui nous a été

recommandée par des locaux. Tenue par quatre frères pêcheurs, elle sert des plats traditionnels : poisson, lapin... Copieux et très frais. Une adresse qu'on aime pour sa simplicité et son efficacité.

|●| *Tavernes Melina, Stolidas, Dolfi et Nikolas Spilia :* arrivé au site archéologique, descendez vers la gauche jusqu'à la plage. On trouve là une brochette de tavernes troglodytiques proposant des spécialités de la mer pour environ 10 €, plus cher pour un poisson frais (comme d'habitude). Des affaires de famille

soigneusement tenues, avec fresques naïves et déco marine en terrasse. Pas de doute, ici on aime les routards et leur guide préféré ! On recommande particulièrement *Nikolas Spilia* (☎ 22-86-08-23-03) qui a rouvert en 2004. Spécialités de *tomato keftédès* (avec les petites tomates de Santorin) et vin de la vigne du patron. On peut aussi visiter la grotte.

|●| Avant l'entrée du bourg, plusieurs *restos panoramiques* avec, en effet, une belle vue, mais aussi des prix plutôt élevés.

À voir. À faire

🐾 *Le site archéologique :* ☎ 22-86-08-13-66. Le site est en travaux, peut-être jusqu'en 2006. On y installe un nouveau toit pour protéger le site. Pendant la saison estivale 2004, le site était ouvert, juste pour 3 mois, et gratuit... mais il n'y avait pas grand-chose à voir, tout ou presque étant bâché. Ouvert en principe tous les jours de 8 h 30 à 15 h, fermé le lundi. Renseignez-vous auparavant puisque rien ne permettait de savoir en 2004 ce qu'il en serait exactement en 2005. Dans les conditions de visite normales, l'entrée est à 5 € par personne ; en principe aussi, le billet permet aussi de visiter le Musée préhistorique à Théra. La découverte d'Akrotiri est due à l'obstination d'un archéologue grec, Spyridon Marinatos. Après avoir fouillé un peu partout en Grèce (Crète, Mycènes, Pylos), il arrive en 1962 à Santorin. Des archéologues français, au XIXᵉ siècle, avaient déjà montré de l'intérêt pour cette île. Quand il obtient enfin l'autorisation d'entreprendre les fouilles, Marinatos, qui ne veut pas entendre parler du mythe de l'Atlantide, se fixe tout de suite sur Akrotiri, port idéal pour des marins de l'Antiquité. Pendant 8 saisons de fouilles consécutives, de 1967 à 1974, il fait d'extraordinaires découvertes. Pendant ce temps, c'est la dictature des colonels en Grèce, mais Marinatos, tout à son « œuvre » s'en accommode parfaitement. Le 1ᵉʳ octobre 1974, quelques mois après la chute des colonels, Marinatos, victime d'une attaque, tombe à son tour. Il est enterré sur place.

Comme pour Pompéi, la masse de cendres volcaniques (40 à 50 m d'épaisseur) qui ensevelit cette ville a permis de conserver les **ruines** à l'abri du temps, sur une superficie de 12 000 m². Certaines maisons ont encore 2 ou 3 étages, après avoir été en partie détruites par un tremblement de terre. Des magasins ont été découverts avec de grands récipients contenant des denrées alimentaires. On y a retrouvé aussi de superbes fresques, d'abord expédiées à Athènes puis rapatriées récemment sur l'île : on peut admirer ce qu'il en reste (car il manque pas mal de pièces au puzzle) au Musée préhistorique de Théra et à Athènes. La plus célèbre, *Le Pêcheur*, est représentée sur la plupart des bouteilles de vin de Santorin. Pour protéger les travaux et les vestiges mis au jour, l'ensemble du site a été recouvert d'une toiture. À vrai dire, ce n'est pas ce qu'on y voit qui est intéressant. En revanche, la visite, assez chère, permet de saisir ce qu'est un champ de fouilles... On y pratique un vrai travail de chirurgien. Le tout est quand même assez décevant pour le profane. Mais il ne faut pas perdre de vue qu'on est loin d'avoir tout fouillé (il y a 25 ans déjà, le professeur Doumas, successeur de Marinatos, disait que 100 ans de fouilles seraient nécessaires pour tout exhumer !). Un conseil : visitez Akrotiri après avoir fait un tour au Musée préhistorique de Théra.

⅔ Ne pas oublier un maillot de bain, car on trouve de superbes criques dans le coin. En particulier **Red Beach,** une plage de sable volcanique noir entourée de falaises rouges, pas loin du site archéologique et de tavernes sympas les pieds dans l'eau. Compter 10 mn depuis le parking de la plage (être bien chaussé). Attention, elle est souvent noire (ou rouge, c'est selon) de monde et donc parfois pas très propre. Malheureusement beaucoup trop touristique ! À moins d'attendre 19 h ou de poser sa serviette sur la plage suivante, vers la gauche (encore plus de marche donc !).

✗ D'Akrotiri, une route goudronnée conduit au *phare* de l'île. Prenez à droite avant l'entrée du village. Puis continuez à monter, monter... Panorama splendide, c'est même notre préféré, avec vue superbe sur les volcans. Calme royal et, curieusement, pas trop de vent comparé à d'autres endroits.

⅔ *Messa Pigadia* (Μεσα Πηγαδια) : sur le chemin du phare, une piste conduit à la plage de Messa Pigadia. C'est loin et c'est un peu ingrat en scooter, mais on découvre une plage abritée, jolie et avec de nombreux *sunbeds*. Ne pas être effrayé par les tas de détritus : marcher 300 m vers la gauche, c'est propre et superbe ! *Kambia Beach* ne mérite pas le détour, sauf pour les inconditionnels de chemins cahoteux et de plages dévastées par le touriste sale.

⅔ Toujours dans la direction du phare vers l'intersection pour Messa Pigadia, prendre la piste, puis à droite jusqu'à la falaise. Descendre à pied sur 300 m à la belle (mais pas immense) plage déserte de *Caldeira Beach.* L'eau est pure, mais la plage est souvent sale à cause des rejets venus du large.

MESSARIA *(ΜΕΣΑΡΙΑ)*

Petit village-carrefour entre la capitale (4 km) et la plage de Périssa. Le bus s'arrête sur la place. Bien pour s'approvisionner, supermarchés et boulangerie moins chers qu'à Théra. Un peu à l'écart du flot touristique, le vieux village abrite trois belles demeures datant de la fin du XIXe siècle. Elles appartenaient à des exportateurs de vin. L'une d'elles, l'*Archondiko Argyrou*, a été restaurée et se visite d'avril à octobre. ☎ 22-86-03-16-69. Compter 4 €. La visite guidée, intéressante, peut se faire en français.

Où dormir ? Où manger ?

🛏 *Chambres chez Katerina Roussou :* au carrefour, prendre la route qui monte vers le centre médical. Tourner à gauche au niveau des pompiers. ☎ 22-86-03-20-87. Maison blanche avec un balcon, pas facile à trouver. Confort suffisant, pour seulement 20 € à deux, et à peine plus cher en août ! Passez un coup de fil pour que Katerina vienne vous chercher. Soyez sûr qu'ensuite, elle saura vous choyer comme ses propres enfants. Elle habite au rez-de-chaussée et loue les 4 chambres du haut (une seule avec salle de bains et w.-c. privés).

🛏 ◼ *Hôtel Loïzos :* au grand carrefour, presque face à la boulangerie. ☎ 22-86-02-40-46 ou 22-86-02-51-87. Fax : 22-86-02-51-88. ● www. loizos.gr ● Ouvert d'avril à fin octobre. De 25 à 50 € la chambre double avec petit déjeuner. Maison en bord de route, extérieurement assez laide mais plutôt jolie à l'intérieur et pas mal tenue. TV, petit frigo et AC. Resto et bar en bas. Plusieurs défauts : situation bruyante et pas de vue. Mais il y a peu de choix à Messaria.

◼ Plusieurs *restos* de bon niveau sur la place. Par exemple le *Kallisti* et l'*Eva*.

PÉRISSA *(ΠΕΡΙΣΣΑ)*

Station balnéaire au sud-est de Théra ne possédant guère de charme (ce n'est pas notre coin préféré à Santorin), mais immense plage de sable noir de 9 km. La plage et les restos qui s'y alignent sont pleinement exposés au vent.

Très fréquenté en été mais moins d'hôtels qu'à Kamari, plus de pensions, donc plus abordable. On peut rejoindre le site de l'ancienne Théra et Kamari à pied par un sentier dans la montagne (environ 1 h ou 1 h 30 de marche). Vue splendide en cours de route, mais prévoir de l'eau et un chapeau.

➤ *Comment y aller :* liaison en bus dans les deux sens de 7 h à 23 h, toutes les 30 mn à 1 h suivant la saison et le moment de la journée. Vérifier au préalable les horaires des derniers départs. Liaisons avec le port d'Athinios également.

Adresses utiles

■ *Douches et toilettes* *(payantes) :* sur la place près de l'église. Cher. Et aussi dans le dernier resto sur la plage, *Chez Markos.* Demander au patron, là, en théorie c'est gratuit, mais ne pas utiliser de savon.
■ *Location de motos et scooters :* *Mike's Bike,* au début de la rue principale, sur la droite. ☎ 22-86-08-21-06. Compter de 10 à 24 € pour 24 h selon les modèles et la saison. Excellent accueil, bon sens du service et matériel bien entretenu.

■ *Location de voitures :* bon matériel chez *Santosun Travel,* ☎ 22-86-08-14-56.
■ *Distributeur automatique de billets :* dans la rue principale et au camping.
▣ *Accès Internet :* au *Corner,* près de *Chez Markos,* au pied de la falaise.
■ *Club de plongée :* sur la plage. ☎ 22-86-08-30-80. ● www.pozidis.gr ● Sérieux. Bons fonds marins, une quinzaine de sites. Cours en anglais, allemand ou français.

Où dormir ?

Camping

⋌ *Périssa Beach Camping :* sur la plage, à l'arrêt de bus, près de la belle église au dôme bleu. ☎ 22-86-08-13-43. Fax : 22-86-08-16-04. Ouvert de mai à septembre. Compter environ 17 € la nuit pour 2 adultes. A été rénové. Très bien ombragé. Propreté désormais à peu près ac-

ceptable (encore que... selon certains lecteurs) et il y a tout ce qu'on peut attendre d'un camping civilisé : mini-marché pas cher, resto, bar... À éviter toutefois si vous cherchez le calme : souvent de la musique toute la nuit et bondé en été.

Bon marché

🛏 *Youth Hostel Anna :* en bord de route ; AJ non affiliée à la fédé internationale. ☎ 22-86-08-21-82. Fax : 22-86-08-19-43. ● y-hostels@otenet. gr ● Arrivé au port, allez directement au *meeting point,* le transfert est gratuit. Ouvert toute l'année. En dor-

toir, de 6 à 12 € par personne, petit déjeuner inclus. Une chambre pour 4 à l'étage, qui coûte 8 à 12 € par tête et des doubles de 20 à 40 € à deux (guère avantageuses donc). Cette AJ s'adresse uniquement aux jeunes peu exigeants. Très bruyante, un dortoir en sous-sol et sans fenêtre, avec des dizaines de lits superposés séparés par des cloisons de bois aussi fines que les matelas... Cela dit, pour des « youth » noctambules, fauchés et fêtards, ça reste le toit le moins cher de Périssa et c'est convivial au sens étroit du terme. Douches acceptables. Consignes gratuites. Fait agence de voyages, laverie, accès Internet.

🛏 *Chambres à louer Afrodite (famille Livadaros)* : rue principale. ☎ 22-86-08-18-88. En basse saison, à peu près 20 € la chambre double avec salle de bains ; 40 € en août. Une demeure simple, fort bien tenue, avec un accueil familial.

De prix moyens à plus chic

🛏 Nombreuses *chambres chez l'habitant.* Cela va du cagibi où tient tout juste un lit à la belle chambre toute fraîche face à la mer. Éviter, bien sûr, les chambres au-dessus des discothèques.

🛏 *Hôtel Rena :* tourner dans la rue qui fait l'angle avec le resto *Mermaid* et, 100 m avant la plage, à gauche. ☎ 22-86-08-13-16. Fax : 22-86-08-14-55. • www.hotelrena.gr • Ouvert de mai à octobre. Chambres doubles claires et propres, assez petites, pour 30 € en basse saison et 45 € en juillet et août, petit déjeuner compris. Un hôtel qu'on aime bien. Il a su garder une touche personnelle, avec ses murs jaune et bleu, ses bibelots de grand-mère et ses photos de famille. Déco intérieure entre le kitsch et l'avant-gardisme involontaire. À l'extérieur, coin détente, bar et piscine, crépis multicolores. Accueil adorable.

🛏 *Tony's Villa (the Legend) :* dans le centre, au niveau d'une place en friche, direction la corniche, tourner vers la gauche dans une petite ruelle. ☎ 22-86-08-19-95 ou 69-45-21-77-73 (portable). • www.tonysvilla.gr • Doubles de 30 à 50 €. Un sacré bricoleur, qui a fait lui-même ses 10 chambres, la minipiscine et les fresques murales originales. Frigo et kitchenette dans chaque chambre. Jacuzzi, TV satellite, barbecue. Chambres familiales avec une mezzanine, au même prix que les doubles (donc gratuit pour les enfants). Transport gratuit jusqu'au port ou à l'aéroport, plus divers autres services que Tony sera ravi de vous rendre.

🛏 *The Greek Islands Rooms :* à droite de la rue principale en allant vers la falaise. ☎ 22-86-08-17-64. ☎ et fax : 22-86-08-15-68. Ouvert de mai à septembre. Bons prix toute l'année : de 25 à 50 €. Ambiance familiale. Chambres claires et propres, avec salle de bains. On apprécie le fait que les chambres du haut donnent sur un hall commun, façon appartement.

🛏 *Vassilis Rooms The Best :* à droite de la rue principale en allant vers la falaise. ☎ 22-86-08-17-39. Fax : 22-86-08-20-70. • www.thebest-santorini.gr • Ouvert à l'année. Un bon plan si vous venez avant juillet car la chambre est à partir de 40 €, mais au plus fort de l'été les prix sont vraiment trop élevés : 120 € ! Chambres doubles au nombre de 12, classiques, avec frigo et AC, et jolies. Également des studios, certains avec mezzanine. Piscine et jacuzzi. Réductions sur présentation du *GDR.*

Où manger ? Où boire un verre ?

🍴 *Chez Markos :* dernier resto sur la plage, avant la falaise. ☎ 22-86-08-12-05. Entrée + plat à partir de 8 €. Cuisine familiale que l'on vient choisir au comptoir. On y trouve les deux spécialités de Santorin : les *fava* (sorte de fève) et les *tomato keftédés.* Grande terrasse au bord de l'eau, abritée du vent, sous les tama-ris. N'hésitez pas à contacter Markos pour vous trouver des chambres pas chères.

🍴 *Taverna Michalis :* un des derniers restos avant la falaise (après *Aquarius).* ☎ 22-86-08-30-71. Ouvert dès 9 h 30 le matin. À partir de 8 € pour deux plats. On y vient pour la cuisine de Lisa, qui sait préparer d'excellentes *moussakas,* mais aussi du très bon poisson.

|●| *Aquarius :* sur la plage, côté falaise. ☎ 22-86-08-20-19 ou 30-30. En gros, compter 13 €. Quelques menus. Grande terrasse soutenue par de fins piliers de bois pour une cuisine italienne sérieuse quoiqu'un peu grasse. Goûter aux pizzas : la *pirada,* la *mamma mia* (4 fromages) et celle à l'ananas sont pas mal. Service sympa mais un peu trop commercial (comme souvent).

▼ *Free to Go :* sur la plage même, à côté du camping. Ambiance très cool

dans ce bar animé du matin au... matin. *Happy hours* (50 % de réduction sur les cocktails) de 18 h 30 à 20 h. C'est là que se retrouvent beaucoup de jeunes Grecs et touristes. Incontournable ! On pourrait presque faire les mêmes commentaires pour le *Yazz Club* (en moins bruyant quand même).

▼ *Le Forum :* un resto-bar, calme, relaxant (et ce n'est pas inutile à Périssa !). Le soir, concerts de musique grecque, presque tous les jours en saison. On y mange d'excellentes crêpes.

PERIVOLOS *(ΠΕΡΙΒΟΛΟΣ)*

C'est le prolongement naturel de Périssa, à 10 mn à pied et à une station de bus avant Périssa sur la grande route (demander au chauffeur de s'arrêter à *Perivolos Beach*). Plage plus calme, plus aérée, avec en bordure des maisons qui respectent davantage le style grec. Pas mal de sports nautiques peuvent y être pratiqués, nombreux bars de jour. À l'entrée du supermarché *Arvanitis,* sur la route principale, un distributeur automatique de billets.

Où dormir ? Où manger ?

🏠 *The Cool Cat :* à 50 m de la plage (indiqué). ☎ 22-86-02-87-25 ou 69-46-72-20-17 (portable). ● www. thecoolcat.org ● Compter de 45 à 75 € pour deux selon la saison. Chambres avec cuisine équipée, AC et TV. Un joli petit hôtel, absolument pas standardisé, avec une architecture de style cycladique, très accueillant avec son jardin où se bousculent les chaises et les tables, pour que les hôtes soient amenés à se rencontrer. Françoise et Vincent, les propriétaires belges, ont eu le coup de cœur en voyant l'endroit, et on les comprend. Ils en ont fait un hôtel chaleureux, où l'on a envie de rester et pas simplement de passer en coup de vent. Les clients viennent de toute l'Europe : à eux deux, Vincent et Françoise maîtrisent 4 langues, du français au néerlandais en passant par l'anglais et l'allemand (plus le grec) ! Pour ceux qui

ne pourraient se passer de la vue sur la caldeira, les propriétaires disposent également de belles locations à Théra.

|●| *Korali :* sur la plage. ☎ 22-86-08-26-54. Environ 10 à 12 € pour un repas. L'établissement est connu pour les grillades au charbon de bois (poisson ou viande). Accueil sympa et décontracté.

|●| *Taverne Kavourakia :* sur la plage de Saint-Georges, sous la commune d'Emborio. ☎ 22-86-08-26-41. Ouvert toute la journée de mars à novembre. Un bon repas pour 10 à 13 €. Sympathique taverne et bonne cuisine traditionnelle. Vin du patron au tonneau.

|●| *Charlina :* sur la plage. ☎ 22-86-08-28-13. À partir de 10 € pour deux plats, plus cher pour un repas de poisson. Large terrasse ombragée. Au fond du resto coule une fontaine. Accueil en français.

KAMARI *(KAMAPI)*

Kamari, c'est Périssa en plus chic. Plus d'hôtels, plus de restos et une plage de gravillons noirs (avec, de temps à autre, quelques poches de sable) de 2 km, sympa le soir, protégée par une rue piétonne mais terriblement ventée. Le soleil disparaît aussi une heure plus tôt (plage située à l'est). Bon, ce n'est pas pour les rebelles ni les babas cool. Mais les routards avisés ne jetteront pas un regard dédaigneux sur ce coin touristique, car, malgré les apparences, tout est moins cher qu'à Théra et à Oia. On y trouve des hôtels de standing pour le prix de chambres chez l'habitant. Tout le confort moderne se concentre dans la zone piétonne ou dans ses ruelles adjacentes (*OTE,* change, agences de voyages, etc.). Kamari est aussi le point de départ pour la visite de l'ancienne Théra, juchée tout en haut du Messavouno. Attention : en été, difficile de trouver une chambre sans réserver : la ville est prise d'assaut par les groupes.

– *Un conseil :* c'est un village étendu et dense ; si vous cherchez quelque chose de précis, demandez un plan dans n'importe quelle agence de voyages. Et évitez de vous trouver trop de près de l'aéroport, en saison pas mal de décollages et d'atterrissages.

➤ *Bus de Théra :* liaisons dans les deux sens, de 7 h 30 à minuit, toutes les 30 mn à 1 h. Retour de 7 h à minuit. Hors saison, beaucoup moins de bus, se renseigner.

Adresses utiles

■ *Distributeur Visa et Master-Card :* à l'entrée de la ville.
■ *Centre médical :* après être entré dans Kamari, bifurquer sur la droite. ☎ 0800-11-438-00. Numéro gratuit valable 24 h/24.
■ *Location de scooters, vélos et voitures :* presque à tous les coins de rue. Bon choix de mobs à *Motor Inn,* dans la dernière rue perpendiculaire à la mer, côté montagne. ☎ 22-86-03-16-65. Compter de 11 à 16 € selon la saison (assurance tous risques comprise).
🚌 *Deux arrêts de bus :* un à l'entrée de Kamari, à côté du distributeur, et l'autre dans la rue perpendiculaire à la promenade de la plage, en allant vers le mont Vouno.

Où dormir ? Où manger ?

Quelques pensions bon marché à l'entrée du village. Le problème, c'est qu'on est un peu loin de tout. Il y a bien un camping à cet endroit, mais il a souvent changé de main sans que personne ne l'ait relancé ; ce terrain en friche devrait rouvrir, si ce n'est déjà fait.

De bon marché à prix moyens

🛏 *George Studios :* sur le front de mer (sur la droite en regardant la mer), entre l'agence *Sergiani Travel* et l'hôtel *Tropical Beach.* ☎ 22-86-03-13-09. Insolite présence, au milieu des hôtels et restos touristiques, de cette petite pension traditionnelle mais qui semble assez demandée. Rénovée récemment. Ambiance assez familiale. Attention, en été la pension accueille des groupes entiers envoyés par l'agence *Kamari Tours.* Peu de chances de trouver un lit si l'on ne s'y prend pas à l'avance.
🛏 *Pension Stamna :* sur le front de mer, du côté opposé à la montagne. ☎ 22-86-03-17-74. De juin à octobre. Doubles correctes, dont certaines avec vue sur la mer, de 20 à 54 €, selon la saison. L'agence *Kamari Tours* se charge de remplir les stalles, laissant peu de chances aux individuels de choper une place. Pension d'une vingtaine de chambres tenue par un couple âgé, qui possède le *mini-market* d'en bas. C'est là qu'il faut s'adresser. On est content qu'il reste encore des structures comme celle-ci. Une adresse en or pour mai et juin.
🍽 *Almira Restaurant :* tout au bout de la plage, à l'opposé du mont

Vouno. ☎ 22-86-03-34-77. On peut avoir une entrée et un plat à partir de 12 €. Il ne tient qu'à vous de faire grimper la note, si vous essayez les plats les plus raffinés. Dans une salle sobre, l'*Almira* sert l'une des cuisines les plus savoureuses qu'on ait goûtées à Santorin, à des prix qui savent rester sages. Plats de viande inventifs, dont du lapin qui saura réjouir les papilles exigeantes. Service rapide et efficace. Un excellent rapport qualité-prix.

|●| *The Red Dollar :* sur le front de mer, à un angle de rue, côté opposé à la montagne. ☎ 69-46-14-07-55 (portable). Ouvert de mai à octobre. Intéressants menus pour 2 personnes de 19 à 25 €. On aime bien ce « saloon » avec ses sièges de ron-

dins rigolos, sa déco Far West et son ambiance relax. Grillades délicieuses.

|●| *Restaurant Alexander :* dans une rue qui part de la plage, côté montagne. ☎ 22-86-03-21-31. Ouvert dès 9 h du matin. Menu à environ 10 €, plus cher à la carte. Cadre assez plaisant avec des tables à nappes rouges et des ceps entortillés aux murs. Dans l'assiette, un menu différent chaque jour et présentation soignée des plats. Bon choix de vins bios grecs. Service discret, pas racoleur du tout. Ça fait du bien !

|●| *Taverne Castello :* au début de la route de l'ancienne Théra, coincée entre une pléthore d'autres tavernes. Mais large choix de formules avec des plats copieux et bon marché.

De plus chic à bien plus chic

🏠 *Hôtel Andreas :* dans une rue parallèle à la plage, côté montagne. ☎ 22-86-03-16-92. Fax : 22-86-03-13-14. En haute saison, doubles à environ 60 € et triples à 75 €, petit déjeuner inclus ; évidemment bien plus avantageux hors saison. Hôtel dans le style cycladique, très bien tenu et orné d'une allée de bougainvillées. Gentil jardin avec piscine. Mobilier de qualité, chambres triples spacieuses. Point de chute de pas mal de groupes allemands. Bon accueil.

🏠 *Artemis Beach :* en plein centre, sur la route principale côté montagne.

☎ 22-86-03-11-98. Fax : 22-86-03-22-48. Chambres de 25 à 50 € pour 2 en moyenne saison (jusqu'à fin juillet) ; tarifs prohibitifs (plus de 100 €) en plein mois d'août, à moins de loger en chambre triple. Petit hôtel à la belle architecture, tout en arcades. Tenu par 4 sœurs, de vraies fées du logis. Chambres avec AC et terrasse (demander celles avec vue sur la mer). Agréable piscine, complètement isolée de la route. Bonne ambiance de calme et gentil accueil. Un bémol cependant : les petits déjeuners ne sont pas très consistants.

À faire

– *Dégustation (payante) de vins :* J. S. Roussos Co. sur la route, 500 m avant d'entrer dans Kamari. ☎ 22-86-03-13-49 et 12-78. Une ancienne cave fondée en 1836 et exploitée depuis de père en fils. On vous attend à bras ouverts pour goûter vins secs (*niktéri, rivari...*) ou vins doux locaux (*visato, athiri...*). Un petit *musée du Vin* a été aménagé et explique toutes les étapes de la vinification. C'est sympa, on y parle français, et il n'y a pas trop de monde, à condition de venir dans la journée.

– *Cinéma de plein air :* à l'entrée de Kamari. ☎ 22-86-03-19-74. En saison, films tous les soirs à 21 h et 23 h 15. Sympa de (re)voir ses stars préférées à la belle étoile. Films de l'année.

L'ANCIENNE THÉRA *(ΑΡΧΑΙΑ ΘΗΡΑ)*

🏛🏛 Ouvert en principe du mardi au dimanche de 8 h 30 à 14 h 30. Entrée libre. Il n'est pas inutile d'avoir sous le bras un de ces petits guides vendus un peu partout, les ruines n'en seront que plus parlantes.

– *Conseils :* prévoir des bouteilles d'eau car il y a un vendeur sur place mais il pratique des prix élevés. S'équiper de bonnes chaussures et faire attention car la roche est friable par endroits.

Cette grande ville morte est un champ de ruines de 800 m sur 150 m, perché au sommet du *Messavouno* (369 m), au-dessus de Périssa. Les Doriens s'y installèrent au IXᵉ siècle av. J.-C. et, 600 ans plus tard, les Ptolémée égyptiens placèrent une garnison sur ce piton rocheux et dénudé, chargée de surveiller les abords de la mer Égée. À part les reliefs rupestres ptolémaïques (après la basilique), les vestiges datent surtout des époques hellénistique et romaine. La partie la plus intéressante est la terrasse des Fêtes (ou gymnase des Éphèbes, à l'extrémité sud du site), où des garçons nus dansaient et chantaient en l'honneur d'Apollon. Voir aussi l'agora, avec les cavités creusées dans le roc, portant les noms de dieux.

Comment y aller ?

➢ *De Kamari :* on peut y accéder par la route (attention c'est raide !), en voiture (certains hôtels organisent des excursions), en minibus (toutes les demi-heures, la station se trouve au carrefour, devant *Castello*), en mob ou à pied (1 h). Il y a aussi la solution qui possède quatre pattes et de grandes oreilles. Mais épargnez donc les reins de ces pauvres bêtes. La marche (avec bonnes chaussures et eau fraîche !) reste le meilleur moyen de profiter de la balade. Y aller tôt le matin pour éviter les grosses chaleurs.

➢ *De Périssa :* on y monte à pied et c'est encore plus beau. Compter une bonne heure de marche et ça grimpe sec. La vue est superbe. Itinéraire : partir de la place des bus sur la route goudronnée qui monte aux hôtels *Artemis* et *Marianna*. Moins de 30 m après l'hôtel *Artemis,* prendre le chemin à droite qui serpente dans les terrasses. Surtout, ne pas s'engager vers les cavernes taillées dans le roc, mais suivre les pancartes.

FINIKIA *(ΦΟΙΝΙΚΙΑ)*

Village typique mignon tout plein, peu touristique, bâti en amphithéâtre face à la mer, juste avant Oia. Se garer au parking et emprunter la petite route interdite aux voitures. Elle se perd dans le labyrinthe des ruelles toutes plus mignonnes les unes que les autres. Deux chouettes adresses très très calmes, mais impossible à trouver sans demander son chemin. Téléphoner impérativement avant car les proprios sont rarement là.

🛏 **Chambres chez Lotza :** ☎ 22-86-07-10-51. Fax : 22-86-08-07-10-74. ● www.santorinilotza.gr ● Compter de 30 à 60 € pour deux. Bon marché pour le coin. Chambres doubles avec salle de bains, frigo, TV, terrasse et petite cuisine. Excellent accueil.

🛏 ▐●▌ **Hôtel Finikia :** sur la route des crêtes vers Oia, peu avant l'intersection pour Finikia. ☎ 22-86-07-13-73. Fax : 22-86-07-77-18. ● fini kiap@otenet.gr ● Ouvert d'avril à octobre. Chambres de 60 à 80 € et studios de 70 à 90 €. Magnifique vue. Restaurant dont l'atout principal est la non moins magnifique terrasse. Piscine.

OIA *(OIA ; prononcer « ia »)*

Le plus beau village de l'île. Ses demeures troglodytiques suspendues dans le vide et ses églises aux dômes lumineux symbolisent la Grèce et font désormais partie de l'imagerie universelle (au même titre que les *morros* de Rio ou les rochers de la baie d'Along).

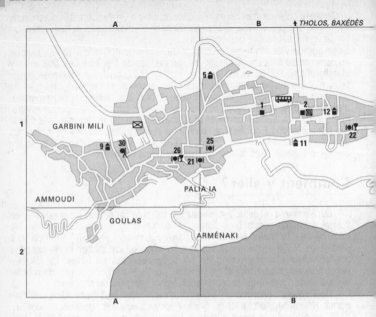

↑ *THOLOS, BAXÉDÈS*

GARBINI MILI

AMMOUDI

GOULAS

PALIA IA

ARMÉNAKI

■ **Adresses utiles**

⊠ Poste

🚌 Arrêt de bus

1 Auto-Europe (location de motos et de voitures)

@ **2** Ecorama Holidays (agence de voyages et point Internet)

🏠 **Où dormir ?**

5 Youth Hostel

7 Hôtel Anémomilos

8 Pension Delfini et Konaki

9 Rooms Markos et Rooms Christos

10 Olympic Villas

Dans la seconde partie du XIXe siècle, Oia était une ville très riche et prospère. Elle possédait 130 navires, qui commerçaient surtout avec la Russie, le Levant et Alexandrie. En bas de la falaise, il y avait un chantier naval. Les marins habitaient les maisons troglodytiques, et les officiers et capitaines de navires les belles demeures à deux étages en haut de la falaise, bâties sur la partie plane. Il était commun de dire, contrairement à Théra, qu'Oia avait su conserver son charme et échappait au tourisme de masse. Ce n'est plus tout à fait vrai. La rue principale aligne nombre de boutiques de luxe et joailliers. En haute saison, c'est l'overdose du clinquant et du paraître ! Dommage que les autorités ne comprennent pas la nécessité d'un équilibre culturel de leur ville (garder de vieilles boutiques traditionnelles par exemple) ! Le « tout tourisme » tue tout... (et surtout l'émotion !). Reste le charme réel de ce village qui offre la vue la plus saisissante qui soit sur la baie et son volcan. Et ça se paie plutôt cher...

Comment y aller ?

➢ **En bus** *(de Théra) :* de 7 h (6 h dans l'autre sens, pour prendre un bateau) à minuit en été, quasiment toutes les demi-heures. Plus quelques bus de nuit. Hors saison, un bus par heure, le dernier partant à 20 h 30.

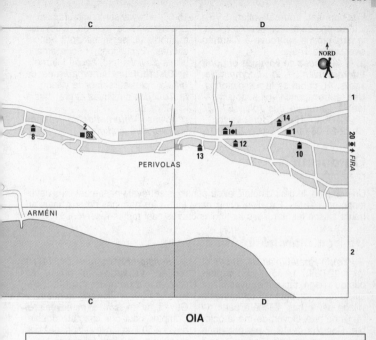

OIA

11	Lauda Rooms	**20**	Taverne Santorini Mou
12	Strogili	**21**	Pâtisserie Melenio
13	Oia Village Cave Villas	**22**	Café Flora
14	Pension Flower	**25**	Le 1800
		26	Pelekanos Café
∎○▼	**Où manger ?**		
	Où boire un verre ?	♣	**À voir**
7	Taverne Anémomilos	**30**	Musée maritime

➢ *En scooter et en voiture :* plus qu'agréable pour profiter pleinement du paysage sans la fatigue de la marche ! Mais faites gaffe à la route des crêtes entre Théra et Oia : très sinueuse et, en août, exposée aux rafales, en un mot, dangereuse. Les noms peints sur les rochers, dans certains virages, sont là pour vous le rappeler. La route basse est plus sûre, mais plus longue.

➢ *À pied :* un chemin longe la côte de Théra à Oia ; belle balade à pied de 3 h environ, le long de la falaise. 10 km au total. Effectuer l'excursion tôt le matin ou en fin de journée pour éviter les chaleurs. Emporter de l'eau et un chapeau. Attention : des lecteurs nous ont signalé que la continuité de ce sentier n'était plus assurée parce qu'on construit à tout va. Pour l'anecdote, sachez qu'en 1937 Sartre et Beauvoir ont fait, contraints et forcés, l'excursion parce que leur bateau les avaient débarqués ici alors qu'ils avaient prévu d'aller dans un hôtel de Théra !

Adresses utiles

∎ *Location de motos et de voitures* (plan B1 et D1, 1) : *Auto-Europe,* juste à l'entrée d'Oia, près du 1er arrêt de bus et dans le centre. ☎ 22-86-07-12-00. ● www.vazeos.gr ● Compter de 10 à 14 € par jour pour un scooter selon la saison, à partir de 25 € pour une voiture. Matériel en très bon état. Votre attention, SVP : il n'y a pas de station-service à Oia, la plus proche se trouve à 7 km en direction de Théra.

■ @ *Agences de voyages et point Internet* (plan C1, *2*) : *Ecorama Holidays*. Au début de la rue piétonne. Une autre agence (plus documentée) à l'arrêt de bus *(plan B1, 2)*. ☎ 22-86-07-15-07. Hors saison : ☎ 22-21-06-00-56. Fax : 22-86-07-

15-09. ● www.santorinitours.com ● Ouvert toute la journée. Quelques membres du personnel sont francophones. Excursions, hébergement, billets d'avions, etc. Accès Internet.
■ *Distributeurs automatiques de billets :* plusieurs dans le village.
■ *Toilettes* publiques et gratuites à l'arrêt de bus.
■ *Presse internationale :* dans tous les *mini-markets*.

Où dormir ?

Une chance, le parc d'hôtels et de pensions se révèle nettement plus développé qu'à Théra. Excellent choix dans toutes les gammes de prix, mais en haute saison les adresses les moins chères sont toutes réservées.

De bon marché à prix moyens

🛏 *Youth Hostel* (plan B1, *5*) : ☎ et fax : 22-86-07-14-65. ♿ En contrebas du village, facile à trouver si l'on suit la route (du bus) qui contourne le village par le bas ; fléché à partir de l'arrêt de bus. Ouvert de mai à octobre. Compter de 12 € par personne en basse saison à 14 € en août, petit déjeuner compris. Ce n'est pas vraiment une auberge de jeunesse mais un compromis entre une AJ et une pension. Chambres et dortoirs de 4 à 18 personnes, s'organisant autour d'un agréable patio. Collectif, mais neuf et très propre. Bar. Internet. Position centrale. Direction dynamique. Un bon plan qui durera.

🛏 *Pension Flower* (plan D1, *14*) : à l'entrée du village, à droite, en contrebas de la route. ☎ et fax : 22-86-07-11-30. ● flower@otenet.gr ● Ouvert de mi-avril à mi-novembre. Compter, pour une chambre double, de 35 à 50 € selon la saison, des prix modiques pour une telle prestation ; petit déjeuner en supplément. Impossible de rater cette bâtisse toute rose, croulant sous les bougainvillées et surplombant la plaine. Belle piscine devant. L'ensemble possède un charme fou ; le jardinier est un as. Chambres pour 3 et 4 personnes également. Super accueil. Cartes de paiement refusées.

Plus chic

🛏 *Rooms Markos et Rooms Christos* (plan A1, *9*) : petites pensions ordinaires et calmes, situées pas loin du Musée maritime. ☎ 22-86-07-10-12 *(Markos)* et ☎ 22-86-07-14-87 *(Christos)*. Prix sages. *Christos* propose 6 jolis studios confortables avec kitchenette, de 50 à 60 €. *Markos* offre plutôt des chambres meublées à l'ancienne, de 30 à 50 €.

🛏 *Hôtel Anémomilos* (plan D1, *7*) : continuer vers le village après *Olympic Villas*. ☎ 22-86-07-14-10 et 15-17. Fax : 22-86-07-15-33. ● www.anemomilos.gr ● Réservations possibles chez *Îles Cyclades Travel* à Marpissa

(voir le chapitre sur Paros). Fermé de fin octobre à début avril. Le prix d'une chambre double avec salle de bains va de 47 à 56 €. Loue aussi des studios et appartements (de 55 à 70 €). Petit hôtel très convenable, en contrebas de la route. Meublé avec goût, escaliers de marbre de bon ton. AC et TV satellite. Piscine. Transfert payant du port et de l'aéroport. Accueil correct. Une taverne jouxte l'hôtel (voir « Où manger ? »).

🛏 *Pension Delfini* (plan C1, *8*) : 100 m après le début de la rue piétonne, très bien située. ☎ 22-86-07-16-00 ou 14-97. Fax : 22-86-07-

16-01. • www.delfini.gr • Ouvert toute l'année. Chambres avec ou sans vue sur la baie (et un petit balcon) de 36 à 70 €. Également 1 studio et 2 appartements, ainsi que,

Bien plus chic

🛏 *Olympic Villas* (plan D1, *10*) : à l'entrée du village. ☎ 22-86-07-14-95 et 22-86-07-17-97. Fax : 22-86-07-13-88. Réservations possibles chez *Îles Cyclades Travel* à Marpissa : ☎ 22-84-02-84-51, et l'hiver en France : ☎ 01-39-50-60-51. • www. olympicvillas.com • Ouvert du 1er avril à fin octobre. Ce complexe hôtelier propose des studios (sans vue sur la caldeira) de 60 à 81 €, des appartements avec vue (compter, pour 2 personnes, de 77,5 à 100 €) et des maisons troglodytiques, assez rustiques, de 90 à 130 € la nuit pour deux. L'établissement s'étend entre la route menant au village et la corniche. Plus on se rapproche du magnifique panorama, mieux c'est, bien entendu ! Chacun dispose d'une kitchenette avec frigo, d'une salle de bains et d'une terrasse. AC dans toutes les chambres. Service hôtelier. Deux piscines (dont une avec vue sur le volcan), un échiquier géant. Salon convivial avec TV, bar, jeux. Bon esprit (pour un établissement de ce rang) et accueil sympathique. Réservation possible et même conseillée. Attention tout de même : l'inclusion de cette adresse dans la rubrique « Bien plus chic » est fondée sur des critères de prix (on est à Oia tout de même), ce qui ne signifie pas pour autant que l'adresse soit « chic » au sens fort du terme. Cartes de paiement acceptées.

🛏 *Lauda Rooms* (plan B1, *11*) : sur la corniche. ☎ 22-86-07-12-04 et

Extrêmement chic

🛏 *Oia Village Cave Villas* (plan D1, *13*) : à l'entrée du village, sur la gauche avant la 1re église. ☎ 22-86-07-11-14 et 17-75. Fax : 22-86-07-14-36. • www.oiavillagehotel.com • Ouvert du 15 avril au 31 octobre. Compter entre 147 et 180 € le studio pour 2 personnes et de 207 à 240 € l'appartement pour 4 personnes.

depuis peu, 2 maisons troglodytiques pour 2 à 4 personnes. Propre et confortable. Pour une réservation d'une semaine, 10 % de réduction sur présentation du *GDR*.

11-57. Fax : 22-86-07-12-74. Studios pour deux à partir de 70 € et jusqu'à 90 € environ ; peut atteindre des prix encore plus élevés en été, selon l'affluence. C'est un ensemble de studios et chambres troglodytiques répartis sur la falaise (tout en bas, bonjour les escaliers à remonter !). Accueil hôtelier classique. Bien situé, mais prix dissuasifs.

🛏 *Konaki* (plan C1, *8*) : en dessous des *rooms Delfini*. ☎ et fax : 22-86-07-14-80. • www.konaki.gr • De mi-juin à fin septembre, le prix des studios est d'environ 140 € et celui des appartements, qui peuvent accueillir jusqu'à 4 personnes, de 160 € environ. Chambres troglodytiques spacieuses et de charme. Panorama remarquable (ça va de soi !). Bon accueil. Très cher, comme tous les autres à cet emplacement. Terrasse pour un petit déjeuner enchanteur.

🛏 *Strogili* (plan D1, *12*) : presque en face d'*Anémomilos*. ☎ 22-86-07-11-25. Fax : 22-86-07-15-32. • www. oia-strogili-houses.gr • Pour un studio standard, de 92 à 129 €. Pour un appartement, compter de 113 à 152 €. Petit ensemble construit sur 3 niveaux, comportant 5 studios, 3 appartements et 2 maisons troglodytiques qui peuvent accueillir 4 et 5 personnes. Climatisation dans toutes les unités. Mobilier traditionnel, excellent niveau de confort. Piscine à disposition, à 150 m. Une bonne adresse.

Chambres troglodytiques de 2 ou 4 lits, avec salle de bains et kitchenette. Panorama sur la mer. Accueil un peu froid (est-ce l'air conditionné ?). Conseillé de réserver avant votre départ à *Air Sud*, 25, bd de Sébastopol, 75001 Paris. ☎ 01-40-41-66-66. Fax : 01-40-26-68-44.

Où manger ? Où boire un verre ?

Bon marché

🍴 **Taverne Santorini Mou** (hors plan par D1, 20) : avant le village, sur la droite. ☎ 22-86-07-17-30. Ouvre vers 18 h. Compter au moins 11 €. Un peu cher pour ce que c'est, mais les boissons sont bon marché. Fort bonne atmosphère et accueil sympa. Jardin agréable. Grillades au feu de bois. Parfois, guitare et chants folkloriques.

🍴 **Pâtisserie Melenio** (plan A-B1, 21) : dans la rue piétonne. Desserts à 4 ou 5 € environ et petits déjeuners à 7 €. Quelques plats de snacks et surtout une carte des desserts plutôt sympa. Vous pourrez les choisir au sous-sol et même les emporter. Terrasse (avec la vue que l'on sait) où l'on écoute de la bonne musique.

🍴 **Café Flora** (plan B1, 22) : dans la rue piétonne. ☎ 22-86-07-14-24. Compter à partir de 8 € pour un repas et 6 € pour un petit déjeuner. Petits plats simples, excellents desserts et bons jus de fruits, tout cela attablé à l'une des deux terrasses, comme suspendues au-dessus de la caldeira. Fauteuils moelleux. Ah, le coucher de soleil, une paille à la bouche !

🍴 **Taverne Anémomilos** (plan D1, 7) : à côté de l'hôtel du même nom. ☎ 22-86-07-14-10. On peut y prendre une entrée pour environ 3 €, un plat chaud pour à peu près 9 €. Cuisine familiale et plats régionaux.

🍴 **Les tavernes de la plage d'Ammoudi** : accès du bout du village, par le chemin en zigzag. Compter au moins 12 €. Quatre ou cinq tavernes traditionnelles devenues touristiques, et de qualité inégale. Le Kyria Katina Pagoni propose de bonnes spécialités à base de poulpe. Bons poissons au kilo à Ilio Vassilima (Sunset 2). Dommage qu'il y ait une sortie d'égouts pas très loin...

De prix moyens à plus chic

🍴 **Pelekanos Café** (plan A1, 26) : bar-resto couleur jaune et bleu, dans la rue commerçante. ☎ 22-86-07-15-53. Ouvert de 10 h 30 à... tard. Compter grosso modo 20 € pour un repas complet. Pizzas délicieusement croustillantes et salades... Un peu plus de choix serait le bienvenu (mais on se rattrape avec la carte des vins). Salle raffinée et, face à la baie, une terrasse de petite taille, très romantique. Service attentif et pas guindé. On y vient aussi pour prendre un verre tranquille en fin de matinée ou dans l'après-midi.

Très chic

🍴 **Le 1800** (plan B1, 25) : dans la rue piétonne. ☎ 22-86-07-14-85. Ouvert de 12 h à 16 h, puis de 19 h 30 à 1 h. Compter 20 à 40 € pour 2 plats. Tenu par trois architectes grecs qui ont restauré cette maison vénitienne dans le style d'époque. Ambiance sympa, rustico-classieuse. Attention, très cher pour la Grèce. Réputation un peu surfaite sans doute. Petite terrasse pour quelques privilégiés.

Où dormir ? Où manger dans les environs ?

🏠 **Studios Ecoxenia** (hors plan par B1) : sur la route de Baxédès, à 1 km du centre de Oia et à 100 m de la plage de Paradissos. ☎ 22-86-07-16-18. • www.greekhotel.com/cycla des/santorin/oia/ecoxenia • Ouvert du 1er avril au 15 octobre. Pour deux personnes, de 49 à 79 € selon la saison. De 59 à 95 € pour trois et de 68 à 110 € pour quatre. Huit studios pour 2, 3 ou 4 personnes dans une maison de style cycladique, sur 3 niveaux. Les studios sont spacieux, dont deux avec mezzanine. Petite cuisine bien équipée, AC, TV satellite, accès Internet. Autour, un grand jardin avec des arbres fruitiers, des oliviers et de la vigne ainsi que des tomates (gratuites !) pour faire sa salade. Très calme car excentré (être motorisé de préférence car le coin n'est desservi en bus que de juin à septembre. Prêt de vélos. Excellent accueil de Christoforos, francophone, et de sa femme.

🏠 **En Plo :** à 3 km du centre d'Oia, face à la plage de Baxédès. ☎ 22-86-07-13-05. Fax : 22-86-07-12-62. ● www.santorini.com/hotels/enplo/ ● Réservations possibles auprès d'*Île Cyclades Travel* à Marpissa (voir le chapitre sur Paros). Ouvert de début avril à fin octobre. Dans les deux bâtiments de construction récente, une demi-douzaine d'appartements et une suite. Bon rapport qualité-prix : compter de 52 à 85 € pour deux. Par personne supplémentaire, ajouter de

8 à 10 €. Appartements joliment décorés, avec AC, TV, petite cuisine et terrasse privative. Bon accueil.

🍴 ***Captain John** (Gianni) :* sur la commune d'Imerovigli. ☎ 22-86-02-34-09. Dans un minuscule port, à environ 5 km à l'est de Baxédès. Suivre la route côtière et ne pas manquer le petit panneau indiquant « Captain Giannis » (dans un virage très serré). Compter en moyenne 6 à 9 € pour un plat. Giannis tient cette taverne nichée dans la roche et fréquentée surtout par des locaux (et aussi par les Français depuis qu'il est dans le *GDR* !). Quelques tables à l'abri du vent, une cuisine à base de produits de la mer tout frais pêchés. Un petit coin authentique comme on les aime, mais l'accueil est inégal, dommage. Pour l'anecdote, sachez que c'est le maire d'Imerovigli qui a ordonné la construction de ce mini-port (assez inutile, soit dit en passant). Vu qu'il a été bâti à la va-vite et sans aucun plan, certains locaux estiment sa viabilité à 5 ou 10 ans...

À voir. À faire

🏃🏃🏃 ***La balade dans le village :*** la vue sur la caldeira est, à notre avis, plus belle qu'à Théra, car la baie est pratiquement fermée par la falaise. On remarque très bien la forme du cratère. On se perd avec plaisir dans ce labyrinthe de ruelles accrochées au rocher, pour découvrir toutes ces maisons aux formes étonnantes, des chapelles superbes ou de magnifiques demeures abandonnées après le tremblement de terre de 1956. Et si vous vous baladez le soir au coucher du soleil, vous verrez qu'on vient de loin (façon de parler) pour l'admirer...

🏞 Ne pas manquer également le petit port et la ***plage d'Ammoudi** (hors plan par A2).* Accès à pied par le chemin, en scooter ou en voiture par la route. Belle balade, descente vertigineuse et montée musclée. Plage minuscule, caillouteuse et un peu trop encombrée de détritus en fin de saison.

🏞 ***La plage d'Arméni** (plan C2) :* un peu plus loin. On y trouve des rochers plus qu'une vraie plage. Ponton où il n'est pas désagréable de s'allonger, du moins avant l'arrivée des bateaux d'excursion. Eau particulièrement claire et chaude. Sympa d'y piquer une tête avant de s'attabler à l'une des tavernes d'Ammoudi.

⚓ ***Le Musée maritime** (plan A1, 30) :* ouvert d'avril à octobre de 10 h à 14 h et de 17 h à 20 h ; l'hiver, seulement de 17 h à 20 h. Fermé le mardi. Entrée : 3 € ; réductions. Souvenirs, témoignages, objets divers de l'histoire marine de Santorin, en particulier au XIXe siècle. Superbe collection de figures de proue, dont une de 1650. Maquettes, plein d'objets de navigation, sextants, compas et pièces mécaniques. On aurait aimé trouver un spécialiste pour nous expliquer leur usage ! Bref, un joli petit musée pour ceux qui rêvaient d'être marins quand ils étaient petits.

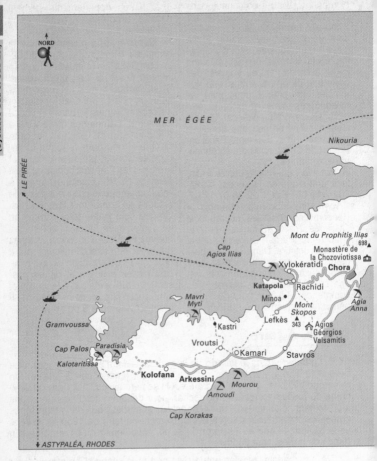

NORD

MER ÉGÉE

Nikouria

LE PIRÉE

Cap
Agios Ilias

Mont du Prophitis Ilias
698

Monastère de
la Chozoviotissa

Xylokératidi   Chora

Katapola   Rachidi

Mavri   Minoa
Myti   Ágia
Mont   Anna
Kastri   Lefkès   Skopos
343   Agios
Géorgios
Gramvoussa   Valsamitis

Vroutsi

Cap Palos   Paradisia   Stavros
Kamari
Kalotaritissa

Kolofana   Arkessini
Mourou
Amoudi

Cap Korakas

↓ ASTYPALÉA, RHODES

QUITTER L'ÎLE DE SANTORIN

Les destinations sont les mêmes que pour l'arrivée. Voir « Comment y aller ? ».

➤ **Pour Le Pirée :** le mieux est de prendre un bateau qui part le soir et arrive très tôt à Athènes ; on économise ainsi une nuit d'hôtel. Sinon, vous aurez à passer une journée entière sur le ferry, à moins que vous ne rentriez par le catamaran.

AMORGOS (ΑΜΟΡΓΟΣ)   2000 hab.

Île tout en longueur, traversée par une chaîne montagneuse, Amorgos est la plus orientale des Cyclades. Trait d'union entre les Cyclades et le Dodécanèse, elle a une superficie de 153 km² et un littoral de 112 km. Elle possède

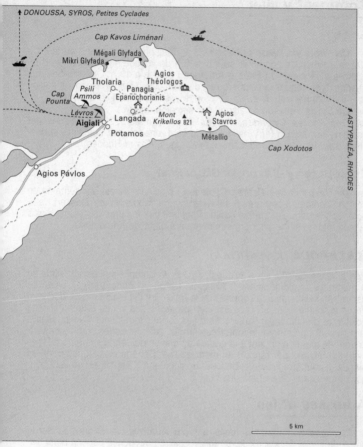

DONOUSSA, SYROS, Petites Cyclades

Cap Kavos Liménari

Mégali Glyfada
Mikri Glyfada

Tholaria
Psili
Ammos
Cap
Pounta
Lévros
Aigiali
Langada
Potamos

Panagia
Epanochorianis

Agios
Théologos

Mont
Krikellos 821

Agios
Stavros

Métallio

Cap Xodotos

ASTYPALÉA, RHODES

Agios Pávlos

5 km

L'ÎLE D'AMORGOS

deux ports : **Katapola** et **Aigiali,** reliés par une route goudronnée. Mais attention, tous les bateaux ne s'arrêtent pas aux deux. Le service d'autobus est régulier, bien qu'insuffisant en certains points de l'île. On peut y louer des scooters, ainsi que des voitures.

Cette île invite à l'extase ; les routards fanas de randonnée nous écrivent des lettres qui sont de vraies déclarations d'amour à Amorgos. Et quand on approche de ses côtes, l'île en impose aussitôt, par la brutalité de sa silhouette et par sa virginité préservée. En effet, entre le nord et le sud, la route est quasiment la seule empreinte laissée par l'homme. Amorgos est une très belle île, généreuse pour les marcheurs courageux (sentiers balisés). La majesté de ses flancs abrupts, le mystère de ses crêtes parfois habillées de nuages, ses timides villages juchés de-ci de-là sur les saillies de son corps, la diversité de ses paysages... Vous l'avez compris, nous avons aimé et nous aimerions que vous l'aimiez aussi ! Sachez enfin que l'île est pas mal visitée par nos compatriotes : effet *Grand Bleu*.

Comment y aller ?

En ferry

➤ *Du Pirée, via Paros et Naxos :* 5 à 7 liaisons par semaine en été. De Naxos à Amorgos : compter au moins 3 h de voyage (la durée dépend du nombre d'escales). Du Pirée à Amorgos : de 8 h à 10 h. Certains bateaux rapides (type catamaran embarquant des véhicules) font la liaison, en saison et 2 à 3 fois par semaine, via Syros et Mykonos, en 6 h 30 environ.

➤ *De Syros :* environ 4 liaisons par semaine en été.

➤ *Des Petites Cyclades, Astypaléa et Rhodes :* 2 à 3 liaisons par semaine en été. Un ferry assure également, une fois par semaine, la desserte d'autres îles du Dodécanèse (Kalymnos, Kos et Rhodes).

En petit ferry (l'*Express Skopelitis*)

➤ *De Naxos et des Petites Cyclades :* plusieurs trajets par semaine en saison. Compter à peu près 5 à 6 h de voyage depuis Naxos. Dessert Katapola, son terminus et parfois Aigiali. Plus lent que les gros ferries mais plus sympa, même si ça tangue méchamment à partir de Koufonissia.

KATAPOLA (ΚΑΤΑΠΟΛΑ)

Port principal de l'île, situé à l'ouest, à 5 km de la capitale. Il est constitué de 3 modestes agglomérations : *Katapola* (là où on débarque), *Rachidi* (au centre) et *Xylokératidi* (à l'opposé de la baie : il y fait meilleur quand le vent du nord souffle fort). Sa rade est bien protégée des vents, et ses maisons éclatantes de blancheur s'étagent sur ses collines tout autour. Quelques jolis jardins pour agrémenter le tout. Restaurants, cafés et autres commerces sur le front de mer contribuent à la grande animation qui règne sur le port. Relativement bruyant par rapport au reste de l'île. Départs en caïques pour les plages. Il peut être judicieux de louer un scooter à Katapola si l'on veut bouger un peu sans être otage des bus.

Adresses utiles

■ *Capitainerie :* dans la ruelle à droite de l'hôtel *Minoa*. ☎ 22-85-07-12-59 (24 h/ 24).

✉ *Poste :* quasiment en face de l'arrivée des ferries.

■ *Banque agricole de Grèce :* sur le quai en descendant du ferry. Distributeur automatique, toutes cartes acceptées.

■ *Centre médical :* vers la plus grande église, au centre de la baie. ☎ 22-85-07-12-07.

■ *Pharmacie :* près de l'arrivée des ferries.

■ *Agence de voyages :* Nautilia, à côté d'*El Greco*. ☎ et fax : 22-85-07-41-19. Vend billets de bateau, affiche tous les horaires (aussi ceux des bus). Vend aussi des cartes de rando et de la doc sur Amorgos.

🚌 *Autobus :* arrêt principal sur le quai. La fréquence dépend de la saison et de celle des ferries : en été, environ toutes les heures et demie pour Chora, dont quelques-uns continuent vers le monastère, et pareil pour Aigiali. Au printemps ou en automne, ça pose problème : par exemple un seul bus le matin et un le soir pour se rendre à Aigiali. Le sud de l'île est mal desservi.

■ *Location de scooters :* Evis, sur le quai, là où s'arrêtent les bus et *Thomas Rent a Bike,* avant d'entrer dans Katapola. Pour un bon scooter, compter 10 € par 24 h ; les prix grimpent en très haute saison. Entretien sérieux, mais bien faire vérifier ses freins et faire gaffe au vent : les routes d'Amorgos sont très exposées.

■ *Location de voitures :* Synodinos *Travel Agency*, juste en face du débarcadère, après la banque. ☎ 22-85-07-12-01. Agence de voyages qui loue de petites voitures à partir d'environ 35 € par jour (assurance comprise). Accepte les cartes de paiement. Propose aussi des randos accompagnées (un thème différent chaque jour) et vend des billets de bateau.

■ *Stations-service :* il y en a 2 dans l'île, une à 1 km de Katapola, sur la route de Chora, et une à Aigiali, derrière le camping.

■ *Taxis :* plusieurs taxis indépendants, dont le numéro de portable est affiché à côté de la poste.

■ Il y a plusieurs *épiceries.* Éviter la plus grande, près de *La Frianderie*, les prix sont plus élevés qu'ailleurs. Vérifier la monnaie.

■ *Journaux en français :* au *Music Book Store*, dans la ruelle à droite de l'hôtel *Minoa*.

■ *Laverie :* derrière le café *El Greco*. On peut négocier le prix au poids.

Où dormir ?

Camping

⚊ *Camping municipal :* vers le centre de la baie, prendre le chemin sur 150 m. ☎ 22-85-07-18-02. De juin à septembre. Compter à peu près 13 € pour 2 personnes et une tente. Assez bien ombragé et location de petites tentes sur place. Par contre surpeuplé en été, donc bruyant, et sanitaires qui laissent à désirer. Le camping d'Aigiali est nettement plus sympa.

À Katapola

⚓ *Voula Beach :* au fond d'une ruelle qui part de la 1re place du port et longe l'hôtel *Minoa*. ☎ 22-85-07-40-52 et 21-04-32-72-78 (à Athènes, hors saison). ● www.united-hellas.com/tourism/amorgos/voula ● Ouvert d'avril à fin octobre. Grandes chambres pour 2 (supplément pour la troisième personne) de 25 € en basse saison à 55 € en août ; salle de bains, kitchenette. Maison tranquille, entourée d'un jardin soigneusement entretenu. Ménage fait tous les jours. Dimitris est extrêmement hospitalier. Une de nos bonnes adresses, reposante et conviviale.

⚓ *Villa Kat'Akrotiri :* tout à droite quand on débarque, à 500 m. ☎ 22-85-07-12-58. Ne dépasse guère les 50 € pour deux en été. Un sacré numéro. On vous laisse découvrir. Sachez juste que Tassos, un Américain, comme son surnom ne l'indique pas, habite depuis 1987 cette vieille maison isolée dans la garrigue, construite par ses ancêtres pour leurs vacances. Il y a 5 chambres simplissimes, décorées avec des œuvres d'art moderne. Cuisine et salle de bains collectives. C'est la vie en communauté. Également une maisonnette avec 2 autres petites chambres. Confort relatif, convivialité maximale. Un espace très libre, hors du temps, où l'on se retrouve soi-même, où rien n'est fermé à clé et surtout pas les portes de la poésie.

⚓ *Hôtel Minoa :* très central, face au débarcadère. ☎ 22-85-07-14-80. Fax : 22-85-07-10-03. ● www.travel-to-amorgos.com ● Ouvert toute l'année. Compter entre 25 et 45 € pour une double. Grandes chambres avec frigo et literie confortable, petite terrasse. Propreté pas toujours optimale et accueil en baisse paraît-il. Ajoutez à cela l'insonorisation médiocre (et l'on vous assure que le coin est bruyant), à tout prendre, on préfère l'annexe, le *Landeris*, dans la rue d'à côté (mais ce dernier ferme l'hiver). Un poil plus cher. Accès Internet (lent mais pas trop cher).

À *Xylokératidi* (Ευλοκερατιδι)

Au-dessus de la taverne Psaropoula : une famille grecque loue quelques chambres à bas prix et surtout met à disposition une dizaine de matelas sur le toit pour une poignée d'euros la nuit. On préfère prévenir les âmes sensibles : ça fait limite squat, avec une toile cirée pour s'abriter du soleil et des commodités de misère cachées derrière les panneaux solaires.

Diosmarini : deux rues au-dessus de la mer. ☎ et fax : 22-85-07-16-36. ● diosmarini@yahoo.com ● Compter de 27 à 50 €. Chambres vraiment sympas avec bonne literie et frigo (pas de clim'). Dans cette pension de famille, renseignez-vous auprès de la fille, Ourania, elle parle parfaitement le français. La cerise sur le gâteau : la vue sur la baie depuis votre terrasse privée. Cartes de paiement refusées.

Panos Rooms : à l'entrée du hameau (presqu'en face de *Maria Spanos Rooms*). ☎ 22-85-07-18-90. Fax : 22-85-07-41-95. Compter de 27 à 50 € pour 2 personnes. Panayotis, botaniste amateur et grand arpenteur des sentiers de l'île (il est incollable à leur sujet), propose chambres et studios. Simple mais très correct.

Maria Spanos Rooms : au fond d'une impasse, à l'entrée du hameau. ☎ et fax : 22-85-07-12-53. Doubles de 25 à 45 €. Pour le moins dépouillé, mais propre.

Titika Rooms : à l'entrée venant de Katapola. ☎ et fax : 22-85-07-16-60. Hors saison : ☎ 21-06-02-53-12 (à Athènes). La chambre double va d'environ 20 € en mai à 50 € en août. Maison bien conviviale, sympa pour ceux qui cherchent le contact ; la clientèle vient de tous les horizons. Chambres simples mais avec frigo, bouilloire, salle de bains correcte. Vue pas toujours géniale. Souvent complet et un peu bruyant. Ravissant jardin fleuri à l'entrée. Accueil chaleureux. Une bonne adresse. Si vous lui demandez, la patronne se déplace au port pour venir chercher vos sacs à dos.

Hôtel Agios Géorgios : dans la partie la plus haute. ☎ 22-85-07-12-28. Fax : 22-85-07-11-47. ● www.hotelagiosgeorgios.gr ● Compter environ 50 à 65 € la double. Chambres confortables, propres, avec AC, TV, douche et w.-c. Vue superbe. Très grand mais très calme, prix raisonnables. Des appartements également. Resto un peu chic. Le parton vous fera peut-être goûter sa liqueur maison au miel.

Où manger ? Où boire un verre ?

À *Katapola*

|●| **Restaurant de l'hôtel Minoa :** voir « Où dormir ? ». Sans doute la meilleure table du coin. Compter environ 10 € pour un repas. Plats mijotés avec grand soin, surtout des viandes. Vangelis est un vrai passionné de cuisine, toujours au fourneau et au moulin, amoureux des produits locaux et désireux d'épater ses clients. Et en effet, ses aubergines farcies, viandes en sauce et autres douceurs marinées depuis l'aube ne craignent aucune concurrence. Revers de la médaille : le service est un peu lent.

|●| **Taverne Minos :** presque le dernier resto à droite quand on débarque. Un bon repas pour environ 10 à 12 €. Tenue par une même famille de père en fils, fréquentée par des habitués, cette taverne un peu à l'écart offre un bon rapport qualité-prix.

|●| **Taverne Mouraya :** face au débarcadère. Prévoir de 9 à 13 € pour une entrée et un plat. Cuisine familiale avec des hauts et des bas. Aussi bien fréquenté par des Grecs que des touristes. Plutôt bon, mais ça n'atteint pas des sommets en matière de propreté.

|●| **El Greco :** sur le quai. Parmi les cafés qui se disputent le torchon pour vous avoir au petit déjeuner, celui-ci

nous semble le plus sympa, avec ses formules copieuses à environ 6 €, son décor boisé et son patron qui parle un peu le français. Sert midi et soir des salades et *souvlakia* pas chers.

|●| *Pizzeria Erato :* la dernière à droite, au bout du quai. ☎ 22-86-07-41-02. Toutes les pizzas coûtent

moins de 7 €. Tenu par un couple gréco-italien très sympa. Vraiment pas cher. Seule pizzeria digne de ce nom à Katapola : les autres font appel à la mauvaise magie du surgelé.

♟ Plusieurs *bars* où règne une bonne ambiance, autour de l'hôtel *Minoa.* Aussi bien pour l'après-midi que le soir.

À Xylokératidi

|●| *Taverne Psaropoula :* à Xylokératidi. ☎ 22-86-07-13-43. Compter 8 € pour un repas. Cuisine pas spécialement inventive mais bonne et copieuse. Service diligent et décontracté. Bonne viande ; poisson un peu cher, comme partout.

|●| *Dodoni :* sur le quai. ☎ 22-85-07-16-34. Agréable terrasse sous les tamaris où déguster les meilleurs desserts de la baie. Des glaces au yaourt assorties de noix, miel et fruits. À vous de choisir, mais gare aux abus.

♟ ♪ *Bar Le Grand Bleu :* sur le

port. ☎ 22-85-07-16-33. Reconnaissable la nuit à ses néons... de quelle couleur, à votre avis ? Ouvre à l'heure du petit déjeuner et jusque tard le soir. Pâtisseries, cocktails. Musique variée. Très accueillants, les deux patrons parlent le français et seront ravis de vous donner infos et bons plans. Tous les soirs à 21 h, projection du film culte de Luc Besson à la terrasse ; désormais sous-titré en toutes les langues (au choix), merci le DVD. Se transforme parfois en mini-boîte à partir de 23 h 30.

À voir. À faire

⚔ *La grande église de Katapola :* au centre de la baie. Les portes s'ouvrent rarement aux touristes, mais essayez toujours. Si l'extérieur n'impressionne pas (quand on en a vu une...), en revanche, l'intérieur dévoile une grande richesse : profusion d'icônes kitscho-pieuses, candélabres tels des tridents dorés, lustres de cristal comme chez l'ambassadeur, bref, tout le strass-paillettes orthodoxe à portée de vos yeux ébahis.

⚔ *Le site antique de Minoa :* à 4 km, en prenant derrière la grande église. Entrée libre. Restes de murailles, quelques ruines du stade, du gymnase et du temple de Dionysos. En fait, pas grand-chose à voir, si ce n'est le paysage époustouflant. Les intrépides peuvent s'y rendre en scooter (le chemin est mortellement cabossé) et les très courageux à pied (c'est vraiment long et ça grimpe) ! C'est le sentier n° 6 (« Valsamitis ») qui propose de faire une boucle Katapola – Agios Georgios Valsamitis – Agia Marina-Minoa.

◿ *Pour se baigner :* prendre le chemin après Xylokératidi, face au port. Environ 15 mn de marche : *plages de Krotiri,* d'*Agios Pandeleïmona,* de *Martézi* et de *Plakès.* On peut aussi prendre le caïque au port et débarquer tout au bout sur les rochers plats. Attention aux oursins.

➤ De Katapola, *balade* agréable en prenant à gauche, quand on fait face à la mer, un petit chemin à flanc de colline longe la côte.

CHORA *(ΧΩΡΑ)*

Chef-lieu de l'île, à 5 km de Katapola et 20 km d'Aigiali, impressionnant avec son immense rocher au sommet duquel se trouvent les ruines d'un *kastro* vénitien construit en 1260, et dont il ne subsiste, aujourd'hui, que les murailles crénelées. Bourg très pittoresque, construit tout autour du rocher :

labyrinthe de ruelles en escaliers, moulins à vent, passages voûtés, églises byzantines, belles demeures portant encore de nombreux bas-reliefs sur leurs façades. Beaucoup de caractère mais peu d'activité.

Adresses utiles

✉ *Poste :* sur une petite place derrière l'église. Ouvert de 7 h 30 à 14 h. Fermé les samedi et dimanche. Pas de change.
🚌 *Arrêt de bus :* à l'entrée du village.

■ *Police :* ☎ 22-85-07-12-10.
■ *Médecins et pharmacie :* à l'entrée du village. ☎ 22-85-07-12-07.

Où dormir ? Où manger ? Où boire un verre ?

Nettement moins d'opportunités qu'à Katapola ou à Aigiali !

De bon marché à prix moyens

🛏 Peu de *chambres chez l'habitant :* attention, séjour minimum de 2 ou 3 nuits. En moyenne, 30 à 35 € pour 2 en août.

🛏 *Pension Ilias Kastanis :* ☎ et fax : 22-85-07-12-77. Bâtiment sans charme offrant des chambres à prix très intéressants : à partir de 20 € en basse saison, jusqu'à 50 € en août. Chambres de toutes les tailles (2 à 4 personnes), avec frigo, douche et w.-c. ; quelques-unes possèdent une terrasse privée. Sinon, grande terrasse collective. Simple mais super bien entretenu. Très bon accueil.

🛏 *Pension Panorama :* maison blanche en contrebas de la place où s'arrêtent les bus. ☎ et fax : 22-85-07-16-06. On vient vous chercher au port. Compter de 20 à 40 € pour une chambre double, de 34 à 60 € pour un studio. Une petite dizaine de chambres simples mais impec'.

🛏 *Pension Chora :* ☎ 22-85-07-11-10. Fax : 22-85-07-12-46. Avant l'entrée de Chora, à gauche, en hauteur. Compter au moins 40 € en été pour 2 personnes. C'est une petite bâtisse neuve comprenant des studios, certains avec balcon, avec une belle vue sur Chora et la mer. Très bien tenu. Mais il y a rarement quelqu'un pour vous accueillir : téléphonez donc, en sachant qu'on n'y parle que le grec !

🍴 *Taverne Liotrivi :* en contrebas à droite de l'entrée du village. ☎ 22-

85-07-17-00. Ouvert midi et soir. Un bon repas à partir de 8 €. Bonne cuisine de taverne, large choix de plats traditionnels dont le *kalogiros* (veau et aubergines farcies). Discret et calme. Attention, nombre de tables limité en terrasse, et comme la taverne bénéficie d'une excellente réputation...

🍴 *I Théa :* près de la poste. ☎ 22-85-07-40-34. Plats traditionnels entre 5 et 7 €, tels que le ragoût de pommes de terre, fait avec de la viande locale et servi dans une assiette de terre cuite. *I Théa*, ça veut dire « la vue », et en effet, la vue qu'on a de la terrasse est extra. Dommage que les pylônes électriques la gâchent un peu. Service souriant. La taverne de Vangelis a de grandes qualités.

🍷 *Bar Zygos :* dans la ruelle qui monte à la poste. Bar qu'on apprécie, avec sa terrasse semi-couverte sur la ruelle, sous une treille où s'accrochent fleurs et vignes. Charmant. Une autre terrasse sur le toit. La salle, quant à elle, est intimiste et la musique souvent bonne. Sert sandwichs et salades, éventuellement.

🍷 *Café-Bar Bayoko :* à l'entrée du village, à côté de la pharmacie. Un endroit reposant, où déguster un verre de raki le soir (avec miel et cannelle macérés, une spécialité de l'île) et philosopher en regardant les étoiles, sur fond de musique zen. Kostas, le proprio, en est fan.

À voir

🎥 *Le musée de Gavra :* exemple caractéristique d'une demeure patricienne du XVIIIe siècle dans le centre de Chora. Ouvert, en principe, de 9 h à 13 h et de 18 h à 20 h 30 en été. Entrée gratuite. Abrite une petite collection archéologique de différentes trouvailles faites dans l'île. Intéressant.

À voir. À faire dans les environs

🎥🎥🎥 *Le monastère de la Panagia Chozoviotissa* (Μονη Παναγιας Χοζο–βιωτισσας) : c'est celui du *Grand Bleu.* De la poste de Chora, monter le petit escalier qui mène à une place, monter encore quelques marches et suivre la rue qui conduit au parking sous les antennes *OTE.* Du parking, le chemin est sur la droite (ouvrir la petite barrière si elle est fermée). Descente vertigineuse, surtout par grand vent. Après avoir rejoint la route, c'est vers la gauche. 20 mn plus tard, le monastère apparaît, niché contre une falaise qui domine la mer de 300 m ! Du portail (où vous dépose le bus de Katapola ou Chora si vous avez voulu vous économiser), compter encore 20 mn, cette fois par monter. Ça en vaut la peine, les paysages sont époustouflants. Pour la visite (ouverture, en principe, de 8 h à 13 h et de 17 h à 19 h), pantalons pour les messieurs, robes amples et longues pour les dames. Attention : le monastère ne prête plus de vêtements. Et une femme ne peut en principe entrer en pantalon ! Entrée libre.

Le monastère date du XIe siècle, et la légende raconte qu'il fut fondé par des moines venus de Palestine. Il renferme des manuscrits très précieux, ainsi que de très belles icônes. Il est consacré à la Vierge (grande fête patronale le 21 novembre et la semaine qui suit la Pâque grecque, processions avec l'icône de la Vierge autour de l'île). Deux moines y vivent encore mais ne s'occupent plus guère que de leur vie spirituelle. L'afflux de visiteurs et la « professionnalisation » du personnel (des laïcs) enlèvent pas mal de charme à la visite. Parfois, un verre d'eau et un *loukoum* offerts en fin de visite. Pour revenir au village, prendre le bus (ça monte !).

🎥🎥 *La plage d'Agia Anna* (Παραλια Αγιας Αννας) : à partir du monastère, descente à pied en 30 mn. Possibilité d'y aller à deux-roues ou en bus, à partir de *Chora* ou de *Katapola.* Il s'agit en fait de criques sublimes où l'eau est tellement belle et d'un bleu si particulier qu'on a tout de suite envie de s'y baigner. Le tout dans un décor de falaises qui tombent à pic sur une mer lisse, et même pas encore surpeuplé (mais beaucoup de ceux qui visitent le monastère viennent faire trempette à la plage ensuite, coin beaucoup plus tranquille après le départ du dernier bus). On peut rentrer à pied (chaussures de marche obligatoires) sur Chora en 1 h 30 ou 2 h.

AIGIALI *(ΑΙΓΙΑΛΗ)*

Au nord-est de Chora, à 15 km. C'est le 2e port de l'île. Superbe baie en forme d'anse, avec une plage de sable bien ombragée, entourée par trois remarquables villages *(Langada, Tholaria, Potamos),* construits en amphithéâtre et la surplombant. Absolument extraordinaire ! *Aigiali* est le point de départ de nombreuses randonnées pédestres.

Adresses utiles

🚌 *Arrêt de bus :* sur le quai. L'été, 5 à 9 bus par jour pour Chora et Katapola ; beaucoup moins le reste de l'année. En principe des bus supplémentaires en fonction des ferries de nuit.

■ *Médecin :* ☎ 22-85-07-32-22. Dans une rue pentue perpendiculaire à la baie. Cabinet ouvert de 9 h à 14 h 30, trois jours pas semaine.
■ *Pharmacie :* au début de la rue qui monte au cabinet médical. ☎ 22-85-07-31-73.
■ *Police* (Langada) : ☎ 22-85-07-33-20.
■ *Distributeur automatique :* dans le supermarché, presque sur le quai.
■ *Agence Naftilos* (Lefteris Vekris) : sur le port. ☎ 22-85-07-30-32. Fax : 22-85-07-32-31. Ouvert toute l'année.

Personnel très serviable. Bonnes infos. Billets pour tous les bateaux, autres excursions. Également *Aegialis Tours,* ☎ 22-85-07-33-94. Fax : 22-85-07-33-95. • www.amorgos.ws • Patron francophone. Consigne à bagages, recherche de chambres. Accès Internet, mais cher.
■ *Location de scooters :* devant l'agence *Naftilos, Thomas Rent a Bike.* ☎ 22-85-07-34-44. Modèles récents, pneus larges.
■ *Station-service :* derrière le camping.

Où dormir ?

Camping

⚕ *Camping Aigiali :* ☎ 22-85-07-30-50. Fax : 22-85-07-33-88. • www.aegialicamping.gr • Ouvre en mai. Un petit peu en retrait de la plage, dans un vaste terrain situé derrière le *Village Lakki.* Compter de 9 à 13 € pour 2 personnes et une tente. Possibilité d'en louer une. Le gérant ne parle pas l'anglais, d'où une communication parfois laborieuse. Très beau camping (entassé en août), qui ne manque ni d'ombre ni de végétation. Sanitaires tout neufs, tout propres. Café, restaurant-bar ouverts toute la journée, *mini-market.* Géré conjointement avec la pension *Askas.*

De bon marché à prix moyens

🛏 Une multitude de *chambres à louer,* pensions et locations diverses à *Aigiali, Tholaria, Langada.* Attention, vite complet en été.
🛏 *Pension Askas :* à côté du camping. ☎ 22-85-07-31-33. Fax : 22-85-07-33-33. • www.askaspension.gr • Ouvert de mars à octobre. Compter de 35 à 55 € environ pour une chambre confortable avec salle de bains et frigo. En basse saison, on peut négocier. Certaines chambres ont une vue géniale sur la baie. Bon petit déjeuner. Ambiance familiale. Le patron a de belles moustaches et il

est drôlement sympa ; d'autant qu'il viendra vous chercher au port de Katapola avec son minibus. En bas, une taverne-café entourée de fleurs.
🛏 *Hôtel Miké :* le plus proche de la jetée. ☎ 22-85-07-32-08. Fax : 22-85-07-36-33. • www.mikehotel.gr • Ouvert du 15 avril au 31 octobre. Chambres avec AC et mini-frigo de 33 à 56 €. Vue imprenable, on est aux premières loges pour scruter l'animation (relative) du port. Salon-bar convivial. Patron jeune et dynamique. Très propre, accueil souriant.

Plus chic

🛏 *Chambres et studios Poséidon :* dans la rue où se trouve le médecin. ☎ 22-85-07-34-53 ou 33-02. Fax : 22-85-07-30-07. • www.amorgosposeidon.gr • Ouvert de juin à septembre. Compter environ 55 € pour 3 personnes en haute saison. Impeccables studios entièrement équipés (frigo, four...). Très vaste, lumineux. Un excellent rapport qualité-prix.
🛏 ᴏᴵ *Aegialis Hotel :* surplombant la baie, de l'autre côté par rapport au port. ☎ 22-85-07-33-93. Fax : 22-85-07-33-95. • www.amorgos-aegialis.com • Ouvert toute l'année. Chambres doubles spacieuses (standard à *superior*) de 66 à 120 €, petit déjeuner-

buffet inclus, donnant toutes sur la baie. Un établissement de grande classe, qui jouit de la meilleure situation à Amorgos. Resto et très belle piscine adossée à la pente. Grand salon avec TV, billard. Isolé, avec le *Corte Club* juste en dessous (mais totalement insonorisé). La réservation est impérative pour l'été (mais pas toujours enregistrée quand on arrive!), c'est complet plusieurs mois à l'avance. Bon resto (où l'on peut aller manger même si l'on n'est pas à l'hôtel). 10 % de réduction sur le prix des chambres sur présentation du *GDR* hors saison, 5 % en haute saison.

Où manger? Où boire un verre? Où sortir?

|●| *Taverne Limani :* à côté de l'agence *Nautilos,* en plein centre. ☎ 22-85-07-32-69. Prévoir à partir de 7 € pour une entrée et un plat. Resto d'excellente réputation, qui sert un grand nombre de couverts. Ce qui pourrait être préjudiciable n'est en fait qu'une conséquence de la bonne nourriture qu'on y mange. Le choix est large, même en basse saison. Spécialités préparées avec de la viande de la région et du poisson frais. Service attentif et efficace, sur le toit-terrasse, dans la salle ou dans la ruelle ombragée.

|●| *Restaurant 12 Acropolis :* à quelques pas de l'agence de voyages *Nautilos,* en montant vers le haut du village. N'est ouvert que l'été et le soir. Beaucoup plus petit et moins couru, mais apprécié aussi.

Cuisine de très bonne qualité. Accueil chaleureux et cadre intime.

|●| *Pâtisserie Frou-Frou :* dans la ruelle au-dessus de la jetée. ☎ 22-85-07-33-56. Sympathique. Cadre agréable. Superbe coucher de soleil sur la baie à admirer. Excellent yaourt au miel et aux fruits.

� ♫ *Disco The Que :* sur la plage, à côté de *Lakki.* Un endroit déjanté comme on aimerait en trouver plus souvent. Bar-disco à la déco indescriptible, hétéroclite et qui met à l'aise. Le jardin est une véritable œuvre d'art moderne.

♫ *Corte Club :* sous l'*Aegialis Hotel* (voir « Où dormir ? »). Disco en plein air pour ceux qui aiment la *dance*... Navettes toutes les 30 mn avec le port.

Où dormir? Où manger dans les environs?

🏠 |●| *O Nikos-Pagali Hotel :* à 3 km, à l'entrée de Langada, descendre vers la gauche. ☎ 22-85-07-33-10. Fax : 22-85-07-33-68. • www. pagalihotel-amorgos.com • Ouvert d'avril à fin octobre. Chambres de 40 à 50 € selon la saison. Studios pour 2 personnes de 60 à 80 €. Vue sur le village en contrebas, la mer et l'île de Nikouria. Ultra-calme et fleuri, très belle terrasse pour le resto (par ailleurs excellent), accueil sympa. Cartes de paiement acceptées sauf au restaurant. Réduction de 20 % sur présentation du *GDR,* sauf en été (où une remise de 5 % est accordée).

🏠 Quelques autres *pensions* après l'entrée du village de Langada, en bord de route.

🏠 |●| *Hôtel-restaurant Vigla :* à 3 km, à l'entrée de Tholaria. ☎ 22-85-07-32-88. Fax : 22-85-07-33-32. • www. vigla-hotel.amorgos.net • D'avril à octobre. Chambres doubles de 56 à 84 € selon la saison, au calme, simples et avec toutes les commodités, réparties dans trois bâtiments. Resto réputé pour ses produits bios, avec une vue surplombant la baie. Accueil familial et décontracté. Le patron a été le valet de chambre d'Onassis et fait maire du village. Un vrai personnage. 10 % de réduction sur présentation du *GDR.*

|●| *Barba-Yannis :* plage d'Agios Pavlos. ☎ 22-85-07-30-11. Quelques kilomètres avant Aigiali, à l'endroit où l'on embarque pour Nikouria. Ouvert toute la journée de mai à septembre. À partir de 16 € pour deux plats. Vue

superbe depuis la terrasse (mais on la paie !), comme une proue au-dessus de la mer turquoise. Cuisine grecque avec quelques spécialités de poisson. Accueil gentil, en grec.

|●| *Restaurant Kamara :* à Potamos. ☎ 22-85-07-33-58. Restaurant tenu par une Lyonnaise, Sophie, et son mari, Christophoros. Bon signe : la belle-mère est aux fourneaux !

Randonnées pédestres

Pour les fervents de balades et les amoureux de nature, Amorgos est la plus belle des Cyclades. Mais on a récemment goudronné, et certaines randonnées peuvent être raccourcies (bus).

➤ *Aigiali - Potamos - Chora* (Αιγιαλη–Ποταμος–Ξωρα) *:* environ 15 km. Durée : environ 5 h. Ce parcours est appelé « Palia Strata », un must qui passe par le monastère de la Panagia Chozoviotissa. Paysages sublimes. Senteurs extraordinaires. En cours de route, ravissante petite église blanc et bleu au milieu de nulle part. Penser à emporter de l'eau et des provisions. La promenade n'est pas de tout repos mais très bien balisée (chiffre 1 sur fond rouge). Bien se renseigner sur place pour plus de détails.

➤ *Aigiali - Langada - Agios Théologos - Stavros - Métallio* (Αιγιαλη–Λαγκαδα–Αγιος Θεολογος–Σταυρος–Μεταλλιο) *:* 12 km. Environ 5 h. Même en été, il y a beaucoup de vent sur les hauteurs. Prévoir une bonne laine, des chaussures de marche et du ravitaillement (pique-nique). Prendre le chemin caillouteux à l'est d'Aigiali jusqu'à *Langada*. À voir : *église d'Agia Triada et de la Panagia Épanochoriani.* De là, prendre un sentier de terre au nord-est du village qui monte jusqu'à un plateau, puis continuer jusqu'à la *chapelle Agios Ioannis Théologos* (VIᵉ siècle). Belle vue. Là, le chemin pour Stavros n'est pas facile à trouver ; suivre le balisage rouge et bleu (chiffre 5), partir sur la gauche puis suivre le sentier longeant la falaise, jusqu'à la *chapelle d'Agios Stavros,* construite dans un paysage désolé, sur le sommet d'un rocher et d'où vous avez une vue magnifique. Puis emprunter le sentier de berger jusqu'aux anciennes *mines de bauxite de Métallio.* Attention : sentier dangereux.

À voir. À faire dans les environs

⟋ Se baigner sur les très belles (et petites) *plages* de *Lévrossos* et de *Psili Ammos,* près d'Aigiali. On peut accéder à ces plages en empruntant un petit bateau de pêche. On les prend au même endroit que le bus. Assez cher. On peut aussi faire le chemin à pied en prenant une piste de terre qui débute au bout de la plage principale. Puis elle grimpe sur la colline et longe la mer. Compter 15 mn environ entre chaque plage.

➤ Aller sur l'*îlot de Nikouria* (Νικουρια) en caïque depuis le petit port d'Agios Pavlos, sur la route en allant vers Chora. Le bus s'y arrête. Bateaux en été seulement, presque toutes les heures. Préférable d'acheter ses billets dans une agence d'Aigiali. Magnifiques plages de rêve.

🏃🏃 On vous recommande vivement le détour par *Langada* (Λαγκαδα). Village perché à 3 km au-dessus d'Aigiali et noyé dans une végétation luxuriante, presque incroyable. Unique. On en est tout ému, tiens ! Ruelles en escaliers, passages voûtés où s'attardent quelquefois des ânes indolents, paysages dont on ne se lasse pas. Quelques possibilités pour se loger (voir plus haut).

🏃🏃 Si vous en redemandez, le petit village de *Tholaria* (Θολαρια) ressemble un peu à Langada, mais est encore moins fréquenté par les touristes. À 3 km d'Aigiali. Des bus assurent des navettes depuis le port. Village aux petites ruelles dallées, les femmes dessinent à la chaux des fleurs sur les pierres. Pittoresque *église d'Agios Anargyros*. Ça vaut le coup de faire un tour au fourre-tout de Mme Nomikos : un café-épicerie-bric-à-brac à l'ancienne où l'on sert de la vraie cuisine familiale pour pas cher. Par contre ne jetez pas un œil à la cuisine, vous repartiriez en courant. Un très bon hôtel-restaurant à l'entrée (voir plus haut).

ARKESSINI *(ΑΡΚΕΣΙΝΗ)* – KOLOFANA *(ΚΟΛΟΦΑΝΑ)*

Le sud d'Amorgos, plus connu sous le nom de *Kato Méria,* est encore très peu exploité « touristiquement ». Les paysages et les plages y sont très beaux, et les habitants très accueillants. En revanche, cette partie de l'île est insuffisamment desservie par les bus. Souvent un bus part le matin de Katapola et revient l'après-midi... Renseignez-vous sur l'heure du retour, pour éviter de revenir en stop.

🏃 *Arkessini :* ravissant village aux ruelles très étroites, bordées de maisons pittoresques. Le tout entouré de vergers et d'oliviers. On y verra aussi les ruines du site antique *(kastro)* : les murailles sont les mieux conservées de l'île. Magnifique rando pour s'y rendre. 1 h l'aller depuis Arkessini et 25 mn depuis Vroutsi, via une belle église perdue. À Arkessini, près de l'*église Agia Triada,* ruines d'une tour hellénistique. Superbes plages accessibles par des sentiers, *Mourou* (plage de galets avec grottes accessibles à la nage ; petite taverne à proximité de la plage, mais chère) et *Amoudi.*

🏃 *Kolofana :* petit village où est célébrée le 26 juillet la Sainte-Paraskévi, qui donne lieu à de très grandes festivités auxquelles participent tous les habitants de l'île. Ruines de trois tours hellénistiques.
Pour les fervents de la marche à pied, il faut noter que la *balade de Kolofana à Chora* (environ 6 h) est absolument superbe.
– À quelques kilomètres, plusieurs plages accessibles : *Paradisia* (qui ne porte que moyennement bien son nom, accès par la piste), *Kalotaritissa* sur une petite péninsule (rendez-vous des yachts ; pour les non-voileux, accès par la route). Sur la route, ne manquez pas l'émouvante *épave de bateau* sur la droite, coincée dans une anse. Vous la reconnaîtrez tout de suite : Enzo y plonge au début du *Grand Bleu.*

🍽 Une adorable famille, les Nomikou, tient la **taverne Delphini** à l'entrée du village. ☎ 22-85-07-22-44. À partir de 8 € pour deux plats. On se sent presque en famille, tellement c'est simple et authentique. Légumes frais du jardin et feta maison, très copieux. Quelques chambres rudimentaires à louer.

QUITTER L'ÎLE D'AMORGOS

– À Katapola, il y a deux agences qui vendent des billets (pas toujours pour les mêmes bateaux). La plus centrale, installée dans un café-bar, propose des tarifs étudiants (sauf l'été) et affiche tous les horaires. Billets en vente dans les agences d'Aigiali également.
– Les destinations sont les mêmes que pour l'arrivée. Voir « Comment y aller ? ». Attention, les bateaux partent souvent tôt le matin. Bien vérifier le port de départ pour ne pas se faire avoir, il faudra peut-être prévoir de dormir à Katapola la veille !
➢ *Pour le Dodécanèse :* il suffit d'aller à Astypaléa (bateaux de nuit 2 à 3 fois par semaine) et, de cette île, de filer sur la destination de son choix en fonction des bateaux. L'un de ces bateaux doit en principe continuer directement sur Rhodes via Kalymnos et Kos.
➢ *Pour Le Pirée :* bateau rapide de *Nel Lines* en principe 2 à 3 fois par semaine en été. Compter 6 h 30 de voyage.

ANAFI (ΑΝΑΦΗ) 350 hab.

Située au sud-est des Cyclades, assez proche de Santorin, Anafi est une petite île de 38 km^2 de superficie, aride et montagneuse avec un point culminant à 584 m. Idéal pour ceux qui apprécient le silence et la solitude, ainsi que pour les randonneurs. Anafi vous donne une impression de bout du monde. D'après la mythologie, cette île (dont le nom signifie « sans serpent ») aurait surgi de la mer sur ordre d'Apollon, pour sauver les Argonautes en danger. Les plages au sable doré et aux eaux cristallines, les falaises abruptes et les côtes rocheuses au nord de l'île, les chapelles disséminées ici et là et le superbe village perché de Chora vous enchanteront. Il n'y a qu'une seule route, celle qui relie le port d'Agios Nikolaos à Chora, chef-lieu de l'île. Beaucoup de charme et d'authenticité. L'infrastructure touristique y est, en revanche, très limitée. Quelques chambres à louer à Agios Nikolaos, Chora et Klissidi. Vite complet dès la mi-juillet. Vous serez peut-être contraint de camper sur la plage.

Comment y aller ?

En ferry

Il faut passer par Santorin pour y accéder mais on doit pouvoir prendre, au départ du Pirée, un ferry (compagnie *GA Ferries*) qui dessert avant Kythnos, Sérifos, Sifnos, Milos, Folégandros, Ios ou un autre qui passe par Tinos, Syros, Paros, Folégandros et Ios. En 2004, il y avait seulement 5 ferries par semaine en juillet-août, dont 3 de nuit, bien souvent à des heures impossibles : 3 h ou 4 h du matin. Le reste de l'année, seulement 2 liaisons hebdomadaires (de nuit). C'est à ce prix qu'une île peut garder sa tranquillité... Compter un peu plus de 1 h 30 de traversée.

Infos utiles

✉ *Poste :* ☎ 22-86-06-12-03.
■ *Capitainerie-police :* ☎ 22-86-06-12-16. De la taverne *Alexandra*, descendre dans la ruelle de droite (quand on fait face à la mer).
■ *Point sanitaire :* ☎ 22-86-06-12-15. Conseillé de se rendre à Santorin en cas de problème sérieux.

AGIOS NIKOLAOS (ΑΓΙΟΣ ΝΙΚΟΛΑΟΣ)

Le port d'arrivée des ferries. Petits bateaux de pêche typiques et colorés. Quelques tavernes, une *agence de voyages, Jeyzed Travel* (☎ 22-86-06-12-53 et 90 ; fax : 22-86-06-13-52) où l'on peut se renseigner sur les départs de ferries ainsi que sur les excursions en caïque et faire du change. Départ du bus pour Chora toutes les 2 h de 8 h à 22 h. Il fait la navette à chaque arrivée/départ de ferry (même en pleine nuit). Si vous devez partir avant l'aube, l'idéal est de dormir au port.

🏠 |●| *Akrogiali Popy's :* sur la jetée. Mignonne taverne avec quelques chambres à louer à l'étage. Chambres doubles très simples, avec douche et w.-c. nickel. Prix modérés ; un peu moins cher que les pensions de Chora. La famille qui tient cet hôtel-resto tout simple est championne de l'accueil souriant. En plus, les chambres sont face à la mer, aux premières loges pour voir arriver les bateaux.

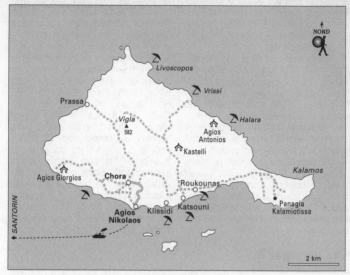

L'ÎLE D'ANAFI

CHORA (XΩPA)

À 3 km du port, Chora est un village attachant construit en amphithéâtre, à 300 m de hauteur, au pied de la montagne du prophète Elias. Vous pouvez y monter en bus mais aussi à pied, en empruntant un chemin à flanc de colline : moins d'une demi-heure de marche. De là-haut, la vue est superbe. Quant à l'architecture, elle est semblable à celle de Santorin : maisons toutes blanches aux formes voûtées, pour la plupart à deux étages, cours fleuries blanchies à la chaux et dédale de ruelles en escaliers, quelques moulins à vent. Au sommet du village, quelques ruines d'une ancienne forteresse vénitienne noyée dans les figuiers de Barbarie. Charmant, tout ça. À la tombée de la nuit, le village s'anime, quelques tavernes, deux épiceries (ouvertes de 9 h à 15 h, puis de 17 h 30 à 21 h), une boulangerie, une petite poste. Quelques commerces de souvenirs. Attention, à Anafi la saison morte est vraiment... morte ! Presque rien d'ouvert. Quant aux insulaires, ils sont parfois difficiles d'approche car bien peu parlent l'anglais. Mais si vous avez la chance de nouer le contact, vous verrez à quel point ils sont adorables.

Où dormir ?

Les hébergements se concentrent à Chora. Pour la plupart, ces pensions ouvrent en mai ou juin et ferment en septembre ; la saison est donc plus courte qu'à Santorin. Une constante : elles offrent une très belle vue sur la baie. En gros, compter de 20 € en mai jusqu'à 50 € en août pour une chambre double.

🏠 **Rooms Ta Plagia :** à l'entrée de Chora, un peu avant l'arrêt du bus. ☎ 22-86-06-13-08 et 21-07-71-50-33 (à Athènes). Fax : 22-86-06-13-72. | De mai à septembre. La réception se trouve dans le café de Giorgio et les chambres dans des bungalows cernés de fleurs, un peu plus bas. Tout le confort, une vue idéale et un isolement qui garantit le calme absolu. Vous trouverez en Giorgio un personnage pétillant et bienveillant. Impératif de réserver en été.

🛏 **Panorama :** à côté des *Rooms Ta Plagia*. ☎ et fax : 22-86-06-12-92. Ouvert d'avril à octobre. Seize chambres doubles spacieuses et agréables, avec balcon, salle de bains très propre et une belle terrasse commune. Structure familiale sympa, avec une vue magnifique sur la vallée qui creuse son chemin vers le port.

🛏 **Iliovassiléma :** sous la place centrale. ☎ 22-86-06-12-80. Ouvert d'avril à octobre. Compter de 35 à 50 € pour deux. Chambres doubles avec frigo, avec ou sans cuisine pour une petite différence de prix. Très bon accueil et vue sur la baie.

🛏 **Pélagos :** tout en haut de Chora. ☎ 22-86-06-12-40. Fax : 22-86-06-12-39. Ouvert d'avril à octobre. Chambres avec salle de bains et w.-c. Terrasse avec vue sur la mer.

🛏 **Villa Apollon :** à mi-chemin entre le port Saint-Nicolas et Chora, au-dessus de la plage de Klissidi. ☎ 22-86-06-13-48. Fax : 22-86-06-12-87. Hors saison : ☎ et fax : 21-09-93-61-50 (à Athènes). ● www.apollonvilla.gr ● Ouvert du 10 mai à début septembre. Compter entre 28 et 58 € pour 2 personnes en studio ou en chambre. Chambres indépendantes, avec salle de bains et frigo ou studios. Les mêmes proprios ont ouvert l'*Apollon Village Hotel* (12 appartements de 35 à 80 €). Très belle vue sur la mer de Crète et sur la plage de Klissidi, qui est accessible à pied.

Où manger ?

🍴 **Café** à l'arrêt de bus. Fait des *souvlakia*. Ambiance chaleureuse, clientèle locale de tout âge. Vers l'arrêt de bus également, l'épicerie la meilleur marché de l'île.

🍴 **Taverne Alexandra's :** depuis l'arrêt de bus de Chora, longer la corniche. On mange bien pour environ 8 à 9 €. C'est un petit resto familial avec quelques tables dans la ruelle et une terrasse abritée au-dessus. Excellent accueil. Alexandra propose des plats traditionnels qu'elle vous présente avant le service. Très belle vue pour un repas copieux et bon marché. S'est récemment agrandi d'une autre petite terrasse. Si vous n'avez pas trouvé de chambre, demandez à Alexandra.

🍴 **Taverne To Stéki :** à Chora, depuis l'arrêt de bus, remonter vers le village, c'est en contrebas à gauche. Là aussi, compter 8 à 9 € pour un repas complet et délicieux : friture bon marché, beignets d'aubergine, produits du cru. Charmante terrasse abritée du vent, avec des cucurbitacées qui pendent aux poutres. Accueil sympa de la part de Panagiotis, joueur de *bouzouki* à ses heures. Il a d'ailleurs une petite collection d'instruments de musique accrochés aux murs, entre les photos de famille. Un point de rencontre des locaux.

Randonnées pédestres

➤ **Chora - Agios Nikolaos** (Χωρα – Αγιος Νικολαος) : moins de 30 mn par un sentier facile.

➤ **Agios Nikolaos - Kastelli** (Αγιος Νικολαος–Καστελι) : environ 2 h de marche. Quelques ruines de la ville antique et *chapelle de la Panagia tou Dokari*. À l'extérieur de la chapelle, un beau sarcophage en marbre (époque romaine) et un fragment de statue en marbre et, non loin de là, quelques statues de marbre sans tête : étrange spectacle.

➤ **Kastelli - monastère de la Panagia Kalamiotissa** (Καστελι–Μονη Παναγιας Καλαμιωτισσας) : environ 1 h de marche vers l'extrême est de l'île. On découvre le *Pano Monastiri* (le plus ancien monastère, construit aux alentours de 1600) qui se trouve au sommet d'un rocher à 400 m au-dessus de la mer, avec une vue époustouflante sur la mer Égée.

Penser à se munir d'eau, de provisions et d'un sac de couchage pour assister au lever du soleil : absolument magique ! Penser aussi au sac-poubelle, l'endroit ayant malheureusement tendance à se transformer en décharge.

➤ À 1 h de marche à peu près de l'ancien emplacement, le *Kato Monastiri* avec sa chapelle (plus récent). Il faut compter 3 h 30 de marche jusqu'au port. Suivre le sentier qui longe le bord de mer. Grande fête patronale le 8 septembre, avec la participation de tous les habitants.

Où se baigner ?

⌂ À côté du port, quelques belles plages de sable : *Agios Nikolaos, Klissidi* et *Katsouni.* Tout cela est archibondé en été.

⌂ À 15 mn en caïque (départ du port d'Agios Nikolaos), les superbes plages *Mikros* et *Megalos Roukounas* où le camping sauvage est toléré (taverne à proximité mais mauvais accueil), et à 30 mn en caïque, la plage de *Monastiri,* la plus tranquille puisque la plus éloignée.

FOLÉGANDROS (ΦΟΛΕΓΑΝΔΡΟΣ)   700 hab.

Située entre Sikinos et Milos, Folégandros est une île aride et montagneuse avec des à-pics de plus de 200 m au nord, et un paysage plus nivelé au sud. Sa superficie est de 32 km^2 ; elle a un périmètre côtier de 40 km. Pour beaucoup, c'est une île « coup de cœur », harmonieuse et tranquille, mais pour certains l'accueil des habitants pourrait être meilleur... C'est une île ravissante, reposante, avec des criques bien cachées, une nature de plus en plus en sauvage vers le nord, des habitants charmants (enfin...) et suffisamment de recoins à explorer pour faire des randos variées. Même si Folégandros fut jadis une prison naturelle pour nombre d'exilés et prisonniers politiques, elle figure aujourd'hui parmi les îles nouvellement à la mode, en plein développement tant au niveau du réseau routier qu'en ce qui concerne l'hébergement. On trouve désormais pas mal d'hôtels ou de chambres à Chora et sur le port. Attention, la saison touristique étant courte, la plupart ne sont ouverts qu'en été. On n'y loue guère que des scooters. C'est certainement mieux ainsi ; en revanche, dur dur pour rejoindre les plages par les pistes pentues.
– Une possibilité consiste à passer par *Îles Cyclades Travel* à Marpissa (voir le chapitre sur Paros).
– *Conseil :* faire le tour de l'île en bateau pour admirer les falaises et les rochers.

Comment y aller ?

En ferry

Assez peu de bateaux.
➤ *Du Pirée :* en été, 3 ou 4 fois par semaine, via certaines des îles ci-dessous. Entre 10 h et 11 h de trajet.
➤ *De Santorin, Kythnos, Kimolos, Milos, Sifnos, Sérifos, Paros, Naxos, Sikinos et Ios :* plusieurs liaisons par semaine en saison. Fréquence variable : de 2 à 5 liaisons hebdomadaires selon les îles (Ios et Santorin étant les mieux placées). Quelques liaisons aussi depuis *Syros* et *Anafi.*

KARAVOSTASSI (ΚΑΡΑΒΟΣΤΑΣΗ)

C'est le port de l'île, situé à 3,5 km de Chora. Assez animé. La plage de galets et le port se partagent la même eau, claire comme du cristal (pour une fois !). Quelques hôtels et locations, ainsi que des tavernes et des bars sympathiques ; une bonne alternative lorsque c'est complet à Chora. On vous conseille deux plages. Tout d'abord *Katergo,* la plus belle de l'île, accessible à pied depuis le camping *Livadi* (compter pratiquement 1 h : avant d'entrer dans le camping, tourner à droite et monter le chemin qui tourne avant le hameau, vers la gauche) ; remarquer les maisons abandonnées des exilés politiques sur le chemin. Sinon, sans aller bien loin, la superbe plage de *Vardia* (monter en haut du village, face à Sikinos).

Adresses utiles

■ *Arrêt de bus :* au débarcadère. Correspondances efficaces. De plus il n'y a guère qu'une route et ainsi presque toute l'île est desservie. Départs vers Chora et Ano Méria toutes les heures de 9 h 30 à 23 h 10 (retours de 9 h 15 à 23 h). Deux fois moins en basse saison, dernier départ à 21 h 30.

■ *Location de scooters :* Jimmy's Bike, au début de la route qui monte vers Chora. ☎ 22-86-04-14-48.

D'autres loueurs à Chora. Attention de bien faire coïncider les horaires : station-service, remise du scooter, départ du bateau.

■ *Caïques :* face à l'arrêt d'autobus. Excursions autour de l'île, 4 fois par semaine : desserte de toutes les plages, avec des haltes pour se baigner. Tickets à l'office du tourisme. Compter environ 25 € par personne, *lunch* inclus.

Où dormir ? Où manger ?

Camping

⚐ |●| *Camping Livadi :* un peu isolé (à 1 km au sud-est du port) et à 100 m d'une grande plage. ☎ et fax : 22-86-04-12-04. Ouvert de juin à mi-septembre au plus tard. Compter à partir de 13 € pour 2 personnes et

une tente. Terrain aménagé en terrasses avec, en haute saison, les tentes à touche-touche. Sanitaires délabrés. Malgré la promiscuité, camping plutôt calme. Petit resto sympa, navette entre port et camping.

Prix moyens

🛏 *Rooms Ostria :* à 50 m derrière la plage en allant vers l'hôtel *Eolos*. ☎ 22-86-04-13-47. Ouvre en juin. Environ 50 € en août, nettement moins en dehors de cette période. Ensemble de petits studios tout confort et propres, avec salle de bains et cuisine équipée. Tenus par une dame charmante d'un certain âge, ils offrent une agréable vue sur le port pour un prix très intéressant.

🛏 *Hôtel Éolos :* à 20 m de la plage. ☎ 22-86-04-12-05. Fax : 22-86-04-13-36. Hors saison : ☎ 21-09-22-38-19 (à Athènes). Ouvert de mi-juin à fin septembre. La chambre

double ou le studio varient entre 40 et 85 € selon la période. Hôtel confortable et pas prétentieux, dans un jardin au bord de l'eau.

|●| *Meltemi :* sur le port. ☎ 22-86-04-15-57. De 6 à 10 € pour deux plats. Agréable terrasse d'où observer le ballet des yachts. Au menu (très limité), des intéressantes « mixed plates », en fait des *mini-mezze* grecs bien sympas. Clientèle grecque en villégiature. Service désespérément lent.

|●| Une *paillote* sympa sur la plage ; emplacement privilégié et rencontre de gens bavards.

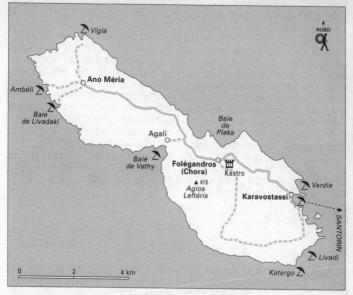

L'ÎLE DE FOLÉGANDROS

CHORA *(XΩPA)*

Chef-lieu de l'île. Un village délicieux, où le temps prend le temps de s'écouler. Construit au ras d'une falaise abrupte, à 200 m au-dessus du niveau de la mer. Très romantique, grâce à son aspect médiéval. Le quartier ancien fortifié se trouve autour du *kastro* (qui fut construit en 1212). Ce sont les maisons qui forment son enceinte extérieure (bâtie de la même façon qu'à Sifnos et Antiparos). Les quartiers d'habitations se sont développés depuis, à l'extérieur des murs du *kastro,* sans pour autant perdre de leur charme. Petites maisons d'une blancheur éclatante, avec leurs balcons en bois qui semblent ne tenir au mur que par un fil. Beaucoup d'églises et quatre places très méditerranéennes pour ce village où l'on trouve nombre de restos tous aussi charmants les uns que les autres...

Adresses utiles

Office du tourisme Diaplous : à l'entrée du village, à côté de la station de bus. ☎ 22-86-04-11-58. Fax : 22-86-04-11-59. Ouvert de 9 h 30 à 13 h, puis de 18 h à 22 h. Infos touristiques, carte de l'île en français (payante), consigne à bagages. Personnel sympa, non francophone.

✉ **Poste :** à l'entrée du village.

Médecin, pharmacie : à la station de bus. En cas d'urgence, à Chora : ☎ 22-86-04-12-22 ; et à Ano Méria : ☎ 22-86-04-14-70. Cabinet ouvert toute l'année, mais pas toute la journée.

Arrêts de bus : le principal sur la 1re place et un autre à la sortie vers Ano Méria. Une dizaine de départs quotidiens pour le port, un peu moins pour Ano Méria. Hors saison, seulement 3 ou 4 bus par jour. Horaires changeants ; ceux du moment sont affichés.

Taxi : ☎ 22-86-04-10-48 ou 69-

44-69-39-57 (portable).

■ *Agence de voyages :* Maraki Tours, sur la 2ᵉ place. ☎ 22-86-04-12-73. Fax : 22-86-04-11-49. Ouvert toute l'année. Vente des billets de bateau et ceux pour les bus correspondants. Accès Internet. Les horaires des ferries quittant Folégandros sont affichés dehors.

■ *Location de scooters :* Venetia, route d'Ano Méria. ☎ 22-86-04-13-16. Machines assez chères : jusqu'à 20 € en haute saison... Puisqu'on vous dit que les bus sont bien ! Un détail toutefois pour ceux qui loueront un scooter : il est strictement *interdit de conduire en ville* !

Forte amende pour les contrevenants. La route goudronnée contourne le centre.

■ *The Cycladic School :* ☎ 22-86-04-14-72. ● http://cycladicschool.cndo.dk ● Ce centre très zen tenu par un couple greco-danois propose des séjours tout compris pour se perfectionner dans des domaines aussi bien artistiques que sportifs, la cuisine grecque et... la cueillette d'olives !

■ Une *station-service,* la seule de l'île, sur la route d'Ano Méria.

■ Un *distributeur automatique de billets* sur la deuxième place (instructions en français).

Où dormir ?

De prix moyens à plus chic

🛏 *Rooms Emmati et Rooms Evgenia :* au niveau de la station de bus. ☎ 22-86-04-10-06 de mai à octobre et ☎ 22-86-04-10-07 de novembre à avril. À partir de 30 € et jusqu'à 65 € au plus fort de l'été. Chambres bien tenues, avec kitchenette pour certaines et grande terrasse. L'accueil pourrait être plus aimable.

🛏 Au bout du village, après la 4ᵉ place, une kyrielle de *rooms to let* à des prix équivalents. Certaines offrent une vue épatante.

🛏 *Odysseus Hotel :* au bout du village, après la 4ᵉ place. ☎ 22-86-04-12-76. Hors saison : ☎ 21-03-42-35-45 (à Athènes). Fax : 22-86-04-13-66. ● www.greekhotel.com ● Réservation possible auprès d'Îles Cyclades Travel à Marpissa (voir plus haut le chapitre sur Paros). Ouvert de mai à fin septembre. Chambres doubles de 40 à 70 € selon la période. Bel hôtel aménagé dans le style local. Certaines chambres sont équipées d'un balcon avec vue sur la mer. La même famille gère également les *Folégandros Apartments* (voir ci-dessous).

🛏 *Fani-Vevis Hotel :* à la sortie du village, sur la route d'Ano Méria. ☎ 22-86-04-12-82 et 37. Ouvert de début juin à fin août. Chambres variant d'environ 40 à 60 €. Belle demeure familiale tout en pierre appartenant à deux sœurs qui se partagent la direction d'une année sur l'autre. Les salles de bains viennent d'être refaites à neuf. Assez cher pour ce que c'est, d'autant plus que c'est un peu à l'écart du village.

🛏 *Hôtel Polikandia :* à l'entrée du village. ☎ 22-86-04-13-22. Fax : 22-86-04-13-23. ● www.greekhotel.com ● Hôtel dans le style du pays. Rénové en 2003. Les chambres sont confortables (petit balcon, radio). Joli jardin et terrasse aménagée sur le toit. Très bon accueil.

🛏 *Folégrandos Apartments :* pas très loin de la place principale. ☎ 22-86-04-12-39. Fax : 22-86-04-14-07. ● www.fole-aps.gr ● Ouvert de mai à septembre. Studios de 55 à 99 € selon la période et le nombre d'occupants (2 ou 3) et appartements de 80 à 130 €. Joli complexe avec principalement des studios pour 2 ou 3 personnes et quelques appartements, plus grands. Bien équipés, avec un niveau de confort élevé. Piscine avec jacuzzi. Service de petit déjeuner. Bon rapport qualité-prix pour l'île.

Beaucoup plus chic

🏠 *Anemomilos Apts :* ☎ 22-86-04-13-09 ; hors saison : ☎ 21-06-82-77-77. Fax : 22-86-04-14-07. ● www.anemomilosapartments.com ● Ouvert de mai à septembre. Au début du chemin qui monte à l'église Panagia. Appartements pour 2 à 4 personnes de 80 à 155 € selon la surface, la vue sur la mer et la saison. Construit en bord de falaise, avec une vue extraordinaire, ravissant complexe d'appartements tout équipés, certains avec deux terrasses. Les dalles dans les allées et dans les chambres sont en pierre verte typique de l'île. Terrasses fleuries. Réception-salon joliment décorée. Petit déjeuner copieux pour ceux qui le désirent. Piscine taillée dans le roc. Accueil chaleureux. Cher, mais c'est beau !

Où manger ? Où boire un verre ?

Un avertissement tout ce qu'il y a de plus sérieux : évitez de nourrir les chats aux terrasses, on se retrouve vite avec 10 ou 15 escagasseurs miaulant sous la table...

🍽 *Taverne Mélissa :* petit resto animé sur la 3e place, avec une grande terrasse – la plus agréable de toutes – sous les arbres. Bon marché : entrées à 3 € environ et plats traditionnels à partir de 8 €. Service rapide.

🍽 *To Sik :* sur la 3e place. Compter en moyenne 8 € pour un repas. Petit resto aux teintes blanche et vert pastel, qui propose différents plats traditionnels très bon marché. Quant au patron, Dimitris, on lui décerne la palme du service souriant. Et pendant qu'on y est, une autre palme pour son gâteau aux épinards et aux petits raisins.

🍽 *Taverne Piatsa :* sur la 3e place, avec petite terrasse en hauteur. Environ 10 € pour un repas complet. Carte fleuve. Cuisine locale savoureuse et copieuse.

🍽 *Taverne O Kritikos :* après la 3e place. ☎ 22-86-04-12-19. Ouvert midi et soir. Pour une entrée et une belle pièce de viande, compter au minimum 10 €. Réputée pour ses grillades qui attirent pas mal de monde. Choix très large, du poulet au lapin en passant par l'agneau fondant et parfumé. Service très bien. Particulièrement pris d'assaut par les chats, qui sont aussi des connaisseurs.

🍽 🍸 *Nikos :* sur la 4e place, en allant vers la police. Compter à partir de 9 € pour un repas. Café-resto modeste avec un petit jardin, tenu par un couple âgé d'une grande amabilité. Cuisine sans prétention et bon marché. La Grèce éternelle...

🍽 🍸 *Stamatis :* sur la 2e place, à l'écart des autres. Bar-resto calme, à l'éclairage tamisé. Bonnes pâtisseries. Agréable pour prendre un verre en terrasse après dîner.

🍽 🍸 *I Pounda :* sur la 1re place, en face de l'arrêt de bus. Petit bar-resto (avec terrasse derrière, sous les arbres) servant de bons gâteaux et pâtisseries. On le recommande plutôt pour ça et les petits déjeuners, car les plats chauds laissent vraiment à désirer.

🍸 *Bar El Greco :* à la sortie du village (route d'Ano Méria). Extraordinaire déco baba-cosy et savants jeux de lumière. On adore. Un large éventail de boissons, bières importées... Bonne musique rock ou *new wave,* clientèle jeune.

🍸 *Café Aquarius :* sur la 4e place. Petit bar qui étale ses chaises dans la ruelle. Sympa pour prendre un cocktail ou un milk-shake dans un quartier animé de Chora. Quelques sandwichs vraiment pas chers.

🍸 *Bar Astarti :* juste à côté de la taverne *Mélissa.* On y écoute de la musique grecque.

À voir. À faire

🚶 Pour pénétrer dans le *kastro,* pas évident à repérer tant il se fond dans la masse, fureter dans les venelles vers la 2e place. À l'intérieur, ne manquez pas de voir les *églises d'Eléoussa* (1530), *Agia Sofia* et *Agia Pantanassa*, d'où la vue est sublime (surtout au coucher du soleil).

༈༈༈ *L'église de la Panagia :* un must, c'est la plus belle église de l'île. Le chemin part de la 1re place et grimpe pendant à peu près 15 mn. De là-haut, on voit parfaitement comment Chora épouse les contours de la falaise ; et on a une vue de l'île du nord au sud. En été, l'église ouvre gratuitement ses portes aux visiteurs en fin d'après-midi, pendant 2 h (se renseigner à l'office du tourisme pour les horaires précis, en principe c'est à partir de 16 h). En continuant 10 mn sur le chemin, on parvient au *Paléokastro,* une acropole antique en ruine. Rien que pour la vue, cela vaut le coup.

➤ *Balade :* aller jusqu'à l'émouvant *monastère d'Agios Nikolaos,* dans les environs de Chora. Presque en ruine.

༈ *La grotte de Chryssospilia :* au pied du *Paléokastro.* Accessible seulement en bateau, mais entrée interdite. Sachez quand même qu'elle recèle des graffitis très anciens laissés par des routards d'il y a 2 000 ans, qui voyageaient sans *GDR,* les inconscients. Photos visibles à l'office du tourisme.

ANO MÉRIA *(ΑΝΩ ΜΕΡΙΑ)*

Village du nord de l'île, très étendu, à 6 km de Chora. Paysage sauvage et très rural. Rien pour s'y loger.

Où manger ?

|●| *The Sunset :* au terminal du bus. ☎ 22-86-04-10-32. Ouvert toute la journée. Environ 5 € pour un plat chaud. La plus belle vue du village, en terrasse. Familial. Hélas, on ne sert pas la meilleure nourriture.

|●| *Taverne Kyra-Maria :* ☎ 22-86-04-12-08. On y sert la spécialité locale, le *matsata* (lapin ou coq en sauce, préparé avec des pâtes maison).

À voir. À faire

༈༈ À voir absolument, le *Musée populaire (Folklore Museum) :* à l'entrée d'Ano Méria, sur la gauche, un chemin monte jusqu'à cette ferme du début du XIXe siècle. Ouvert en été de 17 h à 20 h ; le reste de l'année, on peut s'adresser à Catherina, à côté, et les portes s'ouvrent. Prix de la visite : on donne ce qu'on veut. La vie des paysans de Folégandros y est retracée. Le bâtiment principal servait d'habitation, on trouve du mobilier authentique, des ustensiles de cuisine, broderies locales, un métier à tisser. Dans une annexe, le four à pain, les cruches à *retsina,* matériel de pêche, d'apiculture... Le bac au centre de la cour servait à écraser le raisin, le divin liquide s'écoulant par une ouverture jusqu'à un trou creusé dans la roche. Les explications sont données en *direct live* par un couple âgé qui ne parle que le grec mais, par la magie des gestes, on comprend tout. Un beau petit musée.

༈ Entre les deux parties d'Ano Méria, l'*église d'Agios Giorgios.* Essayez d'y jeter un œil, l'intérieur est doré, fastueux... mais un cerbère féminin veille et l'accès aux *Xéno-visiteurs* (qui plus est non-orthodoxes et souvent court vêtus) dépend de son humeur.

⌂ D'Ano Méria, vous pourrez aller à la belle *plage d'Agios Giorgios* (ou *Vigla*), la seule accessible en scooter. Compter 1 h à pied pour rejoindre *Livadaki* et *Ambéli* ; plusieurs sentiers y mènent. Ne pas oublier sa gourde.

➤ *La route des Crêtes* (petites crêtes) permet de parcourir l'île jusqu'à son extrémité. Vraiment une superbe balade.

FOLÉGANDROS ET IOS
(Cyclades Sud et Sud-Est)

À voir dans les environs

🕺 ***Agali*** (Αγκαλη) : village entre Chora et Ano Méria. On peut s'y rendre du port en caïque (plusieurs par jour en été) ou en bus : le chauffeur s'arrête 2 km au-dessus d'Agali, puis il faut marcher pendant 15 mn. Mais gare à la remontée ! La plage elle-même est assez peuplée. Il faut aller au-delà d'Agali, dans de petites criques – celle d'*Agios Nikolaos,* par exemple – si l'on veut vraiment apprécier la beauté du site. Quand même beaucoup de baigneurs venus de toute l'île, mais l'endroit vaut le coup.
Quelques chambres à louer ; compter environ 20 € hors saison et 45-50 € en août.

🛏 ***Rooms Evangelos Lidis*** *(Van-guélis) :* côté gauche, face à la mer. ☎ 22-86-04-11-05 et 22-86-04-13-18. Le lascar sait bien recevoir ses clients. Il les dépanne parfois en les faisant dormir sur le toit.
🛏 ***Rooms Irène Veniou :*** côté gauche, face à la mer. ☎ 22-86-04-12-09. Chambres avec ou sans douche et w.-c. Vue sur la mer. Sympa et modeste.
🛏 |●| Petit ***resto*** simple et bon en surplomb de la plage, avec sa terrasse ombragée. ☎ 22-86-04-11-16 ou 13-01. Grosses portions pour en-

viron 5 €. Panagiotis et Dina proposent des chambres situées tout là-haut, au-dessus de la baie. Très simple mais tout neuf et propre, avec salle de bains.
🛏 Entre Agali et Agios Nikolaos, à Galifos exactement (à 10 mn à pied par le sentier côtier), ***chambres à louer*** (☎ 22-86-04-10-72 ou 69). Sans électricité, mais c'est totalement isolé et très poétique. Avec ou sans douche, lampe à gaz fournie. Très bon marché. Téléphoner avant impérativement sinon il n'y a personne pour vous accueillir.

QUITTER L'ÎLE DE FOLÉGANDROS

Les destinations sont les mêmes que pour l'arrivée. Voir « Comment y aller ? ».
– Prendre les billets à la seule agence de l'île, à Chora. Il existe un bus qui fonctionne une heure avant chaque arrivée de ferry.

IOS (ΙΟΣ)

1 700 hab.

Située au sud de Naxos et au nord de Santorin, l'île de Ios (108 km²) culmine à 717 m (mont Pyrgos). Depuis les années 1960, elle attire tous les étés des jeunes gens du monde entier, séduits par les belles plages et par l'intensité de la vie nocturne (nombreux bars et clubs). Cette réputation d'« île en fête » s'applique surtout à Chora, le village principal, au point qu'on a pu déconseiller le secteur aux plus de 25 ans ! Mais les choses changent, pas mal de bars périclitent et la municipalité de Ios fait des efforts pour attirer un autre type de voyageurs, une « clientèle », comme on dit, « plus culturelle et plus près de la nature ». Car Ios offre la tranquillité pour ceux qui la recherchent, grâce à ses nombreuses petites criques et ses baies où se nichent des plages. Dans l'arrière-pays, des paysages d'une certaine douceur et des sentiers pour les amoureux de randonnées pédestres. Selon la tradition, c'est ici, sur les pentes du mont Pyrgos, que serait mort Homère...
– *Conseils :* ne comptez pas vous rendre à pied à la plage de Manganari (où fut tournée une grande partie du film *Le Grand Bleu*). Mieux vaut louer un véhicule. Vous pouvez également prendre un bus (départ à 11 h du port, le bus passe ensuite à Chora et Mylopotas) ou un bateau (départ à 11 h, retour vers 18 h).

– Les excursions d'une journée à Santorin sont tout à fait possibles. Départ vers 6 h et retour au choix. Environ 1 h de traversée. Excursions vers Sikinos et Folégandros également, sur le *Krissi*. Départ vers 12 h.

Comment y aller ?

En ferry

➤ *Du Pirée :* plusieurs liaisons par jour en été. Durée du trajet : 8 h, davantage en cas d'escales plus nombreuses.

➤ *De Paros, Naxos et Santorin :* plusieurs liaisons par jour.

➤ *De Sifnos, Milos et Sérifos :* 2 liaisons par semaine.

➤ *De Sikinos et Folégandros :* quelques liaisons par semaine.

En hydrofoil

➤ *De Mykonos, Paros, Naxos et Santorin :* 1 ou 2 liaisons par jour.

➤ *D'Héraklion :* normalement plusieurs liaisons par semaine.

YALOS (ΓΙΑΛΟΣ) *ou ORMOS* (ΟΡΜΟΣ)

Le port de Ios est un port naturel, niché au fond d'une profonde rade bien protégée des vents, à tel point qu'on a l'impression que c'est un lac ! Bonne alternative si c'est complet ailleurs.

Adresses et info utiles

■ *Capitainerie :* ☎ 22-86-09-12-64.

■ *Police :* ☎ 22-86-09-12-22.

■ *Centre médical :* derrière le grand parking. ☎ 22-86-09-86-11. Ouvert de 8 h 30 à 14 h 30 et de 18 h à 20 h.

🚌 *Arrêt de bus :* près du buste d'Homère. Liaisons fréquentes pour Chora et Mylopotas (toutes les 10 mn en plein été). Horaires et trajets assez fantaisistes.

■ *Excursions en bateau :* pour la plage de Manganari. Départ vers 9 h ; cela vaut vraiment la peine.

■ *Excursions en autobus :* pour Manganari, Agia Théodoti, Paléokastro.

■ *Agence Actéon Travel :* au rond-point, à 100 m du débarcadère. ☎ 22-86-09-13-43. Fax : 22-86-09-10-88. ● www.acteon.gr ● Billets de bateau et d'avion. Retrait avec les cartes *Visa* ou *MasterCard.* Consigne à bagages. Service Internet. Excursion d'une journée sur l'île en bus climatisé. On y parle le français. Plusieurs agences dans l'île.

■ *Location de voitures et scooters :* 2 loueurs principaux sur l'île, avec plusieurs bureaux. *Ios Travel* (☎ 22-86-09-23-00) et *Jacob's* (☎ 22-86-09-10-47). Large gamme de véhicules.

■ *Taxis :* ☎ 22-86-09-16-06.

■ *Ios Boat Service :* au port. ☎ 69-72-85-57-08. Location de bateaux (très sûrs) sans permis.

– *Conseil :* pour gagner du temps, demander un plan de l'île dans n'importe quelle agence ou chez les loueurs.

Où dormir ? Où manger ? Où boire un verre ?

Camping

⚑ |●| 🍸 *Camping Ios on the Beach :* à droite du port quand on débarque, à 15 mn à pied de Chora par les escaliers (eh oui, le camping n'est justement pas « on the beach » !). ☎ 22-86-09-20-35 et 36.

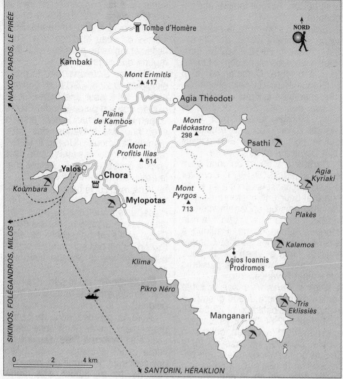

L'ÎLE DE IOS

Fax : 22-86-09-21-01. Compter environ 16 € pour 2 personnes et une tente. Ombragé. Très bon accueil en français, ambiance jeune et détendue. Sanitaires très propres et sur-

tout superbe piscine avec vue sur la mer. Consigne. Bar ouvert 24 h/24 (et donc bruyant l'été !). Coffres de sécurité. Mini-agence de voyages. Tentes à louer.

Prix moyens

🛏 *Hôtel Homer's Inn :* à 5 mn du port. ☎ 22-86-09-13-65 et 23-65. Fax : 22-86-09-18-88. ● www.homers inn.net ● Ouvert de mai à début octobre. Doubles avec salle de bains de 45 à 62 € selon la période. AC en option. Piscine. Bon rapport qualité-prix mais pas spécialement convivial.

🛏 *Hôtel Actéon :* sur la place principale, au-dessus de l'agence du même nom. ☎ 22-86-09-13-43 et 10-02. Fax : 22-86-09-10-88. ● www.acte on.gr ● Ouvert d'avril à octobre. La chambre double est à 30 € en basse

saison, 65 € en pleine saison. Balcons donnant sur la mer. Très propre mais très bruyant, comme beaucoup d'endroits sur le port. La responsable parle le français.

🛏 *Irene Rooms :* ☎ 22-86-09-10-23. Fax : 22-86-09-22-92. Compter 20 € la double jusqu'en juin, puis 50 €. Chambres tout confort avec balcon et vue. Petit déjeuner possible.

🛏 *Pension Avra :* ☎ 22-86-09-21-22 ou 22-86-09-18-95. Ouvert de mai à octobre. Doubles de 20 à 50 € selon la période. Une quinzaine de chambres avec salle de bains, frigo, TV et balcon. Accueil familial et francophone.

🛏 *Galini :* à 200 m de la plage, direction Koumbara. ☎ et fax : 22-86-09-11-15 ou ☎ 69-32-62-87-58 (portable). ● www.ios-island.com ● Ouvert d'avril à octobre. Compter de 30 à 50 € pour deux. Un petit ensemble, entre chambres à louer et hôtel, qui propose des chambres doubles et triples. Mobilier récent, petit frigo, salle de bains. Terrasse ombragée pour le petit déjeuner. Bon accueil d'Ilias Zamanou et de sa mère.

🛏 *Zorbas :* à 50 m du rond-point central. ☎ 22-86-09-18-71. Compter de 20 € (en basse saison) à 45 € (en plein été) pour une chambre double. Des chambres ou appartements tout équipés tenus par une famille grecque. AC en option. Pratique à l'arrivée des ferries tardifs. Compte tenu des tarifs avantageux en août, réserver absolument, et ce plusieurs semaines à l'avance.

🛏 *Olga's Pension :* sur la route montant vers Chora, à 300 m environ de l'arrivée des bateaux. ☎ 22-86-09-15-56. Fax : 22-86-09-12-19. ● www.ios-greece.com ● Ouvert de mai à octobre. Compter en gros de 20 à 60 € selon la période. C'est une petite pension familiale. Chambres tout confort, avec vue sur le port.

|●| *Taverne Akroyiali :* sur le port, face aux caïques. ☎ 22-86-09-10-96. Compter dans les 10-15 € (et davantage pour un repas de poisson). Le patron, Kostas, est pêcheur, le poisson est donc d'une fraîcheur garantie. Excellent accueil de Vangélio. Sans doute le meilleur rapport qualité-prix sur le port.

|●| *Restaurant Ios Sofrano :* à la sortie nord du port, en allant vers la grande plage. ☎ 22-86-09-11-34. À partir de 10 € pour un repas. Spécialités de veau et d'espadon. Tonnelles et tables au bord de l'eau. Bon rapport qualité-prix.

|●| *Taverne Souzana :* sur la place principale. ☎ 22-86-09-11-08. Compter environ 12 € pour une entrée et un plat de poisson ou de viande. Pizzas également. Le *mix kebab* empale avec brio des crevettes, des calamars et des moules. Un régal. La terrasse est quelconque mais située dans un coin central et animé. Service chaleureux, polyglotte et efficace.

|●| *Enigma :* sur le port. ☎ 22-86-09-18-47. À partir de 8 € le repas. Terrasse assez quelconque, mais bien située pour observer les bateaux. Carte variée et bon choix de vins. Quand il n'est pas surmené, le patron taille volontiers la bavette avec ses clients.

– *Boulangerie :* sur le port, à la hauteur du départ des bus. Excellents beignets.

🍸 À Yalos, pas beaucoup de bars à proprement parler. Ambiance particulière à l'*Octopus Tree* (dernière taverne avant le camping), au milieu des pêcheurs qui terminent leur journée de travail autour d'un verre d'*ouzo*. Mais, côté restauration, c'est en baisse. On aime bien aussi le *Café Cyclades by night* (mais ouvre dès 8 h du mat'). Tenu par Mark, un Anglais très cool qui a adopté Ios et son climat plus... clément. Musique *smooth* et éclairages soft. Possible de prendre une douche à l'agence à côté moyennant 3 €.

À faire dans les environs

◺ *Koumbara* (Κουμπαρα) : prendre la route qui part du port vers le nord (à droite, en regardant la mer). Après 1,5 km de route, on arrive sur une petite plage de sable parfois un peu sale. Derrière les rochers, succession de petites criques. Idéal pour les enfants, car les eaux sont peu profondes. Pas mal de nudistes et un peu plus calme que Mylopotas. Port minuscule.

|●| Une *taverne* avec terrasse ombragée face à la mer, En remontant, le restaurant *Polydoros*. ☎ 22-86-09-11-32. Ouvert de mai à octobre. Repas de 10 à 15 €. Carte très complète, plats soignés (classiques mais aussi spécialités locales). Accueil sympa et belle vue. Une des meilleures tavernes de l'île.

CHORA *(XΩPA)*

C'est le chef-lieu de l'île, situé sur la côte ouest, au-dessus du port. Bâti à l'emplacement de la ville antique, c'est un village perché, caractéristique des Cyclades avec ses maisons éclatantes de blancheur aux volets de couleurs vives, ses petites ruelles tortueuses, ses moulins à vent et son nombre incalculable de chapelles aux dômes tout bleus...

Tout au sommet de la colline se trouve l'*église de la Panagia Grémiotissa*, et tout autour, les *ruines du kastro* (XIVᵉ siècle). Dans le quartier des Moulins, le maire de Ios a fait construire un théâtre en plein air de 1 200 places avec vue sur la mer, où sont organisées tous les étés des manifestations culturelles. Idéal pour les couchers de soleil. Plus d'une maison contient une discothèque au rez-de-chaussée et des chambres à louer aux étages supérieurs. Pour profiter de ce village, vous l'avez sans doute deviné, il est conseillé de faire la sieste, car il vit du crépuscule à l'aube même si, ces derniers temps, on s'est assagi.

Adresses utiles

■ *OTE :* au bout de la petite route montant à droite, au niveau du bar *Sweet Irish Dream.* Ouvert du lundi au vendredi de 7 h 30 à 14 h 30. Fermé le week-end.

✉ *Poste :* dans une petite ruelle, derrière la place principale. Ouvert du lundi au vendredi de 7 h 30 à 14 h.

■ *Banques et distributeurs :* Banque nationale de Grèce, derrière l'église (tout au début de la rue principale), instructions en français au distributeur. Sinon, plusieurs distributeurs répartis dans tout le village.

■ *Pharmacie :* dans la rue principale, 100 m après la place. ☎ 22-86-09-15-62.

■ *Centre médical :* Ios Emergency, à droite sur la route de Mylopotas. ☎ 22-86-09-13-37. On y parle l'anglais.

■ *Location de scooters :* plusieurs loueurs le long de la route goudronnée.

Où dormir ?

C'est sur la colline, face au village, qu'il y a le plus de chambres à louer. En été, tout est vite complet.

🛏 *Francesco's :* au pied du *kastro*, côté port. ☎ 22-86-09-12-23. Fax : 22-86-09-17-06. ● www.francescos. net ● Ouvert d'avril à septembre. Doubles avec salle de bains de 20 à 55 € et dortoirs de 2 à 8 personnes pour 15 € le lit. Un bon compromis entre AJ et chambres à louer, réparti en 3 bâtiments. La seule adresse de ce type sur l'île, donc très fréquentée par les jeunes routards du monde entier. Musique à tue-tête au bar. Simple, propre, super bruyant et tout proche des boîtes. Le pied, quoi !

🛏 *Pension Four Seasons :* dans la rue de l'*OTE*, sur la gauche. ☎ 22-86-09-13-08. Fax : 22-86-09-11-36.

● www.ios-island.com ● Ouvert toute l'année. La chambre double avec salle de bains est à 20 € en basse saison, mais les prix grimpent à 50 € en août. Petite pension dont toutes les chambres sont équipées d'un frigo et deux ont une cuisine. Très bon accueil de Kathleen, une Écossaise « cycladisée » depuis 30 ans.

🛏 *Kolitsani View :* dans le quartier Kolitsani, après l'*OTE*. ☎ 22-86-09-10-61. Fax : 22-86-09-22-61. ● http:// home.swipnet.se/gitarr/kolitsani ● Ouvert d'avril à fin octobre. Compter de 25 à 65 € pour une chambre spacieuse, tout confort. Superbe piscine avec vue sur la mer et Santorin. Transfert gratuit en minibus du port et vice versa pour les clients, même la nuit.

🛏 *Margarita's Rooms :* derrière l'église principale, dans une rue allant vers la place principale. ☎ 22-86-09-11-65. Chambres très cor- rectes pour 25 à 45 €. Accueil sympa. Ventilateur et frigo. Les mêmes proprios possèdent aussi l'*Avanti Hotel,* sur la colline en face, mais dans un autre standing, avec piscine. Tarifs très compétitifs hors saison.

Où manger ?

Pour les adeptes des restos grecs typiques, le centre de Chora n'est pas le meilleur endroit. On trouve énormément de snacks ou sandwicheries pour prendre un en-cas debout et se perdre dans les ruelles animées. Il existe, sinon, une majorité de restos italiens. S'il y a des inconditionnels :

🍽 *Taverne Lord Byron :* dans une petite ruelle qui donne sur la rue principale, pas loin de la poste. ☎ 22-86-09-21-25. Ouvert uniquement le soir en moyenne saison. Un bon repas pour 10 à 20 €. Bon choix de *mezze*. Beau mélange de déco d'antan et musique pop (sans « e »). Accueil irrégulier.

🍽 *Fiesta :* sur la route du port, à 150 m. ☎ 22-86-09-17-66. Ouvert de mai à octobre. Repas à partir de 10 €, pizzas de 5 à 11 € (selon la taille). À la carte, d'amusants plats nationaux accompagnés de « gravy » bien *British*. Il faut dire que le resto est tenu par une famille gréco-anglaise qui n'y va pas de main morte sur les portions. Ajoutez à cela une terrasse-véranda offrant une jolie vue sur le port, à l'écart du village grouillant. On aime bien, les Grecs aussi d'ailleurs, c'est souvent plein.

Où boire un verre ? Où danser ?

Il y a plus de 40 bars dans ce petit village ! De semaine en semaine, les goûts et les modes alternent. Un endroit délaissé devient surpeuplé, puis à nouveau se vide ou ferme carrément. Donc, se tenir au courant.

Compter à peu près de 4 à 7 € pour une entrée en discothèque, ce qui vous donne droit à des consommations gratuites. Dans les bars, selon la tête du client, on peut se faire offrir un *free shot,* c'est-à-dire un verre de schnaps gratuit.

Un tuyau : *happy hours* (50 % de réduction) dans la plupart des bars en début de nuit.

🍸 ♫ *The Dubliner Irish Bar :* à l'entrée du village. Tout nouveau, tout neuf. C'est grand, très bien équipé, et on est surpris de trouver ici cette discothèque que l'on imaginerait mieux à Paris ou sur la Côte d'Azur.

🍸 ♫ *Blue Note :* sur le chemin des moulins. Un des pubs les plus sympas et les mieux fréquentés d'Ios. C'est le rendez-vous des jeunes du nord de l'Europe. C'est sur leur musique (et pleins d'autres) que l'on danse ! Ça change de la techno !

🍸 *Satisfaction Bar :* dans une des ruelles, près de la place principale, un bar tout en longueur. Ambiance *funcky* branchée *house*. Décor approprié. On s'y sent bien.

🍸 ♫ *Slammer :* au centre de Chora, très sympa. Disco rétro (des *sixties* aux *eighties*) pour danser ou prendre un verre.

🍸 *Barmacy :* près de la place centrale. Plutôt bar « adulte » qui ne passe pas que des tubes standardisés. Déco psychédélique aux couleurs criardes pour déguster de

curieux cocktails. « Liquid cocaïn » et « orgasm » ne vous décevront pas !
♫ **Disco Club Underground :** sacro-saint des boîtes, pas loin de l'église (aucun rapport). *Dance* et *transe* principalement (vraiment aucun rapport).

À voir. À faire vers le nord-est (route des moulins)

🐝🐝🐝 **La tombe d'Homère** *(Τάφος Ομηρου) :* à 15 km au nord de Chora. Emprunter la route des moulins sur 4,5 km puis bifurquer sur la piste à gauche, vers Agios Ioannis (indiqué). Faisable à scooter, mais en allant doucement. À pied ça peut tourner à l'odyssée si on ne prévoit pas de l'eau en quantité suffisante. La tombe supposée du père littéraire d'Ulysse ne présente en soi guère d'intérêt. Mais rien que pour la route et le site (face à la mer et aux îles), ça vaut le coup. La région regorge de ruches et une douce odeur de miel flotte dans l'air. À moins que ce ne soit notre imagination, l'endroit prête tellement à l'inspiration !

🏖 **Agia Théodoti** *(Αγιος Θεοδοτη) :* à 12 km environ au nord-est de l'île. La route est maintenant goudronnée et la promenade en vaut la peine, déjà rien que pour les paysages : vallons fertiles (vignobles, oliveraies), falaises abruptes, montagnes arides, chapelle ici et là... Quant à la plage, elle est superbe (mais compte pas mal de nudistes).
– Dominant la baie, la petite *chapelle d'Agia Théodoti* (XVIᵉ siècle) est l'une des plus anciennes de l'île.
– *Fête patronale :* le 8 septembre. Réunit les habitants de l'île : repas et vin offerts à tous.

🏖 **Psathi** *(Ψαθη) :* à 18 km sur la côte est. Plage remarquable aux eaux d'un bleu profond, bordée par les collines qui surgissent de l'eau. Petites criques isolées et naturistes à gauche. Là aussi, grand site de ponte des tortues *caretta-caretta*. Paysages arides, ponctués de petites chapelles, absolument superbes...
– Grande fête à l'*église d'Agios Ioannis* le 28 août (repas offert à tous). Pour manger, une excellente taverne *(Alonistra),* à prix classiques.

Randonnée pédestre

➤ **À partir du village de Chora :** plutôt géniale, mais assez difficile. Partir tôt le matin et se munir de bonnes chaussures montantes, d'un chapeau, de lunettes de soleil et d'eau.
– Prendre le chemin muletier qui passe auprès des vieux moulins. Après 90 mn de marche, on arrive à *Profitis Ilias,* où se trouvent une vieille station de télécommunications et une petite chapelle. Très beau panorama sur le port et la *plage de Mylopotas.*
– En suivant les crêtes, on peut rejoindre, en 2 h environ, le *mont Pyrgos* et sa jolie chapelle byzantine. Derrière la chapelle, à 100 m environ, une source d'eau potable dans le rocher. Superbe vue, là encore, sur les montagnes du centre de l'île.
– En allant vers le nord, on peut apercevoir une première montagne assez dénudée, puis une seconde plus verte, sur laquelle se situe *Paléokastro* (ruines d'un château vénitien dont il ne reste que des pans de murs).
– Toujours en suivant les crêtes, compter 2 h entre *Pyrgos* et *Paléokastro,* en passant par un point d'orientation sur un sommet. L'arrivée au château est assez raide, mais quand on pense à ceux qui ont construit cette forteresse ici, on relativise... Comme d'habitude, on découvre une chapelle parmi des tas de cailloux. Vue géniale sur *Psathi* et sur la côte qu'on domine.

– De Paléokastro, redescendre vers une toute petite grève de 15 m de large (30 mn) et rejoindre, en longeant la côte, *Agia Théodoti* et sa superbe plage.

– Si l'on est encore courageux, le retour au village d'Ios par la route prendra 2 h 45. On peut faire du stop, mais pas beaucoup de voitures.

Après une belle balade, on est peut-être fatigué... mais content !

MYLOPOTAS *(ΜΥΛΟΠΟΤΑΣ)*

À 3 km au sud-est de Chora. En bus ou 20 mn à pied. Plage de sable interminable et qui a fait la réputation de l'île. Station estivale très prisée des jeunes. Location de planches à voile, canoës, ski nautique et centre de plongée sous-marine. Vous y trouverez campings « technoïsés », hôtels, pensions et locations diverses. Pas de doute, que ce soit de crème solaire ou de bière, c'est un vrai paradis de beurrés heureux.

Où dormir ? Où manger ?

⚲ ●● *Purple Pig Stars Camping :* ☎ 22-86-09-13-02. Fax : 22-86-09-16-12. ● www.purplepigstars.com ● Avant d'arriver à la plage sur la gauche, venant de Chora. De 11 € en basse saison à 16 € à partir de mi-juillet pour deux personnes et une tente. Location de tentes (mais un peu agglutinées les unes sur les autres) et bungalows. Sous les arbres. Bloc sanitaire correct. Sono relativement discrète en journée. Par contre la nuit... Piscine, barbecue, concerts live, etc.

⚲ ●● *Camping Far Out :* ☎ 22-86-09-14-68 et 22-86-09-23-01 et 02. Fax : 22-86-09-23-03. ● www.farout club.com ● C'est le dernier camping, face à la mer, au bout de la route. Transfert gratuit en minibus du port et vice versa. Compter de 5 à 9 € par personne ! Possibilité de louer des bungalows (2, 3, 4 personnes) et des *bed tents*. Très propre et ombragé. Douches avec eau chaude. Le camping dispose aussi (hélas ?) d'une piscine somptueuse avec transats et parasols, envahie par des touristes bruyants dès le matin. La bière se retrouve parfois dans le petit bassin... avec en bruit de fond de la musique à tue-tête nuit et jour (parfois des concerts). Pas vraiment pour les familles, vous l'aurez compris. Pour les autres en revanche, tout ce qu'il faut pour rendre le séjour confortable : cinéma en plein air, self-service, *minimarket*, coffres de sécurité, miniagence de voyages, terrains de sport et activités nautiques. Accueil sympa.

Réduction de 10 % sur présentation du dépliant de la chaîne *Harmonie* (c'est presque ironique !), dont le camping fait partie.

🛏 *Aegeon :* au milieu de la baie. ☎ 22-86-09-13-92. Fax : 22-86-09-10-08. ● www.ios-aegeon.com ● Ouvert de mai à début octobre. Chambres doubles de 30 à 65 € environ et triples de 45 à 78 €. Réparties dans 2 bâtiments, autour d'un beau jardin fleuri, une vingtaine de chambres, la plupart avec vue sur mer. AC, TV, frigo. Bon niveau de confort. Accès direct à la plage. Une bonne adresse.

🛏 *Drakos Twins Rooms to Let :* à droite, en arrivant sur la plage depuis Chora. ☎ 22-86-09-12-43. Fax : 22-86-09-16-26. Chambres de 30 à 50 €, simples mais avec salle de bains et dominant la mer. Accueil charmant. Ambiance calme et sympathique. Les studios se trouvent à 500 m de la plage.

🛏 *Psili Ammos :* à l'extrémité sud de la plage, au-dessus du resto. ☎ et fax : 22-86-09-10-10. Ouvert de mai à octobre. Chambres à 60 € au mois d'août, pour 2 ou 3 personnes. Toutes avec frigo et balcon. De certaines on pourrait presque plonger dans la mer ! Vraiment une bonne affaire en basse saison.

🛏 ●● *Ios Plage Hotel :* au bout de la plage. ☎ et fax : 22-86-09-13-01. ● www.iosplage.com ● Compter de 35 à 65 €, selon la saison, sans le petit déjeuner. Cet hôtel a été entièrement rénové par un couple de jeunes Français qui a beaucoup voyagé. Chambres avec balcon et vue unique sur la baie de Mylopotas au moment du coucher de soleil. Cuisine française et grecque (en été demi-pension imposée...). Accueil chaleureux. Location de bateaux sans permis pour découvrir des criques isolées sans risques : • www.iosboat.com •

☗ l●l *Far Out Hotel :* en arrivant sur Mylopotas. ☎ et fax : 22-86-09-14-46. Fax : 22-86-09-17-01. • www.faroutclub.com • Ouvert d'avril à septembre. Compter de 50 à 95 €, selon la saison. Un complexe à flanc de colline qui ne manque pas de charme, avec chambres climatisées. Toutes ont un balcon, vue superbe. Piscine et bar. En saison, l'hôtel n'est cependant pas des plus calme car fréquenté par des grappes de jeunes débridés sans leurs parents. Tout fout le camp !

l●l *Taverne Elpis :* au bout de la plage, côté Chora. ☎ 22-86-09-16-26. Ouvert de mai à octobre. Repas de 8 à 12 €. Très sympa. Terrasse agréable en hauteur. Petit déjeuner, cuisine traditionnelle et bonnes viandes. Plus cher si l'on opte pour du poisson (la *kakavia* – soupe de poisson – est réputée). Les deux frères qui gèrent la taverne, Yorghos et Yannis, sont de parfaits jumeaux ! Adresse très prisée à Ios, et ce, depuis le début des *seventies.*

l●l *Drakos Restaurant :* à l'extrémité sud de la plage. ☎ 22-86-09-12-81. Ouvert de mai à septembre. Compter 9 à 13 € pour deux plats. Bonnes grillades et poissons tout frais au prix des viandes. Salade crétoise originale à base de pain. Petite terrasse vite prise d'assaut par les Grecs qui ne s'y trompent pas et littéralement les pieds dans l'eau. Gare aux repas bien arrosés !

À faire dans les environs

◿ *Manganari* (Μαγγαναρι) *:* au sud-est de l'île. De Mylopotas, c'est de la piste sur 17 km, assez rocailleuse. Avec un peu de chance, elle sera goudronnée quand ce guide paraîtra ! Le plus bel endroit de l'île de Ios, absolument paradisiaque, avec ses nombreuses plages de sable blanc et ses petites criques aux eaux cristallines et turquoise. En revanche, il n'y a pas d'ombre ! Pour la petite histoire, c'est ici que fut tournée une partie du film *Le Grand Bleu.* C'est aussi un grand lieu de rendez-vous pour les yachts et voiliers du monde entier. On peut s'y rendre en bateau depuis Yalos ou en bus depuis le port, Chora ou Mylopotas.

Ne pas manquer, au nord-est de Manganari, les superbes criques de *Tris Eklissiès, Louka, Kalamos.* C'est un site protégé, car c'est un lieu de ponte des tortues *caretta-caretta.*

Quelques chambres, tavernes et installations sportives. Idéal pour des vacances tranquilles. Même si les panneaux mènent immanquablement à *Christos,* nous on reste fidèle à nos « vieilles » adresses :

☗ *Rooms Dimitris :* à 150 m de la plage. ☎ 22-86-09-14-83 ou 22-86-09-17-89. De juin à septembre. Chambres de 25 à 50 €, tout confort avec terrasse et vue sur mer.

l●l *Antoni's Restaurant :* sur la plage, près de la pension *Dimitris*

(même proprios). Compter à partir de 9 € pour un repas. Petit resto avec terrasse ombragée. La patronne est charmante. Aux murs, drôles de tableaux faits avec des matériaux de récupération.

QUITTER L'ÎLE DE IOS

Les destinations sont les mêmes que pour l'arrivée. Voir « Comment y aller ? ».

LES PETITES CYCLADES (ΜΙΚΡΕΣ ΚΥΚΛΑΔΕΣ)

Il s'agit d'une série de petites îles situées au sud de Naxos, entre Ios et Amorgos, et qui forment elles-mêmes un « cercle ». Administrativement, elles dépendent de Naxos.

Les îles habitées sont Iraklia, Schinoussa, Koufonissia et Donoussa. Habitées, elles l'étaient depuis belle lurette puisqu'elles ont fourni leur lot de trouvailles archéologiques, exposées aux musées archéologiques de Naxos ou d'Athènes. Réputées pour leurs eaux limpides, leurs belles plages au sable doré, leur tranquillité, elles sont devenues à la mode (surtout Koufonissia) depuis quelques années. Attirés par la manne touristique, de nombreux jeunes, natifs de ces îles, sont revenus au pays après un séjour plus ou moins long dans la capitale, et ont ouvert un hôtel ou un resto, puisque ça marche fort en ce moment... Cela explique la population assez jeune (en été) des Petites Cyclades et leur dynamisme immobilier. Plusieurs choses à prévoir :
– il n'y a souvent pas d'autre alternative pour se déplacer sur ces îles que la marche (parfois éprouvante, étant donné la chaleur en été !).
– Si vous n'avez pas réservé, évitez la période 15 juillet-20 août ; sinon, c'est la galère assurée !
– Il n'y a pas de banques ; donc, prévoir du liquide. Par ailleurs, si votre budget est limité, emportez quelques provisions car les épiceries sont hors de prix.

Comment y aller ?

En ferry

➢ **Du Pirée :** 2 à 3 liaisons par semaine en été, moins fréquentes hors saison. Les îles sont desservies dans l'ordre suivant : Iraklia, Schinoussa, Koufonissi. Donoussa est desservie par d'autres ferries.
➢ **De Syros, Naxos, Mykonos et Amorgos :** 2 à 3 liaisons par semaine.
➢ **D'Astypaléa :** 2 liaisons par semaine.

En petit ferry

Le dénommé *Express Skopelitis*, « domicilié » à Katapola (Amorgos), dessert **Naxos, les Petites Cyclades et Amorgos,** à raison de plusieurs trajets hebdomadaires en saison. Très pratique et agréable. Attention, il ne transporte guère plus de 8 véhicules.

IRAKLIA *(ΗΡΑΚΛΕΙΑ ; 120 hab.)*

La plus à l'ouest des Petites Cyclades est une île tranquille aux collines douces, couvertes de figuiers de Barbarie. Le sommet le plus haut s'élève à 419 m : c'est le mont Pappas, où se trouvent des sources naturelles.
Le port (Agios Giorgos), qui concentre l'activité et tous les hébergements, est relié à l'unique village, *Panagia,* par une route asphaltée (5 km). Rural, hors du temps. À pied, il faut compter environ 50 mn de marche. L'île a une superficie de 19 km², et la plupart des habitants sont des pêcheurs.

➢ Quelques jolies plages de sable fin : la plus accessible, *Livadi,* se trouve à 1 km du port. Elle est dominée par les ruines d'un *kastro* vénitien, d'où il y a une superbe vue sur les îles avoisinantes. Toujours très fréquentée. On peut aller en bateau (le « sea bus ») sur deux plages au sud de l'île, *Karvounolakos* (galets) et *Alimia* (sable). Départ quotidien en saison du port, en milieu de matinée. Compter environ 6 € par personne. Les autres plages sont inaccessibles à pied, sauf celle de *Spilia,* une sorte de calanque, à 40 km de marche d'Agios Giorgos, malheureusement souvent sale.

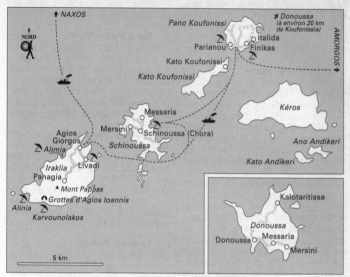

LES PETITES CYCLADES

➤ **Randonnée :** d'Agios Giorgos, on atteint, en 2 h 30-3 h, la grotte d'*Agios Ioannis*, à 250 m d'altitude. Balade bien balisée qui passe par Agios Anastassios et un petit col. La grotte comprend une grande salle de stalactites et de stalagmites mais rien n'est prévu pour la visite. Autant dire que si vous ne vous baladez pas avec l'équipement standard du spéléologue, vous ne verrez rien. De la grotte, en 20 mn en direction du nord-est, on atteint le sommet du Pappas, et, de là, la petite capitale de l'île, *Panagia,* est à moins d'une demi-heure de marche. Retour au port par la route goudronnée. Le 29 août, les habitants de toutes les Petites Cyclades s'y rendent pour faire des offrandes et célébrer un office dans la chapelle, construite à l'entrée de la grotte. Les locaux sont gentils et accueillants, et n'hésitent pas à vous prendre sur leur tracteur pour vous mener d'un point à un autre de l'île. Personne ne connaît la fin de la grotte et, selon certaines croyances, elle se prolongerait jusqu'à Ios. On n'a pas vérifié.

– **Grande fête** le 15 août. Repas (en général, ragoût de viande au riz et vin) offert à tous par un habitant de l'île, tiré au sort selon la coutume ancestrale (et l'église), suivi d'un bal.

– Pour se renseigner sur les bateaux et acheter les billets, aller à l'épicerie *Melissa.*

Où dormir ? Où manger ? Où boire un verre ?

On trouve de nombreuses chambres au port et en remontant sur la colline qui lui fait face. C'est sympa et assez pratique, vu la proximité des commerces.

🛏 **Anna's Place :** grimper environ 200 m au-dessus du port et prendre le chemin à droite. ☎ et fax : 22-85-07-11-45. Ou, sur place, s'adresser à la taverne *Périgiali.* Deux catégories de chambres : des doubles sympas avec douche et w.-c. pour 20 à 40 € selon la période, et d'autres aménagées comme des mini-suites avec cuisine, AC, TV, divan, pour le double de ce tarif. L'ensemble hôtelier géré par l'aimable Anna (qui a travaillé pendant 20 ans au resto précité) offre une belle vue sur le port et d'excellentes prestations pour pas bien cher. Cuisine commune à disposition et chambres à 3 ou 4 lits pour les familles et groupes d'amis.

🛏 *Rooms Alexandra :* tout en haut du village, à côté d'*Anna's Place*. ☎ 22-85-07-14-82. Compter de 20 à 45 € selon la saison. La terrasse devant la maison est très plaisante, mais les chambres plutôt tristes. Bien tenu, néanmoins, très bon panorama et accueil super gentil. Vient vous chercher au port. Conseillé de réserver.

🛏 *Villas Zographos :* 700 m après la plage de Livadi, en hauteur. ☎ et fax : 22-85-07-19-46. ☎ 69-77-63-20-66 (portable). • mirtali@tenet.gr • Ouvert d'avril à fin octobre. À partir de 30 € en basse saison et jusqu'à 60 € en été. Treize chambres à la déco soignée et tout confort : douche, w.-c., réfrigérateur et terrasse privée avec jolie vue sur la mer et les autres Petites Cyclades. Le tout dans un grand jardin avec barbecue. Tranquille mais bien excentré, malgré une navette gratuite depuis le port.

🛏 |●| *Maistrali, chez Nikos :* à mi-chemin en grimpant la colline. ☎ 22-85-07-18-07. Fax : 22-85-07-15-45. • nickmaistrali@in.gr • Compter au maximum 9 € pour une entrée et un plat. Les plats sont simples et très bon marché. Vue optimale. Le jeune patron de cette taverne loue quelques chambres doubles correctes avec salle de bains, juste à côté de la terrasse du resto (donc sûrement assez bruyant), pour 20 à 35 €. Des appartements également, avec TV, frigo et terrasse.

|●| *Bar à mezze Syrma :* en arrivant, à droite du port, à côté de la mairie. Vue imprenable sur le port. Ouvert du matin au soir. *Mezze* à partir de 3 € et plat à 5 € environ. La cuisinière (et patronne) est lyonnaise et le patron, originaire de l'île, vous initiera aux secrets de la musique grecque. Accueil très chaleureux.

|●| *Taverne Périgiali :* sur le port. Compter 3 € pour une entrée et environ 5 € pour un plat. Bar-resto repris depuis pas très longtemps par Voula et son fils Petros, qui préfèrent passer la saison ici plutôt qu'à Athènes, et on les comprend. Cuisine consciencieuse. Poisson garanti tout frais. La terrasse, à l'étage, offre une belle vue sur le port.

|●| *Taverne Pefkos :* un peu après *chez Nikos*, on tombe sur cette taverne familiale où l'on peut essayer le plat du jour, pour 4 ou 5 €. Loin d'être propre, mais au moins c'est authentique et la cuisine locale se révèle goûteuse. Le patron, Dimitris, est un insulaire un peu rude, juste ce qu'il faut. Un dernier truc : attendez d'être rentré à l'hôtel pour aller au petit coin.

🍸 *Georgios Gavalas Place :* en contrebas de la route, avant d'arriver à la plage de Livadi. Surplombant la mer et offrant une vue superbe. Idéal pour l'apéro ; on peut aussi y manger des bricoles, mais nous ne le recommandons pas. Accueil désinvolte et pas forcément chaleureux ; cependant, l'ambiance est bonne quand ça se met à danser.

SCHINOUSSA (ΣΧΟΙΝΟΥΣΑ ; 120 hab.)

Située entre Iraklia et Koufonissia, Schinoussa, avec une superficie de 9 km², est sèche et timidement vallonnée.

Le port, *Mersini*, est situé au fond d'un profond golfe bien abrité des vents. Il est relié au bourg principal *Chora (Panagia)* par une route asphaltée d'1,5 km (à pied, on peut couper quelques virages et ça prend 10 mn). Encore une île à découvrir en marchant.

◿ De Chora, plusieurs sentiers mènent aux jolies plages dont Schinoussa est truffée : aller à *Messaria* (20 mn), et tourner à droite vers la paisible plage de *Psili Ammos*, à 400 m. *Livadi* est ravissante et plus proche, mais moins calme.

L'horizon est constellé d'îles et d'îlots ; donc, où que vous logiez, il semble impossible de ne pas bénéficier d'une vue sympa. L'hébergement reste un peu limité et se trouve principalement à Mersini ou Chora. Idéal pour les voiliers, qui sont nombreux.

– À l'entrée de Chora, un *tourist mini-market* vend billets de bateau, journaux internationaux (de quelle année ?) et fait le change.

Où dormir ? Où manger ?

À Chora *(Χωρα)*

📷 I●I **Pension-restaurant Meltémi :** tout en haut du village. ☎ 22-85-07-14-97 ou 40-37. Compter à partir de 25 € pour une chambre double. Ces chambres sont modestes, mais certaines ont un grand balcon avec une vue magnifique. L'accueil est chaleureux, et la fille du patron particulièrement sympathique.

📷 I●I **Rooms Provaloma :** juché sur une hauteur, sur la route de Messaria. ☎ 22-85-07-19-36 ou 49. Chambres avec très belle vue, très confortables, toutes avec douche et w.-c. Vaste jardin. Accueil parfois un peu sec. Minibus à la disposition des clients. Fait aussi taverne.

📷 Les chambres de l'**Hôtel Iliovasiléma** *(Sunset),* notamment celles avec vue sur la baie, sont très bien aussi. ☎ 22-85-07-19-48 ou, l'hiver,

☎ 21-09-96-56-31 (à Athènes). Le prix oscille entre 40 et 65 €. Gérante sympa et serviable.

📷 I●I **Agnadéma :** boulangerie faisant également café et épicerie, sur la route de Messaria. ☎ 22-85-07-19-87. Pain délicieux. Proprios charmants. Le patron a ouvert quelques studios tout équipés, à l'étage.

I●I **Taverne Panorama :** un bon repas pour 8 à 10 €. La vue n'est pas mal et l'on y mange bien. L'accueil pourrait toutefois être plus souriant.

I●I **Margarita :** bar-resto servant *mezze,* petits déjeuners, petits plats grecs pour moins de 7 €. Beau panorama. Gérant jeune et dynamique. Bien surtout le soir, pour boire un verre avec de la bonne musique (pas grand-chose d'autre, de toute façon...).

À Mersini *(Μερσινη)*

I●I Les deux meilleures tavernes sont à notre avis celles du port : **Mersina** et **Nicolas.** C'est nettement plus cher qu'à Chora, tout en restant raisonnable. Compter environ 12 € pour le repas. Spécialités de poisson, comme il se doit, et poulpe, *souv-*

lakia, etc.

📷 La taverne **Mersina** propose 2 jolies chambrettes avec salle de bains et face au port. ☎ 22-85-07-11-59 ou 21-09-84-32-52 (à Athènes). De 20 à 50 € selon la période.

KOUFONISSIA *(ΚΟΥΦΟΝΗΣΙΑ ; 284 hab.)*

Koufonissia tire son nom des mots grecs *koufos,* qui veut dire « creux », et *nissi* (« île »). En effet, lorsqu'on arrive en bateau, on voit de loin les rochers creusés d'anfractuosités qui, autrefois, servaient de repaires aux pirates. Elle regroupe trois îlots : **Pano Koufonissi,** avec la quasi-totalité des habitants, **Kato Koufonissi** (quelques occupants en été) et **Kéros,** aujourd'hui déserte. Mais elle ne l'a pas toujours été, puisqu'on a retrouvé plus d'une centaine de statues de marbre datant des IIe et IIIe millénaires av. J.-C. Les habitants voient dans les contours de Kéros le corps d'une femme couchée. Nous, on verrait plutôt un gros lézard endormi, mais c'est comme les nuages : très subjectif.

Pano Koufonissi *(Πανω Κουφονησι)*

Îlot d'une superficie de 3,5 km², très aride et plat, avec un point culminant à 100 m ! Les quelque 280 habitants s'adonnent à la pêche et, en hiver, à la réparation de caïques ; et, depuis quelques années, au tourisme, grâce à leurs belles plages et à leurs « piscines naturelles », aux eaux d'une couleur remarquable et inoubliable.

Malheureusement, le tourisme a commencé à le gâcher. En été, l'hébergement y est cher et il est impossible de négocier les prix. Pourtant, la concurrence devient rude car presque tout le monde a ses *rooms to let* désormais. Depuis la création de mini-croisières d'une journée, en été, à partir d'Amorgos, Naxos et Paros, c'est le déferlement de hordes de touristes à longueur de journée sur les plages, et le « paradis » devient vite l'enfer ! À éviter à tout prix au mois d'août.

Le petit port est situé au sud-est de l'îlot. Ses côtes très découpées y abritent de ravissantes petites criques, où se nichent de jolies plages au sable fin doré, et quelques grottes sous-marines qui forment les « piscines » au nord de l'île. Paradisiaque hors saison.

Adresses utiles

✉ Pas de banque, en revanche, une **poste** qui change le liquide (pour nos lecteurs hors zone euro) et les chèques de voyage. Située à côté de l'hôtel *Kéros,* cette « poste » de circonstance est en fait un magasin de vilaines bimbeloteries et de pelloches photos.

◉ *Accès Internet :* au magasin de souvenirs *O Seirios,* dans la rue commerçante qui cerne le village (et où se trouvent pas mal de cafés et restos). On y trouve aussi, une fois qu'on a écarté les cochonneries en plastoc *made in China,* des maquettes et tableaux que le proprio confectionne avec des bouts de bois et de filets ramassés sur la plage. Unique et très joli.
- ■ *Médecin :* ☎ 22-85-07-13-70.
- ■ *Police :* ☎ 22-85-07-13-75.

Où dormir ?

De nombreux loueurs de chambres au port pour 25 à 50 € en moyenne.

Camping

⚓ *Camping :* en arrivant au port, longer la côte sur la droite (20 mn de marche). ☎ 22-85-07-16-83. Compter 16 € pour 2 personnes et une tente. Au bord d'une divine plage, dans un coin tranquille. De l'ombre pour ceux qui décrocheront une place sous les toits de bambou ; pour les autres, ça va cogner sec. Petite épicerie et bar, avec belle vue sur la mer. En revanche, du côté des sanitaires, c'est pas joli-joli.

De bon marché à prix moyens

🏠 *Rooms-restaurant Finikas :* peu avant le camping ; un minibus vient vous prendre au port. À pied, un peu plus de 15 mn. ☎ 22-85-07-13-68. Deux catégories : la A avec salle de bains, frigo et une vue extra, pour laquelle il faut compter 25 € en basse saison et 55 € en été. La C, non moins confortable mais moins lumineuse et avec une vue moyenne, pour environ 20 à 30 €. Bâtiments sans grand charme, pas loin de la plage. Un coin assez tranquille. Resto bien placé sur la plage. On est bien accueilli.

🏠 *To Steki tis Marias :* suivre la côte vers la gauche, quand on est dos à la mer. ☎ 22-85-07-41-28. Fax : 22-85-07-14-73. Compter de 20 € la chambre en mai à 55 € en août. *Ouzeri* qui loue 3 chambres à l'étage, avec vue géniale sur le petit port où l'on répare les bateaux de pêche. En plus, Maria est super gentille et parle le français. Pour le reste, voir la rubrique « Où manger ? Où boire un verre ? ».

🏠 *Villa Ostria :* monter la rue, tout à fait à droite du port (dos à la mer) et tourner à gauche. Minibus pour les clients. ☎ 22-85-07-16-71. Fax : 22-85-07-16-72. Hors saison : ☎ 21-02-

46-53-71 (à Athènes). ● komitis1@ otenet.gr ● Ouvert de mai à septembre. De 35 à 75 € la double selon la période, petit déjeuner compris. Pas trop loin de la plage, 10 chambres charmantes, toutes avec réfrigérateur, douche et w.-c., téléphone, radio, véranda et un coffret de sécurité. Effort appréciable sur la déco. Vue sur la mer pour certaines. Joli jardin avec snack-bar, où l'on prend le copieux petit dej'. Réception avec petit salon. Cartes de paiement acceptées.

🛏 *Christina's House :* près du moulin, vers la gauche en débarquant. ☎ 22-85-07-17-36. Hors saison : ☎ 21-09-88-07-82 (à Athènes). Compter environ 60 € le studio en été. Ces appartements avec kitchenette, douche et w.-c. jouissent d'une vue circulaire, à la fois sur le port (avec Kéros et, encore plus loin, Amorgos), sur Naxos et Kato Koufonissi.

🛏 Les chambres situées sur la route du *Soroko*, vers la droite quand on débarque, offrent de très belles vues : *Acrogiali, Sultana Sofia...*

Où manger ? Où boire un verre ?

|●| *Palio Fanari :* près du moulin surplombant le débarcadère. ☎ 22-85-07-18-34. Le resto du jeune Panagiotis propose des plats traditionnels pour la plupart à moins de 6 €. Poisson frais au kilo, à un prix très abordable. Également des pizzas cuites au feu de bois. Vue sur le port et l'imposante île de Kéros. On ressort d'ici content et repu. Le patron est sympa et bien vu des locaux, car l'afflux touristique soudain ne lui a pas tourné la tête et il continue à cuisiner consciencieusement.

|●| *To Remetzo :* dans la ruelle commerçante. ☎ 22-85-07-14-68. Plusieurs plats autour de 5 €, poisson à partir de 15 €. Cuisine de qualité. L'accueil est très agréable, et il n'est pas rare que la patronne vienne s'asseoir à votre table pour faire un brin de causette.

|●| *To Steki tis Marias :* voir « Où dormir ? ». Compter environ 10 €. *Ouzeri* tenue par Maria, ses parents, ses frères... Peu de choix : on mange ce qui se présente, plats traditionnels et dernières pêches de la matinée. Glaces et pâtisseries. Salle aussi sympa que la terrasse. Chambres à l'étage.

|●| *Taverne Captain Nicola :* ☎ 22-85-07-16-90. On mange correctement pour environ 10 €. *Mezze* sympas, poisson et plats habituels.

|●| *Taverna Nikitouri :* longer le port et tourner dans la première ruelle à gauche. Spécialité de *melitzanodolmadès* (sorte de roulés d'aubergines à la viande). Adresse à l'ancienne, avec la mamie aux fourneaux. Prix modérés.

🍸 *Bar Kalamia :* dans la rue remontant face au port. Ouvre en juin. Lumières tamisées, musique relaxante pour prendre un verre ou goûter les pâtisseries... Tout cela dans un décor calfeutré, perdu au milieu des tables basses et des grandes banquettes. On plane !

🍸 *Soroko :* sur la baie, à droite, en entrant dans le port, en longeant la plage. Très animé, bonne musique, bonne déco. Un peu cher tout de même.

🍸 *Nikita's :* offre une magnifique vue, depuis une terrasse de 200 m^2, sur le port et la plage. Ouvert à partir de fin mai, toute la journée ou presque, jusqu'à une heure avancée de la nuit. Patron assez lunatique.

🍸 Un adorable petit *café* niché dans la pierre, à côté de la galerie du peintre Van Durme.

Où se baigner ?

Il existe un *service de caïques* qui dessert les plages de l'île. Environ 4 départs par jour depuis le port.

⛵ À partir du port, prendre la piste jusqu'à *Finikas,* jolie plage au sable doré. Quelques chambres à louer et tavernes. De là, un sentier vous mène d'une plage à l'autre.

△ *Italida :* plage très agréable. Puis prenez le temps de continuer votre chemin pour arriver à la très jolie plage de *Pori,* protégée par une presqu'île. Chemin faisant, beaux aperçus sur des criques. On peut aussi venir en caïque du port. En été, la plage est peuplée de campeurs. Naturistes bienvenus.

△ *Pissina :* pour vous y rendre, prenez le temps d'escalader les rochers. N'oubliez pas d'emporter de l'eau et des provisions, cela vaut le coup, car vous serez émerveillé par ces « piscines naturelles », toujours à l'abri des vents, aux eaux lisses et turquoise. Emportez vos masque et tuba. Il y a plusieurs grottes sous-marines à voir...

Fêtes patronales

– *23 avril :* fête de la Saint-Georges. Procession le long de la plage, suivie en mer par les caïques. Repas offert à tous par un habitant de l'île qui a été tiré au sort, selon la coutume ancestrale.
– *15 août :* à Kato Koufonissi. Départ en caïque avec les habitants du pays.

DONOUSSA *(ΔONOYΣA ; 110 hab.)*

🛥 Île encore authentique, quasiment piétonne, isolée des autres Petites Cyclades. Les habitants s'adonnent à l'élevage. Pittoresque avec ses maisons éclatantes de blancheur, embellies de bougainvillées, ses ruelles étroites bordées de géraniums, ses collines douces, ses petits ports de pêche et ses plages de sable fin. Il y a quatre hameaux dans l'île : *Donoussa* (port principal), *Mersini* (2 h à pied ou 20 mn en caïque), *Messaria* et *Kalotaritissa* (de Donoussa, 2 h de marche).

△ Jolies *plages de Kendros,* à 15 mn à pied du port (camping sauvage et naturisme tolérés), et de *Vathy,* à 30 mn à pied.
Depuis peu, construction d'une route pour accéder à l'autre bout de l'île...

Infos utiles

– Très peu de chambres à louer. Compter environ 50 € pour une chambre en été. Quelques tavernes : 3 à Stavros même (là où le bateau vous laisse). Pas d'interdits, les 3 sont fréquentables. Les habitants sont un peu rudes ! Il y a aussi une poste et une pharmacie. Il n'existe qu'un seul bureau de change, alors il en profite bien, pratiquant une commission élevée (attention arnaque).
– *Fête patronale :* le 14 septembre. Repas traditionnel offert à tous (ragoût de bœuf aux pommes de terre).

Randonnée pédestre

Compter une journée. Prévoir provisions et eau.
➤ *Départ de Donoussa :* se diriger à l'est vers l'église Panagia. Après avoir dépassé l'église sur le côté gauche, et après quelques marches, vous verrez la plage de Kédros. N'y descendez pas, mais suivez le chemin muletier qui mène à l'intérieur des terres. Environ 1 h de marche jusqu'au hameau de *Messaria* (4 ou 5 maisons). Après Messaria, vous trouverez une bifurcation, tournez à gauche, et vous arriverez vite au village de *Mersini* avec sa petite église et son puits, à l'ombre d'un gros platane (Messaria-Mersini : 45 mn). Un des plus jolis endroits de l'île. Idéal pour y faire une sieste. Retournez dans le village et prenez la sortie vers le haut, en direction de *Kalotaritissa* (75-90 mn). Faites bien attention de ne pas vous tromper, car le sentier muletier est mal indiqué, et vous pouvez facilement vous perdre. Il faut aller tout droit. Le sentier est un peu plus visible par la suite, et vous apercevrez Kalotaritissa. Baignade agréable. Le chemin du retour mène le long de la côte nord-ouest. Jolis points de vue sur l'ensemble de l'île pour retourner à Donoussa (1 h 30 à 2 h de marche).
– *Conseil :* aller à Panagia pour le coucher de soleil, c'est magique !

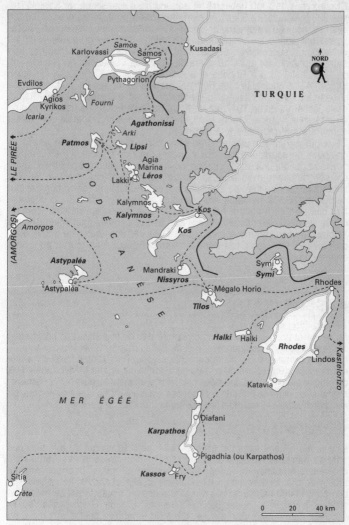

LES ÎLES DU DODÉCANÈSE

QUITTER LES PETITES CYCLADES

Les destinations sont les mêmes que pour l'arrivée. Voir « Comment y aller ? ».

LES ÎLES DU DODÉCANÈSE

Ces îles, à l'est des Cyclades, qui s'égrènent pour la plupart le long de la côte turque jusqu'à la frôler, n'ont certainement pas la même unité que celle qui soude les Cyclades. Pas grand-chose de commun en effet, entre

Rhodes, ses 110 000 habitants et son industrie touristique, et Kastelorizo, ses 300 habitants sur 9 km², à l'extrême sud-est du territoire grec. Pourtant, ces îles, riches d'histoire (qu'on pense à Patmos, à saint Jean et son Apocalypse) ont connu les vicissitudes communes aux îles grecques avec les occupations successives de pas mal d'envahisseurs. On décernera une mention particulière aux Chevaliers de l'ordre de Saint-Jean qui retardèrent, par leur installation à Rhodes et à Kos au début du XIVᵉ siècle, l'invasion turque. Autre originalité : les derniers occupants, et pas les plus appréciés dans le lot, furent les Italiens, qui s'approprièrent le Dodécanèse en 1912 et ne le lâchèrent qu'en 1947, en vertu du traité de Paris (les Italiens ne quittèrent les lieux que le 7 mars 1948, ce qui a fait des habitants de ces îles les derniers à être rattachés à l'État grec).

Ceux qui savent compter en grec s'imaginent déjà que le Dodécanèse se compose de douze îles (*dodéka* = douze) : pas de chance, il y en a en fait quatorze qui ont une administration locale (il y en a encore à peu près autant qui sont habitées mais sont administrativement rattachées à une île plus importante, sur un total de 200 îles ou îlots). Au total, la région compte tout de même 189 000 habitants, soit bien plus que les Cyclades. En se débrouillant bien, on peut encore trouver une relative tranquillité dans ce coin de l'Égée de mieux en mieux desservi par les compagnies maritimes. Chaque île possède son charme et bien souvent des traditions qu'on ne trouve nulle part ailleurs en Grèce. Les campeurs seront déçus : en tout et pour tout, quatre campings !

KASSOS (ΚΑΣΟΣ)

1 100 hab.

Île calme et accueillante, où l'on rencontre peu de touristes. Les côtes étant rocheuses, il n'y a pratiquement pas de belles plages. C'est l'île d'origine de quelques armateurs, qui n'y retournent que pour l'été. C'était aussi il y a plusieurs siècles un repaire de pirates qui sillonnaient la mer Méditerranée. Pas de crainte toutefois, la plupart des habitants pratiquent aujourd'hui la pêche, et même si les plats de poisson n'y sont pas vraiment moins chers qu'ailleurs, on ne cherche pas à y truander les quelques touristes de passage sur l'île.

UN PEU D'HISTOIRE

L'île a une histoire tragique. En mai 1824, pour se venger du rôle actif pris par les habitants de Kassos dans la révolution grecque, les Turcs exécutèrent tous les hommes, déportèrent femmes et enfants et arrachèrent les arbres de l'île, lui donnant pour longtemps un aspect désolé. Avant cela, l'île comptait 11 000 habitants. Les rares hommes qui échappèrent au massacre allèrent s'établir à l'ouest de la Crète, sur l'île de Gramvoussa, où ils vécurent de piraterie. Par la suite, l'île s'est repeuplée petit à petit mais, en raison du manque de travail sur place, beaucoup d'hommes (on parle de 5 000 !) sont partis travailler en Égypte, dont beaucoup ont œuvré au percement du canal de Suez (après la nationalisation de ce même canal en 1956, pas mal d'entre eux ont acheté une maison à Kassos pour venir y passer les vacances en famille ou couler une paisible retraite).

Comment y aller ?

En bateau

■ *Capitainerie :* ☎ 22-45-04-12-88.

LES ÎLES DE KASSOS ET DE KARPATHOS

➤ *Du Pirée :* en saison, 3 liaisons par semaine, via Milos et la Crète. Compter environ 18 h de traversée pour le port de Fry.

➤ *De Crète :* 3 liaisons hebdomadaires. Environ 4 h 30 de traversée depuis Agios Nikolaos, 2 h 30 depuis Sitia.

➤ *De Rhodes :* 3 liaisons par semaine, par le ferry qui va en Crète via Karpathos (et l'île de Halki 2 fois par semaine). Environ 6 h de traversée.

➤ *De Karpathos :* assez compliqué depuis *Finiki* (au sud-ouest de l'île). Il existe un caïque, mais fréquence et horaires à vérifier auprès des restaurants du port de Finiki. Sinon, ferry 3 fois par semaine de *Pigadhia* (à l'est), ainsi que de *Diafani,* au nord de Karpathos. 1 h 30 de traversée de Pigadhia, entre 2 h 30 et 3 h de Diafani.

En avion

✈ *L'aéroport* est à 10 mn à pied de la ville.
■ *Olympic Airlines :* sur la place, à Kassos. ☎ 22-45-04-15-55. À l'aéroport : ☎ 22-45-04-14-44.
➢ En principe, 6 vols par semaine *de Rhodes,* via Karpathos, mais attention aux annulations intempestives.

FRY *(ΦPY)*

Adresses utiles

■ *Distributeur automatique :* à Fry, sur la route d'Emborios.
■ *Taxis :* ils ne sont que 2 sur l'île. ☎ 69-77-90-46-32 et 69-45-42-73-08 (portables). Pas de bus.
■ *Épicerie :* chez Nikitas Vrettos.

Fait aussi le change et vend les billets de ferries et d'avion. ☎ 22-45-04-12-88.
■ *Location de scooters :* à côté de la pharmacie. ☎ 22-54-04-17-46.

Renseignement pratique

L'eau est assez rare sur l'île et a donc un goût salé pas très agréable. Mieux vaut acheter de l'eau en bouteille.

Où dormir ? Où manger ?

Au port de *Fry,* deux hôtels seulement.

🛏 *Hôtel Anagennissis :* ☎ 22-45-04-14-95. ● www.kassos-islands.gr ● Chambres doubles standard qui culminent dans les 50 € environ en haute saison, un peu moins cher sans vue sur la mer. Elles sont exiguës et il y fait chaud ! Fait également agence de voyages (☎ 22-54-04-13-23). À droite de l'hôtel, il y a une pâtisserie où les *tiropitas* (chaussons au fromage) sont excellents. On peut y prendre le petit déjeuner.
🛏 Plusieurs *chambres chez l'habitant :* demander *Elias Koutlakis.* ☎ 22-45-04-12-84. Chambres doubles assez vétustes (compter tout de même 38 €) dans une maison en bord de mer sur la route d'Emborios. *Ekatérina Markou,* une mamie très gentille, tient des chambres plus propres sur la même route, dans une grande maison située un peu

avant l'adresse précédente, sur la droite. ☎ 22-45-04-14-98. Compter environ 30 € la double. Salle de bains et cuisine communes. Un peu plus cher et dans les terres : *Blue Sky Apartments* (☎ 22-54-04-10-47) avec 6 appartements récents très corrects.
🛏 On peut dormir au *monastère Agios Giorgos,* à une dizaine de kilomètres de Fry, tout au sud de l'île, accessible par route goudronnée. Très spartiate, évidemment. On laisse ce que l'on veut comme paiement à Antonios, qui s'occupe de l'entretien du monastère. Penser à apporter de quoi se nourrir, sinon, c'est pain sec et eau pour tout le monde !
🍴 Sur le port, la *taverne Emborios* sert du poisson frais toute l'année et quelques spécialités locales, comme

les *makarounès* qui y sont très bons. Accueil très chaleureux du patron.

I●I Pas loin du débarcadère, *taverne O Milos,* avec une belle vue. On y choisit son repas dans des grands plats à la cuisine.

– À la *pâtisserie* en face de l'hôtel *Anagennissis,* on parle le français, et en plus, les gâteaux sont bons.

I●I Petite *taverne* traditionnelle, dans le port naturel de Bouka.

À voir. À faire

🍴 À partir de *Fry,* c'est taxi ou savates pour rejoindre les quatre autres villages de l'île : *Panagia, Poli, Arvanitohori* et *Agia Marina* (l'ancienne capitale de l'île où vit la moitié de la population).

⌂ *La crique de Khélatros :* à environ 14 km de Fry, au sud de l'île, accessible à partir du monastère d'Agios Géorgios. Route agréable et sans maisons. C'est la plus belle plage (galets), mais aussi la plus éloignée. Pour s'y rendre à pied, en été, prévoir de partir très tôt le matin. Emporter un chapeau et de l'eau. On peut y aller également en voiture (2 km de piste après le monastère). Deux autres plages dans le même secteur, *Avlaki* et *Chokhlakia,* plus belles, notamment la seconde, mais plus difficiles d'accès (se renseigner au monastère). Celle d'*Ammoua,* à 2,5 km de Fry, est souvent sale.

➤ Des excursions sont organisées vers les plages de sable de l'*île d'Armathia.* Juste en face de Fry, à 2 milles nautiques. Le bateau laisse ses passagers sur cette île déserte et ils y restent la journée. Ce sont les meilleures plages du coin. S'adresser à l'épicerie-agence de voyages.

🍴 *Les grottes de Kassos,* dont on parle tant, sont soit inaccessibles, comme celles de *Tylokamara,* soit sans grand intérêt, comme celles d'*Hellinokamara.*

🍴🍴 *Le monastère d'Agios Mamas* (Μονή Αγιου Μαμα) : situé à 8 km de Fry. Pour y aller, une route de montagne très facile et agréable, qui part du village de Poli (1 h 15 de montée, pénible par fort vent – se faire indiquer le raccourci qui permet d'éviter les lacets). Vue extraordinaire. Toute la population s'y rend à dos de mulet le 2 septembre pour une fête de 3 jours en l'honneur d'une icône miraculeuse.

– *Autres grandes fêtes :* les 6 et 7 juin, en souvenir du massacre turc de 1824, et les 14 et 15 août, en l'honneur de la *Panagia.* Au monastère d'Agios Giorgos, *panyghiria* les 23 avril et 8 septembre.

QUITTER L'ÎLE DE KASSOS

Les destinations et les fréquences des bateaux ou avions sont les mêmes que pour l'arrivée. Voir plus haut « Comment y aller ? ».

KARPATHOS (ΚΑΡΠΑΘΟΣ) 5500 hab.

Grande île montagneuse, la deuxième du Dodécanèse par sa superficie (301 km^2) et l'une des plus lointaines de l'archipel entre la Crète et Rhodes. En raison de sa forme allongée, les distances à parcourir sont importantes, et son relief escarpé (le plus haut sommet culmine à 1215 m) ne facilite pas les déplacements. On y découvre une Grèce authentique, conviviale et chaleureuse comme il y a cinquante ans. Attachée à ses traditions, c'est aussi une île très tranquille. Mais l'été, elle devient très fréquentée par les très nombreux Karpathiens d'Amérique ou d'Australie qui, n'ayant pas oublié leur île, assurent son développement touristique. Ses plages, difficiles d'accès, sont sans doute les plus belles de tout le Dodécanèse. Mais il n'y a pas beaucoup de sites à visiter. Voilà donc une bonne excuse pour se prélasser sous le soleil de Karpathos.

Comment y aller ?

En avion

➤ **D'Athènes :** 5 vols par semaine. 1 h 20 de trajet.
➤ **De Rhodes :** 2 vols quotidiens (6 jours sur 7), d'une durée de 40 mn. Cher. Réserver plusieurs jours à l'avance en saison. Pratique si l'on ne souhaite pas attendre 3 jours le prochain ferry. À Rhodes, ☎ 22-41-02-45-71 et 22-41-02-45-55 (réservations).

En bateau

⚓ Les ferries s'arrêtent tous dans les deux ports, **Pigadhia** au sud et **Diafani** au nord de l'île.
➤ **Du Pirée :** 3 liaisons par semaine via *Milos, Agios Nikolaos, Sitia (Crète)* et *Kassos.* Compter 20 h de traversée.
➤ **De Rhodes :** 3 liaisons par semaine (souvent via *Halki*). 5 h de traversée.

Arrivée à l'aéroport

✈ **L'aéroport** est situé à 15 km au sud de la ville, et il n'y a que les taxis qui font le trajet entre les différents villages (compter environ 10 €). Pas de location de voitures à l'aéroport, ni de change. ☎ 22-45-02-20-58.

PIGADHIA *(ΠΗΓΑΔΙΑ)*

Capitale et port principal comptant 1 700 habitants. C'est autour de ce port sympathique que les « Américains », de retour sur leur île, ont construit les hôtels. Plutôt endormi pendant la journée, le port se réveille au retour des plages. Les touristes allant tous dîner autour du port, il a un air de Saint-Tropez d'avant les années 1950. Ce n'est pas un village paradisiaque, mais c'est un bon point de chute pour visiter l'île ou partir en excursion.

Adresses utiles

✉ **Poste** (plan B3) : odos Ethniki Anastassis.
■ **OTE** (plan B3, 1) : dans la même rue que la poste.
■ **Banques :** 2 distributeurs de billets dans odos Karpathion, rue parallèle au port. Les bureaux sont ouverts tous les matins sauf le samedi et le dimanche.
■ **Police** (plan B2, 2) : ☎ 22-45-02-22-22.

■ **Police maritime** (plan D1, 3) : juste en face du débarcadère. ☎ 22-45-02-22-27. Ils parlent l'anglais.
■ **Soins médicaux :** s'adresser au dispensaire *(kendro hygias).* ☎ 22-45-02-22-28. Dentiste : rue Dimokratias, près du port.
■ **Rent a Car by Circle** (plan B3, 5) : odos 28-Oktovriou. ☎ 22-45-02-26-90. Location de voitures. Personnel commercial mais souriant et tou-

jours prêt à aider. Bon matériel mais horaires assez fantaisistes. Pour louer un 4x4, aller chez *Gatoulis* dans la même rue (ce dernier, très fiable, loue aussi des véhicules autres que les 4 x 4). ☎ 22-45-02-27-47.

■ *Moto Carpathos* (plan B3, 6) : ☎ 22-45-02-23-82. Ouvert de 8 h à 13 h et de 17 h à 21 h. Matériel de qualité et prix corrects.

■ *Possi Travel* (plan C2, 7) : ☎ 22-45-02-26-27. Fax : 22-45-02-22-52. Ouvert du lundi au samedi de 8 h à 13 h et de 17 h 30 à 20 h 30, et le di-manche matin. Vend des billets de ferry, ainsi que des trajets en bateau d'excursion Karpathos-Diafani (mais ils sont plus chers que si on les achète au bateau). Effectue le change. N'accepte pas les cartes de paiement.

@ *Cafés Internet :* plusieurs points de connexion dans les rues les plus passantes. Juste pour se connecter, car les lieux ont autant de charme que le mode d'emploi d'un PC. Un plus sympa sur odos Karpathion en remontant vers la place du 5-Octo-bre.

Transports

🚌 *Station de bus* (plan C2) : à l'intersection d'odos 28-Oktovriou et Dimo-kratias. Des bus relient Pigadhia aux villages d'Apéri, Volada, Othos, Pilès, Ammoopi, Ménétès, Arkassa, Finiki et Lefkos. Horaires affichés. Très peu de départs et pas meilleur marché que le taxi quand on est plusieurs. Attention : pas de bus le dimanche.

– **Le taxi :** stations odos Dimokratias *(plan C2, 8)*, ainsi qu'à l'aéroport. ☎ 22-45-02-27-05. Les prix sont fixes et affichés dans le taxi. Les trajets dans la partie sud de l'île sont raisonnables, mais hors de prix pour Diafani et Olymbos. À négocier. S'arranger avec d'autres touristes pour partager un taxi est la solution la plus économique.

– **La voiture ou le scooter :** choisir de préférence un 4x4 pour se rendre à Olymbos. Se renseigner pour savoir si voitures ou scooters sont autorisés à emprunter cette piste. Faire bien attention en négociant le contrat de loca-tion. Se faire préciser le prix toutes taxes comprises (elles peuvent faire dou-bler le prix...), et les routes que l'on est autorisé à prendre.

– **Le bateau :** ligne régulière pendant l'été entre Pigadhia et Diafani ; compter 1 h 30 de trajet. À Diafani, un bus vous attend pour vous emmener à Olymbos. Départ à 8 h 30 et retour vers 18 h. Le *Karpathos II* serait mieux que son concurrent. Hors saison, 2 caïques par semaine. Sinon, plusieurs bateaux d'excursion partent pour la journée en faisant des haltes sur les plus belles plages de l'île : *Kyra Panagia, Apella, Achata* et *Agios Nikolaos* (départ à 9 h 30).

État des routes et essence

Karpathos possède de bonnes routes asphaltées dans le sud de l'île ainsi que dans l'ouest, d'Arkassa à Spoa en passant par Messohori. Du côté est, en revanche, il existe encore des pistes : entre Apéri, Spoa et Olymbos. Il est facile de se rendre à la plage de Kyra Panagia car les 5 km de descente sont asphaltés.

– *La route de Pigadhia à Olymbos :* plus de 2 h de route dans la montagne pour 65 km. Trajet qui peut être éprouvant pour les personnes sujettes au vertige. De Spoa à Olymbos, deux de nos lecteurs en deux-roues ont fait demi-tour car il y avait un vent épouvantable. À certaines périodes, la piste est peu recommandée si l'on n'a pas de 4x4. Se renseigner, avant de partir, sur l'état de la route.

– ATTENTION : seulement 4 stations-service dans l'île, toutes situées un peu avant et après Pigadia, sur la route principale.

A   B   *RHODES DIAPHANI*

NORD

MER   ÉGÉE

1

Mathéos

PL. 5
OKTOVRIOU

Mitropolíou

2

Oktovríou

G. Loízou

5

6

Ethníki Anastássis

1

3

A   B   *MÉNÉTÈS, Aéroport*

■ **Adresses utiles**

✉ Poste
🚏 Arrêt de bus
1 OTE
2 Police
3 Police maritime
5 Rent a Car by Circle

6 Moto Carpathos
7 Possi Travel
8 Station de taxis

🛏 **Où dormir ?**

10 Harry's
11 Blue Sky

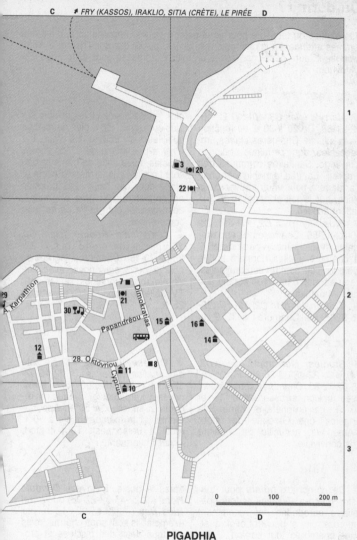

C ✈ FRY (KASSOS), IRAKLIO, SITIA (CRÈTE), LE PIRÉE D

PIGADHIA

12 To Konaki
14 Studios Mertonas
15 Christina's Rooms
16 Odyssey

⦿ Où manger ?

20 Restaurant To Kyma

21 Sokaki
22 I Oréa Karpathos

**🍸 @ ♫ Où boire un verre ?
Où danser ?**

29 La Vie des Anges
30 Kafenéion Faros

Où dormir ?

Pas d'office du tourisme pour vous aider à trouver une chambre, mais des femmes attendent à la descente des ferries (quelle que soit l'heure) et vous proposent leurs pensions. Nos 4 premières adresses sont dans odos 28-Oktovriou.

Bon marché

🛏 *Harry's* (plan C3, *10*) : ☎ 22-45-02-21-88. De 20 à 30 € en fonction de la saison. Chambres claires, impeccables, dont certaines équipées d'un frigo. Sanitaires communs très propres. La très aimable patronne s'arrangera pour vous trouver de la place, sur le toit si nécessaire. Excellent accueil.

🛏 *Blue Sky* (plan C2, *11*) : ☎ 22-45-02-23-56. Chambres et appartements avec cuisine. À partir de 25 € la chambre. Celles donnant sur la rue principale sont un peu bruyantes. Tenu par une dame d'un certain âge fort sympathique.

🛏 *To Konaki* (plan C2, *12*) : ☎ 22-45-02-29-08. Chambres à 35 € au plus fort de la saison, négociable sur plusieurs jours. On a plus de chance qu'ailleurs d'y trouver une place, car il n'y a pas moins de 27 chambres doubles, avec salle de bains et balcon. La n° 24 a la terrasse du dernier étage pour elle seule. Les proprios ne parlent que le grec et l'italien, donc pas toujours facile de se faire comprendre.

🛏 *Christina's Rooms* (plan C2, *15*) : pas loin de l'arrêt de bus. ☎ 22-45-02-20-45. Chambres agréables pour 2 ou 3 personnes, avec cuisinette (pour certaines seulement), TV, salle de bains et AC, à partir de 25 €.

Prix moyens

🛏 *Studios Mertonas* (plan D2, *14*) : ☎ 22-45-02-26-22. Fax : 22-45-02-32-83. Chambres confortables, avec balcon-terrasse entre 35 et 50 €. La propriétaire, Mme Eva Angélos, une Grecque de retour d'Amérique, accueille de manière très conviviale.

🛏 *Odyssey* (plan D2, *16*) : à côté des *studios Mertonas*. ☎ 22-45-02-32-40. Fax : 22-45-02-37-62. ● www.odyssey-karpathos.gr ● Studios récents et spacieux à 50 €. Appartements sur le même modèle à 65 € (pour 4 personnes). Tout confort. Accueil charmant.

Plus chic

🛏 De nombreux *hôtels* pour touristes gréco-américains et tour-opérateurs européens ont récemment été construits et peuvent avoir quelques chambres tout confort à des prix intéressants. Ils sont situés après la jetée, en bord de plage sur la route d'Olymbos ou en hauteur, après la poste. Essayez l'*Olympic Hotel* (☎ 22-45-02-27-08) ou l'*hôtel Blue Bay* (☎ 22-45-02-24-79), par exemple. Ils sont sans charme, mais ont tous deux des piscines et proposent parfois des tarifs très abordables.

Où manger ?

En majorité, les restaurants et les bars se trouvent sur le front de mer, toujours très animé le soir. Ils se ressemblent un peu tous, seuls quelques-uns sortent du lot.

Prix moyens

|●| **Restaurant To Kyma** (plan D1, **20**) : sur le port, au niveau de l'embarcadère. ☎ 22-45-02-24-96. Fermé de novembre à mars. Bonne cuisine, surtout pour son poisson, avec un service attentionné et souriant. Accueil chaleureux.

|●| **Sokaki** (plan C2, **21**) : dans une ruelle partant du port. ☎ 22-45-02-33-80. Un peu moins bruyant que les restos en bordure du port. Bonne cuisine à prix correct (compter environ 12 €) et ambiance conviviale.

|●| **I Oréa Karpathos** (plan D1, **22**) : sur la marina. ☎ 22-45-02-25-01. Fermé de novembre à mars. Spécialité de la maison : les pikilia (mezze plus copieux permettant de goûter à toute une variété de spécialités). Bonnes soupes également. Accueil agréable.

Où boire un verre ? Où danser ?

♈ ♪ **La Vie des Anges** (I Zoï ton Angélon ; plan C2, **29**) : odos Karpathion. Sur la hauteur. Une taverne blanc et bleu. Un bon endroit pour boire un verre le soir. Belle vue sur le port depuis la terrasse. Font aussi quelques plats, mais ce n'est pas ce qu'ils font de mieux. Musique le mercredi soir, et parfois le week-end.

♈ ♪ **Kafenéion Faros** (plan C2, **30**) : odos Karpathion. Ouvert à partir de 17 h. Une petite terrasse blanc et bleu en haut des escaliers. Très agréable pour boire un ouzo juste avant le dîner. Plus de monde en deuxième partie de soirée : cocktails, musique et, parfois, danse. Vous pouvez aussi vous essayer au backgammon ou vous laisser tenter par un petit jeu de cartes. Ilias, le patron, est vraiment sympa.

♈ ♪ **Paradiso** : sur la route d'Ammoopi, sur les hauteurs de Pigadhia. ☎ 22-45-02-25-24. Compter environ 6 à 7 € avec une conso. Essentiellement de la house et de la variété internationale dans une jolie décoration tropicale avec belle piscine. Plus fréquenté en fin de semaine. Navette gratuite.

AMMOOPI (ΑΜΜΟΟΠΗ)

⌂ À 8 km au sud de Pigadhia. Succession de jolies criques où le nudisme est toléré.

Nombreuses constructions récentes, mais c'est bondé en été et les prix grimpent vite. Quelques tavernes le long de la plage principale.

– Grande **fête** (panyghiri) le 28 juin.

Où dormir ?

▪ **Ammoopi Beach Rooms** : à côté du restaurant Ammoopi. ☎ 22-45-08-11-23. Ouvert de mai à octobre. De 20 à 25 € suivant la durée du séjour. Chambres plus que basiques, avec salle de bains et toilettes communes. Un peu limite sur la propreté, mais l'endroit reste très agréable.

Tenu par un accueillant couple de Grecs de Montréal. À 10 m de la plage, à l'ombre des abricotiers : on peut se réveiller en faisant quelques brasses. Possibilité de prendre le petit déjeuner dans le restaurant d'à côté.

Plus chic

▪ **Lakki Beach Pension** : ☎ et fax : 22-45-08-10-15. Hors saison : ☎ 21-04-11-89-23 (à Athènes). À partir de 35 € la double, plus cher pour les studios tout neufs avec balcon. Une dizaine de chambres coquettes, bien équipées : frigo, salle de bains, balcon et belle vue sur la mer. Petit sentier descendant à la plage.

Où manger ?

Trois tavernes se détachent : *Calypso* (poisson frais à prix modérés), *Votsalakia* (musique le samedi soir) et, dans une petite baie, *Small Ammoopi* (animation musicale en été).

ARKASSA (ΑΡΚΑΣΣΑ)

À 16 km de Pigadhia. Petit village typique et reposant, avec quelques tavernes sympas. Ce lieu est devenu très prisé en été, et le prix d'une nuit à l'hôtel passe ainsi graduellement du simple au double entre la basse et la haute saison touristique. Pour ceux qui arrivent en avion, se faire conduire en taxi. Ensuite, il existe plusieurs loueurs de voitures à Arkassa.

À 10 mn à pied, superbe *plage* de sable fin d'*Agios Nikolaos,* avec vue sur l'île de Kassos et des couchers de soleil inoubliables...

Où dormir ?

Little Paradise : prendre la route de la plage d'Agios Nikolaos ; c'est à 100 m de la plage. ☎ 22-45-06-12-31. De 20 à 30 € avec le petit déjeuner. Chambres très simples avec douche et w.-c. Les chambres les plus grandes peuvent recevoir 4 personnes. Ce n'est pas merveilleusement bien entretenu, mais c'est calme, et il y a un grand jardin à l'arrière. L'accueil de M. et Mme Diakomihalis est charmant et il est préférable de téléphoner avant pour réserver, les habitués revenant régulièrement.

Hôtel Dimitrios : dans le centre. ☎ 22-45-06-13-14 ou 91-11. Fax : 22-45-06-13-13. • hoteldimitrios@ yahoo.gr • Hôtel tout blanc assez récent avec des chambres fraîches et agréables à 30 € en août, petit déjeuner inclus. Préférez celles sur l'arrière avec balcon et vue sur la mer.

Plus chic

Studios St-Nikolas : en descendant vers la plage du même nom. ☎ et fax : 22-45-06-12-16. Compter environ 50 € pour des studios confortables en haute saison : grande chambre, belle salle à manger (également 2 petits lits, mais rajouter 10 € si l'on est 4) et salle de bains. Les studios sont bien isolés les uns des autres et les alentours sont fleuris et ombragés.

Studios Popi : ☎ 22-45-06-13-12. Fax : 22-45-06-13-90. Compter 50 € en été pour de grands studios modernes avec salle de bains, coin cuisine et vue sur la mer. Très fleuri au printemps, piscine et accueil chaleureux de Popi, institutrice de son état.

Arkesia Hotel : à l'entrée du village en arrivant de Ménétés. ☎ 22-45-06-30-56. Fax : 22-45-06-13-07. • www.hotelarkesia.com • Chambres doubles qui plafonnent à 70 € en août, avec minibar et TV, petit déjeuner compris. Plus cher si l'on veut un ventilo ou l'AC. Joli bâtiment blanc en forme de moulin. Récent, propre et confortable. Belle piscine et très jolie vue sur la baie. Hôtel de luxe : services et personnel qui vont avec.

À voir dans les environs

À 2 km d'Arkassa, joli petit port de *Finiki* et ses nombreux petits restos de poisson.

Également une petite plage de sable avec une douche, bien abritée mais pas toujours très propre.
Se renseigner dans l'un des restaurants du port sur le caïque faisant la traversée (en 30 mn) pour l'accueillante petite *île de Kassos*.

🛏 Quelques *chambres* dans le village : se renseigner dans les restaurants du port.

🛏 *Archondiko :* sur les hauteurs. ☎ 22-45-06-14-73. Fax : 22-45-06-10-54. ● www.hotelarhontiko.com ● Des studios très récents agencés en escalier, pour 2 ou 4 personnes, de 35 à 45 €. Demander Anna Aspromati, qui parle l'anglais.

🛏 |●| *Finiki View :* ☎ 22-45-06-10-26 ou 14-00. Fax : 22-45-06-13-09. Environ 10 € pour un repas. Coquet, bonne cuisine et accueil agréable. Loue également des studios sur les hauteurs.

|●| *Taverne Marina :* sur le port. ☎ 22-45-06-11-00. De 8 à 10 € pour un repas. Pas ruineux et parts copieuses.

LEFKOS *(ΛΕΥΚΟΣ)*

Très jolie crique aux eaux magnifiques et ravissant petit port, qui sont malheureusement entièrement envahis par d'innombrables studios de location. Jolies balades à faire sur les hauteurs.

Où dormir ? Où manger ?

Bien se loger à Lefkos demande de s'y prendre à l'avance. On peut aussi trouver des chambres moins chères chez les familles des pêcheurs, dans les dernières maisons du village, au bord de l'eau.

De prix moyens à plus chic

🛏 |●| *Pine Tree Restaurant :* à mi-chemin entre Finiki et Lefkos. ☎ 69-77-36-99-48 (portable). Fax : 22-45-02-31-40. ● http://pinetreerestaurant karpathos.cjb.net ● Chambres à 35 € et studios à 40 €. Nikos, lassé de la ville, a construit depuis plus de vingt ans un véritable havre de paix, pour ceux qui aiment la nature et le silence. Dans un immense jardin où il fait pousser les légumes et les fruits qu'il sert dans son restaurant, des chambres et des studios confortables. À l'ombre des pins, on peut également planter gratuitement sa tente. Bon petit déjeuner. Le restaurant sert aussi de bonnes salades et les plats habituels (grillades) ainsi que des spécialités locales *(makarounès)* à des prix raisonnables.

🛏 *Pension Small Paradise :* un peu avant l'entrée de Lefkos. ☎ 22-45-07-11-71 ou 12-20 (hors saison).

Compter 40 € pour les chambres au rez-de-chaussée et 45 € à l'étage. Propose des studios confortables en hauteur *(Sunset Studios),* au bout du village. Accueil familial et souriant.

🛏 |●| *Hôtel Krinos :* en arrivant à Lefkos. ☎ 22-45-07-14-10. Fax : 22-45-07-14-13 (réservation par fax indispensable). Jusqu'à 45 € au plus fort de l'été pour de belles chambres avec salle de bains et balcon offrant une très belle vue. Magnifique potager. Fait restaurant le soir (au menu quand on est passé : agneau à la broche !).

|●| *Le Grand Bleu :* au centre du village, en surplomb de la plage. ☎ 22-45-07-14-00. Bien pour un déjeuner à l'ombre. Prix raisonnables. Bons *mezze,* plats classiques à tarif raisonnable. Déco soignée. Loue également des parasols et transats sur la plage en contrebas.

À voir

🎋 *La citerne de la cité romaine :* à droite avant Lefkos, suivre la piste pendant 500 m puis marcher 5 mn.

🎋🎋 *Messohori (Μεσοχωρι) :* village authentique accroché à la pente, tout près de la route de Lefkos à Spoa et Olympos. Un vrai labyrinthe de rues étroites et d'escaliers blancs. Les voitures ne peuvent y circuler. Il est possible de le rejoindre à pied. La balade commence sur les hauteurs de Lefkos, sur le site archéologique : belle randonnée balisée avec des points rouges. 2 h 30 de marche dans les pinèdes. Vous y croiserez les vieilles femmes qui se rassemblent autour d'un four ancien pour cuire leur pain. On peut aussi se contenter d'admirer les maisons traditionnelles, même si elles se font de plus en rares.

ACHATA *(AXATA)* – KATO LAKO *(ΚΑΤΩ ΛΑΚΟ)* – KYRA PANAGIA *(ΚΥΡΑ ΠΑΝΑΓΙΑ)* – APELLA *(ΑΠΕΛΛΑ)* – AGIOS NIKOLAOS *(ΑΓΙΟΣ ΝΙΚΟΛΑΣ)*

Ce sont des plages absolument superbes, au nord de Pigadhia, mais dont l'accès est difficile car le bus n'y va pas. On peut louer un deux-roues ou un 4x4 (routes mauvaises), ou prendre un bateau. Dans tous les cas, c'est assez cher, mais cela en vaut la peine.

🔯 *Achata* est accessible par une piste depuis Apéri. Compter un bon quart d'heure pour faire les 4 km. Taverne sur la plage.

🔯 La plage de *Kato Lako* est accessible par la route depuis 2002. Encore assez tranquille, mais ça ne va pas durer !

🔯 La belle crique de *Kyra Panagia,* désormais reliée par la route, est plus fréquentée, voire bondée en été. De cette plage, possibilité d'aller sur les plages voisines en bateau (Achata, Kato Lako, Apella et Agios Ioannis).

🔯 Pour rejoindre *Apella,* éprouvante mais superbe piste de Spoa, puis chemin plutôt terrible pour descendre. *Apella* est une crique sublime, aux eaux turquoise (et sable fin) avec en arrière-plan la montagne. Un seul et unique restaurant qui a également quelques chambres.

🔯 Le petit port d'*Agios Nikolaos* est accessible depuis Spoa après 5 km de piste. Plage de sable gris, avec un café-resto. Pour se baigner et trouver un peu d'ombre, aller tout au bout de cette plage, sous la roche.

Où dormir ? Où manger ?

Quelques restos et chambres à Kyra Panagia.

🛏 |●| *Paradise Pension :* au-dessus de *Sofia's Taverna.* ☎ et fax : 22-45-02-31-02 et ☎ 69-76-47-42-98 (portable). Hors saison : ☎ 22-45-03-10-99. ● asymoglou@rho.forthnet.gr ● Des chambres simples à 40 € environ avec salle de bains et une agréable terrasse où l'on prend son petit déjeuner. Négociable sur plusieurs jours. On peut se servir de la cuisine ou goûter les petits plats grecs de la patronne, Sofia Assimoglou, et même aller à la pêche (ou à d'autres plages...) avec le bateau de son mari. Vassilis peut vous emmener, en exclusivité, à Agios Ioannis, une toute petite plage très peu connue, aux magnifiques fonds marins. Louent également des appartements à Volada.

🛏 |●| *Studio Akropolis :* ☎ 22-45-03-15-03. Chambres et studios récents, plus chic et un peu plus chers que la *Paradise Pension.* Vue splendide sur la plage et petite chapelle au dôme rouge juste à ses pieds. Les propriétaires tiennent aussi une taverne.

À voir

🔹 En allant vers Diafani, l'*église d'Apéri* et les *tableaux naïfs de Sannis Hapsis* (exposition dans le village d'*Othos,* près de l'église) valent le coup d'œil.

DIAFANI (ΔΙΑΦΑΝΙ)

À 1 h 30 de bateau de la capitale (cher). Port encore tranquille, malgré des petits hôtels en construction et de belles routes maintenant asphaltées, avec une petite plage (pas très agréable pour la baignade à cause des bateaux). Au village, voir l'église dédiée à la Vierge Marie, reconstruite il y a 300 ans sur les fondations de l'ancienne église byzantine (ouverte aux non-orthodoxes le dimanche matin, seulement pour la liturgie). Diafani est une bonne halte pour aller à Olymbos, que l'on peut rejoindre en taxi ou en bus deux fois par jour. Un bateau fait également des excursions à la journée vers les plus jolies plages à l'est de l'île.

Adresses et infos utiles

■ **Distributeur de billets :** sur la droite du port, en regardant la mer.
■ L'agence de voyages **Orfanos Travel**, sur le port, change de l'argent, loue des voitures et propose des excursions en caïque vers plusieurs belles plages sauvages, dont Saria, île au nord de Karpathos. ☎ 22-45-05-14-10. Fax : 22-45-05-13-16. ● orfanos_travel@hol.gr ●
■ Le **MOm** (société pour l'étude et la protection du phoque *monachus-monachus*) a un petit local dans une des rues perpendiculaires au port. Intéressant pour se documenter sur la faune et la flore du nord de Karpathos et de Saria.

Où dormir ?

Bon marché

🛏 **Pension Delfini :** ☎ 22-45-05-13-91. Du port, prendre la rue qui monte juste avant le petit restaurant *Gorgone*, puis la 1re à droite. Deux chambres avec w.-c. dans une petite maison indépendante à partir de 20 €. Il y a 5 autres chambres dans la maison principale, habitée par les propriétaires. Pension tenue par une dame à la forte personnalité et un monsieur sympathique et serviable.
🛏 **Chambres Anessis :** à droite en descendant vers le port. ☎ 22-45-05-14-15. Entre 20 et 30 € pour deux. Chambres de différentes tailles, très propres et à prix doux. La dame, très gentille, ne parle pas anglais mais sa fille l'aide à communiquer.

Prix moyens

🛏 **Nikos Hotel :** à la sortie du village, en prenant la route goudronnée vers Olymbos. ☎ 22-45-05-12-89 et 14-10. Fax : 22-45-05-13-16. ● orfanos_hotel@hol.gr ● Chambres doubles à partir de 25 € environ avec petit déjeuner. Le proprio tient l'agence *Orfanos Travel* sur le port. Récent et propre.

Où manger ?

🍽 **Diafani Palace :** à l'entrée du village. ☎ 22-45-05-12-10. On y mange du bon poisson frais. Petite dame fort aimable qui ne parle que le grec et l'italien. Également des chambres rudimentaires mais abordables : environ 20 € la double.
🍽 Quelques **restaurants** et **tavernes** sur le port, ou le **restaurant Anixis,** juste derrière l'agence *Orfanos* : plus calme et moins cher. Loue également 5 chambres bon marché. ☎ 22-45-05-12-26.

À voir. À faire

➢ À 40 mn à pied, jolie *plage de Vanada,* bordée de pins. Plusieurs tavernes et chambres chez l'habitant, bon marché.

➢ *Balade de Diafani à Avlona :* par un large chemin en terre, balisé de points rouges. Au départ, aller vers l'école de Diafani ; avant d'y arriver, tourner à gauche à hauteur de la borne à incendie, passer devant une maison neuve et tourner à droite. À flanc de montagne. Compter 2 h de marche (ça monte fort, prévoir des réserves d'eau).

OLYMBOS *(OΛΥΜΒΟΣ)*

À 11 km au sud-ouest de Diafani, sur le flanc ouest de l'île. Joli petit village de maisons aux fenêtres colorées, en haut de la montagne, accroché aux rocs. Malgré l'ampleur qu'y prend le pèlerinage touristique année après année, il rappelle ce que pouvait être la Grèce traditionnelle il y a 30 ans. On raconte que les habitants du village ne disent pas qu'ils sont de Karpathos, ils sont avant tout d'Olymbos. Ils gardent farouchement leurs coutumes comme celle qui consiste à transmettre les biens de père en fils et de mère en fille. Les mariages à Olymbos sont de grands moments. Préparés très longuement, ils durent 3 jours (et 3 nuits !). Le rituel a beaucoup de similitudes avec celui pratiqué en Crète. Un régal pour les amateurs de coutumes ancestrales. Les femmes portent leur grain aux moulins et pétrissent leur pain. Le samedi matin, ensemble, elles vont le cuire dans l'un des fours du village. Le pain géant, parfumé au sésame, est distribué à chacune. Bien sûr, tout cela est touristique et les costumes traditionnels sont surtout portés par des femmes qui tiennent des boutiques de souvenirs, mais le village est magnifique. On peut faire l'aller-retour Pigadhia-Olymbos dans la journée en voiture (4x4 requis) ou en bus (une soixantaine de kilomètres aller, via Messohori). De très beaux panoramas, surtout quand le village, entre mer et montagne, est pris dans les nuages. On se croirait presque en Écosse !

➢ Pour aller à Olymbos, on peut aussi prendre un des bateaux d'excursion de Pigadhia jusqu'à Diafani ; de là, 10 km sur une très belle route : quelques bus ou le stop qui fonctionne à condition d'avoir de la patience. Pour revenir, toujours le stop ou le bus public. Les horaires sont affichés à l'épicerie d'Olymbos.

Où dormir ? Où manger ?

Plusieurs tavernes et pensions de famille.

Bon marché

🛏 |●| *Pension Olymbos :* dans le centre. ☎ 22-45-05-10-09 et 12-52. Guère plus de 20 € la double, mais chambres très sommaires et un peu en décrépitude. Négociable sur plusieurs nuits. Vous pouvez quand même demander la chambre traditionnelle, avec ses faïences aux murs et son drôle de lit, dans un meilleur état et un peu plus chère. Petit mais dépaysant. Bonne cuisine grecque (plats présentés à la fe-nêtre) dans une taverne assez commerciale.

|●| *Taverna O Milos :* dans un moulin restauré. ☎ 22-45-05-13-33. Toute la famille s'active dans ce petit resto-terrasse. Cuisine simple, à prix doux, qui mijote au four pendant des heures. Petits pains fourrés au fromage ou aux épinards succulents et bonnes aubergines ou tomates farcies. Très belle vue sur la mer ou la montagne, c'est au choix.

|●| *Mike's :* près du parking. Pour un en-cas en attendant le bus. Goûter aux *loukoumadès* au miel et au sésame. Pas léger-léger mais délicieux.

Prix moyens

⌂ *Hôtel Aphrodite :* près des moulins restaurés. ☎ 22-45-05-13-07. Fax : 22-45-05-14-54. Compter à partir de 35 €. Seulement 4 chambres pour 2 ou 3 personnes, l'une avec cuisine, toutes avec salle de bains et un à-pic vertigineux sur la mer. Vraiment impressionnant. Renseignements au resto *Parthenonas* à 50 m.

⌂ *Hôtel Astro :* à côté de la pension *Olymbos*. ☎ 22-45-05-14-21. Chambres propres, avec salle de bains et offrant une belle vue à partir de 35 €. Accueil chaleureux. Le propriétaire conserve une pièce avec la décoration traditionnelle (nappes, faïences...). Renseignements au restaurant *Zefiros*, de l'autre côté du village, près des moulins restaurés, qui a la plus belle vue du village depuis sa terrasse.

À voir. À faire

🌿 *Des moulins* entourent le village. Un des rares qui était encore en activité récemment est toujours « gardé » par une vieille dame, Kyra Irini, qui vous racontera la vie de son moulin âgé de 350 ans, dans un dialecte composé en majorité de grec et de beaucoup d'autres langues. Elle continue à grimper l'escalier avec chaque touriste. Cela mérite bien une petite obole. Seule restriction : y aller un jour de vent, même faible. À notre dernier passage, les ailes ne tournaient plus, suite aux dégâts causés par une tempête.

🐾 Bottes en cuir superbes, faites par les deux derniers *bottiers* du village, vendues au prix des *Churches* à Londres...

– Le 29 août, ne pas manquer la *fête du monastère d'Agios Ioannis de Vroukounda,* 6 km au nord d'Olymbos : concert de *bouzouki* et de vieux instruments locaux.

➤ *Balade d'Olymbos à Avlona :* très beau chemin balisé de points rouges. Il débute au bout du village d'Olymbos, dans la partie basse, sous le dernier moulin (il tourne encore). Le chemin démarre donc à gauche de la petite chapelle (celle qui est le plus bas sur la colline du village). À Avlona, resto.

QUITTER L'ÎLE DE KARPATHOS

Les destinations sont les mêmes que pour l'arrivée. Voir plus haut « Comment y aller ? ».

KASTELORIZO (ΚΑΣΤΕΛΟΡΙΖΟ)   280 hab.

En raison de son emplacement, cette île fait le désespoir des cartographes. Il est quasiment impossible de la faire figurer sur les cartes de Grèce. Située entre Rhodes et Chypre, à un peu plus de 1 km des côtes turques, c'est le point le plus à l'est de l'Union européenne. Voilà une minuscule mais très belle île qui se compose d'un port en amphithéâtre d'une cinquantaine de maisons habitées : *Méghisti* (Μεγιστη). Il y a aussi un petit port annexe, *Mandraki,* qui est surplombé d'un fort franc dont il ne reste que les tours et une partie des remparts.

Il y fait très chaud en juillet et août car l'île est protégée du vent par les montagnes turques.

UN PEU D'HISTOIRE

Tous les malheurs du monde se sont abattus sur cette île : violents tremblements de terre, bombardements meurtriers pendant la Seconde Guerre mondiale, exil collectif de la population à Chypre et en Palestine, naufrage du bateau qui ramenait les exilés...

Un bombardement de l'aviation italienne en 1941-1943 rasa 80 % des maisons et provoqua la fuite des habitants. Après avoir émigré dans le monde entier, en particulier en Égypte et en Australie, les natifs y reviennent peu à peu pour passer leurs vieux jours et jouir de la vie calme de l'île. Au début du XXᵉ siècle, l'île comptait tout de même près de 15 000 habitants. Aujourd'hui, elle est très peu peuplée. Une clause d'un traité international ratifié par la Grèce et la Turquie prévoit un rattachement obligatoire à la Turquie au cas où la population de Kastelorizo tomberait sous le chiffre de 200 habitants. Pour éviter le pire, le gouvernement grec subventionne généreusement l'île pour que ses habitants ne soient pas tentés par l'exil.

Comment y aller ?

En bateau

Difficile d'accès. Se renseigner auprès de la *police maritime* de l'île : ☎ 22-46-04-92-70.

➤ *De Rhodes :* 3 ferries par semaine en haute saison. Le ferry est souvent vide, mais il est subventionné ! 5 h de traversée. En principe, une fois par semaine de juin à septembre, un hydrofoil dessert Kastelorizo (en 2004, c'était le lundi, à 8 h 30). Durée du trajet : 2 h 30.

➤ *Du Pirée :* Le Pirée-Rhodes se fait en 11 h maintenant (ou 18 h en ferry classique), puis prendre le ferry pour Kastelorizo. Ce bateau desservant d'autres îles du Dodécanèse, il est aussi possible de le prendre au départ de Kalymnos, Kos, Nissyros, Tilos et Symi.

En avion

Pour ceux qui sont vraiment pressés. Uniquement depuis Rhodes, liaison sur un petit Dornier (18 places) d'*Olympic Airlines,* en principe une fois par jour en été. Environ 40 mn de trajet. *Olympic Airlines* à Rhodes, ☎ 22-41-02-45-71 et 22-41-02-45-55 (pour les réservations). À l'aéroport de Kastelorizo : ☎ 22-41-04-92-38. Prendre le bus qui attend à l'arrivée ou alors le taxi pour rallier Méghisti, à 4 km (à la louche : 6 €).

Renseignements pratiques et adresses utiles

– L'île reçoit l'*eau* potable par bateau en provenance de Rhodes, et de nombreuses maisons sont équipées de citernes de récupération d'eau de pluie. L'eau du robinet a donc un petit goût salé. Pas très bon mais sans aucun danger. L'eau en bouteille est meilleure. Toutefois, la construction d'un barrage, prévue prochainement, devrait subvenir aux besoins en eau de l'île.

■ *Distributeur de billets :* à la banque du port.
■ *Taxi :* il est le seul de l'île. L'attendre sur le port, à côté du restau-

rant *Lazarakis,* et bien se faire préciser le tarif.
■ *Papoutsis Travel Agency :* au milieu du port, sur la petite place.

☎ 22-46-07-08-30 ou 22-46-04-93-58. Fax : 22-46-04-92-86. Du classique : billets de ferries, ex-cursions en bateau, change et quelques chambres à louer.

Où dormir ? Où manger ?

De bon marché à prix moyens

🛏 *Pension Kristallo :* dans le village, à 50 m du port. ☎ 22-46-04-92-09. Des petites chambres rudimentaires, avec salles de bains communes, environ 20 € dans le pire des cas. Un accueil chaleureux de Kristallo et une quiétude qu'on ne peut avoir sur le port lorsque les ferries et les bateaux de croisière y déversent 300 personnes pour la pause dîner.

🛏 *Krystall's :* ☎ 22-46-04-93-63. Fax : 22-46-04-93-48. Chambres et appartements avec superbe vue sur le port, mais plus cher. Réserver pour l'été. Demander Jack Venitis.

🍽 Quelques *restaurants* et *tavernes* proposent des salades grec-ques bon marché et des spécialités d'espadon qu'on voit arriver vivants le matin sur le port. Le poisson est un peu moins cher que sur les autres îles.

🍽 *Taverne sans nom :* vous voulez manger ailleurs que sur le port ? Venez sur la place de l'église où trois cousines de Maïté vous proposeront, midi et soir, quelques plats (environ 6 €) faits en famille. Peu de choix, mais le lieu est charmant, surtout le soir lorsque les réverbères colorent en ocre les façades des maisons en pierre et que les chats viennent se frotter à vos jambes pour obtenir quelques miettes de votre assiette.

Chic

🍽 *Restaurant Lazarakis :* ☎ 22-46-04-93-70. Fax : 22-46-04-93-65. Ouvert toute l'année. Compter entre 15 et 18 €. Le lieu est très agréable, l'accueil l'est moins. Plats de fruits de mer et poisson. Le patron parle le français et loue des chambres.

Bien plus chic

🛏 *Hôtel Mégisti :* sur le port. ☎ 22-46-04-92-19. Fax : 22-46-04-92-21. Ouvert d'avril à octobre. Compter de 85 à 100 € avec buffet copieux pour le petit déjeuner en été. 30 chambres avec sanitaires impeccables et AC. Une terrasse-solarium avec bar débouche sur la mer par une échelle. On se croirait dans une piscine géante. Demander une chambre avec vue sur le port et la côte turque.

À voir. À faire

➤ *Excursions :* à la *grotte bleue (fokiali),* qu'on peut visiter tous les jours en bateau. La lumière du soleil, décomposée par l'eau, colore cette grotte d'un bleu phosphorescent. Départ du port en petite barque de 15 personnes. À ne pas manquer.

On peut aussi aller en Turquie, à la ville de *Kas.* Le caïque part du port. La traversée et le visa sont assez chers. Il faut déposer son passeport un jour avant, au propriétaire du bateau, pour obtenir le visa. Les locaux vont faire leur marché là-bas, sans trop s'occuper des problèmes gréco-turcs. C'est beaucoup moins cher de s'approvisionner en Turquie ! Et surtout, il y a plus de choix.

➤ De bonnes *balades* à faire. Se faire indiquer les sentiers par les locaux.

🦌 Sous les ruines du fort se trouve un *tombeau* sculpté dans la roche. Il date du début du Ve siècle av. J.-C. Il est en meilleur état que le fort bâti par les chevaliers de Saint-Jean, qui a donné son nom à l'île (*Castel Rosso* : le « château rouge »).

🦌 *L'île de Rô* (Pω) : l'unique habitante de cet îlot, Despina Achaladioti, connue comme la dame de Rô, a levé, chaque matin pendant des années, les couleurs du drapeau grec. Elle est morte en 1982, à l'âge de 92 ans. On se rend sur l'île en caïque.

QUITTER L'ÎLE DE KASTELORIZO

Les destinations et les fréquences des bateaux ou avions sont les mêmes que pour l'arrivée. Voir plus haut « Comment y aller ? ».

RHODES
(Îles du Dodécanèse)

RHODES (PΟΔΟΣ)   110 000 hab.

Rhodes, la plus grande île du Dodécanèse, avec ses 1 398 km², est la plus éloignée du continent européen en exceptant Kastelorizo, et pourtant l'une des plus visitées (de nombreux charters en provenance d'Europe du Nord assurent une forte présence touristique presque toute l'année). Ce n'est pas un hasard, il y a fait beau près de 300 jours par an, l'eau est bleu turquoise et son charme est incontestable. Cinq mois sans pluie en été n'empêchent pas l'île de regorger d'eau. Au centre de l'île, les montagnes (le plus haut sommet, le mont Attaviros, culmine à 1 215 m) sont couvertes de forêts et sur les versants ouest, on trouve des vignobles et des cultures. Ce n'est pas le charme des îles grecques telles que l'on se les représente avec leurs maisons blanches, mais plutôt l'attrait de ces endroits qui ont une grande histoire, qui a laissé de nombreuses traces.

La vieille ville médiévale, construite par les chevaliers de l'ordre de Saint-Jean, est entourée de hauts remparts. Elle est magnifique et très bien conservée. Beaucoup de sites intéressants à visiter. On regrettera néanmoins la disparition des petites tavernes qui laissent place aux snack-bars et aux restaurants décorés de néons et présentoirs photos.

Pour vraiment découvrir l'île, il faut s'éloigner des axes principaux. Les petits chemins et les villages, à l'ouest et au sud, sont plus typiques.

C'est une île sous le vent : la côte orientale est très chaude. En revanche, la côte ouest est plus ventée, plus tempérée et donc moins fréquentée. Superbes couleurs de fin mars à mai, quand les coquelicots, les campanules et les pâquerettes recouvrent l'île...

Les plages sont très nombreuses, le nudisme y est interdit. En général, elles sont bien entretenues et moins densément peuplées que dans d'autres îles grecques. Toutes les plages de la côte est bénéficient de douches (gratuites).

– Plus de *camping* sur l'île et c'est bien dommage, mais comme les anciens propriétaires nous l'ont dit : *no good business !*

– Le *camping sauvage* est interdit et la police touristique veille (encore en théorie...). Si l'on s'installe dans un lieu perdu, il y a peu de risques pour qu'ils démâtent la tente. Si vraiment ils arrivent, il est préférable de faire profil bas et de déguerpir sans un mot : ils ne plaisantent pas.

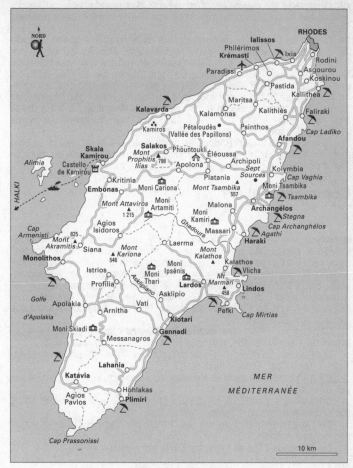

L'ÎLE DE RHODES

UN PEU D'HISTOIRE

Dès la haute Antiquité, Rhodes fut une puissance maritime régionale de première importance. Les trois cités de Lindos, Kamiros et Ialissos (fondées, d'après la mythologie, par les petits-fils du dieu Hélios et de Rhodes sa femme) s'allient pour constituer une fédération militaire qui domine et contrôle les routes maritimes entre Occident et Orient. À l'époque classique (Ve siècle av. J.-C.), une ville « moderne » est créée de toutes pièces : Rhodes. La nouvelle cité, toujours plus puissante sur mer, affirme son indépendance. Elle suscite aussi les convoitises et c'est pour s'en emparer qu'un des successeurs d'Alexandre le Grand, Démétrios Poliorcète, met le siège devant les murs de la cité en 305 av. J.-C. Après de multiples péripéties (racontées dans un chapitre du livre de Lawrence Durrell consacré à Rhodes, *Vénus et la mer*), Démétrios remballe ses affaires et lève le siège : il doit laisser ses machines de guerre que les Rhodiens, fins commerçants, revendent. Avec l'argent, une gigantesque statue du dieu Hélios est réalisée :

cette merveille du monde, dont on ne sait pas grand-chose, ne tiendra debout que 66 ans, terrassée par un séisme. On dit que les ruines restèrent visibles pendant 9 siècles...

La position de l'île en fait un poste avancé de la chrétienté quand, aux XIe-XIIe siècles, la pression ottomane se fait sentir. Rhodes est cédée par Byzance aux Génois qui s'en débarrassent en l'offrant aux hospitaliers de Saint-Jean de Jérusalem, chassés de Terre Sainte. De 1309 à 1522, cet ordre militaro-religieux, avec à sa tête des grands maîtres de diverses nationalités, donne à Rhodes une importance particulière, mais l'étau se resserre : ce que Démétrios n'avait pas réussi, Soliman le Magnifique le fait à l'issue d'un long siège et, le 1er janvier 1523, les 180 chevaliers survivants s'embarquent pour l'exil (ils s'installeront à Malte).

Les Turcs céderont bien Rhodes en 1912, mais les bénéficiaires en sont alors les Italiens ! Il faudra patienter jusqu'en mars 1948 (date du traité de Paris) pour voir le drapeau grec flotter sur la cité médiévale.

RHODES (îles du Dodécanèse)

Comment y aller ?

En avion

Nombreux vols pendant la saison touristique, mais cela se calme en hiver. L'avion au départ d'Athènes est assez intéressant. Réserver le plus tôt possible, car il y a peu de places et un grand nombre de demandes. *Olympic Airlines* n'a plus le monopole de la ligne, également desservie par *Aegean Airlines*. En Grèce, renseignements : ☎ 21-09-26-91-11 et 080-111-444-44 *(Olympic Airlines)*, ou ☎ 080-111-200-00 *(Aegean Airlines)* ; ces deux derniers numéros ne sont valables que depuis la Grèce. Attention, il arrive que certains vols soient annulés.

➤ Charters au départ **des capitales d'Europe** (dont 2 par semaine au départ de Paris en saison, ainsi que de la province) : se renseigner.

➤ **D'Athènes :** au minimum 5 vols par jour en été (45 mn) par *Olympic Airlines* et autant par *Aegean Airlines*.

➤ **De Karpathos, Kassos et Kastelorizo :** plusieurs vols hebdomadaires par *Olympic Airlines* (40 mn).

➤ **D'Héraklion (Crète) :** 1 vol par jour (1 h) par *Aegean Airlines* et 4 vols par semaine en été par *Olympic Airlines*.

➤ **De Thessalonique :** 1 vol par jour (1 h 30) par *Olympic Airlines* et autant par *Aegean Airlines*.

➤ **De Mykonos (Théra) :** environ 2 vols par semaine en été.

En bateau

Il est possible de laisser ses bagages au *Café du Port* ou à l'agence de voyages *Planet Holidays,* odos Gallias, 6 (dans la nouvelle ville). Consigne payante.

➤ **Du Pirée :** des ferries tous les jours. Attention, certains sont directs (13 h de voyage), mais la plupart font plusieurs escales dans d'autres îles villes du Dodécanèse (*Patmos, Léros, Kalymnos, Kos* pour certains, *Astypaléa, Nissyros* et *Tilos* pour d'autres) jusqu'à 6 ou 7, donc comptez quelques heures en plus (18 h). Ils partent le plus souvent en début d'après-midi ou le soir et arrivent le matin à Rhodes. Un nouveau ferry (compagnie *Blue Star*) affecté sur la ligne en 2002 fait le trajet de nuit via Kos en 11 h.

➤ **De la Crète, Syros et Mykonos :** quelques ferries par semaine en été.

➤ De nombreux bateaux d'excursion et hydrofoils desservent Rhodes au départ **des îles du Dodécanèse et de l'est de la mer Égée.** Ils accostent au port commercial ou au port touristique (Mandraki) de la capitale. Se renseigner à l'office du tourisme ou sur le port (☎ 22-41-02-22-20 ou 88-88).

Arrivée à l'aéroport

✈ **L'aéroport** est situé à 15 km de la ville de Rhodes. ☎ 22-41-08-87-00.
– Il y a un arrêt de **bus** en sortant de l'aéroport : traverser le parking et la route sur la gauche. Ne pas se diriger vers les cars « modernes » des hôtels. Au minimum un bus par heure entre 5 h et minuit en été. Bon marché quand on est seul. À plusieurs, le **taxi** est plus pratique, surtout quand on est chargé : environ 15 € pour le trajet. Sinon, le stop fonctionne : se mettre à l'arrêt de bus.
– On peut louer une **voiture** directement dans le hall de l'aéroport. Plus avantageux de la choisir une fois sur place et possibilité de négocier (surtout en fin de saison), alors que c'est impossible de France.
– **Distributeur de billets :** dans le hall d'entrée.

RHODES *(la capitale)*

C'est dans cette ville que fut construit le Colosse, une des sept merveilles du monde. Personne ne sait vraiment où il était placé. Selon la légende, il se trouvait à l'entrée du port et laissait passer les bateaux sous ses jambes, mais c'est très peu probable. Il devait plutôt se trouver dans la ville. Cette masse, de 30 m de haut, s'effondra au bout de 66 ans, au cours d'un séisme. Il n'en reste rien...
Suite à l'échec des croisades, les chevaliers de l'ordre de Saint-Jean vinrent s'installer sur l'île. Ce sont eux qui ont fait construire la ville médiévale et les remparts. On peut faire le tour de la ville en quelques heures, mais elle est assez riche en sites pour que l'on puisse y passer quelques jours. À visiter absolument, hors saison de préférence (en été, la foule empêche de profiter de la beauté du site). Il est interdit aux touristes de circuler en voiture dans la vieille ville, de toute façon les ruelles seraient trop étroites.

Adresses utiles

◨ Office du tourisme *(plan I, B2) :* à l'angle des rues Makariou et Papagou, dans la nouvelle ville. ☎ 22-41-02-36-55. Fax : 22-41-02-69-55. Ouvert du lundi au vendredi de 8 h 30 à 14 h 30. Sympathique et efficace. Aide à trouver une chambre, donne les horaires des bus, bateaux (théoriques...) et renseigne sur les activités possibles. On y parle le français. On peut y trouver une bonne carte de la ville de Rhodes et de l'île. **◨ Office du tourisme municipal** *(plan I, B2) :* pl. Rimini, à côté de l'arrêt de bus. ☎ 22-41-03-59-45. Ouvert tous les jours (de juin à septembre uniquement), de 9 h à 22 h. Fait aussi des réservations d'hôtel.

■ **Adresses utiles**
- ◨ Offices du tourisme
- ✉ Poste
- 🚌 Arrêt de bus
- **1** Police touristique
- **2** Police
- **3** OTE (téléphone)
- **4** Olympic Airlines
- **5** Agence Kolossos Tours
- **6** Location de voitures et motos Butterfly

🛏 **Où dormir ?**
- **10** Hôtel Spartalis

🍴 🎵 ∞ **Où boire un verre ? Où sortir ?**
- **30** Christos Garden
- **31** Es Paradiso
- **40** Son et lumière

🏃 **À voir**
- **50** Cimetière musulman
- **51** Musée d'Art moderne grec

438

RHODES
(îles du Dodécanèse)

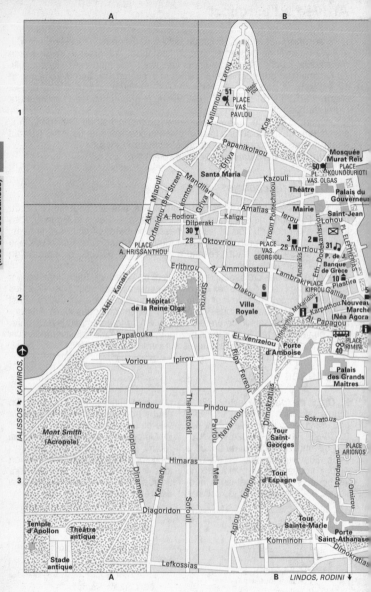

IALISSOS ➤ KAMIROS,

51 PLACE VAS. PAVLOU

Kallimnou Ierou

Nisirou Kos

Papanikolaou

Griva

Mandilara Santa Maria

Kazouli

Mosquée Murat Reis
PLACE KOUNDOURIOTI
PL. VAS. OLGAS

50

Akti Miaouli
Orfandou (Bar Street)
Leontos

Théâtre

Palais du Gouverneur

Troon Politechniou

Amalias Ierou

Mairie

Saint-Jean
Lohou

A. Rodiou Dilperaki
Kaliga

30 **4**

3 **2** **31**

PLACE A. HRISSANTHOU

28 Oktovriou

25 Martiou
PLACE VAS. GEORGIOU

Amerikis

Karpathou

Ett. Dodekanissou

P. de J.
Banque de Grèce
PLACE KIPROU

PL. ELEFTHERIAS

Erithrou

Al. Ammohostou

Lambraki

Gallias

10
Plastira

5

Akti Kanari

Stavrou

Diakou

6

Hôpital de la Reine Olga

Villa Royale

Emmanouil Makandou

Karpathou
Al. Papagou

1

Nouveau Marché (Néa Agora)

Papalouka

El. Venizelou

Porte d'Amboise

PLACE RIMINI

40

Voriou Ipirou

Riga Fereou

Palais des Grands Maîtres

Pindou

Themistokli

Pindou

Pavlou

Navarinou

Dimokratias

Sokratous

Mont Smith
(Acropole)

Enoplion Dinameon

Kennedy

Himaras

Mela

Tour Saint-Georges

PLACE ARIONOS

Ippodamou

Omirou

Sofouli

Diagoridon

Agiou Ioannou

Tour d'Espagne

Temple d'Apollon

Théâtre antique

Komninon

Tour Sainte-Marie

Porte Saint-Athanase

Dimokratias

Stade antique

Lefkossias

A B LINDOS, RODINI ↓

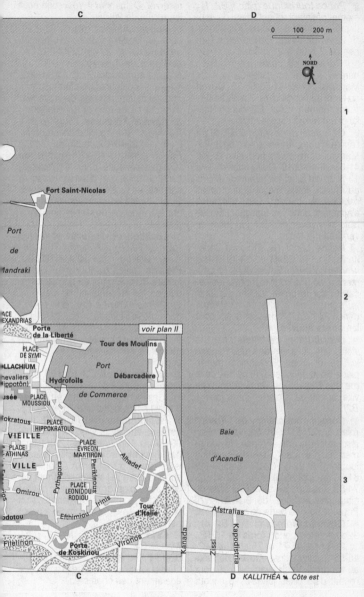

RHODES-VILLE – LA VILLE NOUVELLE (PLAN I)

■ *Police touristique* (plan I, B2, 1) : même bâtiment que l'office du tourisme municipal, odos Karpathou. ☎ 22-41-02-74-23. Ouvert toute l'année de 7 h 30 à 21 h 30.

✉ *Bureaux de poste* (plan I, B2) : bureau central en face du port de Mandraki. ☎ 22-41-03-57-75. Ouvert du lundi au vendredi de 7 h 30 à 20 h. Autre bureau odos Dendrinou (celui-ci est fermé l'après-midi).

■ *OTE* (téléphone ; plan I, B2, 3) : à l'angle d'odos Amerikis et d'odos 25-Martiou, dans la ville nouvelle. ☎ 22-41-05-96-16 et 18. Ouvert de 7 h 30 à 13 h 30 du lundi au vendredi. Moins de monde tôt le matin. Nombreuses cabines à cartes. Les télécartes s'achètent dans les kiosques. Possibilité d'envoyer des fax (du lundi au vendredi) le matin.

■ *Police* (plan I, B2, 2) : odos Dodekanissou. ☎ 22-41-02-38-49. Dans la ville nouvelle. Entrer dans le bâtiment avec une cour et monter les escaliers sur la droite. Ouvert du lundi au samedi de 8 h à 14 h. Permanence 24 h/24. S'adresser à eux pour les objets trouvés.

■ *Distributeurs de billets :* dans la vieille ville, à l'angle des rues Papanikolaou et Iroon Politehniou (nord), place Kostaridou (sud) et au bas de la rue des Chevaliers. Dans la nouvelle ville, autour de la place Kiprou (plan I, B2).

■ *Consul honoraire de France* (plan II, C2, 61) : M. Michel Kokkinidis, auberge de France (évidemment !), rue des Chevaliers (odos Ippoton). ☎ 22-41-02-23-18 et 69-32-61-36-54 (portable). Fax : 22-41-07-74-88. Tous les jours sauf les samedi, dimanche et fêtes, de 9 h à 12 h. Pour les vols ou perte de papiers, etc.

■ *Olympic Airlines* (plan I, B2, 4) : 9, odos Iérou Lohou (près de l'*OTE*). ☎ 22-41-02-45-71 et 75 et 22-41-02-45-55 (réservations). Ouvert du lundi au vendredi. Venir avant 14 h 30 pour l'achat d'un billet, jusqu'à 16 h pour

réserver. Demander la réduction pour les moins de 25 ans.

■ *Aegean Airlines* (plan I, B2) : 20, odos E. Dodekanission, à proximité de la police. ☎ 22-41-02-44-00.

■ *Contours Agency* (plan I, B2) : 9, odos Ammohostou. ☎ 22-41-03-60-01. ● contours@rho.forthnet.gr ● Très sérieuse agence de voyages ; demander Lisa qui est francophone.

■ *Agence Kolossos Tours* (plan I, B2, 5) : 1, Néa Agora (nouveau marché). ☎ 22-41-02-08-52 ou 74-63. Fax : 22-41-03-45-37. Agence de voyages sérieuse pour les réservations de bateau et d'avion. Pratique, car juste en face du port de Mandraki. Sinon, toutes les compagnies de ferry ont leur agence devant le port commercial.

■ *Location de voitures et motos* (plan I, B2, 6) : Butterfly, 75, odos Alex. Diakou. ☎ 22-41-02-13-30. Près de l'office du tourisme. Ouvert jusqu'à 20 h. Engins en bon état. Réduction sur présentation du *GDR*.

■ *Olympia Rent a Car* (plan I, A2) : odos 28-Oktovriou. ☎ 22-41-02-06-01. Fax : 22-41-03-16-42. Accueil à l'aéroport (24 h/24). Tarifs raisonnables et service rapide en cas de pépin.

■ *Laverie* (plan II, C3, 63) : 33, odos Platonos. ☎ 22-41-07-60-47. Ouvert tous les jours de 8 h à 21 h en été (de 8 h à 17 h le dimanche).

■ *Hôpital* (hors plan I par B3) : en banlieue sud de la ville. ☎ 22-41-08-00-00 ou 166 (urgences). Attention, pas de centre IKA à Rhodes, donc si vous n'avez pu retirer (à Athènes ou sur une autre île) le livret donnant accès aux soins gratuits, vous devrez payer les soins. Les urgences sont bien organisées, et la somme à payer est modique.

@ *Café Internet* (plan II, C3, 62) : Mango Bar, 3, pl. Doriéos. ☎ 22-41-02-48-77. ● karelas@hotmail.com ● Ouvert jusqu'à minuit. Le proprio loue également des chambres.

Transports

🚌 *Station de bus* (plan I, B2) : pl. Rimini, juste à côté du nouveau marché et un autre sur odos Averof. Il y a 6 lignes de bus pour la ville (☎ 22-41-02-63-00) et un grand nombre pour les différents sites de l'île (☎ 22-41-02-77-

06). Demander les horaires à l'office du tourisme. *Attention :* les bus partent à l'heure et parfois en avance ! Fréquents et bon marché. L'extrême sud de l'île est peu desservi.

– *Taxis :* une bonne partie des portes de la vieille ville ont une station de taxis. À 50 m de l'arrêt de bus *(plan I, B2)* et au port des ferries *(plan II, C3).* ☎ 22-41-06-47-12, 22-41-06-47-34 ou 22-41-06-47-78. C'est devenu assez cher même pour les petites distances, mais si vous êtes à plusieurs ça peut valoir le coup.

– *Location de deux-roues et voitures :* ce ne sont pas les loueurs qui manquent dans la nouvelle ville. L'île ne mesure que 85 km de long et, au centre, 35 km de large. La route qui fait le tour de l'île est très belle. Il est préférable de louer un moyen de locomotion si l'on désire en faire le tour, car au sud, de Lindos, d'un côté, et d'Embonas, de l'autre, les villages sont isolés et les bus rares. Les routes de l'intérieur sont également ravissantes. Éviter de louer les petites motos japonaises, pas assez puissantes dans les côtes : à deux, il y en a toujours un qui finit en stop ! En revanche, balades agréables en scooter. Attention tout de même aux fortes bourrasques de vent, qui risquent de déstabiliser les conducteurs inexpérimentés. Possibilité de faire du stop. Pompes à essence sur les boulevards périphériques de la vieille ville ; horaires d'ouverture très variables.

– *Bateaux d'excursions :* départs du port de Mandraki *(plan I, B-C2).* Il y a un grand nombre de destinations sur l'île (Lindos...), ainsi que sur les îles avoisinantes (Symi, Lipsi, Samos...) et la Turquie. Attention, se renseigner avant sur les formalités et le coût des taxes si l'on désire passer une nuit en Turquie ou dans un autre pays. Pour la Turquie, se renseigner à l'agence *Inspiration Travel,* face aux grilles du port commercial. ☎ 22-41-02-42-94. La carte d'identité suffit.

Où dormir ?

– *La vieille ville* a longtemps été considérée par les Grecs comme le lieu d'hébergement des familles pauvres ; les prix y étaient donc plus bas que dans la *nouvelle ville,* mais cela change. La *nouvelle ville,* en revanche, est très bruyante et n'a pas le même charme.

■ **Adresses utiles**
- 61 Consul honoraire de France
- @ 62 Mango Bar (cybercafé)
- 63 Laverie

▲ **Où dormir ?**
- 71 Rodos Youth Hostel
- 72 Mamma's Pension
- 73 Pension Billy's
- 74 Hôtel Stathis
- 75 Hôtel Andreas
- 76 Pension Olympos
- 77 Pink Elephant
- 78 Casa de la Sera
- 79 Hôtel Isole
- 80 S. Nikolis Hotel
- 81 Hôtel Paris
- 82 Via Via
- 83 Marco Polo Mansion

|●| **Où manger ?**
- 91 Restaurant Yiannis
- 92 Taverna Niréas
- 93 Restaurant Diafani
- 94 Taverne Mistagoyia
- 95 Le Bistrot de l'Auberge
- 96 Taverna Pythagoras (Chez Tonton)
- 97 Kasbah
- 98 Restaurant Fotis
- 99 Taverne Mirovolos

♈ ∞ **Où boire un verre ? Où sortir ?**
- 111 Mandala Café
- 112 Danses folkloriques

⚒ **À voir**
- 121 Musée archéologique
- 122 Palais des Grands Maîtres ou des Chevaliers
- 123 Musée byzantin
- 124 Bains turcs

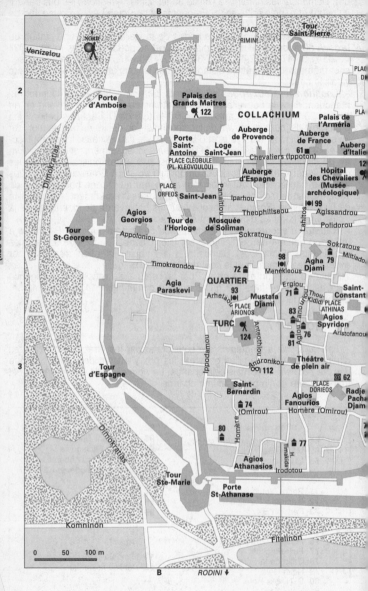

RHODES
(îles du Dodécanèse)

B

NORD

Venizelou

PLACE
RIMINI

Tour
Saint-Pierre

PLAC
D

PLA

Porte
d'Amboise

Palais des
Grands Maîtres 122

COLLACHIUM

Palais de
l'Arméria

Dimokratias

Porte
Saint-
Antoine

Loge
Saint-Jean

Auberge
de Provence

Auberge
de France
61

Auberg
d'Italie

PLACE CLÉOBULE
(PL. KLEOVOULOU)

Chevaliers (Ippoton)

12

PLACE
ORFEOS

Saint-Jean

Auberge
d'Espagne

Iparhou

Hôpital
des Chevaliers
(Musée
archéologique)

Panaitiou

Theophiliseou

99

Agissandrou

Agios
Georgios

Tour de
l'Horloge

Mosquée
de Soliman

Sokratous

Polidorou

Lahitos

Sokratous

Tour
St-Georges

Appoloniou

98

Mittiado

72

Agha
Djami 79

Timokreondos

Menékleous

QUARTIER

Ergiou

Saint-
Constant

Agia
Paraskevi

93

Arhelaou

Mustafa
Djami

71

Agiou Fanouriou

Thou-
Kididi PLACE
ATHINAS

Agios
Spyridon

PLACE
ARIONOS

83

Anteothiliou

TURC
124

76

81

Aristofanou

Ippodamou

Andronikou 112

Théâtre
de plein air

Tour
d'Espagne

Saint-
Bernardin

62

PLACE
DORIEOS

Radje
Pacha
Djam

74
(Omirou)

Agios
Fanourios

Homère (Omirou)

Dimokratias

80

Homère

77

H.
Timakida

Agios
Athanasios

Irodotou

Tour
Ste-Marie

Porte
St-Athanase

Komninon

0   50   100 m

Fitelinon

B

RODINI ↓

↑ Port Mandraki, Fort Saint-Nicolas   C

Porte
de la
Liberté

Porte Saint-Paul

Tour
de Naillac

Tour des Moulins

Porte de l'Arsenal

2

Temple d'Aphrodite

RGIROKASTROU

Port

Débarcadère

Auberge
l'Auvergne

Sainte-Marie
Musée byzantin
● 123

de   commerce

USSIOU

Auberge
d'Angleterre

Porte de la Marine

Porte
Sainte-Catherine

Sainte-Marie-
de-la-Victoire

Ermou

hadrevan
Djami

Tribunal de
commerce

PLACE
HIPPOKRATOUS

Porte
Sainte-Marie-
du-Bourg

Agios
Panteleimon

Aristotelous

Akti Sahtouri

Pythagora

Hospice
Sainte-Catherine

Promitheos

91

96 ●|● 97 ●|● 94

K. Rodiou

latonos

Archevêché

Ibrahim
Pacha
Djami

PLACE
EVREON
MARTIRON

Pindarou

Sainte-Marie-
du-Bourg

Thysseos

Klisthniou

♦ 78

▲ 82

Dositadou

QUARTIER JUIF
(EVRAIKI)

Alhadef

92 ●|●

Dimosthenous

Perikleous

Simiou

Fidia

111

Praxiteous

Synagogue

73 ♦

Gavali

Porte
d'Akandia

3

St. hokleous

Pythagora

PLACE
LEDNIDOU
RODIOU

Tliptolémou

Agia
Triada

Agia
Kiriaki

Agia Ekaterini
(Sainte-Catherine)

●|● 95

Tour d'Italie

Efthimiou

Porte de
Koskinou

Vironos

Kolokotroni

C

RHODES-VILLE – LA VIEILLE VILLE (PLAN II)

– Pas facile de trouver une chambre au mois d'août, et une loi interdit désormais de dormir sur les toits (en théorie...). L'office du tourisme peut vous aider à trouver un lit. S'il est vraiment tard, il y a toujours un hôtelier pour venir chercher les voyageurs au débarcadère. Ce sera rarement un palace, mais ce sera toujours mieux que la rue. Facilement négociable.

– *Hors saison*, un bon nombre de pensions et d'hôtels sont fermés. Se promener dans la vieille ville en décembre ou janvier, c'est presque traverser une ville morte ! Ils ouvrent pour la plupart de la Pâque orthodoxe à fin octobre. On peut néanmoins appeler, car les hôteliers habitent souvent dans leurs pensions et ils ouvriront leur porte avec plaisir aux routards hors saison.

Dans la vieille ville

Bon marché

🛏 *Rodos Youth Hostel* (plan II, C3, 71) : 12, odos Ergiou. ☎ 22-41-03-04-91. Fax : 22-41-07-58-61. Réception ouverte de 9 h 30 à 13 h 30, puis à partir de 17 h 30 (de 9 h à minuit en été). Chambres de 2 ou 3 lits, avec ou sans salle de bains, de 20 à 28 € ; lits en dortoir à 9 €. Tout pour la jeunesse et réservé aux jeunes. Cuisine, machine à laver, cour agréable et consigne à bagages gratuite. Rez-de-chaussée à éviter à cause du bruit des retours des noctambules et des lève-tôt. Accueil sympa. Dommage que cette AJ soit un peu laissée à l'abandon car elle est bien située.

🛏 *Mamma's Pension* (Mike's Taverna ; plan II, B3, 72) : 28, odos Ménékléous. ☎ 22-41-02-53-59 ou 69-34-03-71-28 (portable). Non loin des bains turcs. Chambres propres de 2 à 4 lits, sans salle de bains, à partir de 25 € ; dortoirs à 10 €. Un peu vieillot mais correct vu les prix. Terrasse, salle TV et machine à laver. Fait également resto, mais on ne le conseille pas.

🛏 *Pension Billy's* (plan II, C3, 73) : 32 B, odos Perikléous. ☎ 22-41-02-37-76. Chambres neuves, propres, avec salle de bains, entre 30 et 35 € selon le mois de l'été ; prix négociable. Certaines sont de petite taille. Maison grecque typique, décorée en bleu et blanc, avec une succession de couloirs, d'escaliers et de terrasses. Pas de petit déjeuner mais cuisine et terrasse à disposition. Calme. Patron pas vraiment regardant sur la propreté, et qui tient l'épicerie juste en bas.

🛏 *Hôtel Stathis* (plan II, B3, 74) : 60, odos Omirou. ☎ 22-41-02-43-57. Petites chambres simples mais propres, avec lavabo (salles de bains extérieures), à 30 € la double, petit dej' compris. Accueil chaleureux du patron, Steve, qui a appris le français (20 ans passés à Montréal). Il trouvera toujours une place pour vous dans l'une de ses trois maisons ou même sur son toit. Petit déjeuner servi dans la cour, sous la tonnelle.

Prix moyens

De très bonnes adresses dans cette catégorie :

🛏 *Pension Olympos* (plan II, C3, 76) : 56, odos Agiou Fanouriou. ☎ et fax : 22-41-03-35-67 ou 69-45-57-32-65 (portable). Chambres claires et impeccables avec AC et frigo, à partir de 45 € en août ; petit dej' copieux mais assez cher. Dans une ruelle charmante, une pension tenue par un couple aimable. Certaines chambres avec balcon ou une petite terrasse sur le jardin à l'arrière. Si vous envoyez un fax pour prévenir de votre arrivée, le patron vient vous chercher à l'aéroport.

🛏 *Pink Elephant* (plan II, C3, 77) : 9, Timakida. ☎ et fax : 22-41-02-

24-69. ● www.pinkelephantpension. com ● Rue donnant dans odos Omirou. Ouvert toute l'année (téléphoner à l'avance). De 25 à 35 € en basse saison et de 40 à 55 € en août (prix variant selon le standing des chambres). Pension de 10 chambres où le blanc prédomine et décorées avec simplicité, dont 8 avec salle de bains. Patronne italienne francophone et très sympa, Paola, qui connaît bien la ville et l'île.

🛏 *Hôtel Isole (plan II, C3, 79)* : 75, odos Evdohou. ☎ 22-41-02-06-82 ou 69-37-58-08-14 (portable). Fax : 22-41-03-36-84. ● www.hotelisole. com ● D'avril à fin juin et en septembre-octobre, compter de 35 à 55 € selon le type de chambre (les plus chères sont en haut, avec terrasse) ; en été, de 45 à 65 €. Petit hôtel (7 chambres) tout en bleu, bien tenu par Guido et Luisa. Excellent accueil. Certaines chambres sont un peu petites. Cartes de paiement refusées.

Plus chic

🛏 *Hôtel Andreas (plan II, C3, 75)* : 28 D, odos Omirou. ☎ 22-41-03-41-56. Fax : 22-41-07-42-85. ● www.ho telandreas.com ● Ouvert du 15 mars au 30 octobre. Dans une ruelle. De 60 à 70 € pour une chambre double avec w.-c. et de 90 à 105 € la chambre « nuptiale ». Chambres propres, avec salle de bains, des moustiquaires colorées et une belle vue sur la vieille ville. Également des chambres pour 3 ou 4 personnes, très intéressantes pour leur excellent rapport qualité-prix. Les chambres nos 18 et 19 ont un balcon, la n° 21 bénéficie d'une superbe vue. Petit déjeuner et barbecues sur la terrasse fleurie. Service de courrier électronique pour les clients. Téléphone et ma-

Bien plus chic

🛏 *S. Nikolis Hotel (plan II, B3, 80)* : 61, odos Hippodamou. ☎ 22-41-03-45-61. Fax : 22-41-03-20-34. ● www. medievalcityhotel.com ● De 50 à 150 € pour 2. Maison rénovée à la façade magnifique, juste en face des remparts, dans une rue tranquille

🛏 *Via Via (plan II, C3, 82)* : 45, odos Pythagora. ☎ 22-41-07-70-27. ● www.hotel-via-via.com ● L'entrée est dans la petite ruelle Lisipou. Ouvert à l'année. Pour 2 personnes, compter de 40 à 62 € selon le type de chambre et la période. Une huitaine de chambres dans une maison aux tons ocre du meilleur effet. La chambre « Pacha », à réserver tôt dans l'année, est posée sur le toit et possède une véranda (compter de 45 à 75 €). Jolie déco. Béatrice, la charmante propriétaire belge, parle le français. L'atmosphère est chaleureuse et reposante. 5 % de réduction sur présentation du *GDR* pour un séjour de 3 nuits minimum.

🛏 *Hôtel Paris (plan II, C3, 81)* : 88, odos Agiou Fanouriou. ☎ 22-41-02-63-56. Fax : 22-41-02-10-95. Une vingtaine de chambres récentes, propres et spacieuses, à partir de 45 €, et 2 appartements. On peut vous conduire à l'aéroport au tarif taxi. Grande cour fleurie.

chine à laver. Les patrons sont francophones et très sympas. Attention, 2 nuits minimum sont souhaitées.

🛏 *Casa de la Sera (plan II, C3, 78)* : 38, odos Thysséos. ☎ 22-41-07-51-54. S'il n'y a personne, s'adresser à l'hôtel *Cava d'Oro*, 15, odos Klisthiniou (☎ 22-41-07-70-27 ; *La Casa de la Sera* est la partie pension de cet hôtel où l'on peut prendre le petit déjeuner). À partir de 55 € petit déjeuner compris ; tarif négociable sur plusieurs nuits. Non loin des remparts, petite maison restaurée. Chambres avec salle de bains. Demander celles en hauteur, plus aérées, dont la n° 5, plus grande et avec une terrasse.

et avec une cour spacieuse. Chambres de charme confortables, avec salle de bains, téléphone, TV, AC et réfrigérateur. Les propriétaires louent aussi, dans une ancienne bâtisse de pierre, des appartements bien équipés ainsi que des studios.

On y est plus tranquille mais la vue n'est pas la même.

🛏 *Marco Polo Mansion (plan II, C3, 83)* : 42, odos Agiou Fanouriou. ☎ et fax : 22-41-02-55-62. • www.marcopolomansion.web.com • Ouvert d'avril à octobre. De 90 à 170 € selon la saison. Les 2 chambres les plus grandes (les plus chères) ont un lit à baldaquin (et même les bains turcs pour la chambre « impériale »). Les propriétaires, Spiros et Effi Dede, se sont rencontrés durant leurs études en Italie et en ont gardé le goût pour une décoration soignée et raffinée : de très beaux tapis côtoient des meubles anciens, le tout dans d'anciens bains turcs (qui furent aussi convertis en harem par un propriétaire iranien), dont les murs sont peints aux pigments naturels. Le petit déjeuner-buffet, composé de produits frais et variés, est servi dans le patio fleuri, tout aussi charmant. Subtile alliance d'élégance et de naturel, ambiance tout à fait décontractée. Excellente adresse, mais il est difficile de ne faire que passer, la « préférence » étant donnée aux séjours d'une semaine. On peut aussi y dîner ou juste boire un verre, au *Marco Polo Café,* dans la même bâtisse.

Dans la nouvelle ville

En dehors des complexes hôteliers hyper touristiques, sans charme, certains hôtels offrent un bon rapport qualité-prix. Les voitures, les boîtes de nuit et les bars la rendent très bruyante.

🛏 *Hôtel Spartalis (plan I, B2, 10)* : 2, odos Nick Plastira. ☎ 22-41-02-43-71 ou 76-70. Fax : 22-41-02-04-06. • info@spartalis-hotel.com • Ouvert d'avril à octobre. En dehors de l'agitation du centre. Compter dans les 60 € à deux pour une grande chambre confortable avec bains et TV. À 100 m du port de Mandraki, donc pratique si l'on ne veut pas perdre trop de temps à chercher une chambre pour une nuit de passage. Accueil plutôt sympa. On y parle le français.

Où manger ?

Dans la vieille ville

C'est triste à dire, mais les meilleurs restaurants aux meilleurs prix ne sont pas toujours les restaurants grecs. De nombreux restaurateurs, ayant pris goût à l'argent des touristes, se sont laissé aller à la facilité. Il faut donc éviter les restaurants des rues principales, pour ne pas avoir de petits problèmes de digestion. Ils sont facilement repérables à leurs prix cassés et leurs plats importés d'Athènes (ils ont tous le même fournisseur, avec les mêmes photos des mêmes plats). Il y a quand même quelques bonnes tavernes excentrées, que l'on reconnaît pour être fréquentées par les Grecs, et des restos étrangers (italiens ou français) qui sont plus à cheval sur l'hygiène et offrent qualité et prix. Les restos non touristiques sont souvent fermés le midi. Le soir, pas d'horaires fixes : on sert tant qu'il y a du monde.

Bon marché

🍴 *Restaurant Yiannis (plan II, C3, 91)* : 41, odos Platonos. ☎ 22-41-03-65-35. Une bonne taverne grecque avec des plats copieux à prix très raisonnables. La terrasse au fond du restaurant a une jolie vue sur des ruines à ciel ouvert. Accueil sympathique du patron.

🍴 *Taverna Niréas (plan II, C3, 92)* : 22, odos Sofokléous. ☎ 22-41-02-17-03. Compter 12 € pour un *mezze* et un plat. Bonne petite adresse, au calme, sur une place ombragée. Accueil très souriant. Qualité remarquable de la cuisine. Avec un peu de chance, on vous offre l'*ouzo*.

I●I **Restaurant Diafani** *(plan II, B3, 93)* **:** 2, platia Arionos. Face aux bains turcs. Accueil un peu commercial, mais on y sert une cuisine simple et copieuse : une entrée et un plat pour 10 €, donc pour moins cher que dans les rues touristiques voisines. Fréquenté par les Grecs, mais aussi beaucoup par les Français... On mange en plein air, sur une grande terrasse ombragée et calme. Goûter la *Greek plate,* assiette complète de spécialités.

Prix moyens

I●I **Le Bistrot de l'Auberge** *(plan II, C3, 95)* **:** 21, odos Praxitélous. ☎ et fax : 22-41-03-42-92. GPS : 36° 26'27'' N et 28° 13'44'' E. Pas facile à trouver : remonter la rue Omirou, prendre la ruelle juste en face à gauche de la maison, puis deux fois à gauche ; ouf, vous y êtes ! Ouvert uniquement le soir. Fermé le lundi et de mi-décembre à avril. Compter environ 15 € pour un repas. Danièle et Jean ont quitté leur France natale et retapé cette très belle bâtisse pour en faire un bistrot français. C'est très réussi. Le lieu est charmant, les plats très bons et copieux, et l'addition correcte : une auberge comme il en existe peu en France : un comble ! On ne manquera pas de jeter un œil à la petite galerie de peinture où ils exposent les œuvres de leurs amis.

I●I **Taverne Pythagoras** *(Chez Tonton ; plan II, C3, 96)* **:** 22, odos Pythagoras. ☎ 22-41-02-37-11. Tonton est un Grec qui a vécu pendant 3 ans à Agen. Lassé des pruneaux, il est revenu auprès de ses oliviers et y a ouvert sa taverne. On y mange de bons plats de langouste et de fruits de mer : plats de poisson à partir de 10 € et langouste à 50 € le kilo ; sinon, plats grecs à partir de 7 €. Convivial et à la bonne franquette. Bonne ambiance le soir (quand de jeunes Grecs finissent la soirée en dansant sur la table !).

I●I **Taverne Mirovolos** *(plan II, C3, 99)* **:** 13, odos Lahitos. Ouvert le soir. Compter 15 € par personne vin compris. Le cadre est chaleureux (taverne tout en bois), la cuisine est fine et inventive et les prix sont très doux. Dessert à la cannelle offert, et bon pain chaud fait maison. Il n'en faut pas plus pour en faire une très bonne adresse.

I●I **Taverne Mistagoyia** *(plan II, C3, 94)* **:** 5, odos Themistokleous. ☎ 22-41-03-29-81. Plats à partir de 5 €. Compter quand même 15 € pour un repas complet. Dans une ruelle un peu à l'écart, quelques tables dehors, des peintures, une petite musique douce pour une nourriture de qualité et un accueil sympathique. Pour les routards s'aventurant ici hors saison, une petite salle cosy avec une cheminée. L'*ouzo* est offert par la maison.

Plus chic

I●I **Kasbah** *(plan II, C3, 97)* **:** 4-8, odos Platonos. ☎ 22-41-07-86-33. Ouvert à partir de 19 h. Fermé le lundi. *Mezze* et salades entre 4 et 7 € environ. Plats grecs et orientaux (couscous, tajines...) à partir de 11 €. Un restaurant qui illustre, au-delà de la seule cuisine grecque, toutes les subtilités de la cuisine orientale. De très bons desserts, qui changent du yaourt au miel et du melon. Joli cadre (cour intérieure à ciel ouvert, salle voûtée en pierre de taille). Le patron, très sympathique, parle très bien le français et conseille au mieux ses clients.

I●I **Restaurant Fotis** *(plan II, B-C3, 98)* **:** 8, odos Ménékléous. ☎ 22-41-02-73-59. Compter facilement 8 € pour les *mezze* et 45 € le kilo de poisson ou de crustacés. Un restaurant de poisson et fruits de mer qui sévit depuis plus de 30 ans. Un peu en retrait de l'agitation de Sokratous (mais il y a quand même du passage devant la terrasse). Fraîcheur et propreté garanties, et vitrine appétissante. Service soigné mais pas toujours souriant.

Dans la nouvelle ville

C'est pire que dans la vieille ville. Les restos s'enchaînent à l'américaine le long des rues. Décors de néons blafards et de photos de *souvlakia* caoutchouteux expliqués en dix langues. Si vous prenez le risque de vous y aventurer et que c'est mangeable, ce sont les pots d'échappement qui auront raison de vous...

– Pour les fauchés et les amateurs de *pittas*, le **nouveau marché** est un paradis. L'ambiance y est sympa, bien que très touristique. Au moins, de l'intérieur, on ne voit pas les voitures. Goûter un *ouzo* avec quelques *mezze* dans l'une des tavernes. Choisir celle où il y a le plus de vieux... **Chez Georges** n'est pas mal et les Français y sont bien accueillis. C'est bon signe pour le portefeuille et pour le palais.

Où boire un verre ? Où sortir ?

La vie nocturne sur l'île n'est pas aussi développée que sur Mykonos ou Kos, mais il y a quand même de nombreux bars, dans la nouvelle ville mais aussi dans l'ancienne. Beaucoup disposent de petites pistes de danse à l'intérieur. La *Bar Street*, odos Orfanidou *(plan I, A1-2)*, avec ses verres pour presque rien, est l'endroit préféré des touristes en séjour sur l'île. Dans la vieille ville, odos Miltiadou *(plan II, C3)* est aussi très prisée et offre en plus de nombreux coussins où s'asseoir pour boire un verre entre amis.

🍸 *Mandala Café (plan II, C3, 111)* : 38, odos Sofokléous. ☎ 22-41-03-81-19. Face à la *taverna Niréas*. À partir de 18 h. Dans un cadre très calme et agréable, sur la terrasse ou à l'intérieur, vous pouvez boire un verre ou déguster quelques bons plats ou gâteaux maison à des prix corrects. Tenu par deux Suédoises, la mère et la fille, qui sauront vous expliquer les origines tibétaines du mandala.

🍸 *Mon Café (plan II, C3)* : 10, odos Evripidou, à l'intersection avec odos Platonos. Petit café sympa où Emmanuel, le patron francophone, saura vous accueillir. Jeux de dames et de *tavli* (le backgammon grec).

🍸 *Christos Garden (plan I, A-B2, 30)* : 59, odos Dilberaki. ☎ 22-41-03-21-44. Dans la nouvelle ville. Ouvert de 19 h 30 à 2 h. Un patio fleuri aux relents de jasmin et des petits salons éparpillés dans la maison au gré des fantaisies de l'architecte du lieu sont autant d'endroits où l'on peut déguster la boisson de son choix. Bondé à partir de 22 h.

Les boîtes branchées

🎵 *Paradiso* : à la périphérie de la ville, vers Sgourou (3 € en taxi). Une grosse boîte avec de la *house*, de la variété internationale et grecque, le tout dans un joli décor tropical avec un bassin. Pour côtoyer toute l'Europe du Nord en vacances...

🎵 *Es Paradiso (plan I, B2, 31)* : 25, odos 25-Martiou ; près de la poste. Des tuyaux, des cages suspendues, des passerelles : c'est l'équipage du film *Alien* qui s'organise une petite teuf. Moins cher que *Paradiso*.

🎵 *Colorado (plan I, A1)* : odos Orfanidou. Trois clubs en un, musique live, pour tous publics.

Spectacles

🎭 *Les danses folkloriques (plan II, B3, 112)* : au théâtre en plein air de la vieille ville. À partir de la rue Sokratous, remonter la rue Agiou Fanouriou et prendre la 4e à droite. Beau spectacle les lundi, mercredi et vendredi à 21 h 20 de juin à octobre. Chants et danses en costumes locaux.

∞ *Le son et lumière* (plan I, B2, **40**) : de début mai au 31 octobre, tous les soirs, dans le jardin municipal, près de l'édifice polygonal du nouveau marché *(néa agora)*. En français, les mercredi et dimanche, à 22 h 15. Prix de la place : 5 €. Le spectacle dure 1 h. Se placer au fond, juste à côté des buissons de jasmin. Raconte l'histoire de Rhodes au temps des chevaliers. Son correct ; pour la lumière, il y a sûrement mieux. Pas toujours très drôle...

À voir

Dans la vieille ville

Assez étendu et bien préservé, cet ensemble de maisons abritées par de puissants remparts vous plongera dans une ambiance médiévale. De nombreuses rues sont encore pavées de têtes de chat, comme autrefois. Les rues principales sont souvent enlaidies par les magasins et restaurants, mais il suffit de s'écarter un peu pour trouver de nombreuses rues calmes. C'est vraiment à voir, même en coup de vent. Balade très agréable entre 14 h et 17 h, lorsque les touristes sont à la plage et que les commerçants font la sieste : les ruelles étroites protègent suffisamment de la chaleur, et l'on a l'impression d'avoir la ville pour soi.

– *Pour les étudiants :* pour la plupart, les musées, monuments et sites sont gratuits sur présentation de la carte d'étudiant.

🏃🏃 *Le Musée archéologique* (hôpital des chevaliers de Saint-Jean ; plan II, C3, **121**) : imposant bâtiment sur la place Moussiou. ☎ 22-41-02-76-57 ou 22-41-07-56-74. Ouvert du mardi au dimanche de 8 h à 18 h 40 et de 8 h 30 à 15 h hors saison. Entrée : 3 € ; réductions ; billet groupé à 10 € (réductions) pour la visite du palais des Grands Maîtres et du musée des Arts décoratifs.

En 1522, les malades quittèrent cet hôpital, à l'architecture gothique, pour aider les 650 chevaliers, les 200 marins génois et les 6 000 habitants de l'île à combattre l'invasion du sultan Soliman Ier. Le sultan disposait d'une armée de 100 000 hommes ! Le pape eut beau exhorter les princes chrétiens à aller au secours des assiégés, ceux-ci n'en firent rien. Rhodes fut perdue au bout de 6 mois de siège. Les Turcs transformèrent les églises catholiques en mosquées. D'ailleurs, quelques minarets encore debout confirment que Rhodes est bien à la porte de l'Orient, et du port on aperçoit clairement la côte turque.

En haut de l'escalier sur la gauche s'ouvre la grande salle des malades ; pour éviter la contagion, les lits étaient isolés dans des alvéoles particulières, encore visibles aujourd'hui. Ensuite le réfectoire, puis les cuisines. La salle suivante contient le chef-d'œuvre du musée : l'*Aphrodite de Rhodes*. La déesse, un genou à terre, relève sa chevelure de ses mains. Au fond de la cour, salle d'exposition avec une très belle mosaïque.

🏃 *Le palais des Grands Maîtres ou des Chevaliers* (plan II, B2, **122**) : ouvert du mardi au dimanche de 8 h à 18 h 40 et de 12 h 30 à 18 h 40 le lundi (hors saison, de 8 h 30 à 15 h et fermé le lundi). Entrée : 6 € ; réductions.

Construite au XIVe siècle, cette demeure des Grands Maîtres est devenue une forteresse. Elle fut presque entièrement reconstruite par les Italiens lors de l'occupation, pour servir de résidence à Mussolini. Les travaux furent gigantesques, et le résultat controversé. Il faut aimer le style monumental. Pas de chance pour les Italiens, la restauration s'acheva en 1940, l'Italie était déjà en guerre : Mussolini et ses copains n'en ont pas profité longtemps. Les mosaïques, amenées par leurs soins de Kos et qui ornent la plupart des salles, sont magnifiques. Quelques très beaux vases japonais aussi, dons de l'empereur du Japon Hirohito à Mussolini.

🥾 *Les remparts :* on peut en faire le tour, le mardi et le samedi à 14 h 45 précises, à partir du palais des Chevaliers. Mais cette visite accompagnée est chère (6 €), et les parties les plus intéressantes ne sont pas à visiter. Il y avait auparavant un élevage de daims et de biches (symboles de la ville) à l'intérieur des douves, mais les pauvres bêtes n'étant pas dans leur meilleure forme, on les a envoyées se refaire une santé au parc Rodini.

🥾🥾 *La rue des Chevaliers* (odos Ippoton ; plan II, C2) : très jolie rue pavée de galets, qui relie la place Moussiou au palais des Grands Maîtres. Elle est bordée d'« auberges », édifices gothiques servant de résidences aux chevaliers francs. On peut y voir quatre des sept auberges (une pour chaque langue de l'ordre). L'auberge de France abrite l'agence consulaire française. Dans cette même rue, vous trouverez le *musée des Arts décoratifs,* ouvert de 8 h 30 à 15 h (fermé le lundi).

🥾 *Le Musée byzantin* (plan II, C2-3, *123*) : Panagia Kastrou, en face du Musée archéologique. Ouvert du mardi au dimanche de 8 h à 18 h 40. Entrée : 1,50 €. Belle exposition d'icônes du Vᵉ au XVIIIᵉ siècle dans une église médiévale, au son de chants orthodoxes.

◈ Non loin du Musée byzantin et de l'*Art Gallery,* sur la place Argirokastrou, une échoppe du ministère de la Culture, où l'on peut se procurer de beaux livres d'art. Ouvert le matin, du lundi au vendredi.

🥾 *Les bains turcs* (plan II, B3, *124*) : tout bon routard se doit de faire cette expérience : les bains sont de l'époque de Soliman le Magnifique (XVIᵉ siècle), mais ils ont été entièrement rénovés. Messieurs, vous pouvez vous y rendre les lundi, mercredi et vendredi de 11 h à 18 h, quant à vous mesdames, ce sera les mardi, jeudi ou samedi de 8 h à 18 h. Il vous en coûtera la modique somme de 1,50 €. Pensez à prendre des sabots pour éviter les mycoses.

🥾🥾 *La rue Sokratous* (plan II, C3) : la rue commerçante de la vieille ville, avec ses bijouteries, ses fourrures et ses cuirs de mauvais goût (impossible de comprendre comment on arrive à en vendre alors qu'il fait 35 °C). En remontant, au n° 76, un vieux café avec une très belle devanture et ses joueurs de *tavli.* Un peu avant sur la gauche, la mosquée de l'Agha, particulièrement harmonieuse.

Dans la ville nouvelle

Quasiment rien à voir, sauf le musée d'Art moderne. C'est uniquement une cité touristique, sans histoire et sans âme. Les routards de passage pour une journée ont tout intérêt à flâner plus longuement dans les ruelles de la vieille ville.

🥾 *Le cimetière musulman* (plan I, B1, *50*) : attenant à la mosquée de Murat Reis, sur Giorgiou Papanikolaos. Il est abandonné. Quelques mausolées de vizirs ottomans donnent au cimetière une ambiance bizarre. Lawrence Durrell a vécu 2 ans juste à côté (Villa Cléobolos).

🥾🥾🥾 *Le musée d'Art moderne grec* (plan I, B1, *51*) : dans la villa Nestoridis, pl. Haritos. ☎ 22-41-04-37-80. Ouvert du lundi au vendredi de 9 h à 14 h. Fermé le week-end. Entrée : 3 €. Sur 3 étages et 1 500 m² (mais on ne voit qu'un tiers de l'imposante collection Ioannou, riche de 1 000 œuvres). Rassemblement d'œuvres des artistes grecs majeurs du XXᵉ siècle (Yannis Gaitis, Yannis Tsarouchis, K. Maléas...). Les peintures et sculptures sont inspirées des courants majeurs de l'art à cette époque : expressionnisme, cubisme, etc.

⚠ **Les plages :** sur la côte ouest, ce sont des plages de gravier, très fréquentées. À l'est, belles plages de sable, moins peuplées. Douches gratuites partout. Parasols pas obligatoires mais nombreux.

🍴 **Le mont Smith** *(plan I, A3) :* à 3 km de la vieille ville. Ce mont doit son nom à l'amiral Smith (mais localement on le connaît aussi sous le nom de mont Agiou Stéphanou). C'est de ce site, au panorama superbe, que celui-ci observait les bâtiments de la flotte de Napoléon pendant la guerre contre les Turcs. On peut y voir de nombreux vestiges archéologiques : les ruines du temple d'Apollon, un théâtre restauré et un stade assez bien conservé. C'est là que se trouvait l'acropole de la ville de Rhodes. Entrée libre.

🍴 **Les marchés :** de nombreux marchés à l'ambiance typique et sympathique. Le jeudi matin dans la rue du Stade, et les mercredi et samedi près du cimetière. Il y en a presque tous les jours. Se renseigner auprès de l'office du tourisme ou dans les tavernes.

Manifestations

– Beaucoup d'*événements culturels* pendant la saison touristique. Bien sûr, quelques concerts de musique classique, car le lieu s'y prête bien, mais aussi des concerts de rock, des expositions de peinture, des projections de films en plein air et des pièces de théâtre. Également 2 cinémas multiplex (films en v.o.). Se renseigner à l'office du tourisme et consulter le magazine gratuit de la ville, qui est en anglais.

À faire

■ **Plongée sous-marine :** contacter, de mai à octobre, le *Rhodos Diving Center,* au port de Mandraki. ☎ et fax : 22-41-02-02-07 ou ☎ 69-44-73-57-36 (portable). ● www.rodosdiving.com ● S'inscrire la veille et rendez-vous à 10 h le lendemain au bateau. Possibilité de se faire filmer, ça fait des souvenirs. Plonger en Grèce est agréable pour les débutants et ceux qui veulent prendre des cours. Les plongeurs qualifiés seront frustrés : le ministère de l'Archéologie est très strict et ne permet pas de visiter les fonds intéressants, pour éviter les pillages.

■ **Croisières en voilier :** *Passion égéenne,* 64, odos Agiou Fanouriou *(plan II, C3).* ☎ et fax : 22-41-07-30-06 ou ☎ 69-45-24-27-93 (portable). ● http://aegeanpassion.com ● S'adresser à nos amis Yann et Servanne, Français expatriés, qui pourront donner tous les renseignements possibles aux marins de passage. Ils organisent aussi des croisières. Excellentes prestations. Attention, une petite croisière ne s'improvise pas du jour au lendemain, penser à réserver à l'avance.

■ **Icônes** *(plan II, C3) :* 42, Klisthiniou. ☎ 22-41-07-41-27 et 69-77-71-77-93 (portable). Ouvert tous les jours de 9 h à 18 h (peut fermer plus tôt si Vassilios va à l'église). Il réalise de véritables et splendides icônes selon la tradition ancestrale. Il se fera un plaisir de vous expliquer toutes les étapes qui mènent à leur réalisation et de parler de théologie.

Quitter Rhodes (la capitale)

En bus

Tous les bus passent place Rimini *(plan I, B2).* Les horaires sont affichés sur les kiosques des deux compagnies et peuvent être donnés par l'office du tourisme.

N'oublions pas que nous sommes en Grèce et que les chauffeurs de bus sont très souples. Ainsi, à la demande, les bus pour Lindos s'arrêtent-ils à Faliraki, Afandou, Kólymbia, Archangélos... Pour les autres lignes, c'est la même chose.

LA CÔTE EST DE L'ÎLE DE RHODES

Les thermes de Kallithéa : à 10 km au sud de Rhodes, sur la côte est. Construits en 1929 par les Italiens, ils furent abandonnés pendant de nombreuses années. On se croirait dans un palais hollywoodien, érigé pour les caprices d'une star des années 1930. Assez fou, dans le plus pur style rétro, bien que tout ça soit construit en béton armé. Aujourd'hui tout tombe en ruine. Allez jeter un coup d'œil si vous passez par là, mais ne vous déplacez pas uniquement pour ça, vous seriez bien déçu... En contrebas, crique toute mignonne, aménagée, avec location de transats et buvette. Douches sur la plage de sable plus à droite. Dommage que les bateaux d'excursion se donnent le mot pour y déverser leurs groupes. Camping sauvage interdit dans la pinède.

AFANDOU *(ΑΦΑΝΤΟΥ)*

Village sans particularité, à une vingtaine de kilomètres de Rhodes, sur la route de Lindos.

⌂ Grande plage agréable en face du golf. Un peu plus loin, plage aménagée avec des transats à louer.

|●| *Taverna O Mimis :* 51, odos Pernou. ☎ 22-41-05-14-65. Dans le centre du village. Bonne cuisine pas chère : à partir de 7 € pour un plat et une entrée. Goûter l'assiette grec- que de spécialités. Vous pouvez manger sur place ou emporter ; sorte de fast-food à la grecque. Terrasse couverte et accueil sympathique.

*À 5 km au sud, une route partant à droite de la belle plage de Kolymbia mène à *Efta-Pighès* (Les Sept Sources). Site touristique mais néanmoins agréable par sa fraîcheur et sa végétation. De jolies balades dans les pinèdes des environs (ne pas y aller en sandales, ça monte !). Petit lac que l'on atteint par un sentier ou, les pieds dans l'eau, par un tunnel de 186 m (claustrophobes, s'abstenir) qui part des sources. Prévoir une lampe-torche. Taverne en plein air, où les oiseaux viennent picorer dans les assiettes et où l'on entend le cri bien connu des paons.

*Avant d'arriver à Archangélos, ne pas hésiter à monter à la chapelle de *Kyra Panagia Tsambika* (ne pas confondre avec le monastère de Tsambika, 2 km plus au sud). Petite grimpette après le parking. Effort largement récompensé par un panorama unique sur la côte. La plage de sable de Tsambika n'est plus la plus belle de Rhodes. Certes, il n'y a aucune construction, et seulement quelques *cantinas*. Mais elle est couverte de parasols désormais. Un bus au départ de Rhodes va directement à la plage le matin et ramène sa cargaison le soir.

ARCHANGÉLOS *(ΑΡΧΑΓΓΕΛΟΣ)*

Grosse bourgade très active et peu touristique, dominée par les ruines d'un château édifié par les chevaliers de Rhodes. On peut y voir des *yayadès* (grand-mères) grecques au travail.

Où dormir ? Où manger ?

Hôtel Tsambika Sun : 35, odos Sérafi. ☎ 22-44-02-25-68. Fax : 22-44-02-20-74. À 500 m du centre d'Archangélos sur la gauche (n'hésitez pas à demander votre chemin). À partir de 30 € pour 2 personnes, petit dej' compris. Prix à négocier. Excentré, donc au calme. Chambres tout confort, dans des maisons blanches qui entourent la piscine. Vue sur la montagne. Le patron parle le français. Excellent accueil. Navette pour la plage de Tsambika.

Restaurant Mavrios : prendre la route principale qui traverse le centre, c'est dans une rue à gauche en sens interdit. Compter de 5 à 7 € pour une salade et un plat. Cuisine correcte et ambiance de village. Les vieux tapent le carton en fin d'après-midi autour d'un *ouzo*. Grande terrasse ombragée.

À faire dans les environs

On peut louer voitures, motos et scooters. Sinon, possibilité d'aller en stop à la **plage de Stegna** à 4 ou 5 km. On l'atteint par une route en lacet assez dangereuse mais superbe. Deux belles plages de part et d'autre d'un petit port avec ses petits bateaux et ses maisons colorées, où l'on peut s'isoler. Bon petit resto pas cher sur la plage (chez *Tassos*). De Stegna, une piste part de l'extrémité sud, près du motel, et permet de gagner (à pied seulement) la plage d'*Agia Agathi*, puis *Haraki*. Suivre la piste principale et éviter de descendre vers les criques, décevantes. Compter 1 h 30. Partir tôt, car il n'y a pas d'ombre.

HARAKI (XAPAKI)

Ancien village de pêcheurs entre Archangélos et Lindos, au pied d'une forteresse en ruine. Jolie baie bordée de petits immeubles (1 étage) séparés de la place par une promenade calme sans voitures ni motos. Nombreux studios à louer : on se demande bien où est passé le vieux port de pêche ! Beaucoup d'Anglais en juin, d'Allemands en juillet et d'Italiens en août.

➤ On peut s'y faire déposer par un caïque d'excursion qui vient du port de Mandraki (Rhodes) ou par le bus qui va de Rhodes à Lindos.

Sur la gauche : belle *plage* de sable d'*Agia Agathi,* propre et calme. Fréquentée le jour, déserte la nuit. À droite, une grande baie tranquille.

Au sud d'Haraki : une immense plage de galets s'étend jusqu'à Vlicha. Elle est accessible par quelques chemins qui partent de la grande route de Lindos et passent à travers les champs.

Où dormir ? Où manger ?

I●I Pléthore de **chambres à louer** sur le port. Également quelques restaurants qui jouissent de la belle vue sur la mer.

I●I Restaurant Zografos : 200 m avant le port, du côté droit de la route. ☎ 22-44-05-13-10. Menus à partir de 10 € avec salade, plat et vin. À la carte, prix également doux. Le patron, très gentil, loue des chambres à l'étage, à partir de 27 € hors saison, avec balcon et douche privative.

Studios Alia : en face de *Zografos*. ☎ 22-44-05-10-65 ou 12-69. Fax : 22-44-05-13-59. Studios impeccables à 45 € en août, avec un balcon à l'avant et un à l'arrière (vue au choix sur la mer ou la montagne). Petit jardin agréable. Au bord de la route, mais pas trop de passage.

À faire

➤ On peut faire une mini-croisière de 3 h sur un petit bateau à moteur pour gagner de sympathiques criques ou rejoindre Lindos. Demander *Captain Georges* au port. ☎ 69-38-10-16-43 (portable). Tous les jeudis, croisière spéciale pique-nique avec *souvlaki* et salade grecque.

➤ L'ancienne route parallèle à la nationale, indiquée sous le nom d'*Old Street,* mérite un petit détour. Sur la route de Lindos, à droite après l'embranchement pour Haraki. Agréable et magnifique balade au milieu des oliviers.

LINDOS (ΛΙΝΔΟΣ)

À 55 km de Rhodes, un site exceptionnel. Ce village tout blanc est abrité de la mer et dominé par l'Acropole, sanctuaire d'Athena Lyndia, qui occupe le plateau de l'énorme rocher-château, fortifié par les Chevaliers. Encadré au nord par une magnifique baie et au sud par la ravissante crique où débarqua saint Paul. Pas de voitures, pas de grands hôtels, seulement les ânes qui peuvent vous porter jusqu'au pied du château et... pas mal de monde en été. L'architecture de ce village est très proche de celle de Chora, sur l'île de Patmos. De nombreux artistes ont fait l'acquisition d'une maison dans la ville. Les fans des Pink Floyd pourront s'amuser à chercher la villa de David Gilmour.

Renseignements pratiques

➤ On peut y arriver en bus (1 h depuis Rhodes) de 6 h 45 à 19 h 30 en été ou par bateau d'excursion (renseignements sur le port de Mandraki). Au total, une quinzaine de bus. Le dernier repart à 18 h pour Rhodes.
– Arriver très tôt le matin ou en fin d'après-midi, car le village devient vite infréquentable en été : noir de monde dès 11 h et, de plus, il y fait une chaleur atroce. Ceux qui ont les moyens d'y loger retrouveront un peu de calme, après le départ des bus le soir.
– Demander au *bureau d'informations,* situé sur la place centrale, à l'entrée du village, les photocopies de leur doc (lieux importants, plans du dédale...). ☎ 22-44-03-12-27. Ouvert tous les jours de 7 h 30 à 21 h en été. Personnel adorable.
– Les rues n'ont pas de noms. Les maisons sont uniquement numérotées en séquences.
– Il est très difficile de se garer : au choix, parking sur la route du haut (avec navette gratuite) ou près de la plage. Ensuite, longer la plage et remonter vers le village : les moins sportifs pourront prendre un âne.
– Plusieurs distributeurs de billets dans le village.
– Une station-service peu après le village.

Où dormir ?

De ravissantes pensions ou chambres chez l'habitant, mais presque toutes réservées par les agences de location. En été, les prix s'alignent tous et sont plus élevés que partout ailleurs sur l'île. Difficile également de louer pour moins de trois nuits. Pour être sûr d'avoir un lit, il est préférable de réserver longtemps à l'avance.

🏠 *Pension Elektra :* n° 66. ☎ 22-44-03-12-66 (du 1ᵉʳ avril au 31 octobre) et ☎ 21-20-22-83-26 (hors saison). Première pension quand on remonte vers le village depuis la plage. Chambres entre 35 et 45 € environ selon la saison, AC en sus. Avec ses 10 chambres, c'est la plus grande pension de la ville. Les patrons parlent le français. Véranda, jardin, salon, cuisine et réfrigérateur disponibles pour faire son petit déjeuner... Très agréable.

Où manger ? Où boire un verre ?

Aucun problème en revanche pour manger. Il y a un grand nombre de restaurants, pas tous excellents malheureusement.

Prix moyens

|●| *Restaurant Stefani's :* au niveau du n° 219. ☎ 22-44-03-16-56. Plats à partir de 7 €. Bonne cuisine (goûter l'avocat aux amandes) et la plus belle vue des restaurants de la ville depuis la dernière terrasse.

|●| *Maria's Taverna :* près du n° 351 et de l'église ; ne pas confondre avec son voisin *Mario's*. ☎ 22-44-43-13-75. Ouvert seulement le soir. Propose 4 menus. Plats à environ 6 € et poisson de 10 à 12 €. Les locaux viennent y dîner.

|●| *Restaurant Mavriko's :* sur la place à l'entrée du village. ☎ 22-44-03-12-32. Ouvert d'avril à fin octobre. Un peu plus cher : entrées à 6 €, plats de viande ou poisson entre 9 et 17 €. Poulpes qui sèchent sous votre nez sur la terrasse. Bon espadon grillé. Tonnelle bien agréable. Le chef, Dimitri, a été reconnu parmi les 10 meilleurs chefs de Grèce, qu'on se le dise !

🍸 Il y a aussi pas mal de *bars* aménagés dans des maisons anciennes, comme *Il Sognio* : AC, donc bien agréable pour une halte en pleine journée. Bonne musique et excellent yaourt au miel.

À voir. À faire

🏛🏛🏛 *L'acropole de Lindos :* on y monte facilement à pied par l'intérieur du village ou à dos d'âne. Les nombreux vendeurs d'attrape-touristes présents tout au long du chemin gâchent un peu le plaisir. Au sommet, les vestiges de deux civilisations se côtoient en parfaite harmonie : l'*acropole* et le *château des Chevaliers*. ☎ 22-44-03-12-58. En saison, site ouvert le lundi de 12 h 30 à 19 h et les autres jours de 8 h à 18 h 40 ; hors saison, fermeture à 14 h 30. Entrée : 6 € ; réductions. Cher. Prévoir de l'eau, ça grimpe !
Lindos était l'une des trois cités qui ont dominé l'île de l'époque archaïque à l'époque classique. Le tyran « éclairé » Cléobule (VIᵉ siècle av. J.-C.), qui gouverna la cité, eut l'insigne honneur d'être retenu parmi les « sept sages » de l'Antiquité. Quand Lindos perdit son rôle politique, on continua à s'y rendre pour vénérer Athéna, dont le sanctuaire monumental date de l'époque hellénistique. On en voit les ruines ainsi que les éléments d'une restauration faite en 1936-1938. Mais, les matériaux du XXᵉ siècle ne valant pas ceux de l'Antiquité, on est aujourd'hui obligé de les restaurer à leur tour ! Vue superbe : on aperçoit au loin les énormes falaises où fut tourné le film *Les Canons de Navarone*.

🏛 *L'église de la Panagia :* dans le centre du village. Elle abrite de très belles fresques du XVIIIᵉ siècle et des icônes.

🪨 Au sud de la ville, la *crique d'Agios Pavlos,* presque fermée, avec une petite chapelle. C'est là que, selon la tradition, saint Paul aurait accosté, après un naufrage. La mer y est très chaude. Beaucoup de monde, mais rien à voir avec la plage du nord.

À voir. À faire dans les environs

🍴 *Lardos* (Λαρδος) *:* bourgade commerçante à 8 km. Station-service à Lardos. Bon point de chute pour sillonner l'île, à condition d'être motorisé.

🏠 *Studios Spanos :* de la place du village, direction Laerma et, à 200 m du panneau, c'est la 2ᵉ sur la droite. ☎ et fax : 22-44-04-43-06. • www.orchideen-kartierung.de/spanos/studio.html • Studios standard très propres avec balcon et pas bien chers (25 € en mi-saison, guère plus de 32 € en août). Vassilios est très accueillant : vous pourrez déguster un verre de vin blanc local à votre arrivée tout en visionnant (si vous le souhaitez) une cassette sur Rhodes et la vallée des Papillons. Il parle l'anglais et l'allemand, mais se débrouille aussi en français. Il pourra vous donner de bons tuyaux, il est intarissable sur son île.
🍴 Le restaurant *Roulas* sert une bonne cuisine familiale.

➤ *Le monastère d'Ipsénis* (Μονή Υψενης) *:* à 4 km de Lardos, dans un beau cadre de verdure. Il existe également des bus depuis Rhodes pour Gennadi, via Lardos (de 6 h 45 à 19 h 30, retour au plus tard à 17 h 30), mais n'oubliez pas de demander au chauffeur de s'y arrêter ! Après, il faut faire du stop ou marcher. Attention, après Laerma, la route est quelque peu défoncée ! Cerfs et daims se cachent encore dans la forêt, mais ils ne sont plus très nombreux. À 5 km de Laerma, le *monastère de Thari* (Μονή Θαρρι) et ses belles fresques du XIIᵉ siècle valent le détour. Au monastère, prendre en direction du « Castle » et suivre une piste carrossable sur 8 km : arrivée au village d'*Asklipio* (Ασκληπειο), dominé par les ruines d'un château. Aller jeter un coup d'œil à l'*église Kimissis Theotokou,* du XIᵉ siècle, avec des fresques datant des XIIIᵉ et XIVᵉ siècles tout à fait remarquables. Elle vaut le détour.

LE SUD-EST DE L'ÎLE DE RHODES

GENNADI (ΓΕΝΝΑΔΙ)

Plus grand monde ne s'aventure au sud-est de Lindos, profitez-en ! Les routes sont très jolies. Station-service à *Kiotari.* On peut s'arrêter 11 km avant Lahania, à *Gennadi* (prononcer « Yennadi »), un village à la fois agricole et touristique, avec une grande plage et la dernière station *Esso* avant Katavia. C'est la « capitale » des 10 villages du sud de l'île. Nombreuses possibilités d'hébergement. En été, 6 bus par jour depuis Rhodes, de 6 h 45 à 19 h 30. De Gennadi, possibilité de gagner la côte ouest (Apolakia). Sur la route, si c'est l'heure, allez casser la croûte chez *Pétrino* à Vati ou chez *Adams* à Arnitha (un peu avant l'entrée du village).

Où dormir ? Où manger ? Où boire un verre ?

🍴 *Taverne O Antonis :* sur la plage en arrivant. ☎ 22-44-04-33-00 ou 31-24. Réputée comme l'une des meilleures de l'île. Spécialité de poisson à 12 €. Service, pêche et cuisine en famille ; la grand-mère est aux fourneaux, le père dans sa barque.
🏠 🍴 *Effie's Dreams :* ☎ 22-44-04-34-10 ou 32-05. Fax : 22-44-04-30-22. • www.effiesdreams.com • Tout au fond du village, dans un nid

de verdure (mûrier sûrement millénaire!), à côté d'une source. Bar et cybercafé. Chaleureux accueil d'Effie et de la famille (gréco-australienne) Antonaras qui louent des chambres (environ de 35 à 50 € pour 2 personnes) avec vue magnifique sur la mer ou la campagne.

≜ |●| *Hôtel Panorama :* ☎ et fax : 22-44-02-93-09. Réservations possibles en hiver en France : ☎ 06-89-91-80-42. • www.panoramarhodes.com •

Ouvert d'avril à novembre. Chambres doubles de 20 à 50 €, petit déjeuner (copieux) compris. Hôtel tenu par un couple franco-grec, Yves et Eleni. Chambres avec AC et belle terrasse. Ambiance sympathique. Le patron est cuisinier de formation, on ne peut que conseiller de manger à l'hôtel, ce qui n'est pas si fréquent. On peut venir vous chercher à l'aéroport. Surfeurs bienvenus. Une bonne adresse.

Où manger dans les environs ?

|●| *The Castle of South :* à Kiotari, sur la route entre Lardos et Gennadi. ☎ 22-44-04-72-36. À Kiotari, prendre à gauche et longer la côte jusqu'au bout de la route goudronnée. C'est ici. Un resto du bout du monde. Une maison en pierre avec des créneaux et une grande terrasse face à la mer sur une immense plage déserte (on a presque les pieds dans l'eau!). Le cadre est idyllique et la nourriture est excellente (goûter le *saganaki* aux crevettes). Vous n'en aurez pas pour plus de 10 € par personne. Les patrons, deux frères, semblent tout droit sortis du *Clan des Siciliens* et vous reçoivent comme à la maison.

|●| *Mourella :* à Kiotari. ☎ 22-40-04-73-24. Ouvert tous les jours en saison. Compter au minimum 15 €. Très joli cadre pour un resto chicos proposant une cuisine méditerranéenne inspirée.

LAHANIA *(ΛΑΧΑΝΙΑ)*

À l'écart des flots touristiques, ce village resté quasiment intact, caché dans la verdure et les sources, se découvre en contrebas de la route principale. Ses ruelles et son architecture méritent le détour. Pas plus de 60 habitants permanents.

Exemple de cosmopolitisme et de tradition, Lahania accueille chaque année artistes peintres, musiciens, céramistes venus du monde entier se retrouver dans une atmosphère chaleureuse. On pourra faire un stop à la taverne *Platanos*. Bonne cuisine familiale.

Où manger ?

|●| *Chrissi's Taverna (Akropol) :* sur la grand-route qui traverse le village. ☎ 22-44-04-60-32 ou 33. Fax : 22-44-07-74-75. Le pope du village est aussi barbier, gardien de chèvres et restaurateur à ses heures ! Il fera la vaisselle pendant que sa femme vous expliquera la recette des *dolmadès* et autres spécialités. Décor authentique et accueil chaleureux bien qu'un peu trop appuyé, ce qui confine parfois au folklore.

|●| *O Efthymios Taverna :* juste après *Chrissi's.* ☎ 22-44-04-50-62. Poisson du jour en fonction de la pêche : compter entre 6 et 9 € pour un plat. Cadre sans prétention, mais bons prix et bonne musique grecque.

|●| *Platanos :* dans la partie basse du village, sur la petite place à côté de l'église. ☎ 22-44-04-60-27. Cuisine traditionnelle de taverne villageoise à prix moyens. Pas mal de monde y vient, de Rhodes, le samedi soir ou le dimanche.

Où manger dans les environs?

I●I *Ta Votsala :* taverne en bord de mer, en allant sur Plimiri. Vue magnifique sur le large dans un joli décor. Service, cuisine et prix sympathiques.

PLIMIRI *(ΠΛHMMYPI)*

Cadre de gravier, plage sans grand intérêt, déserte, très ventée.

À faire

⌖ Juste au sud de la baie de Plimiri, *plage* peu connue (que cela reste entre nous...). Les locaux l'appelleraient « Hawaï », à cause de son sable fin. Mais elle n'est pas souvent nettoyée. On peut y accéder à partir de Plimiri en empruntant la première piste à gauche, à environ 500 m après la taverne indiquée plus haut. Cette piste (pas facile à trouver) longe la côte vers le sud et dessert quelques villas isolées. Ou alors reprendre la route nationale vers Katavia, et suivre jusqu'au bout la route de terre (bordée d'arbres sur les premiers 200 m) qui part sur la gauche, en face de la grande église d'Agios Pavlos, 2 km avant Katavia. C'est plus long mais plus commode.

KATAVIA *(KATTABIA)*

Petit village paumé en pleine campagne, avec sa place et ses 7 cafés.
Si jamais vous tombez en panne sèche dans les environs, *M. Stamatis,* planteur de pastèques, renommé par ailleurs, se fera un plaisir d'ouvrir sa pompe à essence à toute heure (à condition toutefois qu'il soit là!).

Où dormir? Où manger?

🛏 Parmi les quelques adresses où dormir, le *Prassonissi Club* est correct et bon marché.
I●I *Bistrot Martine :* maisons aux volets bleu et vert, tout comme les tables et chaises de la terrasse.

☎ 22-44-09-10-21. Une ex-chimiste qui fait de très bons *mezze,* comme le coq au whisky et les olives aux herbes. Adore philosopher en français, anglais et allemand. Prix raisonnables.

À voir dans les environs

🕽 De Katavia, route pour *Prassonissi* (7 km). Au bout, une petite île qui, au gré des courants et de l'ensablement, s'est parfois transformée en presqu'île.

⌖ Endroit superbe, mais plages pas toujours très propres du fait de déchets apportés par la mer (en principe, depuis peu, la mer a fait un grand nettoyage, pourvu que ça dure...), et pas toujours facilement fréquentables par grand vent (pour la joie des véliplanchistes qui viennent de l'Europe entière pour le spot...). Beaucoup de monde en plein mois d'août. Camping théoriquement interdit mais on y campe quand même. Insolite succession de poteaux téléphoniques, qui rappellera, aux fans de Lucky Luke, l'épisode du *Fil qui chante.* Attention, la plage de Prassonissi peut se révéler dangereuse (forts courants).

🛏 I●I *Tavernes,* douches, quelques *hôtels* et *chambres à louer.*

LE NORD DE L'ÎLE DE RHODES

✵ *Le mont Philérimos* (Φιλερημος) *:* à 5 km d'Ialissos. Pas de bus. Le site est ouvert de 8 h à 15 h du mardi au dimanche. Entrée : 3 €, réductions. Le sommet de ce piton rocheux domine tout le nord de l'île. La vue y est superbe. Le site a été occupé dès la période mycénienne et c'est là que s'élevait Ialissos, une des trois cités qui se partageaient l'île, avant la fondation de la ville de Rhodes. Restent les soubassements d'un temple et une fontaine. Les chevaliers de Saint-Jean ont édifié le monastère Notre-Dame, dont il demeure un cloître, restauré par les Italiens. Un des plus beaux cloîtres médiévaux que l'on connaisse. Derrière la cabane du préposé aux billets, une chapelle souterraine est ornée de fresques du XIVe siècle. Malheureusement, les visages des saints furent abîmés par les Turcs (la religion musulmane interdit la représentation des dieux et des saints). Au sommet du mont, il y a un chemin de croix, qui permet d'atteindre la croix géante que l'on peut gravir par un petit escalier. On arrive dans le bras de la croix : vue superbe.

✵ *La vallée des Papillons* (Pétaloudès) *:* à 25 km au sud-est de la capitale. Ouvert de 8 h 30 au coucher du soleil en été, mais le dernier bus part de la vallée vers 15 h. Ouvert de 9 h à 15 h hors saison. On peut rejoindre Pétaloudès en venant de Lindos par la route qui mène à Archipoli. Prendre à droite en direction de Psinthos. Cela évite un grand détour inutile. Entrée : 5 € en été, 3 € en automne et au printemps et 1 € en hiver. Une race de papillons est attirée par la sève d'un arbre assez rare de cette vallée, de la famille de l'érable (cf. la feuille du drapeau canadien). Ces papillons ont su s'adapter aux impératifs du tourisme, car ils ne s'y rassemblent que de mi-juin à mi-septembre. Site agréable et très beau (ruisseau, chutes d'eau), mais trop balisé à notre goût. Le site est divisé en deux parties (conserver son ticket !) ; l'entrée de la partie inférieure est en dessous de la buvette. Jolie balade jusqu'au monastère. On peut visiter Rétaloudès en dehors de la saison des papillons car la balade est ombragée. En repartant, si vous avez une petite faim, arrêtez-vous à la taverne *To Stolidi tis Psinthou* (☎ 22-41-05-00-09), où les grillades de porc maison sont remarquables.

LA CÔTE NORD-OUEST DE L'ÎLE DE RHODES

KALAVARDA (ΚΑΛΑΒΑΡΔΑ)

À une trentaine de kilomètres de Rhodes-ville. Il y a un bus qui dessert Rhodes plusieurs fois par jour, ce qui permet de quitter Kalavarda le matin et d'y revenir le soir.

Renseignements pratiques

– Un *distributeur de billets*.
– Une *station-service* pour désaltérer l'engin.

Où dormir ? Où manger ? Où boire un verre ?

🏠 ⦿ *Pension Krito :* à 4 km après Kalavarda, sur la route de Kamiros, en face du restaurant *Akrogiali*. ☎ 22-41-04-00-92. Grandes chambres avec salle de bains à 35 € pour deux, petit déjeuner compris ; tarif négociable si l'on reste plusieurs nuits. Maison sympa à 150 m de la plage, avec un grand jardin et ses poules, tenue par Katarina Papavassiliou. On peut y dîner, les poules notamment sont très bonnes... Joli four à pain dans le jardin. On s'y sent comme chez soi.

⌂ **Pension Sun :** à l'entrée du village, sur la droite. ☎ 22-41-04-01-03. Chambres avec salle de bains et frigo, à partir de 30 €, certaines avec vue sur la mer (plus chères). Elles ont un peu vieilli, mais sont toujours très propres. Cuisine pour faire sa popote. Beaux couchers de soleil depuis la terrasse sur le toit. Accueil chaleureux.

⌂ ❙●❙ **Hôtel-restaurant Vouras :** à l'angle des routes d'Embonas et Kamiros. ☎ et fax : 22-41-04-00-03 ou 02-50. Pas de carte, mais prix raisonnables pour une cuisine simple. Quelques tables avec des nappes à carreaux sous une tonnelle ombragée. La famille Papamichael est accueillante et vous met à l'aise. Ils sont agriculteurs et ne servent que des produits frais provenant de leur ferme. Vin au tonneau. Ce resto fait aussi pension : chambres à 35 € en été, petit déjeuner compris. Certaines ont un coin cuisine. Une adresse familiale, où l'on s'installerait facilement pour le reste des vacances ! Les couples avec enfants pourront loger dans une maison indépendante.

❙ Prendre l'*ouzo* dans l'un des trois *cafés* de la place du village, qui s'animent un peu le soir. Excellent yaourt au miel dans celui sans nom, à côté de la statue.

À voir. À faire

⌁ Pour se baigner, prendre le chemin goudronné à gauche, à 200 m sur la route de Rhodes. Plage aménagée mais solitude moins garantie.

⚘ La visite des **ruines de Kamiros** (à 4 km de Kalavarda) vaut la peine. Ouvert du mardi au dimanche de 8 h 30 à 15 h. Fermé le lundi. Entrée : 4 € ; réductions. Le bus s'arrête à 1 km du site. Après, ça grimpe fort. Belle excursion dans l'une des trois premières cités de l'île. Le site permet de voir à quoi pouvait ressembler une cité grecque de la période hellénistique étagée sur une colline : quartiers publics et privés dominés par une petite acropole (temple d'Athéna Kamiras). La cité était très compacte, avec des rues assez étroites et des maisons très proches les unes des autres. Comme toujours ou presque, on peut déplorer le manque d'explication sur place. Éviter le resto à côté de l'arrêt du bus : très cher pour une cuisine très moyenne.

SKALA KAMIROU (ΣΚΑΛΑ ΚΑΜΕΙΡΟΥ)

Petit embarcadère pour l'île d'Halki, à 10 milles nautiques de Rhodes.

❙●❙ Juste après Skala Kamirou, prendre dans le virage le chemin sur la droite pour la taverne **Johnny's**

Fish. ☎ 22-46-03-13-42. Poisson frais. Terrasse au-dessus d'une crique où l'on peut se baigner.

➤ **La route Skala Kamirou - Archipoli** par Embonas est superbe. Monastères et chapelles ponctuent des paysages de forêts avec des échappées formidables sur les montagnes et la mer. Un de nos coups de cœur.

EMBONAS (ΕΜΠΩΝΑΣ)

Ville agréable, perdue dans la montagne, au pied du point culminant (1 215 m) de l'île. Une nouvelle route (ouverte en 2002) rejoint le sommet en partant d'une dizaine de kilomètres d'Embonas vers Siana. Un chemin pour randonneurs en tout genre existe déjà sur la gauche de cette route à la sortie d'Embonas. Émouvant contraste entre l'aridité éblouissante du *mont Attaviros* et la fraîche verdure des pinèdes. Peu de touristes.

■ Pour les urgences, *centre de santé :* ☎ 22-46-04-12-31 ou 13-67.

Où dormir? Où manger?

🛏 |●| *Hôtel Attaviros :* à l'entrée du village. ☎ et fax : 22-46-04-12-35. Chambres spacieuses, propres, avec salle de bains et kitchenette (Nescafé fourni) à 31 €, petit dej' compris. Accueil agréable et lieu calme. L'hôtel est tenu par Vassilia. Son fils, Kiriakos, n'hésitera pas à vous donner un coup de main si vous avez un problème. On peut également y dîner.

🛏 *Hôtel Nymphi :* à Salakos, au pied du mont Profitis Ilias. ☎ 22-46-02-22-06 et 23-46. Fax : 22-46-02-21-30. Mieux vaut y rester au moins 4 jours pour bénéficier des prix intéressants : 40 € la double. Le plus vieil hôtel de l'île. Seulement 4 chambres. Petit déjeuner très copieux. Excellent accueil.

|●| Plusieurs tavernes, dont la *Savvas,* dans le bas du village, où se trouvent tous les restaurants. ☎ 22-46-04-12-10. Grillades excellentes.

|●| Pour le décor et le calme, aller au *restaurant Bakis,* dans l'une des ruelles du village haut. ☎ 22-46-04-12-47. Les frères Bakis font leur vin eux-mêmes. Agréable terrasse sous la treille.

À voir dans les environs

🦌 À 15 km au nord (prendre à droite au niveau du petit pont, à 9 km d'Embonas), le *mont du Prophète Ilias,* et sa station estivale partiellement abandonnée au cœur d'une forêt. On se croirait dans les Alpes. Atmosphère nostalgique des Années Folles, un peu dans le style de Kallithéa. Bel endroit pour les balades.

MONOLITHOS (ΜΟΝΟΛΙΘΟΣ)

Village perché sur le mont Akramitis, encore préservé.

Où dormir? Où manger?

Pas vraiment d'endroit génial.

🛏 *Hôtel Thomas :* ☎ 22-46-06-12-91. Chambres doubles avec coin cuisine, salle de bains et balcon à 30 €. Fraîchement rénové. Vue sympa des derniers étages.

🛏 |●| *Christos Corner Taverna :* à l'intersection avec la route de Siana. ☎ 22-46-06-13-10. Propose également quelques chambres au même prix. Du restaurant, superbe vue panoramique sur la mer.

🛏 Les routards les moins fortunés préféreront les *chambres de Mme Despina,* à Siana (4 km vers le nord). S'adresser directement à la taverne sur la place de l'église. ☎ 22-46-06-12-68.

À voir dans les environs

🦌 À 2 km de Monolithos, on trouve dans un site extra un véritable nid d'aigle du XVe siècle. Attention, la visite de ce *kastro* peut se révéler dangereuse pour les enfants.

🌊 En continuant la descente sur 2,5 km, embranchement sur la gauche vers *Fourni Beach.* Après une première plage de galets, belle plage de sable à 3 km. Balade à faire jusqu'au bout du promontoire rocheux, à la recherche de petites cavités autrefois habitées (paraît-il, dès l'époque des persécutions contre les chrétiens).

PLUS AU SUD

❧ En descendant vers le sud, la route atteint *Apolakia,* village sans intérêt. Puis elle longe la mer pendant 15 km.

⌂ Plage continue de dunes absolument désertes. Les couchers de soleil y sont très beaux.

❧ Sinon, prendre la route de montagne jusqu'à *Messanagros,* carrefour des routes de la péninsule (éviter celle de Katavia, il vaut mieux passer par Lahania). Village ravissant et population accueillante.

❧ Beau panorama au *monastère de Skiadi,* mais route difficile.

QUITTER L'ÎLE DE RHODES

Voir « Comment y aller ? ».

En bateau

Départ des ferries du port commercial, des hydrofoils et des bateaux d'excursions du port touristique (Mandraki), tous deux à 2 mn à pied de la vieille ville. Les agences de voyages n'ont pas tous les billets pour les bateaux : n'hésitez pas à rendre visite à plusieurs agences pour être sûr de prendre le bateau à l'heure qui vous arrange. Attention, certaines agences feront en sorte de vendre des billets pour hydrofoils, alors que les ferries sont beaucoup moins chers. Renseignements à la capitainerie : ☎ 22-41-02-22-20 ou 88-88.

➤ *Pour Le Pirée :* des ferries tous les jours. Attention, il y en a des directs (durée du trajet : de 11 à 13 h) et d'autres qui font plusieurs escales, donc quelques heures de voyage en plus (20 h au maximum). La compagnie *Blue Star* fait le trajet en 11 h.

➤ *Pour les îles de Kos, Kalymnos, Léros et Patmos :* ferries tous les jours.

➤ *Pour Tilos et Nissyros (Dodécanèse) :* des ferries tous les jours en été. Sinon, hydrofoils quasi quotidiens pour Tilos. Cher mais rapide.

➤ *Pour Kos, Kalymnos et Léros, et certains jours, Symi ou Lipsi :* avec le *Dodekanissos Express.* Départ quotidien (sauf le lundi) à 8 h 30, retour l'après-midi. ☎ 22-41-07-05-90. ● www.12ne.gr ●

➤ *Pour Symi :* 1 ferry par jour en été. Des bateaux d'excursions vous déposent tous les jours d'abord au *monastère de Panormitis* puis au port de Symi. Des hydrofoils également.

➤ *Pour Karpathos, Kassos, la Crète et Milos :* 3 ferries par semaine, certains via la petite île d'Halki.

HALKI (ΧΑΛΚΗ)

Petite île satellite de Rhodes, mais qui présente en elle-même un grand intérêt. Un bateau par jour depuis Skala Kamirou : départ à 14 h 30, retour le lendemain à 6 h. De Rhodes-ville, un bus part vers 13 h 25 et arrive au port 5 mn avant l'embarquement. Attention : prendre le bus de Kritini et non celui de Kamiros qui conduit au site archéologique et non au port. On peut aussi y aller par le ferry de la ligne Rhodes-Le Pirée qui passe par Karpathos, Kassos, la Crète et Milos, 2 à 3 fois par semaine. Dernièrement, il n'y avait qu'une liaison par semaine, le mercredi. L'île de Halki compte moins de 300 habitants permanents alors que 3 000 personnes y vivaient à l'époque florissante des pêcheurs d'éponge. Son port a retrouvé tout son charme après une restauration intelligente des maisons (pas mal de descendants d'émigrés partis s'installer en masse en Floride reviennent au pays avec des dollars en poche). Même architecture qu'à Symi et Kastelorizo.

Adresse utile

– *Une guérite en bois*, à l'arrivée, où vous pouvez vous adresser pour demander une chambre. On téléphonera pour vous au propriétaire.

Où dormir?

Un hôtel (*Halki,* ☎ 22-46-04-93-90 ; compter environ 45 € pour une double) et 3 **pensions**. Les locations étant monopolisées par des agences britanniques, il est conseillé de réserver en haute saison. On recommande plus particulièrement :

🛏 *Villa Sofia :* sur les hauteurs du village. ☎ 22-41-04-52-56. Des studios pour 2 à 4 personnes, décorés et aménagés dans la plus pure tradition insulaire. Vue – à couper le souffle – sur le port, les îles du Dodécanèse et Rhodes en fond d'écran.

🛏 *The Captain's House :* chez Alex et Christine Sakkelaridis, un couple anglo-grec. ☎ 22-46-04-52-01 ; hors saison à Athènes : ☎ 21-07-23-19-19.

● rooms@halkivisitor.com ● Ouvert en saison seulement. De 30 à 60 € la double selon la période. Le *captain*, ce n'est pas le proprio, qui était amiral, mais son grand-père, qui possédait une flotte de bateaux qui emmenaient au large les pêcheurs d'éponge. La maison garde le souvenir de ce marin. Salle de bains pas bien grande. On y parle le français.

Où manger?

Deux ou trois bonnes tavernes (*Maria* et *I Omonia tou Ouri*). Pour les glaces et les pâtisseries, on vous recommande le *café Théodosia.* Son propriétaire pourra vous renseigner sur l'île (☎ 22-46-04-52-18).

À voir. À faire

🎭🎭 À mi-chemin entre Rhodes et Halki, île déserte d'*Alimia :* magnifique. On peut s'y faire déposer en caïque.

🎭🎭🎭 *La traversée de l'île de Halki :* balade fantastique, de 8 km aller et évidemment autant au retour. D'abord route goudronnée, ensuite piste cimentée, puis sentier muletier de crête (vue sur la mer des deux côtés) jusqu'au *monastère* déserté *d'Agios Ioannis.* Il est fort probable que tout sera bientôt goudronné. Pas facile, ça grimpe fort.
Compter 6 h aller-retour. Emporter beaucoup d'eau.

🎭🎭 *Le village abandonné de Hora* (ancienne « capitale » de l'île). *Kastro* médiéval construit sur les ruines d'une acropole datant de l'Antiquité. Quelques chapelles à visiter.

QUITTER L'ÎLE DE HALKI

Le bateau du matin (à 6 h, sauf le samedi où il part un peu plus tard) ramène à Skala Kamirou. De là, bus pour Rhodes. Possibilité également de quitter l'île par le ferry de la ligne Le Pirée-Rhodes via la crète.

SYMI (ΣYMI)

2 500 hab.

Symi est un village adorable, à l'architecture néoclassique à l'italienne. Construit sur le flanc d'une montagne, il semble se déverser dans les flots du port. De grands escaliers *(kali strata)* relient la partie basse, le port de *Gialos,* à la partie haute, *Horio* (ou *Ano Symi*), la plus ancienne de l'île. Dans un dédale de petites ruelles, joli contraste entre les maisons aux tons pastel hyper soignées et les anciennes demeures en ruine. Ici, pas de vulgaires maisons modernes : une commission archéologique contrôle tous les plans et veille à ce que le style local soit strictement respecté. Bravo ! Un exemple à suivre ! La vie sereine du petit village est perturbée en milieu de journée par les bateaux d'excursions qui déchargent leurs occupants, en provenance de Rhodes pour la plupart. Mais il vous suffit d'attendre 18 h pour visiter le village en toute quiétude et en percevoir le charme et l'atmosphère paisible. Le reste de l'île peut offrir de belles promenades parmi les petits chantiers navals, les criques désertes et les églises éparpillées dans de beaux paysages. C'est l'endroit où l'on doit apporter pinceaux et pellicules. Un petit paradis pour les routards esthètes.

Une ombre au tableau tout de même ! En juin, juillet et août, il fait une chaleur étouffante, et l'eau courante peut manquer (pas de douche de deux heures). Attention également à votre budget qui peut se voir sérieusement entamé lors de votre séjour à Symi ! Découverte par les charters de luxe, l'île a acquis un certain standing ; la bourgeoisie rhodienne vient également y passer ses week-ends. Les prix sont donc assez élevés. Hormis ces quelques inconvénients, cette île est l'une des plus belles et des plus agréables du Dodécanèse.

Comment y aller ?

➤ *Du Pirée :* 2 ferries par semaine. Compter dans les 18 h via un certain nombre d'escales (*Patmos, Léros, Kalymnos* et *Tilos* pour le premier ferry et *Syros, Paros, Naxos, Donoussa, Amorgos, Astypaléa, Kos, Nissyros* pour le second). On peut aussi (mais c'est plus cher) aller par un ferry plus direct à Rhodes, puis en prendre un autre pour Symi.

➤ *De Rhodes :* départ des bateaux d'excursions tous les jours vers 9 h du port de plaisance (Mandraki, devant le nouveau marché). Les bateaux ont deux trajets, l'un direct au port de Symi (2 h) et l'autre qui passe d'abord au monastère de Panormitis (3 h) pour aller ensuite vers le village. Se renseigner, donc, sur le parcours du bateau.

Si vous restez dormir sur l'île, ne prenez pas un bateau d'excursion, mais le ferry (2 h) ou l'hydrofoil (moins de 1 h, 4 par semaine). Compagnie *ANES.* ☎ 22-41-03-77-69 (à Rhodes) ou 22-46-07-14-44 (à Symi). Horaires sur le site • www.anes.gr •

➤ *De Kos et Nissyros :* 2 à 3 départs par semaine, certains en hydrofoil.

Transports

– La location de voitures est possible (le nombre de kilomètres asphaltés a sensiblement progressé), mais c'est la location de scooter, qui marche le mieux. Deux loueurs se partagent le turf : le *Symi Motorbike Center (plan Symiville, B2, 4)* à partir de 15 € la journée pour un 50 cc. Attention, son matos n'est pas tout neuf, mais le jeune Michael est adorable et toujours prêt à rendre service. ☎ 22-46-07-19-26 (Gialos) et 69-38-12-46-88 (portable). Le *Symi Rent'A'Car & Motorbike (plan Symiville, A2, 7)*, à côté du pont, est plus cher (autour de 20 € la journée) mais les scooters sont plus récents. ☎ 22-46-07-22-03.

Attention : une barrière ferme la route de Pédi entre 11 h 30 et 14 h 30 et entre 21 h et minuit. Il est interdit de rouler sur le port à ces heures (probablement pour épargner aux touristes qui mangent en terrasse les vapeurs d'échappement). Si vous êtes en scooter, marchez à côté. Vous pouvez attendre qu'un taxi ouvre la barrière pour passer à sa suite ou tenter de faire passer le scooter en dessous. Enfin, soyez malin...

🚌 *Un bus* fait la navette toutes les heures entre Symi et Pédi. L'arrêt se trouve sur le port (*plan B2* ; quai opposé à celui des bateaux pour Rhodes). Il

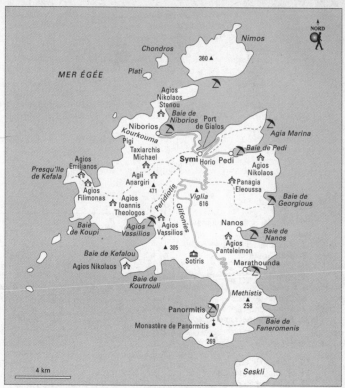

L'ÎLE DE SYMI

fonctionne jusqu'à 23 h en saison. Vous ne pouvez pas le rater, il est tout vert. Depuis que la route pour Panormitis est en bon état, un bus va en principe jusqu'au monastère.

– Il y a aussi des *taxi-boats* qui font la navette avec les principales plages de l'île (un peu cher). Sur la partie gauche du port quand on arrive à Symi.

– On peut aussi utiliser les *taxis* de l'île (une demi-douzaine au total). Station *(plan Symi-ville, B2, 6)* un peu avant celle du bus.

– La route Symi-Panormitis (15 km) a été récemment refaite. Pour le retour, obligation de revenir par la même route.

SYMI-VILLE

Adresses utiles

Pas d'office du tourisme sur l'île. Pour obtenir des renseignements, il faut s'adresser à une agence de voyages. Deux d'entre elles sont plutôt sérieuses, voir ci-dessous.

✉ **Poste et police maritime** *(plan B1)* **:** derrière la grande horloge. Poste ouverte de 7 h 30 à 14 h du lundi au vendredi.

■ **Capitainerie** *(Harbour Authority ; plan B1)* **:** juste avant la poste. ☎ 22-46-07-12-05. Pour vérifier les horaires des bateaux.

A

NORD

1

■ Adresses utiles

✉ Poste et police maritime
🚌 Arrêt de bus
1   Kalodoukas Holidays
2   Symi Tours
3   Pharmacie
4   Symi Motorbike Center
5   Laverie
6   Station de taxis
7   Symi Rent'A'Car Motorbike
@ 30 Roloi Internet Café (Clock Bar)

🛏 Où dormir ?

10   Rooms Helena
11   Studios Farmakidis
12   Hôtel Kokona
14   Hôtel Chorio
15   Villa Garden

🍽 Où manger ?

21   Taverne Giortzio
22   Restaurant Aris
23   Taverna et ouzeri Dimitris
24   Restaurant Tholos
25   To Klima
26   Restaurant Syllogos
27   Restaurant Mythos

🍸🎵 Où boire un verre ? Où danser ?

20   Akroyali
30   Roloi Internet Café (Clock Bar)
31   Kali Strata
32   Roof Garden
33   Le Club

A

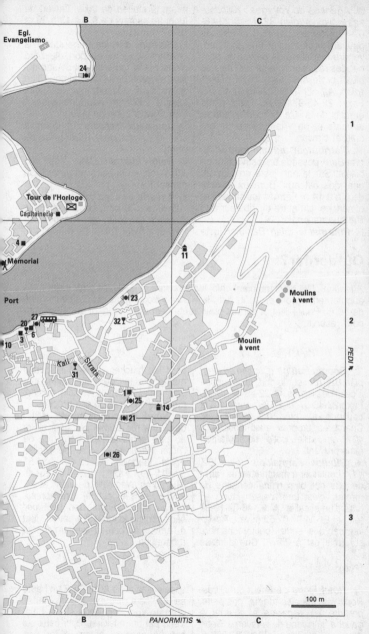

Egl.
Evangelismo

24

Tour de l'Horloge

Capitainerie

4

Mémorial

Port

11

23

27

20   32

6

3

10

Kali

Strata

31

1

25

14

21

26

Moulins
à vent

Moulin
à vent

PEDI

PANORMITIS

100 m

B   C

SYMI-VILLE

■ *Agences de voyages :* *Kalodoukas Holidays (plan B2, 1),* ☎ 22-46-07-10-77. Fax : 22-46-07-14-91. Ils peuvent vous trouver une chambre, vendre les billets de bateau et donner des renseignements sur l'île. Les plus professionnels. *Symi Tours (plan A2, 2) :* ☎ 22-46-07-13-07. Fax : 22-46-07-22-92. Petits plans gratuits de la ville. Location d'appartements et de villas, billets de bateau et d'avion.

■ *Distributeur automatique :* l'*Alpha Bank* possède un distributeur de billets. Sur le port juste en face du quai des bateaux. Bureaux ouverts de 8 h à 14 h. Fermés les samedi et dimanche. Un autre distributeur à la *Banque nationale.*

■ *Pharmacie (plan B2, 3) :* juste avant la station de taxis. Ouvert du lundi au samedi de 9 h à 13 h 30 et de 17 h à 21 h.

■ *Stations-service :* une station à l'extrême gauche du port, au bord d'une petite route en cul-de-sac qui part au pied de la côte lorsque l'on quitte Symi. Ouvert tous les jours jusqu'à 21 h en été. Une autre à Pedi Bay, à 3 km de là.

■ *Journaux français :* magasin à côté de *Symi Rent'A'Car* (près du pont).

@ *Roloi Internet Café (plan A2, 30) :* voir « Où boire un verre ? Où danser ? ».

■ *Laverie :* *Laundry Express (plan A2, 5),* sur le port, dans une ruelle parallèle à celle de l'agence de voyages *Symi Tours.* De 8 h à 14 h.

Où dormir ?

Attention : l'île de Symi étant chic, les prix sont déjà élevés pour juillet mais augmentent encore en août : difficile alors d'y trouver une double pour moins de 50 €. Pour juillet et surtout pour août, il est donc prudent de téléphoner pour réserver.

Prix moyens

🛏 *Rooms Helena (Captain's Hotel ; plan B2, 10) :* sur le port, quai opposé à celui des ferries. ☎ 22-46-07-19-31. Fax : 22-46-07-15-24. S'adresser à la boutique au pied de la pension. Chambres propres avec douche à 40 € en... juillet. Belle vue sur le port mais bruyant.

🛏 *Studios Farmakidis (plan C2, 11) :* continuer à marcher après l'arrêt de bus sur plus d'une centaine de mètres, c'est une maison jaune en haut d'un escalier. ☎ 22-46-07-19-87 (été) et 21-04-97-02-52 (hiver). Réserver car une seule (petite) chambre sur trois est à 25 €. Une adresse pour les fauchés qui veulent quand même profiter de cette charmante ville. Salle de bains et coin cuisine, mais dans la maison des proprios.

🛏 *Hôtel Kokona (plan A2, 12) :* dans une rue calme, perpendiculaire au port après le petit pont (rue de l'hôtel *Albatros*), à côté de l'église Agios Ioannis. ☎ 22-46-07-14-51 ou 15-49. Fax : 22-46-07-26-20. Chambres avec salle de bains et AC à 55 €, sans le petit dej'. Chambres à l'étage avec balcon. Bon petit dej' servi sous la tonnelle. Le patron vient à l'arrivée du bateau avec un chariot à bagages.

Plus chic

🛏 *Hôtel Fiona :* en haut du village. Pour les adeptes de la grimpette, prendre les escaliers et tourner à gauche au niveau de la taverne *Georgios.* ☎ et fax : 22-46-07-20-88. ● www.symivisitor.com ● Ouvert d'avril à octobre. Chambres propres et spacieuses avec AC à 60 € en haute saison, petit déjeuner inclus. Toutes ont une vue magnifique sur la baie. Tenu par un musicien. Pour ceux qui ont un scooter, autant éviter une suée. Prendre la route en direction de Pedi Bay et tourner à droite dans le haut du village, non loin des ruines de moulins. Également accessible en bus.

🛏 **Hôtel Albatros** *(plan A2)* **:** dans une rue calme, perpendiculaire au port après le petit pont. ☎ 22-46-07-18-29 (maison) ou 17-07 (hôtel). En hiver à Athènes : ☎ 21-07-65-49-64. Fax : 22-46-07-22-57. • www.albatro symi.gr • Ouvert de Pâques à début novembre. Cinq chambres tout confort autour de 53 € pour 2 personnes en juillet-août, avec AC et petit dej'. Fidèle lectrice du *GDR*, Fabienne a ouvert cet hôtel avec son mari grec. Petit balcon, belle salle de bains, le tout décoré avec goût. Accueil chaleureux et familial. Fabienne possède en plus quelques autres belles villas divisées en appartements pour 2 à 4 personnes : à partir de 100 €. Cartes de paiement refusées (mais chèques français acceptés).

🛏 **Hôtel Chorio** *(plan B2, 14)* **:** tout proche de l'hôtel *Fiona*. ☎ 22-46-07- 18-00 et 01. Fax : 22-46-07-18-02. • www.symi-island.com • Chambres luxueuses et confortables à plus de 60 € pour 2 personnes avec petit déjeuner en août. AC. Maison et déco dans les tons jaune et bleu, plus chaleureux que l'accueil. Souvent vendu par des agences et des tour-opérateurs français.

🛏 **Villa Garden** *(plan A2, 15)* **:** ☎ 22-46-07-00-24 ou 69-32-38-17-64 (portable). • www.symitop5.gr • Compter de 65 à 80 € selon le type de chambre en pleine saison. Une charmante villa jaune et bleu, avec une succession de terrasses. Les studios, inspirés de la tradition grecque (avec des lits surélevés), sont propres et spacieux. Le proprio a vécu en France quelques années et vous accueillera chaleureusement, enfin s'il est là, car il s'occupe aussi de plusieurs commerces. Service chic mais ambiance très conviviale.

Où dormir dans les environs ?

🛏 **Hôtel Pedi Beach :** à Pédi (sur la plage). ☎ 22-41-07-19-81. Fax : 22-41-07-19-82. • www.blueseahotel.gr • Ouvert de mai à octobre. Chambre double à 45 € en juillet. L'hôtel n'a pas de charme particulier mais il a l'avantage d'être à quelques kilomètres de Symi, donc au calme. Petite plage rien que pour vous et quelques transats pour bronzer sur la terrasse. Agréable balade à faire dans le village (à flanc de montagne).

Où manger ?

Attention, les bateaux d'excursion déposent sur l'île leurs meutes de touristes à l'heure du déjeuner. Les restaurateurs essaient donc de « faire leur beurre » avant qu'ils ne retournent à Rhodes. Mieux vaut éviter le port à ce moment-là. Attendre la fin d'après-midi, quand les habitués ont repris en main leur village. On peut goûter la spécialité de Symi : les *garidakia*, des petites crevettes roses pêchées à 40 m de profondeur avec un filet spécial et que l'on prépare en friture. Un délice.

Bon marché

🍴 **Gyros Pita** *(plan A2)* **:** petite échoppe à deux pas du *Symi Rent'A'Car*, près du pont. Environ 2 € pour un excellent *gyros* avec une *pita* croustillante. Un peu petit mais bien suffisant pour un déjeuner rapide. Ici, vous saurez enfin quel goût doit avoir un *gyros* !

🍴 **Taverne Giortzio** *(plan B2-3, 21)* **:** sur la gauche en montant un escalier de 397 marches, dans la partie élevée du village. Ouvert le midi pour des plats légers. Compter environ 7 ou 8 € pour un plat du jour. Terrasse agréable avec tonnelle de vigne et belle vue. Très bonne cuisine, on peut encore choisir les plats en cuisine, dans leur marmite.

|●| *Restaurant Aris (plan A2, 22)* : sur le port, après le resto avec l'aquarium. ☎ 22-46-07-23-12. Ouvert midi et soir. Ne pas se poser trop de questions. C'est correct et c'est l'un des moins chers. Accueil chaleureux.

|●| *Taverna et ouzeri Dimitris (plan B2, 23)* : sur le port, après la station de bus en direction de Pedi Bay.

☎ 22-46-07-22-07. On y mange surtout des *mezze* à petits prix. Plats entre 5 et 7 €. Choisir directement à la cuisine. Excellentes *garidakias*.

|●| *Restaurant Tholos (plan B1, 24)* : dernier restaurant à droite du port, après le petit chantier naval. Ouvert midi et soir. Terrasse au bord de l'eau et vue superbe sur le village. Bon poisson et excellentes *garidakias*. Venir tôt pour avoir du choix.

Prix moyens

|●| *To Klima (plan B2, 25)* : en haut des grands escaliers (*kali strata*). ☎ 22-46-07-26-13. Ouvert le soir pour dîner, le reste du temps pour boire un verre à l'ombre des vignes de la terrasse. Des bons plats du jour, entre 8 et 12 € tout de même. Tenu par des Anglais, ambiance « Il fait quand même meilleur ici qu'à Birmingham, *isn't it?* ».

|●| *Restaurant Syllogos (plan B3, 26)* : en haut du village, après *Giortzio*. ☎ 22-46-07-21-48. Concert de

santouri (c'est l'instrument dont joue feu Anthony Quinn dans *Zorba le Grec*) le samedi soir pendant le service. Allez-y pour l'ambiance. Mêmes prix que *To Klima*. Bon *stifado* de lapin.

|●| *Taverna Zoï (Zoé ; plan B3)* : un peu plus loin que le *Syllogos*, dans la même rue. ☎ 22-46-07-25-20. Ouvert le soir seulement. Prix moyens. Spécialité de poulet au citron. Fréquenté par les Symiotes, ce qui est bon signe.

Plus chic

|●| *Restaurant Mythos (plan B2, 27)* : sur le port. ☎ 22-46-07-14-88. Quelques tables élégamment dressées sur le port, des mets raffinés pour des prix très abordables. Compter entre 15 et 20 € sans la boisson. Le vin de la maison est excellent. Le chef vient en personne

vous présenter l'ardoise et vous mettre l'eau à la bouche. Pour 18,50 €, il peut même vous composer votre assiette vous permettant ainsi de goûter plusieurs plats. Une petite brise fraîche, une atmosphère romantique... Laissez-vous tenter !

Où boire un verre ? Où danser ?

▼ @ *Roloi Internet Café (Clock Bar ; plan A2, 30)* : dans une rue parallèle à celle de l'hôtel *Albatros*, sur la droite lorsqu'on se dirige vers le port. Ouvert de 9 h à 2 h. On peut y prendre le petit déjeuner ou boire un verre à toute heure. Il y fait frais et des coussins ou des banquettes côtoient de près les scanners et imprimantes des postes informatiques.

▼ *Akroyali (plan B2, 20)* : sur le port, en allant vers la station-service.

Petit bar idéal pour se rafraîchir après une matinée de bronzette. Servi par un jeune très sympa.

▼ *Kali Strata (plan B2, 31)* : du nom de l'escalier de 397 marches qui sépare les deux quartiers de Symi, petit bar en terrasse en haut de Horio, avant la taverne *Giortzio*. Quelques tables au milieu des marches. Superbe vue sur la baie, avec musique classique en fond. Idéal pour l'apéro en attendant que le soleil se couche. Très reposant.

Roof Garden (plan B2, **32**) : à gauche du port. ☎ 22-46-07-22-50. Jolie vue et tranquille.

♫ Les quelques pas de danse se font à la boîte **Le Club** (plan A2, **33**), juste avant le petit pont de pierre à droite. Ouverture du café à 18 h et de la boîte vers minuit.

À voir. À faire

L'idéal pour visiter **Horio,** la partie haute du village, est d'attendre 18 h que la température soit un peu redescendue et les hordes de touristes reparties en bateau. Horio est un dédale de ruelles, où les maisons chic et restaurées côtoient de grandes demeures néo-classiques à l'abandon.

🎖 Voir l'**église de la Panagia,** en haut du village. Visiter aussi celle d'**Agios Athanassios.** C'est en face que se déroule, début mai, la fête païenne du Kourkouma : toutes les filles célibataires de l'île déposent leur bague dans un pot, et une femme prédit le nom du futur mari en associant au hasard un nom masculin à chaque bague. Un gâteau très salé est ensuite partagé, afin de faire boire tout le monde avant le bal...

– L'île de Symi fut un important centre de **pêcheurs d'éponges.** Il y en a eu jusqu'à 2 650 ! (à une époque où l'île comptait 30 000 habitants). Sur le port, on peut voir quelques boutiques essayer d'en vendre avec acharnement. Quoi qu'on dise aux touristes, il n'y a presque plus d'éponges dans les eaux du Dodécanèse (elles ont difficilement supporté Tchernobyl et la pêche à la dynamite). Les nombreuses éponges que l'on voit (ainsi que les coquillages) viennent d'Amérique du Sud. Une autre spécialité est le miel de thym, mais surtout ne pas en prendre sur le port. Essayer de le trouver dans une petite épicerie. Plus de chances, ainsi, d'en avoir du véritable plutôt qu'une production d'Europe de l'Est... Eh oui ! *Business is business.*

– Chaque été, de début juillet à début septembre, un **festival** est organisé. Beaucoup de musique mais aussi des troupes de théâtre, des expositions de peinture et des poètes. De quoi occuper les chaudes nuits d'été (renseignements à la mairie). Il y a aussi des projections de films en v.o. dans la cour de l'école Petridis (quelques films français).

À voir dans les environs

🗇 Pas de plages près du village mais de petites **criques** désertes à 20 mn à pied après le restaurant *Tholos* en allant vers Niborios : pas faciles d'accès, mais possibilité de faire du nudisme, caché dans les rochers.

🗇 Les bateaux et *taxi-boats* font également des **excursions** quotidiennes **vers les plages de l'île.** Agia Marina, les plages des baies d'Agios Georgios et de Nanou et Agios Vasillios sont les plus belles. Compter environ 10 € pour y aller en bateau. Les marcheurs peuvent accéder à certaines criques à pied. Sinon, bus ou taxi.

🎖🎖 **Le monastère de Panormitis** (Μονή Πανορμίτη) : au sud de l'île, à 15 km du port. Superbe bâtiment comprenant une église avec une iconostase de bois sculpté et une très belle icône en or blanc. La tour-campanile rappelle celle du monastère de Zagorsk en Russie. On raconte qu'une paysanne déterra un jour l'icône miraculeuse de l'archange Michel et la ramena chez elle. Le lendemain, l'icône avait disparu et la paysanne la retrouva là où elle l'avait extraite de terre. Elle la reprit et... rebelote ! On décida alors de bâtir à cet endroit une chapelle, embryon du futur monastère. Deux petits musées (☎ 22-46-07-15-81 ; billet unique à 2 €) abritent en outre une icône russe venue d'Odessa et des manuscrits très rares. Ils méritent la visite.

Accessible par route, et par bateau de Rhodes ou de Symi. Ouvert généralement lors du passage des bateaux touristiques de 11 h à 12 h puis de 15 h à 16 h. Il y a aussi une taverne, à droite de l'entrée du monastère, sous les arbres.

➢ L'île est un lieu idéal pour faire de belles *balades.* Aller jusqu'à *Agios Nikolaos,* en passant par la baie de Pédi (2 h) ; depuis l'église de la baie de Pédi, sentier bien balisé jusqu'à la baie d'Agia Marina, à l'extrême nord-est (35 mn aller). Nombreux sentiers, mais on peut facilement se perdre. À l'ouest, aller jusqu'au hameau de *Niborios* par l'intérieur (chemin à partir de l'église Elikoni), en revenant par le bord de mer (2 h). L'île est parsemée de *64 chapelles.* Une très belle balade vers la presqu'île de Kefala (à l'ouest) permet d'en visiter cinq : partir de Gialos en visant à l'est le monastère de Taxiarques. On continue par une piste jusqu'à *Agii Anargyri* puis, par un sentier, après un petit col, on passe à *Agios Ioannis Théologos.* Le sentier, en légère courbe, atteint *Agios Filimonas* et l'on parvient enfin à la presqu'île à *Agios Emilianos.* Magnifique balade de 6 h aller et retour.
Autre balade sympa, celle qui vous emmène jusqu'à *Agios Vassilios,* une petite église face à la mer. Prévoir 2 h (aller-retour) à partir de l'endroit où la route laisse la place au sentier, sans compter la pause baignade (la plage est sous l'église).

QUITTER L'ÎLE DE SYMI

Vérifier les horaires auprès de la **police maritime,** en face de la poste. ☎ 22-46-07-12-05. Le mieux est de s'occuper de son départ dès l'arrivée, histoire d'être tranquille.
➢ **Pour Le Pirée :** 2 ferries par semaine. Plus sûr de prendre un bateau pour Rhodes, d'où les départs sont plus fréquents.
➢ **Pour Rhodes :** tôt le matin avec l'hydrofoil en 1 h (plus cher et réserver à l'avance car il vient de Kos et est déjà bien plein) et vers 18 h avec les bateaux d'excursions. Plusieurs ferries par jour du jeudi au dimanche.
➢ **Pour les îles du Dodécanèse au nord de Symi :** 2 ou 3 départs par semaine.

TILOS (ΤΗΛΟΣ) .... 300 hab.

Petite île (63 km²) sauvage et rocailleuse, située au nord-ouest de Rhodes. Seulement 300 habitants y vivent, répartis pour l'essentiel entre *Livadia* (le port) et *Mégalo Horio,* la capitale, dans les terres. Quelques rares touristes grecs, italiens, allemands ou anglais, mais peu de Français. Plus d'éléphants nains depuis 7 000 ans av. J.-C. L'absence de hordes estivales donne à Tilos un étrange parfum de solitude. Nombreuses plages et criques désertes, de galets ou de sable. Plusieurs randonnées et balades sympas (se procurer l'excellente carte en vente dans les commerces de l'île, qui permet de partir sur les sentiers sans risque de s'égarer).

Comment y aller ?

➢ **De Rhodes** *(certains via Symi) :* 3 ferries par semaine dans chaque sens. Entre 2 h 30 et 4 h de trajet selon le nombre d'escales. Également des

SYMI ET TILOS
(îles du Dodécanèse)

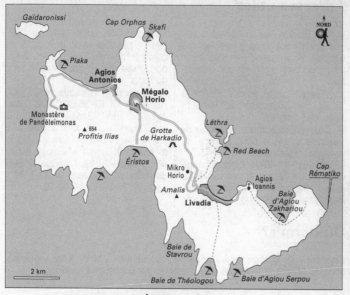

L'ÎLE DE TILOS

hydrofoils, plus rapides et plus chers mais bien pratiques quand il n'y a pas de ferry.

➤ *De Kos et Kalymnos* (le plus souvent via Nissyros) *:* 2 ferries par semaine. Compter de 2 h 30 à 4 h de traversée depuis Kos et 1 h 30 depuis Nissyros. Également plusieurs hydrofoils en semaine.

➤ *Du Pirée :* 2 ferries par semaine en saison, soit via Astypaléa, Kalymnos, Kos et Nissyros, soit via certaines des Cyclades (Syros, Paros et Naxos).

Transports

– *Un minibus* relie 4 ou 5 fois par jour le port de Livadia à Mégalo Horio et continue jusqu'aux plages d'Éristos et d'Agios Antonios. Départ à 10 h 15 du square. Le dimanche, 4 bus seulement, et à 11 h, départ de Livadia pour le monastère d'*Agios Pandéléimonas.* Arriver tôt pour avoir une place assise et demander au chauffeur l'heure du retour. Horaires affichés dans tous les restos et hôtels.

– Éviter le *stop,* car il n'y a pas beaucoup de véhicules.

– *Taxis :* un seul pour toute l'île. *Taxi Nico :* ☎ 69-44-98-17-27 (portable).

– *Location de scooters :* chez *Michael,* dans la rue parallèle au front de mer. Tenu par un Anglais plutôt sympa, mais leur matos a pris un coup de vieux. L'agence *Tilos Travel* face au débarcadère loue aussi des 50 cc. Attention, l'unique station-service de l'île se trouve entre Livadia et Mégalo Horio et elle ferme à 13 h.

LIVADIA *(ΛIBAΔIA)*

Minuscule port de quelques dizaines de mètres et 120 habitants !

Adresses utiles

– Pas d'office du tourisme. Juste une guérite qui ouvre à l'arrivée des bateaux et un grand panneau avec les hôtels de l'île classés par catégorie.

✉ **Poste :** sur le square. Ferme à 14 h. Les supermarchés vendent aussi des timbres.

■ **Change, téléphone, location de voitures :** sur le port, agence de voyages *Stefanakis.* ☎ 22-46-04-43-10. Fax : 22-46-04-43-15. Change chèques de voyage et devises. Également des cabines téléphoniques. Possibilité de location de voitures (assez inutile, vu la taille de l'île). Retrait possible avec une carte de crédit à l'agence *Tilos Travel,* sur le port, mais mieux vaut arriver avec du cash.

■ **Agence de voyages :** *Laskarina Holidays.* ☎ 69-36-60-22-92. Jane organise des visites de l'île, des excursions à pied, des sorties à la journée avec pique-nique...

■ **Médecin :** *Dr Tassos Aliferi.* ☎ 69-44-88-78-69. Clinique, à côté de l'hôtel *Irini,* ouverte de 11 h 30 à 13 h 30. ☎ 22-46-04-42-10.

Où dormir ?

On vient vous démarcher à l'arrivée du bateau avec photos à l'appui (attention, les photos et la réalité des chambres ne collent pas toujours).

Bon marché

🛏 *Le Livadia :* à 50 m du port, derrière le square. ☎ 22-46-04-42-02. Fax : 22-46-04-41-74. Ouvert de mai à octobre. Chambres toutes simples, petites, vieillottes, et pas toujours très clean, mais c'est ce qui se fait de moins cher (20 € la double). Pour les fauchés uniquement.

🛏 *Studios Sofia :* dans le village en montant vers Mégalo Horio. ☎ 22-46-04-42-66 ou 41-31. Compter 30 € au rez-de-chaussée et 40 € au 1er étage (les studios sont un peu plus grands et ont la vue sur la mer). Studios classiques. Rien d'extraordinaire mais propre et pas très cher. Le propriétaire tient le petit supermarché près du square, si vous le cherchez...

De prix moyens à plus chic

🛏 *Hôtel Irini :* à 300 m du port, un peu en retrait du bord de mer. Ne pas confondre avec le resto *Irina,* sur la plage. ☎ 22-46-04-42-93. Fax : 22-46-04-42-38. • www.tilosholidays.gr • Ouvert d'avril à octobre. En août, 50 €, petit déjeuner compris, pour une chambre double avec salle de bains, frigo et minibar, terrasse et ventilateur. Magnifique jardin fleuri. Belle piscine. L'accueil manque quand même de chaleur.

🛏 *Studios Stéfanakis :* au-dessus de l'agence du même nom, sur le port. ☎ 22-46-04-43-84. Fax : 22-46-04-43-15. • stefanakis@rho.forthnet. gr • Compter environ 45 € la double. Maison violet et vert. Récent et propre, assiettes en faïence aux murs, certaines chambres avec un petit balcon donnant sur le port. Idéal pour profiter de l'agitation matinale et nocturne du square. La n° 6 et la n° 7 ont une vue sur l'arrière. Propose aussi une maison pour 4 personnes sur la baie à 130 € avec location de voiture comprise et ordinateur à disposition. Catégorie luxe mais à diviser par 4 entre copains, pourquoi pas ?

🛏 Plusieurs hôtels sans âme mais récents et propres, avec des prix souvent attractifs (surtout hors saison), ont ouvert au bout de la baie de Livadia. *Hôtel Faros* (☎ et fax : 22-

46-04-40-68. Fax : 22-46-04-40-29. ☎ www.faroshotel.gr ☎) avec chambres neuves et jolie vue sur la baie à 55 € la double. Au **Marina Beach**

(☎ et fax : 22-46-04-41-69. ☎ mari nabe@otenet.gr ☎), entre 40 et 55 € selon la saison. Ouvert d'avril à octobre. Accueil tout à fait charmant.

Où manger ?

Bon marché

|●| **Irina :** en bordure de plage, à 200 m du port. Compter de 8 à 10 € pour un repas. C'est le plus vieux restaurant de Tilos. Pas de la grande

cuisine, mais copieux et bon rapport qualité-prix. La spécialité de la maison : de la chèvre sauce citron... Éviter le poisson, souvent congelé.

Prix moyens

|●| **Blue Sky :** au-dessus de l'embarcadère, avec une vue agréable. Compter entre 8 et 10 €. Bons plats grecs à prix corrects, mais la cuisine est essentiellement d'inspiration italienne. À l'intérieur, impressionnants tonneaux de vin ; il se laisse bien boire d'ailleurs...

|●| **Le Calypso :** vers le haut du village. Compter environ 15 € par personne. Restaurant exotique tenu par une famille de Français installés à Ti-

los depuis plus de dix ans. Dalila en cuisine mélange influences asiatique, indienne et grecque... Ça vous changera de la *moussaka* ! Son fils Adrien est au bar et vous servira de bons cocktails. Tout en sirotant votre apéro, vous pourrez discuter peintures et gravures avec le père dont certaines œuvres sont accrochées sur la terrasse. Déco soignée pour une ambiance tropicale.

Où boire un verre ? Où danser ?

🍸 **Omonia :** sur le square, près de la poste. Taverne grecque typique (avec pas mal de touristes quand même), à l'ombre des grands arbres de la place. *Ouzo* et bons *mezze*. Prix corrects et ambiance agréable. Fait aussi des petits dej' pour ceux qui auraient

la flemme de faire les courses.

🍸 🎵 En juillet et août, l'une des maisons rénovées du village abandonné de Mikro Horio fait **bar-discothèque** le soir à partir de 23 h. Route en mauvais état : mieux vaut être motorisé pour y aller... et en revenir.

À faire

– **Galerie d'art :** ouverte en 2003 par un jeune couple d'Anglais. Ils organisent des journées peinture et photo. Contactez-les au ☎ 22-46-04-40-30 de 17 h à 22 h ou sur leur portable : ☎ 69-42-25-46-53.

– **Tilos Marine :** sur la plage. Pour découvrir les criques et plages inaccessibles en pédalo, ou pour s'éclater en windsurf. Tenu par Adrien, le jeune barman du *Calypso*. Tarifs dégressifs.

À voir dans les environs

🦌 **Mikro Horio** *(Μικρο Χωριο)* : village abandonné et ancienne capitale de Tilos, à 2 km de Livadia. Faisable à pied mais pas en plein midi ! Les chèvres sont les seules locataires de ce village, fondé par les chevaliers de Saint-

Jean au XVe siècle et qui a compté 1 000 habitants, mais qui fut abandonné dans les années 1960 par manque d'eau. On peut encore y voir de beaux frontons de maisons, des fours à pain, puits et autres cheminées, deux églises bien entretenues. Seules deux maisons sont rénovées, l'une d'elles accueillant un bar-discothèque le soir en juillet et août (voir ci-dessus « Où boire un verre ? Où danser ? »).

MÉGALO HORIO (ΜΕΓΑΛΟ ΧΩΡΙΟ)

Village à peine plus grand que Livadia, à 6 km du port. Pas grand-chose à voir ou à faire, si ce n'est, pour les plus courageux de nos lecteurs, l'ascension de la forteresse, malheureusement en piteux état. Également un petit *musée* local (ouvert jusqu'à 14 h) avec des ossements et défenses d'éléphants nains trouvés dans les grottes d'*Harkadio*. Ces grottes ont connu, toutes proportions gardées, le syndrome de Lascaux : infrastructure énorme pour accueillir les touristes de tous les pays, puis abandon des visites par peur d'abîmer les grottes. Elles ne sont désormais ouvertes que pour les étudiants et les chercheurs. Une dame très gentille vous fera une petite visite guidée en anglais et vous expliquera le destin de ces éléphants arrivés à Tilos à la nage (!), devenus nains par manque de variété dans leur alimentation et par consanguinité, et morts coincés dans une grotte à la suite d'une éruption volcanique. Tragique ! Visite également de l'église du village.

Où dormir ? Où manger ?

🏠 |●| Quelques **chambres chez l'habitant,** une **pension,** ainsi qu'une taverne : **The Castel,** en redescendant vers le bas du village.

Plats à partir de 5 €.
🏠 |●| Deux **tavernes** qui ont aussi quelques chambres à louer sur la plage d'Éristos.

AGIOS ANTONIOS (ΑΓΙΟΣ ΑΝΤΤΩΝΙΟΣ)

Hameau sans charme au bord de la mer, dont l'intérêt est de posséder une bonne *taverne* sans nom au bout du port, avec quelques tables au bord de l'eau, sous un arbre. Pas de carte, mais quelques plats (*moussaka*, macaronis) bon marché. Une autre taverne *(Delfini)*, à l'autre bout du port.

À voir. À faire dans les environs

🔌 *Le monastère d'Agios Pandéleimonas* (Μονή Αγιου Παντελειμονα) : au bout de la route après la plage de Plaka, à 9 km de Mégalo Horio. Ouvert tous les jours. Pas de bus sauf le dimanche à 11 h : départ de Livadia, une heure sur place et retour au port pour environ 3 €. Monastère du saint patron de Tilos construit au XVe siècle, qui a abrité jusqu'à 40 moines. Hormis le gardien Nikos, il est aujourd'hui désert. On y admire les belles fresques murales et icônes de la chapelle, et l'on profite du jardin ombragé, où l'on peut également se restaurer. L'église est encore utilisée pour des baptêmes. Grande fête de trois jours les 25, 26 et 27 juillet.

⬜ *Plage de Plaka :* jolie plage au nord-ouest, où l'on peut discrètement planter sa tente.

ÉRISTOS (ΕΡΙΣΤΟΣ)

⬜ Grande plage au sud-ouest de Tilos, aménagée avec quelques transats et parasols. Beaucoup de tentes, et la propreté de la plage s'en ressent en pleine saison.

Où dormir ? Où manger ?

🛏 *Hôtel-appartements Eristos-Beach :* ☎ 22-46-04-40-25 ou 43-36. Ensemble d'appartements tout blancs, face à la plage : environ 35 € en août pour une grande chambre avec coin cuisine, belle salle de bains et terrasse. Occupés essentiellement par des Allemands. Le proprio, sans doute pris d'un vent de folie mégalomaniaque, a fait construire un énorme bâtiment avec une grande verrière et des appartements très spacieux, dotés de terrasses toutes aussi gigantesques ! Compter entre 45 et 50 € pour un appartement de 4 personnes. Pas vilain, juste surprenant dans un coin aussi désert...

I●I *Tropicana Garden :* sur la gauche avant d'arriver sur la plage. Compter 3,50 € l'assiette. Ici, on mange ce qu'il y a dans les gamelles. Allez choisir directement dans la cuisine car votre hôtesse ne parle ni français ni anglais. Ça n'a vraiment rien d'un restaurant, c'est juste une mamie qui vous ouvre sa cuisine et sa terrasse envahie par les plantes tropicales. Comme à la maison...

QUITTER L'ÎLE DE TILOS

■ *Capitainerie :* ☎ 22-46-04-43-50.
➢ *Pour Rhodes :* 3 ferries par semaine (certains via Symi, 3 ou 4 h de trajet) et autant d'hydrofoils (1 h 20 de traversée).
➢ *Pour Kos :* 2 ferries (2 h à 3 h 30 de trajet selon les escales) et 2 hydrofoils en été.
➢ *Pour Le Pirée :* 2 ferries par semaine (via Kos, Kalymnos, Léros, Patmos ou via Nissyros, Astypaléa, Amorgos, Naxos et Paros). Prévoir 14 ou 15 h de traversée.

NISSYROS (ΝΙΣΥΡΟΣ)   900 hab.

Une petite île volcanique (41 km²) où les touristes, par dizaines de milliers chaque année, ne viennent voir que le volcan puis repartent effrayés par le monstre qui ronfle. Conclusion : après 16 h, on est tranquille. Et l'on peut profiter de l'adorable petit port de Mandraki, avec ses balcons à la vénitienne et ses maisons blanches, bleues ou vertes, posées comme des cubes à travers un dédale de ruelles. Les petits villages à l'intérieur de l'île sont à découvrir. Authentique, cette petite île tranquille vous offrira l'occasion de vous sentir seul au monde, enfin presque... *Farniente* sur les plages désertes en perspective... D'ailleurs ici, et peut-être plus qu'ailleurs, la sieste est de rigueur : jusqu'à 17 h, c'est une opération ville morte. Adoptez leur rythme et si vous arrivez à ce moment-là, le plus simple est d'attendre sous les paillotes de la plage de Mandraki la réouverture des hôtels et restaurants.

Comment y aller ?

➢ *De Rhodes :* 4 ferries par semaine via Symi et Tilos. Durée du trajet : de 3 h à 6 h selon le nombre d'arrêts. Également 4 hydrofoils.
➢ *De Kos :* 4 ferries par semaine. Entre 1 h et 1 h 30 de trajet. Également des bateaux d'excursions 6 jours sur 7 (aller et retour dans la journée). Certains partent aussi de *Kardaména,* de *Kéfalos* (au sud de l'île de Kos). Un hydrofoil fait aussi la liaison.

Adresses utiles

✉ *Poste :* sur le débarcadère. ☎ 22-42-03-12-49. Ouvert de 8 h à 14 h. Possibilité d'envoyer des fax.
■ *Police :* ☎ 22-42-03-12-01.
■ *Banque nationale de Grèce :* représentée par une agence. Direction centre du village, puis tourner à gauche en face de la bijouterie, à 50 m côté droit. ☎ 22-42-03-14-59. Ouvert de 9 h à 14 h du lundi au vendredi. Possibilité de retirer de l'argent au guichet avec sa carte de paiement.
■ *Agence de voyages :* Enétikon, à 50 m du débarcadère en direction

du centre. ☎ 22-42-03-11-80. Fax : 22-42-03-31-68. Ouvert de 9 h 30 à 13 h et de 18 h à 21 h. Michelle, une sympathique Anglaise exilée en Grèce, vend des billets de bus, de bateau, et peut vous trouver une chambre et vous changer de l'argent. Mais elle organise aussi des excursions en bateau ou au volcan et peut vous donner tous les renseignements que vous désirez.
■ *Centre médical :* ☎ 22-42-03-12-17, de 9 h à 13 h. Pour les urgences : ☎ 69-72-80-03-43 (portable).

Transports

– *Location de voitures* à la station-service et il est aussi possible de louer *motos* et *scooters.* On peut recommander *Yannis location* à côté de la banque. ☎ 31-26-43-10-37. Également deux loueurs à Pali. La seule pompe à essence, située 1,5 km après la sortie de Mandraki en direction de Pira, est ouverte de 9 h à 14 h et de 16 h à 21 h en été.
– Deux services de *bus* à raison de 6 par jour en été : un pour le volcan (1er départ à 9 h 30) et un pour les autres lieux de l'île. Départs du débarcadère. ☎ 22-42-03-12-04.
– Il y a peu de *taxis.* Il est donc préférable de réserver en cas de départ. ☎ 22-42-03-14-60 ou 69-45-63-97-23.

MANDRAKI (MANΔPAKI)

La petite ville s'étire entre le port à l'est et le rocher du fort vénitien avec le *monastère de Panagia Spiliani.* Entre les deux, des ruelles sinueuses et pittoresques. Le tourisme est développé sur cette île, et le port a pris un peu d'ampleur. Mais le véritable centre du village se trouve plus haut. Il faut monter en direction du monastère et ne pas hésiter à se perdre, c'est le seul moyen de découvrir le village et de tomber sur des scènes de vie insolites.

Où dormir ?

De bon marché à prix moyens

🛏 *Hôtel Nissyros :* au pied du monastère. ☎ 69-74-98-47-39. Tranquille. Chambres propres à environ 25 €. L'accueil manque de chaleur toutefois.
🛏 *Hôtel Romantzo :* en descendant du bateau, remonter la 1re rue à gauche ; c'est à 100 m. ☎ et fax : 22-

42-03-13-40. En août, 30 € pour une chambre au 1er étage sans balcon, et sans la vue sur la mer (les numéros impairs donnent sur l'arrière). Compter 5 € de plus pour être au 2e étage. Les chambres sont propres mais un peu défraîchies. Déco à fleurs style années 1970. Grande

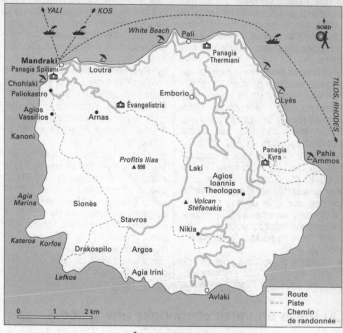

L'ÎLE DE NISSYROS

terrasse au-dessus de la taverne. Possibilité de petit déjeuner. Accueillant.

🛏 *Hôtel Polyvotis :* un peu après l'hôtel *Romantzo.* ☎ 22-42-03-10-11 et 12. Fax : 22-42-03-16-21. Chambres propres avec salle de bains autour de 40 € en pleine saison. Balcon privé avec vue directe sur le port. Une salle de muscu pour éliminer les excès de *baklavas.* Pratique pour prendre son petit déjeuner en surveillant l'arrivée du ferry. Prix corrects, car c'est l'hôtel de la municipalité *(dimotikos xénonas).*

🛏 *Hôtel Porfyris :* au cœur du village. ☎ et fax : 22-42-03-13-76. ● diethnes@otenet.gr ● Compter entre 35 et 55 €, petit déjeuner compris, en été. Moderne, chambres bien équipées et piscine d'eau de mer. Pour routards désirant un peu de confort sans trop dépenser.

🛏 *Hôtel Haritos :* non loin de l'hôtel *Polyvotis,* juste après l'embranchement pour le château. ☎ 22-42-03-13-22 ou 11-22. Une douzaine de chambres pour 2 à 4 personnes, à partir de 50 € mais ça baisse considérablement dès la fin du mois d'août. Belle vue sur le port, la mer et la piscine de l'hôtel.

Où manger ?

Il y a deux centres et deux styles de restaurants : ceux du bord de mer, où vous pourrez déguster quelques poissons ; ceux du centre, où les plats sont plutôt des *mezze.* Quelques spécialités à goûter : le *pitia* (galette de pois chiches), le *myzithra* (fromage de chèvre) et le *soumada* (boisson sucrée à base d'amandes).

|●| *En Taxei* (prononcer : N'Daxi) : en allant du débarcadère vers le centre, sur la gauche. Fermé entre 16 h et 19 h. Ouvert de mai à octobre. Bons sandwichs copieux et pas chers.

|●| *Taverne Nissyros :* dans la rue parallèle au bord de mer. ☎ 22-42-03-14-60. Bonne petite cuisine pas chère du tout, d'ailleurs les autochtones ne s'y trompent pas. Tenu par un grand barbu un peu bourru tout droit sorti des années 1970.

|●| *Mike's Corner :* sur le bord de mer, au pied du monastère. ☎ 22-42-03-12-41. Compter environ 8 € pour une entrée et un plat de viande (un peu plus cher pour le poisson). De bonnes recettes végétariennes. La patronne fera tout pour vous faire plaisir. Bien demander la carte pour avoir les prix.

|●| *Taverne Panorama :* pas loin de l'hôtel *Porfyris* (en remontant). Compter environ 8 € pour un repas.

Pas vraiment de panorama, mais une bonne cuisine familiale. Le resto ne paie pas de mine, mais les produits sont frais et de qualité. Demandez les prix car ils ne sont pas affichés.

|●| *Restaurant Ilikiomeni Irini :* à l'ombre des arbres de la place principale, au cœur du village. ☎ 22-42-03-13-65. Une bonne table, souvent envahie par les touristes de passage le midi. Endroit agréable et rafraîchissant.

|●| *Ouzeri Fabrica :* juste après *Mike's Corner,* gravir les quelques marches qui mènent à une place, puis la 1re rue à droite ; c'est à 20 m sur la gauche. Jardin et cave. Plein de petits *mezze,* plats de viande et poissons. Déco et style nonchalants plutôt travaillés.

|●| *Restaurant Sunset :* en bord de mer, en arrivant du port, direction centre de Mandraki. ☎ 22-42-03-12-72. Bons *souvlakia,* entre autres.

Où boire un verre et manger une glace ?

🍸 ♦ *Ta Liotrivia :* une maison tout en pierre sur le front de mer. ☎ 22-42-03-15-80. On pourrait venir rien que pour le cadre mais comme on est gourmand, on en profite pour déguster leurs délicieuses glaces. Pour

vous mettre dans l'ambiance : voûtes, pierres apparentes, lumière tamisée, anciennes presses à olives... C'est superbe. Deux chambres somptueuses à l'étage pour les routards en lune de miel (150 € la nuit !).

Où dormir ? Où manger dans les environs ?

🛏 |●| Au petit port de Pali, quelques *chambres à louer.* Il y a aussi quelques *tavernes* qui offrent du bon poisson frais. Aller prendre un apéro au *Captain's House Coffee Bar.* Patron sympa à l'éternelle casquette de marin. Hormis les plaisanciers, pas grand monde dans le

village le soir.

|●| *Le Balcon d'Emborio :* sur la place principale d'Emborio. Mérite bien son nom, avec sa terrasse surplombant la vallée des volcans. Très simple, *pitia,* tomates farcies, salade grecque, le tout à des prix tout à fait raisonnables.

À voir. À faire sur l'île

🌋🌋🌋 *Le volcan To Ifaistio* (Το Ηφαιστειο) : vu d'en haut, cela ressemble globalement à une vulgaire carrière en chantier dans une vallée entourée de montagnes. Mais la descente amorcée, l'odeur tenace du soufre finit par nous rassurer : on n'a pas fait le voyage pour rien. Au fond du cratère principal *(Stéfanakis)*, on a l'impression d'être sur une cocotte-minute. Les pierres sont chaudes, et des trous gros comme le poing laissent échapper des nuages de soufre. Éviter d'y mettre les mains (c'est brûlant) ; amener plutôt un œuf que l'on peut casser et voir frire. Boudés par les touristes pressés de retrouver, après tant d'émotions, l'univers rassurant de leur bus, les quatre cratères de droite méritent l'excursion. Moins piétiné, on peut, en prenant garde de ne pas tomber dans les cratères, tenir en main quelques pierres chaudes, recouvertes de cristaux de soufre.

La visite du volcan est plus agréable tôt le matin (vers 8 h) ou en fin d'après-midi. Il fait moins chaud et les visiteurs ne sont pas encore là ou déjà repartis, on est seul face au démon de l'île. Si on arrive très tôt, on ne paie pas, paraît-il.

Pour les détails pratiques : les bus partent du débarcadère de Mandraki, à l'arrivée des bateaux touristiques. Acheter les billets sans tarder car les guides louent des bus entiers pour leurs groupes. Sinon, bus publics depuis le port de Mandraki (1er départ à 9 h 30). Les marcheurs audacieux peuvent y aller à pied, mais le chemin est long (10 km de montée puis 5 km de descente, rien que pour l'aller) et le soleil tape fort. On vous conseille plutôt le deux-roues qui reste la solution la plus agréable. La route qui y mène est magnifique. Dans tous les cas, il faut de bonnes chaussures (évitez les sandales en plastique pour ne pas revenir pieds nus) et une bouteille d'eau. Entrée du site : environ 1,20 €.

🔫 Le monastère de Panagia Thermiani *(Μονη Παναγιας Θερμιανης)* : à **Pali.** Minuscule, juste derrière l'immense complexe thermal abandonné. Fronton surmonté d'une croix et d'une cloche. Si l'entrée est fermée, demandez à la dame de la maison voisine de vous ouvrir. Petite chapelle en contre-bas, avec les ruines de catacombes chrétiennes.

🔫 Paléokastro *(Παλαιοκαστρο)* : ruines qui datent du Ve siècle av. J.-C. et dominent Mandraki. Depuis le port (4 km), remonter et tourner à droite en suivant la direction « Kastro ». Blocs de murs cyclopéens en pierre de lave. Il n'en reste quand même pas grand-chose.

🔫🔫 Nikia *(Νικια)* : très beau village tout blanc presque déserté. Jolie place centrale avec église et *kafénia*. Très jolie vue sur les volcans (suivez le panneau). Beaucoup d'habitants ont émigré vers le Brésil, l'Australie ou les États-Unis mais reviennent l'été dans leur village. Belle balade sur un chemin de crête au départ du volcan (suivre la direction du monastère de Stavros) jusqu'au village.

🔫 Emborio *(Εμπορειο)* : adorable village, sur le flanc de la colline. À voir, en arrivant au village, sur la droite, sauna naturel dans la roche. Sympa si on arrive à faire abstraction de l'odeur d'œuf pourri, preuve qu'à Nissyros, le volcan n'est jamais bien loin.

🔫 Avlaki *(Αυλακι)* : hameau abandonné tout au sud de Nissyros, au bout d'une piste, récemment goudronnée mais encore défoncée par endroits. Quelques maisons effondrées, avec un petit port ravagé et battu par les vagues, tout ça en pierre noire volcanique. C'est beau et sauvage.

🔫🔫 Les monastères : Spiliani est fêté par un pèlerinage la nuit précédant le 15 août et a fêté ses 600 ans en 2001. Des soupes sont offertes par les popes, et la musique égaie la soirée. C'est la fête au village ! Ceux d'*Évangé-listria* et de *Panagia Kyra* ne valent pas forcément le détour car ils sont fermés.

🏖 Les belles *plages* ne sont pas la richesse de l'île mais il y a quelques endroits pas désagréables, comme la plage de *White Beach* (humour grec ? le sable est noir !), qui se trouve à 500 m avant le village de Pali, sous l'hôtel du même nom qui gâche plus qu'un peu le paysage. Éviter la *plage de Lyès* si l'on ne désire pas bronzer sur du sable noir au milieu des vaches. Aller un peu plus loin, à l'endroit où la piste de sable se transforme en chemin de randonnée (attention : la piste à flanc de falaise n'est vraiment pas solide). Idéal pour le nudisme : il n'y a pas un chat ; que des vaches... Dans le coin, un seul bar, l'*Oasis*, qui fait snack (omelettes, frites) dans la journée, uniquement en juillet et août.

🦐 En face de Nissyros se trouve l'*îlot d'Yali* (Γυαλι). C'est une carrière d'extraction de pierre ponce. En 47 ans d'activité, un tiers de l'île est parti en fumée, plutôt en poussière... De nombreux habitants y travaillent, mais il est difficile d'accéder à sa belle plage de sable blanc. Se renseigner auprès de l'agence *Enétikon*. Prévoir de quoi se protéger, il n'y a pas un pet d'ombre sur place.

QUITTER L'ÎLE DE NISSYROS

Vérifier les horaires auprès de la *police maritime,* en face du débarcadère.
☎ 22-42-03-12-22.
➤ *Pour Le Pirée :* 2 départs par semaine. Le plus sûr est de prendre un bateau pour Kos. Là-bas, les ferries sont plus fréquents pour cette destination.
➤ *Pour Rhodes :* 4 ferries par semaine. Il y a aussi des hydrofoils presque tous les jours.
➤ *Pour Kos :* retour des bateaux d'excursions, tous les jours, entre 13 h et 17 h, ainsi que quelques ferries et hydrofoils.

ASTYPALÉA (ΑΣΤΥΠΑΛΑΙΑ)   1 100 hab.

La plus à l'ouest des îles du Dodécanèse, cette île montagneuse est paradoxalement très fertile. Sa forme rappelle celle d'un papillon, avec un isthme dont la largeur ne dépasse pas 100 m. Sa capitale, la ville d'*Astypaléa* (ou *Chora*), est une très belle cité égéenne aux maisons blanches, surplombée par une forteresse vénitienne.
Le *meltémi* y souffle fort en juillet et surtout en août, quand la quiétude et l'atmosphère amicale qui règnent sur l'île sont quelque peu perturbées par un petit flot touristique. L'île compte 1 100 habitants et, dit-on, 365 églises et chapelles. Certains habitants aimeraient bien qu'il y ait plus de touristes et réclament, pas toujours dans le calme, plus de liaisons maritimes. Les deux pélicans du port, que l'on peut voir en dehors des heures de sieste, enchanteront les enfants habitués aux tristes pigeons des villes de France.
Pas de club de plongée : dommage, car on a découvert, en juillet 2000, à proximité de l'île, 35 000 pièces datant du IIIe siècle de notre ère, probablement destinées à payer des légionnaires romains !... C'est un pêcheur d'éponges, Christos Galouzis, qui a repéré le trésor, à 47 m de fond.

Comment y aller ?

Ce n'est pas l'île la mieux desservie.

En avion

✈ *L'aéroport* est à 9 km de la ville. ☎ 22-43-06-16-65.
➤ *D'Athènes :* en principe, 3 ou 4 vols par semaine, assurés par *Olympic Airlines*. Également quelques vols sur la ligne Rhodes-Kos-Léros.

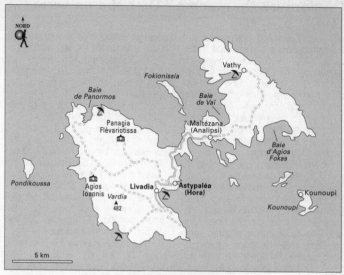

L'ÎLE D'ASTYPALÉA

En bateau

Se renseigner auprès de la **police maritime :** ☎ 22-43-06-12-08.

➤ *Du Pirée :* 4 ferries par semaine en saison. Compter 10 à 13 h de trajet ; les ferries passent par les Cyclades (Naxos ou Paros et Amorgos, parfois aussi par les Petites Cyclades), mais l'un d'eux est direct.

➤ *De Rhodes :* 3 départs par semaine. Entre 8 et 9 h de traversée via *Symi, Kos* et *Kalymnos.*

CHORA (ΧΩΡΑ) – *LIVADIA* (ΛΙΒΑΔΙΑ)

Adresses utiles

ℹ️ *Bureau municipal d'informations touristiques :* ☎ 22-43-06-14-12.

◼ Il y a un *distributeur de billets* devant la banque *Emboriki*, sur le port.

◼ Seulement deux *agences* pour les billets d'avion et de bateau : *Astypaléa Tours,* qui représente *Olympic Airlines,* dans la rue en sens interdit perpendiculaire au port (☎ 22-43-06-15-71 ; fax : 22-43-06-13-28) ; l'autre sur le port, à 100 m du débarcadère, à l'hôtel *Paradissos* (☎ 22-43-06-15-71).

◼ *Médecin :* ☎ 22-43-06-12-22.

◼ *Pharmacie :* ☎ 22-43-06-14-44.

Transports

– En saison, un *bus* relie les villages qui se trouvent entre Livadia et Vaï. Sinon, marche ou scooter de location (demander à Péra Gialos chez *Vergouli,* ☎ 22-43-06-13-51, ou sur le port chez *Manolis Lakis,* ☎ 22-43-06-12-63).

Où dormir ? Où manger ? Où boire un verre ?

△ |●| ▼ *Camping Astypaléa :* à 2,5 km du port, sur la route de Maltézana. ☎ 22-43-06-13-38. • www.astypalaia.com • Très bon marché (environ 14 € pour deux). Une trentaine d'emplacements. Mini-self (vraiment mini !), restaurant, bar et plage à 30 m. Très bien équipé (sanitaires tout récents). Bon restaurant. Un minibus fait le transfert entre le débarcadère et le camping.

🏠 *Anixi Rooms :* sur la route du port à la plage de Livadia. ☎ 22-43-06-14-60. • anixistudios@hotmail.com • Ouvert d'avril à fin septembre. Compter de 20 à 50 € selon la période et le type de chambre. Une vingtaine de chambres propres, avec ou sans salle de bains, certaines avec cuisine. Réfrigérateur, coin cuisine commun et jolie tonnelle. Possibilité de prendre son petit déjeuner. Nikolas, un bon vivant, a vécu 15 ans en Australie avant de revenir dans son île. Il peut venir vous prendre au port avec son minibus (sinon, arrêt de bus devant la maison).

🏠 *Hôtel Paradissos :* 24, odos M. Karagéorgi. ☎ 22-43-06-12-24. Fax : 22-43-06-14-50. • www.astypalea-paradissos.com • Ouvert d'avril à octobre. Bien situé sur le port (demander une chambre avec vue sur la mer). Chambres récemment rénovées. Impeccable. Patron sympa. Un peu bruyant à cause de la proximité du port.

|●| *Maïstrali :* derrière l'hôtel *Paradissos.* ☎ 22-43-06-16-91. Ouvert toute l'année, midi et soir. Compter 10 € par personne. Bons plats préparés et les légumes sont garantis du jardin (*moussaka* maison réputée).

🏠 |●| *Restaurant Akti :* sur le port. ☎ 22-43-06-11-14. Cuisine traditionnelle et bon vin. Magnifiques petites terrasses pour voir le coucher de soleil sur le *kastro,* de l'autre côté de la baie. Fait également hôtel.

🏠 *Pension Pergola :* à Livadia, à 5 mn de la plage. ☎ 22-43-06-11-42. En France, l'hiver : ☎ 06-87-03-83-60. • www.kidiwi.com/loiseau.com • Ouvert d'avril à octobre. Compter de 25 à 45 € selon la période. Réductions à partir d'une semaine. Six studios tranquilles avec cuisine équipée, tenue par une Française, Josiane Mortier. Une bonne adresse.

🏠 *Studios Filoxenia :* à 5 m de la plage. ☎ 22-43-06-16-56. Fax : 22-43-06-16-50 ; hors saison, ☎ et fax : 21-04-52-63-11. Compter de 40 à 70 € (tarifs négociables). Grands studios avec terrasse, confortables. Beau jardin. Bon accueil.

|●| *Café-ouzeri Stéfanida :* sur la plage de Livadia, les pieds dans l'eau. ☎ 22-43-06-15-10. On y mange bien pour 10 €. Sympa et accueillant.

🏠 *Efthimia Angéli :* à Livadia, dans la rue qui monte derrière le petit port, juste à côté de l'arrêt de bus. ☎ 22-43-06-14-97. Quatorze chambres avec salle de bains. Bien tenu et calme.

|●| *Taverne :* à côté d'*Efthimia Angéli.* Même proprio que l'hôtel. Spécialité de *scordalia* (purée de pommes de terre à l'ail).

|●| ▼ *Bar Toxotis :* sur le port. Bons *mezze.* Petite terrasse sur le toit.

Fête

– *Le 15 août :* grande fête de 3 jours pour célébrer l'Assomption (église de *Panagia Portaïtissa,* au fond du village, en montant).

À voir

🗻 *Maltézana (Μαλτεζανα) :* un petit port à 9 km de Chora, où il faut aller entre 7 h et 9 h, au moment du retour des pêcheurs. Ils vendent poissons et langoustes à des prix intéressants.

Une curiosité : une stèle, à proximité de Maltézana, commémore un combat naval (1827) où se sont illustrés des marins français, Bisson et Tremintin (ce dernier originaire de l'île de Batz, Finistère). Voir aussi les bains romains et deux églises très anciennes, *Agia Varvara* et *Korékli* (mosaïques).

⌂ Nombreuses *chambres* à louer, par exemple chez *Ilias Kallis* (☎ 22-43-06-14-46) qui fait aussi restaurant (à l'extrême gauche de la baie).
|●| *Restaurant Obélix :* à 100 m sur la gauche, en remontant la route face à la jetée. ☎ 22-43-06-12-60. Ouvert le soir. Compter de 10 à 15 €.

De nombreux Grecs y dégustent des *revithia kokkinista* (pois chiches en sauce) ou des *tiganopsoma* (tourtes au fromage). Le soir, poisson au barbecue (la taverne est réputée être la meilleure de l'île pour le poisson) et langoustes bon marché (sur réservation).

✹ *Vathy* (Βαθυ) : un petit village à une vingtaine de kilomètres de Chora, situé tout au fond d'une baie fermée. Plutôt que de prendre la piste, il est préférable d'y aller en caïque depuis la baie de Vaï. Jolies plages dans le coin et grottes de *Drakospilia* (demander Alexis pour faire la visite en bateau).

✹ *Le monastère de Flévariotissa* (Μονη Παναγιας Φλεβαριωτισσας) : perdu au beau milieu de la partie ouest de l'île, piste caillouteuse pas évidente à faire en mob. À 6 km de Chora. Pas tout le temps ouvert, il faut avoir la chance de tomber sur le couple de bergers qui garde les clés. Deux églises, l'une très ancienne, genre troglodytique. Belle iconostase en bois.

QUITTER L'ÎLE D'ASTYPALÉA

Les destinations sont les mêmes que pour l'arrivée. Voir « Comment y aller ? ».

KOS (ΚΩΣ)

26 300 hab.

« Si mes parents savaient ! » Cette phrase, on l'entend toute la journée. Et effectivement, si leurs parents savaient...
Des charters entiers de jeunes Européens du Nord envahissent chaque été la ville pour la transformer en boîte géante. Des milliers de jeunes, des centaines de bars, des dizaines de boîtes de nuit... Les orgies dionysiaques de Kos sont aussi réputées en Angleterre et en Suède que le sont Mykonos et los pour les Français. Les plus de 23 ans pourront s'y sentir grabataires. Si par hasard ils s'y arrêtent pour visiter les beaux vestiges antiques, ils risquent de passer une nuit blanche sur l'oreiller, soûlés par la musique qui retentit dans toute la ville.
La ville de Kos, malgré le tourisme nocturne, est quand même à voir : le port, dont le château des chevaliers de Rhodes assurait la défense, est très beau. Les champs de ruines et les avenues bordées de palmiers s'insèrent naturellement dans la ville ; très animée et agréable à visiter. On déplore toutefois que la moindre parcelle de l'île soit exploitée en faveur du tourisme : les nombreuses plages sont bondées et recouvertes de centaines de transats et de parasols multicolores certainement plantés par des daltoniens. Il devient quasiment impossible de trouver un coin tranquille, et c'est bien dommage. C'est un peu mieux dans le sud de l'île, mais le béton gagne peu à peu du terrain. Certains trouveront Kos totalement surfaite et artificielle, mais tout dépend de ce que vous attendez de vos vacances.
On conseille donc aux « vieux » de venir y séjourner hors saison et de s'éloigner au maximum de la capitale. Les jeunes, eux, ont tout intérêt à bien se

couvrir (le soleil tape en été), à réviser leur anglais (très peu de Français mais beaucoup de Suédois) et à prévoir... le citrate de bétaïne pour se remettre du mal de crâne.

Comment y aller ?

En avion

➢ *D'Athènes :* de 4 à 5 vols *Olympic Airlines* par jour. Durée : 55 mn.
➢ Et de nombreux charters *depuis l'Europe du Nord.*
À l'arrivée à l'aéroport, un bus payant d'*Olympic Airlines* amène ses passagers vers la ville de Kos, située à 26 km. Sinon, taxi uniquement.

En bateau

➢ *Du Pirée :* environ 3 départs par jour. 14 h de bateau. Depuis 2002, un bateau rapide de la compagnie *Blue Star* dessert l'île plus vite, plusieurs fois par semaine (compter 9 h).
➢ *De Rhodes, Kalymnos, Léros, Patmos et Samos :* liaisons tous les jours en ferries ou hydroglisseurs.
➢ *De Nissyros :* liaison quasi quotidienne par les bateaux d'excursions.

Transports

KOS (îles du Dodécanèse)

🚌 *Arrêts de bus :* sur le port *(plan B3)* pour les bus qui sillonnent la ville et les environs (☎ 22-42-02-62-76). À l'angle des rues Pissandrou et Metsovou *(plan B3-4)* pour ceux qui vont aux principaux lieux de l'île (plage de Fokas, site de l'Asklépion, village de Lampi...), de 7 h à 21 h (23 h pour Tigaki et Marmari). Très fréquents, ponctuels et bon marché. Pour les villages de montagne de Zia, Asfendiou, Kéfalos, Pili ou les stations balnéaires de Mastihari, Tigaki, Marmari ou Paradise Beach, bus un peu moins fréquents. Horaires à l'office du tourisme ou renseignements : ☎ 22-42-02-22-92. Un petit train relie désormais Kos à l'Asklépion (1er départ à 9 h puis un toutes les heures, à côté de l'office du tourisme) : 3 € l'aller-retour.
– *Location de motos, scooters et vélos :* nombreux loueurs. Permis de conduire voiture en théorie obligatoire. Certains loueurs passent outre car les touristes de Kos sont jeunes. En cas de refus, expliquer que le permis n'est pas nécessaire dans votre pays pour ce genre d'engins et donner la carte d'identité. Au bout de plusieurs loueurs, ça devrait finir par passer. Belles balades.
– *Location de voitures :* attention, elles ne sont pas toujours en bon état. Éviter *Top Car Kenning,* qui n'hésite pas à louer de vraies épaves.
– *Bateaux d'excursions :* de nombreux bateaux font des excursions sur les îles avoisinantes : *Kalymnos, Léros, Patmos, Lipsi, Nissyros, Rhodes* et *la Turquie* (attention aux taxes). Départs des bateaux du port. On peut y faire son « lèche-bateaux » tous les soirs en se promenant. Ils sont tous éclairés et de belles hôtesses suédoises expliquent les trajets. Bon point de départ pour visiter le Dodécanèse.
– *Taxis :* stations à l'aéroport, ainsi qu'odos Akti Koundouriotou *(plan B3),* juste devant l'arbre d'Hippocrate. ☎ 22-42-02-27-77 et 33-33.

KOS-VILLE (ΚΩΣ)

Ce n'est pas un village mais une véritable ville, avec ses avantages (visite, loisirs et restauration) et ses inconvénients (bruit, danger des routes, beaucoup de monde). Les jeunes, avides de bars et boîtes de nuit, se poseront dans le centre, tandis que les autres générations auront tout intérêt à s'en éloigner un peu pour ne pas avoir à supporter le bruit incessant.

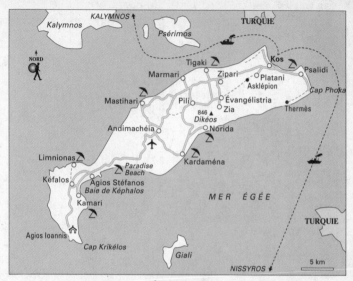

L'ÎLE DE KOS

Pendant la journée, la visite de nombreux sites et musées offre une bonne alternative à la plage. Le soir, il est très agréable de se balader le long du port et de monter dans le quartier piéton. De nombreux magasins sont ouverts très tard ; les achats possibles sont rarement intéressants, mais l'ambiance y est sympathique. Pour ceux qui voudraient tout connaître de l'île ou qui comptent y séjourner longtemps, se procurer le magazine *Where & How in Kos* : en anglais, suédois et allemand, pour tout savoir des soirées et autres fêtes locales.

Adresses utiles

🛈 *Office du tourisme municipal* (plan C3) : 3, odos Vas. Georgiou. ☎ 22-42-02-44-60 ou 87-24. Fax : 22-42-02-11-11. ● www.kos.gr ● D'avril à octobre, ouvert du lundi au vendredi de 8 h à 20 h 30 (8 h à 15 h le week-end). En hiver, ouvert du lundi au vendredi de 7 h 30 à 15 h. Peuvent fournir les horaires de bateaux et de bus, une carte de la ville, et aider à trouver une chambre. Professionnels et polyglottes (français compris).

✉ *Poste* (plan B3) : odos Vassiléos Pavlou. Du lundi au vendredi de 7 h 30 à 14 h.

@ *Café Internet Del Mare* (plan A-B3) : 4a, odos Mégalou Alexandrou.

■ *Banque :* plusieurs distributeurs de billets. Place Kazouli (plan B3), 5, Akti Koundouriotou (plan B3) et odos Ioannidi (plan B3). Les bureaux sont ouverts le matin du lundi au vendredi. En cas de problème : certaines agences ont des machines à cartes bancaires. Commission de 5 ou 6 %.

■ *Olympic Airlines* (plan B3-4, **2**) : 22, odos Vassiléos Pavlou. ☎ 22-42-02-83-31 ou 32. Départs de bus devant les bureaux, 2 h avant chaque vol.

■ *Police* (plan B3, **3**) : dans le grand bâtiment de style italien derrière l'arbre d'Hippocrate. C'est d'ailleurs l'un des plus beaux de la ville. ☎ 22-42-02-22-22.

■ *Police touristique* (plan B3, **3**) : dans le même bâtiment que la police. ☎ 22-42-02-24-44.

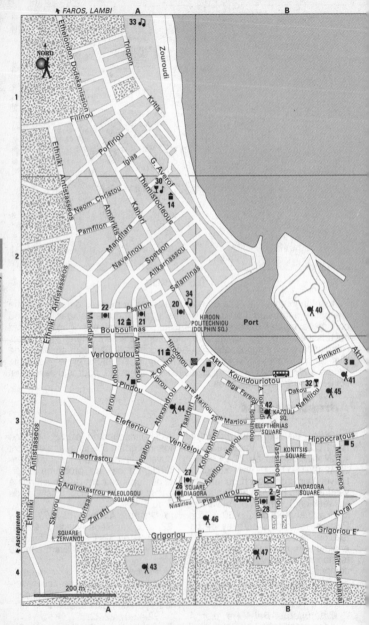

KOS
(Îles du Dodécanèse)

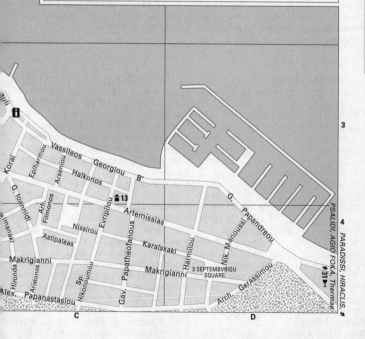

489

KOS
(îles du Dodécanèse)

■ **Adresses utiles**

- ▫ Office du tourisme
- ✉ Poste
- @ Café Internet Del Mare
- **2** Olympic Airways
- **3** Police et police touristique
- **4** Police maritime
- **5** Hôpital
- **7** Laverie automatique

🏠 **Où dormir ?**

- **11** Pension Alexis
- **12** Hôtel Paradise
- **13** Hôtel Afendoulis
- **14** Pension Poppi

🍽 **Où manger ?**

- **20** Restaurant To Konaki
- **21** Taverne Aggelos
- **22** Restaurant O Lambros
- **26** Restaurant Anatolia Hamam
- **27** Taverna Pétrino
- **28** Restaurant Olympiada

🍸♪♫ **Où sortir ?**

- **30** Bar Zigos
- **31** Café Blue Bird
- **32** Club Hamam
- **33** Calua et Heaven
- **34** Fashion Disco

🎥 **À voir**

- **40** Château
- **41** Arbre d'Hippocrate
- **42** Musée archéologique
- **43** Odéon
- **44** Stade
- **45** Agora
- **46** Acropole
- **47** Casa romana

KOS-VILLE

■ *Police maritime* (plan B3, 4) : sur le port, au niveau des bateaux d'excursions. ☎ 22-42-02-65-94.

■ *Hôpital* (plan B3, 5) : 32, odos Hippocratous. ☎ 22-42-02-23-00.

■ *Stations-service :* plusieurs stations odos Grigoriou E (direction de l'Asklépion) et tout au long de la route principale qui traverse l'île.

■ *Laundromat* (laverie automatique ; plan A3, 7) : 124, odos Alikarnassou. Ouvert tard le soir (sauf le samedi, 17 h). Fermé le dimanche.

Où dormir ?

Les nombreux hôtels et chambres chez l'habitant sont souvent occupés par des jeunes dont la quiétude n'est pas la première des qualités. Pas évident de trouver une chambre calme en été, et c'est plus cher qu'à Rhodes. Nous recommandons aux jeunes fêtards de partir en juillet : c'est moins cher qu'en août et il y a déjà assez de jeunes pour s'amuser. L'office du tourisme peut être bien utile, et vous faire économiser des kilojoules...

Camping

⚠ *Camping :* à 3 km au sud-est de la ville, sur la route de Psalidi (à droite quand on vient de Kos). ☎ 22-42-02-39-10 ou 32-75. Accessible en bus par la ligne n° 1. Ouvert de mai à octobre. Compter à peu près 6 € par personne et 3 € pour la tente. Laissez la voiture dehors si vous voulez éviter de payer l'emplacement. Assez bruyant (s'éloigner de la route, mais cela ne changera rien au bruit causé par les campeurs eux-mêmes). Terrain bien ombragé sous les oliviers, propriétaire serviable et gentille. Salle pour préparer la cuisine. Sanitaires propres. Location de vélos, scooters et voitures. Il y a même une poste, un *mini-market* et une laverie. Que demande le peuple ?

Prix moyens

🛏 *Pension Alexis* (plan A3, 11) : à l'intersection d'Omirou et Irodotou. ☎ 22-42-02-87-98 et 55-94. Fax : 22-42-02-57-97. Chambres avec salle de bains commune entre 25 et 30 € selon la taille. Une pension calme dans une maison moins laide que les autres. Petit dej' sur la terrasse. Accueil agréable.

🛏 *Hôtel Paradise* (plan A2, 12) : 22, odos Bouboulinas. ☎ 22-42-02-39-16, 22-42-02-29-88 ou 69-44-26-69-00 (portable). Fax : 22-42-02-42-05. ● www.paradisehotel.gr ● De 35 à 45 € environ la double et guère plus pour un appartement (prix indiqué pour un séjour minimum de 3 nuits). Un grand hôtel d'une soixantaine de chambres et studios confortables et très propres, et pourtant à prix intéressant. AC en supplément. Accueil sympa.

🛏 *Hôtel Afendoulis* (plan C3, 13) : 1, odos Evripidou. ☎ 22-42-02-53-21. ☎ et fax : 22-42-02-57-97. ● afendoulishotel@kos.forthnet.gr ● Chambres avec ou sans balcon entre 35 et 45 €, sans le petit dej'. Hôtel propre et confortable, dans une rue calme, proche du centre. Le proprio, un grand barbu jovial, vous accueillera avec le sourire dans une ambiance familiale. Cartes de paiement refusées.

🛏 *Pension Poppi* (plan A2, 14) : 43, odos Averof. ☎ 22-42-02-34-75. Environ 40 € la double en août. Dans une rue très passante et assez bruyante, à 30 m de la plage. Idéal pour une bande de jeunes délurés. Studios neufs avec salle de bains, petite terrasse et coin cuisine pour réchauffer les pâtes. Pour ceux qui ont rasé leur crête rouge depuis longtemps, des chambres plus calmes sur l'arrière.

🛏 *Apartments Seagull :* à la sortie de Kos en direction de Psalidi, 2 km après le camping. ☎ 22-42-02-52-00 ou 29-37. Accessible par le bus depuis Kos (descendre à l'arrêt n° 17). Studios modernes de 35 à 50 € pour 2 ou 4 personnes. Bien agencés avec cuisine, terrasse, grand jardin commun et piscine. Idéal pour les familles avec enfants. Pas loin de la plage, mais route très passante à traverser. Anna est très gentille, mais la propreté de ses studios laisse à désirer. Prestations en baisse.

Où manger ?

Pas sur le port : un nombre hallucinant de restaurants pour touristes à la déco kitsch et choc et aux fauteuils en mousse humides de sueur. Sous couvert de menus alléchants à prix cassés, ils font manger des *moussakas* congelées importées d'Athènes. Le harcèlement des touristes en balade sur le port pour les avoir à leur table est vraiment odieux. C'est tout juste si l'on ne se fait pas courser avec les chaises sous le bras.

|●| **Fast-foods :** nombreux dans les rues du centre. Ils proposent des *souvlakia* et *pitas-gyros* pour pas cher.

|●| **Restaurant To Konaki** *(plan A2, 20) :* 1, odos Kanari. ☎ 22-42-02-28-21. Près de la place des Dauphins. *Gyros* pas cher et bonnes grillades à partir de 5 €. Viande extra-fraîche car le patron a aussi une boucherie. Ressemble plus à un fast-food qu'à un restaurant. Quelques tables sur le trottoir. Bruyant, car rue très passante.

|●| **Restaurant Olympiada** *(plan B4, 28) :* à l'angle des rues Pavlou et Cleopatras. ☎ 22-42-02-30-31. Ouvert toute l'année. Un peu excentré, donc au calme. Environ 8 € par personne. Une nourriture de qualité (plats préparés) et des plats copieux pour un prix dérisoire. Sans prétention, mais on y mange d'excellentes spécialités grecques.

|●| **Taverne Aggelos** *(plan A2, 21) :* 13, odos Psaron. ☎ 22-42-02-32-75. À deux pas de la place des Dauphins. Bonnes grillades et autres plats copieux à 5 € environ. Se laisser conseiller par la sympathique cuisinière. Vous apprendrez entre autres pourquoi le raisin a huit branches...

|●| **Restaurant O Lambros** *(plan A2, 22) :* à l'angle de Psaron et Lohou. ☎ 22-42-02-88-08. Excellentes grillades de 6 à 15 €. Le cuisinier est également boucher. Sa spécialité : le chateaubriand (à 30 € pour 2 personnes). Si on arrive assez tôt, on le verra officier avec ses côtelettes et brochettes au barbecue. Miam ! Resto pour carnivores uniquement.

Plus chic

|●| **Taverna Pétrino** *(plan A3, 27) :* platia Ioannou Theologou. ☎ 22-42-02-72-51. Ouvert toute l'année, le soir. Superbe bâtisse en pierre non loin du square Diagora. Compter entre 20 et 25 € par personne, mais vous pouvez vous passer de l'entrée car les plats sont copieux. Le cadre est magnifique : vous dégusterez des mets classiques mais délicats sur une terrasse recouverte par la végétation dans une ambiance feutrée et romantique. Service soigné quoiqu'un peu lent.

|●| **Restaurant Anatolia Hamam** *(plan A3, 26) :* pl. Diagora, entrée sur la rue Nikita Nissiriou. ☎ 22-42-02-83-23. Ouvert de mai à octobre, midi et soir. Compter entre 25 et 30 € le repas. Dans un ancien hammam privé et joliment décoré, qui date de l'occupation turque. La terrasse surplombe le terrain des ruines de l'acropole. Enfin de la gastronomie grecque et le grand jeu du service à la française. On y mange de bons plats copieux qui changent des éternels *souvlakia* et autres tomates farcies. Belle carte des vins. Une telle effusion des sens a un prix, mais on peut bien se faire plaisir de temps en temps !

Kos by night

Inutile de raconter que c'est pour vous reposer sous l'arbre d'Hippocrate que vous allez à Kos. Dans cette île, on ne ferme pas l'œil. Des milliers d'hétéros post-pubères (17-23 ans) envahissent chaque été ce paradis pour noctambules. C'est le Mykonos des jeunes d'Europe du Nord qui viennent pour braver les interdits sans supporter les regards adultes. Mais il n'y a pas de junkies. Un nombre hallucinant de bars et de *boîtes de nuit* dans lesquels les *bookers* de mode viennent faire leur marché de Scandinaves.

Hors circuit

♪ *Bar Zigos* (plan A2, *30*) : 30, odos Themistokléous. Pour les amateurs ou les curieux qui veulent écouter un concert de *bouzouki* et danser avec les Grecs. Concert live et ambiance tous les soirs.

Milo's (hors plan par A1) : prendre la route de Lambi ; après le grand carrefour des platanes, continuer jusqu'au magasin *Milos* et tourner dans la ruelle sur la droite ; poursuivre sur 300 m et prendre à gauche jusqu'au bord de plage. Vieux moulin rénové avec des dizaines de tables dehors. Grecs et touristes scandinaves se mélangent gentiment au son de tubes grecs et internationaux. Ambiance bon enfant et clientèle presque pubère.

Café Blue Bird (hors plan par D4, *31*) : en direction de Psalidi, 1 km avant le camping (du côté plage). Pour les routards qui veulent fuir la folie de la *bar street*. Un café à la déco des îles au bord de la plage. Ambiance plus sereine. Idéal si l'on ne veut pas se faire piquer sa Suédoise.

Club Hamam (plan B3, *32*) : en face de la station de taxis et de l'arbre d'Hippocrate. Un des rares endroits calmes dans le quartier de la *bar street,* d'ailleurs la clientèle y est un peu plus âgée. Agréable terrasse devant laquelle jouent souvent des groupes. Autour de minuit, un DJ commence à mixer à l'intérieur des anciens bains turcs.

Une soirée très particulière

Si vous avez des rhumatismes et si vous n'avez plus l'âge de vous exploser les neurones à l'absinthe, ce programme n'est pas vraiment pour vous...

1) De retour de la plage, on commence à boire pendant la douche. Les colocataires feront un sitting à tour de rôle sur le balcon, un verre à la main, pour inviter les bandes qui passent en dessous. Sympa pour des rencontres. Les concitoyens sont faciles à trouver : tout le monde met le drapeau de son pays à son balcon. Une fois que l'*ouzo* a tapé sur le système (22 h), direction la *bar street*.

2) *La rue des bars* ou *bar street* (plan B3) : ce sont des dizaines de bars concentrés sur plusieurs rues, entre la place des taxis et le square Eleftherias. Les jeunes s'amassent en terrasse et dansent, ou plutôt se déchaînent, sur les mini-pistes intérieures. On a l'impression d'une boîte géante à ciel ouvert. Tous les styles de musique (*jungle, hardcore,* pop...) et tous les décors possibles (saloon, bateau...). Impossible de ne pas trouver un bar à son goût, mais difficile de trouver une place assise. Quand vous passez devant un bar (c'est-à-dire toutes les 30 secondes), les serveurs vous accostent pour tenter de vous faire consommer. Un peu racoleur. Vers minuit-1 h, on passe aux choses sérieuses.

3) Pour se rendre au quartier des *boîtes de nuit* et des grands bars (au bout de la rue G. Averof ; *plan A1*), taxi, ou pour les fauchés et les sportifs, le trajet se fait le plus souvent à pied (allons, ce n'est pas si loin). Là, quelques verres pour se remettre, et c'est l'entrée en boîte. Beaucoup de choix là aussi. Les plus prisées sont le *Calua,* avec sa piscine, et l'*Heaven,* toutes deux odos Zouroudi (plan A1, *33*). Beaucoup de succès également pour la

Fashion Disco (plan A2, *34*), assez *hype*. Des hôtes et hôtesses offrent des entrées gratuites quand vous êtes devant les bars, mais on doit arriver avant 1 h pour en profiter. Pour les tardifs, l'entrée est payante et comprend un verre.

– Le lendemain, on récupère sur les plages de la ville (bondées, avec parasols et transats payants) pour recommencer le soir même...

À voir

🍴🍴 *Le château des chevaliers de Saint-Jean* (plan B2, *40*) : ouvert de 8 h 30 à 15 h. Fermé le lundi. Entrée : 3 €. Imposante forteresse médiévale visible du port, renforcée au fur et à mesure des attaques turques, comme en témoignent les deux enceintes des XIVᵉ et XVᵉ siècles. Très beau panorama. À ne pas manquer.

🍴 *L'arbre d'Hippocrate* (plan B3, *41*) : juste derrière la station de taxis. Kos est l'île de naissance d'Hippocrate, père de la médecine. La croyance populaire dit que c'est sous cet arbre, un platane, qu'il aurait enseigné, mais celui-ci n'a en vérité pas plus de 500 ans. C'est quand même un des plus vieux d'Europe. Son tronc, plus que torturé et soutenu de partout par des armatures en métal, ne fait pas moins de 12 m de circonférence. De quoi se chauffer pendant tout un hiver. Non loin de ce vénérable platane, une vieille mosquée désaffectée du XVIIIᵉ siècle est squattée par des commerces. Ce n'est pas de très bon goût et c'est hyper touristique.

🍴 *Le Musée archéologique* (plan B3, *42*) : square Eleftherias, dans un grand bâtiment jaune. ☎ 22-42-02-83-26. Ouvert de 8 h 30 à 15 h. Fermé le lundi. Entrée : 3 €. Petit musée abritant les découvertes effectuées dans l'île. Pas grand-chose d'extra, à part la superbe mosaïque de l'entrée.

🍴 *Les ruines :* nombreuses et parsemées dans la ville. *Odéon* (plan A4, *43*), stade (plan A3, *44*), agora (plan B3, *45*) et acropole (plan B4, *46*). Superbe site en face de l'odéon, coupé par deux rues du IIIᵉ siècle, autour desquelles on retrouve les vestiges romains et paléochrétiens (belles mosaïques). Entrée libre. Y aller en fin de journée, quand la foule et le soleil s'en sont allés.

🍴 Un peu plus loin, intéressante *maison romaine* (casa romana ; plan B4, *47*) du IIᵉ siècle, découverte et reconstruite par les Italiens après le tremblement de terre de 1933.

À faire

La ville de Kos a plein de gentilles activités pour les gentils touristes. La liste complète et les adresses sont disponibles à l'office du tourisme.

– Pour faire une pause dans la folie, il y a le *cinéma Orphéas* en plein air, 10, odos Vas. Georgiou. ☎ 22-42-02-57-13 pour connaître la programmation.

– Sur beaucoup de plages, possibilité de *louer des scooters de mer,* des windsurfs et de faire du ski nautique.

– On peut *louer des bateaux* pour faire un tour sur les autres îles.

– Les amateurs d'*équitation* iront au trot enlevé au *Salt Lake Riding center* à Marmari. ☎ 69-44-10-44-46 (portable) ou au *Poney Express* à Kos : ☎ 69-38-04-22-53 (portable).

– Les joueurs de *tennis* peuvent profiter des courts de certains grands hôtels. Il faut toujours réserver.

– Des excursions de *plongée* sont proposées par certains bateaux sur le port. Bien pour les débutants, mais les habitués seront frustrés car les fonds intéressants sont protégés par le ministère de l'Archéologie. Renseignements : *Dolphin Divers,* ☎ 22-42-02-38-88.

– Et chaque année, un grand *festival de musique, théâtre et danse* pendant les mois de juillet et août. Renseignements au centre culturel municipal, 3, rue Vas. Georgiou.

À voir dans les environs

🌿 *Platani* (Πλατανι) *:* juste à l'entrée du village (à 3 km de Kos), les amateurs de vieilles pierres pourront faire un tour au *cimetière turc*. Des centaines de stèles ornées d'un turban de pierre. Atmosphère particulière.

🌿🌿 *L'Asklépion* (Ασκλπηειο) *:* à 4 km de Kos, après Platani. ☎ 22-42-02-87-63. Bus depuis Kos via Platani. Le musée et les sites sont ouverts tous les jours sauf le lundi, de 8 h 30 à 18 h en été (jusqu'à 15 h hors saison). Entrée : 4 € ; demi-tarif pour les étudiants et les seniors. Consacré à *Asklépios* (Esculape), ce sanctuaire recevait dans l'Antiquité des malades de la Grèce entière. Visite intéressante des quatre terrasses dominant majestueusement la plaine de Kos. La première rassemblait les bains, la deuxième servait aux jeux et à l'hébergement des prêtres, la troisième était réservée aux cultes, sur la dernière se trouvaient l'hôpital et le temple d'*Asklépios*. Les ruines permettent bien de se rendre compte de l'importance passée du site. Tous les jours à midi, le rituel du serment d'Hippocrate y est mis en scène. Une visite à ne pas manquer.

À faire dans les environs

– *Shape Water Park :* à Psalidi, à côté de l'hôtel *Kipriotis Village*. ☎ 22-42-03-01-25. ● www.shapeparks.gr/kos/kos.htm ● Ouvert de 10 h à 19 h 30. L'entrée est à 13 € pour un adulte, 10 € pour un enfant. Cher ! Un grand parc aquatique en plein air avec toboggans, jacuzzi, animations pour vos bambins, terrains de beach volley, etc. Un classique pour les enfants.

Quitter Kos-ville

De nombreux *bus* vont aux endroits phares de l'île. Sinon, l'utilisation des *deux-roues* est agréable car les routes sont bonnes. Le *taxi* peut être une solution si vous êtes plusieurs, mais si l'on désire aller vers l'ouest *(Paradise Beach, Kardaména...)*, les prix grimpent vite.
Une route très fréquentée, qui ressemble à une autoroute américaine (restaurants, hôtels, complexes), traverse l'île de Kos à Kéfalos (42 km), mais de nombreux chemins permettent aux routards motorisés de s'écarter un peu de cet axe.

LA MONTAGNE DE L'ÎLE DE KOS

🌿 *Zia* (Ζια) *:* après Zipari, à 9 km de Kos, route en lacet vers ce village de montagne ; un peu attrape-touristes si l'on se contente des boutiques au niveau du parking. Ne pas hésiter à monter (et ça grimpe dur) dans les ruelles pour voir un peu le « vrai » village. De toute façon, vous ne serez pas seul. Si vous avez le temps, promenades dans la forêt, parmi les tortues et les faucons (suivez le panneau). Vous pouvez aller manger à la taverne *Zia*, chez Yannis et Kostas (jolie taverne blanc et bleu tout en haut du village), ou sur la route entre Zipari et Zia, au resto *Panorama*.
– Depuis Zia, route de terre jusqu'à l'Asklépion. Elle passe par *Assomatos* et *Haihoudès*. Balades agréables.

🔏 Sinon, en passant par Lagoudi, on peut rejoindre *Pili*. **Paléo Pili** (le vieux Pili) se trouve à 4 km. Cadre magnifique : dans la fraîcheur des pins, les ruines d'un château byzantin se fondent dans la montagne. À partir du réservoir, suivez le sentier-escalier de pierre marqué par des flèches bleues pour vous balader dans le village en ruine. À l'intérieur de celui-ci, les *chapelles Andonios* et *Taxiarchès*. Et l'*église d'Ypapandi* qui abrite des fresques du XIVe siècle. Pour les plus courageux, l'ascension du château (dont il ne reste pas grand-chose) est sympa : au niveau de la maison avec trois dômes, prendre à gauche un petit sentier pas très bien marqué mais qui monte jusqu'à la forteresse : de là-haut, vue splendide.

🔏 À 4 km au sud d'Andimachia, à 25 km de Kos, une route mène à une belle **citadelle vénitienne.**

LES PLAGES DE L'ÎLE DE KOS

L'île a connu un essor touristique considérable, que les petits ports auparavant paisibles ont mal supporté. Vous avez le choix entre des plages superbes mais bondées et de grandes plages désertes mais sales !

🏖 À l'ouest, route de bord de mer très agréable depuis Kos jusqu'aux plages de *Tigaki* et ses marais salants (12 km) et **Mastihari** (30 km). Lieux très prisés. À *Tigaki*, plage pas agréable du tout, avec de gros complexes hôteliers et des restos. *Mastihari* a un peu plus de charme (et encore !). *Marmari* ne présente aucun intérêt si ce n'est d'attirer les fanas de planche à voile : le vent souffle régulièrement de juin à septembre. La palme de l'horreur revient à *Kardaména*, sur la côte est, transformé en quelques années en ville champignon pour touristes anglais et scandinaves.

🏖 La plus belle plage de l'île, **Paradise Beach,** est à 5 km avant Kéfalos : superbe mais bondée, elle est occupée en totalité par des parasols et transats loués au prix fort. Il suffit de prendre les accès au nord de cette plage pour trouver un coin de sable vierge et de la tranquillité.

🏖 Très jolie **plage d'Agios Stéfanos,** juste avant Kéfalos. Beau site pour la planche à voile. Mais fini la tranquillité depuis que le *Club Med* s'y est installé. Versant nord, jolie plage de **Limnionas.**

🏖 Au niveau de Paradise Beach, mais sur la côte ouest, on trouve de grandes **plages** très peu fréquentées, mais malheureusement pas très propres. Pour y arriver prenez les petits chemins en terre. Pas mal de vent, mais ça fait du bien d'être un peu seul, non ?

🏖 **Kéfalos** a également sa plage et son port, **Kamari,** qui s'aligne peu à peu avec les villes du nord : le béton y pousse plus vite que les bougainvillées. Quelques bonnes adresses tout de même.

Où dormir ? Où manger ?

🛏 ***Apartments Sea Side :*** à Tigaki, au rond-point principal, prendre la 1re à gauche en arrivant de Kos ; c'est à 100 m. ☎ 22-42-06-95-77. Fax : 22-42-06-98-16. Une dizaine de studios à partir de 350 € la semaine pour 2 personnes. Compter 40 € de plus par enfant. Vue sur la plage et le marais. Coin cuisine avec frigo, vaisselle, plaques de cuisson. Salle de bains. Deux lits adultes et on peut rajouter 2 lits enfants. Petit

supermarché en bas et resto. Prévoir le produit antimoustiques. Réservation nécessaire pour l'été.

🛏 ***Hôtel To Kyma*** (The Wave) **:** à Mastihari, dans la rue parallèle à la plage, à l'opposé du port. ☎ 22-42-05-90-45. • kokkino4@otenet.gr • À partir de 30 € pour une chambre confortable avec balcon ; tarif à négocier sur plusieurs jours. Si l'on s'y prend bien, vue sur la mer pour le même prix. Cuisine collective pour faire sa popote. La maîtresse de maison, très dynamique, vous reçoit avec le sourire.

🏠 *Panorama Studios :* à Kamari. Prendre un chemin sur la gauche avant de descendre sur Kamari ; de là, vue imprenable sur la baie de Kéfalos. ☎ et fax : 22-42-07-15-24. Prix plus élevés (45-50 €, petit dej' compris) pour des chambres bien orientées, avec salle de bains et

coin cuisine. Accueil agréable et lieu très calme.

🍴 *Taverna Faros :* au bout de Kamari, avant de monter vers Kéfalos. ☎ 22-42-07-12-40. Vraiment rien d'extraordinaire côté culinaire, seul le cadre le différencie des nombreuses tavernes du port : la terrasse donne directement sur une petite plage.

➢ De *Kamari,* rude montée vers le village, mais la vue est superbe.
– Au bout de la rue des grandes tavernes, une vieille dame fait visiter son moulin, moyennant un petit pourboire (elle vit à côté dans une maison traditionnelle que l'on peut aussi visiter).

QUITTER L'ÎLE DE KOS

En bateau

Vérifier les horaires auprès d'une agence ou à l'office du tourisme.
➢ *Pour Le Pirée :* départs tous les jours, le plus souvent vers 16-17 h (arrivée au Pirée au petit matin).
➢ *Pour Rhodes, Kalymnos, Léros, Patmos, Samos, Nissyros et Lipsi :* liaisons tous les jours en ferries, bateaux d'excursions ou hydrofoils.
➢ Il y a des bateaux une fois par semaine pour *Mykonos et Syros.* À vérifier toutefois, cela peut changer.

En avion

En été, réserver les vols une semaine à l'avance. Un bus *Olympic Airlines* part de leur bureau 2 h avant le départ de chaque vol. Il est payant (3 €). Sinon, c'est le taxi. ☎ 22-42-05-12-29 (agence de l'aéroport).
➢ *Pour Athènes :* 4 ou 5 vols par jour en été (45 mn).

KALYMNOS (ΚΑΛΥΜΝΟΣ)   17 000 hab.

Cette île doit sa renommée aux pêcheurs et à leurs éponges, connus à travers le monde. Il y a une cinquantaine d'années les Kalymniotes possédaient une flotte de 250 bateaux pour la seule pêche d'éponges. Mais comme il n'y a plus d'éponges en Grèce depuis pas mal d'années, les pêcheurs partent au printemps les cueillir sur les côtes du sud de la Méditerranée ou même à Cuba ou en Floride. Ils doivent par ailleurs en importer d'Égypte, d'Italie et même des États-Unis... Juste avant leur départ, on fête la Pâque orthodoxe. Résultat : plusieurs tonnes de dynamite en poussière et une dizaine d'âmes en cendre...
Le tourisme connaît, dans certaines parties de l'île, un essor important. Mais comme elle ne vit pas exclusivement de celui-ci, on peut y trouver des petits villages authentiques, comme celui de Vathy, caché dans une vallée plantée de vergers. L'île est d'ailleurs réputée pour ses mandarines. On peut aussi acheter de l'origan, plante plus connue sous le nom de *sribi,* et du miel de thym. Quelques spécialités à découvrir, comme les boulettes de poulpe (*khtapodokeftédès*) et la purée à l'ail (*scordalia,* servie froide), toutes deux servies en entrées.

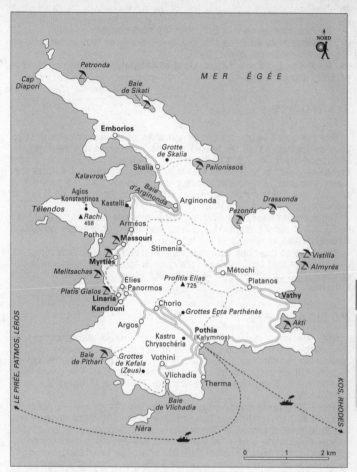

L'ÎLE DE KALYMNOS

De belles balades à pied, de belles plages et des sites à visiter... mais aussi beaucoup de touristes et beaucoup d'activité bruyante (en particulier les scooters, à croire que chaque habitant de l'île a choisi ce moyen de locomotion !).

AVERTISSEMENT

– L'île ne possédant pas beaucoup de sources, l'*eau* courante est dessalée. Elle n'est pas dangereuse à la consommation mais n'a pas bon goût.

Comment y aller ?

En avion

➢ *D'Athènes :* vols tous les jours pour *Kos* ou *Léros.* Ensuite, prendre un ferry ou un hydrofoil pour accéder à Kalymnos (1 h).

En bateau

➤ **De Kos :** ferries ou hydrofoils tous les jours en été.
➤ **De Rhodes et du Pirée :** liaisons quotidiennes en ferry ou hydrofoil en été. Ferries moins nombreux l'hiver.
➤ **De Patmos, Samos, Léros, Lipsi et Astypaléa :** ferries ou hydrofoils plusieurs fois par semaine.

Transports

– **Bus :** ils sont très bon marché et nombreux pour les principales destinations de l'île. Un toutes les heures et dans les deux sens entre Pothia et Massouri-Myrtiès (de 7 h à 21 h), 5 pour Vlihadia, 3 pour Vathy et 2 pour Emborios. Sauf sur la ligne de Massouri, les bus s'arrêtent à 17 h et sont moins fréquents le week-end. On achète les tickets dans les commerces proches des arrêts ou des terminus. Gratuit pour les moins de 5 ans et réduction pour les 5 à 12 ans.
– **Taxis :** ils sont assez bon marché, mais le soir, le tarif double. ☎ 22-43-02-95-55. Il est aussi possible de partager son taxi avec d'autres occupants (taxi-bus). Bien se renseigner sur les tarifs.
– Possibilité de louer des **voitures,** mais il est souvent difficile de les garer. Les **scooters** sont beaucoup plus pratiques et abordables. Attention, le port du casque est obligatoire pour le conducteur, et les contrôles de police sont fréquents.

POTHIA *(ΠΟΘΙΑ)*

Malgré ses jolies maisons colorées (symbole de la résistance lors de l'occupation italienne), le port de Pothia ne vit pas que du tourisme : c'est un centre commercial important, avec la circulation et le vacarme qui en découlent. Il est beaucoup plus agréable (mais plus cher...) de dormir dans les environs de Platis-Gialos ou de Massouri-Myrtiès, à 15 mn en bus ou en taxi collectif.

En mars 2000 a été découvert un très important site de statues âgées de plus de 2 600 ans, enterrées puis oubliées depuis le IVᵉ siècle de notre ère. Cet événement a secoué la communauté des archéologues et des conservateurs de l'Europe entière, et il semblerait que des fonds aient été débloqués pour construire un musée. Cela leur offrirait un lieu d'exposition digne de ce nom, plutôt que de les envoyer s'entasser dans les entrepôts des musées d'Athènes ou de Rhodes, comme c'est malheureusement trop souvent le cas.

Adresses utiles

🛈 **Office du tourisme :** sur le port, dans une minuscule maison blanche devant le remblai qui s'avance sur l'eau. ☎ et fax : 22-43-05-08-79. Ouvert (en principe) de mai à octobre du lundi au vendredi de 9 h à 23 h. En réalité, ouvert beaucoup moins souvent. Pas énormément d'infos, mais peut aider à trouver des chambres ou louer une voiture. Horaires des bus de l'île et des bateaux.

✉ **Poste :** quand on est à la station de taxis platia Kyprou, prendre la rue de gauche sur 150 m en direction du nord. ☎ 22-43-02-83-40.
■ **Banque :** distributeurs de billets sur le port, de part et d'autre de la maison communale avec les colonnes. Les bureaux sont ouverts le matin du lundi au vendredi.
■ **Police :** juste avant la poste. ☎ 22-43-02-93-01 ou 21-00.

■ *Police maritime :* bâtiment qui se trouve à l'entrée du débarcadère. ☎ 22-43-02-93-04.
■ *Hôpital :* ☎ 22-43-02-30-25 ou 22-43-02-88-51 (urgences).

🚌 *Arrêts de bus :* dans la rue à droite de l'église, qui se trouve sur le port.
■ *Station de taxis :* platia Kyprou, avant la poste. ☎ 22-43-05-03-00.

Où dormir ?

Bon marché

🛏 Même à une heure tardive, quelques irréductibles mamies vous attendront à la descente du ferry pour vous proposer des *chambres chez l'habitant. Niki's,* dans le centre (☎ 22-43-04-81-35), propose des chambres correctes à partir de 20-25 € ; demander Sonia.
🛏 *Studios Angélos :* dans une ruelle près de la fabrique d'éponges. ☎ 22-43-04-81-45 ou 69-77-19-81-49 (portable). Environ 30 € ; prix négociable sur plusieurs jours. Trois chambres avec cuisine équipée. Grandes terrasses. Salle de bains

commune. Excellent accueil.
🛏 *Greek House* (Elliniko Spiti) : ☎ 22-43-02-95-59 ou 37-52. Studios rénovés dans deux demeures cachées dans des ruelles derrière la place principale. Impossible de trouver seul, se faire accompagner par le proprio, qui tient le *kafenéion Ta Aderfia* sur le port, près de la police maritime. Compter 30 €, avec cuisine, frigo, vaisselle, salle de bains et, pour certains, la chambre en mezzanine ou l'AC (supplément). Tenu par un couple charmant. Malheureusement, le coin est bruyant.

Prix moyens

🛏 *Johny's Studios :* c'est la maison rouge et blanc tout en haut, au-dessus du débarcadère. ☎ 22-43-02-85-50. Très bien : grandes chambres à 35 € environ en été ; coin cuisine avec frigo. La propriétaire, Maria Neski, est morte à l'automne 2004, mais les fils reprennent l'activité.
🛏 *Hôtel Archontiko :* sur le port, près de l'office du tourisme. ☎ 22-43-02-40-51. Fax : 22-43-02-41-49. Chambres à partir de 35 € ; celles avec vue sur le port sont plus chères, bien sûr. Petit hôtel plein de

charme mais vieillissant. Salle de bains privée très propre. Un vieux four à bois décore l'un des murs de la chambre n° 21. Accueil courtois. Le fils du propriétaire est fermier, il a de très bons produits ; goûter son yaourt au petit déjeuner. Un régal.
🛏 *Hôtel Panorama :* ☎ et fax, 22-43-02-31-38. Avant *Johny's Studios,* donc vue moins belle. De 40 à 50 € en juillet et août, sans le petit dej'. Pas donné mais propre et récemment rénové. Les chambres sont petites.

Où manger ? Où boire un verre ?

🍴 Pour les fauchés, les *fast-foods* du port font de très bonnes *pitas* qui ne coûtent presque rien et calent les petits creux.
🍴 *Restaurant Lefteris :* à droite de la basilique, prendre une petite rue à droite, puis la 1re à gauche. ☎ 22-43-02-86-42. Bonne petite cuisine familiale, servie au fond d'une petite cour

ombragée. On va choisir ses plats en cuisine, à l'ancienne.
🍴 *Psarotaverna Marthas Barba Pétros :* tout au bout du quai, en direction de Vathy. ☎ 22-43-02-96-78. Dîner uniquement. Hors saison, ouvert le week-end seulement. Compter 15 € minimum. Bien pour les fruits de mer et les poissons.

Malheureusement bruyant à cause de la route.

|●| *Restaurant Kambourakis :* juste avant *Pétros.* ☎ 22-43-02-98-79. Ouvert midi et soir. Compter de 10 à 16 € par personne. Bon rapport qualité-prix. Beaucoup de Grecs.

|●| *Taverne O Milos :* derrière la police maritime. ☎ 22-43-02-92-39. Grande salle. Cuisine correcte et bon marché. Terrasse couverte agréable.

♈ Aller boire un *ouzo* et grignoter des *mezze* dans la **salle communale** ornée de grandes colonnes de marbre qui se trouve sur le port. Les vieux y passent leurs journées en y jouant leur maigre retraite. Typique. Inutile de dire qu'il faut au moins parler deux mots de grec pour y être servi... comme un roi.

♈ Les plus jeunes iront boire un café frappé à l'*Apothiki,* à droite de la mairie ; rendez-vous de la jeunesse de l'île. Facilement repérable aux projecteurs au-dessus de la terrasse parsemée de parasols et de fauteuils en tissu blanc.

À voir. À faire

🖌 On peut visiter quelques **ateliers de traitement d'éponges** sur les quais de Pothia aux alentours du débarcadère, ainsi qu'au bout du quai en direction de Vathy. Les pêcheurs de l'île partaient tous au printemps sur les côtes d'Afrique du Nord pour la cueillette. Mais les éponges deviennent rares, et ils doivent en importer pour en vendre aux touristes. On peut en acheter dans les nombreux magasins du port. Il faut savoir que les éponges jaune clair obtiennent cette couleur du fait d'un traitement à l'acide et sont donc beaucoup moins solides que les brunes qui, elles, sont dans leur état originel. Bien marchander.

🖌🖌 **Les ruines du château byzantin de Chora** *(Péra Kastro) :* au-dessus de Chorio, au nord-ouest de la ville. Pour y accéder, prendre le bus pour Chorio, puis emprunter les petites ruelles qui mènent aux 216 marches à gravir. Ouvert tous les jours. Entrée libre. À l'intérieur des remparts qui abritaient toute une ville, des efforts ont été faits pour la rénovation. Neuf petites chapelles ont été reconstruites et d'autres chantiers sont en cours. Vue sur tout Pothia et atmosphère paisible de la colline. Il est plus agréable d'y aller tôt le matin, pour éviter une insolation.

🖌 **Kastro Chrysochéria :** à l'ouest de Pothia. Ancienne forteresse que l'on atteint par un petit escalier. Là-haut, 2 petites chapelles (fermées) et vue magnifique sur la « capitale ».

🖌🖌 **Le musée :** suivre les flèches du port. ☎ 22-43-06-15-00. Ouvert du mardi au dimanche de 8 h 30 à 15 h. Gratuit. Exposition hétéroclite, dans la maison Vavoulid datant du XIXᵉ siècle et ayant appartenu à une grande famille du négoce de l'éponge. La décoration de l'époque n'a pas été touchée. Étonnant.

➤ Possibilité d'effectuer de très belles **randonnées pédestres** autour de l'île. Bon moyen de se promener en visitant quelques sites. Prévoir de bonnes chaussures et beaucoup d'eau.

➤ De nombreuses **excursions en bateau** (Lipsi, Patmos, les grottes de Kéfala ou l'île de Néra...) sont proposées par les agences de voyages. Départs de Pothia ou Myrtiès.

– Des cours et des excursions de **plongée sous-marine** sont organisés par l'agence *Aqua Net,* qui se trouve à Panormos, près du rond-point. ☎ 22-43-04-86-11 à 13. Fax : 22-43-04-86-14. ● www.all-about.gr/aquanet ● Il y a différents niveaux. Valable pour les débutants ou ceux qui veulent accéder à un niveau supérieur car les fonds marins sont très protégés par le ministère de l'Archéologie ; il est donc impossible de parvenir à des lieux vraiment inté-ressants. À Pothia, sur le port, près de l'*Olympic Hotel,* l'agence *Kalymna Yachting Club* propose, outre des excursions de plongée sous-marine, la location de voiliers et de yachts. ☎ 22-43-02-40-83 et 84. ● www.kalymna. yachting.gr ●

– Pour ceux qui voudraient faire de l'*escalade,* l'île offre de très beaux sites, adaptés à tous les niveaux. Une trentaine de falaises équipées, ce qui fait de l'île un petit paradis pour les amateurs d'escalade. Contacter *Aris Théodoro- poulos,* guide professionnel. ☎ 69-44-50-52-79 (portable). ● www.kalymnos- isl.gr/climb ●

⌂ Sur la côte ouest, la plage de *Kandouni* est vraiment trop bondée. Préfé-rer le sable sombre de ***Platis-Gialos*** : embranchement sur la droite à partir de Panormos quand on vient de Myrtiès. Pour ceux qui apprécient les para-sols et transats, il y a celle de *Melitsachas.* Les plages les moins peuplées et les plus agréables se trouvent sur l'îlot de *Télendos* (on peut y faire du nudisme).

🚶 On peut aussi visiter les ruines de l'***ancienne acropole*** de Pothia. Elles se trouvent pas très loin de Chorio, au lieu-dit Dhamos. Il ne reste que quel-ques traces de l'ancienne ville. On a trouvé des poteries et des inscriptions. Des tombes sculptées ont également été découvertes.

– ***Cinéma :*** en plein air, l'été uniquement (gare aux moustiques). Deux séances par soir. Films en anglais sous-titrés en grec.

KANDOUNI (ΚΑΝΤΟΥΝΙ) – *LINARIA* (ΛΙΝΑΡΙΑ)

Ce sont les plages du village de Panormos, avant Massouri-Myrtiès. Beau-coup de maisons construites autour et quelques hôtels et restaurants font de ce lieu le second pôle attractif pour les touristes. Étrangement, il n'y a pas beaucoup de chambres bien situées. Les bars de bord de mer, très agréables, offrent de romantiques balades au clair de lune. Village central si l'on désire sillonner l'île. Beaucoup moins bruyant et dangereux que Mas-souri-Myrtiès car les routes sont moins passantes.

Où dormir ?

🛏 ***Pension Plati-Gialos :*** en haut de la colline. ☎ 22-43-04-70-29. ● www.pension-plati-gialos.de ● Ou-vert à l'année. Chambres doubles avec salle de bains, balcon avec belle vue sur la mer et la montagne pour environ 40 €, petit dej' compris. Ter-rasse très agréable pour le petit dé-

jeuner ou l'*ouzo* de fin de journée.

🛏 ***Studios Skopellos :*** à Kandouni Beach, entre l'église Saint-Georges et une vénérable demeure en pierre. ☎ et fax : 22-43-04-71-55. Beaux stu-dios à 35 € en haute saison, avec vue sur la mer pour certains. Accueil assez froid.

Où manger ? Où boire un verre ?

|●| ***To Steki The Fanis :*** à Linaria, en descendant vers la plage, dans une maison à colonnes. ☎ 22-43-04-73-17. Une cuisine familiale à des prix corrects : entre 5 et 8 € pour un plat cuisiné dans une ambiance

conviviale : les patrons servent tout aussi bien leurs amis grecs que les autres clients.

|●| ***Pélagos :*** à côté de l'hôtel *Ka-lydna.* Compter 6 € pour un plat de viande. Taverne tenue par un couple

de Belges. Cuisine grecque et franco-belge inventive (essayez les tomates farcies au crabe) à des prix corrects.

🍽 Pour les noctambules et ceux qui désirent boire un verre : à Linaria (derrière le rocher), découvrir le sym-pathique *Rock and Blues Bar,* où l'on peut danser dans un beau décor de bois. À côté, l'*Aegean Café* est beaucoup plus calme. Son voisin le *Domus* est également bien sympa avec sa terrasse.

MASSOURI-MYRTIÈS *(ΜΑΣΟΥΡΙ–ΜΥΡΤΙΕΣ)*

À l'ouest de l'île, à 8 km de la capitale. La construction effrénée d'hôtels et de pensions modernes le long de la route a fini par relier ces deux villages hyper touristiques... Quand on pense que 20 familles à peine y habitent toute l'année ! La vue est splendide. La montagne se jette dans la mer devant l'imposant piton de Télendos. Magnifique coucher de soleil. Malheureuse-ment, toute la vie de ces villages est organisée de part et d'autre de la route qui longe le bord de mer, rendant les déplacements à pied assez dangereux avec des jeunes enfants.

⌂ Les plages sont belles mais très fréquentées.

➤ Du petit quai de Myrtiès, départ des caïques pour *Télendos* (toutes les 30 mn de 8 h à minuit, 15 mn de traversée), pour *Emborios* (1 par jour en été) et pour *Léros* (1 par jour ; 1 h de voyage).

Adresses utiles

🚌 **Arrêts de bus :** au square de Myrtiès et à celui de Massouri.

■ **Stations de taxis :** au square de Myrtiès et à celui de Massouri. ☎ 22-43-05-03-00.

■ **Moto for rent Lakis :** 1ʳᵉ rue à droite quand on vient du square de Myrtiès. ☎ 22-43-04-80-39. De nombreux types de motos ou scoo-ters mais pas en grand nombre. Pour être sûr d'avoir du choix, il faut y aller tôt ou réserver. Bon état et prix corrects. Également un bureau à Pothia.

@ **Cafés Internet :** vous pourrez en trouver tout au long de la route à des prix et pour des services similaires.

Où dormir ?

🛏 **Studios Tatsis :** à Massouri, sur la droite avant l'arrêt de bus et sous les rochers. ☎ 22-43-04-78-87. Fax : 22-43-04-79-05. ● www.kalymnos-isl.gr ● Des studios spacieux avec de petites cuisines séparées des chambres. Il y a plusieurs tailles : 1 ou 2 chambres, avec ou sans sa-lon. Balcon avec une belle vue sur Télendos. Très propre. Le proprié-taire, très sympa, se plie en quatre pour le bonheur de ses locataires. Et, détail non négligeable, la plage est à 50 m. Le meilleur rapport qua-lité-prix.

Où manger ?

Dans la ville, pas d'*ouzeri* typique, uniquement des restos pour vacanciers.

🍽 **Akrogiali :** à l'entrée d'Arginonda, sur la gauche. Être motorisé. Une adresse typiquement routarde : bon choix de salades et entrées (goûter le *kopanisti,* fromage fait du lait des chèvres du village), des viandes co-pieusement servies pour 6 €. Tout cela se passe sur une grande ter-rasse posée sur la baie d'Arginonda, au-dessus d'une petite plage où faire la sieste après tant d'émotions. Accueil familial et convivial.

I●I *Restaurant Mathéos :* sert une cuisine correcte à un prix raisonnable. Dommage qu'à partir de 22 h le bar en face impose sa musique.

I●I *Kastelli :* en dehors de Massouri, sur la route d'Arginonda. Être motorisé. Ouvert le soir seulement. Menu fixe dans les 20 €, avec salades, *souvlaki* et vins à volonté. Les Grecs arrivent vers 23 h. Réservé aux touristes le week-end, avec concerts live de *bouzouki*; les autres soirs de la semaine, musique grecque sur cassette. Une boîte de nuit y a ouvert, plus sympa après le vin à volonté du menu...

I●I *Restaurant Sun Set :* dans Massouri. Bonnes grillades, portions copieuses. Belle vue sur la mer au fond du restaurant, mais bruyant car près de la route.

Où boire un verre ? Où danser ?

🍸 Les buveurs pourront choisir un *bar* le long de la route de Massouri-Myrtiès. Du choix pour chaque humeur. Sachant que plus on avance vers le nord, plus l'ambiance est jeune et musicale.

🍸 *Seirios,* à la sortie de Myrtiès en allant vers Massouri, est plutôt sympa : cadre cosy dans une simili villa italienne aux tons saumon orangé. Terrasse donnant sur la mer et le port de Myrtiès, agréable pour un cocktail. Prix moyens.

🎵 Pour les danseurs, il y a la boîte *Le Dorian :* musique éclectique, piste intérieure et belle terrasse surplombant la plage. Le *Road House* et l'*Anastasi* sont bien aussi.

TÉLENDOS (ΤΕΛΕΝΔΟΣ)

Cette île encore sauvage fut séparée de Kalymnos par un tremblement de terre, en 535 de notre ère. Petit village de pêcheurs au pied d'un sommet de 458 m, avec quelques maisons et de nombreuses plages tout autour de l'îlot : recommandé pour ceux qui sont en mal de solitude, car une fois la nuit tombée, il n'y a plus grand-chose à faire. Depuis la route de Pothia, lorsqu'on descend sur Myrtiès, il est possible d'apercevoir dans les roches du site de Télendos le visage de la princesse Pothia. Assez facile au coucher du soleil, sinon, bon courage !

➤ Un caïque fait le trajet du quai de Myrtiès toutes les 30 mn, pour pas cher.

KALYMNOS (Îles du Dodécanèse)

Où dormir ? Où manger ?

🛏 I●I Plusieurs *tavernes* et petites *pensions* sur le front de mer, aux prix similaires. Assez bon marché mais souvent complet en saison.

🛏 *Zorbas :* sur le port, au bout à gauche quand on tourne le dos à Kalymnos. ☎ 22-43-04-86-00. Chambres rudimentaires, mais pour le prix, on ne peut pas être trop exigeant : environ 20 €, petit déjeuner compris.

🛏 I●I *Uncle George :* en face du débarcadère. ☎ 22-43-04-75-02. Grande taverne à prix moyens. Chambres et studios avec cuisine et salle de bains refaits à neuf à 40 €. Toujours plein en été, pensez à réserver. Rita, la sœur de George, a également quelques chambres et studios. ☎ 22-43-04-79-14.

Prix moyens

🛏 *Hôtel Porto Potha :* un des derniers hôtels construits, en allant vers les plages aménagées (en direction d'Agios Konstantinos). ☎ 22-43-04-

73-21. Fax : 22-43-04-81-08. Compter dans les 50 € en haute saison pour une chambre double, petit déjeuner compris. Piscine à l'eau de mer en contrebas. Fait restaurant le soir.

À voir. À faire

🍴 On peut visiter les ruines romaines et grecques, celles du *monastère d'Agios Vassilios,* ainsi que les ruines de la *forteresse médiévale d'Agios Konstantinos.*

⌒ Trois petites *plages* aménagées dans les rochers juste après le village. Il est possible de faire du nudisme sur celle tout au bout. Une autre, très jolie, recouverte de galets, face au large, *Chohlakas.*

EMBORIOS *(EMΠOPEIOΣ)*

À l'extrême nord de l'île, le petit village de pêcheurs reçoit avec simplicité les quelques vacanciers avides de sérénité. Des tavernes et quelques chambres. Beaucoup moins touristique que les autres villages. On y accède par une route de corniche fort belle qui passe par la jolie *plage d'Arginonda* et à Skalia, où l'on vous vantera peut-être les grottes (attention, danger, la descente est très raide et pas sécurisée).

➤ Un caïque et deux bus par jour, ainsi que des taxis.

Où dormir ? Où manger ?

🛏 🍴 *Pension-taverne Harry's :* juste à l'entrée du village. ☎ 22-43-04-00-61 ; hors saison : ☎ 22-43-02-90-50. Six studios très confortables à partir de 30 €. Un très bon plat du jour, servi dans la quiétude d'un jardin fleuri. Idéal pour routard désirant un peu de calme.

🛏 *Arginonda Beach, rooms for rent :* à l'entrée d'Arginonda, en venant de Massouri. ☎ 22-43-04-00-00 et 01. Onze chambres vastes avec salle de bains à environ 30 €, certaines avec vue sur la mer. Propre et récent.

🛏 *Room to let Sea Breeze :* en arrivant à Arginonda de Massouri, contournez la plage. ☎ 22-43-04-01-40, demandez Niki ou adressez-vous au restaurant *Sea Breeze.* Loue un studio pour 2 personnes à négocier autour de 35 €, avec terrasse et jolie vue.

VATHY *(BAΘY)*

Splendide vallée de mandariniers à 6 km de Pothia. Grâce à une superbe route asphaltée, elle n'est plus aussi difficile d'accès ni isolée que par le passé. Heureusement, elle reste toujours aussi peu fréquentée et, pour l'instant, la tranquillité et le charme de la vallée tranchent avec le reste de l'île. Pas de plage, mais baignades possibles dans la piscine naturelle du port de Rina. Des *taxi-boats* depuis Vathy conduisent aux plages alentour de *Palionissos, Pezonda* et *Almyrès,* inaccessibles en véhicule. Sinon, sur la route de Pothia à Vathy, agréable plage d'*Akti.*

➤ Trois bus seulement par jour de Pothia à destination de Vathy.

Où dormir ? Où manger ?

🛏 *Pension Manolis :* maison blanc et bleu au-dessus du port. ☎ 22-43-03-13-00 ou 69-46-82-78-39 (portable). Environ 30 € pour des chambres bien équipées, avec un bout de terrasse et la vue sur le port. Cuisine à disposition. Souvent complet mais très calme. Manolis, chauffeur de taxi très sympa, est aux petits soins pour ses clients et leur fait pousser des figues et des raisins dans son jardin fleuri. Il organise aussi des excursions à bord de son bateau...

🛏 |●| *Hôtel-restaurant Galini :* belle maison en pierre sur le port. ☎ 22-43-03-12-41. Chambres propres avec salle de bains à environ 30 €. Bon accueil, parfois un peu tendu : on sent qu'eux ne sont pas en vacances. Spécialité de *mououri* (agneau).

QUITTER L'ÎLE DE KALYMNOS

En avion

➢ *Pour Athènes :* vols tous les jours des îles de *Léros* et *Kos*. Pas d'autre solution que de gagner ces îles en bateau.

En bateau

■ Vérifier les horaires auprès des agences sur le port ou des *autorités portuaires,* grand bâtiment au début du quai. ☎ 22-43-02-93-04.
➢ *Pour Le Pirée :* départs tous les jours pendant la saison touristique. Durée : 13 h.
➢ *Pour Rhodes :* départs de ferries tous les jours.
➢ *Pour Kos :* départs de ferries et d'hydrofoils tous les jours.
➢ *Pour Samos et Patmos :* hydrofoils tous les jours l'été.
➢ *Pour Lipsi :* en été, départs en hydrofoil presque tous les jours et 1 départ en ferry par semaine.
➢ *Pour Léros :* hydrofoils tous les jours et 4 ou 5 ferries par semaine. Également un caïque « postal » qui part tous les jours du port de Myrtiès à 13 h. Peu de touristes pour un voyage remuant mais magnifique. Attention, le caïque n'arrive pas au port principal de Léros, mais au sud, à *Xirokambos*.
➢ *Pour Astypaléa :* 3 à 4 ferries par semaine.
➢ Il est possible d'aller en *Turquie* en partant de Kalymnos, mais il faut prévoir, en plus du prix du bateau, la taxe d'entrée sur le territoire, qui est chère.

LÉROS (ΛΕΡΟΣ)
8 000 hab.

Longtemps considérée comme l'île noire de la Grèce (on y a déporté les prisonniers politiques pendant la guerre civile et la dictature des colonels), Léros a fait à nouveau parler d'elle il y a quelques années à propos de son institution psychiatrique où les internés n'étaient pas soignés comme il le fallait. Depuis ce scandale, des psychiatres européens sont venus mettre de l'ordre et ont fait du très bon travail, aussi bien du point de vue médical que du point de vue de l'environnement. Mais la fermeture de cette institution (400 malades et 600 soignants) est programmée, ce qui fait peser de lourdes menaces sur l'activité de l'île.
Ce n'est pas la plus belle île du Dodécanèse, mais elle mérite mieux que sa réputation : on y trouve le charme de l'authenticité et une chaleur humaine qui font la défaut souvent dans les autres. On la visite assez rapidement (53 km²) : quelques sites remarquables, des criques sympathiques, de bons restaurants de bord de mer et une vie nocturne conviviale où il est agréable de voir se fréquenter les Grecs et les étrangers (pas mal d'expatriés dont de nombreux Italiens). Voilà de quoi y passer des vacances agréables.

Comment y aller ?

En avion

✈ *L'aéroport* se trouve à *Parthéni* (8 km d'Agia Marina), dans le nord de l'île. *Olympic Airlines* à l'aéroport : ☎ 02-47-02-27-77. Un bus fait le trajet vers le sud de l'île. Il y a aussi des taxis.

➤ *D'Athènes :* un vol par jour. Réserver bien à l'avance chez *Olympic Airlines.*

➤ *De Rhodes, via Kos ou Astypaléa :* 3 vols par semaine, en principe.

En bateau

⚓ Il y a *deux ports* où arrivent les bateaux touristiques. Celui de *Lakki* (pour les gros ferries) et celui d'*Agia Marina*. Différentes agences selon les compagnies :

■ *Kastis Travel :* ☎ 22-47-02-24-70 (à Agia Marina) et 22-47-02-25-00 (à Lakki). ● www.kastis.gr ● Compagnie *DANE* et hydrofoils.
■ *Aegean Travel :* ☎ 22-47-02-26-00 (à Lakki). Compagnie *Blue Star Ferries.*
■ *GA Ferries, Dodekanissos Express :* Leros Travel. ☎ 22-47-02-41-11 (Platanos) et 22-47-02-21-54 (Lakki).

➤ *Du Pirée :* un ferry tous les jours l'été. Prévoir 10 ou 11 h de voyage, avec une arrivée à Léros en pleine nuit.

➤ *Des îles de Kos, Kalymnos, Rhodes, Samos et Lipsi :* au moins une liaison quotidienne en ferry, hydrofoil ou bateau d'excursion.

➤ *De Kalymnos :* un petit bateau postal fait le trajet tous les jours à 13 h. Il part du port de Myrtiès et accoste à Xirokambos, au sud de l'île. Pas grand monde pour ce voyage sublime, mais à éviter si l'on a facilement le mal de mer. Une fois à Xirokambos, étant donné la fréquence des bus, le taxi est le meilleur moyen de rejoindre la capitale (Platanos), à 7 km environ.

Transports

🚌 *Arrêt de bus :* à Platanos, juste avant la place du village. Une ligne en direction du nord et l'autre vers le sud. Peu fréquents.

– *Taxis :* station à l'aéroport *(Parthéni)* ainsi qu'aux deux débarcadères. ☎ 22-47-02-33-40 ou 30-70. Les distances ne sont pas grandes, les prix des trajets sont donc abordables.

– Le plus simple pour se déplacer sur cette île est le *scooter.* La location y est assez peu chère. Il est aussi possible de louer *vélo* et *voiture.* Dans tous les cas, un moyen personnel de locomotion est plus pratique car, si les distances sont courtes, chaque lieu a sa spécificité (les bars, les restaurants ou les plages). Attention, la circulation sur l'île est infernale et les routes sont très étroites (sauf à Lakki).

Adresses utiles

✉ *Poste :* odos Harami, Platanos. ☎ 22-47-02-29-29.
■ *OTE :* odos Harami, Platanos. ☎ 22-47-02-28-99.
■ *Distributeurs de billets :* deux sur le port d'Agia Marina, un autre à Platanos, au niveau du rond-point. Les autres machines, en nombre

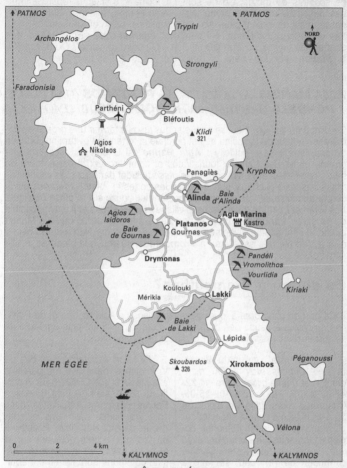

L'ÎLE DE LÉROS

suffisant, se trouvent au port de Lakki, avant d'arriver à l'embarcadère. Si vraiment on est en panne de liquide, l'agence de voyages *Kastis* sur le port d'Agia Marina peut vous en fournir avec une carte de paiement, moyennant 5 ou 6 % de commission.

■ *Police :* à Agia Marina, dans la rue parallèle à la mer. ☎ 22-47-02-22-22.

■ *Police maritime :* à Lakki, sur le port. ☎ 22-47-02-22-24.

■ *Hôpital :* ☎ 22-47-02-32-51.

■ *Olympic Airlines :* à Platanos. ☎ 22-47-02-28-44.

■ *Agence de voyages Apocalypsis :* à Agia Marina, au début de la route d'Alinda. ☎ 22-47-02-51-87. Fax : 22-47-02-57-75. Ouvert de 9 h (11 h le dimanche) à 14 h et de 16 h à 21 h. L'agence vend les billets de bateau (ferries, excursions...) et peut trouver des chambres à louer. Location de voitures ou de scooters (voir adresse suivante, mêmes locaux).

■ *FF Motorent Francescos :* ☎ 22-47-02-52-35. Location peu onéreuse de scooters ou motos. Ce ne sont pas des deux-roues de prime jeunesse, mais ils roulent bien. Accueil très chaleureux de Nikos, qui peut donner des tuyaux sur son île.

■ *Stations-service :* sur la route principale ; 8 stations réparties entre Agia Marina, Alinda, Platanos, Vromolithos, Lakki et Xirokambos.

@ *Internet Café :* Enallaktikon. Voir « Où boire un verre ? Où danser ? » ci-dessous. Pas bien cher.

AGIA MARINA *(ΑΓΙΑ ΜΑΡΙΝΑ)* – PLATANOS *(ΠΛΑΤΑΝΟΣ)* – PANDÉLI *(ΠΑΝΤΕΛΙ)* – VROMOLITHOS *(ΒΡΩΜΟΛΙΘΟΣ)*

Ce sont 3 ou 4 villages qui se sont étendus jusqu'à former une grosse agglomération autour de la colline où est perchée la forteresse byzantine. Chacun de ces lieux a sa spécificité : *Agia Marina* est le port où accostent une grande partie des bateaux touristiques et commerciaux. Il est entouré de bars et de restaurants. Très agréable de se balader dans les rues intérieures (murs passés à la chaux, bleu éclatant des portes et volets). *Platanos* est le centre administratif, où les vieux dégustent leur *ouzo* sur la place publique, très vivante. La route qui traverse le village est très étroite et il est impossible de se garer. *Pandéli* est un petit port de pêche, plus abrité qu'Agia Marina quand le vent souffle, avec ses restaurants de poisson. Non loin (on peut y aller à pied par des escaliers), à *Vromolithos,* se trouve la plage de la ville surplombée par des tavernes.

Où dormir à Vromolithos ?

Il y a peu de chambres à louer dans les villages d'Agia Marina et de Platanos, bruyants à cause des bars et des restaurants. Il est plus agréable de séjourner dans les villages de Pandéli et de Vromolithos.

[sidebar] LÉROS ET LIPSI (îles du Dodécanèse)

🛏 *Rodon Hotel :* voisin du *Mezzedopolio Dimitris* (voir « Où manger ? ») et même propriétaire. ☎ 22-47-02-20-75. Fax : 22-47-02-25-05. Chambres avec salle de bains de 35 à 45 € en été ; tarif à négocier sur plusieurs jours ; petit déjeuner copieux. Demandez une chambre avec vue (superbe) sur la mer. Cuisine commune où l'on peut se faire à manger.

🛏 *Pension Margarita :* au bas de Vromolithos, dans une rue parallèle à la plage. ☎ 22-47-02-28-89. À partir de 35 € sans le petit déjeuner. Petites chambres douillettes avec salle de bains, dans une sympathique pension familiale. Possibilité de prendre le petit déjeuner sur la terrasse avec vue sur la mer. Cuisine commune sommairement équipée. La plage est juste en dessous de la pension.

Où manger ?

|●| *Kafé-Ouzeri O Néromilos (Le Moulin à Eau) :* à la sortie d'Agia Marina, vers Alinda. ☎ 22-47-02-48-94. Ouvert de mars à octobre, midi et soir. Compter entre 10 et 15 €. Situation exceptionnelle, au bord d'une piscine naturelle, alimentée par le ressac et à côté du moulin. Couchers de soleil superbes sur la forteresse et le port d'Agia Marina.

Bons *mezze* et plats grecs (poisson ou plats préparés à l'huile) à prix moyens. Cuisine familiale.

|●| *Taverna Psaropoula :* sur le petit port de Pandéli, juste à gauche de la plage. ☎ 22-47-02-52-00. Ouvert midi et soir. Comptez 8 € si vous vous contentez de plats simples. Avec du poisson, cela monte (environ 40 € le kilo). Un des meilleurs

restaurants de poisson et de spécialités grecques de l'île. Terrasse au ras des flots. Accueil très sympa.

I●I **Mezzedopolio Dimitris :** à Vromolithos, sur les hauteurs dominant la mer. ☎ 22-47-02-20-75. Voici un resto sympa, avec quelques tables sur une terrasse à flanc de rocher, d'où l'on voit les côtes de la Turquie. Large choix de *mezze* pour tous les budgets.

Où boire un verre ? Où danser ?

Les amateurs de soirées conviviales peuvent passer de bons moments dans des lieux à taille humaine où il est encore possible de rencontrer des personnes autres que des touristes en vacances.

♫ **Night-club Apothiki** *(New Face)* : juste en face du débarcadère d'Agia Marina. De la musique grecque et internationale sur laquelle dansent les 18-25 ans. Messieurs les routards esseulés, inutile de vous mettre dans tous vos états, les grands frères surveillent. En revanche, les routardes sont des mets rares et fort prisés qui déchaînent les masses (alors gare à vous...).

♫ **Bar Faros :** au bout du port d'Agia Marina, à gauche d'*Apothiki*. Juste sous le phare, un superbe bar dans une grotte et sur une terrasse qui surplombe la mer. On y danse sur des musiques anglo-saxonnes ou grecques. Le cadre vaut le détour et même un petit verre. Plus calme que les bars du port.

♫ **Vromolithos Bar :** à Vromolithos, descendre le 2e chemin de terre à gauche de la *taverna Paradissos*. Ouvert quasiment 24 h/24. Bar, piste de danse, plage privée et vue paradisiaque. On prend un snack à 15 h, un saut sur la plage et on remonte aux douze coups de minuit pour se déchaîner sur la piste de danse. Folie en plein air avec vue sur la mer : romantique à souhait. Il n'est pas interdit de faire un somme sur la plage quand la soirée se termine un peu tôt le matin. On ne paie pas l'entrée, et petits et grands sont conviés... Une tolérance très agréable.

@ **Enallaktikon** *(Internet Café)* : sur le port d'Agia Marina. Outre Internet, billards, jeux vidéo et une agréable terrasse. Clientèle jeune.

ALINDA *(ΑΛΙΝΤΑ)*

À 3 km au nord de Platanos. C'est tout au long de cette plage qu'a été construite une partie des hôtels touristiques de l'île. C'est même devenu « La Croisette » de l'île : la bande de plage coincée par une route passante n'a rien d'agréable, mais les hôtels ont une belle vue sur la baie, et les tarifs suivent... Quelques bars de plage sont souvent animés le soir.

Où dormir ?

🛏 **Hôtel Ara :** à Alinda, dans les terres, sur la route de l'aéroport. ☎ 22-47-02-41-40. Fax : 22-47-02-41-94. ● www.hotelara.com ● À partir de 50 € pour 2 personnes en saison, petit dej' compris. Nombreux studios et appartements avec salle de bains, cuisine, TV, AC et minibar. Spacieux, calmes, bien aménagés, tous ont droit, du balcon, à une superbe vue sur la baie. Piscine avec petit bassin pour enfants. Une grande salle avec billard, jeux vidéos et bar. À 5 mn à pied de la plage.

🛏 **Archontiko Angélou :** un peu en retrait dans les terres (suivre les indications depuis le front de mer). ☎ 22-47-02-27-49. Fax : 22-47-02-44-03. ● www.hotel-angelou-leros. com ● Ouvert de mai à octobre.

Compter de 55 à 70 € environ pour 2 personnes. Entourée par un jardin planté d'agrumes, une belle maison de la fin du XIXᵉ siècle qui propose 9 chambres à l'ancienne. Il faut aimer le rustique et les planchers qui craquent, ce qui a indéniablement son charme. Très calme. Bon petit déjeuner et excellent accueil.

Où manger ?

|●| **Alinda** (Mavrakis) : devant l'hôtel Mavrakis. ☎ 22-47-02-32-66. Ouvert de mai à septembre. Prévoir dans les 10-12 €. Grande terrasse en bord de route où l'on se fait servir de bonnes spécialités, à des prix un peu plus élevés que la moyenne mais avec une assurance de qualité. Service efficace. Au bar, petite restauration rapide le midi.

|●| **Da Giusi e Marcello :** sur le front de mer. ☎ 22-47-02-48-88. Ouvert le soir, à l'année. Compter 15 € environ. Giusi et Marcello ont quitté Turin pour venir ouvrir cet excellent restaurant où ils prennent plaisir (ça se voit !) à proposer des plats inventifs qui changent de l'ordinaire grec. Et les autochtones apprécient d'ailleurs ! Carte qui se renouvelle souvent, jusqu'aux desserts, et vins italiens, bien entendu.

À voir. À faire

🎭 Au sommet de la colline Pitiki, la **forteresse byzantine** qui surplombe la capitale de l'île, Platanos. Elle est accessible à pied par 260 marches (au départ d'Agia Marina ou de Platanos) ou par la route, depuis Pandéli (la route passe par les 6 moulins). Le panorama du site est fantastique, surtout en fin de journée, quand le soleil laisse la place à la lune. Dans l'enceinte de la forteresse se trouve le *monastère Panagia tis Kyras* qui est transformé en musée de reliques religieuses (entrée payante). Ouvert au public tous les jours de 8 h à 12 h 30 et les mercredi, samedi et dimanche de 15 h à 19 h.

🎭 *Le Musée archéologique :* à Agia Marina, à côté de l'école élémentaire. Ouvert du mardi au dimanche de 8 h à 14 h 30. Entrée libre. Petit musée où les découvertes archéologiques faites dans l'île sont bien mises en valeur. Stèles gravées, amphores, masques de terre cuite. On y apprend aussi que le jeune Jules César fut capturé par des pirates sur une île proche de Léros (Farmakoussa) et libéré en contrepartie d'une rançon, qu'il fit lui-même augmenter car il estimait valoir plus que le prix initialement demandé ! Ben voyons !

– La plage d'Alinda n'incitant pas aux bains de soleil, continuez plutôt en direction de **Panagiès.**

🎭 Au bord de la plage d'Alinda, dans la **tour de Belléni,** un musée expose des vêtements typiques, des objets et du mobilier qui retracent l'historique de l'île. Ouvert de 9 h 30 à 13 h et de 18 h à 20 h. Fermé le lundi. Entrée : 3 €. Un médecin a rassemblé des documents sur l'histoire de l'île.

🎭 *Le cimetière de guerre anglais :* en arrivant à Alinda. à l'automne 1943, une fois l'armistice signé avec les Italiens, les Allemands lancèrent une contre-attaque sur Samos, Kos puis, en novembre, sur Léros. Après 4 jours de résistance, les forces anglaises se rendirent. Plus de 180 soldats reposent dans ce cimetière.

➢ *Sorties en mer sur le « Barbarossa » :* un beau bateau en bois, basé à Agia Marina, qui sort tous les jours en juillet et août (départ à 11 h) en direction des petites îles voisines. ☎ 69-77-63-14-14 (portable). De 15 à 25 € par personne selon la destination.

– De nombreuses *fêtes* sont organisées pendant l'été. Les plus intéressantes ont lieu le 16 juillet au village d'Agia Marina et le 15 août dans la forteresse byzantine.

À voir dans les environs

%% Petites criques au nord d'Alinda. Continuer jusqu'au bout de la route asphaltée.

%% *Agios Isidoros :* sur la route de l'aéroport, après Sikéa. C'est l'église que l'on voit sur la moitié des cartes postales de l'île : construite sur un rocher, elle n'est reliée au rivage que par un fil d'Ariane de 1 m de large.

%% *Bléfoutis :* hameau à l'est de l'aéroport avec un bon resto, typique à l'ancienne *(I Théa Artemis)*. Après le hameau, de petites criques rocheuses facilement accessible (prendre la piste et chercher un coin dans les rochers).

DRYMONAS *(ΔΡΥΜΩΝΑΣ)*

Petit village à l'ouest de l'île, très tranquille. Plage, tavernes à proximité.

🏠 |●| *Psilalonia :* chambres d'hôtes chez Laure et Jacques. À 300 m de la mer. ☎ et fax : 22-47-02-52-83 ou ☎ 69-42-59-85-76 (portable). • www.psilalonia.com • Ouvert début avril à mi-octobre. Pour 2 personnes, de 40 à 50 € selon la période, petit déjeuner compris. À l'extrémité du village, à mi-hauteur d'une colline, dans une ancienne ferme joliment rénovée, 3 belles chambres avec salle de bains et terrasse (vue imprenable). On peut manger à la table d'hôtes. Excellent accueil de Laure et Jacques, installés sur l'île depuis quelques années et connaisseurs de ses moindres recoins.

LAKKI *(ΛΑΚΚΙ)*

Ce magnifique port naturel servit de base navale aux Italiens pendant la Seconde Guerre mondiale. Ils construisirent cette ville aux énormes bâtiments entrecoupés d'avenues anti-émeutes. On aime ou on n'aime pas ce décor de cinéma, assez kitsch. Les routards passionnés d'architecture Art déco, ceux qui aiment les formes arrondies (celles des rotondes, des carrefours qui, ici, ne sont pas à angle droit, ou celles de ce cinéma en plein air) apprécieront cette petite ville boisée (pins, tamaris, eucalyptus, palmiers...). Il y a eu jusqu'à 20 000 militaires à Lakki... On y assemblait des hydravions et les Italiens, craignant les attaques sous-marines, avaient protégé la baie par un immense filet de protection ! Aujourd'hui, bon nombre des bâtiments sont déserts, les autres sont occupés par des écoles ou des hôpitaux.

⌇ Quelques plages sympas au-delà de Lakki, à *Koulouki* et *Mérikia.* Bonne taverne à Mérikia *(O Tantis).* On peut continuer par la piste jusqu'à Katsouni et dénicher une petite crique tranquille, par une piste qui prend après l'ensemble de bâtiments désaffectés.

Où dormir ? Où manger ?

Cette ville n'est plus qu'un lieu de passage pour les visiteurs. On déconseille d'y établir son point de chute. Une adresse en dépannage :

🏠 *Hôtel Artémis :* dans la 3e rue parallèle au port. ☎ 22-47-02-24-16. Chambres rénovées et propres avec salle de bains, téléphone et TV entre 40 et 50 € selon la saison. Un hôtel qui sent la nostalgie de la période italienne. Idéal pour prendre un ferry le lendemain matin, mais pas pour y passer ses vacances.

|●| Pour un en-cas avant l'embarquement, plusieurs **fast-foods** à la grecque *(psitopolia)* proposent de petits *souvlakia* et des *gyros*. Celui situé en face de *Petrino* (voir ci-dessous) propose aussi du *kokorestsi* (abats à la broche).

|●| **To Petrino :** au centre de Lakki, à côté de la poste. ☎ 22-47-02-48-07. Ouvert toute l'année, midi et soir. Prévoir 10 € en moyenne. Cuisine traditionnelle mais aussi ouverte à d'autres influences (le patron a voyagé et vécu en Belgique). Plats de viande principalement, bien cuisinés. Bon accueil.

À faire

– Conquise par les troupes italiennes en 1912, Léros devint une gigantesque base navale, en partie détruite pendant les bombardements de la Seconde Guerre mondiale. Les férus d'architecture et d'histoire pourront admirer les bâtiments de la ville. On peut aussi faire un tour dans les anciens dépôts de munitions et les tunnels creusés dans les montagnes après *Koulouki* (se munir de lampes de poche). Prudence toutefois.

XIROKAMBOS *(ΞΗΡΟΚΑΜΠΟΣ)*

Petit village agricole à 5 km au sud de Lakki. Rustique et vraiment calme.

⌂ La plage n'est pas très belle, mais en marchant un peu à l'ouest de Xirokambos, on trouve quelques criques agréables et désertes. Voir, au départ de la piste qui part direction sud-est, l'église appelée *Notre-Dame-des-Crabes*. Des rochers accueillants dans le coin.

Où dormir ?

⛺ **Camping de Xirokambos :** ☎ 22-47-02-33-72. À l'entrée du village, sur la route de Lakki. Compter 16 € pour 2. Possibilité de louer une tente sur place. Petit et basique mais très familial. Des douches, un champ d'oliviers (mais pas tellement d'ombre !) et un snack-bar. La plage se trouve à 500 m. Beaucoup de campeurs y viennent pour suivre les cours de plongée de Sidéris. Sa charmante mère parle très bien le français.

⛭ **Rooms to let Gianoukas :** en venant de Lakki, passer le camping et poursuivre sur la route principale. ☎ 22-47-02-31-48. Entre 25 et 40 € selon la saison pour un studio avec cuisine et salle de bains. Propre et accueil chaleureux par une mamie avenante. Lieu tranquille, au frais, pas loin de la plage.

Manifestations

– **Fête du Vin** et plusieurs événements culturels et folkloriques. Se renseigner dans les agences de voyages.

QUITTER L'ÎLE DE LÉROS

En avion

➤ **Pour Athènes :** 1 vol quotidien.

En bateau

➤ **Pour Le Pirée :** départs tous les jours (11 h de traversée).

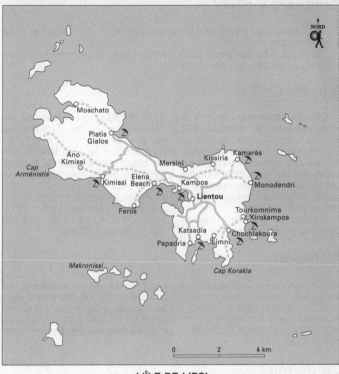

L'ÎLE DE LIPSI

➤ *Pour les îles de Kalymnos, Kos, Patmos, Lipsi et Rhodes :* liaisons quotidiennes en saison en ferries, hydrofoils ou bateaux d'excursions.
➤ Un petit caïque postal fait tous les matins (à 7 h 30) le trajet du port de Xirokambos jusqu'à *Kalymnos.* Il repart de Kalymnos à 13 h. Le voyage est superbe et il n'y a pas de touristes. Certainement le plus agréable moyen d'atteindre l'île. À déconseiller à ceux qui n'ont pas le pied marin (cela remue un peu).

LIPSI (ΛΕΙΨΟΙ)   600 hab.

Longtemps on affirma que le marin Ulysse aurait rencontré la belle Calypso sur cette île. À défaut de nymphe, les routards pourront profiter d'un site magnifique et calme, où les voitures sont presque inexistantes. Le jour, c'est un peu de l'âme grecque qui se découvre et permet de voir quelques pêcheurs assouplissant le poulpe servi dans les *ouzeria* du petit port. Une très belle île, authentique, où il est agréable de se laisser vivre. Mais cela pourrait ne pas durer éternellement car on y construit à tout-va.
L'île est connue pour son vin. Pendant l'occupation italienne, on y a produit jusqu'à 300 litres par an, qui partaient directement au Vatican non pour consommation mais pour la... communion !

Comment y aller ?

➤ **Du Pirée :** 2 ou 3 bateaux par semaine. Entre 11 et 17 h de traversée selon le nombre d'escales.
➤ **De Patmos ou de Léros :** en été, nombreuses liaisons quotidiennes en hydrofoil. 20 mn de traversée seulement.

Adresses utiles

▮ **Office du tourisme :** en face du débarcadère et, en juillet et août, également sur la place de l'Église. ☎ 22-47-04-11-85. Ouverture systématique des bureaux à l'arrivée des ferries. Accueil sympathique de Natalie qui peut vous aider (renseignements, tickets de bateaux, chambres...) en français !
✉ **Poste :** sur la place de l'Église. Ouvert du lundi au vendredi de 8 h à 13 h 30. On peut y changer les chèques de voyage. Téléphone à cartes à l'extérieur.
▮ *Attention :* un seul **distributeur de billets** sur l'île ; penser à retirer sur une autre île car celui-ci peut se trouver vide...
▮ **Poste de police :** sur le port, à gauche des escaliers montant au village. ☎ 22-47-04-12-22. Peuvent donner quelques infos.

Transports

Pas de voitures de location sur l'île. Il faut donc louer un **scooter** si l'on désire être motorisé. Sinon, prendre le **minibus** qui fait des trajets dans toute l'île. Départ toutes les heures devant le poste de police. Les marcheurs pourront accéder aux plages par les routes et les sentiers. Il faut compter 1 h pour aller à la plage de Platis Gialos. Les **taxis** (bon marché) peuvent aussi faire le trajet.

Où dormir ?

Les chambres étant peu nombreuses, l'hébergement est assez cher et il est souhaitable de réserver pour les mois de juillet et août.

⋏ Possibilité de faire du **camping sauvage** près des plages à Katsadia (taverne avec douche) et à Platis Gialos (taverne).
▤ **Pension Flisvos :** maison aux arcades à droite du port. ☎ 22-47-04-12-61. Chambres à partir de 30 €, simples et à la propreté parfois limite ; petit déjeuner en sus, cher. Balcons avec une très belle vue sur la baie. Possibilité de faire ses repas dans la cuisine commune.
▤ **Hôtel Kalypso :** ☎ 22-47-04-14-20. Studios corrects avec salle de bains à partir de 40 € sans le petit déjeuner. Le restaurant en dessous est un peu bruyant pendant les repas.
▤ **Hôtel Aphrodite :** à 5 mn du débarcadère, face à la plage de Liendou. ☎ et fax : 22-47-04-10-00. ● www.hotel-aphroditi.gr ● De beaux studios récents à environ 55 €. Souvent pris d'assaut par les tour-opérateurs.

Où manger ? Où boire un verre ?

|●| Deux **ouzeria** sur la deuxième partie du port. Y déguster des *mezze* avec les pêcheurs grecs.
|●| Quelques restos sympas entourent le port. Aller au **Vassilo** ou **chez Yannis.**
|●| Déguster un *souvlaki* au **café du Moulin,** sur la place de l'Église.

☎ 22-47-04-13-16. De bonnes portions à un prix raisonnable. Assez touristique et francophone : toute la famille de Yotis parle le français.

🍷 Les noctambules peuvent aller boire un verre dans l'un des **bars** le long du port et finir leur soirée à la disco **Scorpios** qui se trouve à l'extrémité du port vers la droite. Musiques éclectiques.

À voir. À faire

↗ Ce ne sont pas les **plages** qui manquent sur cette magnifique île. Pour info : *Liendou* est la plus proche mais elle est bondée. La plage de *Platis Gialos* est la plus belle, et les nudistes pourront prendre l'air à celle de *Monodendri*.

➤ **Randonnées pédestres :** les marcheurs prendront sûrement beaucoup de plaisir à arpenter cette île. De nombreux Anglais y viennent dans ce but. Un feuillet très bien fait, avec plusieurs niveaux et durées de randonnées, est disponible dans les agences de voyages.

➤ Sur le port, **bateaux d'excursions** à départs réguliers autour de Lipsi ou à destination des îles alentour. Le bateau *Dimitrios* peut organiser son périple suivant les désirs de chacun et propose des excursions sous-marines. Demander Ben au *café du Moulin,* il parle le français.

🐚 Dans l'**église Panagia tou Charou** du village (théoriquement ouverte de 11 h à 12 h 30), on peut admirer une icône de Marie portant le Christ crucifié (unique). Au XVIIᵉ siècle, une vierge y accrocha des fleurs qui, chaque année à la même période, reprennent miraculeusement vie. Un pèlerinage est organisé pendant 3 jours à partir du 23 août et se termine par une fête du village. De nombreux musiciens viennent jouer du *bouzouki*.

🐚 Un petit **musée,** juste à côté de l'église et ouvert aux mêmes heures, contient quelques marbres, amphores et vieux manuscrits retrouvés au fil des années sur l'île.

🐚 **Le petit atelier de tissage** tenu par une femme, juste à côté de la police. Pas de vente directe, juste pour le plaisir des yeux.

🐚 Les très bons marcheurs pourront aller voir, au-dessus de la plage de Kimissi, le **paradis** que s'est construit l'ermite Philipas. Une petite maison avec une église, un jardin et même sa future tombe. Mais trop vieux, il a reconstruit le même paradis en plus petit près de la plage. Avec un peu de chance, on peut l'apercevoir mais il faut respecter son désir de solitude. Ceux qui ne désirent pas marcher peuvent faire le trajet avec le bateau *Dimitris* ou bien apercevoir les deux bâtiments du ferry.

– Chaque année vers le 10 août, grande **fête du Vin** pendant laquelle de nombreux musiciens viennent égayer le village. Le breuvage dionysiaque est offert... Avis aux amateurs !

Au nord

🐚 Au nord de Lipsi, l'**îlot de Marathi** (où, l'hiver, demeurent trois frères !) et la petite **île d'Arki** avec une cinquantaine d'habitants. Quelques chambres et tavernes, en particulier *Pandelis* (hôtel et resto, ouvert de juin à octobre, incontournable à Marathi). Accès depuis Patmos.

QUITTER L'ÎLE DE LIPSI

■ **Capitainerie :** ☎ 22-47-04-11-33.

➤ **Pour Le Pirée :** 2 liaisons par semaine. Le mieux est de gagner Patmos (nombreuses liaisons en hydrofoil) d'où les liaisons régulières sont plus nombreuses.

➤ **Pour Rhodes :** via Kalymnos.

➤ *Pour Samos :* en saison, plusieurs liaisons par semaine, soit directement, soit via Fourni et Ikaria.
➤ *Pour les îles du Nord (Patmos...) et celles du Sud (Léros...) :* liaisons quotidiennes, du moins en saison, en ferries, hydrofoils ou bateaux d'excursions.

PATMOS (ΠΑΤΜΟΣ) 2 800 hab.

Dominée par les maisons blanches de Chora qui entourent le monastère de Saint-Jean-le-Théologue, l'île est classée Monument historique depuis 1946 et le Parlement grec l'a proclamée « île sacrée » en 1981. Récemment, en 1999, l'Unesco l'a inscrite au Patrimoine de l'humanité, du moins le centre historique de Chora. Prenez le temps de vous balader dans le dédale des ruelles de Chora, superbe. C'est non loin de là, dans une grotte, que fut écrite *L'Apocalypse* de saint Jean. Les habitants prétendent qu'il y a autant d'églises sur cette île que de jours dans l'année. L'île est donc tournée vers ces lieux saints qui attirent de nombreux pèlerins ou des foules de visiteurs. Le soir même, beaucoup ont déjà quitté l'île sacrée pour d'autres lieux. Ceux qui restent prennent leurs quartiers au village de Skala. Construit autour du port, il regorge de restaurants, d'hôtels, de magasins et boîtes de nuit. Les autres villages sont moins touristiques et les popes du monastère veillent à ce que l'île ne devienne pas un lieu de perdition ! Longue de 25 km et d'une superficie de 34 km^2, l'île est petite, facile à parcourir à pied ou en scooter. De belles plages, dont certaines où le nudisme est toléré.

Comment y aller ?

En avion

– Pas d'aéroport sur l'île. Les aéroports internationaux les plus proches sont *Kos* et *Samos.* Celui de *Léros* est uniquement desservi par des avions en provenance d'Athènes.

En bateau

⛴ On arrive à *Skala,* unique port de l'île.
➤ *Du Pirée :* en principe, en été, 2 liaisons quotidiennes directes en ferry. 10 h de bateau.
➤ *De Kalymnos* (2 h 30), *Kos* (4 h), *Léros* (1 h 30) *et Rhodes* (9 h) *:* ferries tous les jours.
➤ *De Samos :* plusieurs liaisons par jour.
➤ *D'Icaria :* plusieurs par semaine.
➤ *Des îles du Dodécanèse :* liaisons fréquentes en hydrofoil (en saison).

Transports à l'intérieur de l'île

– *Bateaux :* départs plusieurs fois par jour de caïques vers les plages d'Agriolivado, Kambos, Lambi, Psili Ammos, ainsi que pour les îles de Lipsi, Marathi et Arki. Ils reviennent le soir. Assez bon marché et pratique. Certains bateaux se louent à la journée : là, c'est plus cher...
🚌 *Patmos Bus* (plan A1) : arrêt à gauche de l'office du tourisme, où les horaires sont affichés. ☎ 22-47-03-16-66. En été : de Skala, une dizaine de bus par jour pour Chora, environ toutes les 2 h de 7 h 40 à 21 h 30 (et de 8 h à 21 h 45 dans le sens inverse). Entre Grikos et Skala, 7 bus par jour et plusieurs liaisons entre Grikos et Chora. De Skala à Kambos au nord, 2 bus le

L'ÎLE DE PATMOS

PATMOS
(îles du Dodécanèse)

matin et 2 l'après-midi (même chose en sens inverse). Circuler en bus est facile, tant pour visiter le monastère que pour découvrir les plages ; les distances sont courtes et les routes sont bonnes.

– **Taxis** *(plan A1) :* à côté de la place principale de Skala (impossible de les louper tellement il y en a pour une si petite île !). ☎ 22-47-03-12-25. Bon marché.

– Location de **voitures** et **scooters** à plusieurs endroits (comparer les prix !).

SKALA *(ΣΚΑΛΑ)*

C'est le seul port de l'île, et donc le centre économique, touristique et maritime. Les nombreux magasins et hôtels ont terni un peu le charme du port en le transformant en village assez touristique, mais il reste quand même agréable. C'est le pivot de la vie locale et un endroit pratique pour rayonner dans l'île.

Adresses utiles

✉ **Poste** *(plan A1) :* sur la place principale.

@ **Internet :** au *Blue Bay Hotel* (hors plan par B1-2, *18),* à 10 mn à pied du centre, sur la route de Grikos. ☎ 22-47-03-11-65. Petit bar Internet sympa au rez-de-chaussée de l'hôtel, accessible à tous. Connexion à 2 € les

15 premières minutes, puis 1 € le quart d'heure. Également un ***Internet Place*** *(plan A2, **5**)*, sur la rue qui va vers le resto *Cactus.* ☎ 22-47-02-93-24. En saison, ouvert de 9 h à 14 h et de 16 h 30 à 22 h. Moins cher mais basique.

■ Plusieurs ***distributeurs automatiques de billets,*** sur le débarcadère et à l'angle de la rue principale et du poste de police. Sinon, les agences de voyages peuvent dépanner, avec une majoration du taux de change.

■ ***Police maritime*** *(plan B1, **2**) :* sur le quai du débarcadère. ☎ 22-47-03-41-34.

■ ***Agences de voyages***
– Sur le port *(plan A1) : Apollon Travel* (compagnie *Blue Star Ferries* et *Kyrakoulis Maritime*). ☎ 22-47-03-13-24. • www.statas.gr • Et juste à côté, *Astoria Travel,* ☎ 22-47-03-12-05, (hydrofoil *Dodekanissos Express*).

– Au début de la rue pour Holchakas *(plan A1) :* agence pour la compagnie *GA Ferries.* ☎ 22-47-02-93-03.

■ ***Police*** *(plan A1) :* en face du débarcadère, au 1er étage. ☎ 22-47-03-13-03. C'est aussi le siège de la ***police touristique.***

■ ***Presse française*** *(plan A1, **4**) :* journaux étrangers et livres. Boutique bien approvisionnée (on y a même vu le *GDR* !).

■ ***Hôpital :*** ☎ 22-47-03-12-11. Entre Skala et Chora.

■ ***Association des propriétaires de chambres à louer :*** pas de bureau, appeler le ☎ 22-47-03-15-41.

Où dormir ?

À l'arrivée du bateau, c'est l'affluence des Grecs qui proposent des chambres chez l'habitant (qualité et prix très variables) même à des heures... plus très orthodoxes.

Camping

⚲ ***Camping Stéfanos*** *(hors plan par A1) :* à 1,5 km de Skala, dans la baie de Méloi. ☎ 22-47-03-18-21. Ouvert du 15 mai au 15 octobre. Compter environ 16 € pour 2 personnes et une tente. Chouette camping, le seul de l'île. Plus de 70 emplacements. Certains sont pratiquement encerclés de hauts bambous, formant ainsi un dédale de petits coins intimes, jolis et bien sympas. Les patrons sont très avenants. Petite épicerie et bonne taverne offrant des plats à petits prix à déguster à l'ombre de la terrasse. On peut y louer quelques tentes. Plage à 50 m. Un minibus bariolé assure des navettes entre le port de Skala et le camping, pratique quand on est chargé.

De bon marché à prix moyens

Les adresses suivantes entrent dans la catégorie « Bon marché »... sauf en août !

🛏 ***Hôtel Rodon*** *(plan A1, **11**) :* central, dans une rue perpendiculaire au port. ☎ 22-47-03-13-71. Fax : 22-47-03-24-71. Une vingtaine de chambres très simples, avec ou sans salle de bains, entre 30 et 45 € en saison ; négocier les autres mois ; petit déjeuner en plus. Immeuble un peu vieillot, mais très calme et frais. Entretien parfois limite. On y parle le grec et l'italien.

🛏 ***Pension Maria Paschalidis*** *(plan B2, **12**) :* route de Chora. ☎ 22-47-03-21-52 ou 22-47-03-13-47. À 200 m du port, en face du terrain de foot. Fermé en hiver. Compter environ 50 € pour deux en juillet-août et à peu près 25 € les autres mois. Pension agréable, propre et spacieuse. Couple adorable, lui parle un peu le français. Joli jardin. Réservation impérative en haute saison.

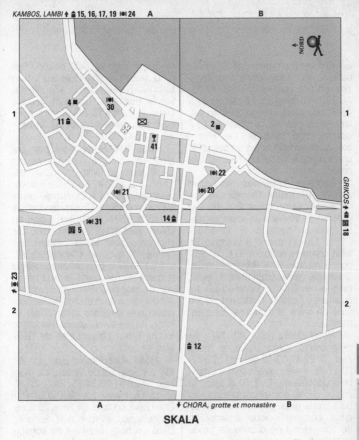

KAMBOS, LAMBI ↑ 🏠 15, 16, 17, 19 |●| 24 A   B

NORD

GRIKOS ↑ ◀■ @ 18

CHORA, grotte et monastère

SKALA

PATMOS
(îles du Dodécanèse)

■ **Adresses utiles**

  ✉ Poste
  2 Police maritime
  4 Presse française
  @ **5** Internet Place
  @ **18** Café Internet du Blue Bay Hotel

🏠 **Où dormir ?**

  11 Hôtel Rodon
  12 Pension Maria Paschalidis
  14 Hôtel Galini
  15 Sidney
  16 Pension Avgérinos
  17 Villa Knossos
  18 Blue Bay Hotel

  19 Hôtel Asteri

|●| **Où manger ?**

  20 Ouzeri Chiliomodi
  21 Avgérinos
  22 Koukoumavla
  23 Cactus
  24 To Kyma

|●| **Où manger une bonne pâtisserie ?**

  30 Boulangerie-pâtisserie Edelweiss
  31 Boulangerie Kamitsis

🍸 **Où boire un verre ?**

  41 Art Café

De prix moyens à plus chic

Ici aussi, même mise en garde : variations de prix importantes selon la saison...

🛏 *Sidney* (hors plan par A1, 15) : dans la même rue que la *Villa Knossos,* un peu plus haut. ☎ 22-47-03-16-89. Chambres pour 2 personnes à 45 € en août et environ 30 € en juillet. Petite pension familiale (à l'ancienne), bien tranquille. Les chambres sont sympas, avec un balcon et une mini-salle de bains. Tout est très propre. Accueil aimable.

🛏 *Pension Avgérinos* (hors plan par A1, 16) : monter l'escalier en face de *Sidney* et continuer tout droit, la pension se trouve à un angle de rue, un peu en hauteur. ☎ 22-47-03-21-18. Ouvert d'avril à octobre. En août, chambre double à 50 € ; dégringole à environ 30 € les autres mois. Quelques jolies chambres à louer, dans la maison d'un jeune couple accueillant. Toutes disposent d'une salle de bains et d'un frigo. Bien entretenu.

🛏 *Hôtel Galini* (plan A2, 14) : en plein centre, suivre la rue de l'hôtel *Rex.* ☎ 22-47-03-12-40. Fax : 22-47-03-17-05. • www.greeka.com • Chambres doubles de 40 à 70 € selon la saison. Hôtel accueillant planqué au bout d'une petite ruelle fleurie. Tranquille, comme l'indique la traduction de son nom. Une dizaine de belles chambres spacieuses avec salle de bains, certaines ont une baignoire.

🛏 *Villa Knossos* (hors plan par A1, 17) : sur la route de Lambi ; après la centrale électrique, prendre le chemin à gauche. ☎ 22-47-03-21-89. Fax : 22-47-03-22-84. En été, compter environ 55 € pour 2 personnes ; hors saison, descend à environ 30 €. Belles chambres confortables et de bonne taille (chose rare !) avec salle de bains, frigo et petit balcon. Pas d'AC mais les chambres sont bien fraîches. Superbe jardin à la végétation exubérante. Excellent accueil. Dans un autre édifice à l'arrière, quelques appartements, avec AC (*Australis,* ☎ 22-47-03-21-89).

🛏 *Blue Bay Hotel* (hors plan par B1-2, 18) : à 10 mn à pied du centre, sur la route de Grikos. ☎ 22-47-03-11-65. Fax : 22-47-03-23-03. • www.bluebay.50g.com • Ouvert de début avril à fin octobre. Chambres doubles de 45 à 65 €. À 10 mn à pied du centre, bien situé, face à la mer. Les chambres sont assez petites mais agréables, avec une mini-balcon. AC et frigo. Mais le plus chouette reste la terrasse où l'on prend le petit déjeuner. En face de l'hôtel, un discret petit sentier mène à un endroit parfait pour piquer une tête dans la mer. Café Internet au rez-de-chaussée. Réduction de 10 % sur présentation du *GDR,* sauf en août.

🛏 *Hôtel Asteri* (hors plan par A1, 19) : au-dessus de la baie de Mérikas. ☎ 22-47-03-24-65. Fax : 22-47-03-13-47. • www.travelinfo.gr/asteri • Chambres doubles de 35 à 75 € selon la saison, avec le petit déjeuner. Dans un beau bâtiment au sommet d'une colline, agrémenté d'un joli jardin, dont le patron est, à juste titre, très fier, une trentaine de chambres de tailles diverses, avec salle de bains. Toutes ont frigo et téléphone, l'AC ou un ventilateur. Le rapport qualité-prix devient intéressant hors mois d'août. Jolie terrasse où prendre le petit déjeuner. Petite plage pelée à proximité.

Très chic

🛏 *Le Balcon :* à 1 km au sud, sur la route de Grikos. ☎ 22-47-03-27-13. Fax : 22-47-03-27-14. Hors saison : ☎ 00-41-22-797-16-18. Fax : 00-41-22-797-16-39. • www. patmos.htmlplanet.com • Pour 2 personnes, compter de 90 à 120 € selon le studio et la période. Ajouter 20 € par personne supplémentaire. Un petit ensemble tout neuf d'une dizaine de studios et d'appartements, tous différents. Excellent niveau de confort. Grande terrasse commune pour les hôtes, magnifique vue. De novembre à mars, les propriétaires vivent en Suisse, ce qui explique leur français parfait.

Où manger ?

De bon marché à prix moyens

|●| *Ouzeri Chiliomodi (plan B1, 20) :* au début de la rue qui mène à Chora, petite ruelle à gauche. ☎ 22-47-03-40-80. Ouvert de 16 h à minuit. Dans la plus pure tradition. Carte sans trop de choix et service sans fioritures, mais l'endroit est connu pour ses bons *mezze* de poisson et crustacés. Le poulpe est excellent et plutôt moins cher qu'ailleurs. Bonne ambiance.

|●| *Avgérinos (plan A1, 21) :* ouvert à partir de 19 h. Pas un choix énorme, mais la cuisine est soignée. Bons *mezze* et *souvlakia*. Quelques tables dans la ruelle permettent de participer à l'agitation ambiante. Apporter la lotion antimoustiques.

|●| *Koukoumavla (plan B1, 22) :* à deux pas du *Chiliomodi*. ☎ 22-47-03-23-25. Ouvert midi et soir en saison. Fermé le mercredi. Compter autour de 8 €. Une petite adresse tenue par un couple italo-grec sympathique. Une salle colorée ou quelques tables dans une petite cour, pour grignoter le plat du jour ou de bons sandwichs, faits maison et non standardisés. Et aussi de vrais cafés, pour ceux qui se lasseraient des frappés et des cafés grecs, parfaits pour accompagner un petit dessert.

De prix moyens à plus chic

|●| *Cactus (hors plan par A2, 23) :* ☎ 22-47-03-30-59. Pour y aller, de la place centrale (là où se trouve la poste), tourner le dos à la mer et suivre la rue piétonne toujours tout droit. Au bout de 600 m, vous arrivez... à la mer ! Fermé de mi-octobre à mi-mai. Ouvre à 19 h 30. Fermé le mercredi sauf en juillet-août. Compter environ 6-10 € le plat. La terrasse de ce resto italien s'avère incontournable pour boire l'apéro en admirant le coucher de soleil. Difficile de résister ensuite à la carte italienne, enjôleuse et originale, qui vole aux *crostini* au poulpe aux tagliatelles, en passant par le *risotto*. Délicieux. Cadre charmant et ambiance cool.

|●| *To Kyma (hors plan par A1, 24) :* à Aspri. ☎ 22-47-03-11-92. Aspri est à 1,5 km de Skala (prendre la route de Meloï et tourner à droite à l'intersection). Ouvert le soir de juin à septembre. Compter autour de 20 €. *Psarotaverna* classique (rien d'autre que du poisson à la carte). La terrasse, au ras des flots, avec le monastère à l'arrière-plan, permet de contempler les poissons qui font des sauts (s'ils savaient ce qu'il y a dans l'assiette...). On va faire peser son poisson (compter 42 € le kilo, assez peu de choix, tout dépend de la pêche du jour). Avant votre poisson, laissez-vous tenter par la salade traditionnelle *mourmyzeli*.

Où manger une bonne pâtisserie ?

– Pas question de quitter l'île sans avoir avoir goûté à une des spécialités propres à Patmos, la *pouggia* ou la *tyropita* locale – sensiblement différente de la *tyropita* classique – à la *Boulangerie-pâtisserie Edelweiss (plan A1, 30)* ou à la *Boulangerie Kamitsis (plan A2, 31)* qui est meilleur marché que la précédente.

Où boire un verre ? Où danser ?

⟙ Art Café *(plan A1, 41)* : en haut d'un escalier juste derrière l'arrêt de bus. ☎ 22-47-03-30-92. De belles œuvres exposées par un patron cool et souriant, une clientèle bronzée plutôt dorée. Terrasse sur le toit. Chérot.

♫ Les fêtards du bout de la nuit pourront se diriger vers le **Club 2000** *(hors plan par A1)*, sur le port en direction de Kambos, apprécié pour sa piscine et sa piste en plein air (ouvert le week-end uniquement, à partir de 23 h environ).

Les plages au nord de Skala

⌣ **Agriolivadi** *(Αγριολιβαδι)* : à 3 km de Skala. Plage avec transats et parasols (payants).

|●| Un resto tout à fait correct pour un resto de plage *(Agriolivadi)*.

⌣ **Kambos** *(Καμπος)* : à 5 km de Skala, plage bien protégée et idéale pour les enfants. Transats et parasols à louer.

➤ De Kambos, prendre la route en direction de *Geranou*. Tout au long de cette jolie route en *open-ranch* (pour les chèvres), superbes criques, plus ou moins ombragées, qui incitent à la baignade.

⌣ La plage de **Livadi** *(Λιβαδι)*, bien qu'archi-aménagée avec des transats et parasols (payants), est agréable : taverne sympathique et canards errants. Celle tout au bout de la route, à **Geranou Bay**, est à éviter, préférez les toutes petites criques protégées juste avant.

⌣ **Lambi** : à une dizaine de kilomètres de Skala, tout au nord de l'île, une jolie plage de galets nichée dans une petite baie. Les bus ne vont pas jusque-là : y aller en scooter ou prendre un bus jusqu'à Kambos ; de là, compter une grosse demi-heure de marche. On passe sous la chapelle fortifiée de Christos (fête le 6 août).

|●| **Taverna Lambi** : ☎ 22-47-03-14-90. Ouvert midi et soir en saison. Compter un peu plus de 10 € pour une entrée et un plat de viande. Face à la mer, une terrasse avec quelques petites tables au milieu des galets, les pieds dans l'eau. Poisson frais extra. Goûter le *saganaki* (fromage) flambé au *tsipouro*. Cuisine exclusivement faite au barbecue.

CHORA *(XΩPA)*

C'est au XIe siècle que Christodule fit construire le monastère en l'honneur de saint Jean le Théologue. De nombreuses maisons d'une blancheur éblouissante s'érigèrent tout autour. Les habitants de l'île qui travaillaient à Skala s'y réfugiaient le soir pour se protéger des invasions. Les ruelles, escaliers et couloirs forment un véritable labyrinthe de style médiéval, que certaines personnes renommées ont choisi comme lieu de vacances ; on les comprend aisément quand on visite ce site merveilleux. Assez peu de commerces.

➤ **Pour y accéder :** une route aménagée de nombreux points de vue que l'on peut parcourir à pied, en bus ou en taxi. Sinon, prendre la vieille route pavée *(kaldérimi)* qui sert aux pèlerins. Le trajet (4 km) peut s'avérer pénible pour ceux qui ne sont pas adeptes de la marche, mais il est sublime. À mi-chemin se trouve la grotte de l'Apocalypse (les bus s'y arrêtent). Pour les amateurs de photo qui cherchent un chouette point de vue de Chora, on conseille de sortir du village par la route qui mène à Grikos. À 400 m, au pied des trois moulins, jolie vue sur le monastère et le village.

Où dormir ? Où manger ? Où boire un verre ?

Peu de choix à Chora.

🛏 *Marousso Kouva :* à 30 secondes à pied de la place (demander au resto *Vangélis* de vous indiquer). ☎ 22-47-03-10-26 ou 69-76-64-45-66 (portable). Trois chambres doubles à environ 35 € en été ; pas de petit déjeuner. Salle de bains et cuisine communes. Grande terrasse avec une superbe vue sur le village. Tenu par un couple avenant, ne parlant que le grec. Une bonne adresse.

🛏 *Georgia Triantafilou :* un peu plus loin, après *Marousso Kouva,* prendre la 1re ruelle à droite puis descendre l'escalier sur la gauche (pancarte au-dessus de la porte). ☎ et fax : 22-47-03-19-63. Deux chambres doubles qui se partagent une salle de bains à environ 45 € et quelques chambres avec salle de bains à 55 €. Petite pension familiale tenue par une dame accueillante, qui est la sœur de la propriétaire de l'adresse précédente. Deux cuisines communes. Propre et tranquille.

🍴 *Vangélis :* sur une sorte de petite place (suivre les indications depuis le monastère). ☎ 22-47-03-19-67. Ouvert de Pâques à octobre, de 11 h à 14 h et de 18 h à minuit. Bon rapport qualité-prix : compter environ 8 € pour une entrée et un plat. Petite terrasse sur la place ou à l'arrière, à l'étage. Le patron parle un peu le français et prendra plaisir à se remémorer ses leçons pour prendre la commande.

🍴 *Restaurant Aloni :* à l'extérieur de Chora, à gauche sur la route en direction de Grikos. ☎ 22-47-03-10-07. Ouvert le soir (et parfois le midi, mais avec une carte limitée). Les mercredi et samedi en saison, concerts de musique grecque et des danses folkloriques pendant le repas. Touristique, mais l'ambiance est sympathique. Réservation préférable. Cuisine familiale.

🍷 *Café-bar Stoa :* sur la même place que le *Vangélis.* Belle salle sombre tout en voûte. Il y fait frais et les sandwichs sont corrects.

À voir. À faire

🎭🎭🎭 *La grotte de l'Apocalypse :* entre Skala et Chora. ☎ 22-47-03-12-34. Ouvert le dimanche, le mardi et le jeudi de 8 h 30 à 13 h 30 et de 16 h à 18 h, les autres jours uniquement le matin. Entrée gratuite. C'est en ce lieu que saint Jean aurait écrit, sous la dictée de Dieu, *L'Apocalypse* (en 95 de notre ère). Les shorts et décolletés sont interdits, mais il est possible de se faire prêter jupes et pantalons.

🎭🎭🎭 *Le monastère de Saint-Jean :* ouvert aux mêmes heures que la grotte de l'Apocalypse. ☎ 22-47-03-12-23. Fondé en 1088, il a conservé son caractère de forteresse médiévale. Entrée libre, sauf pour le trésor (cher !). On voit l'église (contenant de superbes fresques du XVIIe siècle, des reliques comme la tête de saint Thomas) et le *musée,* ou salle des trésors (entrée : 6 €) avec toute une profusion d'icônes de l'école crétoise et des documents précieux, dont des parchemins très anciens, comme ce fragment de *L'Évangile selon saint Marc,* sur un parchemin pourpre. Étonnant aussi, le chrysobulle sur lequel est noté l'acte de donation de Patmos par Alexis Ier à Christodule (1088). Près de la sortie, une œuvre du Gréco (*Le Christ mené à la Crucifixion,* notez son air à la fois résigné et confiant). Le reste du monastère est réservé aux moines. Pour ceux qui désirent visiter le lieu avec des informations précises, l'achat d'un guide est intéressant. Tenue correcte exigée ; des vêtements sont disponibles pour se couvrir.

🎭🎭 Ne pas rater le *monastère de Zoodohos Pigis :* ouvert en principe de 8 h à 12 h et de 16 h à 19 h. Côté nord-ouest du village, indiqué par un parcours fléché, c'est un monastère de moniales, dans lequel se trouvent l'*église de Zoodochou Pigis* et celle de *Saint-Jean-le-Théologue* (très beaux offices orthodoxes chantés en général le jeudi à 17 h, se renseigner au ☎ 22-47-03-19-91). Promenades superbes au nord-ouest du village en descendant vers les plages d'Ormos Kipon.

🍴 Balade sympa dans les *ruelles tortueuses* de Chora. À éviter en plein midi si l'on ne veut pas succomber d'un coup de chaleur ! En revanche, à la fermeture des portes du monastère, la ville tombe en complète léthargie. Commerces, cafés et restos, tout s'arrête pour la sacro-sainte sieste. Bref, le moment idéal pour profiter de la cité.

Les plages au sud de Chora

⌒ *Sapsila Bay :* pas terrible pour se baigner mais des locations.

🏠 *Studios Mathios :* entre la route et la mer. ☎ 22-47-03-21-19 ou 22-47-03-25-83. • www.greeka.com • En juillet et août, compter environ de 45 € pour 2 (chambre) à 65 € (appartement). Petit ensemble de studios et appartements récents, entourés d'un jardin propret. Les locations sont réparties en plusieurs bâtiments avec terrasse indépendante. Confortable et très calme (c'est à côté d'un centre de retraite pour moines orthodoxes !). Bon accueil de Giacoumina. Mer à 50 m seulement.

⌒ *Grikos* est une plage à 4,5 km de Skala, assez touristique mais pas antipathique pour autant. La crique a été jolie... Gare aux oursins !

🏠 I●I *Pension Flisvos et Apolavsi :* à l'extrême droite de la plage de Grikos, un peu en hauteur avec vue sur toute la baie. ☎ 22-47-03-13-80. Fax : 22-47-03-20-94. Chambres simples mais propres à environ 30 € avec salle de bains commune et hors petit déjeuner. Appartements à environ 50 € avec salle de bains et cuisine. Également resto avec une grande terrasse couverte.

🏠 I●I *Hôtel Silver Beach :* face à la mer. ☎ 22-47-03-26-52. Ouvert de mai à fin septembre. Chambres doubles avec salle de bains à 50 € en juillet et août. Jolies chambres tranquilles, dotées d'un petit balcon en fer forgé qui donne sur le large. La *taverne Oasis* appartient au même propriétaire.

⌒ Après Grikos, longer la plage de *Plaki.* Belles grottes naturelles dans le rocher de la presqu'île.

⌒ Au sud de Grikos, avant Diakofti, *Petra Bay* recèle également de petites criques, mais la piste passe juste au-dessus....

⌒ *Psili Ammos,* à 15 km au sud de Skala, est une plage de sable, considérée, à juste titre comme la plus belle de l'île. De plus en plus de monde, car des *taxi-boats* la desservent tous les jours. On peut y aller en caïque à partir de Skala (départ le matin et retour l'après-midi). Sinon, on peut descendre à Alykès (plus 30 mn de marche). Dans les environs, on trouve de petites plages couvertes d'algues séchées, désertes et belles. Sur une partie de la plage, le nudisme est toléré. Une taverne « les pieds dans le sable » avec terrasse ombragée où manger et boire (carte on ne peut plus basique mais il n'y a pas le choix et ce n'est pas cher).

Fêtes

L'île étant un lieu sacré, les fêtes religieuses ont une grande importance. Certaines, non religieuses, ont lieu pendant la saison touristique. Se renseigner à l'office du tourisme.

– *La Semaine sainte* et particulièrement le *Jeudi saint* avec la cérémonie du *Niptère (Niptiras)*, où 12 moines du monastère représentent les apôtres du Christ se font laver les pieds sur la place de la mairie : messes et processions s'étalent sur la semaine qui, se terminant par le repas pascal, clôt la période du jeûne. On sert à cette occasion la *maghiritsa* : soupe à base d'intestins d'agneau.
– *La fête de Saint-Pandéléimon :* le 27 juillet. Célébrée sur l'*îlot Chiliomodi*. De nombreux pèlerins s'y déplacent.
– *La fête de la Transfiguration :* le 6 août. La veille, au village de Kambos, des musiciens chauffent la place principale et les tenanciers des *ouzeria* offrent des *mezze*. Messe célébrée par les moines et le supérieur du monastère.
– *Le 15 août :* la Sainte Vierge est célébrée dans toute la Grèce. La veille, une grande fête est organisée à Kambos. Procession au monastère de Zoodohos Pigis.

QUITTER L'ÎLE DE PATMOS

En avion

✈ Se rendre à *Kos* ou à *Samos,* qui possèdent des aéroports internationaux. *Léros* n'a de vols que pour Athènes.

En bateau

Attention, les agences ne vendent pas de billets pour tous les bateaux. Avant de faire un choix par dépit, il faut vérifier que les concurrents n'ont pas un départ plus intéressant. Se renseigner à la *police maritime* sur le débarcadère pour gagner du temps. ☎ 22-47-03-12-31.
➤ *Pour Le Pirée :* pendant la saison touristique, départs tous les jours, avec un arrêt sur l'île de *Mykonos.*
➤ *Pour Rhodes :* un ferry quasiment tous les jours. Arrêts aux îles de *Léros, Kalymnos* et *Kos.*
➤ *Pour l'île de Samos :* bateaux chaque jour.
➤ *Pour les îles du Dodécanèse :* régulièrement en saison, des hydrofoils, deux fois plus chers que les ferries.

LES ÎLES DE L'EST ET DU NORD DE LA MER ÉGÉE

SAMOS (ΣΑΜΟΣ)   43 000 háb.

Parmi les îles de la mer Égée, Samos est la plus proche de la Turquie, séparée de celle-ci par le détroit de Mykali, dont la largeur n'est que de 1,2 km. Montagneuse et accidentée, elle possède deux des plus hauts sommets des îles Égéennes, le *mont Kerkis* (1 440 m) et le *mont Karvounis* (1 140 m). Malgré de nombreux incendies, les paysages restent verts (forêts de chênes, eucalyptus) et les randonneurs s'y plairont, à condition toutefois d'éviter la chaleur des mois estivaux. L'île possède d'importants sites archéologiques. Hérodote n'a-t-il pas écrit que les Samiens « ont réalisé les trois monuments les plus importants du monde hellénique » : la jetée, l'aqueduc souterrain et le sanctuaire d'Héra ?

Avec un aéroport international qui reçoit les charters en cascade, Samos est devenue une destination touristique importante. On trouve beaucoup de monde sur les plages de galets et les quelques plages de sable fin concentrées au sud et sud-ouest de l'île. Cependant, en prenant des sentiers dans le maquis, on accède à des criques sauvages et désertes bien sympathiques. À vous de chercher !

Le soleil et les pluies sont bénéfiques à la viticulture. Aujourd'hui, le muscat de Samos est mondialement réputé. On peut le déguster en apéritif ou en dessert et il est meilleur sur place que celui qu'on trouve chez nous, parfois coupé d'eau !

UN PEU D'HISTOIRE

Les anciens l'avaient surnommée *Dryoussa* (« riche en chênes »), *Kyparissia* (« riche en cyprès ») et même *Anthemoussa* (« la fleurie »).

Selon la mythologie grecque, Dionysos, le dieu du Vin et de la Vigne, enseigna les secrets de la viticulture aux habitants de Samos pour les remercier d'avoir tué les Amazones. La déesse Héra, sœur et femme de Zeus, y aurait vu le jour, ainsi que (ça, c'est certain) l'astronome Aristarque (320-230 av. J.-C.). Celui-ci aurait eu l'intuition que la Terre tournait autour du Soleil, bien avant les révélations de Copernic. Autant dire que tout le monde, à l'époque, rejeta cette géniale intuition. Natif de Samos également, le philosophe Épicure (341-270 av. J.-C.), dont on réduit souvent la pensée à une simple jouissance sensuelle de la vie, alors qu'il plaçait le plaisir de l'esprit au-dessus de tout, accompagné bien sûr d'une pratique raisonnable de la vertu.

Mais le plus célèbre des Samiotes n'est autre que Pythagore (581-497 av. J.-C.). Cet illustre philosophe et mathématicien reste l'inventeur de la table de multiplication et du fameux théorème (de Pythagore), même si certains spécialistes considèrent que les Mésopotamiens l'avaient déjà élaboré avant lui. Ce grand savant fut également le chef d'une communauté politique et religieuse que l'on compara à la secte (juive) des Esséniens. Il aurait eu un don de réminiscence lui permettant de se souvenir de ses vies antérieures et croyait à la réincarnation des âmes dans des corps d'animaux. Un rationaliste préoccupé de mystique : voilà résumé Pythagore. Au VIᵉ siècle av. J.-C., Samos connut une sorte d'âge d'or, sous le règne du tyran Polycrate. À cette époque, l'île était réputée pour la grande valeur de ses artistes et de ses scientifiques, mais aussi pour la vie de faste et de plaisir qu'on y menait.

Comment y aller ?

En avion

✈ *L'aéroport* se trouve au sud-est de l'île, à 2 km de Pythagorio, à 16 km de Samos-ville, 37 km de Karlovassi et 42 km de Ormos Marathokambos. ☎ 22-73-06-12-19.

➤ Nombreux *vols internationaux (charters),* sauf depuis la France !

➤ Trois à 5 vols par jour d'*Athènes* (1 h environ) et 3 vols par semaine de *Thessalonique, Lesbos, Chios* ou *Rhodes.*

En bateau

⛴ *Les deux ports principaux* de l'île sont ceux de *Samos-ville* (ou *Vathy*) au nord-est et de *Karlovassi* au nord-ouest. Faire attention à son port d'arrivée et de départ. La traversée entre ces deux ports est d'une heure. Le *troisième port* de l'île est celui de *Pythagorio* (au sud), qui assure en ferries ou en hydrofoils (beaucoup plus rapides et donc plus chers !) les liaisons avec les îles du Dodécanèse.

➤ *Du Pirée :* 1 à 3 départs quotidiens, le plus souvent en fin d'après-midi ou en soirée. Durée de la traversée : entre 10 h et 14 h selon le port d'arrivée et les escales. Attention, bien souvent, l'arrivée à Samos se fait aux aurores.

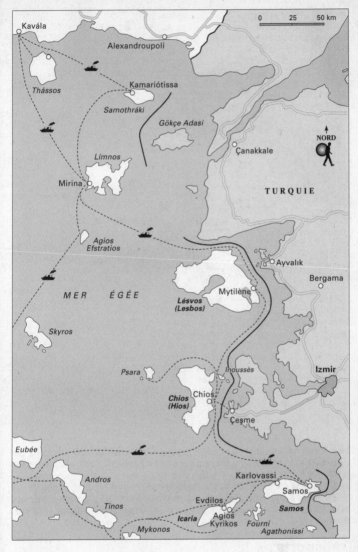

LES ÎLES DE L'EST ET DU NORD DE LA MER ÉGÉE

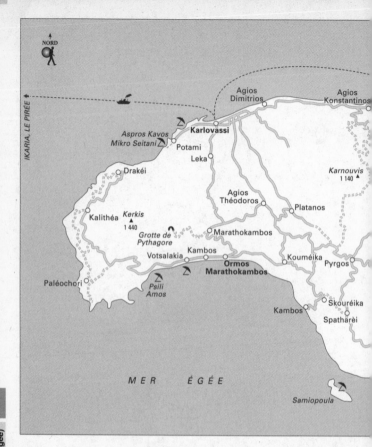

Prévoir son hébergement en conséquence. Également un bateau rapide de la *Nel Lines* qui effectue (quand il n'est pas en panne) le trajet en guère plus de 6 h via Paros et Naxos.

➢ *De Chios :* 2 ou 3 ferries par semaine. Environ 4 h de traversée.

➢ *De Kos, Kalymnos, Patmos :* liaisons plusieurs fois par semaine à partir de mi-avril. Le trajet Patmos-Pythagorio se fait aussi en hydrofoil (1 h) dès début juin.

Transports

Deux routes principales parcourent l'île, un axe côtier reliant Pythagorio à Samos-ville et à Karlovassi, et un axe montagneux reliant Karlovassi à Pythagorio par le sud. Les routes sont toutes récentes (merci l'Union européenne) mais se détériorent chaque année quand il pleut. Une conduite vigilante est donc à recommander, notamment si vous empruntez la route de montagne entre Karlovassi et Pythagorio.

– Le meilleur moyen de se déplacer dans l'île bon marché reste le *bus.* Voir les lignes et les fréquences plus loin dans « Quitter Samos-ville ».

L'ÎLE DE SAMOS

SAMOS-VILLE *(VATHY; ΒΑϑΥ; 6400 hab.)*

Capitale de l'île, appelée *Vathy* (le profond) par les autochtones. Port et ville bouillonnante d'activité. Allez vous balader dans la ville haute, Ano Vathy, à travers les ruelles du vieux quartier, et ne ratez pas la visite du Musée archéologique. Il peut être intéressant de loger à Vathy, car les chambres sont bien plus chères à Pythagorio et assez peu nombreuses à Karlovassi. De nombreux magasins touristiques dans la rue principale longeant le front de mer et menant au port.

Adresses utiles

🛈 *Office du tourisme de l'île :* dans une rue juste avant le square Pythagoras en venant du débarcadère, l'enseigne est assez discrète. Ouvert du lundi au vendredi de 9 h à 15 h. Fermé le week-end. On y parle un peu l'anglais, peu de documentation en dehors de l'essentiel.

✉ *Poste :* sur le port.

■ *Police touristique :* ☎ 22-73-02-73-33.

@ *Netcafé Diavlos :* 169, odos Themistokli Sofouli. ☎ 22-73-02-24-69. Sur le port, près du poste de police. Ouvert de 8 h à 23 h 30. Connexion à 1,50 € la demi-heure.

■ *Distributeurs automatiques :* plusieurs sur le port, après la place Pythagoras.

■ *Olympic Airlines :* odos Smyrnis et 5, odos Kanari. ☎ 22-73-02-72-37 et 39-27. Ouvert du lundi au vendredi de 8 h 10 à 15 h 30.

■ *Hôpital :* sur la route de gauche en sortant du débarcadère. ☎ 22-73-02-74-07.

■ *Agent consulaire de France :* avocate Maria-Ioanna Efstathiou, 3, odos Gymnasarchiou Katévaini. ☎ 22-73-02-88-70 ou 22-73-02-77-93. Fax : 22-73-02-50-77.

■ *Location de voitures chez Alamo :* 24, odos Kanari. ☎ 22-73-02-44-67. Près de l'arrêt de bus. Compagnie sérieuse et efficace. Voitures, scooters et motos en très bon état. Ne pas hésiter à négocier les prix pour la location d'une voiture à partir de 3 jours. Agences à Pythagorio et à Kokkari également.

■ *Taxis :* pl. Pythagoras. ☎ 22-73-02-84-04. Bon marché. Il est préférable de négocier le prix de la course au départ, afin d'éviter les mauvaises surprises. Demander au chauffeur d'allumer son compteur.

Où dormir ?

🛏 *Pension Trova :* 26, odos Kalomiris. ☎ 22-73-02-77-59. À deux pas du débarcadère (prendre la rue Thisséos, juste après le vieux palis de justice catholique). Compter environ 25-30 € pour deux. Pension familiale agréable, avec des chambres pour 2 ou 3 personnes qui se partagent des salles de bains bien propres. Quelques-unes ont une terrasse. Accueil très aimable de Maria.

🛏 *Pension Avli :* odos Aréos, à 2 mn du port. ☎ 22-73-02-29-39. Ouvert de mai à octobre. Compter 35 € en chambre double pour une nuit, réduction si vous y restez plusieurs nuits. C'est une ancienne école de sœurs françaises. La cour intérieure fleurie est classée Monument historique. De nombreuses chambres spacieuses qui n'ont pas vraiment changé d'aspect depuis le départ des sœurs. Parquet, mobilier et murs en bois... rien n'a changé, sauf les caissons rouges, style hallucination post-soixante-huitarde, qui permettent d'avoir une salle de bains privée. Calme. Accueil chaleureux.

Où manger ?

🍴 Les *ouzeria* typiques se trouvent encore dans le vieux Vathy, à 1,5 km du centre-ville.

🍴 *Restaurant The Garden :* odos Manolis Kalomiris ; à 30 m de la pension *Ionia*. ☎ 22-73-02-40-33. Plats typiquement grecs, servis dans une cour protégée par une treille de verdure. Un endroit apprécié par les touristes grecs de passage. Concert de *bouzouki* en soirée. Un peu cher si l'on ne prend pas le menu.

🍴 *Restaurant Christos :* dans une rue qui donne sur la place Agiou Nikolaou. Tables à même la ruelle, sous un toit de verdure. Bonne cuisine traditionnelle. Accueil fort chaleureux et repas bon marché. On y parle un peu le français.

🍴 *Restaurant The Steps* (Ta Skalopatia) : odos Pavlou Koundourioti, parallèle au port. ☎ 22-73-02-86-49. En haut d'un bel escalier abrupt. Compter en moyenne 6 € le plat. Grande salle-terrasse couverte dominant la baie. Bonne cuisine et service soigné. Très touristique, mais quelle vue ! Prudent de réserver en fin de semaine.

Où manger une glace?

♦ *Dodoni* : 25, odos Themistokli Sofouli. ☎ 22-73-02-35-01. Sur le port, à côté du palais de justice. Un large choix de parfums (une quarantaine).

À voir

🎬🎬 *Le Musée archéologique :* réparti dans deux bâtiments, derrière le jardin municipal. ☎ 22-73-02-74-69. Ouvert de 8 h 30 à 15 h. Fermé le lundi. L'un des plus importants musées archéologiques du pays. Panneaux explicatifs détaillés en 3 langues (grec, anglais et allemand). Fermé le lundi. Entrée : 3 € ; réductions. Dans le nouveau bâtiment, on peut voir le colossal *Kouros* (jeune garçon) de marbre, haut de 4,75 m. Il a été trouvé en trois parties, à quelques années d'intervalle ! Nombreuses autres statues trouvées sur l'île, et notamment sur le site d'Héraion, comme cette magnifique *korê* (dont une quasi-jumelle est visible au Louvre). À voir aussi, dans l'ancien bâtiment, à l'étage, toute la série des chaudrons décorés de têtes effrayantes de griffons : chaque chaudron, posé sur un trépied, compte 6 têtes de griffons gueule ouverte. Collection unique : en dehors de Samos, les archéologues n'en ont pas retrouvé beaucoup en Grèce. D'autres jolies pièces dans les vitrines comme ces figurines en ivoire représentant Persée et Méduse. Une visite indispensable, complémentaire de celle de l'Héraion, dont l'histoire est mieux racontée au musée que sur le site.

🎬 *Ano Vathy* (Aνω Bαϑυ) : à 1,5 km du centre-ville, en direction de Pythagorio. On ne peut pas y circuler en voiture mais il est tout de même possible de s'en approcher en voiture. La partie la plus intéressante à visiter étant celle qui est la plus éloignée de Samos-ville, on conseille de quitter cette dernière par la route qui part du port et monte rapidement : la quitter sur la gauche dans un virage en épingle à cheveux et se garer au parking en bout de route. Quartier à l'origine de la capitale, il a su garder son aspect villageois. Dans ses ruelles étroites, de belles et anciennes maisons à encorbellement. Quelques cafés et commerces à l'ancienne.

À voir dans les environs

➢ De Samos, suivre la *route du monastère Zoodohos Pigis* (vers l'est). Le paysage est exceptionnel. Il offre des vues merveilleuses sur une côte parsemée de baies émeraude et révèle clairement la proximité avec la Turquie. Profitez de votre sortie pour visiter le monastère (ouvert tous les jours sauf le vendredi de 10 h à 13 h 30 et de 18 h à 20 h).

➢ *Les plages :* à la sortie de Samos vers Pythagorio, prendre les directions de *Kervéli* (7 km) et de *Possidonio* (12 km), deux petites plages propices à la baignade. La plage de *Klima* (galets) est assez sympa aussi et offre plus de place que celle de Possidonio. Taverne de poisson sympa *(Kandouna)* avec une grande terrasse sur les rochers.

➢ Sur la route de Pythagorio au sud, suivre la direction de *Psili Ammos* (9 km). Accessible par les bus en haute saison (sous le nom de *Mykali,* nom du détroit). Plages de sable fin ou de galets, ombragées mais très fréquentées (plusieurs hôtels), bien moins tranquilles que Posidonio ou Kervéli. C'est le point le plus proche de la Turquie (1,2 km). Il est aussi possible de passer de Possidonio à Psili Ammos par une piste de 6 km.

Quitter Samos-ville

L'île est assez bien desservie par les bus. Départs depuis une rue perpendiculaire au port (à 300 m de la place principale). ☎ 22-73-02-72-62. Les horaires d'été commencent au 1er juin et s'achèvent en septembre. Ils sont affichés au bureau de vente et figurent dans *Samos News,* un journal gratuit qu'on trouve un peu partout. Hors saison, fréquences moindres.

➤ *Pour Kokkari :* 6 à 8 départs quotidiens.

➤ *Pour Karlovassi :* 5 à 6 départs quotidiens.

➤ *Pour Pythagorio :* 7 à 10 départs quotidiens.

➤ *Pour Vourliotès :* 1 départ quotidien du lundi au vendredi.

➤ *Pour Marathokambos, Ormos Marathokambos et Votsalakia :* 1 départ quotidien.

➤ *Pour Héraion :* 3 à 4 départs quotidiens.

➤ *Pour Kallithéa et Drakei :* 2 départs par semaine seulement (en principe le lundi et le vendredi).

KOKKARI (KOKKAPI)

Sur la route côtière du nord, à 10 km de Samos-ville et en direction de Karlovassi. Petit village de pêcheurs aux maisons blanches, qui s'est consacré avec succès au tourisme jusqu'à devenir le 3e centre balnéaire de l'île. Le village, aux ruelles étroites et sinueuses, a de moins en moins de charme, même si le front de mer a un air cycladique. Très nombreux restaurants et bars en bordure de mer. Plages à la sortie du village ou bien près du rocher de Kokkari.

➤ Bus toutes les heures depuis Vathy, de 8 h 30 à 20 h.

Adresse utile

🛈 Dans la rue principale, en arrivant de Samos-ville, un *office du tourisme municipal* (sur la gauche).

Où dormir ?

🛏 *Alkionis :* à l'extrême gauche en arrivant sur le front de mer. ☎ 22-73-09-22-25. Hors saison : ☎ 22-73-03-35-40. Ouvert de mai à octobre. Chambre double avec salle de bains à environ 35-40 € en été ; petite réduction hors saison. Propre et peinard. Demander évidemment une chambre donnant sur la baie.

🛏 *Angela :* proche d'*Alkionis.* ☎ 22-73-09-20-52. Compter environ 50 € pour 2 personnes en été. Chambres ou appartements avec salle de bains. Moderne et très propre. Se trouve au bord de l'eau, dans une partie non occupée par les restaurateurs, donc plutôt calme. La vue est splendide.

🛏 *Lemon House :* juste à l'entrée du village, dans la rue qui descend, sur la droite en venant de Samos. ☎ 22-73-09-23-94. En été, prévoir environ 45 € pour 2 personnes, petit déjeuner compris. Très jolies chambres avec balcon et salle de bains. Propre et agréable. Courette plantée de citronniers (d'où le nom !). Accueil sympa. On y parle le français.

Où manger ?

🍴 *Marina :* à la sortie de Kokkari (direction Karlovassi). ☎ 22-73-09-26-92. Ouvert toute l'année (hors saison, le week-end seulement, dès le vendredi soir). Compter autour de 10 € par personne. Terrasse devant une pelouse bien entretenue, avec quelques jeux pour occuper les enfants. Belle carte qui ne propose que des bonnes choses (on fait sur place jusqu'au pain). Patronne attentionnée.

À voir. À faire dans les environs

⌖ Plusieurs jolies *plages* de galets entre Kokkari et Agios Konstantinos. À quelques kilomètres de Kokkari, en direction de Karlovassi. Desservies de 8 h à 20 h en saison par les bus locaux *KTEL* : demander au chauffeur de s'arrêter aux plages de *Lemonakia, Tsambou*. Les plus jolies plages sont peut-être *Avlakia* ou *Tsamadou*, ce qui signifie « ricochet » en grec, nom dû aux galets plats et colorés qui se prêtent tout à fait à ce genre d'activité. La plupart sont aménagées, avec des transats, des parasols et des tavernes, parfois même un parking payant.

⌖ Un peu avant Agios Konstantinos, prendre la direction de Manolatès. La *vallée des Rossignols* (on les entend chanter très tôt le matin) qui y mène est très agréable et invite volontiers à la balade en raison de sa dense végétation (fruits de toutes sortes) et de ses nombreuses sources de montagne. *Manolatès* (Μανωλάτες) est un village perché, propret et fleuri, aux étroites ruelles très pentues s'étalant sur le flanc de la montagne, l'un des plus jolis de l'île. Se garer au parking et monter dans le village. Vue panoramique très étendue depuis les hauteurs.

|◉| Plusieurs *tavernes* dans le village. La plupart des touristes montent manger au resto *Loukas,* le plus haut du village, plus pour la vue depuis la terrasse (incomparable) que pour ce qu'il y a dans l'assiette (parce que là...). Possibilités intéressantes de randos depuis Manolatès (sentiers pour Stravinidès et Vourliotès).

⌖ *Agios Konstantinos* (Αγιος Κωνσταντινος), à 10 km de Kokkari, est un des villages les plus fleuris de l'île. Halte très agréable pour déjeuner ou dîner au calme. Nombreux restaurants et tavernes sur le port.

VOURLIOTÈS *(ΒΟΥΡΛΙΩΤΕΣ)*

À 5 km d'Avlakia, vers l'intérieur de l'île (très jolie route « virageuse »). Sur le chemin, si vous avez le temps, faites un petit détour par la fontaine *Pnaka* (le resto du même nom est réputé). Superbe petit village perché sur l'un des flancs du mont Karvouni, avec sa place typique presque totalement occupée par 4 tavernes, où la vie villageoise « à la grecque » reste omniprésente, même si de nombreux touristes viennent y déjeuner (place beaucoup plus agréable le soir). Maisons anciennes à encorbellement bien conservées.

Où dormir ? Où manger ?

⌂ *Pension Mary's House :* à 5 mn à pied de la place (bien indiqué). ☎ 22-73-09-32-91. En été, compter dans les 35-40 € pour deux ; réductions si l'on reste plusieurs nuits. Même si vous ne désirez pas y loger, suivez le jeu de piste fléché dans le village, la balade en vaut la peine. Cette maisonnette ravira les amateurs de tranquillité et de nature.

Les chambres sont simples et mignonnes, avec salle de bains. Préférer celles qui ont un balcon car la vue est jolie. Accueil chaleureux.

|◉| *Chez Eléni et Diamandis :* sur la place principale (au fond à gauche, reconnaissable aux volets verts). ☎ 22-73-09-32-98. Quelques tables en terrasse, idéales pour s'imprégner du charme de la superbe

petite place. Carte appétissante de plats typiquement samiotes, la plupart préparés à l'instant. Goûtez aux petits triangles au potiron, aux épinards ou au fromage, accompagnés d'un épatant rosé local : délicieux !

On y parle le français (Eléni est née en Tunisie). Une belle petite adresse. Excellent accueil.

|●| Kostas : à côté du précédent. Cuisine familiale simple et bon marché.

KARLOVASSI *(ΚΑΡΛΟΒΑΣΙ)*

Deuxième ville de l'île, au nord-ouest, à 35 km de Vathy, Karlovassi s'étale sur plusieurs kilomètres et regroupe 5 quartiers : le vieux Karlovassi *(Paléo-K)*, le port *(Limani)*, le moyen Karlovassi *(Messéo-K)*, le centre-ville *(Néo-K)* et enfin la baie de Karlovassi *(Ormos)*, à l'entrée de la ville.

Ville endormie et quelque peu disgracieuse, Karlovassi n'a rien d'exceptionnel, mais c'est le point de départ de nombreux randonneurs qui vont découvrir le plus vaste espace naturel protégé de l'île, reliant le nord-ouest au sud-ouest. À voir, à Ormos, face à la mer, tout un quartier d'anciennes tanneries, superbes bâtiments en pierre de taille, qui tombent maintenant en ruine. Ces tanneries contribuèrent à la prospérité de Karlovassi avant la Seconde Guerre mondiale.

Adresses utiles

■ Karlovassi ne dispose pas d'office du tourisme. Ne pas hésiter à se rendre à l'agence de voyages *Ireon Tours,* odos Zaïmis dans le centre-ville (une des deux rues qui descendent de la place centrale. ☎ 22-73-03-03-01, 2 ou 3. Fax : 22-73-03-45-53. ● ireon1@internet.gr ● Ouvert tous les jours sauf le dimanche, de 9 h à 14 h et de 18 h à 21 h. Virginie Masson, une Française très sympa mariée à un Grec, vous donnera tous les renseignements souhaités.

✉ **Poste :** dans le centre-ville, à 150 m du centre médical et de l'université. ☎ 22-73-03-22-02. Ouvert du lundi au vendredi de 7 h 30 à 14 h.
■ **Police :** odos Gorgyras. ☎ 22-73-03-24-44.
■ **Olympic Airlines :** 3 agences situées dans le centre-ville. ☎ 22-73-03-08-00.

■ **Centre médical :** dans le centre-ville, juste en face de l'université. ☎ 22-73-03-22-22. Ouvert 24 h/24. Rattaché à l'hôpital de Samos-ville, il joue plutôt le rôle de centre d'urgences et de premiers soins.
■ **Suncar :** en plus des agences internationales, 2 agences de location de voitures, l'une située juste à l'entrée du centre-ville, l'autre juste avant le port. ☎ 22-73-03-05-30. Prix raisonnables et grande serviabilité. *Suncar* étant également concessionnaire, les véhicules sont en bon état.
🚌 **Arrêt de bus :** arrêt principal sur la place du centre-ville, juste à côté des taxis. Les horaires y sont affichés.
■ **Taxis :** station sur la place du centre-ville. ☎ 22-73-03-33-00.

Transports

🚌 **Bus local :** du port de Karlovassi au centre, 15 départs. En été, navette entre le centre-ville et la plage de Potami (5 aller-retour quotidiens).
● ➤ De Karlovassi, on peut se rendre facilement à Samos-ville (Vathy) en *bus* et revenir en *ferry*. Départ quotidien du port de Vathy l'après-midi et arrivée 1 h après à Karlovassi. Ne pas oublier l'arrêt, car ensuite vous quittez Samos et c'est la grande traversée pour Athènes !

Où dormir ?

Il vaut mieux louer une *chambre chez l'habitant* ou un *studio,* plutôt que d'aller à l'hôtel, plus cher.

🛏 *Chambres Pheloukatzis :* dans une arrière-rue du port de Karlovassi, non loin de la mer. ☎ 22-73-03-32-93. Dans les 30 € pour deux en été ; réductions hors saison. Chambres simples, propres, avec salle de bains. Prix négociables pour un séjour supérieur à 10 jours. Patronne très hospitalière.

🛏 *Hôtel Astir :* dans le quartier de Messéo, entre le port et le centre-ville, situé dans un jardin verdoyant et calme. ☎ 22-73-03-35-90 ou 31-50. En saison, compter dans les 35-40 € pour 2 personnes. Chambres rénovées avec vue sur la mer ou sur la montagne, bon marché. Très bon accueil et flexibilité quant aux horaires du petit déjeuner.

Où manger ?

🍴 *Tavernes et restaurants :* sur le port de Karlovassi, lieu de rendez-vous nocturne mais devenu plus touristique et impersonnel ces derniers temps, ou bien sur la *place de Messéo-Karlovassi,* où de nombreux autochtones se retrouvent autour d'un verre d'*ouzo* ou de *retsina.* Trois tavernes, toutes aussi recommandables les unes que les autres, se partagent la place du 8-Mai-1821 !

🍴 *Taverne Sunset :* à 2 km du port de Karlovassi, avec vue sur la mer et sur la plage de Potami. ☎ 22-73-03-44-52. Ouvert le midi seulement. Très bonne cuisine locale, à des prix très corrects. Poisson frais que l'on va choisir en cuisine et dont le prix est proportionnel au poids. Très bonnes côtelettes ou brochettes de porc, provenant d'un élevage local. Les calamars et poulpes *(khtapodia)* au vin sont à essayer également.

Où manger dans les environs ?

🍴 *Psaradès :* à Agios Nikolaos, à 6 km de Karlovassi, direction Samos-ville. ☎ 22-73-03-34-89. Continuer la petite route pour Agios Nikolaos jusqu'à la mer. Ouvert d'avril à octobre, midi et soir. Compter 15-20 € par personne. La terrasse est au ras des flots et le coucher de soleil absolument imparable : idéal pour un dîner en tête-à-tête. Dans l'assiette, tous les produits de la mer semblent vouloir se bousculer : il faudra faire un choix ! Une adresse rare.

Où boire un verre ? Où sortir ?

🍸 Les bars se trouvent pour la plupart au port de Karlovassi. *Le Garage* est un bar rock, au bon programme musical. Essayez aussi, en journée, le *Beachfront Café,* en bordure de plage, à 200 m du port.
🎵 Pour les boîtes de nuit, essayez le *Pop Corn* (clientèle ado et musique techno), au port ou le *Paradis-* sos, sur la route de Potami (en saison seulement, boîte en plein air qui fait café en journée).
🎵 À ne pas rater, la soirée grecque de l'*hôtel Anéma,* fréquentée surtout par les Grecs mais ouverte à tout le monde, où musique live et ambiance sont garanties.

À voir. À faire

Le musée d'Arts et Traditions populaires : au centre-ville, sur une place au-delà de la mairie. Ouvert de 9 h à 14 h du lundi au vendredi. Entrée libre. Collections intéressantes, qui renseignent beaucoup sur la vie samiote pendant la période de l'Hégémonie.

La coopérative viticole de Samos *(EOS)* **:** 200 m avant le port. Ouvert au public du lundi au vendredi de 9 h à 14 h. Visite libre et salle de dégustation où l'on découvre les différents muscats de Samos.

Le « Petit Paris » : du port, prendre l'embranchement indiqué pour Paléo-Karlovassi. Baptisé ainsi à cause de l'église de la Sainte-Trinité qui surplombe le port (Montmartre ? Notre-Dame-de-Paris ?) et de laquelle on a un beau panorama, ce quartier traditionnel invite à une petite promenade. 4 bus quotidiens depuis Karlovassi-centre.

Les chutes d'eau de Potami : du port, on accède à la plage de Potami (2 km). Compter une petite demi-heure. Avant d'atteindre l'extrémité de cette plage, prendre sur la gauche un chemin menant d'abord à l'*église de la Métamorphose,* la plus ancienne de l'île. Puis continuer le long des rives d'un fleuve. Ne pas prendre les marches abruptes qui sont proches de la chute. Il faut finalement pénétrer dans le fleuve pour découvrir les chutes d'eau. Les randonneurs pourront continuer après Potami (Diarkéi est à 3 h de marche).

Seitani : après Potami se trouvent 2 très belles plages, **Mikro** et **Mégalo Seitani,** accessibles uniquement à pied ou en caïque. Les phoques méditerranéens *monachus-monachus* les fréquentent.

ORMOS MARATHOKAMBOS (ΟΡΜΟΣ ΜΑΡΑΘΟΚΑΜΠΟΣ)

La porte de l'ouest de l'île. On s'y rend de Vathy en longeant la côte nord puis en coupant à travers l'île via Marathokambos, grosse bourgade agricole, à côté de laquelle des éoliennes ont été implantées ou bien de Pythagorio, par des routes inégales qui traversent le centre de l'île. C'est un petit village de pêcheurs, avec un joli port, quand même enlaidi par la grande jetée qu'on a construite et une grande plage de galets. Peinard, avec juste quelques tavernes dont les terrasses font face à la mer. Poisson frais. Mais c'est encore plus sympa de pousser vers l'ouest, vers Kambos et Votsalakia (on passe de l'un à l'autre sans s'en rendre compte).

À 2 km, les plages de sable fin de *Kambos.* 2 bus par jour depuis Karlovassi.

Où dormir ? Où manger dans les environs ?

Studios et appartements Villa Flora : à la sortie de Kambos, vers Psili Ammos. ☎ 22-73-03-74-34. ● www.samosin.gr/villaflora.htm ● Ouvert de mai à octobre. En été, compter environ 35 € le studio pour 2 personnes et 45 € pour un appartement. Négociable si vous désirez rester plusieurs jours ou si vous y venez hors saison. Petite affaire tenue par une famille accueillante du coin. Charmants petits studios, pour 2 à 4 personnes, construits en grande partie par le proprio lui-même. Bon petit resto sur la terrasse ombragée. Chouette espace pour prendre le petit déjeuner ou boire un verre le soir, avec vue superbe sur la mer. Petite plage peinarde tout à côté.

Hôtel et taverne Chryssopétro : à l'entrée de Votsalakia.

☎ 22-73-03-72-47. Chambre double à environ 30 €. Belles chambres avec salle de bains ; préférer évidemment celles donnant sur la mer. Le resto s'allonge d'une belle terrasse au bord de l'eau. Bon rapport qualité-prix. Accueil chaleureux et cuisine savoureuse. Les mêmes proprios possèdent aussi la *Villa Thalina* à l'arrivée sur Kambos, dans un virage.

🏠 *Koala :* dans le centre de Kambos, s'adresser au supermarché où est indiqué « Tourist Centre ». ☎ 22-73-03-72-55. Fax : 22-73-03-76-88. Environ 30 € pour 2 personnes. Quelques chambres au 1er étage, impeccables et spacieuses, avec salle de bains. Pratique, pour ceux qui veulent être dans le centre. Demander aussi à voir les studios,

agréables et plus calmes, à quelques centaines de mètres de là.

🍽 *Loukoulos :* à la sortie de Kambos (en direction de Psili Ammos). ☎ 22-73-03-71-47. Ouvert de mai à mi-octobre, midi et soir. Prévoir dans les 10 €. Un cadre enchanteur : de l'espace, de petites terrasses, de l'ombre (beaux acacias de Constantinople), tout cela avec la mer pas loin, que demander de plus ? Si, tout de même : l'assiette... Là aussi, de belles surprises : cuisine goûteuse et originale, tout en étant à base de produits très simples ; plats préparés dans le four à bois par le patron, Yorgos Kiloudikidis, une personnalité. Propose également des locations sympa (duplex pour 4 personnes).

À faire

➤ D'Ormos Marathokambos, prendre la route en direction de *Kouméika*. De ce village jusqu'à *Skouréika* se trouve une multitude de chemins menant à des baies ou criques, peu fréquentées, voire quasiment désertes, notamment la **baie de Pefko.** Routes difficiles, la moto ou la jeep sont à recommander.

➤ De *Marathokambos* (à 5 km), suivre la route en direction de la **grotte de Pythagore.** Celle-ci se trouve à mi-chemin entre Marathokambos et Votsalakia. Difficile d'accès, elle se trouve néanmoins proche de l'église de Notre-Dame-aux-Quarante-Marches, dont le site est à couper le souffle. Pythagore, opposé au tyran Polycrate, se serait réfugié là avant d'embarquer pour l'exil dans le sud de l'Italie.

➤ **Excursion vers Kallithéa** (Καλλιθεα) **et Drakéi** (Δρακαιοι) **:** si vous êtes motorisé, n'hésitez pas à partir à la découverte d'un des coins les plus sauvages de l'île, à l'ouest de Kambos et Votsalakia. Après la plage de Psili Ammos (sable, locations), une pancarte attirera peut-être votre attention : un resto fait sa pub en s'annonçant comme « The taverna at the end of the world »... Bon, n'exagérons rien, c'est à 3 km... de piste. Sympa mais vraiment isolé et assez loin de la mer. Quelques jolies criques : le problème, c'est d'y accéder, la piste passant très haut. Mais pour les points de vue, ça vaut le coup. Si l'on reprend la route, on s'éloigne vite de la mer : pour la rejoindre, 4x4 ou moto préférables : on arrive à trouver des criques désertes sous Paléochori. En direction du nord, paysages magnifiques vers Kallithéa. Dans la forêt au-dessus du village, jolie grotte avec une petite église (*Panagia Makrini*, autrement dit la Vierge lointaine). Pas facile à trouver, se renseigner sur place. La route principale, toujours au milieu des pins, continue vers Drakéi, où elle s'arrête. Là, 110 habitants paisibles et 3-4 cafés-tavernes vous accueillent. Un petit chantier naval s'y annonce, pourtant à plusieurs kilomètres de la mer ! Compter 18 km de Psili Ammos à Drakéi. Les amateurs de piste, motorisés comme il faut, peuvent revenir par un itinéraire « parallèle » qui passe plus bas, par Agios Isidoros. Ça rallonge de quelques kilomètres mais c'est sympa.

SAMOS
(îles Est et Nord de la mer Égée)

PYTHAGORIO (ΠΥΘΑΓΟΡΕΙΟ)

Capitale originelle de l'île, connue jusqu'en 1955 sous le nom de Tigani (la poêle, c'est dire s'il y fait chaud...) et rebaptisée en hommage à Pythagore. Bâtie sur le site antique de la ville, elle possède de nombreux lieux archéologiques. Aujourd'hui, Pythagorio est une ville touristique importante et le premier site balnéaire de l'île. La rue Lykourgou Logothéti, menant au port, est l'axe commercial principal de la ville. Se méfier du stationnement interdit dans cette rue et au port (nombreuses amendes), mieux vaut se diriger vers les parkings payants (mais économiques). Pour les non-motorisés, des bus ainsi que des hydrofoils font régulièrement la navette depuis Samos-ville.

Adresses utiles

🛈 *Office du tourisme :* odos Lykourgou, sur la gauche quand on monte du port. ☎ 22-73-06-31-89. Fax : 22-73-06-10-22. En principe, ouvert de mai à octobre tous les jours de 8 h à 22 h. Petit kiosque qui donne des renseignements sur l'île. On peut y obtenir une carte de la ville avec la liste de tous les loueurs de la ville.

✉ *Poste :* odos Lykourgou, près de la gare des bus. ☎ 22-73-06-13-04.

■ *Banques :* dans odos Lykourgou, munies de distributeurs.

■ *Police touristique :* près de la station de bus. ☎ 22-73-06-11-00.

■ *Police maritime :* sur le port. ☎ 22-73-06-12-25.

■ *Olympic Airlines :* odos Lykourgou ; après l'ancien forum quand on vient du port. ☎ 22-73-06-13-00.

🚌 *Arrêt de bus :* au niveau de l'intersection d'odos Lykourgou et Polykrati.

■ *Taxis :* odos Lykourgou, juste avant d'atteindre le port. ☎ 22-73-06-14-50.

◉ *Digital World, Internet Service :* pas très loin du port, dans une rue perpendiculaire à odos Lykourgou. Ouvert de 11 h à 14 h et de 17 h 30 à 23 h.

Où dormir ?

Il n'y a pas moins de 60 hôtels ou pensions dans le centre-ville. Les hôteliers profitent de l'affluence pour louer leurs chambres à des prix élevés, surtout en août. Quant aux restaurants, ceux du front de mer sont excessivement chers. Préférer ceux situés dans les ruelles.

🛏 *Pension Christos Foudoulakos :* dans le centre, au bout à droite quand on regarde la mer, à 20 m de la côte. ☎ 22-73-06-18-54. Fax : 22-73-06-13-45. À partir de 35 € pour 2 personnes. Pension familiale tenue par un couple de personnes âgées. Quelques chambres impeccables avec une mini-salle de bains et un petit balcon.

🛏 *Samaina Hotel :* dans une ruelle qui grimpe ferme vers les hauteurs du village. ☎ 22-73-06-10-24. Fax : 22-73-06-10-69. ● www.samaina. com ● Ouvert d'avril à octobre. De 49 à 59 € la chambre double, petit déjeuner compris. Chambres avec salle de bains, ventilateur, petit réfrigérateur, balcon ou terrasse avec jolie vue. Calme tout en étant central. Excellent accueil des propriétaires (qui parlent l'anglais). Une adresse agréable. Cartes de paiement refusées.

Où manger ?

|●| *Restaurant Tarsanas :* à l'extrême droite du port, après le débarcadère, au début de la plage de galets. ☎ 22-73-06-17-74. Ombragé grâce à une treille de verdure, en bordure d'une des plages de la ville.

|●| *Taverna Polykratis :* sur la droite du port, avant le débarcadère. ☎ 22-73-06-17-48. Une taverne ancienne et familiale. Des plats grecs pas trop chers. Mais c'est vraiment parce que l'on veut dîner sur le port, car il y a tellement de passage...

|●| *Riva :* ☎ 22-73-06-23-95. Au-dessus de la plage de galets, au sud de Pythagorio. Ouvert à l'année (l'hiver seulement le week-end). En mi-saison, ouvert le soir et en haute saison, ouvert midi et soir. Compter dans les 10-12 €. Carte de plats grecs talentueusement réalisés mais aussi quelques plats de cuisine internationale pour changer un peu. Belle vue depuis la terrasse.

Où manger dans les environs ?

|●| *Restaurant Antonis :* à Chora, à quelques kilomètres de Pythagorio. Discrètement perché au bout d'une rue pentue, avec une jolie terrasse blottie à l'ombre d'un pin et définitivement adoptée par les matous nonchalants du quartier, ce resto traditionnel est notre adresse préférée dans le coin. Une carte enfin différente de celles des restos touristiques de la côte, offrant une excellente cuisine familiale. Des produits frais concoctés en plats délicieux à s'en pourlécher les babines : tendres viandes grillées, calamars farcis, légumes braisés ; même le pain est savoureux. De plus, l'accueil est charmant et les prix sont très sages.

Où boire un verre ? Où danser ?

Ⓨ Pour les assoiffés, les *bars* du port proposent des cocktails hallucinants. Il faut être 6 pour en boire certains !

♫ Pour finir la nuit et préparer sa sieste sur la plage, on peut aller danser au *Labito,* dans le centre ou au *Privilège* (périphérie de la ville).

À voir. À faire

🏹 *L'église de la Transfiguration du Sauveur et le château de Logothétis :* en haut de la colline. Ils rappellent la vaillance des Samiens contre le joug turc en 1824. L'église est ouverte de 9 h 30 à 12 h 30 et de 17 h 30 à 20 h 30. On ne visite que les extérieurs du château (jolie vue). Juste en dessous, site archéologique (basilique paléochrétienne). Fête populaire locale le 6 août en commémoration.

🏹 *La Collection archéologique :* place Irinis, dans le centre. Ouvert de 8 h 45 à 14 h 30. Fermée le lundi. Entrée libre. Tellement modeste qu'on n'a pas osé l'appeler musée ! On n'y voit guère que des sculptures de la période impériale romaine.

À voir dans les environs

🏹🏹 *Le tunnel d'Efpalinos :* ☎ 22-73-06-14-00. À 1 km de Pythagorio. Ouvert de 8 h à 19 h du mardi au dimanche (de 12 h à 19 h le lundi) en été, et hors saison, de 8 h 45 à 14 h 45. Fermé le lundi matin et les jours fériés. Entrée : 4 € ; réductions. Billet groupé avec l'Héraion : 6 € (réductions). Date de Polycrate (524 av. J.-C.) et constitue une des premières œuvres hydrauliques de l'Antiquité (sans doute un des plus vieux aqueducs souterrains du monde). Il se trouve près d'un théâtre antique et de la chapelle Panagia Spiliani, en direction de Samos. D'une longueur de 1,3 km, il servait à alimenter la ville en eau. Le tunnel n'est pas entièrement praticable et certaines parties restent interdites au public. Claustrophobes, s'abstenir !

🗣🗣 **Héraion** (Ηραιο, prononcer « Iréo ») : à 6 km à l'ouest de Pythagorio, un peu après l'aéroport (en venant de Samos-ville). Plusieurs bus par jour de Samos. ☎ 22-73-09-52-77. Ouvert de 8 h à 14 h 30. Fermé le lundi. Entrée : 3 € ; réductions. Billet groupé avec le tunnel d'Efpalinos (6 € ; réductions). Sanctuaire de la déesse Héra, qui serait née à Samos sur les rives du fleuve Imvrassos. Les premières fouilles ont été menées en 1702 par un grand voyageur français, Joseph Pitton de Tournefort. Il ne reste pas grand-chose du site, mais cela donne quand même une idée de l'ampleur de la construction, qui était le plus important des sanctuaires dédiés à Héra. Plan intéressant des différentes étapes de construction à l'entrée.

🗣 **Le musée du Folklore :** situé dans l'hôtel *Doryssa Bay,* non loin de Pythagorio et du lac Glifada. ☎ 22-73-06-22-86. Ouvert de mai à octobre tous les jours sauf le lundi, de 10 h à 13 h 30 et de 18 h 30 à 21 h. Entrée : 1,50 €. Consacré aux vieux métiers. De nombreux habits traditionnels également. Intéressant.

🗣🗣 **Le Musée paléontologique de Mytilinii :** à quelques kilomètres de Chora, sur la route qui mène à Vathy. ☎ 22-73-05-20-55. Ouvert de début avril à fin octobre, du lundi au samedi de 9 h à 15 h et le dimanche de 10 h à 15 h. Entrée : 3 €. Nombreux minéraux, fossiles (datant de 3,5 à 7 millions d'années) et mammifères naturalisés. Le *machairodon,* si vous ne le saviez pas, a vécu à Samos en d'autres temps... et il n'était pas seul. Au sous-sol, musée folklorique, avec une petite expo sur la vie rurale (voir la chaise percée !).

QUITTER L'ÎLE DE SAMOS

En bateau

🚢 Attention ! Il y a **trois ports** importants sur l'île (voir « Comment y aller ? »). Faire attention d'arriver à bon port ! Avant de faire un choix, cherchez le point de départ et les horaires qui vous conviennent le mieux. Un conseil également : une demi-journée avant votre départ, vérifiez par un coup de fil ou un passage à l'agence que votre bateau n'a pas été reprogrammé au départ d'un autre port que celui qu'on vous avait initialement indiqué.

➤ **Des excursions** sont proposées depuis Samos sur *Samiopoula* (îlot près de Samos) et *Fourni* (pour ces deux îles, départs d'Ormos Marathokambos), *Patmos, Kalymnos* et *Icaria,* ou encore un programme turc avec *Kusadasi* et la visite du site d'*Éphèse.*

➤ **Pour la Turquie (Kusadasi) :** départs 6 jours sur 7 de Samos-ville. La traversée dure 1 h 30. Attention ! C'est cher du fait des taxes portuaires à payer dans chaque port respectif (grec et turc). Prévoir 47 €. Il faut de plus faire enregistrer son passeport la veille dans l'agence de voyages, pour les problèmes de frontière.

➤ **Pour Le Pirée :** départ tous les jours de Samos-ville et de Karlovassi. Certains bateaux font escale à Icaria, Fourni (parfois), Mykonos, Paros, Naxos, Syros. Attention ! Ces escales varient selon les compagnies. Il se peut qu'il y ait 2 départs dans la même journée avec des arrêts différents pour chaque bateau. Le bateau rapide (6 à 8 h de traversée) part le matin, vers 7 h 30.

➤ **Pour Chios :** plusieurs départs par semaine de Samos-ville et de Karlovassi.

➤ **Pour Rhodes et les îles du Dodécanèse :** 2 départs par semaine en ferry pour Rhodes depuis Samos-ville uniquement. Départs quotidiens de Pythagorio en hydrofoil vers Patmos, Léros, Kalymnos, Kos et changement de bateau pour Rhodes, mais seulement de mai à octobre. En général,

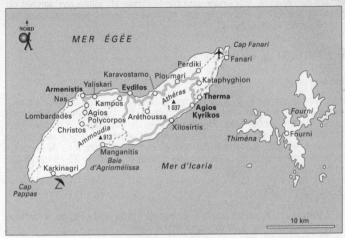

L'ÎLE D'ICARIA

départ vers 8 h. Renseignements à l'agence *By Ship* (☎ 22-73-06-22-85 à Pythagorio et ☎ 22-73-02-50-65 à Samos-ville). De Pythagorio toujours, départs également pour Lipsi, Fourni et Ikaria (2 fois par semaine) et Agathonissi (1 fois par semaine).

En avion

⌒ *L'aéroport* de l'île se trouve à l'ouest de Pythagorio (2 km). ☎ 22-73-06-12-19.
➣ *Pour Athènes :* 4 ou 5 vols par jour (50 mn) en haute saison.
➣ *Pour Thessalonique :* 3 vols par semaine (1 h 40).
➣ *Pour Rhodes, Chios et Lesbos (Mytilène) :* 1 ou 2 vols par semaine.

ICARIA (IKAPIA)

9 000 hab.

Selon la légende, c'est ici que se serait noyé Icare. Ivre de pouvoir voler, il s'approcha trop près du soleil et la cire de ses ailes fondit.
Icaria est une petite île montagneuse (avec des sommets à plus de 1 000 m) traversée par de profonds canyons et boisée par endroits, abritant pinèdes, oliviers et arbres fruitiers. Son vin fut autrefois chanté par Homère. Sur la côte sud, la montagne plonge directement dans la mer, dessinant une côte escarpée et rocheuse qui laisse peu de place aux plages, hormis quelques belles criques que l'on peut atteindre en caïque. Au nord, entre *Karavostamo* et *Arménistis,* on trouve de superbes plages de sable fin.
La population est assez accueillante : les habitants des montagnes d'Icaria saluent chaque navire en faisant clignoter leurs miroirs aux rayons du soleil, attachante façon d'accueillir ou de dire adieu, ce qui explique les nombreux coups de sirène des navires qui leur répondent. Icaria reste cependant un souvenir douloureux pour certains, car de nombreux communistes y furent exilés durant la dictature militaire.
L'île est restée à l'écart des grands flux touristiques, et ceux qui ont connu la Grèce il y a une vingtaine d'années disent y retrouver un peu de l'atmo-

sphère de l'époque. Voici donc une petite escale qui plaira aux saturés du béton et des foules. Pour s'informer sur tout ce qu'elle propose, consulter • www.island-ikaria.com •

Comment y aller ?

En bateau

Icaria est située sur la route maritime de Samos. Tous les bateaux s'y rendant s'arrêtent à Icaria : soit dans le port de la côte sud, *Agios Kyrikos,* soit dans celui de la côte nord, *Evdilos.* Desservis pratiquement chaque jour. Compter entre 6 et 10 h selon les escales. Attention, en cas de tempête, si vous êtes au nord, les ferries abordent au sud pour des raisons de sécurité. Se renseigner auprès de la capitainerie d'Agios Kyrikos : ☎ 22-75-02-22-07 ; ou à Evdilos : ☎ 22-75-03-10-07.

En avion

➤ *L'aéroport* d'Icaria se trouve à l'extrémité est de l'île, à Fanari. À l'arrivée de chaque avion, il y a un bus pour Agios Kyrikos.
➤ *D'Athènes :* 4 vols par semaine. Durée : 50 mn.

Transports

➤ Deux *bus* par jour (quand ils le veulent bien) relient *Agios Kyrikos* à *Arménistis.*
➤ Un *bus* relie la côte nord à la côte sud (d'Agios Kyrikos à Evdilos), à travers de magnifiques paysages de montagne, en particulier à *Ploumari.* Vous pouvez aussi effectuer ce trajet en scooter : superbe et vraiment impressionnant !
➤ *Bateaux* quasi quotidiens pour l'île de *Fourni* (complètement pelée, mais idéale pour les amateurs de solitude), au départ d'Agios Kyrikos.
– *Location de scooters* à *Agios Kyrikos, Evdilos* et *Arménistis.*
– *Location de voitures* à *Arménistis.* Et évidemment, des *taxis.*

LA CÔTE NORD DE L'ÎLE D'ICARIA

EVDILOS *(ΕΥΔΗΛΟΣ)*

⌂ Second port de l'île, Evdilos est un gros bourg tranquille, surtout fréquenté en raison de la proximité des plus belles plages de l'île. La principale station balnéaire de l'île est *Arménistis,* avec ses magnifiques plages de sable fin. Belles plages à l'est, moins fréquentées *(Yaliskari)* ou à l'ouest *(Nas).* Par endroits, l'eau est transparente et turquoise...

Où dormir ?

Le camping sauvage est en principe interdit. Nombreuses *chambres chez l'habitant,* pas toujours aisées à trouver et assez chères. Les hôtels en août sont souvent complets. Beaucoup de touristes grecs.

🛏 *Rooms Spanos :* à Evdilos. ☎ 22-75-03-12-20. Chambre double à environ 30 € ; réductions pour un séjour de plusieurs jours ou hors saison. Les chambres sont sobres, toutes avec salle de bains. Propreté relative et assez bruyant.

Où manger?

|●| *Chez Théodora Tsanka :* à Evdilos. Sur le côté gauche du port, vers la jetée.

|●| *Taverne :* à Karavostamo. C'est la grande taverne devant laquelle passe le bus. Cuisine correcte et patron sympa, connaissant bien Paris.

ARMENISTIS *(ΑΡΜΕΝΙΣΤΗΣ)*

Village de pêcheurs qui ne compte pas plus de 70 habitants l'hiver, mais qui s'est développé dans des proportions encore raisonnables, pour accueillir nombre d'estivants.

Où dormir?

🛏 *Pension Astachi :* dans Armenistis même, un peu en hauteur. ☎ 22-75-07-13-18; hors saison, à Athènes : ☎ 21-04-51-56-30. ● www.island-ikaria.com ● ☎ Compter autour de 45-50 € en haute saison. Une douzaine de chambres, très propres, la plupart avec balcon (vue sur mer) et frigo. Jardin sympa pour le petit déjeuner.

LA CÔTE SUD DE L'ÎLE D'ICARIA

AGIOS KYRIKOS *(ΑΓΙΟΣ ΚΗΡΥΚΟΣ)*

Capitale de l'île et premier port de l'île, Agios Kyrikos est une bourgade tranquille et agréable. Pas d'office du tourisme, mais quelques agences pourront vous renseigner. L'établissement thermal se trouve près du port. L'eau est réputée très efficace pour les affections cutanées et les problèmes d'articulation. Ne vous attendez pas au grand luxe, les installations sont rustiques et sommaires.

Où dormir? Où manger?

🛏 *Hôtel Akti :* à gauche du port quand on regarde la mer. ☎ 22-75-02-39-05 ou 26-94. En août, compter environ 30 € pour une chambre double avec salle de bains commune et 45 € avec salle de bains privée; réductions hors saison. Une grosse maison familiale, perchée sur un rocher. Les chambres sont simples et propres. Terrasse commune avec chouette vue sur la mer.

|●| *Restos* et *cafés* populaires, notamment vers le poissonnier.

THERMA *(ΘΕΡΜΑ)*

Gros village situé à 2 km d'Agios Kyrikos. Petit bateau toutes les demi-heures entre Agios Kyrikos et Therma. Therma est surtout connu pour ses sources d'eau chaude. En face du port se trouve le bâtiment avec les baignoires, et à deux pas de là on peut aller au hammam dans une grotte naturelle. Le tout est rudimentaire. À quelques minutes de marche au-delà de la pension *Agriolykos*, il y a des sources d'eau chaude dans la mer (faites-vous indiquer le chemin).

Où dormir ?

🛏 *Agriolykos Pension :* ☎ 22-75-02-23-83. Fax : 22-75-02-24-33. Hors saison : ☎ et fax : 21-06-64-24-41(à Athènes). • vmanolaros@panafonet. gr • Dos à l'embarcadère, vous voyez la petite pension perchée en haut de la falaise sur la droite. Pour y aller, traverser la longue terrasse de la taverne et gravir l'escalier blanc. Ouvert de mi-mai à mi-octobre. Environ de 35 à 56 € pour deux selon la saison. Oui, les chambres sont très petites, sans AC, avec une salle de bains si exiguë qu'on peut en même temps se doucher et se brosser les dents tout en étant assis sur les toilettes ! Ce que l'on paie donc relative-ment cher, c'est la situation excep-tionnelle : les chambrettes donnent sur une grande et magnifique ter-rasse parsemée de fleurs et d'arbres, avec quelques petites tables pour prendre le petit dej' face à la mer, et des transats de-ci de-là pour méditer le soir le nez dans les étoiles. Sublime. L'heureuse propriétaire des lieux, Voula, originaire de l'île, parle aussi le français. Il ne vous reste donc plus qu'à tester vos capacités de négociation avec cette femme d'affaires dynamique (elle a égale-ment une agence de voyages) et très sympathique. Sinon, plusieurs autres pensions dans le village.

QUITTER L'ÎLE D'ICARIA

➤ *Pour Samos :* un ferry tous les jours à partir d'Agios Kyrikos et plusieurs fois par semaine d'Evdilos. Compter environ 3 h de trajet.

➤ *Pour Chios :* quelques liaisons par semaine.

➤ En été, hydrofoils pour *Samos* (Agios Kyrikos-Pythagorio et Evdilos-Karavostassi), *Fourni* et *Patmos*.

CHIOS (ΧΙΟΣ)

52 500 hab.

Cette île, située à 8 km seulement du rivage turc, aurait vu naître Homère, poète à qui l'on doit *L'Iliade* et *L'Odyssée*. Elle est aussi tristement célèbre pour les événements qui ont inspiré le poème de Victor Hugo, *L'Enfant grec* (dans le recueil *Les Orientales,* 1829) et le tableau de Delacroix, *Scènes des massacres de Chio*, exposé au Salon de 1824. En avril 1822, les Turcs s'étaient livrés à de véritables massacres qui mobilisèrent les intellectuels européens (les Philhellènes) en faveur des Grecs. En 1881, un terrible séisme fit de nombreux dégâts dans l'île.

En grec, l'île se nomme « Hios », avec ce « h » aspiré si difficile à prononcer. En français, on a pris l'habitude d'écrire « Chios » (au XIXᵉ siècle, on écrivait « Scios »). C'est une île aux nombreuses facettes. Assez grande, avec 842 km², montagneuse (deux sommets à 1 186 et 1 297 m), elle est connue pour être la patrie de nombreuses familles d'armateurs (Karas, Livanos, Chandris), mais on y respire aussi la Grèce d'autrefois. Ces villages vivent encore comme au début du XXᵉ siècle, simplement et tranquillement (enfin presque, car il y a quelques téléviseurs). Les plus jeunes ont émigré aux quatre coins du monde. Ils reviendront un jour dans leur village mais oublie-ront sans doute de laisser derrière eux la modernité.

En plus de ces villages anciens, l'île offre de magnifiques paysages, incroya-blement variés, et les plages sont nombreuses. Elle est réputée pour sa pro-duction de mastic. En raison de cette richesse, l'île a été l'objet de nom-breuses convoitises : Vénitiens et Génois se la disputèrent. On raconte que, sous la domination génoise, un certain Christophe Colomb vint sur l'île afin de prendre des conseils de navigation auprès des marins de Chios. Rien que ça ! Certains soutiennent même qu'il est né à Chios (il y en a bien

L'ÎLE DE CHIOS

d'autres qui disent qu'il est né en Corse !). Sous la domination turque, à partir de 1566, l'île bénéficia d'un certain nombre de privilèges, le mastic étant consommé dans les harems du sultan.

Aux mois de mars-avril, les tulipes sauvages recouvrent d'un tapis rouge tout le sud de l'île. Chios est l'île idéale pour qui veut varier les plaisirs entre balades, visites et baignades. Le tourisme est localisé autour de la capitale, et l'on y rencontre plus de Grecs que de touristes. Une initiative intéressante à signaler dans le domaine du tourisme : la préfecture propose des visites gratuites et guidées en 5 endroits différents de l'île (le château de Chios, Kambos, Néa Moni, Anavatos et Olymbi). Il faut comprendre l'anglais, avoir un véhicule (rendez-vous sur les sites) et être en vacances sur l'île en juillet ou août.

Comment y aller ?

En bateau

➤ *Du Pirée :* ferry de la ligne Le Pirée-Chios-Lesbos tous les soirs de l'année ; départ entre 18 h et 23 h selon les jours et les périodes. Durée du trajet : 8 h 30. Si l'on part tôt, prévoir qu'on arrive en pleine nuit, vers 2 h 30-3 h du matin ! Il existe aussi un ferry nouvelle génération, plus rapide *(Aéolos Kenteris),* qui effectue le même trajet en 6 h, 4 fois par semaine en saison.

➤ *De Thessalonique (via Limnos et Lesbos) :* 2 ferries par semaine en été. Long (16 h de trajet).

➤ *De Rhodes (via Kos et Samos) :* 1 ferry (ou 2) par semaine en été. 12 h 30 de trajet.

➤ *De Syros, Mykonos et Tinos :* en principe 3 ferries par semaine.

En avion

✈ *L'aéroport* est à 2 km à l'ouest de Chios. Il y a des bus qui vont en direction de Karfas, ou dans l'autre sens vers la capitale. On peut aussi prendre un taxi pour une somme modique, surtout si on le partage avec d'autres personnes.

➤ Plusieurs vols directs par jour d'*Athènes* (55 mn) et 2 par semaine de *Thessalonique* (2 h, via Lesbos). Également des vols de *Samos* et *Rhodes.* Renseignements auprès d'*Olympic Airlines* et de *Aegean Airlines.*

CHIOS *(la capitale ; 21 500 hab.)*

La capitale fait petite ville de province. C'est le seul endroit où l'on trouve de tout. À l'image de l'île, elle a plusieurs facettes : le port et ses nombreux bars modernes qui grouillent de jeunes, le jardin public où les *mammas* refont le monde, sous l'œil de leurs maris qui dégustent des *mezze* dans les *ouzeria,* et les rues commerçantes, qui ont peu à envier aux magasins français.

Adresses utiles

■ *Agence touristique Hatzelenis Tours :* juste en face du débarcadère des ferries, là où le port dessine un angle droit. ☎ 22-71-02-67-43, 22-71-03-22-35 ou 22-71-02-00-02. Fax : 22-71-02-65-31. • mano2@otenet.gr • Ouvert de 7 h à 14 h, puis de 17 h à 21 h ; ouvert aussi à chaque arrivée de ferry, même à 4 h du matin. Margaret, française, mariée à un Grec, tient cette agence depuis de nombreuses années. Elle peut fournir ren-

seignements, chambres, change, location de voitures, vente de billets d'avion. Vente des tickets des bateaux de toutes les compagnies et billets pour la Turquie. Et même si vous n'avez besoin de rien, allez leur dire un petit bonjour car Margaret et Tassos sont vraiment très sympas, et Margaret toujours contente de pouvoir tailler une bavette en français. ℹ *Bureau d'informations touristiques de la municipalité :* 11, odos

Kanari. ☎ 22-71-04-43-89. ● www. chiosnet.gr ● Entre le front de mer et la pl. Vounaki. D'avril à octobre, ouvert tous les jours de 7 h à 22 h ; hors saison, ouvert de 7 h à 14 h 30 du lundi au samedi. On y trouve pas mal de bonnes infos sur l'île (dont la brochure de l'association des loueurs de chambres et d'appartements).

✉ *Poste :* à l'angle des rues Omirou et Rodakanaki. Ouvert de 7 h 30 à 14 h du lundi au vendredi.

■ *OTE (téléphone) :* 1, odos Ladis. Ouvert tous les jours de 7 h à 19 h. Nombreuses cabines à cartes dans la ville. On peut acheter les télécartes dans les kiosques.

■ *Banques :* plusieurs dans la ville de Chios, avec distributeur automatique ; elles deviennent plus rares quand on s'en éloigne. Ouvertes de 8 h à 13 h du lundi au vendredi.

■ *Police touristique :* à droite du débarcadère, au bout du quai Néo-riou. ☎ 22-71-08-15-39.

■ *Police maritime :* juste après la précédente. ☎ 22-71-04-44-33.

■ *Agence consulaire de France :* M. Anastase Paricakis, vice-consul honoraire qui est aussi médecin, 8, odos Arienti Aplotaria. ☎ 22-71-02-27-81. Fax : 22-71-07-24-66.

■ *Olympic Airlines :* sur le port. ☎ 22-71-02-45-15.

■ *Hôpital :* ☎ 22-71-04-43-02. Premiers secours : ☎ 22-71-02-31-51.

■ *Supermarché Véropoulos :* sur le port, au bout du quai, à 100 m de l'agence *Hatzelenis.* Ouvert du 8 h à 21 h du lundi au samedi (sauf les mercredi et samedi : fermeture à 15 h 30).

@ *Enter Internet Café :* sur le port près des chambres *Phaidra.* À l'étage, dans un cadre sympa. Et le café frappé y est bon. Compter 1,80 € la demi-heure de connexion.

Transports

🚌 *Arrêts de bus*

– *Bus bleus* (intérieur de la ville et environs proches) : station rue Dimokratias, à droite du jardin public. Départs dès 6 h. Horaires affichés. Évitez de prendre votre ticket dans le bus, c'est plus cher, achetez-le plutôt sur la place.

– *Bus verts* (intervillages) : station *KTEL* derrière le centre culturel, à gauche du jardin public. ☎ 22-71-02-75-07. Les villages de l'île sont relativement bien desservis entre le 15 juin et le 15 septembre, mais il y a moins de bus hors saison. Bus vers les plages du Sud (*Emborios* et *Komi,* 5 par jour), les villages du Sud (*Pyrghi, Mesta, Armolia,* entre 5 h et 7 h, départs quotidiens) et vers la côte ouest (3 départs quotidiens pour *Lithi,* 2 départs trois fois par semaine pour *Volissos*). Attention, moins de départs le samedi et encore moins le dimanche.

– *Taxis :* ☎ 22-71-04-11-11. Bon marché, mais il est préférable de se renseigner sur le prix (tarifs affichés à la station) pour éviter les mauvaises surprises. Le compteur est obligatoire. Stations place Plastira et à l'intersection d'odos Vénizélou et Koundouriotou.

– *Bateaux de pêche :* excursions sur la petite *île d'Oinoussès,* toute proche. Départs du port de Chios. D'autres bateaux vous conduisent vers le sud, jusqu'à la baie d'Avlonia.

– *Excursions en bus publics :* formules intéressantes d'excursions organisées en été par les bus publics.

– Possibilité de louer *voitures* et *deux-roues.*

Où dormir ?

Attention ! Sur toute l'île, grosses différences de prix entre l'été et les autres mois de l'année, quelquefois même jusqu'à 50 % !

On ne conseille pas vraiment d'établir son point de chute dans la ville de Chios. Elle est bruyante. Le jour à cause des nombreuses voitures, et la nuit avec l'animation des bars du front de mer. Il vaut mieux s'en éloigner de quelques kilomètres pour être tranquille et se rapprocher des plages. En cas d'arrivée tardive, on peut prendre une chambre chez l'un des hôteliers qui attendent les touristes à la sortie du ferry.

🛏 *Chios Rooms :* 110, Egéou (angle de odos Kokkali), sur le port. ☎ 22-71-03-22-35. Fax : 22-71-02-65-31. Chambre double sans salle de bains de 20 à 30 € selon la saison ; avec salle de bains, de 30 à 40 €. Dans une belle bâtisse ancienne, une dizaine de chambres fraîches et spacieuses, avec vue sur le port. Quelques-unes avec balcon. Sur place, demander à Margaret, de l'agence touristique *Hatzelenis,* de vous mettre en contact avec Dina. Idéal pour routard désirant sortir le soir ou devant passer une nuit avant d'embarquer sur le ferry du matin : débarcadère à 5 mn. Mais vu la situation, certaines chambres sont un peu bruyantes.

🛏 *Rooms Alex :* 29, odos Livanou. ☎ 22-71-02-60-54. Fax : 22-71-02-50-14. Mêmes prix que les *Chios Rooms.* Ici, on est vraiment chez l'habitant. Sculptures en coquillages, moulin multicolore et chaises en plastique de nos cantines d'enfant. Un kitsch absolu. Les chambres sont exiguës, et l'on partage la salle de bains avec les autres occupants. Mais ce sont parmi les dernières *rooms to let* encore chez l'habitant. Si l'on désire l'indépendance, il y a 2 chambres avec salle de bains privée et accessibles par l'extérieur. Alex, sympathique comme tout, se fait un plaisir de venir chercher ses locataires à la descente du ferry, même à l'heure de la sacro-sainte sieste.

🛏 *Phaedra :* 13, odos Mihail Livanou. ☎ 22-71-04-11-29. Fax : ☎ 22-71-04-11-28. Central, à quelques mètres de la mer. Ouvert toute l'année. Chambre double à environ 50 € en été et environ 40 € hors saison. Dans une demeure bâtie en 1830, un petit hôtel qui a réussi à garder son âme. Ici, pas de clonage, mais une dizaine de chambres bien distinctes. Quelques meubles anciens, de vieux miroirs et des petits secrétaires branlants contribuent au charme des chambrettes, toutes équipées d'une salle de bains (parfois très kitsch !), de la TV et de l'AC ainsi que d'un petit frigo. Les couche-tôt n'apprécieront peut-être pas le bruit du – pourtant très chouette – bar du bas.

Où dormir dans les environs ?

🛏 *Archodico Pansion :* odos Vitiadou, à Kambos. ☎ 22-71-03-16-41. Fax : 22-71-03-29-35. ● www.arhodico.net.gr ● À 7 km du centre de Chios. Ouvert toute l'année. Pour 2 personnes, compter de 55 à 70 €. Dix chambres dans une belle demeure entourée de vergers d'agrumes (le propriétaire les exploite). Les chambres sont spacieuses et les petits déjeuners, avec les confitures maison, succulents !

Où manger ?

Il existe une véritable gastronomie locale. C'est une île où l'on mange bien si l'on prend un peu de « risques » (comprendre qu'il faut sortir du cercle salade grecque-*souvlaki*). Attention, les bons restaurants de la ville sont souvent fermés le midi, car les Grecs travaillent et les touristes sont à la plage. Beaucoup de restos sont aussi fermés le dimanche soir. On aime également beaucoup les *glyka* (sucreries) : le *mastiha,* à base de mastic (évidemment !), et l'*ypovrichio,* sucrerie à la vanille qui se déguste dans une cuillère qu'on laisse tremper dans l'eau. Il y a aussi beaucoup de fruits marinés dans le sucre ou le vinaigre. Les adeptes de sucreries peuvent faire une razzia dans les nombreuses pâtisseries de la ville et tester la confiture de roses, d'aubergines ou de pistaches.

Très bon marché

|●| *Pittadiko Aella :* odos Omirou, la rue de la poste, perpendiculaire à la mer. Bons petits *souvlakia* et *gyros*. Quelques tables dans la rue.

Bon marché

|●| *Ouzeri Theodosiou :* 1, odos Néorion. Sur le port, juste à droite du débarcadère, sous l'enseigne *Aegean Sea Rooms*. Ouvert uniquement le soir. En plein dans l'ambiance du port, les ferries accostent juste un peu plus loin. On y mange parmi les meilleurs *mezze* de l'île. Les feuilles de vigne fraîches du matin sont un régal. Goûter aussi aux crevettes frites aux oignons. C'est typique et pas trop cher.

|●| *Vyzantio :* dans le quartier du marché, à l'angle des rues Roïdou et Ralli. ☎ 22-71-04-10-35. Compter 10 €. Le resto classique dont un des principaux mérites est d'être ouvert également le midi. Plats préparés, service rapide.

|●| *Ouzeri-inomayirio Plyta :* odos Agiou Georgiou Frouriou, dans les ruines du *kastro*. ☎ 22-71-02-38-58. Ouvert le soir seulement. Compter environ 10 € pour un repas. Ne vous affolez pas, *inomayirio* est un des nombreux termes grecs pour désigner un endroit où l'on mange... On dîne sous le ciel étoilé, entre les murs d'une maison en ruine ou en salle. Nombreuses spécialités dont les calamars farcis qui sont fameux.

|●| *Taverne Hotzas :* 3, odos Georgiou Kondyli. ☎ 22-71-04-27-87. Chouette balade à travers les ruelles du port pour y aller (l'endroit est quelque peu excentré : du port prendre odos Aplotarias puis odos Tsouri et c'est à droite). Ouvert uniquement le soir, toute l'année. Compter de 9 à 12 € pour un repas. Belle taverne traditionnelle (et très ancienne) où les familles se retrouvent pour déguster de bons plats typiques. Les tables sont éparpillées dans une cour intérieure très agréable. Aubergines, beignets d'épinards, poulpes et crevettes, tout est goûteux et bien frais. Ambiance décontractée.

Où manger une glace ? Où boire un verre ? Où sortir ?

♦ *Dodoni :* sur le port. Ouvert de 10 h à 2 h du matin. Le glacier grec implanté sur tout le territoire avec son choix de parfums toujours aussi large. ♫ Il y en a vraiment pour tous les goûts. Les *bars* se trouvent principalement sur le port et ont tous une piste de danse. Ils sont fréquentés par les 500 étudiants de l'université de Chios, ainsi que par les nombreux jeunes qui font leur service militaire sur l'île. En été, des Grecs du continent et quelques étrangers grossissent les rangs des noctambules.

– *Soirées grecques :* au *Harama*, sur la route de Karfas, entre l'aéroport et l'usine électrique. Public grec en majorité, mais c'est bien sûr ouvert à tout le monde. Public jeune, bonne ambiance. Il peut y avoir jusqu'à 30 musiciens !

– Pour passer une soirée plus tranquille, il y a un *cinéma* en plein air dans le jardin public. Première séance à 21 h. Ambiance *Ciné Paradiso* : les familles s'installent autour des tables et dégustent des glaces en regardant les films en version originale (américains et français... eh oui !). Très sympa.

À voir

🎋 *Le Musée archéologique :* 10, odos Michalon. ☎ 22-71-04-42-39. Ouvert de 8 h 30 à 15 h 30. Fermé le lundi. Entrée : 2 €. Exposition de céramiques, bronzes et sculptures. Récemment refait et plutôt intéressant avec les nombreuses explications proposées. Voir en particulier les belles amphores ainsi que des feuilles d'or datant de la période hellénistique.

🎋🎋 *Le Musée folklorique* (musée Argenti) : 3, odos Korai, au 1ᵉʳ étage. ☎ 22-71-04-42-46. Ouvert de 8 h à 14 h du lundi au vendredi (et de 17 h à 19 h le vendredi seulement) et de 8 h à 13 h 30 le samedi. Fermé le dimanche. Dans la bibliothèque municipale Korai, l'une des plus grandes bibliothèques de Grèce (manuscrits et livres rares que l'on peut consulter sur place). Le Musée folklorique expose la collection de la famille Argenti. Peintures historiques dont une copie des *Scènes du massacre de Chio* de Delacroix, costumes traditionnels de l'île, objets d'art populaire.

🎋 *Le musée de la Marine :* 20, odos Stéfanou Tsouri. ☎ 22-71-04-41-39. Ouvert de 10 h à 14 h. Fermé le dimanche. Un petit groupe d'armateurs de l'île rêvait depuis longtemps de mettre sur pied un musée qui illustre l'esprit et l'histoire de la marine marchande grecque contemporaine. Ce rêve s'est fait réalité dans une belle bâtisse de style néo-classique. Belle collection de maquettes (bateaux de différentes époques) et de toiles de bateaux. Livret en français.

🎋 *Le Musée byzantin :* dans la mosquée Medjité, pl. Vounakiou. ☎ 22-71-02-68-66. En été, ouvert de 8 h 30 à 15 h. Fermé le lundi. Entrée : 2 €. Belle collection de reliefs paléochrétiens, byzantins et post-byzantins.

🎋 *La basilique paléochrétienne de Saint-Isidore :* à 3 km du port. Mosaïques des Vᵉ-VIIᵉ siècles. Fermée en raison de fouilles lors de notre dernier passage (renseignez-vous).

🎋 *Le quartier du kastro :* ancien centre de la ville, construit fin Xᵉ siècle par les Byzantins. Peu après la grande porte, sur la droite, voir le palais Gustiniani où sont organisées des expos temporaires (billet groupé avec le Musée archéologique : 3 € ; réductions). Mêmes horaires que le Musée archéologique. Un peu plus loin, petit cimetière turc.

À voir. À faire dans les environs

🎋 Il ne faut pas manquer une belle balade dans l'étendue verte de *Kambos* (Καμπος), qui s'étale sur plusieurs kilomètres au sud de la ville de Chios. On y accède soit en suivant la route qui mène aux villages du mastic (odos Ralli), soit par la mer, direction aéroport puis à droite. Les Génois y ont bâti leurs maisons au XIVᵉ siècle. Les aristocrates de l'île en firent leurs demeures plus tard. Un énorme quartier de villas (on en compte dans les 200) toutes aussi belles les unes que les autres, planté de milliers de citronniers et orangers (au printemps, en particulier, c'est magique pour les narines !). L'unité architecturale est remarquable : la plupart des demeures sont faites en grès de Thymiana (un village au sud de Chios) qui depuis des siècles est utilisé par les architectes de l'île. Malgré de hauts murs de pierre, il est possible de faire le curieux à travers les grilles des maisons et de rêver un peu... Quelques-unes de ces vénérables demeures sont de véritables petits hôtels de charme.

➤ *Au nord de Chios,* la route longe la mer jusqu'à *Vrondados* et *Daskalopétra,* où la montagne, très sèche, est impressionnante. Homère est censé avoir enseigné à Daskalopétra... Magnifique monastère de *Myrtidio-*

tissa surplombant la mer. La route continue vers le port de *Pandoukios,* calme, avec une taverne les pieds dans l'eau. *Langada,* le port suivant, est plus joli. Nombreux bars et cafés. On quitte ensuite la mer pour la retrouver à *Marmaro,* autre port presque fermé, venté et ne dégageant pas beaucoup de chaleur. Est-ce à cause de toutes ces statues sévères qui s'égrènent le long du front de mer ? On est dans le coin des armateurs, dont beaucoup sont originaires de *Kardamyla,* le village dans les terres au-dessus de Marmaro. De Marmaro, on peut continuer jusqu'à *Nagos,* par une petite route (étroite) qui livre de magnifiques points de vue. Attention, elle est en mauvais état. Les villages suivants sont encore différents et donnent une idée de la variété de Chios : les versants redeviennent boisés. Ensuite c'est le (grand) nord, on se sent très loin de Chios-ville. Pour ceux qui voudraient rejoindre la côte nord-ouest, attention, c'est très loin et la route ne permet pas de passer près des côtes (faire le plein avant de se lancer).

Pour se baigner, les *plages* autour de la capitale, bien que propres, ne sont pas très attirantes. Préférer la *plage de Karfas* (6 km au sud), l'une des plus connues, avec son sable fin, idéale pour y aller avec des enfants. Juste avant celle-ci, plus sauvage, la *plage d'Ambi,* minuscule et bondée en pleine saison. *Plage de Daskalopétra,* à 6 km au nord, pour les amateurs de galets. Celle d'*Agia Fotia* au sud de Thymiara sera réservée aux 15-25 ans, puisque les jeunes Grecs en ont fait leur point de chute. La *plage d'Emborios,* tout au sud de l'île, est une splendide plage de galets noirs. Plus on s'éloigne de Chios, plus les plages sont magnifiques et désertes. Sur la côte ouest, celles à proximité de *Volissos* sont parmi les plus belles.

Les fêtes

Pendant l'été, de nombreux villages font des fêtes le soir. Les plus intéressantes sont :
– *Agia Markella :* le 22 juillet, près de Volissos.
– *Agia Paraskévi :* le 26 juillet, au village de Kalamoti.
– *Agios Pandéleimon :* le 27 juillet, à Volissos.
– *La fête de la Vierge :* les 15, 16 et 23 août, partout.
Dans les autres villages, demander dans les tavernes quand a lieu le *Panyghiri.* Il y a aussi des mariages et baptêmes où sont conviées toutes les personnes présentes. De bons moyens de se lier avec les autochtones et de passer des moments inoubliables.

À L'OUEST ET AU NORD DE L'ÎLE DE CHIOS

Pour gagner la côte ouest, deux possibilités : la route qui traverse l'île au départ de Chios-ville et passe par les monastères ou une route plus au nord au départ de Vrondados (au nord de Chios-ville). Intéressant de prendre la première à l'aller et la seconde au retour, pour bénéficier de la très belle vue sur Vrondados et Chios-ville.

🏛️🏛️ *Le monastère d'Agios Markos* (Μονη Αγιου Μαρκου) : sur la route en direction de Néa Moni, suivre un chemin sur la gauche durant 1 km. Très beau bâtiment blanc et bleu, qui vaut l'escapade. Un gardien ouvre les portes de l'église afin de faire admirer les nombreuses icônes. Des vêtements sont prévus à l'entrée pour se couvrir. Très beau panorama.

🏛️🏛️ *Le monastère de Néa Moni* (Νεα Μονη) : à 12 km à l'ouest de Chios. Ouvert de 9 h à 13 h et de 16 h à 18 h. Il est considéré comme l'un des plus importants monuments byzantins de Grèce, au même titre que Dafni (environs d'Athènes) ou Ossios Loukas. De style byzantin sévère, il rappelle aussi certains monastères du mont Athos. L'église abrite de très belles mosaïques à fond d'or, malheureusement en mauvais état. Dommage car les artistes qui ont travaillé là étaient de la même école que ceux qui ont œuvré à Sainte-Sophie. Il y a aussi un petit *musée* qui est payant (2 €). Dans la chapelle de l'entrée, collections de crânes qui rappellent le massacre de 1822 (4 000 personnes, moines et réfugiés, furent tuées dans le monastère). Des capes sont disponibles à l'entrée pour se couvrir.

🏃 *Avgonyma* (Αυγονημα) : peu après Néa Moni. Village médiéval austère, dont les maisons-cubes ne respirent pas la joie de vivre. On peut même ressentir ici, malgré la beauté générale du lieu, comme un sentiment d'oppression.

|●| *Taverne To Archontiko* : à l'entrée du village. ☎ 22-71-04-14-56. Les boulettes de pommes de terre y sont un régal, ainsi que l'agneau à la broche. Belle vue sur la seule forêt de l'île. Un peu gâchée par une aire de jeux qui rappelle qu'on est dans l'ancienne école du village.

🏃🏃 *Anavatos* (Αναβατος) : à 5 km, plus loin vers le nord, village médiéval fortifié en ruine, perché sur son éperon rocheux. L'arrivée sur le village est magnifique. En 1822, lorsque les Turcs pénétrèrent dans le village, les habitants se jetèrent du haut du *kastro* (en restauration). Les derniers occupants d'Anavatos (une quinzaine) sont leurs descendants (mais eux préfèrent vivre dans les maisons du bas, au cas où !...). Petit café où l'on peut casser une petite croûte (salade, omelette et guère plus).

🔖 La route côtière qui continue en direction de Volissos est bordée de sublimes *plages.* Elles sont accessibles par des petits chemins.

VOLISSOS (ΒΟΛΙΣΣΟΣ)

C'est le village principal au nord-ouest de l'île, surmonté par un château médiéval. Très agréable et bien situé. On monte à pied à travers les ruelles. Il y a des *chambres à louer* des et des *tavernes.*

🔖 Pas loin de Volissos, 1 km après le village de Chori, belle route vers la jolie plage de sable d'*Ormos Volissos* qui s'étend sur 4 km. Pas loin non plus, Limnia et Limnos, où l'on peut trouver tavernes et hébergements sympas.

Où dormir ? Où manger dans les environs ?

🛏 *Studios Marvina :* à Limnia. ☎ 22-74-02-13-35. Hors saison : ☎ 21-09-65-66-67 (à Athènes). ● marvina@hol.gr ● Ouvert d'avril à octobre. Compter de 38 à 60 € pour 2 personnes. Jolis studios pour 2 à 4 personnes. Terrasse, coin cuisine et salle de bains. Certains ont une mezzanine et tous ont l'AC. Très calme. À 2 mn à pied, jolie plage peinarde. Cartes de paiement refusées.

🛏 *Studios Latini :* à Limnos. ☎ 22-74-02-14-61. Fax : 22-74-02-18-71. Hors saison, ☎ et fax : 21-08-22-42-54 (à Athènes). Pour 2 personnes, compter de 50 à 60 € en été et 35 € hors saison. De grosses jarres qui jonchent les allées, des chats langoureux somnolant paisiblement... C'est dès l'entrée que l'on est séduit par le charme et la douceur de l'endroit.

Plusieurs studios, pour 2 à 4 personnes, spacieux et calmes, avec terrasse. Bien situés, à quelques minutes à pied de la plage. Accueil charmant. Pour l'été, réserver bien à l'avance. Cartes de paiement refusées.

|●| *O Zikos :* sur le port de Limnia. ☎ 22-74-02-20-40. Ouvert toute l'année, midi et soir. Compter environ 10 € par personne. Cuisine de taverne classique. Service décontracté et agréable.

|●| *Resto Akrogiali :* à Limnos. ☎ 22-74-02-17-77. Bonnes entrées de *tzatziki* et croquettes d'épinards. Poulpe et savoureuses grillades aux environs de 7 €. Bon resto, avec une grande terrasse aérée, à quelques mètres de la mer. Décontracté, à l'image de Limnos.

AGIO GALA *(ΑΓΙΟ ΓΑΛΑ)*

Petit village tout au nord, sur les pentes du mont Amani (809 m). Au bout du village, ruines d'une église consacrée à la Vierge (descendre l'escalier) et, juste 10 m plus bas, très jolie *grotte* à explorer sans grandes difficultés techniques (demander la clé à la taverne). À l'intérieur, une toute petite chapelle. Prévoir quand même une lampe de poche. Chauves-souris à volonté.

➢ Prendre au retour la *route de Katavassi vers Vrondados.* On passe entre les monts Oros et Marathovounos. Les amoureux de la nature seront comblés. Superbes paysages qui varient tous les kilomètres. Troupeaux de chèvres, de vaches et de soldats sur le bord de la route. Compter 2 h de trajet. Prévoir de l'eau et de l'essence en réserve car il n'y a aucune station-service en chemin.

AU SUD DE L'ÎLE DE CHIOS

KARFAS *(ΚΑΡΦΑΣ)*

Petite station balnéaire à 6 km de Chios. Quelques hôtels et une belle plage y attirent les vacanciers qui fuient la capitale pour un peu plus de calme. La plage est couverte de beau sable fin mais aussi très peuplée. On peut louer un scooter des mers ou un pédalo (demander Darkman), jouer au volley et y faire de la planche à voile. Pas du tout typique mais central si l'on désire visiter l'île.

➢ Liaison régulière de bus en partant de Chios. À Karfas, achetez le billet dans les restos ou les épiceries, c'est moins cher que dans le bus.

Où dormir ?

ATTENTION ! Des accords sont passés entre des hôteliers de Karfas et certains chauffeurs de taxi afin qu'ils amènent les touristes de Chios directement chez eux. Ne pas écouter les chauffeurs qui essaient de détourner les destinations afin d'empocher une commission. Faire attention aussi au prix de la course. Demander de mettre le compteur. La meilleure solution reste donc le bus.

🛏 *Spiti Anatoli :* ☎ 22-71-02-00-02 ou 22-71-03-22-35. Fax : 22-71-02-65-31. ● mano2@otenet.gr ● Dans la maison de Margaret (agence *Hatzelenis* à Chios). Trois appartements pour 4 à 7 personnes. En juillet-août, location à la semaine seulement (compter 650 € pour 4 à 7 personnes). Deux studios pour 2 ou 3 personnes avec coin cuisine, de 30 à 45 €. Agréables appartements meublés, tout indiqués pour des familles avec enfants. À quelques mètres de l'eau. Calme et à l'écart des tavernes. Excellent point de chute pour visiter l'île.

🛏 *Spiti Elaionas :* mêmes coordonnées que l'adresse précédente. Jolie maison ancienne récemment rénovée, sur les hauteurs de Karfas. Hors saison, 2 studios à 35 €. En été, se loue tout entière (capacité 6-8 personnes) pour 980 € la semaine.

🛏 *Marko's Place :* prendre le chemin de pierre qui monte juste après l'office du tourisme (maisonnette rose), puis le 2ᵉ chemin vers la droite. ☎ 22-71-03-19-90. ● www.marcos-place.gr ● Ouvert du 25 avril à fin octobre. Compter de 25 à 35 € pour 2 personnes. Obligation de louer un minimum de 4 jours. Marko a aménagé le monastère de Yioryos en pension. On dort dans les minuscules cellules des moines, éparpillées dans 7 petits bâtiments séparés, et les douches sont communes. Au réveil, on peut déguster un bon petit déjeuner sous les arbres des terrasses, avec en fond musical une liturgie orthodoxe. Cuisine accessible hors saison. Salle de yoga. Un peu chérot peut-être si l'on considère que les cellules sont étriquées et les douches communes. Certains adorent, car l'endroit est très joli et c'est un paradis pour qui aime le calme. D'autres trouvent l'ambiance plutôt *new age* et assez irritante. À vous de voir !

Où manger ?

|●| *La Strada :* sur la route qui traverse Karfas, à droite quand on descend vers le sud. ☎ 22-71-03-27-81. Une pizzeria qui fait également des grillades. Pizzas variées et *calzone,* pâtes, sandwichs orientaux, de quoi manger pour pas bien cher. Bon accueil.

|●| *Karatzas :* dans le centre, sur le front de mer. ☎ 22-71-03-12-21. Ouvert midi et soir, toute l'année. Une bonne adresse, appréciée des locaux pour ses spécialités de sardines grillées et de *horta* (légumes verts).

|●| *Pinaléon :* à 3 km de Karfas, petit passage entre les maisons 100 m avant la chapelle Agia Ermioni. ☎ 22-71-03-10-75. Ouvert de fin mai à septembre, midi et soir, mais ambiance seulement le soir. On y mange du bon poisson sur une terrasse en avancée sur la mer. Les enfants peuvent se baigner à quelques mètres sous les yeux des parents. Le lieu est très agréable. Les prix sont modestes si l'on ne fait pas une orgie de poisson.

Où sortir ?

∞| *Soirées grecques :* à l'hôtel *Golden Sand,* tous les jeudis, des soirées sympas, en costumes folkloriques.

LITHI (ΛΙΘΙ)

Lithi offre une jolie plage de sable (avec douche) très populaire fréquentée par les familles. Beaucoup de restos à poisson. Lithi propose une jolie spécialité qui attire jusqu'aux Turcs (c'est tout dire !) : la langouste. Cela dit, même si elle n'atteint pas les prix français, ça reste encore chérot.

Où manger ?

|●| *To Kyma :* psarotaverna face à la plage, la troisième en arrivant. ☎ 22-71-07-31-83. Compter entre 10 et 15 € (plus cher pour de la langouste évidemment). Poisson frais garanti. Quelques plats de viande également (*biftekia,* petits *souvlakia*). Terrasse proprette où l'on vient se sustenter en famille et en maillot de bain, dans une ambiance décontractée.

AGIA IRINI (ΑΓΙΑ ΕΙΡΗΝΗ)

|●| *Taverne Kalodoukas :* ☎ 69-32-04-58-96 (portable). Une charmante petite crique encaissée aux eaux bleues, toute tranquille. Pas de logement, seulement une taverne avec une grande terrasse et des tables à

2 m de l'eau, fréquentée par des habitués du coin, quelques familles et des jeunes. Jolie carte qui propose des salades fraîches, quelques plats de pâtes. Les spécialités du chef sont les crevettes et le poisson frais, le tout à des prix très corrects. Un endroit superbe pour une petite pause, avec ce petit plus indéfinissable qui donne tout simplement envie d'y rester.

LES VILLAGES DU MASTIC (MASTICHOCHORIA ; ΜΑΣΤΙΧΟΧΩΡΙΑ) : *PYRGHI* (ΠΥΡΓΟΙ) – *MESTA* (ΜΕΣΤΑ) – *OLYMBI* (ΟΛΥΜΠΟΙ)

★★★ *Les villages médiévaux fortifiés d'Armolia, Pyrghi, Olymbi, Mesta et Vessa* sont de beaux exemples d'architecture défensive, remontant au Moyen Âge : ils sont tous construits autour d'une tour de garde qui se trouve au centre du village. Dès l'occupation génoise, puis à l'époque ottomane, l'exploitation du mastic a constitué la principale richesse de cette partie de l'île, attirant les convoitises.

La partie sud de l'île est en effet caractérisée par le *Pistacia lentiscus*, ou lentisque, arbre de la famille du pistachier, qui produit une sorte de gomme aromatique, le mastic (utilisé dans la fabrication des dentifrices, vernis, médicaments, etc.). Chios est le seul endroit au monde où le lentisque est exploité (même dans le nord de l'île, les mêmes arbres ne donnent rien !). La technique consiste à pratiquer des incisions sur les troncs, de juillet à septembre. La gomme est récupérée par terre à l'automne, elle est alors triée puis lavée. À cette époque, les villages embaument le lentisque. Les villages producteurs *(mastichochoria)* se sont rassemblés en association, pour promouvoir leur récolte. Ces 21 villages sont délimités par des panneaux annonçant leur production. On peut se balader entre les arbres et ramasser quelques bouts de mastic pour les mâcher. Attention, il faut en prendre de très durs pour éviter qu'ils ne collent aux dents. Les moins téméraires peuvent en acheter sous différentes formes et même aromatisés.

Parmi ces 21 villages, seuls trois ou quatre méritent une visite.

★★★ *Pyrghi :* superbe village aux ruelles étroites (et fraîches !). À l'origine, le mur extérieur de ce village-forteresse ne comportait aucune ouverture ni fenêtre, les petites maisons serrées les unes contre les autres formant ainsi un mur continu. De très nombreuses maisons sont recouvertes de *xysta* (littéralement « grattages »). Dans *L'Été grec*, Jacques Lacarrière a ainsi décrit la technique utilisée, unique en Grèce : « Quand les pierres d'une façade sont montées, on les revêt d'un premier enduit à prise rapide et en couleur qu'on laisse sécher et sur lequel on passe un deuxième enduit, à prise lente. Et avant que cet enduit ne sèche, on le gratte ici et là pour laisser apparaître l'enduit coloré du dessous. » Certaines maisons sont vraiment surchargées : motifs géométriques, motifs floraux, des animaux parfois et ce, jusque sous les balcons ! Au bout d'un moment, ces façades commencent à être un peu lassantes pour l'œil... À noter que les émigrés de Pyrghi à Athènes ou à New York reproduisent la même technique !

À voir, l'*église des Agii Apostoli* près de la place : superbe église byzantine avec des fresques des XIIe et XVIIe siècles. Ouvert tous les jours sauf les lundi et vendredi, de 10 h à 14 h.

🏠 Assez peu de possibilités d'hébergement à Pyrghi même. On peut s'adresser à la *Villa Vénétiko,* chez Maria Gianaki, 19, odos Alivizatou, (☎ 22-71-02-58-88) mais les 4 chambres sont souvent réservées par un tour-opérateur britannique. Dommage car la maison, dans le style pyrghiote, n'est pas désagréable.

🍽 🍸 Plusieurs *cafés* (terrasses très

animées et surtout peuplées d'hommes) sur la place principale. Pas vraiment de taverne, mais on peut manger un sandwich ou un petit *souvlaki*.

À faire dans les environs

➢ *Emborios* (Εμποριος) *:* de Pyrghi, descendre un peu plus au sud (5 km), à ce petit port naturel presque fermé. Resto sympa : *To Ifaistio (le Volcan)*. Décor agréable (la terrasse est bordée d'une collection de portes et fenêtres) et service gentil.

↗ Un peu plus loin, au bout de la route, *Mavra Volia* (ou *Mavros Yalos*), avec une jolie plage de galets noirs. Accès bien aménagé. En marchant un peu, on accède facilement à d'autres plages sous des falaises jaune-orange.

↗ *Vroulidia* (Βρουλιδια) *:* autre plage qui mérite le détour dans le secteur. 800 m avant d'arriver à Emborios, prendre à droite et 4 km plus loin, arrivée sur un petit parking surplombant la mer. La plage est en dessous (accès par escaliers). Magnifiques falaises blanches.

🎭🎭🎭 *Mesta :* impressionnant village médiéval, un village-musée retapé aux frais de l'État dans les années 1980. On se rend bien compte qu'un architecte unique a œuvré : unité de style incontestable, manque même peut-être un peu de fantaisie... C'est en ces lieux que l'on comprend la chance de Thésée d'avoir eu le fil d'Ariane, car c'est un véritable labyrinthe. Toutes les petites ruelles se ressemblent et mènent au centre du village. Les maisons sont collées les unes aux autres si étroitement qu'il n'y a que quatre entrées possibles dans le village ! (et encore, trois d'entre elles sont relativement récentes). Certaines rues sont couvertes d'arches. À voir : l'*église Palaios Taxiarchis,* c'est le plus ancien monument du village (souvent fermé). L'intérieur renferme une belle iconostase sculptée sur bois.

🍽 Si l'on veut reprendre des forces avant d'affronter le dédale, deux tavernes très touristiques en plein centre, *Dionysos* et *Despina,* se disputent les clients sur la place principale. Goûter les *khorto keftedès* et la salade de tomates au *kritamo* (algue locale marinée dans le vinaigre, genre salicornes). Ils ont aussi un très bon vin rouge qui ressemble au porto. *Dionysos* (dont l'enseigne en fait *O Morias is ta Mesta* ; ☎ 22-71-07-64-00) serait plutôt à la baisse ces derniers temps, et *Despina* (enseigne *O Messaionas* ; ☎ et fax : 22-71-07-60-65) proposerait, selon certains lecteurs, des repas de meilleure qualité. Les deux sont très touristiques.

🏠 Si vraiment on ne trouve plus la sortie du village, il est possible d'y dormir ! Demander à M. Pippidis (que vous trouverez au café) de vous aider à trouver une *chambre.* Sinon, adressez-vous aux deux restaurants de la place qui louent tous les deux des chambres.

🏠 *Rooms Dimitri* (chez M. Pippidis) *:* ☎ 22-71-07-60-29. Compter environ 40 € pour 2 personnes et 50 € pour 4. Dans l'une des maisonnettes du village, un studio que l'on peut louer pour 2 ou 4 personnes, avec 2 chambres et 1 cuisine. Croquignolet et tout propre.

🏠 *Rooms Anna Floradis :* ☎ et fax : 22-71-07-64-55. Hors saison : ☎ et fax : 22-71-02-88-91 et ☎ 69-72-49-07-07 (portable). ● floradis@internet.gr ● Ouvert toute l'année. Prévoir environ 45 € pour 2 personnes en été. Studios propres et frais. Excellent accueil, et Anna parle le français. 5 % de réduction sur présentation du *GDR.*

🎭🎭 *Olymbi :* bourg agricole très rustique. On y croise de nombreux ânes et quelques habitants. Il est encore moins touristique que Mesta et Pyrghi, mais il est vrai qu'il a sans doute moins de cachet, peut-être parce qu'il n'a pas été restauré comme Mesta ni décoré comme Pyrghi. Les maisons qui forment le mur d'enceinte ont quand même une certaine allure. Au centre, place curieuse occupée par un bâtiment trapu en pierre. Un café et quelques *tavernes* un peu excentrées.

L'ÎLE DE PSARA (ΨAPA)

À l'ouest de Chios, deux petites îles : *Antipsara* et *Psara,* à 3 h de bateau depuis Chios-ville. Psara est habitée par moins de 500 habitants, surtout des bergers et des pêcheurs. L'île a connu une histoire tragique pendant la guerre d'Indépendance. Les Psariotes avaient réussi à faire de leur flotte la troisième par le nombre, derrière Hydra et Septsès. Quand la révolution grecque éclata en 1821, ils la mirent sans hésitation au service de la lutte pour l'indépendance. Ils inventèrent même les bateaux kamikazes qui, bourrés d'explosifs, s'approchaient des navires turcs pour les faire sauter. Les Ottomans, face aux pertes subies, décidèrent d'en finir. En 1824, la population fut massacrée en quelques heures par une troupe de 14 000 janissaires turcs débarqués de pas moins de 180 vaisseaux. 200 Psariotes survécurent et s'exilèrent, laissant l'île déserte pendant une trentaine d'années.

Aujourd'hui, c'est un havre de paix pour les solitaires. Quelques *tavernes* avec du bon poisson. Attention toutefois aux prix des restaurants, des services et des denrées alimentaires, qui ont tendance à s'envoler dès l'arrivée des touristes. Plusieurs bateaux par semaine (les vendredi et samedi, en principe, on peut y aller le matin et rentrer le soir même). Compter 3 h 30 de trajet à l'aller et autant au retour.

🛏 Pour loger à Psara, on conseille *Ta Psara,* à l'extrémité du village. ☎ 22-74-06-11-80. Compter entre 35 et 70 € environ. Studios très confortables, donnant sur un jardin calme.

QUITTER L'ÎLE DE CHIOS

En bateau

➢ *Pour la Turquie :* la traversée est moins chère que de Samos. Compter environ 35 € l'aller simple et 45 € l'aller-retour. Le bateau arrive à *Çesme,* pas très loin d'Izmir. Départ tous les jours et retour le même jour. Se renseigner auprès de l'agence touristique *Hatzelenis.*
➢ *Pour Le Pirée :* traversée de 8 h 30 en ferry classique et de 6 h en ferry rapide *(Nel Lines).* Capitainerie : ☎ 22-71-04-44-33.
➢ *Pour Lesbos :* départ d'un ferry tous les jours, souvent tôt le matin. Durée : 4 h.
➢ *Pour Ikaria, Samos, Kos, Rhodes mais aussi certaines des Cyclades (Syros, Tios, Mykonos) :* quelques ferries hebdomadaires.
➢ *Pour l'île de Psara :* plusieurs liaisons hebdomadaires en été.
➢ *Pour Inoussès (Oinoussès) :* 1 bateau quotidien.

En avion

✈ *Aéroport :* ☎ 22-71-04-39-98 ou 22-71-02-98-24.
➢ *Pour Athènes :* 5 ou 6 vols quotidiens, et 3 par semaine pour *Lesbos* et *Thessalonique,* ainsi que pour *Rhodes.* Compagnies *Olympic Airlines* ou *Aegean Airlines.*

ICARIA ET CHIOS
(îles Est et Nord de la mer Égée)

LESBOS (ΛΕΣΒΟΣ)

90 000 hab.

Troisième île grecque par sa superficie (1 630 km²; après la Crète et l'Eubée). Les Grecs disent Lesvos et l'appellent aussi Mytilini (Μυτιληνη, Mytilène en v.f.). Cette île est dans sa plus grande partie verdoyante : plus de 11 millions d'oliviers, des pins et des platanes. Seul l'extrême ouest est sec, mais les paysages sont remarquables. L'île est percée de deux vastes échancrures – les golfes de Yéra et Kalloni – et ourlée de belles plages et de criques transparentes. Vous y trouverez une centaine de petits villages typiques et rustiques aux maisons pistache, amande, turquoise, jaune paille, des hameaux tout blancs aux tuiles orangées, ainsi que de magnifiques demeures de style ottoman dans des jardins embrassant l'Orient. Mais rien des stéréotypes de la Grèce insulaire avec ses maisons blanc et bleu et ses moulins haut perchés. En revanche, dans cette île qui a connu un passé industriel, vous verrez de nombreuses usines (savonneries, huileries), qui semblent souvent en ruine alors qu'elles sont toujours en activité. On remarque aussi l'influence que l'Empire ottoman a eue sur cette île qu'il occupa de 1462 à 1912 (quelques minarets subsistent).

Lesbos fut la patrie du philosophe et tyran Pittakos (tyran peut-être, mais au sens grec, ce qui lui valut d'être catalogué parmi les sept Sages), des poètes Ésope et Alcée et, plus récemment, d'Odysséas Elytis, prix Nobel de littérature (né en Crète mais d'une famille originaire de Lesbos). Angélique Ionatos, chanteuse installée en France, a ses racines dans l'île. Lesbos est aussi réputée pour être la patrie de la plus célèbre poétesse grecque : Sappho (VIIe siècle av. J.-C.). Celle-ci exerça un charme esthétique et surtout un ascendant érotique et spirituel sur les jeunes filles (et les jeunes gens) dont l'éducation lui était confiée. Cela a donné l'amour lesbien ou le saphisme. L'île est d'ailleurs un lieu de rendez-vous international pour de nombreuses lesbiennes qui se retrouvent surtout à Skala Éressos.

Lesbos est aussi connue pour son huile d'olive et son *ouzo* (spécialement celui de Plomari), considérés parmi les meilleurs de Grèce. Des sentiers de randonnées ont été aménagés dans les oliveraies (se procurer la brochure *The Olive Paths* qui donne des indications très générales sur les parcours). Penser à se munir d'une bonne carte.

Étant donné sa superficie et les communications routières relativement lentes – par exemple, du sud *(Mytilène)* au nord de l'île *(Pétra)* : 1 h 30 par la route –, Lesbos nécessite plus que 2 ou 3 jours d'escale. La meilleure solution est de louer une bonne ***voiture.*** Mais faire très attention à l'état de la voiture avant la location et aux mauvaises routes (beaucoup sont goudronnées, mais il en reste quelques-unes que les cailloux et les ravins rendent dangereuses).

Comment y aller ?

En avion

➤ ***L'aéroport*** se trouve à 8 km au sud de Mytilène. ☎ 22-51-06-14-90 et 15-90. Peu de bus mais des taxis (bon marché).

➤ ***D'Athènes :*** 4 ou 5 vols par jour (45 mn) avec *Olympic Airlines* ou *Aegean Airlines.*

➤ ***De Thessalonique :*** 5 par semaine, directs ou via Limnos (1 h 10 ou 1 h 50).

➤ ***De Chios et Limnos :*** 2 vols par semaine (25 mn).

➤ ***De Rhodes :*** 5 vols par semaine.

➢ Et des vols charters directs en été au départ de quelques villes **d'Europe.**

En bateau

➢ **Du Pirée :** départs tous les jours en fin d'après-midi et en début de soirée. Compter 12 à 14 h de traversée. La compagnie *NEL* a mis en service un ferry ultramoderne ; n'hésitez pas si vous pouvez le prendre : plus cher, mais traversée agréable. Un peu plus de 6 h seulement.
➢ **De Chios et Limnos :** ferries tous les jours.
➢ **De Thessalonique :** plusieurs ferries par semaine.

MYTILÈNE *(MYTIΛHNH)*

Le chef-lieu de l'île, avec 25 000 habitants, est une véritable ville aux belles maisons patriciennes d'architectures diverses (bavaroise, provençale ou néo-classique), très colorées et couronnées par un *kastro* byzantin. Cité charmeuse avec ses places ombragées, ses parcs et son port sympathique. Le centre-ville, bruyant et très vivant, est imprégné d'une ambiance un peu orientale avec ses étals et ses crieurs. Ne manquez pas de vous balader le matin d'un bout à l'autre de la rue Ermou, presque piétonne (seulement autorisée aux scooters), envahie par les vendeurs ambulants et les *mammas* qui font leurs courses. On y trouve les poissonneries, des magasins d'alimentation, de fringues et de n'importe quoi. Chouette ambiance.

Adresses utiles

🛈 *Informations touristiques :* sur le front de mer, place Sappho, un bureau d'information en saison. ☎ 22-51-04-41-65. Ouvert de 8 h 30 à 14 h du lundi au vendredi (le samedi de 10 h à 13 h) ainsi que de 17 h à 19 h (les mardi, jeudi et vendredi). Sinon, la *Direction régionale du tourisme* peut aussi informer les touristes : 6, odos Aristarchou (rue qui part derrière la police touristique). ☎ 22-51-04-25-11. ● pvadtour@otenet.gr ● Ouvert du lundi au vendredi de 9 h à 13 h.
✉ *Poste :* odos Vournazon. Ouvert du lundi au vendredi de 7 h 30 à 14 h.
■ *Banques :* distributeurs sur le port. Les bureaux sont ouverts le matin du lundi au vendredi.
■ *Police touristique :* dans le grand bâtiment sur le quai de l'embarcadère (entrée à l'arrière). ☎ 22-51-02-27-76.
■ *Police maritime :* sur le quai des ferries. ☎ 22-51-02-88-88.
■ *Agent consulaire de France :* M. Jean Kapsalis (vice-consul honoraire), 32, odos Néom. Théodorou. ☎ 22-51-04-61-52 et 69-77-20-89-40 (portable). ● jeancapsalis@hotmail.com ●
■ *Olympic Airlines :* 44, odos K. Kavetsou. ☎ 22-51-02 86-59.
■ *Hôpital :* odos P. Vostani (au début de la route d'Halika). ☎ 22-51-04-37-77.
■ *Taxis :* ☎ 22-51-02-35-00 ou 59-00. Des taxis, sur le débarcadère, attendent l'arrivée des ferries. La station principale se trouve près de la station de bus intervillages, odos Smirnis.

Où dormir ?

Mytilène n'est pas le meilleur endroit pour se loger : la circulation y est dense, dangereuse, et certaines rues sont excessivement bruyantes. En cas d'arrivée tardive, la meilleure solution est de prendre les chambres que proposent les hôteliers à la sortie du ferry. Il y a peu de chance pour que ce soit un palace. Très facile de marchander.

Bon marché

🏠 *Pelagia Koumniotou :* 6, odos Georgios Tertséti. ☎ 22-51-02-06-43. Sur la colline entre les 2 ports. Environ 30 € la chambre double. Petite pension familiale aux chambres sobres et propres. Propriétaire charmante. Salle de bains commune. Hors saison, il est possible de se préparer le petit déjeuner. Réfrigérateur commun pour l'*ouzo*...

PLANS ET CARTES
EN COULEURS

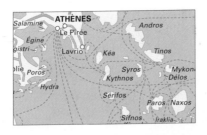

Planches **2-3** ———— La Grèce routière et maritime

Planches **4-5** ———— Les réseaux aérien et ferroviaire de la Grèce

Planches **6-7** ———— Athènes – plan d'ensemble

Planches **8-9** ———— Athènes – plan I

Planches **10-11** ———— Athènes – plan II

Planche **13** ———— Les environs d'Athènes

Planche **14** ———— Embarquement pour les îles au départ du Pirée

2

LA GRÈCE ROUTIÈRE ET MARITIME

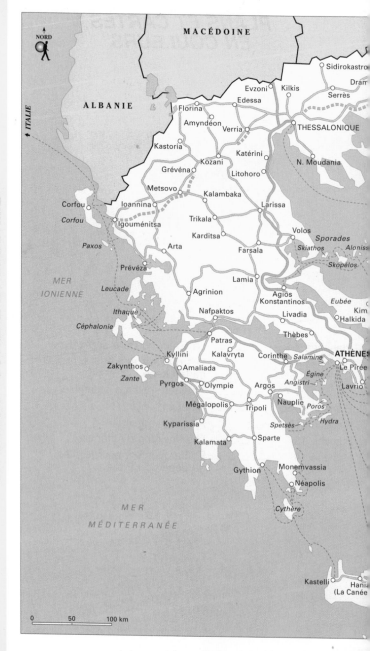

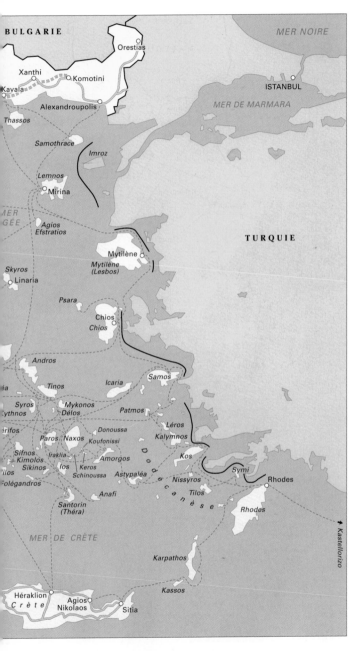

LA GRÈCE ROUTIÈRE ET MARITIME

4

LES RÉSEAUX AÉRIEN ET FERROVIAIRE DE LA GRÈCE

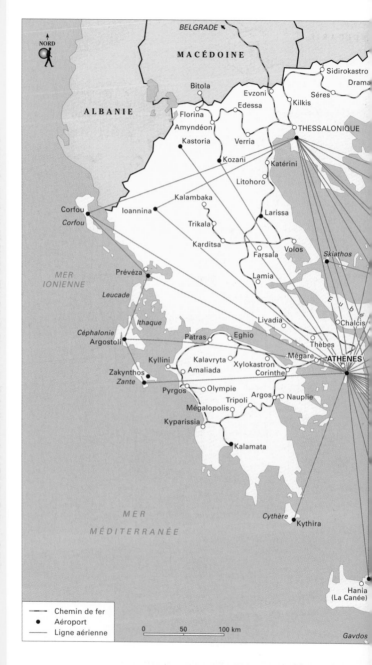

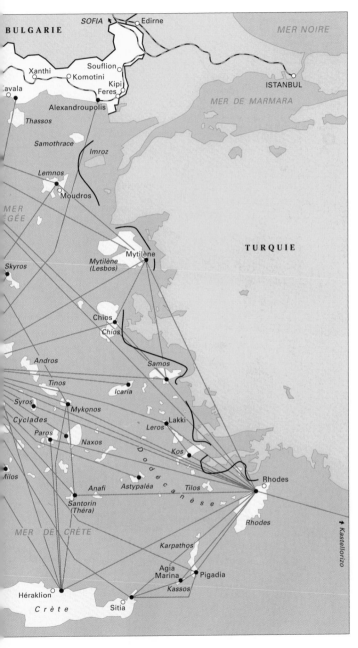

LES RÉSEAUX AÉRIEN ET FERROVIAIRE DE LA GRÈCE

ATHÈNES – PLAN D'ENSEMBLE

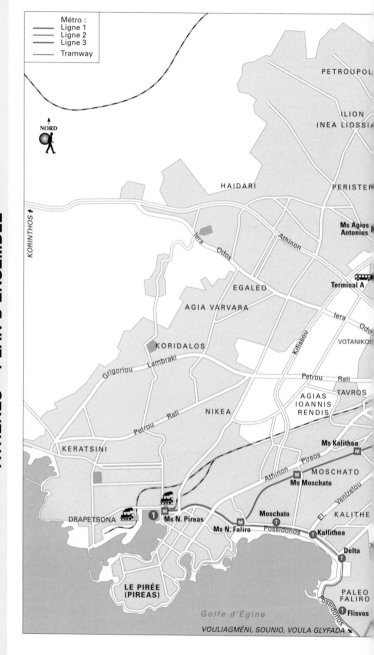

Métro :
Ligne 1
Ligne 2
Ligne 3
Tramway

NORD

KORINTHOS

PETROUPOL

ILION
(NEA LIOSSIA

HAIDARI

PERISTER

Ms Agios
Antonios

Iera Odos

Athinon

EGALEO

Terminal A

AGIA VARVARA

Iera Odo

Kifissou

VOTANIKOS

KORIDALOS

Grigoriou Lambraki

Petrou Rali

AGIAS
IOANNIS
RENDIS

TAVROS

NIKEA

Petrou Rali

Ms Kalithea

KERATSINI

Athinon Pireos

MOSCHATO

Ms Moschato

El. Venizelou

DRAPETSONA

Ms N. Pireas

Moschato

KALITHE

Ms N. Faliro

Possidonos

Kallithea

Delta

LE PIRÉE
(PIREAS)

PALEO
FALIRO

Golfe d'Égine

Possidonos

Flisvos

VOULIAGMÉNI, SOUNIO, VOULA GLYFADA

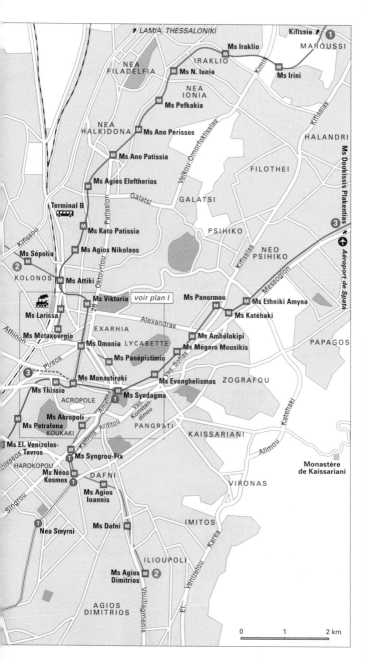

ATHÈNES – PLAN D'ENSEMBLE

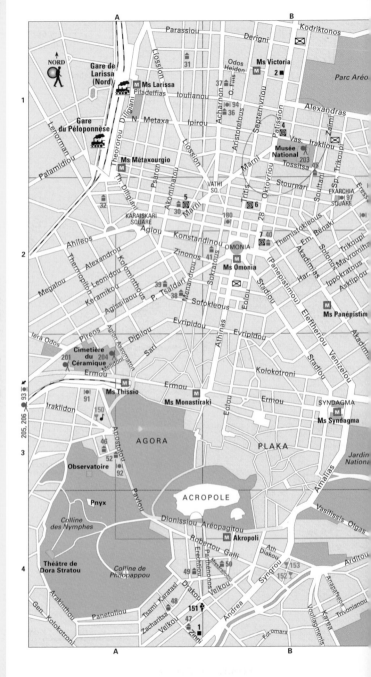

ATHÈNES – PLAN I

1 ■ **Adresses utiles**

✉ Postes
🚂 Gares ferroviaires de Larissa et du Péloponnèse
1 Olympic Airlines
2 OTE
3 Hôpital public Evangelismos
4 Museum Internet Café
5 Mocafe
6 Cafe4U
7 Internet Café

🛏 **Où dormir ?**

30 Youth Hostel Victor Hugo
31 Hostel Aphrodite
32 Hôtel Delta
36 Hôtel Filo-Xénia
37 Hôtel City Plaza
38 Hôtel Appia
39 Hôtel Odéon
40 Hôtel Theoxenia
41 Hôtel Ilion
43 Hôtels Orion et Dryadès
45 Best Western Museum Hotel
46 Hôtel Erechtéion
47 Marble-House Pension
48 Tony's Hostel
49 Art Gallery Hotel
50 Hôtel Philippos
51 Youth Hostel Pangrati
52 Hôtel Thissio

🍴 **Où manger ?**

91 To Stéki tou Ilia
92 Philistron
93 Kallihoron
94 Dafni
95 Lefka
96 Ama Lachi
97 Psistaria Vergina et Taverna Rozalia
98 Yiantès
99 To Stéki tis Xanthis
100 Kallisti

🍷 **Où boire un verre ?**

150 Stavlos
152 Granazi
153 E... Kai

🍴🍦 **Où manger une bonne pâtisserie ? Où déguster une glace ?**

151 Dodoni
180 Stani

🎥 **À voir**

201 Cimetière du Céramique
202 Stade olympique des jeux de 1896
203 Musée archéologique national
204 Musée de la Poterie
205 Musée Maria Callas
206 Musée Benaki (annexe)

ATHÈNES – PLAN I

ATHÈNES – PLAN II

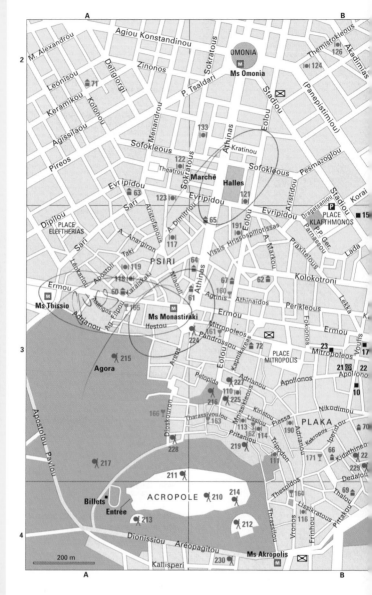

ACROPOLE

PLAKA

PSIRI

Agora

Billets
Entrée

200 m

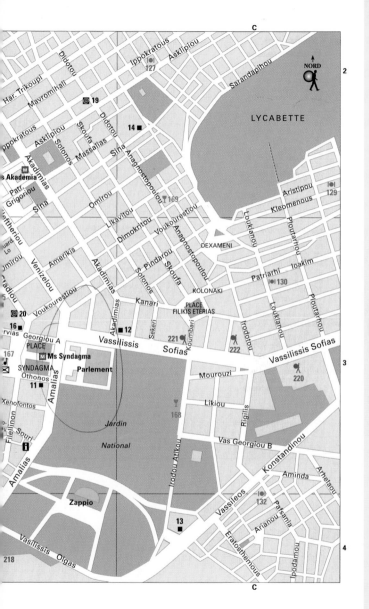

REPORTS DU PLAN II D'ATHÈNES

■ **Adresses utiles**

- ℹ️ Office du tourisme
- ✉️ Postes
- 10 Robissa Travel Bureau
- 11 Aegean Airlines
- 12 Ambassade de France
- 13 Section consulaire
- 14 Institut français d'Athènes
- 15 Librairie française Kaufman
- 16 National Bank of Greece
- 17 American Express
- 18 Eurochange
- @ 19 Cafe4U
- @ 20 Arcade Internet Café
- @ 21 Skynet Center
- 22 Consigne à bagages
- 23 Profil Voyages

🛏 **Où dormir?**

- 60 Hôtel Pella Inn
- 61 Hôtel Fivos
- 62 Hôtel Carolina
- 63 Hôtel Evripidès
- 64 Attalos Hotel
- 65 Cecil Hotel
- 66 The Student's and Traveller's Inn
- 67 Hôtel Tempi
- 69 Hôtel Dioskouros
- 70 Hôtel Adonis
- 71 King Jason
- 72 Hôtel Plaka

🍴 **Où manger?**

- 110 Taverne O Platanos
- 111 Scholarchio Yérani
- 113 Restaurant végétarien Eden
- 114 Palia Taverna tou Psara
- 116 Restaurant Daphné's
- 117 Taverne de Psiri
- 118 Mezedopolio Naxos
- 119 Inéas
- 121 I Ipiros
- 122 Resto sans nom
- 123 I Stoa (Chez Vangélis)
- 124 Athinaïkon
- 125 Kentrikon
- 126 Pétrino
- 127 Ta Grévéna
- 129 Rodia
- 130 To Kafénio
- 132 Karavitis
- 133 En Athinaïs

🍸 🎵 **Où boire un verre?**

- 160 Café Aiolis
- 161 Kafenéion I Oraia Ellas
- 162 Café Mélina
- 163 Klepsydra
- 164 Diogénis
- 165 Avyssinia
- 166 I Dioskouri
- 167 Café Nikis
- 168 Kafénio O Kipos
- 169 Alexander's
- 171 O Glykys

🍴 **Où manger une bonne pâtisserie?**

- 190 Galaktozaharoplastion Ilari
- 191 Krinos

🏛 **À voir**

- 210 Parthénon
- 211 Érechthéion
- 212 Théâtre de Dionysos
- 213 Odéon d'Hérode Atticus
- 214 Musée de l'Acropole
- 215 Agora
- 216 Agora romaine
- 217 Aréopage
- 218 Porte d'Hadrien et Olympieion
- 219 Anafiotika
- 220 Musée byzantin et chrétien
- 221 Musée Bénaki
- 222 Musée des Cyclades et de l'Art grec ancien
- 223 Musée grec d'Art populaire
- 224 Mosquée Tsizdaraki
- 225 Bains d'Aéridon
- 227 Musée des Instruments de musique populaire grecque
- 228 Musée Canellopoulos
- 229 Musée Frissiras
- 230 Musée des Bijoux Ilias Lalaounis

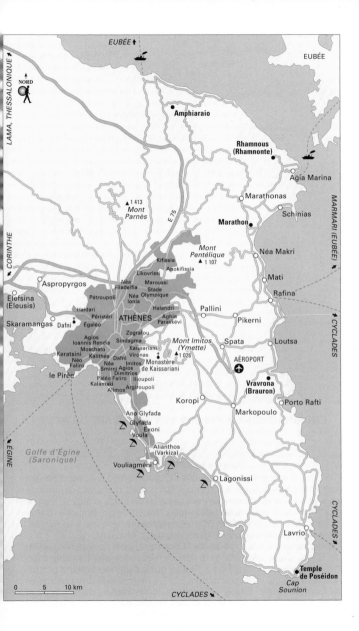

LES ENVIRONS D'ATHÈNES

LES ENVIRONS D'ATHÈNES

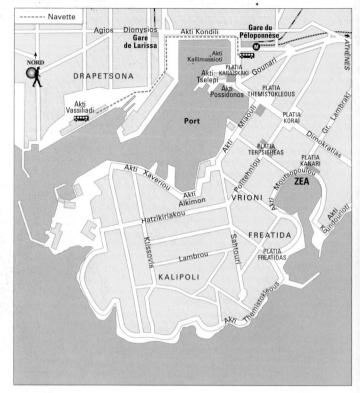

EMBARQUEMENT POUR LES ÎLES AU DÉPART DU PIRÉE

FLORENCE (mars 2005)

Florence, l'une des plus belles villes d'Italie, symbole éclatant de l'art toscan du Moyen Âge à la Renaissance. Peu d'endroits au monde peuvent se vanter d'une telle concentration de chefs-d'œuvre, s'enorgueillir d'avoir donné autant de génies : Michel-Ange, Botticelli, Dante et tant d'autres... Mais Florence n'est pas seulement une ville-musée, c'est aussi un endroit où les gens vivent et s'amusent.

Perdez-vous dans les ruelles de l'Oltrarno du côté de San Niccolo ou de Santa Croce, des quartiers encore méconnus des touristes mais peut-être plus pour longtemps. Et pour guide d'introduction à la gastronomie locale, ne manquez surtout pas les marchés de San Lorenzo et de Sant'Ambrogio. Faites-y le plein de cochonnailles, de fromages et de légumes. Et si le désir de découvrir les vins de la région vous prend (grand bien vous fasse !), attablez-vous dans une *enoteca* (bar à vin) pour déguster un *montanine,* accompagné d'*antipasti* dont seuls les Italiens du cru ont le secret !

Et quand vient le soir, partez à la découverte de la vie nocturne, de ses rues mystérieuses. Des quartiers endormis se réveillent, s'échauffent... Laissez libre cours à vos envies...

L'ÎLE DE LESBOS (MYTILÈNE)

🏠 *Salina's Garden* et *Pension Thalia :* 1, odos Kinikiou. ☎ 22-51-04-20-73 et 22-51-02-46-40. Du port principal, remonter odos Ermou et c'est dans une ruelle qui part d'odos Adramitiou (quartier du vieux marché), reconnaissable à la grande mosquée (Yeni Djami) en ruine.

Chambres doubles sans salle de bains à environ 30 € et avec salle de bains à 35 €. Différentes capacités d'accueil. Il y a même un studio avec une grande cuisine et un sympathique balcon. Propre. Accueil très chaleureux. Calme.

Prix moyens

🏠 **Pension New Life :** odos Olimpou, une petite impasse qui prend au 89, odos Ermou. ☎ 22-51-04-26-50 ou 22-51-04-61-00. À deux pas du centre et du port. Compter 50 € pour 2 personnes en août. Une demeure ottomane de rêve pour les grands romantiques, déco bordeaux et marbre blanc, très début de XXe siècle. Chambre pour 2 ou 3 personnes, avec salle de bains et clim' ; coin cuisine commun. Si c'est complet, peut-être vous dirigera-t-on vers la pension *Panorea* (21, odos Komniaki) : à éviter absolument.

Plus chic

🏠 **Rooms Arion :** odos Arionos, près de l'église Agios Thérapon. ☎ 22-51-04-26-50. Fax : 22-51-02-19-30. Environ 60 € la chambre double avec salle de bains. Ce qui retient l'attention ici, c'est la décoration. Dans toutes les chambres, de grandes peintures murales qui racontent les péripéties d'Arion, célèbre musicien de l'Antiquité, heureusement sauvé de la noyade par les dauphins. De quoi faire de jolis rêves. Un petit côté kitsch qu'on adore ! Tranquille.

🏠 **Hôtel Sappho :** 31, odos Koundouriotou. ☎ 22-51-02-28-88. Fax : 22-51-02-45-22. Sur le port. Chambres doubles de 45 à 55 € selon la situation. Possibilité de prendre le petit déjeuner. C'est vraiment pour avoir une vue sur le port, car l'hôtel manque d'un petit coup de neuf. Propre. Un peu bruyant à cause de la route qui longe le port. En dépannage. Cartes de paiement refusées.

Où dormir dans les environs ?

🏠 **Votsala Hotel :** à Thermi, à 11 km au nord de Mytilène. ☎ 22-51-07-12-31. Fax : 22-51-07-11-79. ● www.votsalahotel.com ● Ouvert d'avril à octobre. Pour une chambre double, compter de 38 à 80 €, petit déjeuner compris (tarifs valables sur présentation du *GDR*). Quelques euros de moins pour les chambres donnant sur le jardin. Un chouette hôtel pour des vacances peinard. Chambres avec frigo et terrasse (vue sur mer ou jardin), dans quatre bâtiments dispersés dans un jardin. Accès direct à la mer. Coin tranquille. Excellent accueil de la famille Troumbounis qui tient à faire de son hôtel un lieu convivial. Randos à thème (archéologie par exemple) organisées par le patron autour de Thermi.

Où manger ?

Pour manger sur le pouce, échoppe à *souvlakia* et à *gyros* sur odos Ermou (derrière l'*Alpha Bank*). *Agia Paraskévi* en fait de très bons également odos Vournazon (la rue de la poste).

Prix moyens

🍴 **Kalderimi :** 2, odos Thassou. ☎ 22-51-04-65-77. Ouvert toute l'année, fermé le dimanche soir. Près du marché, tout près du port. Taverne traditionnelle logée dans une petite ruelle qui donne dans Ermou. Compter environ 12 € par personne. Dès le matin, sa terrasse ne désemplit pas. Idéal pour une petite pause quand on a terminé ses emplettes. Petits plats courants, bons et pas chers (grande variété de *mezze* pour accompagner l'*ouzo*).

🍴 **Averof :** sur le port et dans la rue

Ermou. ☎ 22-51-02-21-80. Ouvert toute l'année, sauf un dimanche sur deux. Compter environ 12 € par personne. Eh oui, cette belle taverne classique, qui fonctionne depuis 1925, traverse carrément tout le pâté de maisons. On peut y aller à toute heure, déjà le matin, pour savourer un café frappé et observer l'animation de la rue Ermou. Bonne cuisine grecque, principalement des plats « à la casserole », prêts à être servis. Agréable.
|●| **Ouzeri Ermis :** quartier d'Epano Skala. ☎ 22-51-02-62-32. Au bout de la rue Ermou, en allant à l'opposé du port principal, sur la placette avant d'arriver à la mer. Ouvert tous les jours. Un beau vieux café typique, datant de 1800 et sauvé par son excentricité. Les Grecs boivent leur *ouzo* sous les vieilles photos de famille pendant que d'autres dévorent quelques *mezze*. Terrasse agréable sous la vigne. Bien demander les prix avant de commander. Délicieux beignets de *kolokythakia louloudia* (fleur de courgette).

Où boire un verre ?

🍷 **Cafétéria du parc municipal** *(dimotikos kipos) :* juste à gauche de la mairie, sur le quai Koundouriotou. Astucieusement placée pour échapper un peu au bruit du centre et prendre le frais dans la verdure. Chouette ambiance.
🍷 **To Navagio :** le long du port, derrière la statue de Sappho. Hors saison, ouvert seulement le week-end. Belle taverne qui fait bar et resto (nettement plus cher que les adresses sélectionnées plus haut). Terrasse très agréable. Petits déjeuners, sandwichs et salades, gâteaux maison, cafés, desserts et cocktails.

À voir

🔍 **L'usine d'ouzo Mini :** odos Navmachias Elis, en direction du nord ; des panneaux l'indiquent. Le patron se fera un plaisir de vous faire visiter son usine, qui a été rachetée par une société d'alcools française, au grand malheur des autochtones. L'usine s'est modernisée au long des années, tout en gardant un côté traditionnel. Intéressant pour qui apprécie... et parle un peu l'anglais.

🔍🔍 **Le Musée archéologique :** à l'angle d'odos Ephtalioti et du 8-Novembre. ☎ 22-51-02-20-87. Tout près du port. Ouvert de 8 h 30 à 15 h. Fermé le lundi. Entrée : 3 € ; réductions. Un nouveau musée plutôt agréable. Belles mosaïques, retrouvées dans trois maisons datant de l'époque hellénistique, amphores, figurines et bijoux des périodes préhistorique, classique et romaine.

🔍 **Le kastro ;** au nord du port. Ouvert de 8 h 30 à 15 h. Fermé le lundi. Entrée : 2 €. Érigé sur des ruines antiques dont il reste des fragments. Tour de la reine, école religieuse turque, portiques, armoiries, citernes, souterrains, etc. Belle vue. On peut en faire le tour en voiture ou à pied, en bord de mer.

🔍 **Le musée d'Arts populaires :** ☎ 22-51-04-13-88. Dans l'ancienne capitainerie du port ; entrée par l'escalier de droite, au 1er étage. Ouvert de 9 h à 13 h. Fermé le dimanche. Broderies, poteries, costumes dans deux pièces assez médiocrement aménagées, il faut bien le dire.

🔍 **L'église Agios Thérapon** (1860) **:** odos Agios Thérapondos. C'est l'église dont on voit la coupole dépassant les toits. Buste et reliques du métropolite Ignace de Hongrie-Valachie, qui joua un rôle important dans le nationalisme grec. Juste en face, le *Musée byzantin :* ☎ 22-51-02-89-16. Ouvert de 10 h à 13 h. Fermé le dimanche. Entrée : 3 €. De très belles icônes des XIVᵉ et XVIIIᵉ siècles. Objets de culte, boiseries gravées et peintes.

❧ *La métropole Agios Athanassios* (fin XVIᵉ-début XVIIᵉ siècle) *:* odos Mitropoléos. La cathédrale, qui abrite les reliques de saint Théodore, pendu le 17 février 1795 par les Turcs parce qu'il refusa de se convertir à l'islam. Autel de bois sculpté et coupole gothique.

❧ *Le théâtre de la période hellénistique :* au nord-ouest, dans le faubourg d'Agia Kiriaki. Il aurait eu une capacité d'accueil de 15 000 personnes. Une partie de l'amphithéâtre et de l'orchestre circulaire ont été conservés.

À voir dans les environs

❧❧❧ *Le musée Théophilos :* à Varia, 3 km au sud du centre, village natal du peintre. ☎ 22-51-04-16-44. Bus fréquents du port de Mytilène. Du 1ᵉʳ mai au 30 septembre, ouvert de 9 h à 14 h 30 et de 18 h à 20 h. Fermé le lundi. Entrée : 2 €. Théophilos est un peintre naïf, le Douanier Rousseau grec, né et mort à Lesbos (1873-1934), bien qu'il ait pas mal bourlingué (on peut voir également certaines de ses œuvres à Volos et à Athènes). Pour donner une idée de son importance, sachez seulement qu'il a eu les honneurs d'une expo au Louvre en 1961. Inspiré notamment par des paysages et scènes de son île, ainsi que par l'histoire de la Grèce moderne.

❧❧❧ *Le musée-bibliothèque Tériade :* à côté du précédent. ☎ 22-51-02-33-72. Ouvert du mardi au dimanche de 9 h à 14 h et de 17 h à 20 h. Entrée : 2 €. Abrite les œuvres réunies par Stratis Eleftheriadis (le vrai nom de Tériade), qui vécut longtemps à Paris, et joua un grand rôle dans la promotion et l'édition du livre d'art. La collection privée de Tériade n'était pas mal du tout (lithographies originales de Matisse, Miró, Chagall, Léger, Rouault, entre autres ; également des eaux-fortes). Des dessins de Picasso et, dans l'entrée et l'escalier, des tableaux de Théophilos. Vraiment intéressant.

– De nombreuses *sources thermales :* les routards rhumatisants ou épicuriens auront le choix. Celles du *golfe de Géra* à Therma (39,7 °C, bonnes pour les rhumatismes), de Polichnitos, au nord de Vatera (76 °C, l'une des plus chaudes d'Europe, soignant les mêmes affections), d'*Agiou Ioanni Lisvoriou* à proximité de Polichnitos (69 °C et son eau chlorée), d'*Eftalou* près de Molyvos (43,6-46,5 °C, qui est radioactive) et de *Thermi* (49,9 °C, ferrugineuse).

Fêtes et manifestations

∞ En été, la ville organise de nombreux *spectacles :* concerts de musique classique et moderne, pièces de théâtre... ; expositions de peinture, etc. Le programme est disponible à l'office du tourisme ou au centre culturel.
– Moins culturelle est la *fête de l'Ouzo,* début août.

Quitter Mytilène

🚌 La station des bus inter-urbains se trouve à côté de la place Irini, à gauche du centre-ville quand on a le dos à la mer. ☎ 22-51-02-88-73. Davantage de bus en été mais il n'est pas très facile, vu les distances et l'organisation des transports, de rayonner dans l'île.
➤ *Pour Pétra et Molyvos :* 4 à 5 départs quotidiens en semaine, 1 à 4 le week-end.

➢ *Pour Éressos et Sigri :* 1 à 2 bus quotidiens.

➢ *Pour Kalloni :* 4 ou 5 bus en semaine, 1 à 3 le week-end.

➢ *Pour Polichnitos et Vatéra :* 2 à 4 bus quotidiens.

➢ *Pour Plomari :* 1 à 3 bus quotidiens.

➢ *Pour Agiassos :* de 3 à 6 bus quotidiens en semaine, de 2 à 4 le week-end.

🚌 Pour les bus de ville, la station se trouve au sud du port (☎ 22-51-02-85-34). Nombreux bus pour *Varia*.

LE NORD DE L'ÎLE

MANDAMADOS (ΜΑΝΤΑΜΑΔΟΣ)

Petit village rustique du nord-est de l'île. Les vieux passent leurs journées dans les cafés à boire de l'*ouzo* et à regarder les touristes qui se sont égarés jusqu'à leur village. Quelques magasins de poteries.

🔥 *L'église des Taxiarques :* sublime église byzantine peinte en rouge sang et recouverte d'une verdure qui lui donne fière allure. À l'intérieur, l'icône de l'*archange saint Michel* aurait été faite avec de la boue et du sang des moines massacrés par les pirates en 1850. Très belle iconostase de fer forgé.

➢ Très jolie route jusqu'à Molyvos. Faire très attention car de nombreux graviers rendent la route dangereuse. Quelques *restos* avec une très belle vue.

MOLYVOS (ΜΟΛΥΒΟΣ ; MITHYMNA (ΜΗΘΥΜΝΑ))

C'est le centre touristique et artistique du nord de l'île, patrie de plusieurs écrivains grecs. Magnifique petite bourgade surplombée par un *kastro* byzantin. Dans les années 1960, un riche mécène, Michalis Goutos, a fait rénover le village afin de l'exploiter touristiquement ensuite. Il faut dire que la rénovation a été une réussite. De belles maisons en pierre de taille, des ruelles piétonnes ombragées par de la verdure et des escaliers accrochés à la citadelle. On peut encore y voir des ânes et des *yayadès* (grand-mères) en fichu noir. Plein de chouettes petits bars et restos, discrets car le site est heureusement classé, ce qui évite les fauteuils en plastique ou les néons kitsch. C'est néanmoins touristique, et beaucoup d'Anglais y passent chaque année leurs vacances. Le petit port, un peu éloigné du village, est très sympathique. À voir absolument.

Adresses utiles

🔢 *Office du tourisme :* à 50 m de l'arrêt de bus, dans une petite maison. ☎ 22-53-07-13-47. En saison, ouvert jusqu'à 22 h (19 h le week-end). Liste des chambres à louer.

✉ *Poste :* dans la rue piétonne qui monte vers le château. Ouvert du lundi au vendredi de 7 h 30 à 14 h.

🚌 *Arrêt de bus :* juste à l'entrée du village. Horaires disponibles à l'office du tourisme.

■ *Station de taxis :* en face de l'arrêt de bus.

■ *Location de voitures :* Pink Panther, sur la route entre le village et le port. ☎ 22-53-07-16-81. *Buggies* et petites voitures en bon état.

■ *Location de scooters et motos :* dans la rue à gauche avant l'office du tourisme. *Moto George* (☎ 22-53-07-10-72) et *Kosmos* sont bien.

▣ *Café Internet Centraal :* en arrivant sur le port. ☎ 22-53-07-22-55. Connexion à 2,20 € la demi-heure.

Où dormir ?

Camping

⚊ *Camping Mythimna :* à 1,5 km de Molyvos, par la route d'Eftalou. ☎ 22-53-07-11-69 ou 17-09. ● www. molivos-camping.com ● Accessible en marchant, en taxi ou en bus (peu). Prévoir environ 15 € pour 2 personnes et une tente. Si personne n'est présent à l'accueil, il faut s'installer et quelqu'un passera le soir ou le lendemain. Le terrain est agréable et ombragé, mais les douches et sanitaires ne sont pas toujours très propres. Une petite épicerie dépanne bien.

Bon marché

⚊ Pour ceux que grimper ne rebute pas, possibilité de loger *chez l'habitant* dans le village, sur les hauteurs, près du *kastro*. Il y a des *rooms to let* dans de jolis jardinets. Négocier les prix.

⚊ *Pension Costas & Eleftheria Fouska :* dans le centre du village. ☎ 22-53-07-12-67 ou 21-09-52-12-75 (à Athènes). En été, compter environ 30 € pour 2 personnes, petit dej' compris. Une maison familiale toute tranquille et bien située. On passe par la salle à manger avec cadre de famille, vaisselle, étoffes, etc. Chambres simples et proprettes ; salle de bains commune. La n° 6 offre une jolie vue sur la mer. Possibilité de cuisiner. Terrasse. Une chouette petite adresse.

Prix moyens

⚊ *Marina's House :* à 50 m du port, dans la rue qui monte vers le village. ☎ 22-53-07-14-70. Environ 35 à 40 € pour 2 personnes. Belle maison en pierre qui propose 4 chambres avec vue sur la mer, salle de bains et frigo. Petite terrasse commune.

⚊ *Nassos Guesthouse :* dans la partie haute du village, un peu en dessous de la place Agiou Kyriakou. ☎ 22-53-07-14-32. ● nassosguesthouse@hotmail.com ● Ouvert de début avril à mi-octobre. Compter entre 25 et 55 € la chambre double selon la période. Cette belle maison de famille en pierre, très fréquentée par les routards anglophones, propose de jolies chambres avec salle de bains commune. Possibilité de préparer son petit déjeuner. Accueil sympa de Marcia et Betty. Cartes de paiement refusées.

Plus chic

⚊ *Hermès Hotel :* ☎ 22-53-07-12-50. Fax : 22-53-07-20-50. Au bord de la plage. Compter 65 € pour 2 personnes de juillet au 15 septembre, 40 € hors saison ; petit déjeuner compris. Petites chambres avec salle de bains et balcon, seules trois d'entre elles ont vue sur la mer. Tavernes à proximité. C'est le moins cher de la rangée.

⚊ ⦿ *Hôtel Olive Press :* ☎ 22-53-07-12-05. Fax : 22-53-07-16-47. ● www.olivepress-hotel.com ● À 50 m du précédent. Ouvert de mai à octobre. En juillet et août, chambres doubles à 80 €, petit dej' compris ; plus cher si vous optez pour le petit déjeuner-buffet ; hors saison, compter jusqu'à 15 € de moins. Bel hôtel aménagé dans les murs d'une ancienne fabrique d'huile d'olive et de savon, vous le repérerez d'ailleurs facilement, avec sa haute cheminée qui se dresse encore fièrement. Réservez les chambres qui donnent sur la mer ; quand on ouvre la fenêtre, on est vraiment à deux pas de l'eau ! Clim' et TV. Petite plage au pied de l'hôtel.

Où manger ?

IOI *Taverne 1912 :* le long de la route reliant l'arrêt du bus et le port. Ouvert à partir de 18 h. Terrasse (chaises et tables à l'ancienne) avec vue sur la baie. Bonne cuisine traditionnelle.

IOI *Betty's Restaurant :* odos Agoras, la rue piétonne la plus commerçante. ☎ 22-53-07-14-21. Ouvert d'avril à octobre. Compter dans les 10-12 € en moyenne. Dans une maison construite par un Pacha en 1880 et joliment réhabilitée après des décennies d'abandon. On mange en bord de rue ou en terrasse. Très belle carte avec un large choix de spécialités à prix encore raisonnables. La propriétaire est la même qu'à *Nassos Guesthouse* (voir plus haut).

IOI Nombreuses *tavernes* de poisson au port, plus chères. Pour manger en bord de mer, préférer le resto de l'hôtel *Olive Press*.

Où boire un verre ?

Y *Balkonaki :* odos Agoras. ☎ 22-53-07-17-17. Très bon choix de pâtisseries grecques. De la minuscule terrasse, magnifique vue.

Y *Congas :* en bord de plage. Les pieds dans l'eau et une décoration de bois et de palmiers. Beaucoup de jeunes et bonne ambiance. Très agréable.

À voir. À faire

KK *Le kastro :* ☎ 22-53-07-18-03. Accessible par la route ou en marchant à travers le village (ça grimpe !). Ouvert en principe de 8 h à 19 h en saison. Fermé le lundi. Entrée : 2 €. Les dernières marches sont difficiles à franchir pour les personnes qui ont du mal à se déplacer. Forteresse d'origine byzantine et occupée par les Génois. Beau panorama. Il y a parfois des spectacles le soir, se renseigner auprès de l'office du tourisme.

K *Le Musée archéologique :* en dessous de la mairie. ☎ 22-53-07-10-59. Amphores, poteries, pièces de monnaie. Quelques photos intéressantes des années de révolte contre les Turcs et de la libération.

K *La basilique des Taxiarques* (1795) *et l'église Agios Panteleimon* (1844) *:* à voir pour leurs icônes.

– *Cinéma en plein air :* à l'entrée du village, face à la route qui part vers Eftalou. En juillet, août et septembre. Films en version originale, sous-titrés en grec.

⌑ *La plage de Molyvos :* mince bande de galets avec quelques arbres, des transats à louer, des douches et toilettes. Propre.

➤ Possibilité d'*excursions en bateau* à *Skala Sikaminias,* joli petit port (compter dans les 12 €), et à *Kalloni*. On peut aussi aller au *village de Vafios* à dos d'âne.

À voir dans les environs

⌑ *Eftalou :* plage de galets, à 4 km de Molyvos. Les naturistes iront à 1 km de l'arrêt de bus pour se dévêtir. Vue sur la côte turque (l'écrivain Ilias Vénézis, chassé d'Asie Mineure après 1922, s'était installé ici pour garder un œil sur sa « patrie »). À 200 m de l'arrêt du bus, sources d'eau chaude (46,5 °C) ; ☎ 22-53-07-12-45. Hammam.

|●| ***Taverne Eftalou :*** à l'arrêt de bus, dans un jardin romantique et sauvage à la fois. Petits poissons frits et moineaux familiers picorant sur les tables.

🕺 **Skala Sykaminias :** à 10 km de Molyvos, par la côte (après Eftalou, bonne piste), un port de poche avec une chapelle plantée sur un rocher. Le drapeau grec flotte vaillamment (en face, ce sont les côtes turques). Quelques bonnes tavernes. Par l'intérieur des terres, c'est plus long : on passe par *Vafios,* village connu pour ses bonnes tavernes, et par *Sykaminia* (statue du grand écrivain Stratis Myrivilis, natif du coin, et petit musée folklorique).

|●| ***Taverna Anemoessa :*** sur le port, la taverne la plus proche de la chapelle. ☎ 22-53-05-53-60. Ouvert midi et soir. Compter dans les 8-10 € par personne (le double pour un repas de poisson). Belle terrasse au bord de l'eau et une salle en pierre apparente pour l'hiver (l'établissement ne ferme pas à la fin de la saison). Excellente cuisine, service efficace.

PÉTRA (ΠΕΤΡΑ)

Petit village de bord de mer, à 5 km au sud de Molyvos. Très touristique en saison. Le centre est presque entièrement piéton. De belles maisons ottomanes de toutes les couleurs dans des jardins romantiques et autour de sympathiques places ombragées. Pétra est dominé par un gros rocher (*pétra* signifie rocher) que l'on atteint en escaladant ses 114 marches. Au sommet se trouve la chapelle de la Vierge-au-Doux-Baiser.

⌣ Longue ***plage*** de sable.
De nombreuses tavernes et boutiques procurent un peu d'animation au retour des plages. La route qui longe le village est malheureusement bruyante et un peu dangereuse.

Adresses utiles

■ ***Police :*** ☎ 22-53-04-12-22.
■ ***Médecin :*** ☎ 22-53-04-12-10. Parle l'anglais.
🚌 ***Arrêt de bus :*** place principale.
■ ***Station de taxis :*** place principale.
■ ***Nirvana Travel :*** ☎ 22-53-04- 19-91 ou 69-44-53-68-81 (portable). Fax : 22-53-04-19-92. ● www.nirvana travel.gr ● Sur le bord de mer. Une bonne agence de voyages qui propose de nombreuses activités ainsi que des locations.

Où dormir ?

Bon marché

🏠 Une initiative intéressante, la ***coopérative agrotouristique des femmes de Pétra :*** sur la place principale, 1ʳᵉ rue à droite, 1ʳᵉ porte à droite, 1ᵉʳ étage. ☎ 22-53-04-12-38. Fax : 22-53-04-13-09. ● http://lesvos-travel. com/womens-cooperative ● Créée en 1983 par le ministère grec pour l'Égalité des sexes, apolitique, l'association regroupe une trentaine de femmes qui offrent des chambres dans le village. Il y a des chambres doubles à environ 25 €, des studios pour deux à 40 €. À louer également, des studios pour 3 ou 4 personnes et des maisons pour 6 personnes. Un brin moins cher hors saison. En outre, ces femmes ont un restaurant (voir « Où manger ? ») et peuvent organiser des excursions, donner des renseignements sur l'île.

Prix moyens

🏠 *Villa Katerina :* dans la rue Sampfous, derrière le gros rocher. ☎ 22-53-04-10-24. Compter à peu près 35 € pour 2 personnes ; réductions si vous restez plusieurs jours. En plein centre et dans une rue tranquille, une maison familiale aux volets rouges, précédée d'un jardinet. Chambres de bonne taille, avec salle de bains et petit balcon.

🏠 *Studios Anaïs :* dans le centre. ☎ et fax : 22-53-04-14-41. Pour deux, compter environ 35 € ; moins cher si vous restez plusieurs jours. Mini-studios avec salle de bains et petit coin cuisine avec réchaud et frigo. Balcon. Pratique et calme. Plusieurs autres du même genre dans la rue.

Plus chic

🏠 *Panorama Hotel :* au bout de la baie, en direction de Molyvos, à 200 m de la plage. ☎ 22-53-04-15-43 et 19-19. Fax : 22-53-04-17-92. Environ 70 € la chambre double en saison, petit déjeuner compris. Hôtel composé de plusieurs bungalows étagés sur la colline. Une quarantaine de chambres, quelques-unes avec AC. Très tranquille. Grande terrasse. Frigo à la demande (supplément). Piscine, bar et resto. Bon accueil de la famille qui gère ce bel hôtel qui porte bien son nom.

Où manger ?

Pour manger sur le pouce, sur le front de mer, à côté du terrain de foot, une boutique à *souvlaki* et à *gyros* (dans les 1,50 € l'unité), à emporter ou à manger sur place.

🍴 *Restaurant de la coopérative agrotouristique des femmes de Pétra :* voir « Où dormir ? ». Ouvert de mai à octobre, midi et soir. Deux tables sur les mini-balcons du 1er étage, qui donnent sur la place. C'est bon, sympa et bon marché. Ah, leurs *mezze*! Et, bien entendu, une foultitude de petits plats goûteux. Belle musique grecque. Notre coup de cœur.

🍴 *Nora Maria :* à proximité de la maison *Varelzidéna*. ☎ 22-53-04-16-61. Petite terrasse. Plein de poteries et de chatons. La grand-mère et la mère font les petits plats, et les deux filles servent avec gentillesse. Bon et copieux. Très agréable.

🍴 *Rigas :* odos Agia Marina ; à 20 m de l'hôtel *Théophilos*. ☎ 22-53-04-14-05. Dans une petite cour ou, mieux encore, installé sous le toit. Ouvert tous les soirs. Dans cette taverne, la plus ancienne de Pétra, on mange grec, mais l'accueil peut être francophone (Kyra Maria a vécu pas mal d'années du côté de Bordeaux). Choisir à la cuisine en bas.

🍴 *To Tychero Petalo :* face à la plage, entre les deux parkings. Reconnaissable à son enseigne, un fer à cheval. Compter autour de 10 € par personne. Chaises en bois et nappes de couleur. Cuisine grecque. Copieux, voire parfois un peu lourd.

Où boire un verre ?

🍸 *Bar Kyttaro :* entrée un peu après la *coopérative agrotouristique des femmes de Pétra*. Cela n'a rien de typique, et la déco est plutôt moyenne. Ce bar s'est spécialisé dans la retransmission des matchs de foot. Beaucoup d'ambiance, surtout quand il y a une équipe anglaise en jeu (les Anglais sont nombreux dans la région).

À voir. À faire

🍴 *L'église Agios Nikolaos :* à 50 m de la mer, juste après la poste. Voir les belles fresques (dont une pendaison de Judas très rare) datant de trois périodes, du XVIe siècle à 1721.

🍴 *La maison Vareltzidéna :* odos Samphous. Magnifique maison de maître (*archondiko*) du XVIIIe siècle aménagée en petit musée local. Ouvert de 8 h à 19 h en saison (15 h en hiver), fermé le lundi. Entrée libre. Très intéressant. Le style architectural combine les influences turques et de la Grèce du Nord.

🍴 *Le rocher et la chapelle de la Vierge-au-Doux-Baiser :* les nombreuses marches mènent à la petite église de Glykofiloussa, où l'on peut voir une belle iconostase de bois sculpté et une icône en argent de la Vierge.

🏊 Une *plage* de 2 km de sable gris avec douches, et chaises longues à louer, le long d'une petite route.

L'OUEST DE L'ÎLE

Le paysage, à l'ouest de Pétra, change vite : après Skoutaros, on entre dans la partie volcanique de l'île. Les amateurs de vin feront un détour par *Hidira* : un jeune viticulteur (francophone), Ioannis Lambrou, fait visiter son exploitation, unique sur l'île mais renouant avec une tradition ancienne (les vins de Lesbos, à l'époque ottomane, étaient servis jusqu'au harem du Sultan). *Méthymnéos :* dans le centre du village. ☎ 22-53-05-15-18. ● www.methym neos.gr ● Visites gratuites de 9 h à 16 h du 1er juillet au 30 septembre. Très intéressant et, ce qui ne gâte rien, le vin (biologique) se laisse tout à fait boire, avec modération. En repartant vers Sigri, de magnifiques paysages avant Antissa (gorges de Voulgari). Détour possible par la plage de Kambos, près de Gavathas. Puis les paysages sont de plus en plus pelés : il n'y a plus guère que les éoliennes à pousser ! Dominant la région, avant la descente sur Sigri, un monastère magnifiquement perché sur un cône d'origine volcanique (le mont Ordymnos).

SIGRI (ΣΙΓΡΙ)

Petit village de pêcheurs très tranquille, à la pointe ouest de l'île. *Kastro* byzantin. Église *Agia Triada,* simple et mignonnette. Bon petit resto familial (*Kavalouros*).

À voir dans les environs

🍴🍴 *La forêt pétrifiée :* à 6 km de Sigri en arrivant de Mytilène. ● www.petri fiedforest.gr ● Ouvert de 8 h à 16 h, à visiter tôt le matin de préférence (pas d'ombre). Entrée payante : 1,50 €. Estimée à 20 millions d'années, elle a été déclarée parc géologique par l'Unesco. À cette lointaine époque, une forêt subtropicale recouvrait l'île. Aujourd'hui, sur 29 ha, on peut voir des dizaines de troncs fossilisés, couchés ou debout. Un joli parcours.

🍴🍴 *Le musée d'Histoire naturelle :* ☎ 22-53-05-44-34. Ouvert de 8 h 30 à 16 h 30. Sur la route qui contourne le village, tout près du centre. Très bien conçu et complémentaire de la visite du site, ce musée récent apprend beaucoup de choses sur les phénomènes géologiques en général.

🏊 *La plage de Fanéroméni :* plage de sable à 3,5 km au nord de Sigri.

SKALA ÉRESSOS (ΣΚΑΛΑ ΕΡΕΣΣΟΣ)

À une trentaine de kilomètres de Sigri par la route (par une piste qui longe en partie la mer, on y va en 15 mn mais ne pas compter gagner du temps !). De même que l'île de Mykonos reste une destination choyée par les homosexuels du monde entier, Lesbos, et spécialement Skala Éressos, le lieu de naissance de Sappho, est aujourd'hui très clairement un des grands rendez-vous internationaux des lesbiennes. Les admiratrices de Sappho composent une bonne partie du public, mais les familles grecques sont aussi nombreuses l'été, tout ce petit monde semblant cohabiter sans trop de problèmes. Le village n'a rien d'extraordinaire (Éressos, 4 km plus haut, est bien plus intéressant) mais on peut jeter un coup d'œil à la grande mosaïque d'époque byzantine, avec des paons, à voir derrière la basilique Saint-Andréas.

➤ De Mytilène, un à deux bus quotidiens.

⌒ Skala Éressos est bordé par une longue *plage* de sable (2 km).

Adresse utile

■ *Agence Sappho Travel :* dans le centre. ☎ 22-53-05-21-40. Fax : 22-53-05-20-02. ● www.lesvos.co.uk ● Ouvert toute la journée de mai à septembre. Agence dynamique qui draine une grande partie des touristes anglophones. Réservation de logements, de billets d'avion et de bateaux, excursions dans l'île (certains groupes sont uniquement réservés aux femmes), change de chèques de voyage et tout autre renseignement. Organisent aussi des taxis groupés pour se rendre à l'aéroport. Sympa et efficace.

Où dormir ?

Prix moyens

■ *Pension Karydia :* près du pont, à 700 m du village, dans les terres. ☎ 22-53-05-31-68. De décembre à mars : ☎ 21-07-66-06-76 (à Athènes). Compter environ 35 € pour 2 personnes. Chambres fraîches et mignonnes, avec salle de bains. Jolis tissus et meubles clairs. Petit balcon. Un studio avec coin cuisine, un brin plus cher. Accueil charmant de M. Karidis, qui parle le français. Parking à l'intérieur.

■ |●| *Hôtel Sappho :* sur le front de mer. ☎ 22-53-05-34-95. Fax : 22-53-05-31-74. Ouvert d'avril à octobre. Chambres doubles de 40 à 60 €, le prix variant selon leur situation. Tout joli hôtel sur le front de mer, avec des chambres douillettes et spacieuses, décorées avec goût. Toutes ont une salle de bains privée. Si votre budget le permet, préférez évidemment celles donnant sur la mer. Ah ! un petit détail : ce paradis est seulement accessible aux femmes... sauf le restaurant, d'ailleurs d'excellente qualité, ouvert aux mâles également.

Plus chic

■ *Hôtel Galini :* à 100 m de la plage, facile à trouver. ☎ 22-53-05-31-38. Fax : 22-53-05-31-37. ● www.hotel-galinos.gr ● Ouvert du 15 avril au 31 octobre. Chambres doubles à 60 € environ en été. Hôtel agréable, offrant une vingtaine de chambres avec salle de bains et AC. Petit balcon et terrasse sympa pour prendre le petit déjeuner (en supplément). Central tout en étant calme, à 2 mn à pied de la plage.

Où manger ?

Le bord de mer regorge de restos plus ou moins branchés. On a préféré l'adresse suivante qui ne cherche pas à suivre les modes :

|●| **Éressos Palace :** derrière la plage, au niveau du poste du surveillant de baignade. ☎ 22-53-05-38-58. Ouvert midi et soir de Pâques à octobre. Compter de 7 à 10 € par personne. Le lieu n'a vraiment, mais alors vraiment rien d'un palace et ce nom le desservirait plutôt... Une vaste terrasse avec des chaises en paille, un large choix de plats à prix modiques et aux fourneaux, Mme Stavroula. Poisson pas trop cher.

À voir dans les environs

🎋 **Éressos :** à 4 km dans les terres. Joli village agricole avec de nombreuses maisons anciennes en pierre.

KALLONI (ΚΑΛΛΟΝΗ; 1 600 hab.)

À 40 km de Mytilène. Nœud routier, petit centre commercial, et grande capitale de la sardine. Ruines antiques et byzantines dans les environs (au sud de la ville notamment). Beaucoup d'ornithologues viennent dans le coin au printemps et à l'automne (*cf.* « À voir. À faire dans les environs »).

Où dormir ? Où manger ?

🛏 **Hôtel Malemi :** Skala Kallonis, à 500 m de la mer. ☎ 22-53-02-25-94. Fax : 22-53-02-28-38. ● www.malemi.com ● Ouvert de début mai à fin septembre. Pour deux, compter entre 50 et 70 € selon la saison. Un bon petit hôtel niché dans un environnement très agréable. Chambres claires et spacieuses. Piscine, tennis et restaurant. Bon petit déjeuner-buffet. Excellent accueil de la famille Kapsalis, très dynamique.

|●| **Psarotaverna O Mimis :** un peu en retrait du port. ☎ 22-53-02-21-13. Resto populaire pas bien cher. Le poisson est au tarif syndical (compter dans les 40 €) mais les portions de sardines sont bon marché et les allergiques au poisson trouveront leur bonheur avec les grillades au charbon de bois. Accueil assez indifférent.

À voir. À faire dans les environs

🏖 **Skala Kallonis :** à 4 km au sud. Petit port et station balnéaire aux plages de sable prisées des charters d'Allemands ou de Hollandais en séjour organisé. Mal desservi par les bus locaux (ils s'arrêtent à Kalloni).

🎋🎋 **Le monastère Agios Limonos** (XVIᵉ siècle) : à 5 km au nord de Kalloni. ☎ 22-53-02-22-89. Ne porter ni short ni décolleté. L'église principale n'est pas accessible à la gent féminine (un comble sur l'île de Sappho !). Bibliothèque, musée (belles icônes, manuscrits, broderies, bijoux, vaisselle) et chapelle. Il y a encore actuellement cinq moines dans ce vaste monastère qui fut un bastion de résistance à l'occupant turc.

🎋 **Les marais salants :** à l'est de Kalloni, entre la route et la mer. Espace *Natura 2000*. Les ornithologues viennent ici en masse au printemps et à l'automne pour observer les nombreux oiseaux, dont de nombreuses espèces migratrices, qui font un petit séjour dans le secteur.

LE SUD DE L'ÎLE

Entre les golfes de Kalloni et d'Yéra, une région tranquille propre à la marche : autour du mont Olympos, petits villages paisibles où il fait bon s'arrêter (comme à Karyonas et Miliès où les tavernes sont accueillantes). Au bord du golfe d'Yéra, collines plantées d'oliviers et petites criques avec barques de pêcheurs blanc et bleu. À noter qu'on peut traverser, à Pérama, par un petit bateau pour rejoindre la côte en face et s'épargner pas mal de kilomètres. Scooters acceptés mais pas les voitures. Un bateau toutes les 90 mn en journée.

Deux chouettes adresses pour se poser dans le coin :

🛏 *Hôtel Sorocco* : Skopelos Yéra (commune de Papados). ☎ 22-51-08-45-69 et 69-76-55-81-31 (portable). Fax : 22-51-08-46-51. ● soroccohtl@in.gr ● Entre Messagros et Skopélos. Ouvert toute l'année. Compter 37 € en août, petit déjeuner compris. Une ancienne école ottomane, classée Monument historique, joliment transformée en petit hôtel (8 chambres simples mais très propres) par une Française. Petite restauration sur place *(mezze)*. Hors saison, passer un coup de fil sur le portable pour vous annoncer.

|●| *Avlonas :* à Avlonas, tout au sud du golfe d'Yéra (côté ouest). ☎ 22-51-05-19-50. Ouvert de juin à septembre. Environ 8 à 10 € par personne. Tenu par un couple gréco-allemand, ce resto est une double réussite : tout d'abord, des assiettes appétissantes, témoignant d'un vrai savoir-faire, des *mezze* aux plats de viande plus élaborés. Ensuite, le lieu lui-même est un régal pour les yeux, avec des jeux pour les enfants et un beau jardin avec pelouse. Propose également des locations sur place.

PLOMARI *(ΠΛΩΜΑΡΙ ; 3500 hab.)*

À 40 km de Mytilène. La capitale de l'*ouzo* et la deuxième agglomération de l'île, très vivante. Habitat groupé sur la colline, avec plusieurs rangées de rues étagées. Mélange de maisons traditionnelles (certaines carrément en ruine) et de constructions modernes. Ne pas hésiter à s'engager dans le village, derrière la place principale (place Benjamin) : rues pavées et ombragées par des platanes chenus. Quelques vieux cafés comme on en voit de moins en moins. Sur la mer, deux cheminées d'usine qui ne font plus qu'accueillir des nids de cigognes. La plupart des touristes sont logés un peu plus à l'est, à Agios Isidoros. De petits bateaux proposent des sorties vers les plages d'Agios Ermogenis et de Tarti, voire jusqu'à Vatera. Visite possible de l'usine d'ouzo *Barbayanni*, à la sortie de Plomari, direction Agios Isidoros.

Où dormir ?

🛏 *Pension Lida :* au centre du village. ☎ 22-52-03-25-07. ● ledabiotravel@hotmail.com ● Au fond d'une impasse derrière la place Benjamin (bien indiqué). Ouvert de mars à fin octobre. Compter dans les 30-35 € pour une double. En fait, deux maisons très proches l'une de l'autre qui proposent une douzaine de chambres, toutes différentes mais de caractère (toutes deux sont des maisons « patriciennes » ayant appartenu à des patrons de savonnerie). Petit déjeuner sur une terrasse très sympathique.

Où manger ?

|●| *Berdema :* sur le port. ☎ 22-53-03-14-66. Ouvert midi et soir. Fermé en novembre. Prévoir dans les 10-12 €. Grande terrasse aérée où tous les classiques de la cuisine grecque sont proposés. Les plats au four ou préparés à l'huile sont excellents en particulier. Service rapide et efficace.

À voir dans les environs

◀ Melinda : à 6 km à l'ouest de Plomari, petit village avec une plage de galets. De Melinda, une route monte dans l'arrière-pays. On peut gagner Vatera mais il faut subir quelques kilomètres de piste, entre Ambéliko et Stavros.

VATÉRA *(BATEPA)*

À 53 km de Mytilène. Station balnéaire assez étendue mais sur beaucoup d'espace, donc on ne s'entasse pas trop, sauf en août. Hôtels et locations sur deux kilomètres en bord de plage, dans une ambiance bon enfant, loin des usines à touristes que sont devenues pas mal de stations balnéaires en Grèce. Un camping également (mais il était fermé pour l'année en 2004 ; se renseigner sur sa réouverture : ☎ 22-52-06-13-40). Pas mal de restos. Un des meilleurs se trouve tout au bout de la baie, à Agios Fokas (voiture nécessaire, c'est à 2 km).

Où dormir ?

⌂ Villa Irida : à la sortie sud du village. ☎ 22-52-06-11-19. Fax : 22-52-06-18-88. ● www.irida.net/lesvos ● Ouvert d'avril à octobre. Cinq appartements pour 4 ou 5 personnes, face à la mer. Rien de luxueux dans ces locations mais excellent accueil de George Koliopoulou et de sa femme, chez qui vous vous sentirez bientôt comme en famille.

QUITTER L'ÎLE DE LESBOS

En avion

✈ L'aéroport Odysséas Elytis se trouve à 8 km de Mytilène. ☎ 22-51-06-14-90 et 22-51-06-15-90. Peu de bus, mais il y a des taxis (bon marché).

➤ Pour Athènes : plusieurs vols *Olympic Airlines* par jour (45 mn). Également 3 à 4 vols assurés par *Aegean Airlines*.

➤ Pour Thessalonique et Rhodes : 5 vols *Olympic Airlines* par semaine (70 mn en vol direct, escale à Limnos pour certains vols). Également 1 à 2 vols *Aegean Airlines*.

➤ Pour Chios et Lemnos : plusieurs vols par semaine.

➤ Et des vols charters directs en été à destination des principales *villes d'Europe.*

En bateau

■ Capitainerie de Mytilène : ☎ 22-51-02-03-20.

➤ Pour Le Pirée : départs tous les jours, en général vers 18 h-19 h. Compter 10 h de traversée, beaucoup moins avec le bateau de la compagnie *NEL* qui part plus tôt et arrive en fin de soirée au Pirée.

➤ Pour Chios et Lemnos : ferries tous les jours.

➤ Plusieurs ferries par semaine à destination de *Thessalonique* (13 h de traversée) et des différentes *îles de l'est de la mer Égée* et du *Dodécanèse*.

NOS NOUVEAUTÉS

PYRÉNÉES, GASCOGNE ET PAYS TOULOUSAIN (paru)

Insaisissable. Tout a été dit sur cette formidable région où même la langue se partage entre l'occitan et le gascon. Quel voyageur se plaindra d'une telle diversité culturelle, d'une palette complète de paysages ? Si tant de citadins déçus par le mirage urbain migrent par ici, c'est bien parce qu'ils s'attendent à y trouver un petit bout de pays qui leur corresponde. Comment ne pas trouver son compte entre les vallées secrètes des Hautes-Pyrénées et de l'Ariège, ou entre les rondeurs fécondes du Lauragais et les croupes rebondies du Gers ? Le pays de cocagne n'est décidément pas qu'une histoire ancienne. Tout, du fameux chasselas de Moissac aux oies grassouillettes de Gascogne, incite au bonheur de vivre. Gare à la contagion, on ne se contentera peut-être pas d'y passer quelques jours !

LOT, AVEYRON, TARN (mars 2005)

Une sacrée brochette d'ambassadeurs ! Le monde entier défaille à la moindre allusion au roquefort. Les gastronomes s'affolent dès la saison de la truffe, diamant noir du Quercy. Les amateurs de vins célèbrent le renouveau du cahors, tisane des grands de ce monde depuis l'empereur romain Domitien... Partant du principe que ces merveilles sont encore meilleures sur place, voici un itinéraire choisi des marchés régionaux de Rocamadour à Cordes et d'Albi à Conques. Ne serait-ce que pour s'entendre faire l'article avec l'accent ! Un bon prétexte pour musarder de coteaux en vallons dans le Quercy, prendre le frais au creux des vallées encaissées du Lot, réciter face aux Grands Causses et aux pâturages de l'Aubrac ses derniers vers encore vivaces depuis la communale...

Tout pour partir*

*bons plans, concours, forums,
magazine et des voyages à prix routard.

> www.routard.com

routard com

Chacun
sa route

**Cour pénale internationale :
face aux dictateurs
et aux tortionnaires,
la meilleure force de frappe,
c'est le droit.**

L'impunité, espèce en voie d'arrestation.

fidh

Fédération Internationale
des ligues des Droits de l'Homme.

www.fidh.org

La Chaîne de l'Espoir

Ensemble, sauvons des enfants

Depuis 1988,
La Chaîne de l'Espoir s'est donnée pour mission d'opérer en France ou dans leur pays d'origine des enfants gravement malades des pays en développement en attente d'un acte chirurgical vital.

Parce qu'il n'y a pas d'avenir sans enfance

6000 enfants opérés depuis 1988

Association de bienfaisance assimilée fiscalement à une association reconnue d'utilité publique

LA CHAÎNE DE L'ESPOIR

Vous pouvez envoyer vos dons à :
La Chaîne de l'Espoir
96, rue Didot - 75014 Paris
Tél. : 01 44 12 66 66 - Fax : 01 44 12 66 67
www.chaine-espoir.asso.fr

Nos coups de cœur de l'année

Nos meilleures
chambres d'hôtes
en France

NOUVEAU

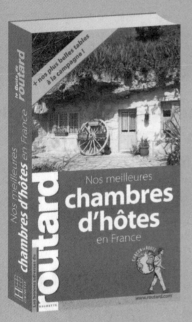

Un index thématique
pour choisir
votre hébergement
selon vos goûts
et vos envies.
- activités sportives
- gastronomie
- adresses insolites

HACHETTE

> P 125 F5.6 ⁺⁰⁻ ⚡

Les peuples indigènes croient qu'on vole leur âme quand on les prend en photo. Et si c'était vrai ?

Pollution, corruption, déculturation : pour les peuples indigènes, le tourisme peut être d'autant plus dévastateur qu'il paraît inoffensif. Aussi, lorsque vous partez à la découverte d'autres territoires, assurez-vous que vous y pénétrez avec le consentement libre et informé de leurs habitants. Ne photographiez pas sans autorisation, soyez vigilants et respectueux. Survival, mouvement mondial de soutien aux peuples indigènes s'attache à promouvoir un tourisme responsable et appelle les organisateurs de voyages et les touristes à bannir toute forme d'exploitation, de paternalisme et d'humiliation à leur encontre.

Survival
pour les peuples indigènes

m'man, p'pa,
'faut pô
laisser
faire !

**HANDICAP
INTERNATIONAL**

titeuf "totem" de nos 20 ans

Espace offert par le guide du Routard

**Pour découvrir l'engagement de Titeuf
et nous aider à continuer :**

www.handicap-international.org

routard
ASSISTANCE
L'ASSURANCE VOYAGE
INTEGRALE A L'ETRANGER

VOTRE ASSISTANCE « MONDE ENTIER » LA PLUS ETENDUE

RAPATRIEMENT MEDICAL **ILLIMITÉ**
(au besoin par avion sanitaire)
VOS DEPENSES : MEDECINE, CHIRURGIE, (env. 1.960.000 FF) **300.000 €**
   HOPITAL, GARANTIES A 100% SANS FRANCHISE
   HOSPITALISE ! RIEN A PAYER… (ou entièrement remboursé)
BILLET GRATUIT DE RETOUR DANS VOTRE PAYS : **BILLET GRATUIT**
   En cas de décès (ou état de santé alarmant) **(de retour)**
   d'un proche parent, père, mère, conjoint, enfant(s)
*BILLET DE VISITE POUR UNE PERSONNE DE VOTRE CHOIX **BILLET GRATUIT**
   si vous êtes hospitalisé plus de 5 jours **(aller - retour)**

   Rapatriement du corps – Frais réels **Sans limitation**

RESPONSABILITE CIVILE «VIE PRIVEE» A L'ETRANGER

Dommages CORPORELS (garantie à 100%) .... (env. 6.560.000 FF) **1.000.000 €**
Dommages MATERIELS (garantie à 100%) .... (env. 2.900.000 FF) **450.000 €**
(dommages causés aux tiers) (AUCUNE FRANCHISE)
EXCLUSION RESPONSABILITE CIVILE AUTO : ne sont pas assurés les dommages
causés ou subis par votre véhicule à moteur : ils doivent être couverts par un contrat
spécial : ASSURANCE AUTO OU MOTO.
ASSISTANCE JURIDIQUE (Accident) .... (env. 1.960.000 FF) **300.000 €**
CAUTION PENALE ....(env. 49.000 FF) **7500 €**
AVANCE DE FONDS en cas de perte ou de vol d'argent (env. 4.900 FF) **750 €**

VOTRE ASSURANCE PERSONNELLE «ACCIDENTS» A L'ETRANGER

Infirmité totale et définitive (env. 490.000 FF) **75.000 €**
Infirmité partielle – (SANS FRANCHISE) **de 150 €** à **74.000 €**
(env. 900 FF à 485.000 FF)
Préjudice moral : dommage esthétique (env. 98.000 FF) **15.000 €**
Capital DECES (env. 19.000 FF) **3.000 €**

VOS BAGAGES ET BIENS PERSONNELS A L'ETRANGER

Vêtements, objets personnels pendant toute la durée de votre voyage à l'étranger :
vols, perte, accidents, incendie, (env. 6.500 FF) **1.000 €**
Dont APPAREILS PHOTO et objets de valeurs (env. 1.900 FF) **300 €**

À PARTIR DE 4 PERSONNES
TARIFS
"Spécial Famille"
Nous consulter Tél : 3260 AVI (0.15€ / minute)

routard
ASSISTANCE
L'ASSURANCE VOYAGE
INTEGRALE A L'ETRANGER

BULLETIN D'INSCRIPTION

NOM : M. Mme Melle |⎵⎵⎵⎵⎵⎵⎵⎵⎵⎵⎵⎵⎵⎵⎵|

PRENOM : |⎵⎵⎵⎵⎵⎵⎵⎵⎵⎵⎵⎵⎵⎵⎵|

DATE DE NAISSANCE : |⎵⎵⎵⎵⎵⎵⎵⎵|

ADRESSE PERSONNELLE : |⎵⎵⎵⎵⎵⎵⎵⎵⎵⎵⎵⎵⎵|

|⎵⎵⎵⎵⎵⎵⎵⎵⎵⎵⎵⎵⎵⎵⎵⎵|

|⎵⎵⎵⎵⎵⎵⎵⎵⎵⎵⎵⎵⎵⎵⎵⎵|

CODE POSTAL : |⎵⎵⎵⎵⎵| TEL. |⎵⎵⎵⎵⎵⎵⎵⎵⎵⎵|

VILLE : |⎵⎵⎵⎵⎵⎵⎵⎵⎵⎵⎵⎵⎵⎵⎵⎵|

DESTINATION PRINCIPALE ....

Calculer exactement votre tarif en SEMAINES selon la durée de votre voyage :

7 JOURS DU CALENDRIER = 1 SEMAINE

Pour un Long Voyage (2 mois…), demandez le **PLAN MARCO POLO**

COTISATION FORFAITAIRE 2004-2005

VOYAGE DU |⎵⎵⎵⎵⎵⎵⎵| AU |⎵⎵⎵⎵⎵⎵⎵| = |⎵⎵|
                                                    SEMAINES

Prix spécial « *JEUNES* » (3 à 40 ans) :   **20 € x** |⎵⎵| = |⎵⎵⎵|€

De 41 à 60 ans (et – de 3 ans) :   **30 € x** |⎵⎵| = |⎵⎵⎵|€

De 61 à 65 ans :   **40 € x** |⎵⎵| = |⎵⎵⎵|€

Tarif **"SPECIAL FAMILLES"** 4 personnes et plus : **Nous consulter au 01 44 63 51 00**

Chèque à l'ordre de ROUTARD ASSISTANCE – *A.V.I. International*
28, rue de Mogador – 75009 PARIS – FRANCE - Tél. 3260 AVI (0,15e / minute)
Métro : Trinité – Chaussée d'Antin / RER : Auber – Fax : 01 42 80 41 57

ou Carte bancaire : Visa ☐   Mastercard ☐   Amex ☐

N° de carte : |⎵⎵⎵⎵⎵⎵⎵⎵⎵⎵⎵⎵⎵⎵⎵⎵|

Date d'expiration : |⎵⎵| |⎵⎵| Signature

*Je déclare être en bonne santé, et savoir que les maladies
ou accidents antérieurs à mon inscription ne sont pas assurés.*

Signature :

Faites des copies de cette page pour assurer vos compagnons de voyage.

Information : www.routard.com / Tél : 3260 AVI (0,15€ / minute)
Souscription en ligne : www.avi-international.com

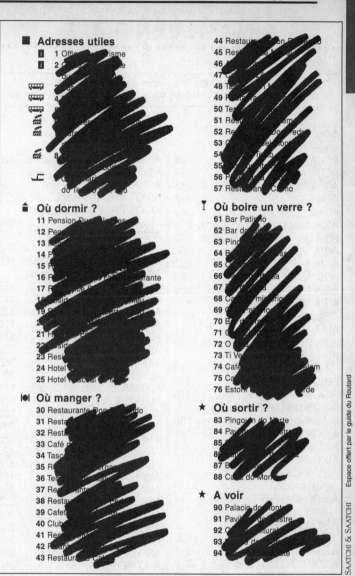

■ **Adresses utiles**
- 1 Office du tourisme
- 2 Consulat

- 16 Residência
- 17 Residência
- 44 Restaurante
- 45 Restaurante
- 46
- 47
- 48 Tasca
- 49
- 50 Terra
- 51 Restaurante
- 52 Restaurante Don Fernando
- 53
- 54
- 55
- 56
- 57 Restaurante Casino

■ **Où dormir ?**
- 11 Pension
- 12 Pension
- 13
- 14
- 15
- 16 Residência
- 17 Residência
- 18 Residência
- 19
- 20
- 21 Hotel
- 22 Residência
- 23 Residência
- 24 Hotel
- 25 Hotel Pascoal

■❙ **Où manger ?**
- 30 Restaurante Don Fernando
- 31 Restaurante
- 32 Restaurante
- 33 Café
- 34 Tasca
- 35 Restaurante
- 36 Terra
- 37 Restaurante
- 38 Restaurante
- 39 Cafeteria
- 40 Club
- 41 Restaurante
- 42
- 43 Restaurante Café

🍸 **Où boire un verre ?**
- 61 Bar Patino
- 62 Bar
- 63 Pingo
- 64 Bar
- 65 Café
- 66 Café
- 67 Café
- 68 Casa
- 69 Café Patino
- 70 Bar
- 71 Café
- 72 O
- 73 Ti Ve
- 74 Café
- 75 Café
- 76 Estori

★ **Où sortir ?**
- 83 Pingouin do Monte
- 84 Pavilhão
- 85
- 86
- 87 B
- 88 Casa do Monte

★ **A voir**
- 90 Palacio do Monte
- 91 Pavilhão
- 92 Centro cultural
- 93
- 94

INDEX GÉNÉRAL

•••

> **Attention, la Crète fait l'objet d'un guide à part
> et les îles Ioniennes sont traitées dans le guide *Grèce continentale***

– A –

ACHATA. 428
ACHIVADOLIMNI 254
ADAMAS (ADAMANTAS). 246
AFANDOU 452
AGALI. 399
AGIA ANNA (plage de ; Naxos) 296
AGIA ÉLÉNI (plage de ; Skiathos) 170
AGIA IRINI. 554
AGIA KYRIAKI 253
AGIA MARINA (Égine) 202
AGIA MARINA (Léros) 508
AGIA MARINA (plage d' ;
  Spetsès). 217
AGIA MARINA (Sifnos) 231
AGIA THÉODOTI (plage de ; Ios) 405
AGII ANARGHIRI (plage d' ;
  Spetsès). 217
AGIO GALA. 553
AGIOS ANTONIOS 476
AGIOS DIMITRIOS (plage d' ;
  Alonissos) 186
AGIOS FOKAS 189
AGIOS GIORGIOS 284
AGIOS IOANNIS (Skopélos) . . 178
AGIOS IOANNIS BEACH
  (Mykonos) 345
AGIOS IOANNIS SITHÉRIA-
  NOS (monastère d' ; Milos) 254
AGIOS IOANNIS TOU
  CHRYSSOSTOMOU 295
AGIOS ISIDOROS. 511
AGIOS KONSTANTINOS (Milos) 252
AGIOS KONSTANTINOS (Samos) 533
AGIOS KYRIKOS. 543
AGIOS LIMONOS (monastère) 572
AGIOS MARKOS (monastère d') 551
AGIOS MAMAS (Kassos). 419
AGIOS NIKOLAOS (Anafi) 390
AGIOS NIKOLAOS (monas-
  tère ; Andros) 311

AGIOS NIKOLAOS (Karpathos) 428
AGIOS PANDÉLEIMONAS (Tilos) 476
AGIOS PÉTROS 307
AGIOS PHOKAS (cap) 271
AGIOS PROKOPIOS (plage
  de ; Naxos). 296
AGIOS SOSTIS (plage d' ;
  Mykonos). 340
AGIOS STÉFANOS (plage d' ; Kos) 495
AGIOS STÉFANOS (plage d';
  Mykonos) 339
AGNONDAS 177
AGRIOLIVADI (plage de Patmos). 522
AHÉROUNÈS 188
AÏDONIA 313
AIGIALI. 385
AKROTIRI 363
ALINDA 509
ALLIGARIÈS (plage d' ; Skiathos) 171
ALONISSOS 179
ALYKI. 282
ALYKOS. 299
AMBÉLAS 275
AMMOOPI 425
AMORGOS 378
AMPHIARAIO 151
ANAFI. 390
ANAVATOS 552
ANDROS 304
ANGISTRI (île d') 202
ANO MÉRA 340
ANO MÉRA (Folégandros) . . . 398
ANO MÉRA (Syros) 260
ANO SYROS 260
ANTIPAROS 283
APELLA 428
APHAIA (temple d') 201
APIKIA 311
APIRATHOS 300
APOLLONAS. 302
APOLLONIA 233

INDEX GÉNÉRAL

APOLLONIA (POLLONIA ; Milos) 251
ARCHANGÉLOS 452
ARKI 515
ARKASSA 426
ARKESSINI 389
ARMENISTIS 543
ARMOLIA 555
ARNADOS 322
ARTÉMONAS 235

ASKLÉPION 494
ASKLIPIO 456
ASSÉLINOS (plage d' ; Skiathos) 171
ASTYPALÉA (île d') 482
ASTYPALÉA (CHORA ; ville d') 482
ATHÈNES 102
ATSITSA 190
AVGONYMA 552
AVLAKI 481

– B-C –

BANANA (plage de ; Skiathos) 170
BATSI 307
BELLONIA (tour de) 295
BISTI-MOUVÉLA (tour) 312
BLÉFOUTIS 511
BRAURON (VRAVRONA) 151
CALDEIRA BEACH (plage de ;
   Santorin) 365
CHALANDRIANI 260
CHÉRONISSOS 238
CHIOS (île de) 544
CHIOS (ville de) 546
CHORA (Amorgos) 383
CHORA (Anafi) 391
CHORA (Andros) 309
CHORA (Astypaléa) 483

CHORA (Folégandros) 395
CHORA (Ios) 403
CHORA (Kythnos) 225
CHORA (Naxos) 286
CHORA (Patmos) 522
CHORA (Schinoussa) 410
CHORA (Sérifos) 243
CHORA (Skopélos) 173
CHORA (Skyros) 191
CHRISTOS TOU DASSOUS
   (monastère) 271
CHRYSSI MILIA (plage de ;
   Alonissos) 185
CYCLADES (les) 218
CYCLADES (les Petites) 408

– D –

DAPHNI (monastère de) 149
DASKALOPÉTRA 550
DÉLOS 345
DIAFANI 429
DODÉCANÈSE (îles du) 415

DONOUSSA 414
DRIOPIDA 226
DRIOS 282
DRYMONAS 511

– E –

EFPALINOS (tunnel d') 539
EFTA-PIGHÈS 452
EFTALOU 567
ÉGÉE (îles de l'Est et du
   Nord de la mer) 525
ÉGINE (île d') 195
ÉGINE (port d') 196
ELEFSINA (ÉLEUSIS) 150
ÉLEUSIS (ELEFSINA) 150
ÉLIA BEACH (Mykonos) 342
EMBONAS 460

EMBORIO 481
EMBORIOS (Kalymnos) 504
EMBORIOS (plage de ; Milos) 254
ÉRESSOS 572
ÉRISTOS 476
ERMOUPOLIS 256
ÉVANGÉLISTRIA (monastère
   d' ; Skiathos) 171
EVDILOS 542
EXOBOURGO (colline de l') .. 322

– F –

FALATADOS............... 322
FANÉROMÉNI (plage de ; Lesbos) 570
FAROS.................... 238
FATOURÉNAS (plage de ; Milos) 254
FLÉRIO 295
FILOTI 300
FINIKAS 261
FINIKI................... 426

FINIKIA.................. 371
FIRA (THÉRA) 351
FIRIPLAKA 253
FIROSTÉFANI 360
FLÉVARIOTISSA (monastère de) 485
FOLÉGANDROS 393
FOURNI BEACH 461
FRY..................... 418

– G –

GALISSAS................. 262
GAVRIO.................. 306
GENNADI................. 456
GLARONISSIA 252
GLISTÉRI (plage de ; Skopélos) 177
GLOSSA 178

GOLDEN BEACH (plage de ;
  Paros)................. 281
GOURNÈS (plage de ; Skiathos) 170
GRAMMATA (plage de ; Syros) 260
GRIKOS (plage de ; Patmos) 524

– H –

HALAKAS 254
HALKI (île de)............. 462
HALKI (Naxos ; ville de)...... 299
HARAKI 453
HÉRAION................. 540

HOMÈRE (tombe d' ; Ios) 405
HORA.................... 463
HYDRA (île d') 206
HYDRA-VILLE............. 207

– I –

IA (OIA) 371
ICARIA 541
ÎLES GRECQUES (les)....... 159
IOS 399
IPSÉNIS (monastère d') 456

IPSILOU................. 312
IRAKLIA 408
ISTERNIA 325
ITALIDA (plage de ; Koufonis-
  sia) 414

– K –

KAISSARIANI (monastère de) 149
KALAFATI BEACH (Mykonos) 341
KALAMAKIA 186
KALAMITSA 194
KALAVARDA............. 459
KALLITHÉA (thermes de)..... 452
KALLONI (Tinos) 324
KALLONI (Lesbos).......... 572
KALO LIVADI (LIVADI BEACH) 341

KALYMNOS............... 496
KAMARÈS................ 230
KAMARI (Kos)............ 495
KAMARI (Santorin).......... 368
KAMBOS 550
KANALA................. 228
KANDOUNI 501
KARAVOSTASSI 394
KARDAMYLA 551

KARDIANI 324
KARFAS...................... 553
KARLOVASSI 534
KARPATHOS 419
KARTÉRADOS 360
KASSOS 416
KASTELORIZO............... 431
KASTRAKI................... 298
KASTRI (colline de).......... 260
KASTRO (Sifnos) 236
KASTRO (Skiathos) 172
KATAPOLA 380
KATAVIA 458
KATO KOUFONISSI 411
KATO LAKO 428
KÉCHROS................... 322
KECHROVOUNIO (monastère
  de)...................... 322
KENDARCHOS............... 244
KÉROS..................... 411
KIMOLOS................... 253
KINI....................... 261
KLEFTIKO (grotte de) 249

KLIMA (Skopélos) 178
KLIMA (Milos) 249
KOKKARI.................... 532
KOKKINOKASTRO (plage de ;
  Alonissos) 185
KOLYMBITHRA (plage de ;
  Tinos) 324
KOLOFANA 389
KOMI....................... 323
KORONOS 301
KOS (île de) 485
KOS-VILLE 486
KOSTOS 276
KOUFONISSIA 411
KOUKOUNARIÈS (plage de ;
  Skiathos) 170
KOUMBARA (plage de ; Ios).. 402
KOUTALAS (région de) 244
KTIKADOS.................. 324
KYRA PANAGIA............. 428
KYTHNOS (île de).......... 222
KYTHNOS (CHORA ; ville de) 225

– L –

LAHANIA 457
LAKKI 511
LALARIA 172
LAMBI...................... 522
LANGADA (Amorgos) 388
LANGADA (Chios) 551
LARDOS 456
LE PIRÉE (PIREAS) 155
LEFKÈS 276
LEFKOS 427
LEFTOS GIALOS (plage de ;
  Alonissos) 185
LÉROS..................... 505
LESBOS.................... 558
LÉVROSSOS (plage de ;
  Amorgos) 388
LIMNIONAS (plage de ; Kos) 495

LIMNONARI (plage de ;
  Skopélos)................. 177
LINARAKIA (plage de ; Skopélos) 178
LINARIA (Kalymnos) 501
LINARIA (Skyros) 188
LINDOS 454
LIPSI...................... 513
LITHI...................... 554
LIVADI (Patmos)............ 522
LIVADI (Sérifos) 240
LIVADI BEACH (KALO LIVADI) 341
LIVADIA (Astypaléa) 483
LIVADIA (Tilos)............. 473
LOGARAS 277
LONGOVARDA (monastère de) 271
LOUTRA (Kythnos) 227
LOUTRA (Tinos)............. 324

– M –

MAGAZIA (plage de ; Skyros) 190
MALTÉZANA................. 484
MANDAMADOS 565
MANDRAKI (Nissyros) 478
MANDRAKI (plage de ; Skiathos) 170

MANGANARI................. 407
MANOLATÈS 533
MARATHI (Paros) 272
MARATHI (îlot de ; Lipsi) 515
MARATHON (tumulus de) 151

MARMARA 281
MARMARI (plage de ; Syros) 260
MARMARO 551
MAROUSSI (fondation Yannis
  Tsarouchis et musée
  Spathario du théâtre
  d'ombres)................. 150
MARPISSA 280
MASSOURI-MYRTIÈS 502
MASTIC (villages du) 555
MASTIHARI (plage de ; Kos).. 495
MÉGALI AMMOS (plage de ;
  Alonissos) 186
MÉGALOCHORI.............. 363
MÉGALO HORIO 476
MÉGALO LIVADI 244
MÉGALOS MOURTIAS (plage
  de ; Alonissos) 186
MÉGAS GIALOS (plage de
  Syros).................... 261
MÉLANÈS 295
MELINDA 574
MÉNITÈS.................. 312
MÉRICHAS 224
MERSINI 410

MESSA PIGADIA (plage de ;
  Santorin)................. 365
MESSADA 280
MESSANAGROS 462
MESSARIA 365
MESSOHORI 427
MESTA.................... 556
MIKRI VIGLA............... 297
MIKRO HORIO.............. 475
MIKROS MOURTIAS (plage
  de ; Alonissos) 186
MILIA (plage de ; Skopélos) .. 178
MILIA YALOS (plage de ;
  Alonissos) 185
MILOS 245
MITHYMNA (MOLYVOS) 565
MOLOS (plage de ; Paros) ... 281
MOLOS (plage de ; Skyros)... 190
MOLYVOS (MITHYMNA) 565
MONOLITHOS 461
MOUTSOUNA............... 301
MYKONOS (île de) 327
MYKONOS-VILLE 329
MYLOPOTAS 406
MYTILÈNE (ville de) 559

– N –

NAGOS 551
NAOUSSA................. 272
NAXOS................... 285
NÉA MONI (monastère de) ... 551

NÉORIO................... 205
NIKIA 481
NIKOURIA (îlot de) 388
NISSYROS 477

– O –

OIA (IA) 371
OLYMBI 556
OLYMBOS................. 430
ORMOS (YALOS) 400

ORMOS KORTHIOU......... 313
ORMOS MARATHOKAMBOS 536
ORNOS BEACH (Mykonos)... 344

– P –

PALÉOKASTRO............. 481
PALÉO PILI............... 495
PALÉOPOLIS 308
PALIOCHORI 253
PANACHRANDOU (monastère
  de) 312
PANAGIA.................. 244

PANAGIA CHOZOVIOTISSA
  (monastère de la).......... 385
PANAGIA KOUNISTRA
  (monastère de la ; Skiathos). 171
PANAGIA THERMIANI
  (monastère de ; Skiathos)   481
PANDÉLI 508

PANDOUKIOS 551
PANO KOUFONISSI 411
PANORMITIS (monastère de) . 471
PANORMOS (plage de ;
   Mykonos) 340
PANORMOS (plage de ;
   Skopélos) 178
PANORMOS (Tinos) 326
PAPAFRANGAS 252
PAPILLONS (PÉTALOUDÈS ;
   vallée des ; Paros)........ 271
PAPILLONS (PÉTALOUDÈS ;
   vallée des ; Rhodes) 459
PARADISE BEACH (Kos) 495
PARADISE BEACH (Mykonos) 342
PARAGA BEACH (Mykonos).. 343
PARC NATIONAL MARIN (le) 187
PARIKIA.................... 264
PAROS..................... 262
PATITIRI 180
PATMOS 516
PÉANIA (musée Vorrès)...... 150
PEFKO..................... 189
PERDIKA 200
PÉRISSA 365
PERIVOLOS 368
PÉTALOUDÈS (PAPILLONS ;
   vallée des ; Paros)........ 271
PÉTALOUDÈS (PAPILLONS ;
   vallée des ; Rhodes) 459
PETITES CYCLADES (les) ... 408
PÉTRA (Lesbos)............. 568
PHILÉRIMOS (mont)........ 459
PHYLAKOPI (site préhistorique de) 253
PIDIMA TIS GRIAS (plage de ;
   Andros)................... 313
PIGADHIA 420

PIRÉE (LE ; PIREAS) 155
PISSINA (plage de ; Koufonissia) 414
PISSO LIVADI............... 277
PLAKA (Milos).............. 250
PLAKA (plage de ; Naxos) 297
PLATANI 494
PLATANOS 508
PLATIS GIALOS (plage de ;
   Sifnos) 237
PLATIS GIALOS BEACH
   (Mykonos) 344
PLIMIRI 458
PLOMARI................... 573
POLLONIA (APOLLONIA) 251
POROS (île de) 202
POROS-VILLE 203
POSÉIDON (temple de) 152
POSSIDONIA 261
POTHIA 498
POUNDA 280
PRODROMOS 281
PROPHÈTE ILIAS (mont du).. 461
PROPHITIS ILIAS (monastère
   de ; Santorin) 362
PROVATAS 254
PSARA (île de) 580
PSAROU BEACH (Mykonos).. 344
PSATHI 405
PSILI AMMOS (plage de ;
   Amorgos)................. 388
PSILI AMMOS (plage de ;
   Patmos) 524
PYRGAKI (plage de ; Naxos) 299
PYRGHI (Chios)............. 555
PYRGOS (Santorin).......... 362
PYRGOS (Tinos) 325
PYTHAGORIO 538

– R –

RAFINA 154
RED BEACH................ 365
RHAMNONTE............... 152
RHODES (île de) 434
RHODES (ville de)........... 437

RIVARI (plage de ; Milos)..... 254
RÔ (île de).................. 434
ROUSSOUM (plage de ;
   Alonissos) 185

– S –

SAMOS 525
SAMOS-VILLE (VATHY)...... 529
SANGRI 299

SANTORIN 348
SAPSILA BAY (plage de ; Patmos) 524
SARAKINIKO 251

SARONIQUES (îles) 195
SCHINOUSSA 410
SÉRIFOS 239
SIFNOS 228
SIGRI 570
SIKAMIA. 244
SIKIA (grotte de ; Milos) 249
SINÉTI 312
SKALA (Patmos) 517
SKALA ÉRESSOS 571
SKALA KALLONIS 572
SKALA KAMIROU 460
SKALA SYKAMINIAS 568
SKIATHOS (île de) 166
SKIATHOS (ville de) 166
SKOPÉLOS (île de) 172
SKOPÉLOS (CHORA ; ville de) 173

SKYROS (île de) 187
SKYROS (CHORA ; ville de) .. 191
SOUNION (cap) 152
SOUVALA 200
SPETSÈS (île de) 212
SPETSÈS-VILLE 214
SPORADES (îles) 164
STAPHYLOS (plage de ;
  Skopélos). 177
STEGNA (plage de ; Rhodes) 453
STÉNI VALA 185
STÉNIÈS 312
STRAPOURIÈS 312
SUPER PARADISE 343
SYMI (île de). 463
SYMI (ville de) 465
SYROS................... 255

TARABADOS (vallée de) 324
TAXIARQUES (monastère
  des ; Sérifos). 244
TÉLENDOS (île de). 503
THARI (monastère de) 456
THÉRA (FIRA) 351
THÉRA (ancienne). 370
THERMA 543

THOLARIA (Amorgos). 388
TIGAKI (plage de ; Kos) 495
TILOS. 472
TINOS (île de) 313
TINOS-VILLE 316
TO IFAISTO (volcan). 480
TOURLOS 338
TSIGRADO 253

VARVAROUSSA (plage de ;
  Syros) 260
VATÉRA 574
VATHY (Astypaléa) 485
VATHY (Kalymnos) 504
VATHY (SAMOS-VILLE)...... 529
VATHY (Sifnos) 238
VESSA................... 555

VOLAX 323
VOLISSOS................ 552
VOTSI (plage de ; Alonissos) 185
VOURLIOTÈS.............. 533
VRAVRONA (BRAURON) 151
VROMOLITHOS 508
VRONDADOS.............. 550

XIROKAMBOS 512
XYNARA 324
YALI (îlot d') 482
YALOS (ORMOS) 400
ZAGORA (site archéologique de) 309
ZIA. 494
ZOGÉRIA (plage de ; Spetsès) 217

ZOODOCHOU PIGIS (monas-
  tère ; Andros) 205
ZOODOCHOU PIGIS (monas-
  tère de ; Poros) 205
ZOODOHOS PIGIS (monas-
  tère de ; Samos) 523

OÙ TROUVER LES CARTES ET LES PLANS ?

- Alonissos (île d') 181
- Amorgos (île d') 378-379
- Anafi (île d') 391
- Andros (île d') 305
- Antiparos (île d') 263
- Astypaléa (île d') 483
- Athènes – plan d'ensemble, *cahier couleur* 6-7
- Athènes – plan I, *cahier couleur* 8-9
- Athènes – plan II, *cahier couleur* 10-11
- Athènes (les environs d'), *cahier couleur* 13
- Chios (île de) 545
- Chora (Naxos ; ville de) 289
- Cyclades (îles) 219
- Cyclades (les Petites) 409
- Dodécanèse (îles du) 415
- Égée (îles de l'Est et du Nord de la mer) 527
- Égine (île d') 199
- Embarquement pour les îles au départ du Pirée, *cahier couleur* 14
- Folégandros (île de) 395
- Grèce (liaisons routières et maritimes), *cahier couleur* . . 2-3
- Grèce (réseaux aérien et ferroviaire), *cahier couleur* . . 4-5
- Hydra (île d') 207
- Icaria (île d') 541
- Ios (île de) 401
- Kalymnos (île de) 497
- Karpathos (île de) 417
- Kassos (île de) 417
- Kos (île de) 487
- Kos-ville 488-489
- Kythnos (île de) 223
- Léros (île de) 507
- Lesbos (île de) 560-561
- Lipsi (île de) 513
- Milos (île de) 245
- Musée archéologique national (le ; Athènes) 143
- Mykonos (île de) 327
- Mykonos-ville 330-331
- Naxos (île de) 287
- Nissyros (île de) 479
- Oia (ville d') 372-373
- Paros (île de) 263
- Patmos (île de) 517
- Petites Cyclades (les) 409
- Pigadhia 422-423
- Rhodes (île de) 435
- Rhodes – la ville nouvelle (plan I) 438-439
- Rhodes – la vieille ville (plan II) 442-443
- Samos (île de) 528-529
- Santorin (île de) 349
- Saroniques (îles) 197
- Sérifos (île de) 239
- Sifnos (île de) 229
- Skala 519
- Skiathos (île de) 167
- Skopélos (île de) 173
- Skyros (île de) 189
- Skyros-village 193
- Spetsès (île de) 213
- Sporades du Nord (îles) 165
- Symi (île de) 465
- Symi (ville de) 466-467
- Syros (île de) 257
- Théra (Fira ; ville de) 353
- Tilos (île de) 473
- Tinos (île de) 314-315

les *Routards* parlent aux *Routards*

Faites-nous part de vos expériences, de vos découvertes, de vos tuyaux.
Indiquez-nous les renseignements périmés. Aidez-nous à remettre l'ouvrage à jour.
Faites profiter les autres de vos adresses nouvelles, combines géniales... On adresse
un exemplaire gratuit de la prochaine édition à ceux qui nous envoient les lettres les
meilleures, pour la qualité et la pertinence des informations. Quelques conseils cependant :
– Envoyez-nous votre courrier le plus tôt possible afin que l'on puisse insérer vos
tuyaux sur la prochaine édition.
– N'oubliez pas de préciser l'ouvrage que vous désirez recevoir.
– Vérifiez que vos remarques concernent l'édition en cours et notez les pages du guide
concernées par vos observations.
– Quand vous indiquez des hôtels ou des restaurants, pensez à signaler leur adresse précise et, pour les grandes villes, les moyens de transport pour y aller. Si vous le pouvez, joignez la carte de visite de l'hôtel ou du resto décrit.
– N'écrivez si possible que d'un côté de la lettre (et non recto verso).
– Bien sûr, on s'arrache moins les yeux sur les lettres dactylographiées ou correctement écrites !

Le Guide du routard : 5, rue de l'Arrivée, 92190 Meudon

E-mail : guide@routard.com
Internet : www.routard.com

Les *Trophées* du *Routard*

Parce que le *Guide du routard* défend certaines valeurs : Droits de l'homme, solidarité,
respect des autres, des cultures et de l'environnement, les Trophées du Routard soutiennent des actions à but humanitaire, en France ou à l'étranger, montées et réalisées
par des équipes de 2 personnes de 18 à 30 ans.
Pour les premiers Trophées du Routard 2004, 6 équipes sont parties, chacune avec
une bourse et 2 billets d'avion en poche, pour donner de leur temps et de leur savoir-
faire aux 4 coins du monde. Certains vont équiper une école du Ladakh de systèmes
solaires, développer un réseau d'exportation pour la soie cambodgienne, construire
une maternelle dans un village arménien ; d'autres vont convoyer et installer des ordinateurs dans un hôpital d'Oulan-Bator, installer un moulin à mil pour soulager les
femmes d'un village sénégalais ou encore mettre en place une pompe à eau manuelle
au Burkina Faso.
Ces projets ont pu être menés à bien grâce à l'implication de nos partenaires : le Crédit
Coopératif (● www.credit-cooperatif.coop ●), la Nef (● www.lanef.com ●), l'UNAT
(● www.unat.asso.fr ●) et l'Agence Nationale pour les Chèques-Vacances (● www.
ancv.com ●).
Vous voulez aussi monter un projet solidaire en 2005 ? Téléchargez votre dossier de
participation sur ● www.routard.com ● ou demandez-le par courrier à Hachette Tourisme - Les Trophées du Routard 2005, 43, quai de Grenelle, 75015 Paris, **à partir du
15 octobre 2004**.

Routard Assistance *2005*

Routard Assistance, c'est l'Assurance Voyage Intégrale sans franchise que nous avons
négociée avec les meilleures compagnies, Assistance complète avec rapatriement médical illimité. Dépenses de santé, frais d'hôpital, pris en charge directement
sans franchise jusqu'à 300 000 € + caution + défense pénale + responsabilité civile
+ tous risques bagages et photos. Assurance personnelle accidents : 75 000 €. Très
complet ! Le tarif à la semaine vous donne une grande souplesse. Tableau des garanties et bulletin d'inscription à la fin de chaque *Guide du routard* étranger. Si votre départ
est très proche, vous pouvez vous assurer par fax : 01-42-80-41-57, en indiquant le
numéro de votre carte bancaire. Pour en savoir plus : ☎ 01-44-63-51-00 ; ou, encore
mieux, sur notre site : ● www.routard.com ●

Photocomposé par Euronumérique
Imprimé en France par Aubin n° L 67806
Dépôt légal n° 53415-2/2005
Collection n° 13 - Édition n° 01
24/0199-0
I.S.B.N. 201.24.0199-6